中国古典诗词曲赋鉴赏系列工具书

# 元曲鉴赏辞典

YUANQU JIANSHANG CIDIAN

主编◎赵义山

商务印书馆国际有限公司

中国·北京

# 《元曲鉴赏辞典》


**主　　编**：赵义山

**撰 稿 人**（以姓氏笔画为序）：

丁淑梅　于杨甡　门　岿　马琳萍　王　义　王　甫　王　昊　王　彪
王　毅　王水照　王忠阁　王金良　王奕祯　牛亚伟　方新蓉　邓庆华
卢秀华　叶爱欣　田玉琪　田同旭　付建华　冯晶晶　宁希元　宁宗一
司徒秀英　吕薇芬　朱崇志　任海滨　刘　栋　刘　洋　刘　康
刘　博　刘占召　刘军华　关四平　安洪涛　许建中　孙　艳　孙睿智
杜兴武　杜桂萍　李　克　李万堡　李昌集　李金博　李修生　李真瑜
李健中　李淑岩　李新宇　杨　宏　杨　峰　杨玉芬　邱　露　邹添霞
宋　昱　宋　洁　张　蔚　张大新　张文利　张进德　张津瑞　张勇风
张倩倩　张海燕　张焕玲　张雅丽　张韶闻　张燕芬　陆晓春　陈定謇
陈茜苑　范春义　金元华　周　辉　周文静　周成村　周思杨　周啸天
郑绍荣　赵　娜　赵　铧　赵山林　赵义山　赵亚明　赵竹音　赵兴勤
赵李娜　赵望秦　胡　颖　柏俊才　星　汉　俞为民　钱建华　徐子方
徐语诗　徐艳丽　殷军领　翁敏华　高　莹　高建旺　高益荣　郭丽萍
郭英德　黄　笑　黄云生　梅　伟　曹静宜　常箴吾　阎　琦　葛莹莹
董阔阔　程懂丽　童晓峰　曾　卜　温庆新　谢真元　窦春蕾　熊　笃
翟书录　翟振华　樊利配　薄克礼　戴培毅

# 总　目

凡例 …… 2
序 …… 3
前言 …… 7
目录 …… 19

**正文** …… 1－1218

附录 …… 1219
　散曲常识 …… 1221
　元曲文献 …… 1262
　曲谱及论著 …… 1294
　元散曲常用曲牌简谱 …… 1315

# 凡　例

一、本辞典选入的篇目,有元代 136 位曲作家及无名氏曲家的 700 篇作品,其中散曲 653 篇(含小令 583 首、带过曲 31 篇、套数 39 套),戏曲 47 篇(选自 36 本杂剧和 2 部南戏)。

二、所录散曲,以隋树森先生《全元散曲》为底本;杂剧曲词以隋先生校订的《元曲选》及其辑录的《元曲选外编》为底本,间或有据他本改正者,一般不作说明;南戏曲词则从通行本。

三、所收作品分为散曲和戏曲两部分,各自编排。散曲部分,同一作家的作品,一般按先小令,再带过曲,后套数的顺序编排;戏曲部分杂剧在前,南戏在后。

四、作者排列,以生年先后为序;生卒年不详者,则根据其作品存在情况做大致推断而置于适当位置;无名氏列于最后。

五、所收录之曲家,除个别生平失考者外,本辞典皆撰有作者小传,其内容一般包含作者生卒年、名号、籍贯、主要仕历或人生经历、曲作成就、现存作品情况等。

六、对每篇小令、带过曲、套数以及戏曲选段一般撰写一篇鉴赏文字,某些内容联系紧密的重头或重尾小令组曲,也有合撰一篇的情况。

七、使用简化字和现代汉语标点,在可能有歧义时,酌用繁体字或异体字。

八、对于曲作原文中的疑难词语、名物典故等,一般随鉴赏文字加以解释,不便随文解释的,则另做简要注释,置于该篇曲文之后。

九、行文中涉及古代年份,一律用旧纪年,其后括注公元纪年,“年”字从略。

十、行文中如涉及与今地名不一致的旧地名时,在旧地名后括注今地名或其归属地。

十一、附有《散曲常识》《元曲文献》《曲谱及论著》《元散曲常用曲牌简谱》等,以供参阅。

# 序

李修生

近现代曲学研究，以王静安先生写成《宋元戏曲考》为标志，已走过了百年历程。自那时起，学界对曲学便日益重视。百年来，曲学研究虽有挫折，但成绩和进步是显著的。曲学一道，分戏曲与散曲两途，前辈治曲，如王静安、吴瞿安等先生，多是二者兼治的。通观可以博识，这固然有它的好处。但戏曲属综合性艺术，而散曲属诗歌艺术，虽与戏曲有同体共生的密切关系，但也有自身的特点与发展规律。曲学文献之纷繁，有所谓“词山曲海”之说，欲以一人之力，求两学之专精，实为不易。自上世纪三十年代以来，散曲之学便逐渐从曲学中独立出来，散曲研究的专门著作日多。任二北先生、卢冀野先生对散曲文献的整理，贡献巨大。如任氏的《散曲丛刊》、卢氏的《饮虹簃所刻曲》等，为散曲研究奠定了文献的基础；而任二北先生的《散曲概论》、卢冀野先生的《散曲史》、梁乙真先生的《元明散曲小史》等，则相继开启散曲理论与发展史的研究。卢冀野先生的《元曲别裁集》、任二北先生的《元曲三百首》，均是近现代向大众普及最早且影响很大的元曲选本。任二北先生的《元曲三百首》，明显是继蘅塘退士《唐诗三百首》和朱彊村先生《宋词三百首》而作，有意使之鼎足而三，以与王静安先生“唐诗、宋词、元曲”的推举相呼应。

上世纪五十年代以后，因为散曲文献被不断发现，特别是在隋树森先生的《全元散曲》出版（1964 年中华书局出版，1981 年再版时附有《补遗》和《续补遗》）以后，散曲作品的研究更推进一步。元明散曲选本、注释本、译本，有六十余种，其中有龙潜庵先生、刘永济先生、王季思先生、罗忼烈先生、宁希元先生、吕薇芬先生、黄克先生、张燕瑾先生、吴战垒先生、门岿先生、么书仪先生等的选本。

真可以说是成果丰硕，各书都体现了著者的学术积累和特色。蒋星煜先生、贺新辉先生在八十年代末主编的两部《元曲鉴赏辞典》问世。两书选曲不仅数量大为增加，而且散曲与戏曲合选，这就使“元曲”选从体式到作家范围都得到较大扩展，使元曲的普及工作有了新的拓展。尤其是蒋星煜先生主编的《元曲鉴赏辞典》，对所选元杂剧仅摘选曲词而略去宾白，其对“曲”的重视尤见突出。八十年代中期凌景埏先生、谢伯阳先生的《全清散曲》，九十年代谢伯阳先生的《全明散曲》出版，对于明清散曲研究，颇有补益。散曲理论和发展史方面的著作，有李昌集先生的《中国古代散曲史》、羊春秋先生的《散曲通论》、赵义山先生的《元散曲通论》、杨栋先生的《中国散曲学史研究》和《中国散曲学史研究》（续编）、王星琦先生的《元明散曲》和《元明散曲史论》、赵义山先生的《明清散曲史》等。此外，相关著作更是举不胜举。散曲研究确实已进入一个新的阶段。

散曲研究与散曲普及的工作是相辅相成的。普及工作的水平，取决于学术研究的水平，普及工作水平的不断提高，也有赖于学术研究的不断进步。代表当时曲学研究水平的两部《元曲鉴赏辞典》，自其出版以来，迄今又过去二十年了。这二十年，恰巧是曲学研究进步最快、成绩最显著的二十年。学界对曲学相关问题的认识，也在逐渐清晰和深化，全面总结和概括这一时期的成绩，绝非仓促之间能做到的，但赵义山教授这一时期走过的曲学研究之路和所取得的成绩，对我来说，却是历历在目的。

义山于1990年秋来北京师范大学古籍所访问学习，我当时除了正在主持《全元文》的辑纂工作以外，还正主持着《古本戏曲剧目提要》及《元曲大辞典》等书的编写，义山一方面参加了这些项目的工作，一方面开始进行散曲研究。他当时承担了国家社科基金项目“元散曲研究”。从那时起，他就从早年的研究诗词，重点转入了研究散曲，并且全力以赴，倾情投入。1993年，他的《元散曲通论》出版后，产生了较大影响，得到了学界的认可，曾被中国社科院的刘扬忠先生评赞为“二十世纪散曲断代史研究的扛鼎之作”（《20世纪中国散曲史研究述评》）。在进入新世纪以后，他又承担并完成了国家社科基金项目“明清散曲研究”，将其研究范围由元代扩展到明清。其专著《明清散曲史》曾入选《国家社科基金成果文库》第二批十种优秀成果，被同行专家认为填补了明清散曲断代史研究方面的空白。在这两部代表性著作中，他在曲源、曲体、曲史、曲派、曲论的研究方面都有不少新的开拓，在元曲风格体式的形成、曲体构成与基本特征、元明两代散曲繁荣的阶段及阶段性特征的把握、元明两代散曲流派的划分与群体风格的总结、南北曲的演化发展与风格流变等重大问题上，都有不少创获，辩证了学界多年以来在某些问题上的模糊认识，澄清了七百年间散曲流变史上不少的事实真相。

近二十年来，散曲学研究的成绩是学界有目共睹的。义山治散曲正值散曲学发展时期，可谓幸甚。在这样的学术背景下，由义山来主编这样的书，其学术质量，自然是可以得到保证的。这部书在一百五十万字左右，其部头较大。若就其特色而言，我以为正是他们编辑之初给自己提出的要求：一是选曲范围广泛，二是努力做到择曲精当，三是力争赏析到位，四是尽可能编排科学，五是注意吸纳新的研究成果，希望做到普及性与学术性的高度统一。

就其选曲范围而言，《元曲鉴赏辞典》所选入散曲、戏曲凡七百余篇，涉及曲家一百三十余位，许多以前没有引起注意的曲家和作品都在这部书中得到了应有彰显。尤其该书还选入了《全元散曲》等总集没有载入的作家和作品，这就不是在学术上走捷径而从选集到选集所能办到的。比如所选杨维桢〔清江引〕〔回波引〕诸曲，就为《全元散曲》失载，这足见编者学术视野的开阔和涉历文献的广泛。

既然是选曲，选谁不选谁，选什么不选什么，谁多选谁少选，其取舍是否得当，也表现着选家的眼光和水平。主编者由研究诗词进而研究散曲，潜心此道二十年，并由元代而进入明清，所以其选曲，既有词曲比较的眼光，又有元明清三代通观的视野。编者在《前言》中说："关于本书之选曲，以有曲趣为主要原则。其趣，或在题材，或在内容，或在思想，或在语言，或在修辞，只要得曲之韵趣，便考虑入选。"这无疑是一种立足于词曲比较的眼光和态度。所以该书所选之曲，其曲体特征大多是很鲜明的。由编者所著《元散曲通论》和《明清散曲史》等著作可知，作者对曲文学之演化发展历史，对各阶段的代表作家，以及对不同风格流派的作家群体构成及其特征等问题皆有探究，所以在入选曲家与入选作品的取舍平衡上，是较准确精当的。比如编者对元散曲初盛时期的"三大家"（关汉卿、白朴、卢挚)、鼎盛时期豪放清丽两派的代表作家(以马致远、贯云石、张养浩、冯子振等为代表的豪放派和以张可久、乔吉、徐再思、杨朝英等为代表的清丽派)等,都有自己独到的见解,所以对这些作家的作品去取,也较恰当地反映了他们各自的地位和特色。

关于这本书对所选作品的赏析,既有对作品思想内容和情感意趣的揭示,也有对艺术特征的分析,还有的介绍了曲式特征和作品的曲学史意义。这就不仅使读者能够领略到原作的情韵之趣,也同时能享受到作品的艺术之美,并得到相关的曲学知识。这么大一部书,且稿出众手,要做到这一点,实为不易。这既表现出撰稿者有较高的艺术鉴赏水平,也表现出主编者的认真态度,这两者是缺一不可的。

关于这部书的编排体例,也是较科学合理的。除了入选作者的排列以生年先后为序、作品排列以先令后套的体式为序这些比较科学合理的做法以外,值得提到的还有两点:一是将以往同类著作中与小令混排的带过曲一体归为一类,集中列出,借以昭示带过曲的独特之处,以引起读者的注意;二是书后如《散曲常识》《元曲文献》《曲谱及论著》等附录中的词目,不仅解释准确,而且分门别类,编排得法,对读者大有帮助。

该书对于新的研究成果的吸收,也是较为注意的。《全元散曲》既收有贯云石,又收有贯石屏,既收有邓玉宾,又收有邓玉宾子,其后有学者考证出贯石屏即贯云石,邓玉宾子即邓玉宾,二者皆为一人;又如元末重要曲家鲜于必仁,《全元散曲》因其生平不详而将其置于前期作家之列,不少散曲选本从之,后经学界考证,鲜于必仁实为元末人。凡此之类新的研究成果,编者皆注意吸纳。这从选曲、鉴赏和编排中皆有所体现。

当然,对于该书来说,要做到尽善尽美,是很难的,难免存在一些问题,有某些不足,但是,从总体上看,该书做到了普及性与学术性的统一,反映了曲学研究的新水平,代表着曲文学研究与普及的新进步,这是可以肯定的。而且,从该书一百余位撰稿者的队伍构成中,我们看到了老中青三代学人的薪火相传,看到了中国曲学的进步和未来,这是令人倍感欣慰的。该书即将出版,义山邀我作序,仓促执笔,所说也请读者指教。

# 前言

赵义山

一

中国，是诗的国度。自《诗经》以来的三千年中国文学，基本上是以诗歌为中心的文学。国人与诗，是结下了不解之缘的。在灿烂的古典诗歌天国里，诗、词、曲相映争辉，成为三种代表性的诗歌体式。这三种代表性的诗体，都曾有各自繁荣兴盛的黄金时代。诗极于唐，词繁于宋，曲盛于元，在中国诗歌史上，唐诗、宋词、元曲，也就一直相提并论，并成为诗坛佳话。

元曲者，元人所作所歌之曲也。其体式虽有散曲、戏曲之分，但其合乐可歌则并无二致。就音乐而言，它是在唐宋词体音乐之后的又一次古典音乐的大交流与大融合，南腔北调，雅乐俗曲，在梁园秀、朱帘秀、张怡云、顺时秀、天然秀等艺苑明星们的歌喉中交融成大一统时代的梨园新声；就文学而论，它是古典诗歌由典雅凝约向通俗恣纵转换的体式大解放，书面雅言，寻常口语，在关汉卿、白朴、马致远、王实甫等曲坛巨子们的彩笔下熔炼成流行曲词；在人分四等、才人沉抑的特殊时代环境中，如关汉卿、马致远等沦落潦倒的愤郁文士，如梁园秀、朱帘秀等湖海飘零的艺坛歌儿，在同是天涯沦落人的惺惺相惜中走到一起，为着生存，也为着艺术，他们各展才华，共吐灵芬，一同创作出了万古流芳的大元乐府。当号称大元乐府的散曲一体在元初成为时代新声的时候，由宋金发展而来的杂剧中旦、末的曲唱，自然弃旧图新，取新声而用，于是街巷之歌，竟成梨园戏本之曲。戏（杂剧）之与曲（散曲），遂机缘巧合，自然联姻，并在关汉卿、白朴、王实甫、马致远、郑光祖等名士风流与梁园秀、朱帘秀、张怡云、顺时秀、天然秀等天赋才情的结合中共创了北曲杂剧的辉煌，从此以后，中国古典的戏剧艺术不仅有了较为成熟的戏，而且有了相当规范的曲，由元曲杂剧、元末明初的南戏，再到明清传奇，既是戏的发展史，也是曲的演化史。戏中之曲，已与戏融汇为一，构成戏曲，受学人关注，遂成专门的戏曲戏剧之学，故其演化发展，不在本文论述之列。此处仅论说归属于诗歌范畴的散曲，且一并通论元、明、清三代，以见曲文学兴衰演变之完整脉络；并将曲体中令、套、带过之体式与南北二曲之演化也略作论述，再次澄清一些基本问题。

一

在大元乐府雄霸诗坛的历史演进中，具有开创之功的是由金入元的一批名士与大僚，如元好问、杜仁杰、刘秉忠、杨果、商衢等，在金末元初，他们以名公重臣的身份染指时曲，具有由词入曲的转变之功，更有揄扬新声的开启之力。经过这批名公重臣的揄扬开拓，曲之一体逐渐与词分道扬镳，题材内容和艺术风格上都开始呈现出趋俗尚趣的文学品格。如果说由金入元的名公重臣们在金末元初的曲坛开拓倡导尚属于由词而曲的演化期，那么，随着关汉卿、王和卿等勾栏才人作家的登上曲坛，曲文学便在中统（1260—1264）、至元（1264—1294）间进入始盛阶段。关汉卿、王和卿等勾栏才人作家与白朴、卢挚、姚燧等名士重臣一道，共同推波助澜，使号称乐府新声的曲文学开始走向繁荣。举凡恋情、写景、咏物、怀古、咏史、唱酬、赠答等等，凡诗词所可歌咏者，曲莫不能之；小令、套数、带过，亦诸体大备；“文而不文、俗而不俗”之语体风格，也基本定型。曲在这一时期的进程，便约略相当于词文学在柳永、晏殊等人的时代，其题材倾向、体式特征、审美风格，已卓然自立而呈现出鲜明的体式风貌与时代特征。继关、王、白、卢之后，马致远、贯云石、张养浩、冯子振、薛昂夫、张可久、乔吉、徐再思、周文质、杨朝英等人在元贞（1295—1297）、大德（1297—1307），经延祐（1314—1320）、至治（1321—1323）以迄至顺（1330—1333）的曲坛上相继展露才华，元曲遂臻于名家辈出、佳篇腾涌的鼎盛时代，以马、贯、张、冯为代表的豪放一派和以张、乔、徐、杨等为代表的清丽一流纵横驰骋，各极其妙。豪放者多愤世嫉俗之作，将元曲中叹世归隐的主旋律弘扬至登峰造极，成就了豪辣灏烂之风；清丽者多恋情山水之曲，将元曲中对自然与人情的审美推向极致，开拓出醇丽和平之境。二者双峰并峙，各呈异彩，联袂共创出大元乐府繁荣发展的黄金时代。元统（1333—1335）以后至元朝亡国（1368），即整个元顺帝统治时期，因为科举重开对元曲作家队伍的分化，以及时局动荡而国无宁日，属于消费性的曲文学便走向衰落。在元曲的衰落阶段中，虽无鼎盛时期的一流大家，但如杨维桢、刘庭信、汪元亨、王举之、鲜于必仁等，能分别继承马、贯、张、乔豪放与清丽两派之流风余韵，仿佛走向式微的大元乐府的晚晖。

朱明王朝建立以后，活跃于曲坛的是由元入明的遗老遗少，朱权在《太和正音谱》中举到的所谓"国朝一十六人"便是其代表。在这批承传过渡的曲家中，以汤式《笔花集》存曲最多，成就最高，其次则为贾仲明、唐以初和刘兑。他们的曲作，有承传，也有新变。就其精神内蕴而言，元人的牢骚怨叹之音已趋于消解，而代之以颂圣美新的崭新旋律；就艺术风格而言，刘、唐二人延续元代张、乔一派清丽遗风，其词化倾向影响了明代南派曲家的创作；汤、贾两位则主要继承元代马、贯一派的豪放传统，并兼有豪、丽两派优长，从而影响了北派曲家的风格。随着汤、贾、刘、唐诸人先后谢世，从永乐（1403—1424）后期开始，中经宣德（1426—1435）、正统（1436—1449）、景泰（1450—1456）、天顺（1457—1464），直至成化（1465—1487）前期的半个世纪里，曲坛暗淡无光，沦于谷底。在这半个世纪中，仅有周宪王朱有燉美酒花月的闲吟，以及朱权、李昌祺等少许几人的微弱回应。在成化后期到弘治年间（1488—1505），伴随着明中叶出现的奢华世风，以及人性觉醒和崇俗尚情的时代思潮，陈铎、王磐、祝允明、唐寅等江浙的一批词场才子逞才情于词曲，陈铎的绘世俳谐之作，王磐的逍遥旷达之篇，祝、唐诸人的艳情雅丽之曲，使沉寂了半个世纪的曲坛又开始热闹起来，明中叶的曲文学也由此走向复兴。陈铎、王磐擅长北曲，祝、唐二人则专作南调，南曲北曲，二水分流的局面就此形成。陈铎、王磐的绘世、讽世之曲承接着元代杜仁杰、王和卿、刘庭信等滑稽一流的作风，其写景言情之篇则与祝、唐等人的南曲之作皆归向了元曲中张、乔清丽一派的词化倾向。只是元代马、贯诸人的豪放一路，在成、弘时走向复兴的曲坛上尚无真正的传人。随后，北派曲家如康海、王九思、常伦、李开先、冯惟敏，南派曲家如杨廷和、沈仕、杨慎、金銮、黄峨等人先后在正德

(1506—1521)、嘉靖(1522—1566)间展露才华，一时龙腾虎跃，凤翥鸾翔，此时的曲坛，真可谓名家腾涌，佳篇叠出。在这一时期，因为皇帝昏庸，宦官专权，朝政腐败，政治斗争异常激烈，以康海、王九思、常伦、李开先等为代表的失意文人群体形成，他们多以北曲书愤言怀与歌隐咏闲，承传着元曲中豪放一派之衣钵，使曲文学特有的讽世精神与“蒜酪”风味得以全面复苏；以杨廷和、杨慎、沈仕、金銮等为代表的无辜被罢的大僚和疏离政治的才人，则多以南曲悲叹沦落与言情绘景，继承元曲中清丽一派之传统，进一步向词体的清雅婉丽复归。一时之间，北派豪吟的雄风，南派清唱的雅丽，交相辉映，使正、嘉六十年间的曲坛，繁花似锦，精彩纷呈，其鼎盛辉煌局面，足可与元代元贞、大德以迄于天历、至顺年间马、贯、张、乔等豪放、清丽两派的并驾齐驱前后媲美。正、嘉之后，由隆庆(1567—1572)、万历(1573—1620)而至天启(1621—1627)、崇祯(1628—1643)，曲文学继续兴盛，曲坛主流是以梁辰鱼、沈璟、王骥德、张凤翼等为代表的南派新一代词场才子的以词应歌，曲作内容由前一时期的讽世抒怀，转向了男女艳情，曲风则复归于词体的雅丽。此外，以薛论道、薛岗、王寅、赵南星、丁彩、丁惟恕等为代表的北派曲家，则南北曲兼作，其涉题既广，且曲风质朴豪放，是晚明曲坛中最为正宗的路数。尤其薛论道引边塞军旅题材入曲，其金戈铁马之声为晚明曲坛带来一股激扬蹈厉之风，令人望而生畏。在晚明的南派曲家中，施绍莘、胡文焕、杜子华等人能突破梁、沈香奁一派之范围，其写景咏物之曲，别饶风韵。在晚明曲坛，还有徐媛、沈静专、梁孟昭等闺阁曲家的不俗表现，更有活泼俏皮的时尚小曲的盛行歌坛，以及刘效祖、赵南星、冯梦龙等人惟妙惟肖的模拟之作，如此等等。共同组合成明代曲文学多姿多彩、令人赏心悦目的灿烂晚霞。

由明入清，江山易代，曲家们亲身经历着改朝换代的灾难，夏完淳、归庄等英烈豪侠的慷慨悲歌，与沈自晋、徐石麒、宋存标、沈谦等遗民节士的黍离哀吟，汇集成清初激荡人心的时代旋律，从而振起明末南派一部分曲家香艳软媚的颓波，成为曲文学发展史上的一个灿烂章节。紧接清初曲家的易代悲歌之后，则是清中叶曲坛的长期纷零不振。自康熙二十三年(1684)之后，至道光二十年(1840)以前，这150年间的清代曲坛是异常凋零的，基本没有出现可与元明比肩的优秀作家和曲作流派。只是一些傲世尚奇的文士如金农、郑燮等人，他们遵循曲文学通俗自然、流利朗畅的精神，突破曲牌的限制，以“自度曲”的形式写出了富有韵味的佳篇；而如厉鹗、吴锡麒、黄图珌、赵庆熺等一些曲家，则继承元曲的风格，虽无新的创造，却延续着曲文学的生命。从道光二十年（1840）起，经咸丰（1851—1861）、同治（1862—1874），至光绪（1875—1908）、宣统（1909—1911），这70年间，内忧外患纷至沓来，晚清散曲加速走向式微。在曲文学一片衰煞的景象中，张应昌、凌丹陛、藐庐等人感时事、叹兴亡的曲作，算是一抹亮色；严廷中、许光治、易顺鼎等人或仿效元明散曲中豪放一流的本色之风，或继承元人张、乔一派的清丽之美，表现了晚清复古之曲的流风余韵。清代的小曲，则继承明代小曲的传统而有更大发展，其内容丰富，体式纷繁，基本上代替南北二曲，成为民间歌吹的主流。

在对作为诗歌一体的散曲文学约七百年发展历程作简要梳理之后，对散曲发展史认识中的一些重大问题，如元明散曲的划段分期问题、阶段性特征的认识问题、元曲繁荣的时代问题、豪放与清丽两派的作家阵营与演进轨迹问题、明散曲复兴时地与作家群体及群体特征问题、明散曲兴盛时期的阶段和流派划分问题等等，就皆有所澄清，其习见异论，详说甚繁，难以展开，有拙著《元散曲通论》与《明清散曲史》可以参看。

## 二

散曲，作为一种合乐可歌的诗体名称，它是相对有一定组织结构形式的戏曲而言的，散曲不带科、白，用于清唱；戏曲则结合着科、白，用于舞台演唱。元代称散曲为“新声”“乐府”“今乐府”或“大元乐府”，明代始称散曲。就其体制形式而言，有小令、套数、带过曲三种形式。

散曲中的小令，与词体十分相似，有时很难辨认。从形式上看，曲与词之相同处在于，都有一个牌调，都用长短句句式。其相异之处在于：词多为双调，曲多为单片独曲；曲牌的音乐曲式不如词牌曲式稳定，显得灵活多变，故可加入衬字；在押韵上，曲要求一韵到底，不换韵，但可平仄通押（有规律可循），不避重韵；曲在对仗上，形式繁多，如有鼎足对、隔句对、联珠对等词中少见的对仗形式。曲中小令在曲式、押韵、对仗方面的特征，在带过曲、套数中一样存在。

散曲中的套数，其体制由北宋时俗词中唱赚一体演化而来，它将多个曲牌按一定次序结构成一个组曲，用一个宫调去演唱。不同的曲牌组合，构成不同的套式，分别用不同的宫调去演唱。曲中之套数，通常所论，有两点与事实不符，上世纪九十年代初，拙著《元散曲通论》已予以指出，但未引起学界足够重视，一些教科书籍、学术论著仍不断因袭传统习见，故而几年前我在拙著《元曲选·前言》中曾详为辩证，今又再次申述，其与事实不符者有两点：

其一，或谓套数是将同一宫调中两首以上的曲子连成组曲，这话说倒了。事实是：把两首以上的曲子连成组曲后，在演唱时一般使用同一宫调（调高调式）。也就是说，套曲中的各支曲在没有被组合成套以前，并不一定先就有一个固定的宫调归属。比如，〔粉蝶儿〕套数把〔醉春风〕〔石榴花〕〔斗鹌鹑〕〔普天乐〕〔醉高歌〕〔十二月〕〔尧民歌〕〔上小楼〕等曲调连成套曲时，一般用同一宫调——〔中吕宫〕去演唱，因为不用同一宫调，就得在演唱中移宫换调，那是很不方便的。但这套曲子中的一些支曲在没有被组合成〔粉蝶儿〕套以前，却不一定有某一明确的专用宫调，比如〔斗鹌鹑〕，可以用于〔中吕宫〕，也可以用于〔越调〕；〔普天乐〕和〔上小楼〕可以用于〔中吕宫〕，也可以用于〔正宫〕。面对这种情况，前人有所谓“借宫”一说，但谁借谁的呢？恐怕说不清。所以“借宫”一说，很靠不住，不过是为了替那个说倒了的话打个圆场。

那么，人们为什么会把话说倒了呢？问题出在我们对周德清《中原音韵》按宫调列出曲牌的理解。周氏在《中原音韵》中列“乐府三百三十五章”（即335个曲牌，含各类尾声），并将这335个曲牌分别在〔黄钟〕〔正宫〕〔大石调〕〔小石调〕〔仙吕〕〔中吕〕〔南吕〕〔双调〕〔越调〕〔商调〕〔商角调〕〔般涉调〕等十二宫调下列出，如在〔黄钟〕下列出了〔醉花阴〕〔喜迁莺〕〔出对子〕〔刮地风〕〔四门子〕〔水仙子〕〔寨儿令〕等“二十四章”（即24个曲牌），在〔正宫〕下列出了〔端正好〕〔滚绣球〕〔倘秀才〕〔灵寿杖〕〔叨叨令〕〔塞鸿秋〕〔脱布衫〕〔小梁州〕等“二十五章”（即25个曲牌）等等，粗略一看，给人的印象是每个曲牌都归属于某一宫调，某一宫调都包含着若干曲牌。但只要把周氏在每个宫调名下最先列出的一些曲牌与使用该宫调之套数的曲牌组合顺序作一比较，细心的读者便不难发现，周德清正是根据某一曲牌曾有过被组合成套，且被某一宫调演唱过的事实而将其列在某宫调名下的，其意在表明某宫调名下列出的曲牌曾被该宫调演唱过，适合被该宫调演唱，并非表明该宫调本身包含其名下所列的曲牌。如“黄钟二十四章”，其意在表明这 24 个曲牌曾被〔黄钟〕演唱过，适合被〔黄钟〕演唱；“正宫二十五章”，其意在表明这 25 个曲牌曾被〔正宫〕演唱过，适合被〔正宫〕演唱等等。根据这一理解，我们对套数中宫调与曲牌关系的认识，就不应该认为是套数组合了同一宫调的若干支曲牌，而应该是被组合成套的若干支曲牌须用同一宫调去演唱。

其二，或谓套数乃曲中之创体。其实，在北宋时就非常流行的“唱赚”，便已经使用的是套曲的形式，并分为“缠令”“缠达”二体，这两种体式，其实就是元曲中套数的基本体式。在上个世纪九十年代初，拙著《元散曲通论》曾有专门论述。实事求是地说，套数并非元曲的新创，而是对宋代唱赚一体的借用。因为赚曲以套计数，久而久之，遂以计数之“套”，取代了称名之“赚”。在词中名“赚”，在曲中称“套”，虽称名有别，然同为组曲，其实一也（参见拙文《关于“赚”与“套”的重要资料考辨及其他》，载《东南大学学报》2007 年第 2 期）。

关于散曲中的带过曲，这种将两三支曲子结合成一个小型组曲的体式，如〔雁儿落带得胜令〕〔骂玉郎带感皇恩采茶歌〕等，学界亦有不同认识，拙著《元散曲通论》中也有辩证。其需要引起注意者，也有两点：其一，关于带过曲来源的讨论。对此，学界有两种看法，或谓带过曲是由令曲发展为套曲的中间环节，或谓带过曲是由套数中的曲牌固定组合结构选摘而来的一种特殊体式。就曲体演进之实际情形看，后一种说法符合事实。其二，关于带过曲性质的认识。自元以来，大多数学人将带过曲看作小令的一体，但也有人将带过曲视为套数。视之为令曲，是因为带过曲的两三个曲牌已集中放在曲词的最前面，可以看作是一个集合而成的新的曲牌，从形式上看，这似乎就与小令没太大区别；视之为套数，是因为带过曲虽然只结合了两三个支曲，但却已经具备了组曲的性质，与套数并没有太大的不同。对于带过曲这种介于令、套之间的特殊体式，我主张不必强为归类，完全可以将其视为曲中独立的一体。

如此，作为诗歌性质的曲体之构成，便应当有小令、套数、带过曲三种基本体式。

三

散曲中令、套、带过之体式区分，是与音乐曲调的结构密切相关的；如果要着眼于音乐性质的差异，则散曲一体又有北曲、南曲之分别。

北曲，是金元时盛行于北方的杂剧和散曲演唱时所使用的乐曲，明清时仍被改造沿用。北曲音乐体系的形成，是在改造唐宋词乐，并融汇民间俗乐和西北少数民族音乐的基础上形成的。在音乐体制上采用曲牌体，清周祥钰等所编《九宫大成南北词宫谱》共收北曲曲牌581个。北曲主要采用七声音阶，旋律一般节奏急促，声调遒劲。魏良辅《曲律》谓“北曲字多而调促，促处见筋，故词情多而声情少”；徐渭《南词序录》谓“听北曲使人神气鹰扬，毛发洒淅，足以作人勇往之态”。北曲伴奏以弦乐器为主，故又称“弦索调”。金元时北曲（曲词）的创作多使用北方方言，并使用中原音韵，其最显著的特点，是声调分阴平、阳平、上声、去声四声，没有入声。明清时受南曲影响，有一定变化。因元杂剧和元散曲用北曲演唱，所以元杂剧和元散曲也被称作北曲。

与北曲相对，宋元以来南方戏曲和散曲演唱时使用的乐曲，被称为南曲。南曲主要来自唐宋词乐和南方民间乐曲。在音乐体制上亦采用曲牌体，清周祥钰等所编《九宫大成南北词宫谱》共收南曲曲牌（包括集曲）1513个。南曲主要采用五声音阶，较之北曲，其节奏较为舒缓。魏良辅《曲律》谓“南曲字少而调缓，缓处见眼，故词情少而声情多”；徐渭《南词序录》谓“南曲则纡徐绵眇，流丽婉转”。南曲在戏文与传奇的演唱中，其声腔有较大发展，形成海盐、余姚、弋阳、昆山四大声腔，其中尤以昆山腔和弋阳腔影响最大。南曲在文学创作上，其语言以江浙一带的南方语音为准，声调上有平、上、去、入四声。自明中叶以后，使用南曲歌唱的戏曲与散曲作品，也称南曲或南词。

本文则立足散曲文学，专就散曲一体中的北曲和南曲作一简叙。在元代，属于诗歌的散曲一体基本上是北曲的天下，所以前文所叙元代曲坛之演化发展，即为元代北曲之流变情形；元代之南曲，虽偶有作者染指，但尚不足以名家。进入明代，南曲方才逐渐与北曲形成对垒局面。明初，在“国朝一十六人”的承传过渡阶段中，汤式几乎专作北曲，坚持维护着元曲的体貌气度；而刘兑则几乎专作南曲，写男女恋情、闺阁怨思，其格调基本词化。所以明初汤、刘二人的南北曲创作，对于明代南北曲各自的发展走向，实有导向之功。当明散曲在永乐后期至成化前期的大半个世纪中沦于谷底之时，整个曲坛几乎成了朱有燉在宣德前后的个人独唱，他的《诚斋乐府》存小令 272 首，套数 35 套，其存曲之富，在明初百年中堪称第一。他虽然作有 29 首南曲小令，但无论其题材内容与艺术风貌，与他的北曲之作并无二致。在明散曲复兴的成化、弘治年间，当词场应歌之曲成为主流，言情成为题材大宗时，无论歌坛的传唱还是文人的创作，南曲便已与北曲分庭抗礼。在文人曲的创作中，早期南派曲家中的一批词场才子，如祝允明、唐寅等人是南曲的专门作家，陈铎、王磐则成为北曲的主要作手，南北二曲构成双峰并峙的局面。值得注意的是，因习染江南秀美文风，不仅祝允明、唐寅等人的南曲创作继承了元曲中张、乔一派的清丽作风，就连陈铎、王磐的北曲创作，也有相当一部分作品趋于雅化，尤其写景言情之曲表现更甚，而曲文学北刚南柔的风格分野，也渐生蜕变。

在明曲鼎盛的正德、嘉靖时期，在歌坛的传唱中，南曲早已构成对北曲的压倒优势，并非如学界以往所论，要到嘉靖、隆庆间昆腔起来后才出现南盛北衰的局面。活动在正德、嘉靖时期的曲作家刘良臣（1482—1551）在他的《西郊野唱·引》中曾有明确记载：“正德以来，南词盛行，遍及边塞，北曲几泯。”在这种情况下，即便是北派曲家如康海、王九思、常伦、李开先、冯惟敏等，在创作北曲的同时，也不禁染指南曲，从而南北兼作，不过其南曲之作，绝大部分作品并无南曲柔美之风，反多北曲豪健之气，以致引来王骥德、王世贞等人的批评。此时的南派曲家，沈仕专工南调，其曲貌如宫体，韵似“花间”，已然词化；杨廷和虽只作北曲，但清雅之风，大类南调；杨慎、黄峨、金銮则南北兼作，而杨氏夫妇之北曲亦多南音；惟金銮以陇西人而流寓江南，其南北之曲皆多俗趣，在南派曲家中可谓特例。仔细观察南北诸家之曲，其北曲和南曲的风格分野已基本消失，北刚南柔的曲体风貌，已基本被北派南派的地域风格所取代了。此一变化，学界似未察觉，故以往论曲者多以南曲、北曲划分流派或作家群体，实则很难见出其流派风格。我在撰写《明清散曲史》时，便打破这一论曲常规，而着眼于地域空间，划分为北派、南派，因而可以十分清晰地看到不同作家群体的风格特征；同时，我还特别撰文（《论分南北曲进行曲学批评模式的得失》，载《戏曲艺术》2004 年第 4 期），指出分南北曲进行曲学批评的得失，希望引起学界对这一问题的重视。

在隆庆、万历以迄天启、崇祯的晚明曲坛，伴随昆腔的盛行和奢靡的世风，曲文学已由正德、嘉靖时的南北齐芳，转为南盛而北衰，诚如沈德符《顾曲杂言》所言："自吾人重南曲，皆祖昆山魏良甫，而北词几废。"此时的曲坛，也基本是梁辰鱼、沈璟、王骥德、张凤翼等江南地区新一代词场才子们的天下，南曲委婉的曲体音乐与香艳歌词的结合，使本阶段曲文学的婉丽柔媚之风成为时尚，曲获"吴骚"的别名，便在此时。晚明的北派曲家如薛论道、薛岗、王寅等人，大都以作北曲为主，虽也有南曲存世，但已多刚健的北风，少见南曲的柔媚。在晚明曲坛，唯施绍莘《秋水庵花影集》南北曲兼擅，且豪丽掺用，兼南北两派之长，融南北二曲之风，成卓尔不群、高标群伦的特例。

纵观明代南北二曲的演化，大致经由元末明初过渡期的南曲初兴、北曲为盛，曲体风格较为鲜明，到明曲复兴期的南北皆盛、双峰并峙，曲体风格逐渐淡化，再到中晚明曲文学的鼎盛与继盛时期，曲体上北刚南柔的风格分野便基本消失，而被地域上的北刚南柔所取代。入清以后，曲之风格，或雄健，或骚雅，或清丽，则因家数和题材异趣，总体上就更与曲体之南北无关了。

## 四

以上，在简叙了曲之发展历程、体式特征和曲体演变之后，现在该叙及本书编撰方面的情况了。

关于本书之选曲，以有曲趣为主要原则。其趣，或在题材，或在内容，或在思想，或在语言，或在修辞，只要得曲之韵趣，便考虑入选。为尽可能展示曲体演化发展全貌，以散曲为主，兼选戏曲。

关于所选作品之鉴赏文字，一般既揭示其思想意蕴、情感内涵，也分析其写作技巧、艺术特征，亦间或指出作品本事、写作背景或后世影响等。

本书之附录，其“散曲常识”部分，以涉及散曲之曲体、曲史、曲派为主，一般不涉及戏曲；其“元曲文献”部分，除元曲卷涉及部分重要戏曲文献以外，其余皆为散曲别集、选集和总集；其“曲谱及论著”部分，凡在曲学史上产生一定影响的著作，皆予以立目介绍，其出版时间不长者则酌情选录，其“元散曲常用曲牌简谱”一项，仅限于北曲。

本书之撰稿者，既有成就卓著的前辈学人，也有当今正耕耘于曲苑的名流俊彦，还有以曲学为研究方向的青年学子。本书之成，实汇聚着几代学人的辛劳与贡献，也昭示着曲学的薪火相传，生生不息。

多年以来，我一直深情地怀念着曲学先行者们的贡献。只就近世以来而言，王国维先生道夫先路的倡导之功，任讷、卢前、郑振铎、隋树森、凌景埏、谢伯阳等诸位先生的文献纂集之力，为我们今日的曲学研究奠定了坚实的基础，假如没有他们的《散曲丛刊》《饮虹簃所刻曲》《全元散曲》《全明散曲》《全清散曲》这些总集的先后问世，我们今天的曲学研究，有很多工作是很难展开的，至少是很不方便的。对此，我始终怀着敬仰与感激之情。

除文献整理以外，自任讷《散曲概论》以来的理论探索，自卢前《元曲别裁集》、任讷《元曲三百首》以来的含英咀华，自朱居易《元剧俗语方言例释》以来的曲学工具书编纂，自孙楷第《元曲家考略》以来的曲家生平考述等等，八十年间无数学人的勤苦耕耘与辛勤著述，使我国之曲学研究，硕果累累，气象万千。这些丰厚的积淀，不仅成为曲学繁荣的沃土，也为本书的编撰提供了多方面的借鉴与参考，对此，我们谨致以诚挚的谢意。

在本书的编撰中，前辈师长如李修生教授（北京师大）、宁宗一教授（南开大学）、王水照教授（复旦大学）、谢伯阳教授（扬州大学）、宁希元教授（兰州大学）、吕薇芬研究员（中国社会科学院）等热情赐稿和勉励，同道友人如门岿研究员（天津社科院）、熊笃教授（重庆工商大学）、周啸天教授（四川大学）、翁敏华教授（上海师大)、徐子方教授(东南大学)、王毅教授(湖南师大)、关四平教授(哈尔滨师大)、许建中教授(扬州大学)、田同旭教授(山西大学)、朱丽霞教授(上海财大)、李占鹏教授(西北师大)、胡元翎教授(黑龙江大学)、司徒秀英教授(香港岭南大学)、薄克礼教授(天津燕山国学馆)、丁淑梅教授(四川大学)、王忠阁教授(信阳师院)、石麟教授(湖北师院)、杨东甫教授(广西师院)、郑家治教授(西华大学)、兰拉成教授(宝鸡文理学院)、朱崇志博士(同济大学)、庄逸云博士(四川师大)、李柯博士(复旦大学在读)等承担了较繁重的撰写工作,赵山林教授(华东师大)、俞为民教授(南京大学)、郭英德教授(北京师大)、李真瑜教授(北京师大)、李昌集教授(徐州师大)、星汉教授(新疆师大)、李简教授(北京大学)、张大新教授(河南大学)、张进德教授(河南大学)、杜桂萍教授(黑龙江大学)、杨栋教授(河北师大)等亦多有支持襄助,以及领导、家人、师友们的理解支持,特别是修生师在百忙中为拙编赐序而多所鼓励,凡此等等,都令我十分感念,谨借书稿面世,特向南北师友们的雅意高情致以衷心谢忱。

因编者水平所限,又兼时间紧迫,书中缺点错误在所难免,期望学界方家、曲学同仁,以及读者朋友们不吝指教。

# 目　录

## 散　曲

元好问

【黄钟·人月圆】卜居外家东园 …………………………… 3

【双调·小圣乐】骤雨打新荷 …………………………… 6

商　衟

【越调·天净沙】(寒梅清秀谁知) …………………… 8

【南吕·一枝花】叹秀英 ………………………………… 9

杨　果

【越调·小桃红】(满城烟水月微茫) ……………… 13

【越调·小桃红】(采莲湖上棹船回) ……………… 14

【仙吕·翠裙腰】(莺穿细柳翻金翅) ……………… 16

【仙吕·赏花时】(秋水粼粼古岸苍) ……………… 18

【仙吕·赏花时】(水到湍头燕尾分) ……………… 20

杜仁杰

【般涉调·耍孩儿】庄家不识构阑 …………………… 22

商　挺

【双调·潘妃曲】(十九首其一) …………………… 27

【双调·潘妃曲】(十九首其七) …………………… 29

【双调·潘妃曲】(十九首其八) …………………… 30

【双调·潘妃曲】(十九首其十四) ………………… 32

【双调·潘妃曲】（十九首其末） ………………………… 33

刘秉忠

【南吕·干荷叶】（八首其一、其四） ……………………… 35
【南吕·干荷叶】（八首其五） ……………………………… 37

盍西村

【越调·小桃红】临川八景·江岸水灯 ………………… 39
【越调·小桃红】临川八景·市桥月色 ………………… 41
【越调·小桃红】杂咏（八首其五） ……………………… 43
【越调·小桃红】杂咏（八首其六） ……………………… 44

王和卿

【仙吕·醉中天】咏大蝴蝶 ………………………………… 47
【仙吕·一半儿】题情（四首其一） ……………………… 49
【仙吕·一半儿】题情（四首其三） ……………………… 50
【中吕·阳春曲】题情 ……………………………………… 51
【双调·拨不断】大鱼 ……………………………………… 52

徐　琰

【双调·蟾宫曲】青楼十咏·言盟 ………………………… 54

白　朴

【仙吕·醉中天】佳人脸上黑痣 …………………………… 57
【中吕·阳春曲】知几 ……………………………………… 59
【中吕·阳春曲】题情（六首其一） ……………………… 61
【中吕·阳春曲】题情（六首其四） ……………………… 62
【中吕·阳春曲】题情（六首其五、其六） ……………… 64
【双调·驻马听】吹/弹/歌/舞 …………………………… 66
【双调·沉醉东风】渔夫 …………………………………… 69
【双调·庆东原】（忘忧草） ……………………………… 71
【双调·庆东原】（暖日宜乘轿） ………………………… 72
【双调·得胜乐】（红日晚） ……………………………… 74
【越调·天净沙】春/夏/秋/冬 …………………………… 75

【大石调·青杏子】咏雪 …… 77

严忠济

【越调·天净沙】(宁可少活十年) …… 80

胡祗遹

【仙吕·一半儿】(孤眠嫌煞月儿明) …… 82

【中吕·阳春曲】春景 …… 84

【双调·沉醉东风】(渔得鱼心满愿足) …… 85

【双调·沉醉东风】赠妓朱帘秀 …… 87

关汉卿

【正宫·白鹤子】(四首其三) …… 89

【正宫·白鹤子】(四首其四) …… 90

【仙吕·一半儿】题情(四首其二) …… 92

【南吕·四块玉】别情 …… 94

【南吕·四块玉】闲适 …… 95

【双调·沉醉东风】(咫尺的天南地北) …… 98

【双调·碧玉箫】(十首其三) …… 99

【双调·碧玉箫】(十首其五) …… 100

【双调·碧玉箫】(十首其八) …… 102

【双调·碧玉箫】(十首其九) …… 103

【双调·大德歌】春/夏/秋/冬 …… 105

【双调·大德歌】(六首其一) …… 108

【双调·大德歌】(六首其五) …… 110

【商调·梧叶儿】别情 …… 111

【南吕·一枝花】赠朱帘秀 …… 113

【南吕·一枝花】杭州景 …… 115

【南吕·一枝花】不伏老 …… 117

王　恽

【正宫·双鸳鸯】乐府合欢曲(九首其一) …… 123

【正宫·黑漆弩】游金山寺并序 …… 125

【越调·平湖乐】(十首其二) …………………… 127
【越调·平湖乐】(十首其五) …………………… 129
【越调·平湖乐】尧庙秋社 …………………… 130
侯克中
【正宫·菩萨蛮】客中寄情 …………………… 132
庾天锡
【双调·雁儿落过得胜令】(春风桃李繁) …………………… 136
【双调·雁儿落过得胜令】(五首其二) …………………… 137
王实甫
【中吕·十二月过尧民歌】别情 …………………… 139
魏　初
【黄钟·人月圆】为细君寿 …………………… 142
伯　颜
【中吕·喜春来】(金鱼玉带罗襕扣) …………………… 144
张弘范
【中吕·喜春来】(金妆宝剑藏龙口) …………………… 146
【双调·殿前欢】襄阳战 …………………… 148
【越调·天净沙】梅梢月(二首其二) …………………… 149
邓玉宾
【正宫·叨叨令】道情(四首其二) …………………… 152
【正宫·叨叨令】道情(四首其三) …………………… 154
【正宫·叨叨令】道情(四首其四) …………………… 155
【双调·雁儿落过得胜令】闲适(三首其二) …………………… 156
【南吕·一枝花】(连云栈上马去了衔) …………………… 158
滕　斌
【中吕·普天乐】气 …………………… 161
【中吕·普天乐】(十一首其一) …………………… 163

**姚　燧**

【中吕·满庭芳】（天风海涛） ……………………………… 165
【中吕·满庭芳】（二首其二） ……………………………… 166
【中吕·阳春曲】（墨磨北海乌龙角） ………………………… 167
【中吕·阳春曲】（笔头风月时时过） ………………………… 169
【中吕·醉高歌】感怀 ……………………………………… 170
【双调·寿阳曲】无题 ……………………………………… 171
【越调·凭阑人】（马上墙头瞥见他） ………………………… 172
【越调·凭阑人】寄征衣 …………………………………… 174

**卢　挚**

【黄钟·节节高】题洞庭鹿角庙壁 …………………………… 177
【正宫·黑漆弩】（湘南长忆嵩南住） ………………………… 179
【中吕·喜春来】和则明韵 ………………………………… 181
【南吕·金字经】宿邯郸驿 ………………………………… 182
【双调·殿前欢】酒杯浓 …………………………………… 184
【双调·沉醉东风】秋景 …………………………………… 185
【双调·沉醉东风】叹世 …………………………………… 187
【双调·沉醉东风】七夕 …………………………………… 189
【双调·沉醉东风】闲居（三首其一） ………………………… 190
【双调·沉醉东风】闲居（三首其二） ………………………… 192
【双调·沉醉东风】闲居（三首其三） ………………………… 193
【双调·沉醉东风】重九 …………………………………… 194
【双调·沉醉东风】春情 …………………………………… 195
【双调·蟾宫曲】（想人生七十犹稀） ………………………… 197
【双调·蟾宫曲】（沙三伴哥来嗏） ………………………… 198
【双调·蟾宫曲】萧娥 ……………………………………… 199
【双调·蟾宫曲】咸阳怀古京兆 …………………………… 201
【双调·蟾宫曲】京口怀古镇江 …………………………… 202
【双调·蟾宫曲】长沙怀古潭州 …………………………… 204
【双调·蟾宫曲】醉赠乐府朱帘秀 …………………………… 205

【双调·寿阳曲】别朱帘秀 …… 207
【双调·寿阳曲】夜忆 …… 209
【双调·湘妃怨】西湖 …… 210
刘敏中
【正宫·黑漆弩】村居遣兴（二首其一） …… 212
【正宫·黑漆弩】村居遣兴（二首其二） …… 214
赵 岩
【中吕·喜春来过普天乐】（琉璃殿暖香浮细） …… 216
陈草庵
【中吕·山坡羊】叹世（二十六首其四） …… 218
【中吕·山坡羊】叹世（二十六首其十二） …… 219
【中吕·山坡羊】叹世（二十六首其十六） …… 220
【中吕·山坡羊】叹世（二十六首其二十二） …… 221
【中吕·山坡羊】叹世（二十六首其二十四） …… 223
【中吕·山坡羊】叹世（二十六首其二十五） …… 224
奥敦周卿
【双调·蟾宫曲】（西湖烟水茫茫） …… 226
刘 因
【黄钟·人月圆】（茫茫大块洪炉里） …… 228
【黄钟·人月圆】（自从谢病修花史） …… 230
马致远
【南吕·四块玉】恬退 …… 232
【南吕·四块玉】巫山庙 …… 236
【南吕·四块玉】天台路 …… 237
【南吕·四块玉】紫芝路 …… 238
【南吕·四块玉】马嵬坡 …… 240
【南吕·四块玉】洞庭湖 …… 241
【南吕·四块玉】叹世 …… 243

【南吕 · 金字经】（絮飞飘白雪/担头担明月/夜来西风里） …………………………………………… 246
【双调 · 清江引】野兴（八首其一、其二） ………………… 249
【双调 · 清江引】野兴（八首其八） ………………………… 250
【双调 · 寿阳曲】山市晴岚 ………………………………… 252
【双调 · 寿阳曲】远浦帆归 ………………………………… 253
【双调 · 寿阳曲】渔村夕照 ………………………………… 254
【双调 · 寿阳曲】（云笼月） ……………………………… 255
【双调 · 寿阳曲】（从别后） ……………………………… 256
【双调 · 寿阳曲】（心间事） ……………………………… 258
【双调 · 寿阳曲】（人初静） ……………………………… 259
【双调 · 寿阳曲】（实心儿待） …………………………… 260
【双调 · 寿阳曲】（因他害） ……………………………… 261
【双调 · 庆东原】叹世（六首其一） ……………………… 262
【双调 · 庆东原】叹世（六首其三） ……………………… 264
【双调 · 湘妃怨】和卢疏斋西湖（四首其一） …………… 265
【双调 · 蟾宫曲】叹世（二首其一） ……………………… 266
【双调 · 拨不断】（十五首其一） ………………………… 268
【双调 · 拨不断】（十五首其二） ………………………… 269
【双调 · 拨不断】（十五首其七） ………………………… 270
【双调 · 拨不断】（十五首其九） ………………………… 272
【双调 · 拨不断】（十五首其十一） ……………………… 273
【双调 · 拨不断】（十五首其十三） ……………………… 275
【双调 · 拨不断】（十五首其十四） ……………………… 277
【越调 · 天净沙】秋思 ……………………………………… 278
【双调 · 夜行船】秋思 ……………………………………… 280
【般涉调 · 哨遍】张玉嵒草书 ……………………………… 284
【般涉调 · 耍孩儿】借马 …………………………………… 288

王伯成

【中吕 · 阳春曲】别情 ……………………………………… 292

**姚守中**

【中吕·粉蝶儿】牛诉冤 …… 295

**阿里西瑛**

【双调·殿前欢】懒云窝（三首） …… 301

**赵孟頫**

【黄钟·人月圆】（一枝仙桂香生玉） …… 304

**冯子振**

【正宫·鹦鹉曲】山亭逸兴 …… 307
【正宫·鹦鹉曲】农夫渴雨 …… 309
【正宫·鹦鹉曲】故乡归计 …… 311
【正宫·鹦鹉曲】渔父 …… 312
【正宫·鹦鹉曲】市朝归兴 …… 314
【正宫·鹦鹉曲】赤壁怀古 …… 316
【正宫·鹦鹉曲】感事 …… 317
【正宫·鹦鹉曲】黄阁清风 …… 319
【双调·沉醉东风】（缘结来生净果） …… 320

**朱帘秀**

【双调·寿阳曲】答卢疏斋 …… 322

**曾　瑞**

【正宫·醉太平】（相邀士夫） …… 324
【中吕·喜春来】春闺思 …… 325
【中吕·喜春来】闺情 …… 326
【中吕·喜春来】未遂 …… 328
【中吕·山坡羊】自叹 …… 329
【中吕·山坡羊】闺怨 …… 330
【中吕·山坡羊】妓怨 …… 331
【南吕·四块玉】述怀（五首其一） …… 332
【南吕·四块玉】述怀（五首其二） …… 334
【南吕·四块玉】述怀（五首其五） …… 335

【中吕·山坡羊过青哥儿】（云山叠翠） …… 337
【南吕·骂玉郎过感皇恩采茶歌】闺情 …… 339
【南吕·骂玉郎过感皇恩采茶歌】闺中闻杜鹃 …… 340
【般涉调·哨遍】羊诉冤 …… 342

## 赵禹圭

【双调·蟾宫曲】题金山寺 …… 346

## 张养浩

【正宫·塞鸿秋】（春来时绰然亭香雪梨花会） …… 348
【中吕·朱履曲】（那的是为官荣贵/才上马齐声儿喝道/正胶漆当思勇退） …… 350
【中吕·普天乐】（楚离骚） …… 352
【中吕·喜春来】（亲登华岳悲哀雨/十年不作南柯梦/路逢饿殍须亲问/乡村良善全生命） …… 353
【中吕·山坡羊】潼关怀古 …… 355
【中吕·山坡羊】北邙山怀古 …… 357
【中吕·山坡羊】（十首其七） …… 358
【中吕·朝天曲】（九首其三） …… 360
【中吕·朝天曲】（九首其五） …… 361
【双调·胡十八】（七首其一） …… 362
【双调·胡十八】（七首其五） …… 364
【双调·胡十八】（七首其七） …… 365
【双调·庆东原】（四首其二） …… 367
【双调·庆东原】（四首其四） …… 368
【双调·清江引】咏秋日海棠 …… 370
【双调·水仙子】（平生原自喜山林/中年才过便休官） …… 372
【双调·落梅引】（六首其四） …… 374
【双调·得胜令】四月一日喜雨 …… 375
【双调·沉醉东风】（七首其二） …… 376
【双调·折桂令】中秋 …… 378
【越调·寨儿令】冬白战体 …… 379

【中吕·十二月兼尧民歌】归田乐 …………………………… 381
【中吕·最高歌兼喜春来】(诗磨的剔透玲珑) …………… 382
【双调·沽美酒兼太平令】(在官时只说闲) ……………… 384
【双调·雁儿落兼得胜令】(六首其一) …………………… 386
【双调·雁儿落兼得胜令】(六首其二) …………………… 387
【双调·雁儿落兼得胜令】(六首其四) …………………… 388
【双调·雁儿落兼得胜令】(六首其六) …………………… 390
【南吕·一枝花】咏喜雨 …………………………………… 391

施　惠

【南吕·一枝花】咏剑 ……………………………………… 394

白　贲

【正宫·鹦鹉曲】庄家不识构阑 …………………………… 398

虞　集

【双调·折桂令】席上偶谈蜀汉事因赋短柱体 …………… 400

郑光祖

【正宫·塞鸿秋】(三首其三) ……………………………… 403
【双调·蟾宫曲】梦中作 …………………………………… 404

范　康

【仙吕·寄生草】酒色财气(四首其一) …………………… 407

睢景臣

【般涉调·哨遍】高祖还乡 ………………………………… 410

周文质

【正宫·叨叨令】自叹(二首其一) ………………………… 414
【正宫·叨叨令】自叹(二首其二) ………………………… 416
【正宫·叨叨令】四景(二首其一) ………………………… 417
【正宫·叨叨令】失题 ……………………………………… 418
【正宫·叨叨令】悲秋 ……………………………………… 420
【双调·落梅风】(鸾凤配) ………………………………… 421

【越调·寨儿令】（十首其三） …… 423
【越调·寨儿令】（十首其四） …… 424
贯云石
【正宫·塞鸿秋】代人作（二首其一） …… 427
【正宫·小梁州】（朱颜绿鬓少年郎） …… 428
【正宫·小梁州】（相偎相抱正情浓） …… 430
【正宫·小梁州】春/夏/秋/冬 …… 431
【中吕·红绣鞋】（东村醉西村依旧） …… 433
【中吕·红绣鞋】（挨着靠着云窗同坐） …… 434
【中吕·醉高歌过红绣鞋】（看别人鞍马上胡颜） …… 435
【南吕·金字经】（二首） …… 437
【双调·蟾宫曲】送春 …… 438
【双调·清江引】（弃微名去来心快哉） …… 439
【双调·清江引】（二首） …… 440
【双调·清江引】咏梅（四首其一） …… 442
【双调·清江引】咏梅（四首其三） …… 443
【双调·清江引】惜别 …… 444
【双调·清江引】惜别（四首其四） …… 446
【双调·清江引】立春 …… 447
【双调·寿阳曲】（鱼吹浪） …… 449
【双调·寿阳曲】（新秋至） …… 450
【双调·水仙子】田家（四首其三） …… 452
【双调·殿前欢】（四首其一） …… 453
【双调·殿前欢】（四首其二） …… 454
【双调·殿前欢】（四首其四） …… 455
【仙吕·村里迓鼓】隐逸 …… 457
【中吕·粉蝶儿北】西湖游赏 …… 460
乔　吉
【正宫·绿幺遍】自述 …… 465
【中吕·满庭芳】渔父词（二十首其九） …… 467

【中吕·山坡羊】寓兴 …… 468
【中吕·山坡羊】冬日写怀（三首其二） …… 470
【中吕·朝天子】小娃琵琶 …… 471
【双调·折桂令】自述 …… 472
【双调·折桂令】荆溪即事 …… 474
【双调·折桂令】寄远（二首其一） …… 475
【双调·折桂令】赠罗真真 …… 477
【双调·折桂令】七夕赠歌者（二首其一） …… 478
【双调·折桂令】七夕赠歌者（二首其二） …… 480
【双调·折桂令】丙子游越怀古 …… 481
【双调·水仙子】吴江垂虹桥 …… 483
【双调·水仙子】寻梅 …… 484
【双调·水仙子】重观瀑布 …… 486
【双调·水仙子】游越福王府 …… 488
【双调·水仙子】赋李仁仲懒慢斋 …… 489
【双调·水仙子】暮春即事 …… 491
【双调·水仙子】为友人作 …… 492
【双调·水仙子】怨风情 …… 494
【双调·水仙子】咏雪 …… 495
【双调·水仙子】嘲楚仪 …… 497
【双调·水仙子】乐清箫台 …… 498
【双调·殿前欢】登江山第一楼 …… 500
【双调·卖花声】悟世 …… 502
【越调·天净沙】即事（四首其四） …… 504
【越调·凭阑人】金陵道中 …… 505
【南吕·玉交枝带四块玉】闲适二曲（二首其一） …… 507
【南吕·一枝花】合筝 …… 508

刘　致

【中吕·山坡羊】燕城述怀 …… 512
【中吕·山坡羊】西湖醉歌次郭振卿韵 …… 514

【中吕·山坡羊】侍牧庵先生西湖夜饮 …………………… 515
【中吕·朝天子】（画船） ………………………………… 517
【南吕·四块玉】（佐国心） ……………………………… 518
【南吕·四块玉】咏郑元和 ………………………………… 519
【双调·殿前欢】（醉颜酡） ……………………………… 521
【越调·小桃红】辛尚书座上赠合弹琵琶何氏 …………… 522
【双调·新水令】代马诉冤 ………………………………… 524
苏彦文
【越调·斗鹌鹑】冬景 ……………………………………… 528
刘时中
【正宫·端正好】上高监司 ………………………………… 531
阿鲁威
【双调·蟾宫曲】（烂羊头谁羡封侯） …………………… 537
【双调·蟾宫曲】（动高吟楚客秋风） …………………… 538
【双调·蟾宫曲】旅况 ……………………………………… 540
【双调·寿阳曲】（千年调） ……………………………… 541
钟嗣成
【正宫·醉太平】（三首其二） …………………………… 542
【正宫·醉太平】（三首其三） …………………………… 544
【南吕·骂玉郎带过感皇恩采茶歌】恨别 ………………… 545
【双调·沉醉东风】（听不厌鸾笙象板） ………………… 547
【双调·凌波仙】吊范子安 ………………………………… 548
【双调·凌波仙】吊曾瑞卿 ………………………………… 549
【双调·凌波仙】吊陈存父 ………………………………… 551
【双调·凌波仙】吊周仲彬 ………………………………… 552
【南吕·一枝花】自序丑斋 ………………………………… 553
周　浩
【双调·蟾宫曲】题《录鬼簿》 …………………………… 559

薛昂夫

【正宫·塞鸿秋】(功名万里忙如燕) …… 561
【正宫·塞鸿秋】凌歊台怀古 …… 562
【中吕·朝天曲】咏史(二十首其一) …… 564
【中吕·朝天曲】咏史(二十首其四) …… 565
【中吕·朝天曲】咏史(二十首其五) …… 566
【中吕·朝天曲】咏史(二十首其十一) …… 568
【中吕·朝天曲】咏史(二十首其十三) …… 569
【中吕·朝天曲】(老矣) …… 570
【中吕·阳春曲】(胸中太华身难撼) …… 571
【中吕·山坡羊】(惊人学业) …… 572
【中吕·山坡羊】庄家不识构阑 …… 574
【中吕·山坡羊】西湖杂咏·春 …… 575
【中吕·山坡羊】西湖杂咏·夏 …… 576
【双调·蟾宫曲】雪 …… 577
【双调·蟾宫曲】题烂柯石桥(二首其一) …… 578
【双调·蟾宫曲】题烂柯石桥(二首其二) …… 579
【双调·殿前欢】(醉归来) …… 581
【双调·庆东原】西皋亭适兴(四首其二) …… 583
【双调·楚天遥过清江引】(三首其二) …… 584
【双调·楚天遥过清江引】(三首其三) …… 585

贾　固

【中吕·醉高歌过红绣鞋】寄金莺儿 …… 587

周德清

【正宫·塞鸿秋】浔阳即景 …… 589
【中吕·朝天子】秋夜客怀 …… 591
【中吕·朝天子】书所见 …… 592
【中吕·红绣鞋】郊行(三首其一) …… 594
【中吕·阳春曲】秋思 …… 595
【双调·蟾宫曲】别友(二首其一) …… 597

【双调·蟾宫曲】别友（二首其二） …………………… 598
【双调·蟾宫曲】（倚蓬窗无语嗟呀） ………………… 599

吴弘道

【中吕·上小楼】题小卿双渐 ………………………… 601
【中吕·醉高歌】叹世 ………………………………… 602
【南吕·金字经】（太平谁能见） …………………… 603
【南吕·金字经】（晋时陶元亮） …………………… 604
【双调·拨不断】闲乐（四首其一） ………………… 605
【双调·拨不断】闲乐（四首其二） ………………… 606
【商调·梧叶儿】（花前约） ………………………… 607

赵善庆

【中吕·山坡羊】长安怀古 …………………………… 608
【中吕·山坡羊】燕子 ………………………………… 609
【中吕·普天乐】江头秋行 …………………………… 611
【双调·沉醉东风】秋日湘阴道中 …………………… 613
【双调·落梅风】江楼晚眺 …………………………… 614
【双调·落梅风】秋晴 ………………………………… 615
【双调·庆东原】泊罗阳驿 …………………………… 616
【双调·庆东原】晚春杂兴 …………………………… 617

马谦斋

【双调·沉醉东风】自悟 ……………………………… 619
【双调·水仙子】雪夜 ………………………………… 620
【越调·柳营曲】楚汉遗事 …………………………… 622
【越调·柳营曲】叹世 ………………………………… 624

张可久

【黄钟·人月圆】山中书事 …………………………… 626
【黄钟·人月圆】春晚次韵 …………………………… 628
【黄钟·人月圆】雪中游虎丘 ………………………… 629
【黄钟·人月圆】客垂虹 ……………………………… 631

【黄钟·人月圆】吴门怀古 …… 632
【黄钟·人月圆】春日湖上 …… 634
【正宫·醉太平】感怀 …… 636
【正宫·醉太平】金华山中 …… 637
【正宫·塞鸿秋】春情 …… 639
【中吕·山坡羊】春睡 …… 640
【中吕·普天乐】西湖即事 …… 641
【中吕·普天乐】秋怀 …… 643
【中吕·红绣鞋】次韵 …… 644
【中吕·红绣鞋】天台瀑布寺 …… 645
【中吕·红绣鞋】春日湖上（二首其二） …… 647
【中吕·红绣鞋】西湖雨 …… 649
【中吕·朝天子】山中杂书 …… 650
【中吕·朝天子】湖上 …… 652
【中吕·朝天子】闺情 …… 654
【中吕·卖花声】怀古（二首） …… 656
【中吕·卖花声】客况（三首其二、其三） …… 657
【中吕·齐天乐过红衫儿】道情（二首其一） …… 659
【中吕·满庭芳】客中九日 …… 661
【南吕·金字经】春晚 …… 662
【南吕·金字经】闺怨 …… 664
【南吕·金字经】乐闲 …… 665
【南吕·金字经】感兴 …… 667
【双调·水仙子】次韵 …… 668
【双调·水仙子】归兴 …… 670
【双调·折桂令】九日 …… 671
【双调·折桂令】读史有感（二首其一） …… 673
【双调·折桂令】鉴湖小集 …… 674
【双调·殿前欢】次酸斋韵（二首其一） …… 676
【双调·殿前欢】客中 …… 678

【双调·落梅风】春情 …………………………………… 680
【双调·落梅风】春晚 …………………………………… 681
【双调·落梅风】秋望 …………………………………… 683
【双调·清江引】秋怀 …………………………………… 685
【双调·清江引】春晚 …………………………………… 686
【双调·庆东原】次马致远先辈韵（九首其五） ……… 687
【越调·寨儿令】忆鉴湖 ………………………………… 689
【越调·寨儿令】次韵 …………………………………… 690
【越调·小桃红】寄鉴湖诸友 …………………………… 692
【越调·天净沙】江上 …………………………………… 694
【越调·天净沙】鲁卿庵中 ……………………………… 695
【越调·凭阑人】江夜 …………………………………… 696
【商调·梧叶儿】感旧 …………………………………… 697
【商调·梧叶儿】别怀 …………………………………… 699
【商调·梧叶儿】春日郊行 ……………………………… 700
【南吕·一枝花】湖上归 ………………………………… 701

## 任　昱

【中吕·上小楼】隐居 …………………………………… 704
【中吕·朝天子】村居 …………………………………… 705
【中吕·朝天子】信笔 …………………………………… 707
【中吕·普天乐】暮春即事 ……………………………… 708
【中吕·红绣鞋】春情 …………………………………… 709
【中吕·红绣鞋】重到吴门（二首其二） ……………… 711
【南吕·金字经】书所见 ………………………………… 712
【南吕·金字经】秋宵宴坐 ……………………………… 714
【双调·折桂令】吴山秀 ………………………………… 715
【双调·清江引】题情（二首其一） …………………… 716
【双调·清江引】题情（二首其二） …………………… 717
【双调·清江引】钱塘怀古 ……………………………… 718
【双调·清江引】曹明善北回 …………………………… 719

张子坚

【双调·得胜令】(宴罢恰初更) ······ 721

高　栻

【双调·殿前欢】题小山苏堤渔唱 ······ 723

吴　镇

【南吕·金字经】梅边 ······ 725

钱　霖

【双调·清江引】(梦回昼长帘半卷) ······ 727
【双调·清江引】(恩情已随纨扇歇) ······ 728

徐再思

【黄钟·人月圆】兰亭 ······ 730
【仙吕·一半儿】春情 ······ 731
【中吕·朝天子】西湖 ······ 732
【中吕·朝天子】常山江行 ······ 734
【中吕·普天乐】西山夕照 ······ 735
【中吕·红绣鞋】雪 ······ 736
【中吕·红绣鞋】道院 ······ 737
【中吕·普天乐】吴江八景·垂虹夜月 ······ 738
【中吕·阳春曲】闺怨 ······ 739
【中吕·阳春曲】赠海棠 ······ 741
【双调·沉醉东风】春情（二首其一） ······ 742
【双调·蟾宫曲】春情 ······ 743
【双调·蟾宫曲】西湖夏宴 ······ 744
【双调·清江引】春夜 ······ 746
【双调·清江引】相思 ······ 748
【双调·水仙子】夜雨 ······ 750
【双调·水仙子】春情 ······ 751
【双调·水仙子】红指甲 ······ 753
【双调·殿前欢】观音山眠松 ······ 754

【越调·天净沙】探梅 …… 756
【越调·天净沙】渔父 …… 757
【越调·天净沙】题情 …… 758
【越调·柳营曲】和听雪 …… 759
【越调·凭阑人】春愁 …… 760
【越调·凭阑人】无题 …… 761
【越调·凭阑人】春怨 …… 763
【商调·梧叶儿】钓台 …… 764
【商调·梧叶儿】春思（三首其一） …… 765
【商调·梧叶儿】春思（三首其二） …… 767

孙周卿

【双调·蟾宫曲】自乐（二首其一） …… 769
【双调·蟾宫曲】自乐（二首其二） …… 771
【双调·蟾宫曲】渔父 …… 772
【双调·蟾宫曲】题琵琶亭 …… 773
【双调·水仙子】舟中 …… 775
【双调·水仙子】山居自乐（四首其一） …… 776
【双调·水仙子】山居自乐（四首其三） …… 777

王元鼎

【正宫·醉太平】寒食（四首其二） …… 779
【正宫·醉太平】寒食（四首其四） …… 780

顾德润

【南吕·骂玉郎过感皇恩采茶歌】述怀（二首其一） …… 782

曹　德

【中吕·喜春来】和则明韵 …… 784
【双调·沉醉东风】村居 …… 785
【双调·折桂令】江头即事 …… 786
【双调·清江引】（长门柳丝千万结/长门柳丝千万缕） …… 787
【双调·庆东原】江头即事（三首其一） …… 788

高克礼

【越调·黄蔷薇过庆元贞】(燕燕别无甚孝顺) …… 790

李伯瞻

【双调·殿前欢】省悟(七首其二) …… 793
【双调·殿前欢】省悟(七首其四) …… 794
【双调·殿前欢】省悟(七首其五) …… 796

王仲元

【中吕·普天乐】赠美人 …… 798
【中吕·普天乐】旅况 …… 799
【双调·江儿水】叹世 …… 800
【中吕·粉蝶儿】集曲名题秋怨 …… 801

高安道

【般涉调·哨遍】皮匠说谎 …… 807

大食惟寅

【双调·燕引雏】奉寄小山先辈 …… 811

亢文苑

【南吕·一枝花】咏怀 …… 813

吕止庵

【仙吕·后庭花】(风满紫貂裘) …… 816
【仙吕·后庭花】秋思(四首其二) …… 817
【仙吕·后庭花】秋思(四首其三) …… 819
【仙吕·后庭花】怀古(八首其二) …… 820
【仙吕·醉扶归】(频去教人讲) …… 822
【仙吕·醉扶归】(有意同成就) …… 823

真　氏

【中吕·解三醒】(奴本是明珠擎掌) …… 825

景元启

【双调·得胜令】思情娘 …… 827

【双调·殿前欢】梅花 …… 828

王爱山

【中吕·上小楼】自适（四首其二） …… 830

【中吕·上小楼】自适（四首其四） …… 831

【双调·水仙子】怨别离（十首其四、其九） …… 833

查德卿

【仙吕·寄生草】感叹 …… 835

【仙吕·寄生草】间别 …… 837

【仙吕·一半儿】春妆/春夜 …… 838

【双调·蟾宫曲】怀古 …… 840

【越调·柳营曲】江上 …… 842

吴西逸

【双调·清江引】秋居 …… 844

【双调·雁儿落带过得胜令】（春花闻杜鹃） …… 845

【越调·天净沙】闲题 …… 846

【越调·天净沙】闲题（四首其二） …… 847

【越调·天净沙】闲题（四首其四） …… 848

赵显宏

【黄钟·刮地风】叹世 …… 850

【黄钟·昼夜乐】冬 …… 852

【中吕·满庭芳】樵 …… 853

唐毅夫

【双调·殿前欢】大都西山 …… 855

【南吕·一枝花】怨雪 …… 856

朱庭玉

【越调·天净沙】秋 …… 860

【大石调·青杏子】送别 …… 861

【仙吕·点绛唇】中秋月 …… 863

【双调·行香子】别恨 …… 865

李致远

【中吕·迎仙客】暮春 …… 867
【中吕·朝天子】秋夜吟 …… 868
【中吕·红绣鞋】晚秋 …… 869
【中吕·卖花声】月夜 …… 871
【双调·折桂令】秋景 …… 872
【越调·天净沙】离愁 …… 874

张鸣善

【中吕·普天乐】咏世 …… 876
【中吕·普天乐】遇美 …… 877
【双调·水仙子】讥时 …… 879
【双调·水仙子】（东村饮罢又西村） …… 880
【双调·落梅风】咏雪 …… 882

李德载

【中吕·阳春曲】赠茶肆（十首其三） …… 884
【中吕·阳春曲】赠茶肆（十首其十） …… 885

孙季昌

【正宫·端正好】集杂剧名咏情 …… 887

卫立中

【双调·殿前欢】（碧云深） …… 891

程景初

【正宫·醉太平】（恨绵绵深宫怨女） …… 893

杨立斋

【般涉调·哨遍】（烟柳风花锦作园） …… 895

杨朝英

【正宫·叨叨令】叹世（二首其一） …… 900
【正宫·叨叨令】叹世（二首其二） …… 901
【中吕·阳春曲】（浮云薄处曈胧日） …… 902

【双调·清江引】（四首其一） …… 904
【双调·水仙子】（七首其一） …… 905
【双调·水仙子】（七首其二） …… 906
【双调·水仙子】（七首其六） …… 908
【双调·水仙子】自足 …… 909
【双调·雁儿落过得胜令】落花 …… 910
【商调·梧叶儿】客中闻雨 …… 912

宋方壶

【中吕·红绣鞋】阅世 …… 914
【中吕·山坡羊】道情（二首其二） …… 915
【双调·清江引】分韵为崔月英 …… 917
【双调·清江引】托咏 …… 918
【双调·水仙子】居庸关中秋对月 …… 920
【双调·水仙子】叹世 …… 921
【商调·梧叶儿】怀古 …… 923

柴野愚

【双调·河西六娘子】（骏马双翻碧玉蹄） …… 925

陈德和

【双调·落梅风】雪中十事·浩然骑驴 …… 927
【双调·落梅风】雪中十事·泛剡王猷 …… 928

刘庭信

【正宫·塞鸿秋】悔悟 …… 930
【中吕·朝天子】赴约 …… 932
【双调·折桂令】忆别（十一首其一） …… 933
【双调·折桂令】忆别（十一首其二） …… 935
【双调·折桂令】忆别（十一首其三） …… 937
【双调·折桂令】忆别（十一首其四） …… 938
【双调·折桂令】忆别（十一首其九） …… 939
【双调·折桂令】忆别（十一首外一首） …… 940

【双调·折桂令】题情 …………………………………………………… 942
【双调·水仙子】相思 …………………………………………………… 943
【双调·雁儿落过得胜令】（懒栽潘岳花） ………………………… 945
【双调·雁儿落过得胜令】（二首其二） ……………………………… 946
【越调·寨儿令】戒嫖荡（十五首其二、三、五） ………………… 947
【南吕·一枝花】春日送别 ……………………………………………… 950
高　明
【商调·金络索挂梧桐】咏别（二首其一） ………………………… 954
【商调·金络索挂梧桐】咏别（二首其二） ………………………… 956
兰楚芳
【南吕·四块玉】风情（四首其二） …………………………………… 958
【南吕·四块玉】风情（四首其三） …………………………………… 959
【南吕·骂玉郎过感皇恩采茶歌】闺情 ………………………………… 960
【双调·折桂令】相思 …………………………………………………… 962
王举之
【仙吕·一半儿】手帕 …………………………………………………… 965
【中吕·满庭芳】春夜 …………………………………………………… 966
【中吕·红绣鞋】秋日湖上 ……………………………………………… 967
【中吕·红绣鞋】栖云吊贯酸斋 ………………………………………… 968
【双调·折桂令】赠胡存善 ……………………………………………… 970
【双调·折桂令】读史有感 ……………………………………………… 971
班惟志
【南吕·一枝花】秋夜闻筝 ……………………………………………… 974
汪元亨
【正宫·醉太平】警世（二十首其一） ………………………………… 977
【正宫·醉太平】警世（二十首其二） ………………………………… 979
【正宫·醉太平】警世（二十首其十八） ……………………………… 980
【正宫·醉太平】警世（二十首其二十） ……………………………… 982
【中吕·朝天子】归隐（二十首其二） ………………………………… 983

【中吕·朝天子】归隐（二十首其五）…… 985
【中吕·朝天子】归隐（二十首其九）…… 986
【中吕·朝天子】归隐（二十首其十一）…… 988
【双调·沉醉东风】归田（二十首其二）…… 989
【双调·沉醉东风】归田（二十首其十五）…… 991
【双调·沉醉东风】归田（二十首其十九）…… 992
【双调·折桂令】归隐（二十首其十三）…… 994
【双调·折桂令】归隐（二十首其二十）…… 995

一分儿

【双调·沉醉东风】（红叶落火龙褪甲）…… 997

刘婆惜

【双调·清江引】（青青子儿枝上结）…… 999

杨维桢

【清江引】（铁笛一声天上响）…… 1001
【清江引】（铁笛一声秋满天/铁笛一声天作纸）…… 1003
【清江引】（铁笛一声江月上/铁笛一声吹落霞）…… 1004
【清江引】（铁笛一声星散彩/铁笛一声吹破秋/铁笛一声云气飘/铁笛一声翻海涛）…… 1006
【回波引】（小江秋/东飞乌）…… 1009
【双调·夜行船】吊古…… 1010

鲜于必仁

【中吕·普天乐】洞庭秋月…… 1014
【双调·折桂令】诸葛武侯…… 1015
【双调·折桂令】李翰林…… 1017
【双调·折桂令】苏学士…… 1018
【双调·折桂令】卢沟晓月…… 1020
【越调·寨儿令】（汉子陵）…… 1022

倪　瓒

【黄钟·人月圆】（二首其一）…… 1024

【黄钟·人月圆】（惊回一枕当年梦） …… 1026
【双调·折桂令】拟张鸣善 …… 1027
【越调·凭阑人】赠吴国良 …… 1028
【越调·小桃红】（一江秋水澹寒烟） …… 1029

**夏庭芝**

【中吕·朝天子】赠王玉英 …… 1030
【双调·水仙子】赠李奴婢 …… 1031

**邵亨贞**

【仙吕·后庭花】拟古 …… 1034

**刘燕歌**

【仙吕·太常引】饯齐参议回山东 …… 1036

**无名氏**

【黄钟·红衲袄】（那老子彭泽县懒坐衙） …… 1038
【黄钟·贺圣朝】（春夏间） …… 1039
【正宫·叨叨令】（黄尘万古长安路） …… 1042
【正宫·叨叨令】（绿杨堤畔长亭路） …… 1043
【正宫·叨叨令】（溪边小径舟横渡） …… 1044
【正宫·塞鸿秋】（爱他时似爱初生月） …… 1046
【正宫·塞鸿秋】山行警 …… 1047
【正宫·塞鸿秋】村夫饮 …… 1049
【正宫·塞鸿秋】春怨 …… 1050
【正宫·醉太平】（堂堂大元） …… 1052
【正宫·醉太平】讥贪小利者 …… 1053
【仙吕·寄生草】闲评 …… 1055
【中吕·朝天子】志感 …… 1056
【中吕·朝天子】嘲妓家匾食 …… 1058
【中吕·红绣鞋】（一两句别人闲话） …… 1059
【中吕·红绣鞋】（又不是天魔鬼祟） …… 1061
【中吕·红绣鞋】（孤雁叫教人怎睡） …… 1063

【中吕·红绣鞋】（搬兴废东生玉兔） …………………… 1064
【中吕·喜春来】四节 ………………………………………… 1066
【中吕·喜春来】（不能够欢会空能够看） ……………… 1069
【中吕·喜春来】（江山不老天如醉） …………………… 1070
【中吕·四换头】（两叶眉头） ………………………………… 1072
【中吕·普天乐】（木樨风） …………………………………… 1073
【南吕·玉交枝】（休争闲气） ………………………………… 1075
【双调·清江引】咏所见 ……………………………………… 1076
【双调·清江引】讥士人 ……………………………………… 1078
【双调·水仙子】（退毛鸾凤不如鸡） …………………… 1080
【双调·水仙子】遣怀 ………………………………………… 1081
【双调·水仙子】喻双陆 ……………………………………… 1083
【双调·水仙子】喻纸鹞 ……………………………………… 1084
【双调·水仙子过折桂令】行乐 …………………………… 1086
【双调·殿前欢】（谪仙醉眼何曾开） …………………… 1088
【双调·驻马听】（月小潮平） ………………………………… 1089
【双调·雁儿落带过得胜令】指甲 ………………………… 1091
【越调·天净沙】（平沙细草斑斑） ……………………… 1093
【越调·小桃红】情 …………………………………………… 1094
【越调·寨儿令】（鸳帐里） ………………………………… 1096
【商调·梧叶儿】嘲谎人 ……………………………………… 1097
【商调·梧叶儿】嘲贪汉 ……………………………………… 1099
【商调·梧叶儿】（秋来到） ………………………………… 1100
【失宫调牌名】大雨 …………………………………………… 1102

## 戏　曲

### 关汉卿

关大王独赴单刀会（第四折摘选） ……………………… 1105

山神庙裴度还带（第二折摘选）…………………………… 1110

高文秀

黑旋风双献功（第一折摘选）…………………………… 1113
黑旋风双献功（第二折摘选）…………………………… 1115
好酒赵元遇上皇（第二折摘选）…………………………… 1116

白　朴

唐明皇秋夜梧桐雨（第四折摘选）……………………… 1119

王实甫

崔莺莺待月西厢记（第一本第三折摘选）…………………… 1123
崔莺莺待月西厢记（第二本第三折摘选）…………………… 1124
崔莺莺待月西厢记（第二本第四折摘选）…………………… 1127
崔莺莺待月西厢记（第四本第三折摘选）…………………… 1129

王仲文

救孝子贤母不认尸（第三折摘选）……………………… 1134

马致远

破幽梦孤雁汉宫秋（第三折摘选）……………………… 1137
江州司马青衫泪（第二折摘选）…………………………… 1140
半夜雷轰荐福碑（第一折摘选）…………………………… 1142

李寿卿

月明和尚度柳翠（第二折摘选）…………………………… 1144
月明和尚度柳翠（第三折摘选）…………………………… 1146

尚仲贤

汉高皇濯足气英布（第四折摘选）……………………… 1148
洞庭湖柳毅传书（第二折摘选）…………………………… 1151
陶渊明归去来兮（第四折摘选）…………………………… 1153

石君宝

李亚仙花酒曲江池（第一折摘选）……………………… 1155

**杨显之**

临江驿潇湘秋夜雨（第二折摘选）…………………………1157

**纪君祥**

赵氏孤儿大报仇（第二折摘选）…………………………1160

**戴善夫**

陶学士醉写风光好（第三折摘选）………………………1162

**李好古**

沙门岛张生煮海（第二折摘选）…………………………1165

**狄君厚**

晋文公火烧介子推（第四折摘选）………………………1168

**岳伯川**

吕洞宾度铁拐李岳（第一折摘选）………………………1170

**宫天挺**

死生交范张鸡黍（第一折摘选）…………………………1172

严子陵垂钓七里滩（第一折摘选）………………………1175

**郑光祖**

醉思乡王粲登楼（第三折摘选）…………………………1177

迷青琐倩女离魂（第一折摘选）…………………………1179

迷青琐倩女离魂（第三折摘选）…………………………1180

**杨　梓**

功臣宴敬德不伏老（第一折摘选）………………………1183

功臣宴敬德不伏老（第三折摘选）………………………1185

**金仁杰**

萧何月下追韩信（第二折摘选）…………………………1188

**乔　吉**

李太白匹配金钱记（第一折摘选）………………………1190

李太白匹配金钱记（第二折摘选）………………………1193

王　晔

桃花女破法嫁周公（第二折摘选）…………………………1195

无名氏

包待制陈州粜米（第一折摘选）……………………………1197
杨氏女杀狗劝夫（第二折摘选）……………………………1198
风雨像生货郎旦（第四折摘选）……………………………1200
冯玉兰夜月泣江舟（第三折摘选）…………………………1202
锦云堂暗定连环计（第三折）………………………………1203
汉钟离度脱蓝采和（第一折摘选）…………………………1205
金水桥陈琳抱妆盒（第二折摘选）…………………………1207

高　明

琵琶记·糟糠自厌………………………………………………1210
琵琶记·琴诉荷池………………………………………………1213

施　惠

拜月记（第二十五出摘选）……………………………………1216

# 散　曲

# 【黄钟·人月圆】

元好问*

## 卜居外家东园

重冈已隔红尘断，村落更年丰。移居要就：窗中远岫，舍后长松。　十年种木，一年种谷，都付儿童。老夫惟有：醒来明月，醉后清风。

玄都观里桃千树，花落水空流。凭君莫问：清泾浊渭，去马来牛。　谢公扶病，羊昙挥涕，一醉都休。古今几度：生存华屋，零落山丘。

### 作者

＊元好问(1190—1257)，字裕之，号遗山，太原秀容(今山西忻州)人。早年师从陵川郝天挺，学成而入京师，时称"元才子"。金宣宗兴定五年(1121)进士，哀宗朝入翰林知制诰，后历官县令、行尚书省左司员外郎。金亡不仕，以著作自任。精史学，工诗文，称为金元"一代宗匠"。所著《中州集》《壬辰杂编》多存有金一代文献。其散曲，隋树森《全元散曲》辑有小令9首，残套1套。明朱权《太和正音谱》评其曲"如穷崖孤松"。

### 鉴赏

金哀宗天兴二年(1233)，蒙古围金朝南京(今河南开封)，金哀宗出奔归德(今河南商丘)、蔡州(今河南汝南)，南京守将崔立投降蒙古，元好问被蒙古羁管聊城（今属山东），元太宗七年（1235）移居冠氏县（今山东冠县），元太宗十年（1238），羁管被解除，元太宗十一年（1239）元好问始归故乡秀容。有学者认为，《卜居外家东园》曲即作于元好问始归故乡秀容之时，然观后曲“玄都观里桃千树”“谢公扶病，羊昙挥涕”等句，实应作于元氏谋修金史，为人所阻，乃筑“野史亭”之时。《金史·元好问传》：“时金国实录在顺天张万户家没乃言于张，愿为撰述，既而为乐夔所沮而止，好问曰：‘不可令一代之迹泯而不传。’乃构亭于家，著述其上，因名曰‘野史’。”

元好问回归故乡时约50岁，虽说是落叶归根，却并未回归故里，而是重新卜居外家东园。早在金宣宗贞祐二年（1214），蒙古再次攻金，兵围金朝中都燕京（今北京）。在蒙古骑兵面前，金人已经失去百年之前进入中原时的强悍。金宣宗献卫绍王的女儿岐国公主以和亲，蒙古暂时撤兵。金宣宗遂放弃黄河以北的土地和人民，仓皇迁都南京。蒙古攻金时，曾经长驱南下，兵掠河北、辽东、山东与山西等地。贞祐三年（1215），蒙古屠秀容，元好问的家乡惨遭涂炭。元好问遂离开秀容，奉母南下渡河，避难河南三乡，又移居登封。二十五年后的元太宗十一年（1239），元好问回归故乡，故里早成废墟，只好卜居外家东园。

元好问卜居外家东园，是他人生的无奈之举。国破家毁，修史受阻，他只好像陶渊明那样隐居。东园的卜居还真有隐士眼光：位于远离红尘的重山之中，几乎与世隔绝。窗外远山，屋后长松，环境清雅幽静，且良田美池，连年丰收，并无衣食之忧。元好问不用像陶渊明那样亲自躬耕，种树种谷诸事，都交付家人，他只是清风明月做伴，美酒良酿度日，很是悠闲。

元好问并非尘外高士，东园隐居，看似悠闲，一句“醒来明月，醉后清风”，隐约透露出元好问面对国家沦亡、江山破碎而自己竟然没有能力为国存史的忧愤，只好选择醒复醉、醉复醒的无奈沉醉。

后曲即追述元好问何以不能为国存史的原因。全曲连用几个典故，“玄都观”句，用唐刘禹锡《玄都观桃花》中“玄都观里桃千树，尽是刘郎去后栽”诗意，分明影射金朝灭亡，江山易主。“花落水空流”句，用南唐后主李煜《浪淘沙令》中“落花流水春去也，天上人间”句意，透露元好问无力为国存史的无奈，并流露一种兴亡之感。“凭君莫问”三句，化用《庄子·秋水》中“秋水时至，百川灌河，泾流之大，两涘渚崖之间,不辨牛马”和唐杜甫《秋雨叹》中“去马来牛不复辨,清泾浊渭何当分”以发泄其身逢国难,不得不随缘而适的悲凉愤慨之情。“谢公扶病”以后几句,用谢安、羊昙之典。据《晋书·谢安传》载,谢安为东晋重臣,淝水之战击败前秦,东晋赖之以安。会稽王司马道子专权,谢安遭猜嫌排挤,离朝出镇广陵,“然东山之志始末不渝”。后受诏还都,入西州门时,谢安“自以本志不遂,深自慨失”,因叹:“吾病殆不起乎!”不久病卒。羊昙素为谢安所爱重,谢安卒后,行不由西州路。尝醉,不觉至西州门,羊昙“悲感不已,以马策扣扉,诵曹子建诗曰:‘生存华屋处,零落归山丘。’恸哭而去。”谢安去朝而“东山之志始末不渝”,羊昙醉入西州而求“零落归山丘”。元氏用此二典,则指自己因求修史而受阻,不得不隐居东园之事。曲终归结到“一醉都休”的沉醉,虽是无奈选择;“古今几度”三句,在自解自慰中,则流露出渴望“东山再起”之志。

元好问确实是不甘隐逸而沉沦,大概在他卜居外家东园后的不久,他修筑“野史亭”,走出东园,频繁往来于河北、山东、河南、山西等地,收集金代史料,终成《中州集》《壬辰杂编》等著。元好问最终也未能参修《金史》,但他所著金代史料,却被后世编纂《金史》者大量采用。

曲词方面,前曲用笔轻松,后曲用笔凝重,看似风格不一,其实感情相通。前曲用笔轻松欢乐,包含悲凉愤慨,以乐写悲。后曲用笔凝重沉郁,曲终突然高扬一笔,透出东山再起之势。

同时,二曲皆可分前后两段,上片写景,下片抒情,其造境之法,以及用语用韵等格势,都有点像在作词。对于此曲,唐圭璋《全金元词》以词收之,隋树森《全元散曲》则以曲收之。其究竟为词为曲,方家难以一说。其实并不奇怪,明沈宠绥《弦索辨讹》:“诗变而为词,词变而为曲。”宋翔凤《乐府余论》:“宋元之间,词曲一也,以文为之则为词,以声度之则为曲。”清刘熙载《艺概·词曲概》论金元北曲:“未有曲时,词即是曲;既有曲时,曲可悟词。”散曲由词演化而来,早期散曲还残留着词的痕迹。元好问恰好处在这个时代,他的散曲很自然地表现出由词变曲之演化阶段的特殊格势,即词曲一体,亦词亦曲。由于他是金元之际最早进行散曲创作的代表作家之一,对散曲的形成和发展有开创之功。

(田同旭)

## 【双调·小圣乐】

元好问

### 骤雨打新荷

绿叶阴浓，遍池亭水阁，偏趁凉多。海榴初绽，朵朵蹙红罗。乳燕雏莺弄语，有高柳鸣蝉相和。骤雨过，琼珠乱撒，打遍新荷。

人生百年有几，念良辰美景，休放虚过。穷通前定，何用苦张罗。命友邀宾玩赏，对芳樽浅酌低歌。且酩酊，任他两轮日月，来往如梭。

**鉴赏**

〔小圣乐〕或入双调、或入小石调，世人因元好问本篇中“骤雨过，琼珠乱撒，打遍新荷”几句脍炙人口，又称〔骤雨打新荷〕。恰如〔念奴娇〕经苏东坡写“赤壁怀古”后，又称〔大江东〕一样。元陶宗仪《南村辍耕录》卷九云：“〔小圣乐〕乃小石调曲，元遗山先生好问所制，而名姬多歌之，俗以为〔骤雨打新荷〕。”

本篇由上下两片组成。上片写夏日纳凉，流连光景的赏心乐事，主景。看作者铺叙的层次，可说是渐入佳景：先用大笔着色，铺写出池塘水阁的一片绿阴，并以“偏趁凉多”四字，轻轻点出夏令。然后，在此万绿丛中，点染上朵朵鲜红的石榴花——“朵朵蹙红罗”这是全曲最富于原创性的、出奇制胜的佳句，就算是有人这样想过，却从来没有人说过。“蹙红罗”用红罗折叠的花——用假花来比真花，成吗？因为在人们的观念中，真花总是胜于假花的呀。然而，凡事皆不可执一而论。假花也有一种好处，胜于真花，比如更加鲜艳、更加持久。故《红楼梦》有“假作真时真亦假”之叹——假的有时比真的还真，真的有时候比假的还假。文学创作就是这种情况——实录有时看上去很假，而虚构却往往令人信以为真。

言归正传，作者进而写鸟语蝉鸣。写鸟，不写大鸟而写小鸟，“乳燕雏莺”——刚刚孵化的新雏，其声稚嫩娇软而可喜。使人联想到曲中的蝉，也必是刚刚蜕壳的蝉，踞高柳而长鸣，“居高声自远”（唐虞世南《蝉》）也。在这一片新生命的合唱中，池塘水阁平添生趣。接下来，作者安排了一场“骤雨”。所谓骤雨，就不是绵绵阴雨，而是阵雨，给夏日带来凉意的雨，正可以滋润景物的雨。它持续时间不长，却“打遍新荷”，吴敬梓小说中有一段描写，可以为之阐释：“一阵大雨过了。那黑云边上镶着白云，渐渐散去，透出一派日光来，照耀得满湖通红。湖里有十来枝荷花，苞子上清水滴滴，荷叶上水珠滚来滚去。”（《儒林外史》第一回）那滚来滚去的水珠，不正是“琼珠乱撒”后荷塘的写照嘛。难怪王冕会想：“古人说‘人在图画中’，其实不错。”总之，上曲写景，亦算得上绝妙好辞，无怪其一时传播。

下片即景抒怀，宣扬浅斟低唱，及时行乐的思想，主情。作者的调子是低沉的，又是旷达的。在用笔上，作者一洗上片语言的华丽，而转为质朴。“良辰美景”句总括前文，言如此好景，应尽情欣赏，不使虚过。“穷通前定”，命运的好坏乃前世注定，这是一种宿命的说法，作者这样说意在反对“苦张罗”，即反对费尽心机的钻营。旷达的外表，掩不住内心的苦闷。“命友邀宾玩赏”二句，谓人生乐趣在流连光景、杯酒，这是从六朝以来，封建士大夫在无所作为之际典型的人生态度。因为光阴似箭，日月如梭，会使他们感到心惊，而在酩酊大醉中，庶几可以忘怀一时，取得片时的解脱。

此曲表现的思想，你可以说他庸俗，可以说他缺少独到之处，但从全曲来看，你得承认作者在对于自然美的发现和再造上，做得相当出色、相当成功。数百年来读者津津乐道的，并不是曲中论道之语，而是那“骤雨打新荷”的生机盎然的夏令境界，以及其中流露的浓厚的生活情趣。赵松雪听姬唱此曲，赋诗赞曰：“主人自有沧州趣，游女乃歌白雪词。”诚非虚语。

此曲写法与词体相近。这是因为在宋元之交，词、曲均为乐府，被诸管弦，传于歌筵，所以早期的词曲分疆并不甚严。《莲子居词话》卷二把这个曲调当作词调，就是这个缘故。

（周啸天）

# 【越调·天净沙】

商衟*

寒梅清秀谁知，霜禽翠羽同期，潇洒寒塘月淡。暗香幽意，一枝雪里便宜。

## 作者

* 商衟(1194—1264后)，字正叔，曹州济阴(今山东曹县)人。与元好问有通家之好，交谊颇厚。长期客居秦陇之地，滑稽豪侠，有古人风。曾改编南宋艺人张五牛《双渐小卿诸宫调》，为青楼名妓赵真真、杨玉娥所传唱。隋树森《全元散曲》辑有小令4首，套数7套，残套1套。明朱权《太和正音谱》评其曲"如朝霞散彩"。

## 鉴赏

商衟[越调·天净沙]共四首，属散曲中的联章体重头小令，皆咏梅之作。其第二曲主要写剡溪梅花的媚压群芳，第三曲主要写野桥梅花的多情娇态，第四曲主要写雪中梅花的玲珑堪画。此选首曲，主要写寒塘梅花的清秀淡雅，高洁不凡。四曲落笔各有侧重，一曲一梅，一梅一姿，各尽神韵。

寒塘梅花，前人多有吟咏。唐李德裕有《忆寒梅》诗："寒塘数树梅，常近腊前开。雪映缘岩竹，香侵泛水苔。"宋韩元吉《墨梅》诗："影落寒塘月照时，梦为蝴蝶绕高枝。画工欲画无穷意，不道幽人胜得知。"李、韩咏梅二诗，已见寒塘、月淡、雪映、暗香、幽情、霜禽等意象，商衟咏梅曲，亦展示如此景象：寒梅清雅秀异，高标不俗，常与霜禽白鹤为伍，在幽静的寒塘边、洁白的月光下，悠闲自在地悄然开放。淡淡的暗香浮动，散发着一种深情幽韵，这悄然开放的寒梅，又得到白雪的映衬，就更加风姿迷人了。

曲写寒塘边、雪境中的白梅，语不甚深，然姿态不俗，极尽神韵。白梅以洁白如雪而著称，元王冕有《白梅》诗："冰雪林中著此身，不同桃李混芳尘。忽然一夜清香发，散作乾坤万里春。"古人咏梅，很少单纯吟花弄月，多以"托物言志"而有梅外之寄。梅花本是古代诗词中常见的高洁清雅人格的象征，商衢咏梅，且咏白梅，其以白梅自况，借白梅的高洁，来表达他对高洁人生的一种追求。

全曲化用宋林逋《山园小梅》诗境。其中，"寒塘月淡"与"暗香幽意"，是林逋梅诗"疏影横斜水清浅，暗香浮动月黄昏"的点化。"霜禽翠羽"，则与林逋梅诗中的"霜禽"同义。林逋隐居西湖孤山，以湖山为伴，相传20余年足不及城市，终生不仕不娶，无子，唯喜植梅养鹤，自谓"以梅为妻，以鹤为子"，人称"梅妻鹤子"。故"霜禽翠羽"指白鹤，取冬雪洁白之意，以照应雪里白梅。"一枝"即一枝春，梅花别名，典出《太平御览》卷九七〇引南朝宋盛弘之《荆州记》："陆凯与范晔相善，自江南寄梅花一枝，诣长安与晔，并赠花诗曰：'折花逢驿使，寄与陇头人。江南无所有，聊赠一枝春。'"又用宋王安石《梅花》诗意："墙角数枝梅，凌寒独自开。遥知不是雪，为有暗香来。"

全曲用词典雅，造境清丽，意趣高洁。散曲尚通俗，追求俗语俗情俗境俗趣。商衢梅曲则追求不俗，重在典雅，语雅调雅情雅趣雅。商衢与元好问同时代，且友善，同属较早进行散曲创作的文人曲家。故其散曲中的小令，像诗中绝句，如词中小令，化诗为曲，化词为曲，体现出散曲由词演变为曲之际词曲一体的特殊曲格。商衢与元好问等文人曲家一道，为词向曲的演变，做出了艺术贡献。

（田同旭）

## 【南吕·一枝花】

商　衢

### 叹　秀　英

【一枝花】钗横金凤偏，鬓乱香云亸，早是身是名染沉疴。自想前缘，结下何因果？今生遭折磨，流落在娼门，一旦把躯点污。

【梁州第七】生把俺殃及做顶老[①]，为妓路划地波波[②]。忍耻包羞排场上坐。念诗执板，打和开呵。随高逐下，送故迎新。身心受尽摧挫，奈恶业姻缘好家风俏无些个。纣撅丁走踢飞拳[③]，老妖精缚手缠脚，拣挣勤到下锹镬[④]。甚娘[⑤]，过活。每朝分外说不尽无廉耻，颠狂相爱左。应有的私房贴了汉子，姿意淫讹。

【赚煞】禽唇撮口由闲可[⑥]，殴面枭头甚罪过，圣长里厮搽抹。倒把人看舌头厮缴络[⑦]，气杀人呵。唱道晓夜评薄，待嫁人时要财定囫囵课[⑧]，惊心碎唬胆破。只为你没情肠五奴虔婆，毒害相扶持得残病了我。

## 注释

① 顶老：歌伎。宋元时调侃戏谑之语。

② 波波：奔波劳碌。

③ 纣：商纣王，借指脾气很倔。撅丁：妓女假父，即龟奴。

④ 下锹镬：下毒手。

⑤ 甚娘：犹言“娘的”“妈的”。

⑥ 禽唇撮口：犹鸟鸣而不停。由闲可：意谓还只平常。

⑦ 缴络：纠缠。

⑧ 囫囵课：完整的金银锭子。课：同“锞”。

## 鉴赏

商衢曾改编过南宋艺人张五牛的《双渐小卿诸宫调》，惜其作不传。《叹秀英》中的秀英，也是一位与苏小卿有相同命运的风尘女子。不过，秀英并不像苏小卿虽然历经坎坷却终嫁书生双渐那样幸运，她的遭遇比小卿更为坎坷悲惨，最终结局竟是“毒害相扶持得残病了我”。秀英的命运，大约只有病死青楼，或者抛尸街头。

商衢如同诸多元曲家一样，从青楼女子悲惨的遭遇中，想到了自己身份的低贱。所以,商衢现存的四个套曲,都写妓女,而且给予深切同情,以发泄他对元代社会给予青楼女子与下层文人不公平的愤慨。

《叹秀英》共三支曲,曲以自怜自诉形式,倾诉作者对妓女秀英的不幸遭遇与悲惨命运的激愤之情。首曲〔一枝花〕,秀英自诉身世。秀英本良家女,以为前缘种下因果,使自己今生流落娼门,受尽侮辱折磨,又衰残多病。秀英内心悲苦难诉,遂形容不整,鬓发散乱,以示反抗。第二曲〔梁州第七〕,秀英自诉愤怒。妓院硬把一位良家女子,逼迫成一个风尘妓女,秀英不得不一味地为妓院生意奔波忙碌。她忍耻包羞地排场执板,念诗吟曲,随高逐下,送故迎新,身心受尽摧残。她想从良,无奈难遇好男儿。妓院知其心事,龟奴老鸨遂对她拳打脚踢,缚手缠脚;偶遇一个好男儿,妓院又设毒计下毒手,加以陷害。秀英悲愤控诉:"这是什么娘的生活!"秀英因自暴自弃,放浪不羁,每天格外地不讲廉耻,性情偏执,胡乱做爱。私房钱倒贴嫖客,又恣意淫荡,讹诈嫖客。社会将秀英祸害成妓女,妓院又将秀英逼迫成恶妓。尾曲〔赚煞〕,秀英发泄不平。秀英忍受着老鸨禽唇撮口而频繁无端的指责,不服气龟奴对她毫无罪过就没头没脑的殴打施刑,愤怒妓院嫖客对她没完没了的无尽纠缠,终使她落了个哀残多病、不能从良嫁人的悲惨结局。

三支曲子,如实描绘妓女的非人生活,重在控诉妓院对秀英的摧残折磨,刻画了一个被蹂躏、被扭曲的风尘妓女形象。写出了秀英破碎痛苦的心理,揭露了妓院的残暴,社会的黑暗,寄托了作者对风尘妓女的同情。

青楼曲是元散曲的传统题材。商衢现存 8 套套曲(包括残套 1 套),全部写青楼;他改编过的南宋艺人张五牛的《双渐小卿诸宫调》,也以青楼为题材;又曾为名妓张怡云绘《怡云图》。商衢与元好问同时代,是金元之际最早进行散曲创作的文人曲家之一。他大量写青楼女子的不幸,并表现出无限的悲悯和深切同情,对后世青楼散曲之传统的形成,无疑有着开创意义。

在艺术风格方面,商衢〔越调·天净沙〕之咏梅小令,是以雅为胜,雅语雅趣雅境;《叹秀英》则是以俗为胜,用了一系列俚俗语。不仅以俗语入曲,甚至是以世俗语、市井语、行业语入曲,表现元曲家对俗趣的嗜好。商衢的〔南吕·一枝花〕《寄远》、〔双调·新水令〕(彩云声断紫鸾箫)等套曲,也多以世俗语、市井语写成。商衢是金元之际,最早大量用俗语进行散曲创作的文人曲家。

以元好问为代表的文人曲家，其散曲风格多属文人语，他们常以诗以词为曲，完成了由词到曲的开创演变。商衢散曲小令中，文人语较为明显，然其套曲，基本上皆以俗语为曲。他完成了散曲最初的典雅化到通俗化的艺术过渡，其对散曲语言艺术风格的形成发展，也有着开创意义。

（田同旭）

# 【越调·小桃红】

杨　果*

满城烟水月微茫，人倚兰舟唱。常记相逢若耶上①，隔三湘②，碧云望断空惆怅。美人笑道：莲花相似，情短藕丝长。

## 作者

* 杨果(1197—1271)，字正卿，号西庵，祁州蒲阴(今河北安国)人。金正大元年(1224)进士，官偃师令。金亡后杨奂征河南课税，起为经历。史天泽经略河南，举为参议。中统元年(1260)官北京(今内蒙古宁城西北)宣抚使，次年拜参知政事。至元六年(1269)出为怀孟路总管。以老致仕，卒于家，谥文献。《元史》有传，谓其"性聪敏，美风姿，工文章，尤长于乐府"。有《西庵集》，已佚。存小令11首，套数5套。明朱权《太和正音谱》评其曲"如花柳芳妍"。

## 注释

① 若耶：溪名，在浙江绍兴东南若耶山下，相传西施曾在此浣纱，故又名"浣纱溪"。
② 三湘：具体所指不一，泛指今天洞庭湖、湘江流域一带。

## 鉴赏

杨果今存十一首小令皆用〔小桃红〕曲调，主要写采莲女子的情思和活动。见于《阳春白雪》八首，没有题名；见于《太平乐府》三首，题作《采莲女》。

此曲写一对别后重逢恋人的衷

曲互款。首句为久别重逢营造了一个便于抒发情致的浪漫环境：薄雾笼罩、月色朦胧的江南水乡；第二句接写清流中随微波荡漾的小船上，女主人公倚着栏杆，轻轻低唱着。这两句由男主人公的视点来着笔，是其身之所感、目之所见和耳之所闻。这如画的图景便自然勾起了男主人公对往昔情事的回忆，于是便率先开口向女子倾诉别情和相思："你不在我身边的那些日子里，我啊经常想起我们在浣纱溪边的初次相识，可是山高水远，我也就只能是空望着落霞后的散绮，那样空想想罢了！"美女收拢歌喉，笑着回答——这便是最后二句的内容："是吗？可我的命就像那莲花一样吧——你虽然用情短暂，而我对你的那份牵挂却比藕丝还长、还难以割断啊！"女主人公的"笑"，不是"嘲笑"，而是含有"打趣"的意味；其所答亦不含"怨讽"，而是含有几分"得意"：小样儿，嘴巴还挺甜的！

此曲融抒情于叙事，凝时空于尺幅：时间上是倒叙的重逢——离别——初识，空间则由初识的吴越到别后的荆湘再到重逢的江城；不故作腾挪跳宕而自摇曳生姿。更兼有以场景、细节和答问描绘情貌意态，亦收以简驭繁之艺术效果。而从"若耶""三湘"等语汇和谐音譬喻的手法，不难看出此曲与南朝吴歌传统的联系。

作为散曲"演化期"的代表作家，杨果的创作有着"以词为曲"的特征。此曲表情写意畅快明晓，而遣词用字复多藻饰文采，又与词为近；虽已入"曲境"，而又不乏闲雅风致。此之谓"花柳芳妍"（明朱权《太和正音谱》）。

（王　昊）

## 【越调·小桃红】

杨　果

采莲湖上棹船回，风约湘裙翠。一曲琵琶数行泪，望君归，芙蓉开尽无消息。晚凉多少，红鸳白鹭，何处不双飞。

## 鉴赏

此曲写思妇念远。起首两句即用侧笔描绘思妇情貌:在湖面上拨转船头把船儿划回来,她那用湘绫做成的翠绿色裙子,被习习晚风不断拂动,卷曲而飘摆不定。"棹"(zhào),本指船桨,此处用为动词,指划船。"约",卷曲貌。在起首二句中,外在绰约的风姿与内在无聊的情绪隐隐形成张力。紧接着用"一曲琵琶"以下三句,集中笔墨来描绘思妇的念远怀归。"一曲琵琶数行泪",是正面的特写镜头,本来是想聊借一首琵琶曲稍遣闷怀离愁,不料一曲弹毕却更加伤心,不知不觉中数行清泪已挂在脸颊了;"望君归,芙蓉开尽无消息"两句,是补叙导致落泪的心理活动——对在外良人("君")回来的热切盼望与音信杳无的现实构成了巨大的落差!"芙蓉开尽"意蕴丰富,荷花开尽结子成莲,说明目下已是深秋,女主人公的等待已经很久了,此一层意蕴;良人出行前当有誓约在先,以秋季为归期,眼下的"无消息"说明失期无归是一误再误,此"芙蓉开尽"的又一层意蕴;而"结子莲花"复与孑然孤寂的一己之身隐隐对比,此乃"芙蓉开尽"的第三层意蕴。足见思妇念远与良人不归的现实有着巨大落差的心理活动,富有深曲细腻的层次性。最后三句"晚凉多少,红鸳白鹭,何处不双飞",点明题旨,运用反衬、对比的手法,以双栖双宿的"红鸳白鹭",对写晚风中黯然销魂、孤独寂寞的思妇。"红鸳白鹭"为互文,即"红白鸳鸯和鹭鸶"。而抒情写意的视角已转为思妇的"内视点",感觉上的深秋凉意与视觉中亮丽的红、白之色的画面感,也构成了通感意义上的混合与对比;感觉上的物理性的"凉意"与心理的暗淡之感复构成对比与层进。全曲以景结情,余韵绵绵无尽,颇能引人遐想深思,亦是诗词特别是词中营造意境的常用艺术手段。故此曲亦有杨果散曲"以词为曲"的特征。

(王 昊)

# 【仙吕·翠裙腰】

杨　果

【翠裙腰】莺穿细柳翻金翅，迁上最高枝。海棠零乱飘阶址，坠胭脂。共谁同唱送春词。

【金盏儿】减容姿，瘦腰肢，绣床尘满慵针指。眉懒画，粉羞施，憔悴死。无尽闲愁将甚比，恰如梅子雨丝丝。

【绿窗愁】有客持书至，还喜却嗟咨。未委归期约几时，先拆破鸳鸯字。原来则是卖弄他风流浪子：夸翰墨，显文词，枉用了身心空费了纸。

【赚尾】总虚脾，无实事，乔问候的言辞怎使。复别了花笺重作念，偏自家少负你相思。唱道再展放重读，读罢也无言暗切齿。沉吟了数次，骂你个负心贼堪恨，把一封寄来的书都扯做纸条儿。

## 鉴赏

这是一套极富喜剧性的套曲，它通过一位女子接读一封不无虚情假意的"情书"的前后情态变化，将主人公既爱又恨的心理，剖绘得淋漓尽致，颇有生活气息。

首曲写一派暮春景象：黄莺儿金翅翩跹，在柳枝间穿梭，一忽儿又飞上高枝。它们的歌舞，是主人公寂寞孤独的反衬。红色的海棠花瓣，飘落满阶，如泪洒胭脂，是主人公怨苦的象征。这里的景象不但十分关情，而且造语尖新俏丽，"金翅""胭脂"等字面，色泽鲜艳可喜。末句点出孤独送春之意，有水到渠成之感。

次曲写主人公憔悴无聊的情态,反复形容。先说其姿容瘦损;继说其精神慵懒,既无心于女红,亦无心于修饰。凡此,皆因过度相思使然。"憔悴死"三字说到顶了,然后又巧设一喻,说女主人公的闲愁,有如梅雨之绵绵不绝。"梅子雨丝丝"状愁,直接取法于"贺梅子"(贺铸)。较之贺的"梅子黄时雨"(〔青玉案〕),本曲"丝丝"叠字,更有绘声绘形之妙,把"忧从中来,不可断绝"之意,传达得更为入化。

以上写主人公接信前的百无聊赖和寂寞孤独,是为铺垫。第三曲则开始切入全曲中心事件——读信。先写见信后的心跳:"有客持书至,还喜却嗟咨。"这欣喜与忧叹交加,正见她此时心情的复杂与激动。欣喜为有书信捎来,忧叹为未见交代确实的归期("未委归期约几时"),所以急急忙忙打开了情书("鸳鸯字")想看个究竟。谁知信上通篇说了许多嘘寒问暖的话,果然没有触及"归期约几时"这个实质性的问题。这才是期待有多高,失望有多重呢。即便他的"文章"写得蛮漂亮,信上全是甜言蜜语、山盟海誓一类的艳辞丽语("夸翰墨,显文词"),却只是个虚情假意的"风流浪子",还不及老实巴交的情种好!难怪女主人公一点也不欣赏他的才华。看来他真是枉费心机——"枉用了身心空费了纸"。字里行间,活泼泼跳动着作者观察生活的机智和幽默,是曲中本色而上乘的文字。

尾曲承上,先自愤愤不平:"这样的虚伪,这样不实在的假惺惺的问候不知怎么亏他说得出口?"("乔问候的言辞怎使")全曲至此为一小高潮,以下作者却宕开一笔:女主人公疑心是自己错怪了对方,把放下的"花笺"又拿起来,实实在在看了一遍,觉得自己确实没有误会,才坐实了这桩"公案"。于是波澜又起,且来势更加猛烈——"读罢也无言暗切齿,沉吟了数次",简直像一个量刑的"法官",最后作出了如下感情的宣判:"骂你个负心贼堪恨,把一封寄来的书都扯做纸条儿。"曲在扯纸声中结束,极为精彩,大有"曲终收拨当心划,四弦一声如裂帛"之致。

看来作品的审美效果是"喜",不是"悲",读来让人忍俊不禁。如果读者认为作者的用意仅在揭露男子负心,那就太表面化了,且与作品气氛不合。其实这里更多的是在玩味着女主人公那份自相矛盾的心理,即爱情生活中一种普遍的心态。在这里,恨,是因为爱;失望,是因为憧憬。今天她撕了信,如果明天他归来,那么一切又都会言归于好。作者从生活中发掘出真(怨恨之情态)与善(爱恋之深挚)的矛盾冲突,给以轻松的披露,善意的揶揄,构成了一种喜剧的因素。如果说曲中有情有景二端,尚与诗词类同;那么,曲中有"戏",便与诗词迥异。元散曲在唐诗宋词后别辟新境,从此曲可见一斑。

(周啸天)

# 【仙吕·赏花时】

杨 果

【赏花时】秋水粼粼古岸苍,萧索疏篱偎短冈。山色日微茫,黄花绽也,妆点马蹄香。

【胜葫芦】见一簇人家入屏帐,竹篱折补苔墙。破设设柴门上张着破网。几间茅屋,一竿风旆,摇曳挂长江。

【赚尾】晚风林,萧萧响,一弄儿凄凉旅况。见壁指一似桑榆侵着道旁,草桥崩柱摧梁。唱道向红蓼滩头,见个黑足吕的渔翁鬓似霜。靠着那驼腰拗桩,瘘累垂脖项,一钩香饵钓斜阳。

## 鉴赏

此套套数描写了不加修饰的秋天江边古拙之景,一些华丽的意象、优美的意境,与客子落寞凄凉的内心情怀形成极大的反差,由此不仅强烈地反衬出羁旅行役之人的悲秋情怀,而且表现了元代文人面对丑恶的现实以求在淳朴古拙的乡野风光中寻找精神的慰藉,以自然无伪为美的审美情趣。

〔赏花时〕展现了一幅苍茫却又具有诗意的傍晚秋景图。秋水粼粼,荒凉的河岸一派苍黄。短小的土岗下,冷清清地围着一带篱墙。随着夕阳西下,远山越来越渺茫模糊。在充满伤感的背景下,忽然出现了一种温暖、热闹的别样景致:"黄花绽也,妆点马蹄香。"野菊花在秋天不屈不挠地尽情绽放,发出阵阵幽香,让骑在马背上四处漂泊、充满疲惫、落寞的客子心情顿时开朗、轻松。然而随着客子眼光流转,他又看到了下一曲所描写的那一幅不协调的画面。

〔胜葫芦〕展现的是一幅破败却又充满了温馨的江边渔村图。在眼前入画的屏帐中,出现了一簇人家。他们的墙垣上不仅长满了青苔,而且有的地方还坍塌了,随便用了几根弯折的竹片补筑。他们的门是用树枝编就的,本来已经破旧不堪,更有甚者,上面还张挂着破旧的渔网,破上加破,如此简陋的生活环境,渔家生活的艰辛可想而知。然而就在这充满破败、冷落的背景下,忽然出现了快乐的动感:"一竿风旆,摇曳挂长江。"几间破旧的茅草屋中支出的一竿酒旗,正面向长江迎风招展。小小的酒旗在浩瀚长江的映衬下,一下子变得明朗开阔、富有诗情画意。渔村人家生活虽然很苦,但他们知足快乐,在打鱼的闲暇喝上几口小酒,快活一如神仙。然而这种轻快没有持续多久,由酒旗的翻飞所带出的凄凉晚风把客子的心情又带入了低谷。

〔赚尾〕先由"晚风萧萧""壁似桑榆""草桥崩柱摧梁"等衰景烘托出一种凄凉之境,由此衬托了"凄凉旅况"。然而,正当凄凉之感袭来时,忽然在长满红蓼的江边,出现了一名面目黧黑(黑足吕)、银发如霜的钓翁。他的脖子上突起的一个巨大的瘤块,使已经佝偻的背显得更驼了。只见他靠着一根弯曲盘结的老树,在夕阳余晖的映照下悠然垂钓。正是这钓翁"一钩香饵钓斜阳"的悠闲,淡化了作者的"凄凉旅况",使原本衰煞之境,转为恬淡闲适。曲中的钓翁,也许为作者真见,但即便如此,也具有作者归隐心态的投影了。

这套套数最大的成功之处就在于每支曲子都通过反差对比来写,充满矛盾,富有波澜,一方面极力铺写所见景物的衰败凄冷,另一方面却又不断地展示定居人家温馨、悠闲的生活情趣。〔赏花时〕里作者在旅途中秋色的苍茫因马蹄染香的野菊打破;〔胜葫芦〕中一簇破败人家的闯入破坏了如画的风景,触动了游子的悲凉,却因充满悠闲生活气息的酒旗得到缓解;〔赚尾〕直接唱出了"一弄儿凄凉旅况",却又被老者"一钩香饵钓斜阳"的自在、悠闲消释。这种看似矛盾的意境,实则反映了作者深感宦游凄凉,转而向往闲适生活的真实心态。

这套套数在艺术表现上既有诗的意境、词的体式,如用"黄花绽也,妆点马蹄香""一钩香饵钓斜阳"写所见景物;又用俗语极力铺陈,如"破设设柴门上张着破网""一弄儿凄凉旅况""黑足吕的渔翁",还特别渲染了垂钓老翁形象的丑拙。这种写法一方面体现了杨果的散曲创作有一种刻意从诗词的典雅向曲的俚俗转变的痕迹，另一方面又表现了元代文人以愚拙自居和以丑为美的叛逆思想。

（方新蓉）

# 【仙吕·赏花时】

杨　果

【赏花时】水到湍头燕尾分，桥掂河梁龙背稳。流水绕孤村。残霞隐隐，天际褪残云。

【幺】客况凄凄又一春，十载区区已四旬，犹自在红尘。愁眉镇锁，白发又添新。

【煞尾】腹中愁，心间闷，九曲柔肠闷损。白日伤神犹自轻，到晚来更关情。唱道则听得玉漏声频，搭伏定鲛绡枕头儿盹。客窗夜永，有谁人存问？二三更睡不得被儿温。

## 鉴赏

杨果一生，由金入元，多沧桑之感。这套套数作于金亡前夕，国势飘摇，宦游他乡，流离漂泊，全篇内容纪实性很强。艺术表现上，以空旷凄冷的环境氛围的渲染映衬凄凉落寞的内心情怀。可见此时士人生活与心态的一个侧面。

首曲〔赏花时〕全是写景，但景语也是情语，映衬出一种空旷、荒凉与落寞。一开篇先写河水湍急与桥梁平稳，似平淡无奇，其后“流水绕孤村”数句，则意境全出。这既是作者亲眼所见之境，同时又毫无痕迹地化用了秦观〔满庭芳〕中“斜阳外，寒鸦数点，流水绕孤村”的意境，在夕阳余晖映照中的是孤零零的村庄，还有即将隐没消失的残霞，由这种落寞衰残之景，自然映衬出作者内心的寂寞凄凉之情。

〔幺〕直抒心中浓重的悲愁，感

慨年华流逝而游宦无成，表现了一位知识分子在动荡时代的痛苦和悲伤。他乡流落，奔波劳累，凄凄惨惨，又是一年。十年光阴匆匆而过，不觉年已四十，还独自一人，流落尘世，漂泊不定。遥想未来，又感到前途茫茫，无路可从，于是愁眉紧锁，在不知不觉中又增添了许多白发。此曲与下曲〔煞尾〕一样，形象鲜明，纪实性很强，既是生活的再现，也是艺术的表现。

〔煞尾〕具体真实地描写了旅况之凄凉、情怀之寂寞。腹中惆怅，心间烦闷，愁绪在胸中往复盘旋，难以排遣，几乎使人柔肠欲断。白日的忧伤尚觉可忍，而夜深人静时的孤寂却十分难耐。正在这时，漏壶的滴答之声更搅扰愁肠，令人辗转反侧，难以入眠。长夜漫漫，又有谁来安慰我呢？直到三更半夜，被窝里还是一片冰冷，叫人如何睡得安稳！

这套套数在格调上亦词亦曲，如〔赏花时〕句式规范雅致，若杂于词中，便难以分辨；而〔煞尾〕一曲，以常用俗语入曲，则曲味十足。赵义山先生在《元散曲通论》中认为，杨果之曲，“一套之中雅与俗并存，词体与曲体同在，这正是词曲并行，以词为曲的早期散曲的特征”。

（方新蓉）

# 【般涉调·耍孩儿】

杜仁杰*

## 庄家不识构阑

【耍孩儿】风调雨顺民安乐，都不似俺庄家快活。桑蚕五谷十分收，官司无甚差科。当村许下还心愿，来到城中买些纸火。正打街头过，见吊个花碌碌纸榜，不似那答儿闹穰穰人多。

【六煞】见一个人手撑着椽做的门[1]，高声的叫“请请”！道“迟来的满了无处停坐”。说道“前截儿院本《调风月》[2]，背后么末敷演《刘耍和》[3]”。高声叫“赶散易得，难得的妆哈[4]”。

【五】要了二百钱放过咱，入得门上个木坡。见层层叠叠团圞坐。抬头觑是个钟楼模样，往下觑却是人旋窝。见几个妇女向台儿上坐。又不是迎神赛社[5]，不住的擂鼓筛锣。

【四】一个女孩儿转了几遭，不多时引出一伙。中间里一个央人货。裹着枚皂头巾顶门上插一管笔[6]，满脸石灰更着些黑道儿抹。知他待是如何过？浑身上下，则穿领花布直裰[7]。

【三】念了会诗共词，说了会赋与歌。无差错。唇天口地无高下，巧语花言记许多。临绝末[8]，道了低头撮脚[9]，爨罢将么拨。

【二】一个妆做张太公，他改做小二哥⑩。行行行说向城中过。见个年少的妇女向帘儿下立，那老子用意铺谋待取做老婆，教小二哥相说合。但要的豆谷米麦，问甚布绢纱罗。

【一】教太公往前那不敢往后那，抬左脚不敢抬右脚。翻来覆去由他一个。太公心下实焦躁，把一个皮棒槌则一下打做两半个。我则道脑袋天灵破，则道兴词告状，划地⑪大笑呵呵。

【尾】则被一胞尿，爆的我没奈何。刚捱刚忍更待看些儿个，枉被这驴颓笑杀我⑫。

## 作者

＊ 杜仁杰(1201—1283,一说1197—1282),原名之元,号善夫(或作善甫),后更名仁杰,字仲梁,号止轩,济南长清(今属山东)人。金末,与麻革、张澄等人隐居内乡(今河南内乡)山中,以诗唱和。元初,屡征不起。其子杜元素仕元,任福建闽海道廉访使,仁杰以子贵,赠翰林承旨、资善大夫。仁杰才宏学博,善戏谑。与元好问相契。其作品多散佚。隋树森《全元散曲》所收有小令1首,套数4套。明朱权《太和正音谱》评其曲"如凤池春色"。

## 注释

① 椽做的门:用椽子做成的简易木门。椽:钉在屋梁上用来承载瓦片的木条。

② 院本:宋金时杂剧在教坊戏院中的演出之本,参见夏庭芝《青楼集·志》。《调风月》:当时流行的一个表现男女情爱故事的杂剧剧目。

③ 背后:其后,后面。么末:即杂剧。《刘要和》:根据金代著名杂剧表演艺人刘要和的故事编成的杂剧剧目。

④ 妆哈:应作"妆合",与"赶散"(赶场散乐)对举,指勾栏中的正规演出。

⑤ 迎神:在神诞之日举行仪式迎神像出庙周游街巷。赛社:乡民在农事完毕后,举行仪式,饮酒作乐,祭祀土地神。社:即土地神。

⑥ 插一管笔:指副净头上插着羽毛之类装饰。后面"满脸"句:指副净的脸谱

化妆。

⑦ 直裰：长袍。

⑧ 临绝末：临末。

⑨ 道了低头撮脚：说唱结束了，低头并脚，向观众致意。

⑩ 他：指副净，即上曲中的“央人祸”。小二哥：元杂剧中对店伙计一类人的称呼。

⑪ 划地：元曲中或作剗地、产的等，有反而、依旧等意。

⑫ 驴颓：驴的雄性生殖器，骂人的话。此句指剧中人的表演令人觉得十分滑稽可笑。

## 鉴赏

这套套数是元散曲中十分滑稽有趣的作品，全曲共八支曲子，叙述一位乡下人进城买纸火香蜡还愿，因而得以观看城中的杂剧演出。作者不仅对演出广告、门票出售、勾阑形状和角色装扮等作了生动描绘，而且还叙述了杂剧演出的整个过程。从作者的叙述中，可以考见早期杂剧的商业性演出情形。《梦粱录》等书对宋杂剧的演出仅有简略记载，这套套数则给予生动描绘，因此，此套是很有价值的民俗风情之作，也是研究宋金杂剧演出形式的珍贵资料。套曲题目叫“庄家不识构阑”，即种庄稼的乡下人看不懂勾阑(剧场)中的戏剧演出。作者主要描写乡民“五不识”的看戏经历，着眼在乡下人的孤陋寡闻，因而从乡民眼中见出的一切就都让人觉得滑稽可笑。

首曲〔耍孩儿〕先交代要叙述的人物、事件及相关背景。由前四句可知，庄稼人遇到了一个“风调雨顺”“桑蚕五谷十分收”、且“官司无甚差科”的太平之年，这对于世世代代的中国农民而言，已非常欣慰，感到无比“快活”了。于是进城去买纸火香蜡还愿。当他进得城来，正从街头经过，突然发现了一张“花碌碌纸榜”，但他不认得那就是勾阑中杂剧演出的广告，只看见“那答儿”(那地方)闹嚷嚷的一堆人在那里争看，他出于好奇，凑热闹，自然也要挤上前去的。“庄家不识勾阑”，首先是不识演出广告，这是一不识。

〔六煞〕描写庄稼人凑上前去后看到勾阑守门人时的情景。从庄稼人眼中见出的这位守门人，首先是彬彬有礼，非常热情，见了观众，便“高声的叫‘请请’”；其次是这守门人很会制造紧张气氛：“道‘迟来的(座位)满了无处停坐’”；还有，他既耐心地向观众介绍演出内容，还不断地高声吆喝招徕观众。对这位守门人的角色和职能，庄稼人也不知道，这是二不识。

〔五〕（即〔五煞〕，承前省略“煞”字，后同）写庄稼人购票入场和从他眼中看出的剧场。先是那位守门人收了他“二百钱”的门票钱放他入场，他入场以后，只见许多人围绕着一个台子层层叠叠地坐着，给他的印象最深的是：往上看“是个钟楼模样”，往下看“却是人漩涡”。然后他看见台上有几个女人不断地敲锣打鼓，他因此很吃惊，觉得又不是“迎神赛社”，为什么要不断地敲锣打鼓呢？庄稼人既不识剧场也不识乐队女艺人的作用，这是三不识。

〔四〕和〔三〕叙述庄稼人看到“艳段”演出的情景。庄稼人看到的是由“一个女孩儿”（引戏）登场舞蹈，引出“央人祸”（副净）等众角色上场表演“爨”（cuàn）弄（艳段）。在庄稼人眼里，这位“央人祸”的装束古里怪气，庄稼人于是替他担心，认为他那样的一身装束一定是很难受的！庄稼人还很惊奇“央人货”的记忆和口才：诗词歌赋，“巧语花言记许多”。接下来还有演员“低头撮脚”向观众行礼谢幕。但庄稼人不识这些正戏开演前的“艳段”表演，这是四不识。〔三煞〕最后说“爨罢将么拨”，是说“艳段”表演结束了，下面正杂剧就要开演了。

其后〔二〕和〔一〕两曲，便叙述的是庄稼人看到的正本戏《调风月》的一些情节表演。庄稼人看到出现在舞台上的有三个人物：由末扮演的“张太公”，由副净扮演的“小二哥”和由旦扮演的“年少的妇女”。主要情节是“张太公”看上了“年少的妇女”，要“小二哥”去替他做媒“取做老婆”，所以他只好听任小二哥的摆布捉弄。结果把张太公弄得实在是“焦躁”急了，便狠狠打了小二哥一棒槌，把皮棒槌都打断了。这下也把庄稼人吓昏了，以为一定是“脑袋天灵破”，要“兴词告状”打人命官司了。结果出乎意料的是“划地大笑呵呵”（小二哥反而呵呵大笑起来），原来他并没有死呢！这些剧情，庄稼人看得懵懵懂懂，似懂非懂。不识角色与剧情，这是五不识。

最后〔尾〕曲写庄稼人正看得起劲，但自己“被一胞尿”胀得“没奈何”，只说忍着再看一会，没想到被张太公和小二哥的滑稽表演逗得他大笑起来，也许禁不住连尿也洒到裤裆里了。全曲到此戛然而止，作者的叙述所产生的滑稽风趣的效果也达到了顶峰。庄稼人被“小二哥”的滑稽表演“笑杀”了，读者又被庄稼人的滑稽表现“笑杀”了，这就是作者滑稽风趣的叙述所产生的最佳效果。

这套套曲的写人叙事，之所以能取得滑稽风趣的效果，关键在于作者非常聪明地选择了一种巧妙的叙述策略。作者从根本就不懂得杂剧表演的庄稼人的眼中来展示杂剧表演的全过程,全曲以乡民之眼观物,以乡民之口叙事,通过对庄稼人“五不识”的层层铺叙,新奇陌生之感,滑稽诙谐之趣,便都油然而生。此外,纯用口语白描,也是本曲一大特色。作者以极俗之语,叙极趣之事,于是将曲文学的俗与趣发挥到了极致。杜仁杰散曲的这种谐趣作风,不仅继承了唱赚的“俗”,而且融会了杂剧的“谐”,成为元散曲中滑稽戏谑一路的开山。其后如马致远的〔般涉调·耍孩儿〕《借马》、刘时中的〔双调·新水令〕《代马诉冤》、姚守中的〔中吕·粉蝶儿〕《牛诉冤》、曾瑞的〔般涉调·哨遍〕《羊诉冤》,尤其睢景臣的〔般涉调·哨遍〕《高祖还乡》等套数,都显然受其影响。从语言运用和曲体风格方面的成就与影响看,杜仁杰在金元之交的曲坛上,是真正以曲作家面目出现的第一人,在当时的曲坛,他是独拔众流的。

(赵义山)

# 【双调·潘妃曲】

商　挺*

（十九首其一）

绿柳青青和风荡，桃李争先放。紫燕忙，队队衔泥戏雕梁。柳丝黄，堪画在帏屏上。

## 作者

＊ 商挺(1209—1288)，字孟卿，一作梦卿，晚年自号左山老人，曹州济阴(今山东曹县)人。其父商衡(字平叔)，陕西行省员外郎，以战死。金末，二十四岁的商挺曾北走依赵天锡，与元好问、杨奂交游。元初为行台幕僚，后历任四川行省事、参知政事、枢密副使等职。至元二十五年(1288)卒，享年八十。商挺为元曲家商衟之侄，金元之际，商氏叔侄在曲坛名闻遐迩，市井间多传唱其曲作。明朱权《太和正音谱》将其列于“词林英杰”一百五十人之中。商挺的散曲，隋树森《全元散曲》辑其〔双调·潘妃曲〕小令19首。

## 鉴赏

〔双调·潘妃曲〕是商挺仅存的一组小令，共十九首，内容为写景和分咏闺阁情事。这里既有女性的伤春怨秋，又有对爱情的渴望，尤以相思离别最为动人。种种情事，描写得极为细腻，对女性的心理刻画亦颇为传神。

〔潘妃曲〕前四首分写春夏秋冬四季景色，此曲为第一首，描绘春景。这支小令采用电影蒙太奇的手法，镜头逐步推进，所绘之景由远而近，最后集中于一点(柳树)。写景富有层次感，少女的幽怨感伤之情亦寄寓其中。

“绿柳青青和风荡，桃李争先放”是第一个镜头，呈现在读者面前的是一派大好的春天景色。冬天过去了，随着暖暖的东风一吹，柳树长出了嫩绿的叶子，桃李争先恐后地开出了鲜艳的花朵。在这样一个美好的季节里，人们脱去笨拙的冬装，三三两两相约外出踏青。他们沐浴着和煦的春风，踏着柔软的青草，仰望湛蓝的天空，心情无比舒畅。

春暖花开，鸟语花香，在这姹紫嫣红的春天，可写的东西很多，然作者笔锋一转，集中在燕子身上。“紫燕忙，队队衔泥戏雕梁”是第二个镜头，作者把人们的视线由屋外转移到屋内，写景亦由远而近，关注那些忙于做窝的燕子。燕子本是春天的使者，燕来春到，每逢春天，人们首先注意到的是燕子，因为它们给人们带来春天的讯息。“队队”极言燕子之多，也是对上一句“忙”的具体化。“戏”用了拟人化的手法，把燕子写得富有人情味。它们在屋梁上嬉戏，叽叽喳喳，似乎给人们传递着春天的消息。

这支小令前四句都是写景，没有写到景中人。对于一首写景的作品而言，这样写未尝不可。然不言景中之人，似有美中不足。“柳丝黄，堪画在帏屏上”是第三个镜头，作者将人们的视线又从屋梁移至屋内的帏屏上。这里虽未写人，然人呼之欲出。屋内的少女凭窗远眺，一切春景尽收眼底，但她的视线偏偏停留在柳丝上，心里暗想，可以把它画在屋内的帏屏上。屋外春光旖旎，春风骀荡，春景烂漫，少女可关注的颇多，为什么她只看柳丝而不及其余呢？此中有深意，在接下来后面的几首小令中有揭示。

这支小令就这样给读者呈现了三个镜头，写景顺序由屋外移至屋梁，进而移至帏屏上，跳跃性极大，意象也不连贯，给读者的印象有割裂之感。其实不是这样的。歌德曾说过，哪个少女不怀春？春天是美好的，亦是短暂的。看到花开花落，人们很容易想到青春已逝，故少女极易伤春。看到成双成对的燕子，就会联想到自身的孤单；看到柳丝，就会想到送别情人。语言浅易，写景传神，言情婉转含蓄，是元代小令中上乘之作。

（柏俊才）

# 【双调·潘妃曲】

商　挺

## （十九首其七）

冷冷清清人寂静，斜把鲛绡凭。和泪听，蓦听得门外地皮儿鸣。则道是多情，却原来翠竹把纱窗映。

### 鉴赏

此为商挺〔双调·潘妃曲〕小令十九首中的第七首，写少女的相思离别之情。作者采用设置悬念的手法，细致入微地刻画了少女的内心世界。

"冷冷清清人寂静，斜把鲛绡凭"写少女等待情人时的无奈与忧伤。也许就在昨夜，她与情人耳鬓厮磨，卿卿我我，海誓山盟，誓愿长相厮守，永不分离。那种温存对于一个热恋中的少女来说，就是她的生命，就是她的一切。然而幸福往往是短暂的，情人与她短暂的分别，让她觉得天塌了，人生不再，恋人走了，她的魂也随之而去，留给自己的是无限的凄凉与忧伤。"鲛绡"语出南朝梁任昉《述异记》卷上："南海出鲛绡纱，泉先潜织。一名龙纱，其价百余金，以为服，入水不濡。"用这样名贵的鲛绡纱做枕头，可见其家庭的富庶与豪贵。古代的豪门之女，往往有丫鬟服侍，久居绣楼，大门不出，二门不迈，她们生活的环境是非常寂静的。故"冷冷清清人寂静"既是对其生活环境的如实描写，更是暗示其心境的落寞。情人已去，欢娱不在，孤单寂寞，唯有懒睡来打发难挨的时光。

受封建礼教的约束，古代的女性一般很难见到外人。除晨省暮请之外，就连她们的亲生父母也很难见到。她们的生活完全是由丫鬟照顾的，更别说倾吐心曲了。在豪门之家，约束更为严厉。这种对人性的约束与压制，往往极容易走向反面。因此在古代的文学作品中，反封建礼教的往往是权贵之门的女性。这首小令写的大约就是这种情形。由于平日的严厉拘管，少女缺少知音与生活欢乐，偶然邂逅一男子,便坠入爱河,经常厮会,恋人就成了她生活的全部。一旦情人离去,便整日以泪洗面,不思茶饭,精神恍惚,"和泪听,蓦听得门外地皮儿鸣"就是对少女这种内心世界的刻画。在整日的愁苦相思中,她蓦然听到脚步声,少女的心情为之一振,兴奋至极,连忙去迎接情人的到来。真是恋人来了吗?这是作品设置的小小悬念,读者与作品中的少女一样都希望是情人的到来,然而事与愿违。

"则道是多情,却原来翠竹把纱窗映"犹如相声中的抖包袱,为读者揭开了谜底,也为我们解决了悬念,原来并不是她的情人,而是映在纱窗上翠竹的叶声。作品到此戛然而止,言有尽而余味无穷。我们可以想象,作品中的女主人公经历这富有戏剧性的一幕,内心会更加痛苦不堪了。

这首小令语言上既有通俗的一面,亦有典雅的一面,俪语与俚语的结合,使得这首小令在语言上颇具特色。在布局方面,采用了叙事类文学中设置悬念的方法,结构新颖。言有尽而余味袅袅,是一首极有趣味的作品。

(柏俊才)

## 【双调·潘妃曲】

商　挺

### (十九首其八)

带月披星担惊怕,久立纱窗下。等候他,蓦听得门外地皮儿踏。则道是冤家,原来风动荼蘼架。

**鉴赏**

此为商挺〔双调·潘妃曲〕小令十九首中的第八首,它与第七首一样写少女等待情人时的担惊受怕与煎熬。在谋篇构思方面与上一首也相似,善于捕捉细节,制造悬念,刻画女性心理。

“带月披星担惊怕，久立纱窗下”写少女等待情人时的焦灼与忧虑。在一个月明星稀的夜晚，一位楚楚动人的少女长久地站立在窗下，来回踱着步子，焦急万分地等待着情人。她很担心恋人爽约，又担心情人来时惊动父母，那种焦虑与担心，真叫人怜悯！古代的大家闺秀白天不轻易出门，夜间更应早早就寝。而小令中的女主人公夜晚不但不睡觉，反而在窗下等待情人，这与封建礼教对女性的约束相悖，同时也反映出她要冲破礼教的约束，渴望自由恋爱的急切心情。“带月披星”写她等待情人的时间是夜晚，“久”字状时间之长，少女在窗下等了很长时间，大概已经到了“夜久浸罗袜”（唐李白《玉阶怨》）的境地。“担惊怕”写她的心理，既担心她的恋人，更是她对自己这种行为的惧怕。这种描写极为动人，试想，在古代，一位女性毫不顾忌地与情人厮会，那她就成了不顾廉耻的淫妇、荡妇。她既想冲破礼教的约束，私自与恋人约会，又对自己的这种行为担惊受怕，这才是知书达礼的大家闺秀。

少女在窗前干什么呢？前两句未曾明言，一句“等候他”才使我们恍然大悟，原来她是在等待她的情人。一个“他”字点明了少女思恋的对象，也说明了少女痛苦的根源之所在。行文至此方才点出“他”，而不在开首言明，这是古代诗文工于发端的例子。“蓦听得门外地皮儿踏”，在苦苦的相思与等待中，少女忽然听到门外像有人走过的声音，她极力向外张望，眼睛瞪得大大的，四处寻找她的恋人。这首作品在此设置了一个小小的悬念，牵动着读者的心，使得读者急于想知道，是否如少女所愿，情人前来赴约。

“则道是冤家，原来风动荼蘼架。”噢，不是，原来是风吹荼蘼架发出的声响。少女多么失望，恐怕只有扑倒在床上掩面哭啼而已。

这首小令语言浅显，通俗易懂，但却把少女初恋时那种复杂微妙的心理——担惊、幻想、喜悦与失望，描绘得淋漓尽致。同时从一个侧面反映出作者反对封建礼教，追求幸福自由爱情的愿望。

（柏俊才）

# 【双调·潘妃曲】

商　挺

## （十九首其十四）

闷酒将来刚刚咽，欲饮先浇奠。频祝愿，普天下心厮爱早团圆。谢神天，教俺也频频的勤相见。

### 鉴赏

此为商挺〔双调·潘妃曲〕小令十九首中的第十四首，描述了一女子因相思而借酒浇愁的情景，抒发了“愿天下有情人终成眷属”的美好愿望。曲作开篇头两个字便点出全曲的情感基调和主要意象。“闷”字写出女主人公此时的心情是暗淡惆怅的。这种心情怎样来排解呢？最好的方法莫过于用“酒”了。酒是古典诗词中极为常见的意象，纵然有“举杯消愁愁更愁”的无奈，但纵观古今，人们总是喜欢借酒浇愁，此曲主人公也不例外。她希望借助酒精的力量，使自己能够暂时忘掉那烦人的愁绪。然而就在取来将饮的时候，猛然想到：就算是喝醉，心爱的人也不能够立刻与自己相见。怎样才能让他知道自己的相思之情，早日归来与她团圆呢？这是一个十分单纯的女子，她有一份十分青涩的恋情。既然不能选择鱼雁为她传书，也没有办法告诉任何人，或许因为这段感情是一个只有她和她的情人两个人知道的秘密？那么就让上天来帮助自己吧！

下面四句是她洒酒浇奠、虔诚祈祷的内容。这又是一个善良的女子，虽然她万般想念自己的情人，但在她潜意识中出现的却是天下许多和自己一样的女子都在寂寞中等候与情人的欢聚，所以她首先脱口而出的是“频祝愿，普天下心厮爱早团圆”。“厮爱”即相爱。此句读来不禁令人联想到杜甫“安得广厦千万间，大庇天下寒士俱欢颜”了。祝愿了他人，然后才想到自己：“谢神天，教俺也频频的勤相见。”写到此处，这位单纯善良的女子是不是该长舒一口气，尽情地借酒浇愁了？或者刻骨铭心的相思情感得到暂时的缓解而不再饮酒了呢？上天有没有听到她的祈祷呢？有没有让她和情人团圆呢？作者不再交代，整首曲子至此结束，余下的只有读者自己去想象了。

这首小令短短数语，用生活化的口语，白描的笔法，把主人公惆怅的神情，期盼的心情描写得出神入化，代表了早期曲作的当行本色。全篇平去声通押，音节自然流畅，既能展现女主人公温情缱绻的内心世界，又能够表现出北方女子特有的大方利落。此外，这首小令所展现的女子由烦闷到开朗，由一己之情到天下公愿，再到一己之情的一波三折微妙变化的心理世界，也极具婉曲变化之趣。

（张倩倩）

## 【双调·潘妃曲】

商　挺

（十九首其末）

只恐怕窗间人瞧见，短命休寒贱。直恁地胳膝软，禁不过敲才厮熬煎。你且觑门前，等的无人呵旋转。

### 鉴赏

此为商挺〔双调·潘妃曲〕小令十九首中的第十九首，写少女与恋人相会的喜悦与担心。在前面的曲子中，少女一直苦苦相思与煎熬，到最后一首终于苦尽甘来，可以厮会了。这支小令采用少女内心独白的方式抒写相见之甘苦。

“相见时难别亦难”，李商隐这句诗写尽了古代青年恋人会面之难。身为女性，要与陌生男子会面，这在古代社会是不可能的，这大约也滋生了偷情的土壤。古代的大家闺秀往往会在这种土壤中欢快地成长，这才衍生出“私订终身后花园”的戏曲套路。“只恐怕窗间人瞧见，短命休寒贱”写的就是这种不被礼教所容的相会。“只恐怕窗间人瞧见”透露出来的是担惊受怕的喜悦，少女既希望情人早点到来，又担心为他人知晓，这种礼教与人性的冲突在古代社会是具有普遍意义的。"短命"是对恋人的爱称,"寒贱"是指二人的私下相会行为,"休寒贱"是对这种行为的不齿,也含有劝告恋人不要莽撞。由此来看,作品中的女性是受过良好教育的,所以她既想与恋人厮会,又想恪守礼教,形成了矛盾冲突,少女时刻饱受这种冲突的煎熬。

然而礼教的约束毕竟是有限的,刻骨铭心的相思为的是什么?不就是与恋人相会吗?现在他就在面前,难道就这样错失良机吗?少女内心在挣扎,在流泪。陕北情歌中有云:"想亲亲想得我手腕腕(那)软,呀呼嘿;拿起个筷子我端不起个碗,呀儿哟。"(《想亲亲》)"直恁地胳膝软"就摹写了这种相思与煎熬。最后少女决定给自己一个机会,"禁不过敲才厮熬煎"是一个漂亮的借口,表面是男孩敲门次数过于频繁,担心别人听见,实则是少女给自己一个台阶下,终于下定决心要与恋人相会。

既然决定要相见,那就把门打开吧,但那样则有失矜持,与少女的身份不相符。于是就出现了一个小波折:"你且觑门前,等的无人呵旋转。"这样写于情于理都能让人接受,也符合厮会的情境。

这支小令语言简约,通俗易懂,但对女性心理的刻画极为曲折传神,是元代散曲中较为优秀的作品。

(柏俊才)

# 【南吕·干荷叶】

刘秉忠*

（八首其一、其四）

干荷叶，色苍苍，老柄风摇荡。减了清香，越添黄。都因昨夜一场霜，寂寞在秋江上。

干荷叶，色无多，不奈风霜锉①。贴秋波，倒枝柯。宫娃②齐唱采莲歌，梦里繁华过。

## 作者

* 刘秉忠（1216—1274），初名侃，字仲晦，邢州（今河北邢台）人。少时为僧，改名子聪，号藏春散人，后忽必烈赐名秉忠，谥文正。元代著名的政治家、诗文家，为元朝开国名臣，于元代典章制度贡献尤巨。诗文词曲兼擅，有《刘文贞公全集》32 卷（已佚），《藏春集》6 卷传世。另《永乐大典》中存其诗 155 首。

## 注释

① 锉：同"挫"，摧残，折磨。

② 宫娃：宫女，吴楚间称美女曰"娃"。

## 鉴赏

隋树森《全元散曲》收刘秉忠小令〔南吕·干荷叶〕八首，当是刘秉忠根据原以“干荷叶”为起兴的民间小曲改创的一组重头小令,取起名三字为调名,此调又名〔翠盘秋〕。首见于《阳春白雪》,无题,《乐府群珠》总题“漫兴”,未必为原题。此八首小令,前四首显然是一个整体,描画了荷叶在深秋由柄折、根摧到最终倒枝柯的过程,传达出一种萧疏寂寞的情怀和繁华易逝的人生喟叹。杨慎《词品》卷一评其〔干荷叶〕曲作“凄恻感慨,千古寡和”。

此处所选为八首中第一、第四首。小令用白描的手法描写了深秋荷叶的形象。昔日的苍翠欲滴已转为深青,干枯的荷柄在凄冷的秋风中独自摇荡。此刻突出的是荷柄,花已无,叶已疏,萧疏之气篇始已得。接下来从味、色两方面对比,消减的是往昔的怡人清香,增添的是今日衰老的枯黄。用“黄”这个简单的色彩词,传神地刻画了荷叶此刻的衰败形象。造成荷叶这种情形的原因,是昨夜的一场秋霜,于是荷的寂寞就如同黄昏江面上无法挥散的氤氲一样,久久郁结,无法释怀。霜的象征意义是宦海的沉浮,也是世事的沧桑。“寂寞”,既是萧索冷清环境的写照,又是孤单落寞心境的折射。以荷写人,极言其寂寞之情。

随着时间的推移,荷叶的颜色已所剩无多,更经不住风霜的双重摧残。“奈”即对付、应付之意;“不奈”体现了一种深深的无奈和无力感,愁苦之情更加深厚。最终荷叶摔倒在冰冷的江面上,一个“贴”字可见荷叶精疲力竭,最终它长长的叶柄也倒入江水中,荷叶彻底结束了它的生命。与荷叶形成鲜明对比的是,江面上美丽的宫女们却在愉快地齐声歌唱《采莲曲》。《采莲曲》是乐府诗旧题,又称《采莲女》《湖边采莲妇》等,为《江南弄》七曲之一,内容多描写江南采莲妇女的生活。宫女们俏丽的面庞焕发着青春的光彩,优美明快的《采莲曲》在江面上飘荡,此情此景,不禁让人目眩神迷。小令运用虚实相映的写法,使人遥想多少金装粉就的繁华锦绣,多少倾国倾城的美人佳丽,都消散在历史的烟尘中。历史轮回般的变迁,教人感觉依稀似在梦里,不禁一声长叹。

作者在小令中抒发的并非传统文人惯于吟唱的哀悼亡国、眷念前朝的情感,亦非单纯的感慨历史变迁、人事兴衰的悼古伤今之作,作为一位参与过大元帝国设计、并且有过归隐经历的政治家,他所表露的恐怕是在更高层次上对人生、世事的鸟瞰。人生似朝露蜉蝣,繁华如梦幻泡影,唯有生前身后的大寂寞才是真正的永恒。

(范春义)

# 【南吕·干荷叶】

刘秉忠

（八首其五）

南高峰，北高峰，惨淡烟霞洞。宋高宗，一场空。吴山依旧酒旗风，两度江南梦。

## 鉴赏

这首小令最早见于元杨朝英编的《乐府新编阳春白雪》后集，它是〔干荷叶〕这组小令中的第五首。

据南宋《临安志》记载，南高峰在南山石坞烟霞山后，高崖峭壁，怪石尤多，北望晴烟，江湖接目，峰下出寒水石，山中人竞采之，捣为齿药，上有砖塔，高可十丈。北高峰与南高峰遥遥相对。烟霞洞，在南高峰下的烟霞岭上，其洞极大，乃诸洞之首。作者选取了距离很近的两峰一洞作为寄托情感的意象，从高耸入云的山峰到深邃神秘的烟霞洞，从视觉效果来看是一种由高到低的客观趋势，再加上以“惨淡”二字过渡这样的两处名胜，便给人一种由盛及衰的主观情感。

“宋高宗，一场空。”宋高宗，名赵构，是宋徽宗第九子，宋钦宗之弟。他拒绝主战派的抗金主张，南逃至临安（今浙江杭州）定都，建立南宋政权。在其统治期间，他虽迫于形势以岳飞等大将抗金，但重用投降派秦桧，后以割地、纳贡、称臣等屈辱条件向金人求和，杀害岳飞，对金屈辱称臣，不思恢复中原，是中国历史上有名的以投降求得偏安一隅的皇帝。宋高宗为了保全自己的江山，把国家的尊严和地位都丧失殆尽。他这样的做法虽然求得了暂时的安宁，但最终却无法改变江山被夺去的残酷现实，到头来依旧是竹篮打水一场空。一个“空”字用法甚妙，其中蕴含了对南宋失势、败局无可挽回的深沉感慨。通过对刘秉忠小传的了解，我们可以肯定的是刘秉忠对元朝的统治是比较认可的。再联系作者的生活环境：刘秉忠出生于邢州，这里自古就是各族反复争夺的地区，这个地区的人们民族意识比较淡薄。刘秉忠的先祖历经辽金元三代,在他5岁时,刑州已落入蒙古人之手,在他的意识里并没有国破家亡的痛恨,而是在对历史的回顾与审视中获得反省。所以在这句中有惋惜、有感伤、有深思,在这几种复杂情感的纠结中,既流露出对前代兴衰更替的慨叹,又要求后世借鉴历史的明镜,以求获得更加长久的统治。

“吴山依旧酒旗风,两度江南梦。”“吴山”,在西湖东南面,这里用了借代的手法,吴山代指杭州。“两度”指在杭州建都的两个王朝(五代时吴越与南宋)。两个王朝像梦一样,终将消失在历史的印记里。无论统治者如何变化,这里的江山依旧不变。但是物是人非,令人感慨万千。在该小令中,作者选择了南宋这个历经坎坷的朝代,选择了临安(今浙江杭州)这个转瞬即逝的都城,通过这种典型的选择,表达了作者对历代王朝兴废无常的无限感叹,在这种对历史的理性思索背后,引发后世以史为鉴,获得深思。

(范春义)

## 【越调·小桃红】

盍西村*

# 临川八景·江岸水灯

万家灯火闹春桥，十里光相照。舞凤翔鸾势绝妙，可怜宵①，波间涌出蓬莱岛。香烟乱飘，笙歌喧闹，飞上玉楼腰②。

### 作者

* 盍西村，生卒年不详，盱眙（今属江苏）人，生平不详。元钟嗣成《录鬼簿》未载其名，另有"盍志学学士"，或为一人；明朱权《太和正音谱》评其曲"如清风爽籁"，然又列阚志学，似非一人。其散曲作品现存小令17首，套数1套。

### 注释

① 可怜：可爱、令人喜爱之意。
② 玉楼：传说中的天宫楼阁，此喻江岸楼阁以及水中倒影。

### 鉴赏

《临川八景》共八首，写作者在江西临川游览的感受和体会。这支小令写元宵之夜江边赏灯的观感，热烈而灵动。

民间有正月十五元宵赏灯的传统习俗，所以元宵节也称"灯节"。灯节往往因地制宜，各具特色。北宋孟元老《东京梦华录·元宵》记载了北宋开封元宵灯节的都市盛况，南宋周密《武林旧事·元夕》则记载了南宋杭州元宵的灯市,不仅街灯争奇,更以西湖船灯逞胜,形态各有不同。古城扬州至今还保留着元宵古运河灯船巡游的传统。临川是临水、宜黄、盱江的三江交汇处,形成汝河,西北向流入赣江。因此,元宵灯节便以水灯为地方特色。

"万家灯火"写出了元宵之夜灯火之多、之盛,一个"闹"字,更好像把无数灯火在一瞬间都激活了,写出了灯节游人攒动、灯火斗胜的鲜活动感。如果说"闹春桥"还是一个近景,那么"十里光相照"则写出了灯火在江岸的绵延伸展之感,展现了一个更为广阔的大全景。在这里,点与面、静与动、明与暗形成互动,也传达了江岸水灯给作者巨大的视觉冲击力和最初的总体感受。

"凤""鸾",都是古代传说中的神鸟。"势",这里指灯笼扎成的形态。"舞凤翔鸾势绝妙"是说凤形与鸾形的灯笼栩栩如生,好像在空中飞舞盘旋一般。"蓬莱岛"是古代传说中的海上仙山,在此比喻江面上的灯船。这是两个特写:前者写江岸的游灯和设列的组灯,后者写江中的船灯。作者寓情于景,赞赏和感叹溢于言表:作者不仅以"凤""鸾""蓬莱岛"这些极富赞美寓意的神话意象比喻所观之灯,还以"舞""翔""涌"来具体形容其鲜活与灵动,更以"可怜宵"直接抒发了赞叹和喜爱。

后三句场景宏大,浑似泼墨水彩,也有多种感受的调动。烟火的气味本不宜人,但作者在此却用一个"香"字,既写出了喷焰吐火之灯的视觉感受,也表现了焰火之气给予他的嗅觉刺激,以此表达了对元宵之夜灯火旺盛的喜爱。以"喧闹"形容"笙歌",则写其听觉感受,表现了弦歌之声的嘈杂。"玉楼"原指传说中的天宫楼阁,此是作者观灯的总体感受和想象:烟火之气与歌乐之声相互交融,洋溢弥漫,笼盖四野,上冲云霄。

此曲先写俨然仙境、豁然开朗的热烈场景,再写印象特别深刻的具体灯景,最后写恍若置身火树银花的天宫琼阁,结构严谨,也完全符合作者观灯的时序逻辑。以词笔而作曲,重点描摹特定场面,取景宏大,近景与远景兼顾,宏观与微观皆备,并且充分调动了嗅觉、听觉等方面的实际感受。因此,所描述的临川元宵灯节不仅如尺幅江山,同时具有了有声之图、有味之画的意义,又非传统所谓"画中有诗"可以局限。文词清雅,腴而不腻。"凤""鸾""蓬莱岛"和"玉楼"等意象,在中国传统语义中都有指代仙物、仙境的含义。因此,江岸水灯既是作者实在的感官体验,同时也含有他对人间仙境的浪漫联想。

(许建中　葛莹莹)

# 【越调·小桃红】

盍西村

## 临川八景·市桥[1]月色

玉龙高卧一天秋，宝镜[2]青光[3]透。星斗阑干[4]雨晴后，绿悠悠，软风吹动玻璃[5]皱。烟波顺流，乾坤如昼，半夜有行舟。

### 注释

① 市桥:街市中的小桥。
② 宝镜:比喻清澈平静的水面。
③ 青光:一作“清光”,指水面反射的月光。
④ 阑干:横斜的样子。
⑤ 玻璃:此喻河水明静澄澈,与前之“宝镜”相应。

### 鉴赏

我们大都具有这样的生活经验:景因时异,四季变化,昼夜不同。作者此篇就选取临川秋夜这一特定的时间和空间,写出了在市桥上所欣赏到的独特景致。

以“玉龙”比喻桥,独特而生动:“玉”字体现出石桥良好的质地,“龙”则写出了桥体优美的轮廓。多种大型语词辞典都以此为例句,或即出于作者首创,十分精妙。“高卧”一词紧接其后,形象地表现了石桥的拱度之大。秋夜寂静,明月当空,小桥卧波,精巧细致。有桥必有水,故次句承接而下:河水如镜,反射着皎洁的银光。首两句应题,但写法上都用曲笔:首句明写市桥,暗写月色,只有皓月当空,才能欣赏到秋夜市桥的精美;次句虚写河水清澈,实写月光明亮,感叹河水明澄如镜,正反衬出月光的皎洁。描写上有主宾之分,实则相互映衬。虽为写景,作者的喜爱、赞叹之情也暗寓其中。在写作角度上,这是作者临近市桥的远观所感。

登桥何所见?仰观天空,星月当头,北斗横斜。三国魏曹植《善哉行》中"月没参横,北斗阑干",描绘的是满天星斗之景,与此并不相同。"雨晴"则进一步明确了时序定位,强化了秋雨洗涤之后星空的澄澈。俯见河水,微风轻拂,碧波荡漾。"绿"字写出了秋水清澄,以"软"字修饰"风",写出了晚风和煦。秋夜和风,吹皱一河秋水。既是风吹生波,又是"软风"吹拂而成涟漪,故"皱"字的使用尤见作者用词的精致。这是作者登桥后仰俯所见,静寂而旷荡,也表现出一种闲适恬淡的心情。

后三句由刻画特定景物扩大到全景描绘。"烟波顺流"承上,写静静的河水向东流,却有杜牧"烟笼寒水月笼沙"的意味。"乾坤如昼"承上继续写月,却改曲写为直接描述:月光皎洁,天地明亮。全曲通篇写景,末尾陡然插入"半夜有行舟",在静谧空寂的天地之间加入了人的活动,这是采用了中国古代山水画的传统技法:所画山水无论如何险峻荒僻,作为画眼,必有一到两个人物隐约其间。所以,顿有生机,传神出彩,也具有了一定的哲理意蕴。

此篇以词笔作曲,表现出一种较为典型的文人审美意趣。一人独步市桥赏月,颇富雅兴,绝非俗人所为。"玉龙""宝镜""玻璃"等比喻,新奇,妥帖;"卧""透""皱"等动词的选用,精心锤炼。曲境清灵明澈,绝无世俗烟火气味。明朱权《太和正音谱》评价其词"如清风爽籁",十分准确。全篇宛如巨幅的传统文人山水画,极耐细细玩味。

自然界极多美景,只是人们在繁琐的生活中失却了审美的心态,蒙蔽了审美的眼睛。其实,只要我们放慢脚步、放松心情,美就在我们不远的身旁,不难寻觅。从这个意义上讲,这首小令不仅带给我们一种独特的审美感受,更表达了一种审美方法。

(许建中　葛莹莹)

# 【越调·小桃红】

盍西村

## 杂咏(八首其五)

淡烟微雨锁横塘,且看无风浪。一叶轻舟任飘荡,芰荷香,渔歌虽美休高唱。些儿晚凉,金沙滩上,多有睡鸳鸯。

### 鉴赏

盍西村[越调·小桃红]《杂咏》八首,前两首歌咏"急流勇退"的情怀,中间四首描绘春、夏、秋三季景物,后两首抒发初秋别情。此首写初秋水景。

"淡烟微雨"写出了"烟朦胧、雨朦胧"的总体环境。细雨轻洒,水雾弥漫,一切都笼罩在烟雨朦胧之中。用"淡""微"修饰"烟""雨",表现了烟雨的温润、柔和。"横塘"写出了观赏对象,也暗寓了作者的空间位置。同组第八首有"淡黄杨柳月中疏,今古横塘路",所指当为同一地点。"横塘"有多种解释,古称南京秦淮河,也可泛称水塘,但都与全篇所写之景距离较大;唯苏州横塘作为江南运河的支流,过去位于闹市近郊,较为接近。"锁"字形象地描写出烟雨遮蔽、水气笼罩的状态。"且看无风浪"是一补充判断,"无风"既是无浪的原因,也是形成"淡烟微雨锁横塘"特定景色的原因。

次三句为景物特写。"一叶轻舟任飘荡"是景中主体,既有韦应物《滁州西涧》"野渡无人舟自横"的自在天成、自然而然,也有苏东坡《赤壁赋》"纵一苇之所如"的自由飘荡、漫不经心。"芰荷香"是景中环境:菱叶与荷叶散发着芳香之气,可谓有味之画。"芰荷"语出屈原《离骚》"制芰荷以为衣兮,集芙蓉以为裳",因此寓有美好、高洁的象征意义。"渔歌"是"轻舟"之中渔夫所唱,故又可谓有声之画。但请注意:这个渔夫是画面中的唯一人物,是画眼所在,但却不划船、不捕鱼,而是在此背景中悠然而歌,所以实是一个隐逸之人。元曲中极多赞美隐逸之作,所写渔、樵多为隐逸高士。此处也应作如此理解。“美”，是作者对歌唱的评价；“休高唱”，是作者对歌唱的要求。在轻烟细雨的静谧气氛中，渔歌悠扬轻缓会显得情景交融，高亢激越则会破坏整个境界的宁静和谐。因此，这是一幅十分典型的隐逸渔歌图。

末尾三句继续写景，并在时间和空间作进一步拓展。作者沉浸在如此优美的景色中，心旷神怡，凝神观赏，不知不觉之中时间流逝，猛然感受到一丝傍晚的凉意。目光转向河边，鸳鸯双双栖息沙滩。“睡”字则将时间和空间有机联系。

这支曲子写出了作者一种独特的审美体验和审美感受。时空特定：初秋傍晚，横塘河边。景色秀美：烟雨朦胧，已为美景，再加上“一叶轻舟”“芰荷香”、渔歌唱晚、“睡鸳鸯”等点缀、修饰，形成了一幅浓淡相间的烟雨泼墨图卷，而且声、色、趣、味兼备。情调独特：作者雨中独步，伫观此景，不避烟雨，情趣盎然。当然，此景也只有如作者这类具有闲情逸致的人才能捕捉到、欣赏到。全曲写出了作者在横塘的见闻观感，景色描绘之中寓有清雅闲适之情，传达出一种十分典型的传统士大夫的审美趣味。

（许建中　葛莹莹）

## 【越调·小桃红】

盍西村

### 杂咏(八首其六)

绿杨堤畔蓼花*洲，可爱溪山秀。烟水茫茫晚凉后，捕鱼舟，冲开万顷玻璃皱。乱云不收，残霞妆就，一片洞庭秋。

注释

* 蓼花：一年生或多年生草本植物，生长在水边或水中，花小，白色或浅红色。

## 鉴赏

盍西村的散曲小令多为写景佳篇,此首亦写秋夕江山美景。

首两句写近处山水胜景。身旁,湖岸柳成行;举目,湖岛蓼花浓。"绿杨"是指柳树而不是写杨树。古城扬州以烟花三月、桃红柳绿而著称,却称"绿杨城郭",可为一证。"蓼花洲"是指开满蓼花的水中高地。柳条轻拂,柳叶青翠,蓼花稠密,红白相间,叙述之中蕴含了十分丰富的色彩。"可爱溪山秀"作进一步扩展:溪山相间,景致淡雅清秀。"可爱"既承启了前后两组景象,也是由衷感叹:如此秀美的山水美景怎不令人喜爱、流连忘返!

次三句写远处湖景。"烟水茫茫"写水面辽阔,水汽笼罩,让人感到空间的层次感与景色的厚重感。这与上一首"淡烟微雨"的景象不同,也与"绿杨堤畔蓼花洲"形成了鲜明的色彩对比。"晚凉后"与下之"残霞"相应,明确了具体时间。上一首也有"些儿晚凉",联系本首末句的"秋"字,则时间当在初秋傍晚。"万顷"写出水面之广阔;"冲"字表现渔船速度之快,很富动感。写"捕鱼舟",实写渔舟上的人,隐含了画面中唯一活动的人物,是为画眼。"玻璃皱"形容渔舟过后,清澈的水面出现层层波纹。此语又见《临川八景·市桥月色》(八首之七)"软风吹动玻璃皱"。古人有重复使用特色语词和自创佳句之例,如宋代张先作词善用"影"字,因以"云破月来花弄影""娇柔懒起,帘压卷花影"和"柳径无人,堕风絮无影"而著称,自诩"张三影";晏殊曾将其名句"无可奈何花落去,似曾相识燕归来",分别用于《浣溪沙》词和七律《示张寺丞王校勘》。作者重复使用"玻璃皱"这一意象,可见对此比喻十分欣赏,颇为自负,当然的确生动。整个画面因此两句而生气灌注。

极目所望,晚霞将收,秋意盎然。"乱云"写天上云朵排布没有规律,"不收"一词十分新奇,暗含拟人意味。"残霞"点出时间已晚,晚霞即将消失。"妆就"则明用拟人手法,"乱云"被残霞染成彩色。这是仰视所见所感。目光转向平视远眺,天空美景与浩渺湖水交相辉映,结语十分博大、警策。"洞庭"或许并非实写,屈原《九歌·湘夫人》:"袅袅兮秋风,洞庭波兮木叶下。"此处或是暗用其意,旨在形容秋意浓郁。如果联系上一首的写作地点,则更有可能是比喻太湖的秋景。

此曲由时间和空间两条线索结构全篇:从近景写到远景,再写俯仰所见,景色随视角变化而发生空间性转换;画面色彩由明朗清雅而渐趋萧瑟阴晦,也暗寓了一个历时性的演进过程。全曲境界开阔,点面结合,色彩丰富,动静相兼,构成了一幅意境高远的秋夕湖山图,浓厚的传统文人审美情趣也灌注其间。

(许建中　葛莹莹)

# 【仙吕·醉中天】

王和卿*

## 咏大蝴蝶

弹破庄周梦，两翅驾东风，三百座名园一采一个空。难道风流种，唬杀寻芳的蜜蜂。轻轻地飞动，把卖花人搧过桥东。

### 作者

＊王和卿,生卒年不详,与关汉卿同时而先卒,大名(今属河北)人。元钟嗣成《录鬼簿》列为“前辈名公”,但各本称呼不同,天一阁本称“王和卿学士”,孟称舜本称“散人”。元陶宗仪《南村辍耕录》卷二十三载“大名王和卿滑稽佻达,传播四方”。明朱权《太和正音谱》将其列于“词林英杰”一百五十人之中。现存散曲小令21首,套数1套。孙楷第《元曲家考略》评其曲曰:“观其词意跌宕,洵滑稽之雄也。”

### 鉴赏

王和卿与关汉卿友善,散曲多戏谑之作。“咏大蝴蝶”这个题目就有谐趣,在诗词中,有咏蝴蝶的——如唐代的徐寅、宋代的谢无逸等皆有佳作,但咏大蝴蝶、却是闻所未闻的。据元陶宗仪《南村辍耕录》记载,燕市(即大都北京)真的出现过一只大蝴蝶,其大异常。又说,作者与关汉卿相约就此题作唱和,王和卿先写了这支曲,关汉卿看后即搁笔,颇有“眼前有景道不得,崔颢题诗在上头”的意味。王和卿也因为这支曲而获盛名。

既是“咏大蝴蝶”，当然要在“大”字上做文章了。然而，一只蝴蝶，就算大吧，又能大到哪里去呢。作者开头起用庄周梦蝶事，很有意味。表明这只蝴蝶不像是现实中的蝴蝶，而像是梦中的蝴蝶，这就给读者留下想象的空间——梦想有多大，蝴蝶就有多大。“弹破”一词有奇趣，弹破了梦，就成了现实。它就是一只真实的大蝴蝶了。“两翅驾东风”五字以夸张的笔墨写蝴蝶之大，是出人意表的。这是紧扣《庄子·逍遥游》而来的，那五字本来是形容大鹏的，用来写蝴蝶之大，真是匪夷所思。

蝴蝶是爱花成性的昆虫，宋代的欧阳修有一首词咏蝴蝶，用拟人的手法写道：“身似何郎全傅粉，心如韩寿爱偷香，天赋与轻狂。……才伴游蜂来小院，又随飞絮过东墙，长是为花忙。”（《望江南》）令人联想到世间的轻薄少年、花花公子，为之解颐。而王和卿则说“三百座名园一采一个空”，这又完全是从“大”字上着眼了。“三百座名园”该有多少的花呀，够蜜蜂采上多少日子呀，然而对于这只大蝴蝶，则是一扫而空，这还不吓坏“寻芳的蜜蜂”！同时，作者在这里顺手一击，讽刺了社会上那些“高衙内”式的人物，而且不是一般的高衙内，而是被人称之为花花太岁一类的权豪势要的人物。因为是顺手一击，所以这讽刺说有就有，说无就无，才特别耐人寻味。

结尾处，作者又以抒情的笔调说：这只大蝴蝶只消轻轻地飞动，便可以把卖花人搧过桥东。这个想象仍是从“大”字着眼的，很有创意。虽然如此，却又是有来历的——盖宋代诗人谢无逸是个蝶痴，曾一连写了三百首咏蝴蝶的诗，有佳句云：“江天春暖晚风细，相逐卖花人过桥。”王和卿的灵感，就是从这里得来的。那么，他的创意又在何处呢？细细寻思，“把卖花人搧过桥东”本是“相逐卖花人过桥”的一转语，但是，在谢诗中，卖花人是主动的，蝴蝶是被动的；在王曲中，蝴蝶是主动的，卖花人是被动的。谢诗中的图景，是生活化的；而王曲中的图景，是童话化、卡通化的——从而平添了几多奇趣！总之，这一改非同小可，使彼此的审美趣味截然不同，谢诗有雅趣，而王曲多奇趣。此外，此曲语言风格以通俗见长，其滑稽之美非诗词所能有。

（周啸天）

# 【仙吕·一半儿】

王和卿

## 题情(四首其一)

鸦翎般水鬓似刀裁，小颗颗芙蓉花额儿窄。待不梳妆怕娘左猜，不免插金钗。一半儿鬅松，一半儿歪。

**鉴赏**

王和卿《题情》四支曲子选取了一位独守空闺的女子从早到晚的照镜、接信、看信、脱衣四个生活片断,这将她愁苦、思念、担心、生气等种种复杂心理表现得惟妙惟肖。在写法上不仅口语化,又巧妙地将曲牌名“一半儿”嵌入其中,画龙点睛,把复杂而又含蓄朦胧的男女之情变得简单明白,直露可感。这种风格极大地张扬了散曲的俗趣。

此曲是该组四首曲子中的第一首,写照镜梳妆。女子在对镜梳妆时瞧见自己黑如乌鸦羽毛的鬓发湿润发亮,像刀裁一样整齐地贴于双鬓;本来已经消瘦的脸庞,配上一个用小小的芙蓉花串起来的饰链坠于额间,更是显得额头非常窄。“女为悦己者容”,因情人不在,她实在无心打扮,但是又怕引起细心母亲的猜疑追问,不得不漫不经心地梳妆,勉强插上金钗,结果金钗插歪了,没有固定住发型,弄得头发一半儿蓬松一半儿歪。

这支曲子虽然与王和卿〔中吕·阳春曲〕《题情》一样都是用生动口语、白描手法写女子相思,但是相比之下又有不同。〔中吕·阳春曲〕《题情》直白,而这支曲子却是先扬后抑。第一、二句给我们展现了一个洋溢着青春气息的美丽女子。这样的女子本应乐于梳妆打扮,可她却随便应付。为什么?原来她动了相思而精神不振,懒于梳妆,却又怕母亲觉察内心的秘密,不得不勉强打扮的矛盾心理,这一心理充分反映在她已梳未梳的装扮上。

作者通过看镜梳妆的生活片断细致传神地表现出女子的内心世界,情调活泼,风格诙谐,同时也深刻揭示出在封建礼教束缚下女子爱情的矛盾痛苦,因而感人至深,有极强的艺术感染力。

(方新蓉)

# 【仙吕·一半儿】

王和卿

## 题情(四首其三)

将来书信手拈着，灯下姿姿观觑了。两三行字真带草，提起来越心焦。一半儿丝捋，一半儿烧。

### 鉴赏

此曲为《题情》四首中的第三首。曲作虽短,但作者站在女主人公立场进行构思,从内容上充分表现了一个女人接到情书的情景和读信时复杂微妙的感情。

期盼已久的情人来信了,女主人公内心激动地拿过书信在手里紧紧拈着。一个"拈"字的外表动作让我们看到她的内心世界。马上看还是不看,她犹豫了。因为这么长时间没有来信了,他现在在哪,在做什么?她既急于想得到答案,但又怕看到不好的结果。终于在矛盾中到了晚上,她再也忍不住,在灯下拆开,偷偷地仔仔细细地观看。失望得很,信上的字不多,大约有两三行,还有的写得端正,有的写得潦草。如此漫不经心、随意应付的情书让女子早有的猜测加深了,敏感的她想从字里行间揣度恋人的心理,但她无论如何专心琢磨都无法连贯地读下去。女人开始焦急不安起来,到底写的什么?猜不出,拿不准,于是疑虑重重,愈看愈焦躁,真是急死人呢!几分抱怨之情油然而生。还是认不清,最后发怒了,狠狠地撕扯,还不解气,干脆把信烧掉不看,以免心思不宁。

这支曲子虽直露,但在用字和句式上却注意到对女主人公心理的准确把握和细致入微的刻画,把女子不平的心境表现得活灵活现。女人希望得到心上人的书信,但拿到信后又疑虑重重,急于拆读又怕拆读。在灯下读信时专心致志,认不清时又焦急、失望、发怒,生动传神地揭示了女子情绪的变化和内心感情的复杂。

(方新蓉)

# 【中吕·阳春曲】

王和卿

## 题　情

情粘骨髓难揩洗，病在膏肓怎疗治？相思何日会佳期？我共你，相见一般医。

### 鉴赏

“题情”是元人散曲中最常见的写情题材之一。元曲吟咏男女离情不同于词的蕴藉、婉转，而是以炽热痛快、大胆泼辣见长。此曲即用本色语明言直说，淋漓尽致地表现男女双方相思相爱之深、盼望之切，对男女之情做了大胆而充分的肯定，反映了元代思想的解放。第一、二句用夸张兼比喻的手法把看不到摸不着的情变成了可以触摸的实物，爱情粘在骨髓上，融成一体，难以揩洗干净，形容爱情关系的密切，难舍难分；有了深情就难以割舍，一旦分别，就盼望着团聚，如果每每落空，这种情就变成了一种“病”，不仅身体消瘦，形容憔悴，还侵入人体要害部位“膏肓”，难以医治，危及人的生命。如何办？最后三句开出药方：相见。你我这种相思之痛，非药可医，只能两人相见时才会彼此都好。“相见一般医”，一笔两写，真是妙哉！然而相会只是一种希望，何日才是佳期？

此曲具有浓郁的民歌风味，构思不落窠臼，跳出常人写情常用的伤悲、泣涕、辗转等语，以丰富的生活经验和洞彻的观察能力，运用夸张的比喻和生动的口语刻画相思情之深、之奇，巧妙传神，远远超过了“为伊消得人憔悴”的境况。

（方新蓉）

# 【双调·拨不断】

王和卿

## 大　鱼

胜神鳌，夯风涛，脊梁上轻负着蓬莱岛。万里夕阳锦背高，翻身犹恨东洋小，太公怎钓？

### 鉴赏

王和卿为人幽默,作曲喜欢极度夸张,大胆想象,这一点在此曲中体现得非常充分。一开篇,作者就紧扣题目,从“大”处着笔,借用神话传说,先写大鱼的力量之大。《列子·汤问》记载,在渤海之东,有蓬莱等五座仙山,因为无根,所以常常随着波涛上下漂浮。天帝担心它们沉没或漂走使神仙没有地方住,于是就命令手下人派遣十五只巨鳌分班轮流举头顶住仙山,对抗海上巨大的风涛,五山从此稳定下来。由此我们可以想象巨鳌有多大的身形,有何等神奇的力量。然而一个“胜”字,突显出“大鱼”力量之大还远在“夯风涛”的神鳌之上,不由使人惊叹,瞠目咋舌。接着作者又让我们具体感受大鱼的神奇力量:大鱼轻轻松松就背负起了蓬莱岛,而神鳌抵挡风涛,夯得却是如此沉重。

其后,作者通过对比、夸张和背景展示,写出大鱼形体之奇大无比。夕阳照耀着万里海面,却只能见到大鱼高耸的色彩斑斓的鱼背,照不到它的首尾,那么这条大鱼的大更是无法想象。同时,也表现了大鱼的风采。这是一幅多么气势磅礴而又色彩绚丽的图画!如此夸张,实已登峰造极。接着作者又再上层楼,东海之大、深不可测,但是对于容纳大鱼,却是太狭小,它根本就不能翻身。联想到作者所处的时代,可以感到作者自诩志大雄才,却无用武之地。

写了大鱼的力大、形体之大,曲吟至此,夸张已经到了极限,如何结尾就是一个问题。然而作者却宕开一笔,从鱼说到人。人类对于动物,总会有一种本能的征服欲、占有欲。可是对于如此巨大的神鳌,又有谁能钓起?姜太公是有名的钓者,用直钩钓到了周文王这样的“大鱼”。

可是面对大鱼,"太公怎钓"?不屑于功名的元曲家认为太公钓鱼是假,钓富贵是真。这里作者站在大鱼立场上,出语嘲讽姜太公的善钓只能在小小的渭水之上表演,在它面前,他只能无可奈何。这句问语不仅风格幽默俏皮,而且极自然地由写大鱼之形过渡到写大鱼之神。由于作者运用了太公之喻,又以此鱼不上钩作结,表明这只力大无穷、形大无比的大鱼别有寄托,如同庄子的《逍遥游》,不受羁束,自由自在,不求于名利,展示了作者才能非凡、抱负远大、蔑视功名,决不会被功名富贵诱惑而与世俗同流合污的傲岸形象。

这支曲子很明显受到了庄子北海之鲲描写的启发,但是两者的表现手法完全不同。庄子描写北海之鲲是直接描写,而王和卿之曲却是充满了令人神往的奇思壮采,处处运用夸张、对比、衬托手法,间接描写,化实为虚,步步深入,比庄子描写的鲲鹏更生动、更诙谐有趣。作者把大鱼的"大"写得模模糊糊,没有界限,最大限度地调动了读者的想象力,增强了作品的韵味。

(方新蓉)

## 【双调·蟾宫曲】

徐　琰*

### 青楼十咏·言盟

结同心尽了今生，琴瑟和谐，鸾凤和鸣。同枕同衾，同生同死，同坐同行。休似那短恩情没下梢*王魁桂英，要比那好姻缘有前程双渐苏卿。你既留心，俺索真诚。负德辜恩，上有神明！

#### 作者

*徐琰(约1220—1301)，字子方，号容斋，一号养斋，自号汶叟，东平(今属山东)人。入仕前已与阎复、孟祺、李谦并称“东平四杰”。先后任职太常寺、陕西行省郎中、莱芜铁冶提举司提举、湖南道提刑按察使等，曾主持西湖书院。又以文学之重望，与侯克中、姚燧等人交游唱和，声震东南。大德五年(1301)卒，谥文献。徐琰不仅工于诗文，而且精于散曲，明朱权《太和正音谱》将其列于“词林英杰”一百五十人之中。元贯云石《阳春白雪·序》称其“滑雅”。

#### 注释

*没下梢：指有始无终，也可用为“有上梢没下梢”。

#### 鉴赏

《青楼十咏》细腻描绘了一位　艺妓与其情人的初见、相会、交欢以及分别的系列场景。"言盟"位于十咏第八,刚刚走出了腻云侵枕式的男女交欢情境,情浓意浓之际正可倚娇侍宠对神盟誓。

首句起势警策,"结同心尽了今生",是此曲的主旨和基调,就此拉开这场爱情盟誓的序幕。对于青楼女子而言,拥有一份生死相许的爱情,是无奈的受攀折生活最大的精神慰藉。寻觅到意中人,她很在意这份感情,深望两心如一。"琴瑟和谐,鸾凤和鸣"无异"同心"的变相说法,作为知音典故,很容易让人想到司马相如与卓文君、萧史与弄玉之事,他们的和谐相爱已然成为世人的共赏,也成为此时主人公内心所追慕的情侣榜样。在这一文雅式的艺术表述之后,作者又出以通俗唱法,并且不厌"同"字,前后连续七处,唱出生死相伴的心愿。言辞泼辣直率,毫不矫揉造作,活脱脱民歌风味。

"休似那短恩情没下梢王魁桂英,要比那好姻缘有前程双渐苏卿。"两句把盟誓推向高潮,誓言中有着鲜明的比方,语言通俗、故事熟知。主人公说你千万不要像那不讲恩情的王魁抛弃了桂英,但愿我们一如苏卿双渐终成一段好姻缘。王魁桂英是个广为流传的负心故事,歌伎焦桂英倾囊相助落难文人王魁进京赶考,临行前二人在海神庙许下山盟海誓。未料王魁高中后被丞相招婿,性情变化而贪图富贵。桂英接到王魁休书后,意欲自杀被侍女救回。王魁良心受责旧病复发身亡,桂英则抚今追昔悲痛不已。苏卿双渐则是一个有情人终成眷属的著名故事,也是元曲中的常见素材。故事写庐州妓女苏卿与书生双渐相恋,但双渐贫穷,无力迎娶苏卿。茶商冯魁强娶苏卿,以茶船载往豫章。双渐得官后赶至豫章,月夜江上奏琴,苏卿闻声出见,双双远走高飞。这故事由于充分表现了艺妓的爱情理想和穷书生的补偿心理,广泛流行于宋、金、元三代,对元散曲的影响尤为深远。读曲至此,我们为主人公决绝的爱情追求而备受感动,又隐隐为她的爱情命运而有些担心。青楼薄幸,攀花折柳,一介弱女子能够得到她的爱情保证吗?此曲逐渐脱出买笑卖笑的狎弄调情,用心描绘她的精神需求,使之从会客的组曲中脱出。

行文至此,主人公始终希望心心相印,希望真诚以待,生怕对方辜负了自己的心意,因而对着神明耿耿疾呼!

此曲以短小篇幅、泼辣语言,最富情感包孕的艺术段落,唱出一曲市井范式的同心歌。素来诗词中发愿盟誓不在少数,《上邪》对天盟誓之“乃敢与君绝”刚烈决绝,遗憾的是出于女子单方诉求未免让人遗憾;冯延巳《薄命妾》所唱三愿“一愿郎君千岁,二愿妾身长健。三愿如同梁上燕,岁岁长相见”,如此稳妥冷静,寸寸柔肠盈盈粉泪式的应歌腔流失了性灵与感动。元散曲中这些大胆泼辣的女性形象直接影响了抒情方式,一改传统言情诗词的含蓄蕴藉的作风,剥落所有矫情、顾忌和功利,而变为直率坦露、热烈明快,同时化身为元曲中风流浪子精神的载体。

（高　莹）

# 【仙吕·醉中天】

白 朴*

## 佳人脸上黑痣

疑是杨妃在，怎脱马嵬灾。曾与明皇捧砚来。美脸风流杀。叵奈挥毫李白，觑着娇态，洒松烟点破桃腮。

### 作者

* 白朴(1226—1306后),字仁甫、太素,号兰谷先生,隩州(今山西河曲)人。父白华官至金朝枢密院判官,金亡投宋,后归附真定(今河北正定)史天泽。白朴生于金朝南京(今河南开封),金亡失母,随元好问流寓山东,后从父定居真定,曾游历大都等地。蒙元攻宋,白朴沿汉水南下,历九江等地,曾至杭州,移居金陵,后不知所终。终身不仕,致力于杂剧创作,为元曲四大家之一。隋树森《全元散曲》辑有小令37首,套数4套。

### 鉴赏

白朴有杂剧《梧桐雨》,写唐明皇与杨贵妃故事,抒发一种深沉的家国之痛与沧桑之恨,是一部非常严肃的历史剧,为元杂剧之佳作。此小令《佳人脸上黑痣》写一位青楼歌女,却也涉及李杨故事。

明初贾仲明曾为钟嗣成《录鬼簿》中八十余位元曲家补写吊词,其吊白朴曰:“拈花摘叶风诗性,得青楼,薄幸名。”白朴常有青楼之行,为青楼女作词作曲,对她们的遭遇深表同情,黑痣佳人是其中的一位。

首二句,白朴在青楼突然相遇一位佳人,为其犹如杨贵妃的美貌深感惊异，以为是杨妃未死，因对她如何逃脱马嵬之灾疑惑不解。首二句是以杨妃的美貌衬托黑痣佳人，突出了她的惊人之美。短短二句曲词，既概括了杨妃得宠，明皇失政，安史之乱，李杨逃离长安，遭遇马嵬之灾等诸多历史事件，又交代了杨妃未死而侥幸逃生的传说。用词言简意丰，高度概括。

次二句引出李白在长庆宫作《清平调》三首之事。元辛文房《唐才子传·李白》载，李白欲登华山，乘醉跨驴经县治，县宰不知，怒引至庭下曰："汝何人，敢无礼！"李白曰："曾令龙巾拭吐，御手调羹，贵妃捧砚，力士脱靴。天子门前，尚容走马；华阴县里，不得骑驴？"县宰惊愧拜谢曰："不知翰林至此。"李白长笑而去。李白醉写《清平调》，唐明皇、杨贵妃亲自调羹捧砚，傲岸自负的李白，竟然也被杨妃"美脸风流杀"的貌美，迷得神魂颠倒，不能自持。这二句进一步写出杨妃貌美，依然在于衬托黑痣佳人。

尾三句，李白被"回头一笑百媚生，六宫粉黛无颜色"的杨妃迷得出了神，不能自持，竟然饱蘸浓墨，笔头不歪，"觑着娇态，洒松烟点破桃腮"。李白都被杨妃迷得神魂颠倒，大概马嵬驿六军也是被杨妃迷得不能自持，才放杨妃逃生，转生为黑痣佳人。就是因为这颗黑痣，黑痣佳人才未能像杨妃那样"天生丽质难自弃，一朝选在君王侧"，而是误入青楼，做了一位"五陵年少争缠头，一曲红绡不知数"的青楼佳人。

小曲构思独特，别出心裁；大肆夸张，出人意料；极富想象，妙趣横生。曲用衬托手法，用杨妃迷倒唐明皇、使李白神魂颠倒的美貌，衬托黑痣佳人的绝美，不失神来之笔。吴梅《顾曲麈谈》评曰："此词咏佳人黑痣，文极佳妙。"小曲用调侃之笔，令人解颐倾倒，与白朴的剧曲风格有所不同。小曲还有曲外之意，意即在白朴看来，如此绝美的黑痣佳人，竟然误落风尘，实在令人惋惜不已，借以引起人们对元代社会的愤慨。

元曲家有一个恶趣，他们在写遍青楼女子的貌美良善的同时，又关注青楼女子的一些生理性格缺陷。如关汉卿〔仙吕·醉扶归〕《秃指甲》、王和卿〔越调·小桃红〕《胖妓》、马谦斋〔双调·沉醉东风〕《嘲妓好睡》、杜遵礼〔仙吕·醉中天〕《妓歪口》、无名氏〔正宫·叨叨令过折桂令〕《驮背妓》与〔商调·梧叶儿〕《嘲女人身长》等曲作。其中不失同情妓女之作，但大多曲作则对青楼女子竭尽讽刺嘲弄。元曲家的这种恶趣，源于元代文人内心一种难以名状的苦闷无处可诉，遂借机发泄，倾诉他们对社会的不满。然而，他们对于有着相同命运的青楼女子如此调侃戏谑的恶趣，与白朴相比，显示出以一些曲家对青楼女子有失同情怜悯的低级趣味。

（田同旭）

# 【中吕·阳春曲】

白 朴

## 知 几

知荣知辱牢缄口，谁是谁非暗点头。诗书丛里且淹留。闲袖手，贫煞也风流。

今朝有酒今朝醉，且尽樽前有限杯。回头沧海又尘飞。日月疾，白发故人稀。

不因酒困因诗困，常被吟魂恼醉魂。四时风月一闲身。无用人，诗酒乐天真。

张良辞汉全身计，范蠡归湖远害机。乐山乐水总相宜。君细推，今古几人知？

### 鉴 赏

这四首〔阳春曲〕，题目“知几”，意为应有先见之明，知变之几微。《周易·系辞下》云：“子曰：知其神乎，几者，动之微，吉之先见者也。”这段话表现了白朴的人生态度和处世观念。白朴之所以持有这种明哲保身的价值观和处世方法，一方面与“万马齐喑”的元代社会现实有关；另一方面，也是他复杂多变的身世遭际造成的。白朴七岁遭战乱，“仓皇失母”，跟随元好问寄居在陌生的聊城；四年后才回到父亲身边。当时，父亲白华已由原金朝枢密院判，始而投宋，继而再投蒙古，“臣节”尽丧，既不讨好新朝，更不齿于士林，终日自责自谴。这极大地刺激了正在成长中的白朴，并深刻地影响到他对自己生活道路的选择。父亲先“荣”后“辱”，促使他小小年纪看破荣辱；朝代交替的是非曲直，成王败寇，被压抑的民族自尊心，更把他逼向对是非之地的逃离。白朴宁愿过贫寒生活,也不愿步父亲后尘。尽管父亲令其"习进士业",对他抱有很大的期望,白朴却一辈子没迈进过官场。虽每每有人推荐,但都被他婉言谢绝。他曾经为推辞举荐,作了一首词:"对诗书满架,子孙可教;琴樽一室,亲旧相欢。"(〔沁园春〕)这才是他向往的生活。

第一首小令,用一联对偶起首。"知荣知辱",出于老庄思想。《老子》云:"知其荣,守其辱,为天下谷。为天下谷,常德乃足,复归于璞。"说知荣耀而安守卑辱,甘愿作空然无物的川谷者,才是"常德",才能返璞归真。白朴在此曲中,并不是重复老子"知荣守辱"的遗训,而说的是自己知其何者为荣、何者为辱,却不愿道破,缄默不语。"谁是谁非"句意与此句同:并不是是非不辨,只是不愿明说、不愿表态。"诗书丛里且淹留",表现了曲家的主要生活内容:读书写诗,与诗书做伴,在诗书丛里安顿生命。

首曲的最后一句,意思是:空闲之时还是袖手为好,安贫乐命,名士自风流。苏轼《沁园春》词有"袖手何妨闲处看",元好问《阮郎归》词有"诗家贫煞也风流",白朴化用这两句词入曲,亦继承了苏轼、元好问的处世态度及孤傲清高的气质。白朴还有些其他的作品描写、赞美这种诗酒生涯,比如:"绣衣来就论文饮,随意割鸡炊黍。"(《摸鱼子》)上引的《沁园春》也是,都堪作参照。

第二首的"今朝有酒今朝醉",是老百姓的口头禅,很能反映国人"及时行乐"的乐天派世界观。民间往往把李白的"莫使金樽空对月"接在下面,形成一联,意思跟这首散曲里的"且尽樽前有限杯"一致。第三句用沧海桑田的典故,以凸现"日月如梭"主题,告诫人们,莫要等到"白发三千丈"了,牙也没了,酒也不能喝了,朋友也不上门了,再行后悔。

毕竟是诗人心性,白朴于第三首,道出了自己的内心困扰:不为酒,为的是诗;"吟魂"一到,"醉魂"就恼:你怎么又来了?怎么不请自来?你一来,我就不得畅意!白朴自认是个闲人,是个无用之人,四时风月,只与诗酒终日缠绵,好则好在永葆天真。

"张良辞汉全身计",张良是辅助汉高祖打天下的功臣,大功告成,全身而退,"欲从赤松子游"(《史记·留侯世家》);"范蠡归湖远害机",范蠡是位谋臣,曾助越王勾践灭吴,功成,泛舟五湖(《史记·越王勾践世家》)。这两位,正是曲家白朴推崇、欣赏的"知几"者,预知事之几微,全身,远害,识时务的俊杰。宦海险恶,怎比乐山乐水来得相宜？白朴在这组散曲小令的最后，直接面对读者“君”子，发出了“今古几人知”的追问。不用问，没几个人真正“知几”的。

综观元代知识界，持这种不乐仕进、无是无非、鄙薄功名，颂扬归隐的思想倾向和处世态度的，远不止白朴一人。与白朴同为“元曲四大家”的关汉卿、马致远，时代稍后的贯云石、张可久等，都有大量同题材作品存世。故白朴远官场而近贫民的生活态度与道路，亦可看作是一代之风气。

（翁敏华）

## 【中吕·阳春曲】

白　朴

### 题情（六首其一）

轻拈斑管书心事，细折银笺写恨词。可怜不惯害相思。则被你个肯字儿，迤逗我许多时。

**鉴 赏**

相思，在文学作品中，特别是在抒情诗体中，可谓“永恒的主题”。且看这首小令的抒情主人公怎样相思的。

女主人公将银白色的信笺细细展开，然后轻拈有着美丽斑纹的毛笔，一字字一行行地抒写自己的心事：“轻拈斑管书心事，细折银笺写恨词。”她欲“说尽心中无限事”，她用蝇头小楷缓缓写着。“心事”密密匝匝排列在银笺细格里，若要概括，唯有“离恨”二字。小令至此勾勒了一个敢爱敢恨、能书会文，敢于将自己的爱恨付诸文字的闺秀形象。恨由爱生。唯有爱之深，才能恨之切。这里的“恨”，原是爱的变异。

曲之第三句，是这位小姐的自叹。女子初恋，便尝到了相思的滋味：梦萦魂绕，牵肠挂肚。原来相思是病！女主人公自悯自怜，无计疗救，只得展笺拈管，倾诉满腔的离情别绪。女主人公这般相思这般恨，原因是得到过心上人的一个"肯"字儿，首肯。

白朴在他其余的言情作品中，也曾多次写到过这个"肯"字。有首〔得胜令〕中道："独自走，踏成道，空走了千遭万遭。肯不肯疾些儿通报，休直到教担搁得天明了。"此曲中的人物，也在被"迤逗"。被"迤逗"为了等一个"肯"字儿。而本首"题情"中的女主人公，是早已得到过"肯"字儿了的，却照样被"迤逗"；既然"肯"了，就得前来相会，难道叫人空喜欢，空相思？怎不令人怨煞恨煞！曲子是在这位失恋女的几声嗔怪、一腔怨绪中结束的。

白朴这一组散曲名曰"题情"，小令〔中吕·阳春曲〕，共有六首。它们是互有关联而又能独立成篇的作品。若细分，前三首可题作"相思"，后三首则为"相会"。本曲是六首中的第一首。欣赏这首小令时，最好能通读其他各首。

试将本曲置于"相思"题材抒情诗作系列中，并以"相思"诗词佳篇作为标准比照，似乎并不算上乘。李商隐《无题》诗中"刘郎已恨蓬山远，更隔蓬山一万重！""春心莫共花争发，一寸相思一寸灰！"写得何其凄迷奇警；李清照的〔一剪梅〕词中"花自飘零水自流，一种相思，两处闲愁。此情无计可消除，才下眉头，却上心头"则显得委婉曲折，意蕴悠悠。相比之下，这首小令显得"白朴"多了。但是唯其"白朴"，才呈现了另种神韵。正如周德清所说的"韵共守自然之音，字能通天下之语"，元人散曲之所以能与诗、词三分天下而独立，就因为它拥有迥异的艺术风貌。这支〔阳春曲〕写得简淡、率直，明白如话，绝无奇字赘语，是散曲小令的典型风格。

（翁敏华）

## 【中吕·阳春曲】

白　朴

### 题情（六首其四）

从来好事天生俭，自古瓜儿苦后甜。奶娘催逼紧拘钳，甚是严，越间阻越情忺*。

## 注释

＊ 忺(xiān):高兴,适意。唐韦应物《寄二严》诗:“丝竹久已懒,今日遇君忺。”

## 鉴赏

这首小令,是六首《题情》中的第四首。

“从来好事天生俭”,这里“好事”,指情事。白朴杂剧《墙头马上》第二折首曲中“几时得好事奔人来”,是一样的意思。“俭”,吝啬、缺少之意。“自古瓜儿苦后甜”,人世间好事多磨,瓜皆是先苦后甜。第二句为元人习用俗语,常出现在曲子中,用作譬喻,或用作诨语。如王伯成〔哨遍〕套数里有“味胜青瓜苦后甘”句。本曲以瓜喻好事,示主人公对爱情的信念,不怕挫折。

第三句,奶娘即乳母,一般也叫“嬷嬷”。古代闺秀常由乳母与丫鬟共同服侍、伴随,乳母还负有教育训导的责任,也是个“行监坐守”(《西厢记》语)的人物。因乳母常常是封建闺训的导师类人物,每每与恋爱中的少女发生冲突,故常在戏曲舞台上受到嘲讽,白朴的代表性杂剧《墙头马上》中就是这样。“拘钳”,管束之意,明言少女爱情受阻的根源。至此,上两句“好事俭”“苦后甜”就有了落实。“奶娘催逼”,催逼什么?催逼她快回闺房,不让她与情人从容会面?管束她意马心猿,不准她春心萌动?催逼她快快定亲,去嫁给她毫无感情的男人?作品没有明说,读者自可驰骋想象。“甚是严,越间阻越情忺”,是“抽刀断水水更流”的意思,管束愈严,情思愈烈;与“自古瓜儿苦后甜”一样,写情中带有一定的生活哲理。

作品较好地体现了白朴散曲坦率、素朴、明言直说的格调。

一个大胆、热烈,敢于藐视礼教束缚的恋爱中的女子形象,活脱脱凸现在读者眼前,由此亦可窥见作者在婚姻观上的叛逆精神。她就是《墙头马上》里的李千金啊!“既待要暗偷期,咱先有意,爱别人可舍了自己”。她对传统礼教的叛逆,对恋人的一往情深,对爱情的炽热,甚至受阻于乳母的情节,都与本小令何其相似。

我们在欣赏上一首“轻拈斑管”说过:直言明说式的情诗自有其独特的、不可替代的趣味和美感。《诗经》有《鄘风·柏舟》:“泛彼柏舟,在彼中河,髧彼两髦,实维我仪,之死矢靡它。母也天只!不谅人只。”唐敦煌曲子词有《菩萨蛮》:“枕前发尽千般愿,要休且待青山烂。水面上秤锤浮,直待黄河彻底枯。”白朴这类描写爱情的直言明说式的散曲,继承发展的正是从《诗经》到敦煌曲子中部分爱情诗词率真纯朴、热情奔放的风格。

(翁敏华)

# 【中吕·阳春曲】

白　朴

## 题情(六首其五、其六)

笑将红袖遮银烛,不放才郎夜看书。相偎相抱取欢娱。只不过迭应举,及第待何如?

百忙里铰甚鞋儿样,寂寞罗帏冷篆香。向前搂定可憎娘:只不过赶嫁妆,误了又何妨!

### 鉴赏

这是《题情》这组言情散曲的最后两首,具有另一种的生动活泼。“笑将红袖遮银烛,不放才郎夜看书”,这是女子的口吻;“百忙里绞甚鞋儿样……只不过赶嫁妆,误了又何妨!”则又是男子的声音。这两首曲子还非得放在一处读,对照着读,交替着读,才更能够读出滋味来。

“红袖添香夜读书”,是古代中国每个读书人都向往的美好境界。这里的“红袖”,以女子的美丽衫袖,代指少女本身。中国的书生是颇有艳福的,读书又颇为讲究,要沐浴焚香,在干干净净、香气袅然的环境中,慢慢翻开书来研读。所焚的香,也不是一般的线香,而是将香球、香丸或者香屑、香末,投进香炉里让它慢慢燃放。所以书生身边的“红袖”们应该待在那里一点一点地添香，伸出纤纤十指去试香，不断地照料着。可曲中的这位“红袖”就不够“敬业”了，不好好去添香试香，却举起袖子来遮挡灯光，这还叫人怎么看书啊？进一步，又偎过身来，要求相依相抱，享受片刻欢娱爱怜。这位俏冤家有行动还有理论，你听她振振有词：不就是考试期近吗？不就是要去应个举吗？有什么了不起的？即便是科举及第，那又待如何？遥远的功名前途，哪有眼前的爱情享受来得重要！

这就令人联想起《西厢记》“长亭送别”里崔莺莺的一句唱：“但得一个并头莲，煞强如状元及第。”她还告诫张生：“此一行得官不得官，疾便回来。”功名在爱情面前黯然失色。可见，抱有崔莺莺式功名观亦即恋爱观的女子，真大有人在！

后一首曲，则正相反，是男子对女子的骚扰。也许男子进门时，女子并没有看见；也许看见了，有意“晾”他在一边，自顾自拿把剪子铰鞋样，故男子也假装生气，把她的剪子、鞋样统统收掉，扔到一边去：我好容易来一次，两人好容易见一面，忙这件事都忙不过来，哪还有闲工夫铰什么鞋样儿！你就不怕罗帏寂寞、门庭冷落？

古人书房焚香，闺房亦焚香，香的种类也多种多样，有本曲表现的盘成篆书字形的“篆香”，有李清照用过的“瑞脑”香（《醉花阴》）等。闺房女子在百无聊赖、寂寞难耐时，每每没有情绪打理焚香事宜，故李清照任其“瑞脑消金兽”，《牡丹亭》里“游园”前的杜丽娘“炷尽沉烟，抛残绣线”，与我们这首散曲中的“冷篆香”是一个意思——篆字线香早已“冷”了，你却想不到焚上，正因此，男子窥见了自己爱人的真实内心：她还是在等着我的，她还是在乎我的，你瞧，我不来，她干什么都提不起精神来。所以，他敢于上前一把搂住女人，先骂一声“可憎娘”，说，不就是赶个嫁妆吗？打什么不紧，嫁妆来不及做又有什么关系，你人都是我的了，还在乎有多少嫁妆？误就误了呗。

像是两组电影镜头，有声口，有场面，有俏皮的捣乱，有情急的嗔怪，值得一读。这两首散曲所表现的场面，可以用一词概括：打情骂俏。民间向有“打是亲，骂是爱”的说法，假意的打打骂骂是情人间的精神调味品。最为常见的俏骂是“俏冤家”，男女都能用，如关汉卿〔双调·新水令〕套曲第三首〔七兄弟〕里，就有“怀里搂抱着俏冤家”；还有“傻俊角”，多由女的骂男的，名为骂，实为赞，赞美他长得帅，就如“俏冤家”里的“俏”字一样。这两首曲子，前一首女的管情郎叫“才郎”，正与“豺狼”音近，亦蕴有骂的意味；后一曲直截了当，骂一声“可憎娘”，心里却不知怎样地感到她可爱呢！

情人间互骂的词语还有很多，

关汉卿写过“骂了个负心回转身”（〔仙吕·一半儿〕《题情》）的女儿态，商挺描绘过“你骂吃敲才，百忙里解花裙儿带”的女孩子的口非心是。这种对民间恋俗的多样性记录和艺术表现，正是接近民歌的散曲的一个贡献。

（翁敏华）

## 【双调·驻马听】

白　朴

### 吹

裂石穿云，玉管宜横清更洁。霜天沙漠，鹧鸪风里欲偏斜。凤凰台上暮云遮，梅花惊作黄昏雪。人静也，一声吹落江楼月。

### 弹

雪调冰弦，十指纤纤温更柔。林莺山溜，夜深风雨落弦头。芦花岸上对兰舟，哀弦恰似愁人消瘦。泪盈眸，江州司马别离后。

### 歌

白雪阳春，一曲西风几断肠。花朝月夜，个中唯有杜韦娘。前声起彻绕危梁，后声并至银河上。韵悠扬，小楼一夜云来往。

### 舞

凤髻蟠空，袅娜腰肢温更柔。轻移莲步，汉宫飞燕旧风流。谩催鼍鼓品梁州，鹧鸪飞起春罗袖。锦缠头，刘郎错认风前柳。

## 鉴赏

〔双调·驻马听〕之曲共四首，分别写吹、弹、歌、舞四种伎艺，属元散曲中联章体重头小令。

《吹》之曲状写玉笛横吹。古者玉笛直吹，犹如吹箫。汉以后横吹，且以横吹为雅正，故名横笛。汉乐府有横吹曲，源于西域，传入汉朝，李延年更为新曲，马上横吹，用于军乐。曲云：玉笛有裂石穿云之声，高亢激越；宜于横吹，清雅纯正，有回荡天地人心之力。"裂石穿云"，宋苏轼《水龙吟序》有句："善吹铁笛，嘹然有裂石穿云之声。"又用"响遏行云"之典。笛声回荡北国，霜天为之降雪，大漠为之飞沙。鹧鸪听到笛声，陶醉不已，忘情的摇摇欲坠。笛声穿越南天，凤凰台上行云皆停，梅花岭上梅花为之惊落，犹如黄昏飘洒的飞雪。"凤凰台"句，宋词有《凤凰台上忆吹箫》之词牌，《词谱》卷二十五引《列仙传拾遗》："萧史善吹箫，作鸾凤之响。秦穆公有女弄玉，善吹箫，公以妻之，遂教弄玉作凤鸣。居十数年，凤凰来止。公为作凤台，夫妇止其上。数年，弄玉乘凤，萧史乘龙去。""凤凰台"句又用"响遏行云"之典。《列子·汤问》："薛谭学讴于秦青，未穷青之技，自谓尽之，遂辞归。秦青弗止，饯于郊衢，抚节悲歌，声振林木，响遏行云。"尾二句很有意韵：一声玉笛，吹落挂在楼檐边的江月，万籁俱寂，人们静静地安心沉睡。横吹曲为军乐，用以激励将士斗志，也用来为边城夜报平安。其有余音未绝，余韵无穷，意境深远，无声胜过有声之致。全曲起句先用一个夸张式比喻，然后借用几个典故，作夸张式想象，形象写出笛声荡气回肠，激越嘹亮，震动天地，惊动万物，感动人心的艺术魅力。

《弹》之曲状写琵琶弹奏。曲云：弹者轻拢温柔纤巧的十指，犹如白居易笔下琵琶女，弹奏起高雅的琵琶曲《阳春白雪》。"冰弦"指用冰蚕丝所做的琴弦，此借指琵琶弦。琵琶声声清脆婉转，犹如林间莺啼；流利清越，犹如山中泉流。又如夜深风起，雨落琵琶弦头，发出急风暴雨之声，震荡人心。又如芦花岸畔送别兰舟，弦声哀婉愁叹，离人闻之，徒增愁思，顿减腰围。曲句连用典故，"林莺山溜"二句，出自唐白居易《琵琶行》诗句中"大弦嘈嘈如急雨，小弦切切如私语""间关莺语花底滑，幽咽泉流冰下难"。"芦花岸”二句,亦见白居易《琵琶行》中“浔阳江头夜送客,枫叶荻花秋瑟瑟”“别有幽愁暗恨生,此时无声胜有声”。“愁人消瘦”,元王实甫《西厢记》三本一折有句:“杜韦娘不似旧时,带围宽清减了瘦腰肢。”尾二句,依然化用白居易《琵琶行》中“莫辞更坐弹一曲,为君翻作琵琶行”“座中泣下谁最多,江州司马青衫湿”。全曲多衍《琵琶行》诗意,曲意先清丽明快,后悲凉凄婉,音与声与情相互生发融通,转换自然。

《歌》之曲状写歌声绕梁。曲云:歌女阳春白雪般的歌声,像《秋风辞》一样引人愁思断肠。花朝月夜,大好春光,良辰美景,唯有杜韦娘才会唱出如此断肠之曲。自始至终,歌声哀婉绕梁不绝,渐而清越高昂,传至天上,小楼中一夜歌声弥漫不散。全曲连用典故,几乎一句一个比喻。“阳春白雪”,喻歌曲高雅,典出战国楚宋玉《对楚王问》:“其为《阳阿》《薤露》,国中属而和者数百人。其为《阳春》《白雪》,国中属而和者不过数十人而已。”“一曲西风”句,喻歌声感人。“西风”即秋风,汉武帝有《秋风辞》:“秋风起兮白云飞,草木黄落兮雁南归。兰有秀兮菊有芳,怀佳人兮不能忘。泛楼船兮济汾河,横中流兮扬素波。箫鼓鸣兮发棹歌,欢乐极兮哀情多。”宋韩淲《浣溪沙·醉木犀》:“一曲西风醉木犀,天香吹梦入瑶池。”“杜韦娘”,唐代歌女,喻歌者身份,唐教坊亦有曲名《杜韦娘》。唐孟棨《本事诗·情感》载,刘禹锡被罢官,司空李绅邀至第中,酒酣,赠以妙妓。刘即席赋诗:“鬌髾梳头宫样妆,春风一曲杜韦娘。司空见惯浑闲事,断尽江南刺史肠。”“花朝月夜”,喻良辰美景。南朝梁元帝《春别应令》:“动春心花朝月夜,谁忍相思今不见。”《旧唐书·罗威传》:“每花朝月夕,与宾佐赋咏,甚有情致。”“绕危梁”,喻歌声悠扬清越。《列子·汤问》载,韩国善歌者韩娥过齐地,“鬻歌假食。既去,而馀音绕梁欐,三日不绝。”“小楼”句喻歌声韵味无穷。南唐中主李璟《山花子》:“细雨梦回鸡塞远,小楼吹彻玉笙寒。”后主李煜《虞美人》又云:“小楼昨夜又东风,故国不堪回首明月中。”多用典故,是白朴散曲一个特色,使得其曲过于文语典雅。

《舞》之曲状写舞姿优美。曲云:舞者凤髻蟠空,腰肢柔软,轻移莲步,舞姿袅娜优美,犹如汉宫飞燕掌上轻舞。伴着舞步,鼍鼓漫奏《梁州》大曲,舞者扬起春罗翠袖,舞着鹧鸪舞。观者陶醉不已,自谓刘郎,争相以锦缠头,错把舞者认作情人。全曲依然连用典故,“莲步”,曲出《南史·齐废帝东昏侯纪》:“凿金为莲华以帖地,令潘妃行其上,曰:此步步生莲华也。”宋孔平仲《观舞》诗:“云鬟应节低,莲步随歌舞。”“汉宫飞燕”,即汉成帝后赵飞燕,体轻腰纤,擅长歌舞。宋陈旸《乐书·乐图论》:"掌舞,《汉书》:赵飞燕体轻,能掌上舞。妙则妙矣,非妃后之道也。""鹧鸪飞",指鹧鸪舞。唐李白《越中览古》:"宫女如花满春殿,只今惟有鹧鸪飞。"元郝经《龙德故宫怀古》:"忽见城头鹧鸪舞,卖花声断不胜愁。""刘郎",一般指天台山遇仙女的刘晨、阮肇,古人多喻指情郎。宋苏轼《鹧鸪天·陈公密出侍儿素娘》:"娇后眼,舞时腰,刘郎几度欲魂消。""风前柳",多指妓女。宋晏几道《点绛唇》:"花信来时,恨无人似花依旧。又成春瘦,折断门前柳。天与多情,不与长相守。分飞后,泪痕和酒。占了双罗袖。"

〔双调·驻马听〕四曲,意境皆同,用语皆嫌典雅,风格稍有不同。一、三曲慷慨激昂,荡气回肠;二、四曲清丽明快,凄婉动人。连用典故,以为想象比喻,言简意深。四曲皆以情致感人,不仅状写伎者绝佳伎艺,同时充满赞叹之情,使其伎艺有声有色,有姿有态,有情有意,寄托了作者丰富的情感。

(田同旭)

# 【双调·沉醉东风】

白　朴

## 渔　夫

黄芦岸白蘋渡口,绿杨堤红蓼滩头。虽无刎颈交,却有忘机友:点秋江白鹭沙鸥。傲杀人间万户侯,不识字烟波钓叟。

### 鉴赏

渔夫在中国文学的人物画廊里,甚为独特。专意表现渔夫生活的诗歌,始于唐张志和的五首《渔歌子》。在唐宋的渔夫词中,渔夫的形象是以悠闲洒脱为特征的,其所折射出的思想是人对大自然的顺适;

而元散曲渲染、歌赞渔夫，却更侧重于对社会和人生的抗争。

这首小令，开篇两句，对仗工整。“黄芦岸”对“绿杨堤”，“白蘋渡口”对“红蓼滩头”。景物为江南之特有，其色彩之鲜艳明丽，辅之以岸、渡、堤、滩等处所名词，为读者详细勾勒了渔夫徜徉出没之场景，也彰显了渔夫在水乡自然美景中自在、闲适的日常生活。“虽无刎颈交，却有忘机友：点秋江白鹭沙鸥。”这三句写渔夫驾一叶扁舟垂钓江上，但并非孤寡一人。他虽没有刎颈之交与之为伴，但有许多毫无机巧之心的朋友，即秋江上随意来往的白鹭沙鸥。在写法上，先有“虽无”之让步，后才翻出“却有”，颇具回环流走之妙。另外，“点”字活用，下得十分精巧，形象地传达了在一望无际的浩渺的江面上，白鹭、沙鸥飞掠、嬉戏之情形，以及这个友白鹭、侣沙鸥的渔夫在欣赏飞禽姿态过程时所透露出的恬适、安详。“傲杀”二句，乃为点题之笔，点出前面写的并非退隐文人，而是“傲杀人间万户侯”的“不识字烟波钓叟”，表现了渔夫蔑视荣利、甘心隐逸的情怀。

渔夫是“随时变化”的，并不在于某一个实在的人，套用一句禅语即你心中有渔夫，你便是渔夫了。这种心理投射在文学作品中使之具有自我标榜或者自我排遣的功能。白朴幼年经历了蒙古灭金的变故，家人失散，跟随他父亲的朋友元好问逃出汴京，受到元好问的教养。他对元朝的统治异常反感，终生不仕，却仍然找不到一片避世的净土。因此，他把他的理想投射到“渔夫”身上，赞赏那样的“渔夫”，羡慕那样的“渔夫”。由此看来，曲中的“烟波钓叟”，实际就是作者的化身。

这首小令语言清丽，意境阔大，对比鲜明，感情明快。寥寥数笔，成功地烘托出了渔夫傲岸自得的形象，也借此表达了元代备受压抑的知识分子所追求的理想，因而在当时就赢得了人们的喜爱。卢挚曾模仿这首小令，作过〔双调·蟾宫曲〕：“碧波中范蠡乘舟。殢酒簪花，乐以忘忧。荡荡悠悠，点秋江白鹭沙鸥。急棹不过黄芦岸白蘋渡口，且湾在绿杨堤红蓼滩头。醉时方休，醒时扶头。傲杀人间，伯子公侯。”立意与此曲一致，甚至好几个句子都直接来自此曲。

（高建旺）

# 【双调·庆东原】

白　朴

忘忧草，含笑花，劝君闻早冠宜挂。那里也能言陆贾？那里也良谋子牙？那里也豪气张华？千古是非心，一夕渔樵话。

## 鉴赏

叹世是中国古代文人长写不衰的题目。尤其是南宋词,有许多山川之叹、家国之叹、身世之叹构成的词作。元曲家继承了这一题目。本曲即系叹世之作。但元朝文人叹世,自与其前辈有很不同的特点。白朴的这首散曲,就堪作代表。从表面看,曲子写得言笑款款、心平气和、悠然洒脱,细细品第,又令人感觉到,这冷静与潇洒都并不由衷。

"忘忧草",即"萱草"。据说萱草嫩叶可做蔬食,食之令人陶陶然如醉,所以名之"忘忧";"含笑花",每当日落则绽放,花开常不满,半开时尤其香气扑鼻,犹如含笑之态,故名。小令以两种植物花草起兴,劝人忘却忧愁,笑口常开。可是想从根本上摆脱人生烦恼,曲家说,宜及早"挂冠"。"挂冠",即辞官,本于《后汉书·逢萌传》,逢萌有解冠挂东都城的故事传世。白朴在此间着个"宜"字,意谓抛弃功名、脱离官场,宜早不宜迟。

南宋词人刘过早于白朴半个多世纪,曾对辛弃疾说过类似的话:"直待功成方肯退,何日可寻归路?"(《念奴娇·留别辛稼轩》)然白朴此曲以"忘忧草"与"含笑花"作劝,并非专指一人一事,而是在更广泛、更彻底的意义上否定功名。接下来,散曲以一个鼎足对,提及三个历史人物:汉代陆贾,颇有辩才,曾从汉高祖定天下,并曾出使南越,游说南越尉赵陀归汉,故称"能言陆贾";太公姜子牙,曾辅佐周文王,武王时又谋划伐纣灭殷,故称"良谋子牙";张华,晋人,博学能文,曾作《鹪鹩赋》自喻,为阮籍所激赏,故称"豪气张华"。

〔庆东原〕调式共八句,其中四、五、六句为四字句,故一连排比三次的"那(哪)里也"是衬字。这三处衬字,拉长了叹息的语调,加强了叹息的语气,大有"言之不足则嗟叹之"的意味,极为有用:历史上确曾产生过这样的能人英才,可是今天安在哉?在对天连连发问长叹后,以“千古是非心,一夕渔樵话”作结。千古之是非曲直,都成了渔夫樵客们一夜闲话的谈资。

唐诗宋词中常以渔樵闲话来感慨兴亡,如张昇《离亭燕》:“多少六朝兴废事,尽入渔樵闲话。”陈与义《临江仙》:“古今多少事,渔唱起三更。”白朴继承了这一路数,同时也回答了前面“那里也”的三个自问:若一定要追踪的话,可以发现陆贾、子牙、张华们并非荡然无存,他们都还“存活”在渔樵们的饭后茶余的谈话中。这就是仅存的价值。散曲作者的言外之意是:他们本无甚价值可言。元代许多文人,由于时代的原因,对政事的参与意识淡薄。白朴劝人挂冠,自己则一生无“冠”可挂,又写作了大量与〔庆东原〕相类的词曲,堪称这种人生价值观念之忠实的实践者。

白朴生活在曲的时代,但离词的时代还不太远,他自己就有数百篇词作存于文集,其中也有相当的伤时寓慨、咏史叹世之篇。同为白朴,在两种不同体裁的作品中,“叹”得并不一调:词中呈现的常常是其流泪叹息的面影:“莫唱后庭曲,声在泪痕中”(《水调歌头》),“少陵野老,杖藜潜步江头,几回饮恨吞声哭。”(《石州慢》)在曲中,他却每每是“笑叹”:“忘忧草,含笑花,劝君闻早冠宜挂。”这在元代散曲中也是普遍现象。贯云石更甚:“伤心来笑一场,笑你个三闾强,为甚不身心放?”(〔殿前欢〕)连伤心都以笑终之。可见散曲每每是作家们用以遣散闷怀、自我慰安、平抚郁愤的载体。他们力图一笑治百忧。但他们笑得并不轻松,他们故作旷达的背后,人们感觉到是一颗十分沉重的心。

(翁敏华)

## 【双调·庆东原】

白　朴

暖日宜乘轿,春风宜试马,恰寒食有二百处秋千架。对人娇杏花,扑人飞柳花,迎人笑桃花。来往画船游,招飐青旗挂。

## 鉴赏

这支小令写的是寒食时节郊野赏春的热闹情形。阳春三月，风和日暖，正是触摸大自然的良好时机。起首两句，互文见义，言在暖日春风之中乘轿信马都十分适宜。一意双句，在重复的渲染中，强调了游人的出行方式多样及游人之众多。“宜”字下得精准，传达了作者对游人热烈拥抱阳春行为的评价，仿佛不远足领略风和日暖之行为有点不合时宜。在此情感的基础上，后文的陆续展开都荡漾着一种热闹而又喜悦的情调。首先映入作者眼帘的是“恰寒食有二百处秋千架”。寒食而秋千，是一种带有民族性的活动，据五代王仁裕《开元天宝遗事》记载：“天宝宫中，至寒食节，竞竖秋千，令宫嫔辈嬉笑以为宴乐。”这里秋千“二百”并非是作者静下心来，仔细数出来的，仅是一个虚数，泛指秋千数目之多，以此表达节日气氛之浓厚。饶有趣味的是，着一“恰”字，细微地传达出作者见秋千而才知时令乃为寒食，“暖日”“寒食”“秋千”感知顺序上的逐一写来与“寒食”“暖日”“秋千”节令活动的自然而来形成错落的节奏感。接下三句，用排比的句式，把春物象化与情态化，即选取了春的装扮者杏花、柳花、桃花，并赋予原本无情的花以各种人的情态面貌。杏花雅洁妍丽，如玉容呈露，是“对人娇”；柳花飘舞轻飏，如依依随身，是“扑人飞”；桃花艳美夺目，如佳人多情，是“迎人笑”。事实上，无论是杏花之“娇”，还是桃花之“笑”，皆为游人悦目赏心、全身心陶醉于大自然美景的情态流露。

“来往画船游，招飐青旗挂。”“画船”前缀以“来往”，不仅写出游人之忙碌，而且也暗示出郊野赏春的另一方式；“青旗”，乃酒旗也，因古代酒旗多以青布做成。酒旗在春风的吹拂下，飘摇不定，表面是写酒旗，而实际想要传达的或者是酒店的诱惑，或者是游人在酒馆里喝口小酒、顾盼四方的那种惬意心理。

入眼的是流水载画船，秋千荡佳人；入鼻的则是酒香和花香，芬芳醉游客。全曲纯用白描，却因景物的精心选择与表述生动，使读者如同身临其境，深切感受到了春日郊野生机勃勃与游人的畅快心情。此曲又见于马致远〔双调·新水令〕《题西湖》套数中的第二支曲子，由此可见这首作品的艺术影响力。

（高建旺）

# 【双调·得胜乐】

白　朴

红日晚，残霞在，秋水共长天一色。寒雁儿呀呀的天外，怎生不捎带个字儿来？

## 鉴赏

日暮村妇在家思人，游子在外念归，这种文学内容由来已久。《诗经·国风·君子于役》就有不俗的展示。此支小令也是思念远人之作。秋深日晚，红霞满天，长天尽头，远水相连。“秋水共长天一色”是唐代王勃《滕王阁序》中的名句，整句引用，如同己出，与“红日”“残霞”构成一幅境界开阔的绝妙秋景图。“红日”与“残霞”相对，一“晚”一“在”，美好之景日渐逝去，残缺之物悠悠横亘。不独如此，在“秋水”的渲染下，一种悲凉之情呼之欲出。在此基础上顺势推出“寒雁儿呀呀的天外，怎生不捎带个字儿来？”这两句写得颇为传神，不仅盘活了“红日晚”三句，而且精妙地写出了思妇由思到怨、由惊喜到失望的心理过程。由“寒雁儿”两句我们可以感知到“红日晚”三句乃为思妇眼中景物，其重点关注的并非“红日”的美丽，而是独倚高楼的时间之久长。红日渐西，远人不至，被红日映照而呈现的美景晚霞也烙上了佳人心绪不佳之痕。“秋水共长天一色”乃为远望之景，由此可知，独倚高楼的思妇放眼远眺之急切如在眼前，而“共”之复数与佳人之单一形成的对比也令人惊心。

自古鸿雁传书，思妇在极目远眺之际，天空闪现的鸿雁让其升腾起些许的希冀，但鸿雁未传书，却在有动静的“呀呀”声中飞向远方。此刻，原先较为矜持的思妇再也约束不住内心的跳动，而转化为语言的表白，把一腔思而不至的怨气转向未解人意的大雁：“怎生不捎带个字儿来？”明里在责怪鸿雁，暗里却指向远人的不归并且无书的冷情。

这支小令写得颇为出色。首先是充满戏剧性，也就是思妇望雁传书的落空到“怎生不捎带个字儿来"的怨言流露。其次是善于用典，如巧用《滕王阁序》中"落霞与孤鹜齐飞,秋水共长天一色"中的"秋水共长天一色",既合情也合景。再次是简淡的笔墨中蕴含着复杂而隐微的情思。景中有人,静中有动,富有诗情画意。

(高建旺)

## 【越调·天净沙】

白　朴

### 春

春山暖日和风，阑干楼阁帘栊，杨柳秋千院中。啼莺舞燕，小桥流水飞红。

### 夏

云收雨过波添，楼高水冷瓜甜，绿树阴垂画檐。纱幮藤簟，玉人罗扇轻缣。

### 秋

孤村落日残霞，轻烟老树寒鸦，一点飞鸿影下。青山绿水，白草红叶黄花。

### 冬

一声画角谯门，半庭新月黄昏，雪里山前水滨。竹篱茅舍，淡烟衰草孤村。

**鉴赏**

白朴是写景高手,尤其对精心描绘春、夏、秋、冬四季景观,饶有兴趣。他曾经分别以〔越调·天净沙〕与〔双调·得胜令〕为调,写有三组共十二首四季小令,此选〔越调·天净沙〕前一组四首四季小调,其季节不同,所写情趣也不同。

《春》之曲写庭院暮春。先写远景:春山春日春风,三个景象,为画面背景。继而写近景:几棵杨柳树下,一座小院,一座小楼,一座秋千,还有满园桃杏间的一条小河上,坐落着一座小桥,桥下落花流水,一派暮春景象。全曲只是客观排列一系列景象,似乎没有人物,一句"啼莺燕舞",一语双意,既指杨柳间的莺歌燕舞,又隐喻庭院中相互嬉戏追逐的美女。春天来了,庭院的主人掀开帘栊,走出香闺,攀扶着楼阁栏杆,沐浴着和风阳光;少女们相互呼唤着追逐在桃杏间,尖叫着荡扬在秋千上,庭院一片喧闹笑语;几位多愁善感的美人,站在小桥上,感叹着桥下的落花流水。俨然一幅庭院赏春图,人物的出现,将客观排列的一系列景象连为一体,尽管暮春,庭院依然生意盎然。

《夏》之曲写楼阁盛暑,全部写近景。云散雨收,雨过天晴,小河水满。绿树遮着高高的楼阁画檐,香闺之间,美人们尽情享受着用冷水浸泡过的清爽香甜瓜果。纱帐中藤席上,美人身穿轻绢,手摇罗扇,静静地感受着夏日盛暑的清凉。全曲依然客观排列一系列景象,不设主观语。俨然一幅盛暑消夏图,没有燥热喧闹,一派宜人的静谧清爽。

《秋》之曲写郊野深秋。夕阳西下,晚霞即将散去,郊外劳作的人们,纷纷回到自己的孤村茅舍。淡淡的暮霭中,几只寒鸦凄叫着,归巢栖落在几棵老树上。首二句设景有点秋天的凄凉肃杀,突然间,一只鸿雁飞过原野,原来的青山绿水,尽见遍地白草红叶黄花,使凄凉肃杀的深秋郊野,仍见生机。俨然一幅郊野秋景图,却感受不到凄凉肃杀。"一点飞鸿影下"用的最好,鸿雁飞过,给深秋郊野带来活力,"白草红叶黄花",则渲染出深秋郊野的绚丽之美。

《冬》之曲写孤村冬月。黄昏时分,城门谯楼,一声画角响起,野郊万籁皆寂。新月升起,照映着半个庭院,映照着郊野山前水边的白雪。万物肃杀,只有郊外孤村的竹篱茅舍间,升起几缕淡淡炊烟,在衰草夜幕中渐渐散去。俨然一幅孤村冬月图,虽然万物肃杀,有画角响起,月光遍洒,炊烟升起,依然明媚静谧。

四支曲,分别写庭院、楼阁、郊野、孤村,构成四幅明净清丽的风景画。每支曲,皆用同一语格,二字一节,节奏轻松明快,不用衬字,有纯净之美。此属以诗作曲之法,仿佛诗中绝句,词中小令。每支曲,皆排列一系列景象。如《秋》之曲,客观排列孤村、落日、残霞、轻烟、老树、寒鸦、飞鸿、青山、绿水、白草、红叶、黄花等十二个极富秋意的景象,不着一主观语,构成一幅典型的郊野秋景图。《冬》之曲写得最佳,同样排列一系列极富冬意的景象,构成一幅孤村冬月图。画面中一片肃杀,仅有画角、淡烟两个景象颇有活力,用得最好。画角一响,郊野突然肃杀,孤村一下沉寂,肃杀沉寂是画角带来的。就在这一片肃杀之中,孤村炊烟袅袅升起,更给人一种静谧之感。

《秋》之曲对整个元代散曲最有影响。元盛如梓《庶斋老学丛谈》载,无名氏有作〔天净沙〕者,其一云:"瘦藤老树昏鸦,小桥流水平沙,古道西风瘦马。夕阳西下,断肠人在天涯。"其二云:"平沙细草斑斑,曲溪流水潺潺,塞上清秋早寒。一声新雁,黄云红叶青山。"马致远也作有被称为"秋思之祖"的同调《秋思》小令。试检索一下白朴的《秋》之曲,以及《春》之曲中"小桥流水飞红",《冬》之曲中"竹篱茅舍,淡烟衰草孤村"诸句,马致远《秋思》中的曲句,大多能在白朴曲中找到,而且曲格也相同。不知白朴《秋》之曲与马致远《秋思》之曲,谁作在先。然而白朴年长于马致远,会使人想到,是否马致远是受白朴影响,才写出他的"秋思之祖"呢!

(田同旭)

## 【大石调·青杏子】

白 朴

### 咏 雪

【青杏子】空外六花翻,被大风洒落千山。穷冬节物偏宜晚。冻凝沼沚,寒侵帐幕,冷湿阑干。

【归塞北】貂裘客,嘉庆卷帘看。好景画图收不尽,好题诗句咏尤难。疑在玉壶间。

【好观音】富贵人家应须惯,红炉暖不畏初寒。开宴邀宾列翠鬟,拚酡颜,畅饮休辞惮。

【幺】劝酒佳人擎金盏,当歌者款撒香檀。歌罢喧喧笑语繁，夜将阑，画烛银光灿。

【结音[1]】似觉筵间香风散，香风散非麝非兰；醉眼朦腾问小蛮[2]，多管是南轩蜡梅绽。

## 注释

① 结音:称尾曲为“结音”者,在各宫调套数中唯见此曲。其句数、句式等,与〔大石调〕套数中的“随煞”基本一致。

② 小蛮:指身边的歌女。唐孟棨《本事诗》:“白尚书(指白居易)姬人樊素善歌,妓人小蛮善舞,尝为诗曰:‘樱桃樊素口,杨柳小蛮腰。’”后人常以小蛮代指舞女。

## 鉴赏

历代文人咏雪,往往兼写饮酒,或者兼写咏梅。唐岑参《白雪歌送武判官归京》的“忽如一夜春风来,千树万树梨花开”可谓喻雪的神笔,同诗中还有“中军置酒饮归客,胡琴琵琶与羌笛”的场面;宋辛弃疾的《丑奴儿·和铅山陈簿韵》,是吟咏雪中梅影的妙词:“年年索尽梅花笑,疏影黄昏。疏影黄昏,香满东风月一痕。清诗冷落无人寄,雪艳冰魂。雪艳冰魂,浮玉溪头烟树村。”白朴自己有一首〔越调·天净沙〕《冬》,仅二十八个字的小令,也兼顾到雪、酒、梅三者:“门前六出花飞,尊前万事休提。为问东君消息,急教人探,小梅江上先知。”本首白朴的〔大石调〕散套,实是此小令的扩写。小令局促,套数弘肆,令、套各擅其美,而小令不足申其怀时,作者便每每改选套数。从白朴的这两首同题材令、套中,正让我们得到如此印象。

《咏雪》全篇起于“空外”。“空外”,指高空,同时令人感觉到六瓣雪花飞时,整个宇宙间那种空蒙的气象,一个“外”字,给雪花增添了缥缈又神秘的舞姿。乔吉曾谓散曲作法当如“凤头、猪肚、豹尾”,即“起要美丽,中要浩荡,结要响亮”(元陶宗仪《南村辍耕录》卷八)。此“外”字颇得“凤头”之旨,起句已自不凡。雪于夜间降临,更兼大风,纷纷扬扬,千山万壑霎时银装素裹。此雪下在“穷冬”(冬日将尽)时节,这就与结句的“梅绽”巧妙对应。“沼沚”,池塘中的小洲,“冻凝沼沚,寒侵帐幕,冷湿阑干”,为鼎足对,形容词性的冻、寒、冷,动词性的凝、侵、湿,炼字极精。此处极写其“寒”,以衬托下面雪夜酒宴上的温馨与欢悦。

自〔归塞北〕始,作者的笔触转向人的活动。“貂裘客”当包括曲家自身在内。主宾皆着貂裘,卷帘赏雪,以庆贺瑞雪兆丰年。大雪飘飘洒洒,给人一种难描难画、难歌难言的美感——整个宇宙宛如晶莹剔透的玉壶,而人在壶中。一个“疑”字,下得极妙,身置美境,恍惚而不能自已。历来文人墨客多喜用“玉壶”“冰壶”比喻自己清白磊落的情操,南朝宋鲍照有“清如玉壶冰”(《代白头吟》)、唐王昌龄有“一片冰心在玉壶”(《芙蓉楼送辛渐》)。而这里白朴以“玉壶”喻雪天,不仅形象,且把此自然景观品格化了:冬雪以一种澄净无瑕、冰清玉洁的形象,充溢在天地间。

〔好观音〕与〔幺〕中描写的,是大巷深宅内富贵人家惯常的寻欢作乐场面:红炉生起来了,绿酒烫上来了,金盏擎出来了,宾客盈门,环僮林立,尽管已喝得脸红耳热,而酒席宴上仍是一片“一醉方休”“休要推辞”的劝酒声。还有凝不住的歌喉悠悠,檀板声声,冻不住的妙语连连,喧笑阵阵。夜深了,这儿却依然是灯红酒绿、热闹非凡,真所谓别有一番天地在“玉壶”了。

曲的结尾出人意表。正当人们沉醉于醇酒轻歌,欢声笑语,仿佛忘却了门外是个雪的世界时,诗人忽敏感地闻觉一缕幽香。香味幽幽,非麝非兰。诗人的心不禁为之一动,睁开朦胧的醉眼,对身边女子说:去看看,是不是南轩的蜡梅花开了。话犹未了,全场肃然,人人都在细细捕捉弥散在空气中的梅的幽香,默默等待早梅的消息,向往着踏雪访梅——这雪夜最富诗情画意的一页。这一页,没有出现在曲中,尽管作者完全可以继续“套”下去,但他没有,他让套曲在自己的猜测声中戛然而止。留给读者一缕幽香般袅袅无尽的余韵。

名为“咏雪”,却仅用五分之一的篇幅描写雪景,余下的大量笔墨,花费在畅写雪夜人的题咏、绘画、饮酒、欢歌笑语,正是这一套曲的特点。

全曲从户外写到室内,最后又指向户外。其间有冷暖对比、动静对比、纯白与多彩的对比。在更深层次上,还有雅俗对比。不是吗?饮酒听歌、竹肉齐发,向被文人自诩为雅事,但并没能令作者完全忘情,内心深处还是向往着洁白清寒的、静谧的雪世界。与踏雪访梅相比,沉湎于饮酒听歌自不免显出些许俗气来了。懂得了这一点,便能领悟作者何以要将只有五分之一篇幅讲雪的作品,题作《咏雪》。

(翁敏华)

# 【越调·天净沙】

严忠济*

宁可少活十年，休得一日无权。大丈夫时乖命蹇。有朝一日天随人愿，赛田文养客三千。

## 作者

* 严忠济(？—1293)，一名忠翰，字紫芝，泰安长清(今山东济南长清)人。其人仪观雄伟，长于骑射。元太宗时袭父职为东平路行军万户。从元世祖攻宋，有战功。至元二十三年(1286)，特授资德大夫、中书左丞、行江浙省事。明朱权《太和正音谱》将其列于"词林英杰"一百五十人之中。现存小令2首。

## 鉴赏

此曲用语直白，作者直言快语，道出了对现实权力的热烈追捧，但也表达了内心深处的无奈和悲哀，同时也抒发了自己理想的生存状态，那就是汇聚天下有志之士，有所作为，从而快意人生。

此曲所用〔天净沙〕是元曲中越调常用曲牌，又名〔塞上秋〕，其通常句式是六六六、四六，共五句五韵。头两句对仗，或前三句构成鼎足对。作者为表达心中激愤之情，突破了〔天净沙〕的通常句格。

此曲开篇便发出惊人之语："宁可少活十年，休得一日无权。"中国古代上至君王下至黎民为追求永生或长寿百般努力，尝试各种解数，只为延长寿命。但作者却大不相同，他宁可用十年的寿命去换取一天的权势，表达了自己对权势的热爱和追捧。含蓄、内敛、隐忍是中华民族的传统美德，过于直露的情感表达不是中国文学所推崇的抒写形式。作者何以一反故常，发出这样石破天惊般的感慨呢？原来是因为“大丈夫时乖命蹇”，联系作者遭际，可知此句大有隐情。

作者出身于豪杰之家，其父严实志气豪放，喜交结施与，《元史》第一百四十八卷有其父子三人传记，说明其家族在当时的影响之大。父子三人皆以军功被载入史册，为官时亦能养老尊贤，宽以待人，交结侠士。元太宗时严忠济袭父职为东平路行军万户。开庆元年(1259)，从元世祖攻宋，有战功。威名之下，命运多舛。元世祖中统二年(1261)，大臣有言其威权太盛者，严忠济被召还京师，至此到至元二十三年(1286)才被特授资德大夫、中书左丞、行江浙省事。作者的前半生辉煌显赫，英雄少年得志，年少时便袭父职任东平路行军万户。他在任时，一法其父，抑制豪强，颇有政声，治为诸道第一，且领兵戮力用命，定宗、宪宗对其皆加褒宠。然而中年之时，命运之神一下子把他抛入深渊，在地位的起伏变化和权势的得失间，他备感世态炎凉、仕途险恶。这种经历使他深切地感受到，残酷的现实就是如此：权势是实现理想的重要手段，追逐权势是实现人生抱负的重要途径。没有现实的权势，很难实现自己人生的理想和心愿。所以他才发出“宁可少活十年，休得一日无权”的惊人之语。但是这并不是作者内心的终极理想和目标，他追逐权势的最终目的是要“赛田文养客三千”。“田文”，号孟尝君，战国时齐国贵族，战国四公子之一，曾做过齐湣王的相国。好客养士，门下有食客数千人。作者希望获取权势和地位，能像孟尝君那样汇聚天下有志之士，共创伟业，以实现自己的人生理想。

在元代散曲中，写淡泊功名、鄙视权贵、粪土王侯的曲子比比皆是，像这首小令直言不讳地表现对权力的追逐，算是一个特例。这或许是官场中人真实心态的另一侧面吧。其明言直叙的表达方式，倒是散曲文学的惯常作风。

(杨　峰)

# 【仙吕·一半儿】

胡祗遹*

孤眠嫌煞月儿明，风力禁持酒力醒，窗儿上一枝梅弄影。被儿底梦难成。一半儿温和一半儿冷。

## 作者

＊ 胡祗遹(1227—1293),字绍开,号紫山,磁州武安(今河北磁县)人。少孤贫,后受教于名流读书。至元初年,授应奉翰林文字,不久兼太常博士。因提出“省官莫如省吏,省吏莫如省事”的建议,曾被当朝权贵阿合马贬黜为地方官,历任济宁路总管、山东东西道按察使,在任期间抑制豪强,扶持寡弱,完善教化士风,深得民众好评。晚年被列为“国中十大耆德者”之首。卒赠礼部尚书,谥文靖。著有《紫山先生大全集》。隋树森《全元散曲》辑存小令11首。明朱权《太和正音谱》称颂其曲“如秋潭孤月”。

## 鉴赏

此曲描绘了主人公酒后月夜孤眠独栖的情景。开篇“孤眠”奠定基调,为全篇树立抒情主干,所有情绪表现全由此而来。月儿明本来是良辰美景,因为一人独眠,月光分明清冷正好映照此时孤单凄清的境遇,于是主人公一出场便因心绪不佳而迁怨月光。“嫌煞”,指责月光太明亮,当然是无端怨言,指责明月照出自己孤独而眠的寂寞。由于主体人物心境所致,自然物象就会被赋予有情或无情,古典诗词中常常有这样的移情手法,诗词里不乏范例。如“春风知别苦,不遣柳条青”(唐李白《劳劳亭》)等。尤其明月素来为文士钟情,承载许多多情无情的况味,如“多情只有春庭月,犹为离人照落花”(唐张泌《寄人》);“明月不谙离恨苦,斜光到晓穿朱户”(宋晏殊《鹊踏枝》)。这样的表达都很有趣吧。

如果说此前怨月还是一片痴想呓语,此时随着簌簌西风的侵袭,醒了酒力,更让他(或她)在清醒后倍觉清冷。小曲转笔写主人公酒醒微醺,“窗儿上一枝梅弄影”,如同画家手笔,一幅轩窗梅影,既生动引出主人公视线所及隔窗所见,又以疏影勾勒之法带出朦胧韵味,表明月光的辉映。因为幽微缥缈,“影”并不易摹写。写影的名家首推北宋词人张先,他曾经因“云破月来花弄影”等赢取“张三影”的雅号。而历来写梅,暗香或者疏影总是备受青睐。透过这首小令最典型的写景句,细心的读者不难体会,梅花一枝尚能弄影,我又如何排遣孤眠?甚至字里行间还有梅影相伴、物我相惜的感情。寥寥几字、一幅剪影侧面传递出主人公的写照意绪,也使得本曲在通俗易晓之外见出含蓄耐读。

夜色渐深,还是入眠在梦境中追寻依稀吧,然而苦于梦不能成。“被儿底梦难成”,承上启下,反跌出“一半儿”的妙处。曲牌〔一半儿〕是曲家的爱物,其难处在最末一句,意蕴往往相关或相反,以后者居多。此曲带有落寞相思之意,结语为时代流行句式,在同调曲中运用广泛,和关汉卿“薄设设被儿单,一半儿温和一半儿寒”以及查德卿“翠被麝兰熏梦醒。最关情,一半儿温馨一半儿冷”等萃集为这个曲调的写作范式。最后一句还要嵌入“一半儿”,在上述酝酿蓄积下,主人公半是温和半是清冷的特别心理就此和盘托出。

散曲最大的特色,即本色自然。与词的内转不同,散曲倾向于外旋。这支小曲不做掩饰和造作,尽情抒发稍纵即逝、冷暖参半的内心感受。作家没有明言主人公因何难眠,不过伊人不在、没个人人共的缘由还是很清楚的。在历代相思哀怨流行的风气里,这种别有滋味的怨月,这幅极富韵味的梅影是饶有风致的。当然,这只小令之所以特别,与其音律协调也大有关系。即此调多用上煞,尤其“窗上一枝梅弄影”,因“影”仄叶,则结字“冷”处必然叶上,如此严守不出才会产生结句的响亮效果。

(高　莹)

# 【中吕·阳春曲】

胡祇遹

## 春　景

几枝红雪墙头杏，数点青山屋上屏。一春能得几晴明。三月景，宜醉不宜醒。

### 鉴赏

此组“春景”共有三首，以重头小令生动描绘春日景象，抒写主人公的各样心绪。这支小曲寓意于物，“几枝红雪墙头杏，数点青山屋上屏”，展开一幅三月芳春图，作者兼工带写，绘出红杏青山。如果说灼灼红杏是近处墙垣最鲜明的点缀，那么隐隐青山则成为这幽居最灵动的画屏。“一春能得几晴明”是为过渡：时光须臾，一春之中能有几个风和日丽的好日子呢？作者不负造化情意，轻轻一问透出对匆匆春光的深深爱惜之情。后两句则在极言春光骀荡之后借景抒情，如此乐景多感，以“宜醉不宜醒”收束全篇精神，自然映照出主人公淡虑时事、沉醉春光的排遣心境。至此，读曲者似乎也随之惜春伤时，身心缱绻其中了。

这首小令貌似意绪浅浅，但从写作特色看，作者自有其酝酿神思。首先，诗词中对红杏的倩影描绘早已佳作纷呈，如“杨柳不遮春色断，一枝红杏出墙头”（宋陆游《马上作》）、“满园春色关不住，一枝红杏出墙来”（宋叶绍翁《游园不值》）。而此曲基于桃花红杏花白的世俗场景，打破了“一枝”的惯性句式，而是出以“几枝”式的概括之法，遂翻旧成新。当然，曲中不乏数字的妙用，几处各有风调，不啻为此曲独特的艺术表现。

其次，“红雪”是个惹人注目的俏丽字眼。草木各有其品性，杏花颜色善变，由盛开之红转而凋零之白，杨万里曾有诗云：“道白非真白，云红不若红。请君红白处，别眼看天工。”“红雪”所寄正是此种变迁之意。这一字眼还可传递杏花神韵,“红”说颜色不必多言,“雪”则譬喻杏花之娇姿神韵,二者冷暖辉映,精工生新。物色之动,往往令文士情怀感发,自然景物就是这样载着天机妙趣翩翩而来。作者的同调曲词“残花酝酿蜂儿蜜,细雨调和燕子泥”,当时即深得关汉卿、卢挚等人的共赏和传录,看来紫山先生高明的体物之功和锤炼技巧,绝非偶然。

此外,这支小曲不掩清丽流畅,还深具画意想象之味,颇有点缀虚实之妙,可谓曲中有画。而又卒章显志,外在景物与内心情思翕然一体、交融一处,不能不引人拍案称快。

（高　莹）

# 【双调·沉醉东风】

胡祇遹

渔得鱼心满愿足，樵得樵眼笑眉舒。一个罢了钓竿，一个收了斤斧。林泉下偶然相遇，是两个不识字渔樵士大夫。他两个笑加加的谈今论古。

鉴赏

隐逸是个传统主题,诗词借渔樵形象抒发作者向往隐居的情怀也早已有之。元代文士的社会地位受到了极为严重的压制,政治上的压抑往往会让他们生发隐逸之思,大多采取避世玩世的放诞态度。胡祇遹看似当时文人中的幸运儿,往来仕途之间,但在复杂的政治格局与人生漩涡面前终究发出寄情山林的时代心声。

这支曲子借作者钟情的渔夫樵夫出场,前半部分描绘隐士渔樵各自的动态和心态。开篇似乎伐木丁丁、欸乃橹歌在耳,渔樵对生活并无奢求,他们只愿自食其力,知足忘机中享受自得人生,几尾鱼、一担柴即可。写神态:“心满愿足”与“眼笑眉舒”发出由衷之意,表里兼顾栩栩如生。说举止:“罢了钓竿”与“收了斤斧”暗示放下名利,与世俗的贪婪形成鲜明对比,二人极为淡泊自适,可谓殊途同归。

后半部分则写隐者共有的旨趣和境界。“林泉下偶然相遇”是个转关,有缘相逢,依然不期而遇,不必人为求索而致,恰是一片自然质性。“不识字渔樵士大夫”颇有深意,超越了“傲杀人间万户侯,不识字烟波钓徒”(白朴〔双调·沉醉东风〕)、“侬家鹦鹉洲边住,是个不识字渔父”(白贲〔正宫·鹦鹉曲〕),字面组合上“不识字”“渔樵”“士大夫”已形成难以调和的矛盾。是渔樵,自然不识字,远离仕宦过着惬意的生活,但能谈今论古;也许是出于作者的隐居愿望,本来是士大夫身份,而作者偏偏修饰以“不识字渔樵”。无疑这一变形手法再塑了出场者的真实面目,并和结束处所渲染的谈论情形淬出富有浓郁喜剧风格的戏谑和荒诞来。显然,这些曲词中隐含着对时局的嘲弄与反讽,甚至以“笑加加”这种放浪不拘的笑声,展示主人公的不羁风神,把曲子精神推向高潮。如果想象一番,此番谈今论古应是古今多少事,都付笑谈中,大致不离千古兴亡这一历史热门话题,应是“千载得失是非,尽付渔樵一话而已”。因而,隐者不孤,渔樵作为隐者的典型,把性灵携至林泉,迎山风听松涛,看似闲谈,谈论中思索人生,往来处无非是“道”。当年梁乙真读完此曲,眉睫之前是“樵父觉来山月低,钓叟来寻觅。你把柴斧抛,我把渔船弃,寻取个稳便处闲坐地”,也不禁在《元明散曲小史》中说这简直是马致远〔清江引〕的翻版了。

同样写隐逸之思,不似诗词重在荒寒冷落,而是颇具人情温暖;不是寒江独钓、幽绝高蹈,而是邂逅笑谈、归去来兮。这支曲子也不似隐逸诗词出以雅正或冲淡,而是走出传统文士的审美窠臼,一派浅近而恣肆,无一句不是俊语。又加有许多衬字,更造就另样艺术风范,彰显元曲的谐趣风味。掩卷之时,不难体味这支曲子一如古琴世界里的渔樵问答,无世俗之想,唯怡然之思。显然,元曲家同样力求优游回环、不粘不滞的心灵自由,从而达到人生的至乐。

(高　莹)

# 【双调·沉醉东风】

胡祇遹

## 赠妓朱帘秀

锦织江边翠竹，绒穿海上明珠。月淡时，风清处，都隔断落红尘土。一片闲云任卷舒，挂尽朝云暮雨。

### 鉴赏

朱帘秀为元代名伶，与当时许多著名曲家交情甚好。她姿容姝丽，才艺很高，兼工旦末，据《青楼集》记载："杂剧为当今独步，驾头花旦软末泥等，悉造其妙。"此外，她还能写作优秀的散曲，如她回复给卢挚的〔双调·寿阳曲〕。朱帘秀虽为歌伎，但其清奇高雅的品性至为难得，竟惹关汉卿、冯子振、王恽等名公才人纷纷称赞，可谓当时曲坛上的解语花。

此曲开篇带着美好的情意，形容、赞叹珠帘："锦织江边翠竹，绒穿海上明珠。"作者巧妙地从人名"朱帘秀"入手，以物喻人，江边的青青翠竹言其翠绿莹然，海上的皎皎明珠言其修饰好看。而珠帘本为居室美饰，因之联想佳人极为自然，用语难免带点儿绮罗香泽之态，正合馈赠朱帘秀之意。〔沉醉东风〕的头两句一定要对偶，"逢双必对，自然之理"（元周德清《中原音韵·作词十法》），而且"当对不对，谓之草率；不当对而对，谓之矫强"（明王骥德《曲律·论对偶》），这里以铢两悉称的合璧对描绘柔美精致的珠帘，形式上就给人整饬富丽的感觉。

随着珠帘的张挂，作者特别选取了极有韵味的时空和景象："月淡时，风清处，都隔断落红尘土。"伴着淡淡清辉、泠泠清风，落红尘土似乎都被隔断在帘外，表面是说珠帘的功用，事实上借此描画朱帘秀不同流俗的清雅品性。作者没有描绘朱帘秀的容貌抑或才情，但是这几句意境清净、幽远、飘逸，侧面的衬托无疑令读者内心好感顿生。文人学士为心仪的演员写曲，是当时社会的流行风气。与描画杨柳纤腰、流转秋波的俗滥曲子相比，此曲应是清新含蓄而富有意境美。因此它脱去一般元曲赠妓之作的泼辣露骨相,更有红颜知己的爱怜情愫,引领读者进入到一种纯洁真挚的情境中。

作者把小曲的点睛之处放在最末:“一片闲云任卷舒,挂尽朝云暮雨。”闲云舒卷、朝云暮雨,自然令人想起痴情的巫山神女,这样即以含蓄寄托之法,透出作者内心中与朱帘秀灵犀相通的投合情意。

这支曲子最让人称赏的艺术性,在于构思巧妙、妙在虚处。此曲表面咏叹珠帘,其实寄情朱帘秀。虽非典型的嵌字体,抒写方式同于关汉卿的〔南吕·一枝花〕《赠朱帘秀》,是借物喻人一语双关,丰富了元曲的艺术景观。与一般的酬赠之作相比,此曲比拟寄托,由景及情,如盐在水,毫无搬弄痕迹。清李渔《窥词管见》说:“词虽不出情景二字,然二字也分主客。情为主,景为客,说景即是说情,非借物遣怀,即将人寓物。有全篇不露秋毫情意而实句句是情,字字关情者。”对于这首散曲而言,不似一般元曲显露泼辣,反得含蓄蕴藉之美。又似浅而深,寄实于虚。即如表面咏叹珠帘,也是以遗貌取神为上。此后,朱帘秀是否酬答紫山先生,因无相关资料存世,我们便无法还原事实相互发明了。

(高　莹)

# 【正宫·白鹤子】

关汉卿*

(四首其三)

鸟啼花影里，人立粉墙头。春意两丝牵，秋水双波溜。

## 作者

* 关汉卿(1227 前后—1297 后),号已斋叟,大都(今北京)人,或云祁州(今河北安国)人。元钟嗣成《录鬼簿》载其为“太医院户”,疑其为医户中人而混迹于勾栏书会。晚年游历江南,曾到过杭州、扬州等地。关汉卿为元曲四大家之首,曾创作杂剧 60 余种,现存 18 种;其现存之散曲,隋树森《全元散曲》辑有小令 57 首,套数 13 套。明朱权《太和正音谱》评其曲“如琼筵醉客”。

## 鉴赏

关汉卿所写的〔正宫·白鹤子〕四首,均是他笔下的写景佳作,四首相连构成一组醉人美景的连环图画。这里选入的是其中第三首。

首句是一幅花鸟相映图。在这幅图画中,作者先从听觉入手,循声望形,可谓先闻鸟鸣声,后见花影形。鸟儿欢唱,声声入耳,循着悦耳的鸟鸣声放眼望去,只见艳丽花丛,不见鸟儿形象,因为鸟儿隐身于花丛之中。这样耳听鸟鸣,眼赏花色,视觉与听觉相互作用,相得益彰,给人以心旷神怡的精神享受。在这幅图画的背景下,作者引出整个画面的主体形象——一位站立于粉色墙头下的美丽少女。至此,画面就有了中心——以美女为中心,花儿、鸟儿均是美丽女子的陪衬,是女子欣赏的对象。这里还应该进一步思考作者画面构图的艺术匠心。古代诗词中,经常以花比女子,此处也可如是观之,这个意境应该是“花面交相映”,此女亦应是花容月貌,美丽出众。古代诗词小说中,经常以“莺啼燕语”比喻女子声音的清脆悦耳。在此也可以这样理解,虽然女子没有说话,但是鸟儿的鸣叫声,就象征着她美妙的声音。如此看来,前两句合在一起,这幅图画就相当完美了,正是“人面桃花相映红”,再加上莺啼燕语不绝于耳,视觉、听觉、嗅觉、感觉交相作用于读者的感官系统,给人以美不胜收之感。

若进一步思考,这个美女为何伫立于此?是在赏春景,还是在等人?作者没有明确指出,给读者留有想象的余地。从接下两句“春意两丝牵,秋水双波溜”看,这个美丽的女子是在欣赏春天的美好景色,是在用心体会“春意”盎然之所在。这里“秋水”是用来比喻女子眼睛的明亮清澈;“双波溜”是形容眼波滑动的样子。在这双明亮清澈的女子眼中映现出的春景,也同样如此清澈、纯净、靓丽、妩媚。这就与第二句的总写女子的整体形象,相互呼应。在女子眼睛的特写镜头中收束之,这句也就成为这首散曲作品的点睛之笔。

这首小令色彩明丽,形象鲜明,自然生动,富于美感,充分体现了关汉卿本色自然的美学风格,也是散曲清新、朴实、自然、俏皮等有别于诗词的美学风格的典型体现。

(关四平)

## 【正宫·白鹤子】

关汉卿

(四首其四)

香焚金鸭鼎,闲傍小红楼。月在柳梢头,人约黄昏后。

## 鉴赏

这首小令是关汉卿所写〔正宫·白鹤子〕组曲四首的第四首。前两句是写一位富家女子独坐闺楼、闲适无聊的生活情状。首句“香焚金鸭鼎”中的“金鸭鼎”,是一种镏金的鸭状熏炉。唐彦谦《汉代》诗有“金鸭旧香焦”的句子。此曲首句是写富家女子百无聊赖、孤独寂寞之中,眼睛望着镏金的鸭状熏炉中的香料在一点一点地燃烧,缕缕香烟在屋中慢慢地飘散。这只有寂寞无聊的人才有这样的闲工夫,才会如此打发寂寞的时光。这与李清照《醉花阴》词“薄雾浓云愁永昼,瑞脑消金兽”所抒发的孤独寂寞情怀,有相似之处。第二句“闲傍小红楼”中的一个“闲”字,就照应首句,将红楼中女子此时此刻的心态明确点出。一个“傍”字,准确描画出女子的体态与形象特征。合起来看,“闲”是写其心,“傍”是状其形,内外相应,情态全出。“红楼”旧时经常用来指富家女子的闺楼。前面以一个“小”字修饰之,可以想见红楼的小巧玲珑、幽雅别致。两句连起来观照可知,一位富家女子独依红楼,目光孤寂地注视着熏炉中袅袅上升的烟雾,若有所思,若有所盼,百无聊赖,似乎觉时光过得太慢。这样外形与内心相互呼应,此女子的诸种情状便跃然纸上了。

后两句“月在柳梢头,人约黄昏后”是写青年男女月下约会的美好快乐情景。这两句是沿用了欧阳修《生查子》词中“月上柳梢头,人约黄昏后”的句子。关汉卿只是改动了一个字,将其“上”字改为“在”。比较而言,“上”是强调月亮的动态,状写出月亮由地平线冒出,逐步上升到柳梢头高度的运动过程;“在”则意在静态,关注的是月亮此时此刻所在的位置。“上”是未来时,“在”则是现在时,各有所长,各得其所。若将前两句与这两句联系起来看,前后的义脉就贯通了,意蕴就显豁起来。原来女子觉得白天的漫长与无聊,是因为盼望与期待晚上的约会早点到来。在圆圆的月亮挂在柳梢的美好时刻,在明亮而又朦胧月光的照耀下,早已急不可耐的女子奔出红楼,赶到约会地点,与心上人愉快相聚,这是多么令人心醉的场景啊!这显然不是“父母之命,媒妁之言”模式的婚姻,而是自由选择的美好爱情。这在封建社会的严酷礼教统治约束下,颇为难能可贵,愈发凸显其美好,更加具有美感。虽然这两句是借用了欧阳修的成句,但是与前两句联系起来观照,亦可谓恰到好处,浑然天成,毫无组接的痕迹。与入选的〔正宫·白鹤子〕第三首相比较,除去已经说过的二首共有的艺术特点之外,沿用前人诗词中著名的成句,这也就成为了这首小令的特点之一。

(关四平)

## 【仙吕·一半儿】

关汉卿

### 题情(四首其二)

碧纱窗外静无人,跪在床前忙要亲。骂了个负心回转身。虽是我话儿嗔*,一半儿推辞一半儿肯。

注 释

* 话儿嗔(chēn):此指把埋怨恋人的话说得过重了。嗔:发怒。

鉴 赏

在众多元代曲家中,如果要论起曲作中所展示的女性形象的鲜明生动与丰富多彩,关汉卿无疑要坐第一把交椅。就其所塑造的女性形象而言,无论高贵的还是贫贱的,年少的还是年老的,闺中的还是行院的,初恋的还是再嫁的,刚强的还是软弱的,温柔的还是泼辣的,善良的还是邪恶的,大凡现实社会中所有的女子,大都可以从关氏的散曲和杂剧中见到她们的一颦一笑,听到她们的感叹歌哭,从某种意义上说,关汉卿的曲作,就是一页页生动的元代女性生活图画。

此组《题情》小令共四首,写一位性格热辣的女子的爱情生活。此首写男子求欢而女子半推半就的场景,其情其境,宛然在目,生动逼真。开篇一句写一对恋人幽会时的环境。“碧纱窗外静无人”,表面上突出的是一个"静"字,但实际上强调的重点却是"无人",因为只有这"无人",才为两情欢悦的私密提供了条件。也许,这"无人"的时间是短暂的,机会是不可多得的,所以,那一位热恋中的男子才似乎迫不及待地要抓住这难得的机会"跪在床前忙要亲"!他的心情是急切了些,动作或许也不免鲁莽,但是,却正是在这种急切和不免鲁莽的表现中,其感情的强烈和个性的轻狂得到了鲜明的展示。男子求欢而下"跪",是因为自己有了过错而请求女子的谅解,还是因为急于求欢而乞求女子的可怜?不管是哪种情况,这里都显示出了一种"女尊男卑",作者在对男子奴颜婢膝的描写中不无揶揄调侃的意味,由此也就表现出散曲特有的谐趣之美。

在写了男子急不可待的求欢之后,接着情势陡转,女子不仅拒绝,而且"骂了个负心回转身",竟然骂起男子的"负心"!或许,这位男子真的有什么出格的"轻狂"之举引起了女子的不满和怀恨?或许,男子本没有什么"负心"之举,而是经久未见,让女子心生痴怨之情?或许,仅仅是因为男子眼下"忙要亲"的鲁莽行为突如其来,让她毫无心理准备而一时心生怨怒?抑或几种情况兼而有之?这,恐怕只有他们自己可以说清了。面对女子的"骂",不知这位男子是后悔自己的轻狂和冒犯?还是惊诧女子的一反常态而觉得莫名其妙?还是悬着心面红耳赤、诚惶诚恐?抑或愣在那里不知所措?这,又只有当事者自己明白了。

眼看欢会无望,接下来要不是男子的干着急,就应该是女子的继续数落唠叨,然而,出人意料的一幕却发生了,女子半推半就,答应了男子的求欢:"虽是我话儿嗔,一半儿推辞一半儿肯。"这位女子是如何"推辞",我们可以意会;她又该是怎么个"肯"法,也足可猜想;那位或许自觉冒犯的男子,此时此刻又该是如何欣喜若狂,则似乎更可以令人浮想联翩了。

与诗词描写爱情重在含蓄雅驯和缠绵婉转相比,曲则重在直白爽辣,此曲可为典型代表。其曲短短五句,句句是寻常语、家常话,质朴而又简练,生动而且传神,其中有描写、有叙述、有人物、有细节、有场景,情事跌宕起伏,妙趣横生,宛如精妙的话剧小品,又如高手的水墨写生,尺幅中意趣无限,简朴中韵味无穷。这或许是关汉卿将戏曲人物塑造的传神手法运用于小令创作所取得的审美效果吧。

(赵义山)

# 【南吕·四块玉】

关汉卿

## 别 情

自送别，心难舍，一点相思几时绝。凭阑袖拂杨花雪。溪又斜，山又遮，人去也。

**鉴 赏**

此曲用代言体写男女离别相思,从语言、结构到音情上,都有值得称道之处。

曲从别后说起,口气虽平易,但送别的当时已觉“难舍”,过后思量,自有不能平静者。说“相思”只“一点”,似乎不多,却不知“几时”能绝。这就强调了离别情绪的缠绵的一面,比起强调其沉重的一面,更合别后情形,也更真切动人。藕(偶)断丝(思)连,便是指的这种状况。“凭阑”一句兼有三重意味:首先点明了相思季节,乃在暮春(杨花如雪)时候,或许含有“今年春尽,杨花似雪,犹不见还家”(宋苏轼《少年游·润州作代人寄远》)那种意味;再就是点明处所,有“阑干”处,应在楼台;第三点明了女主人公这时正“独上高楼,望尽天涯路”(宋晏殊《蝶恋花·槛菊愁烟兰泣露》),她在楼头站了很久,以致杨花扑满衣襟,须时时“袖拂”之。“杨花雪”这一造语甚奇异,它比“杨花似雪”或“雪一般的杨花”的说法,更有感性色彩,差近温庭筠“香腮雪”的造语。

末三句分明是别时景象,与前四句在承接上有一种不确定的关系。可作多重理解:一种是作顺承看,前既说“凭阑”,此即写遥望情人去路黯然神伤之态。“溪又斜,山又遮”是客路迤逦的光景,“人去也”则全是痛定思痛的口吻。这种理解,造成类乎古诗“步出城东门,遥望江南路。前日风雪中,故人从此去”的意境。另一种是作逆挽看,可认为作者在章法上作了倒叙腾挪,先写相思,再追忆别况,便不直致,有余韵。小山词所谓“从别后,忆相逢”,此法近之。以上两解还可融合,因为倒叙也可以看作女主人公在望中的追忆。这种“多义”现象包含着一种创作奥秘。接受美学认为,文学欣赏是一种补充性的确定活动,读者须用自己的想象填补作品的未定点和空白。此曲之妙,就在于关键处巧设了这样的空白,具有多义性、启发性,令人百读不厌。

曲味与词味不同,其一在韵度。曲用韵密,而一韵到底。韵,是较长停顿的表记,如此曲短句虽多,但每句句尾腔口均须延宕,读来有韵味悠扬之感。结尾以虚字入韵,为诗词所罕有,而曲中常见(如马致远〔双调·夜行船〕中"道东篱醉了也")。而"人去也"这个呼告的结尾,尤有风致,使人不禁想起"听得道一声去也,松了金钏"那一《西厢》名句。

(周啸天)

## 【南吕·四块玉】

关汉卿

### 闲　适

适意行,安心坐。渴时饮饥时餐醉时歌,困来时就向莎茵卧。日月长,天地阔,闲快活。

旧酒投,新醅泼,老瓦盆边笑呵呵,共山僧野叟闲吟和。他出一对鸡,我出一个鹅,闲快活。

意马收,心猿锁,跳出红尘恶风波,槐阴午梦谁惊破?离了利名场,钻入安乐窝,闲快活。

南亩耕,东山卧,世态人情经历多。闲将往事思量过,贤的是他,愚的是我,争什么?

## 鉴赏

关汉卿的小令〔南吕·四块玉〕的《闲适》一组四首,第一首突出随心所欲的生命状态,第二首抒发酒逢知己的愉悦心情,第三首反映鄙薄功名的人生理想,第四首表达与世无争的生活态度。关氏的这组散曲很能反映元代知识人消极玩世的世界观。

第一首"困来时就向莎茵卧"句的"莎茵",指绿草地。宋词牌有〔踏莎行〕,顾名思义,当与古人的踏青习俗有关,踏莎就是踏在青草地上,踏莎行就是关汉卿所谓的"适意行"。青草地在汉卿,不光是行走之地,且是"坐""卧"之所,坐卧在绿茵茵的地毯上,人心就安宁,抬望眼,日月悠长,天地广阔,想吃喝就吃喝,想唱歌就唱歌,散曲描摹的全然是一位自然之子的形貌。

第二首的"旧酒投"的"投"字,是"酘"的借字,指把已经过滤后的酒糟进行再度酿造,这里指质量低劣的酒。"新醅",指新酿的、未经过滤的酒。酒之好坏无关紧要,只要有志同道合的饮伴,像过家家一样凑个局,问一声"能饮一杯无",就能够开怀大笑,荣辱皆忘。这情景,不正是孟浩然歌颂过的"故人具鸡黍,邀我至田家"(《过故人庄》)吗?"老瓦盆",指民间粗劣的盛酒器,典出唐杜甫《少年行》二首之一:"莫笑田家老瓦盆,自从盛酒长儿孙。"元散曲中常常用来描摹隐士的生活状态。贯云石两次三番"直吃得老瓦盆干"(〔双调·水仙子〕《田家》),乔吉甚至表示"死不离老瓦盆"(〔双调·水仙子〕《习隐》)。

第三支首句,就用了一个道家典故:心猿意马。原比喻人的心思流动散乱,难以把握,这里特指功名欲念。关汉卿要收锁意马心猿的想法是一贯的,他在《望江亭》第一折里,就曾借剧中人的口说:"俺从今把心猿意马紧牢拴,将繁华不挂眼。"为什么他一定要拴锁"心猿"和"意马"呢?他自己的解答是:因为滚滚红尘里的"风波",实在险恶。下一句的"槐阴午梦",典出唐人小说《南柯梦》,讲淳于棼午时在槐树阴下得一梦,梦见自己在槐安国做驸马,醒后才知原来是"南柯一梦"。结合上两首的曲意看,关汉卿认为只要远离"利名场",无论是与萋萋青草还是野叟山人在一起,就是他的"安乐窝"了。

第四首中的"南亩耕",典出三国蜀诸葛亮《出师表》:"臣本布衣,躬耕于南阳。"或谓用的是陶渊明"开荒南野际,守拙归田园"之典。而"东山卧",是指晋代谢安曾隐居于浙江上虞东山的典故。关汉卿向来对典故似用非用,这两句,也可以理解为泛指一般的田亩和山林。

世态炎凉,黑白颠倒,曲家已经遍历,如今有闲,将往事一一回顾,他可以潇洒地、反讽地来上一句"贤的是他,愚的是我",不争了,争也没有用。

唐代诗人总是将他们的理想抱负和气概表现在诗里,经世致用,忧国忧民,"天生我才必有用"(唐李白《将进酒》);宋代词人总是将他们曲折委婉的感情表现在词里,愤世嫉俗,悲歌当哭,"忍把浮名,换了浅斟低唱"(宋柳永《鹤冲天》)。元代曲家早已丢失了唐人气概,连宋人情绪也已难以寻觅。那是因为,元代是一个由异族统治的存在着严重种族歧视的时代,长期取消科举考试,汉族读书人多不能正常地走上仕途,断绝了走入国家事务决策管理层的道路,不仅如此,元代社会还"似箭穿着雁口,没个人敢咳嗽"(元马致远《汉宫秋》),他们连言论自由都没有。所以许多像关汉卿这样的优秀知识分子,都采取与统治集团不合作的人生态度。如果说我们在宋词中体味到的是泪,是悲伤和挽救,是敏感文人对于由盛而衰时代的哀歌和不甘,那么,我们在元散曲中听到的,就是带着哭音的笑声,看到的是挂着眼泪的笑容,是强作的潇洒,是滑稽逗趣掩饰的痛苦。

与关汉卿同时或稍后的其他曲家,白朴有"闲袖手,贫煞也风流"(〔中吕·阳春曲〕《知几》),贯云石有"伤心来笑一场""沧浪污你,你污沧浪"(〔双调·殿前欢〕"畅幽哉"),张养浩有"急流中勇退不争多,厌喧烦静中闲坐"(〔双调·新水令〕《辞官》)。这些作品,与关汉卿的四首《闲适》一致,表现的都是"远人事,近自然"的主题。他们笔下有许多"笑"啊"闲"啊"快乐"啊等等的字眼,但他们笑得并不轻松,令人感觉到他们故作旷达的背后是一种更为沉重的心境。

关汉卿的散曲创作具有很高的成就。像《闲适》这样抒写生活片段、个人情感的短章,写得活泼跳脱、生动有趣,更能表现汉卿的幽默和多智。像"老瓦盆边笑呵呵""他出一对鸡,我出一个鹅"等句,全然是平常口语,却因此更让曲中的形象鲜明凸出,自然而生活气息浓郁。

这四首小令的第一首,曾被朱权的《太和正音谱》列为谱式,可是第三句却为一个七字句:"渴时饮呵醉时歌。"这一句还有一种句式作"渴时饮,醉时歌",即两个三字句(见《九宫大成谱》)。本文所引的九字句,是根据《太平乐府》来的,可见其第三句可以有三种句式,在歌唱时可以有比较自由的处理,只要板拍抢带得过的,都可以允许。

(翁敏华)

# 【双调·沉醉东风】

关汉卿

咫尺的天南地北，剎时间月缺花飞。手执着饯行杯，眼阁着别离泪，刚道得声“保重将息”，痛煞煞教人舍不得。“好去者望前程万里！”

## 鉴赏

人类的离情别绪,是历代文学作品永恒的表现主题。“黯然销魂者,唯别而已矣”“行子断肠,百感凄恻”(南朝梁江淹《恨赋》);“相见时难别亦难”(唐李商隐《无题》);“执手相看泪眼,竟无语凝噎”(宋柳永《雨霖铃》)。离别对于热恋中人而言,最是痛苦与难舍,故有“生离死别”“生离甚于死别”之说。关汉卿的“绝活”在于:惯将“熟题”做得别开生面。

曲之第一、二句,即点出主题:饯别。“咫尺的”,所指是空间上的距离;与之对仗的“刹时间”,极言时间上的短暂。这里的“月缺花飞”非为眼中之景,竟是心中之情,景语即情语。接着的两句,描摹送行女子之神态:眼眶里勉强噙着的泪珠,几乎要落到杯中去,眼中物与杯中物一样微颤,眼中之物恐怕还多过杯中之物。

后面三句最为传神:那女子终于强忍泪水,吐出了临别赠言。但仅短短数字的赠言却被哽咽声拆成两半,吐得十分艰难。此曲“别样滋味”的关键正在这里:女主人公话语“保重将息”和“好去者望前程万里”之间,夹了句“痛煞煞教人舍不得”的客观叙述。也许觉得仅言“保重将息”过于缠绵怕对方不堪,女子强忍着“痛煞煞”的心,又提高嗓音补了一句勉励:好好去吧,愿君前程万里!她有意把话转移到这唯一令人振奋的题目上来。这是祝愿励志,也是淡释离恨的助剂。

全曲于此殷勤寄语中戛然而止。或许,她让夫君上马扬鞭,又在马背上击一猛掌,令其奋蹄而去?或许,她干脆别转身径自先回了?好个爽利女子!好一首爽利之曲!离别不能拖沓,一拖,势必会有“今宵酒醒何处?杨柳岸晓风残月”的落寞,有"此去经年,应是良辰好景虚设"的凄凉。正因为与柳永词的不一样处理,故关汉卿的这首代表作获得了很高的评价,后人认为它使《雨霖铃》"不能专美于前"(梁乙真《元明散曲小史》)。

(翁敏华)

## 【双调·碧玉箫】

关汉卿

### (十首其三)

盼断归期,划损短金篦。一搦[1]腰围,宽褪素罗衣。知他是甚病疾,好教人没理会[2]。拣口儿食,陡恁的[3]无滋味。医,越恁的[4]难调理。

### 注释

① 一搦:一握,一把。
② 教人没理会:弄不明白。
③ 陡恁的:突然觉得。
④ 越恁的:越发。

### 鉴赏

关汉卿的〔双调·碧玉箫〕小令十首,除第九首外,其余则为展示形形色色女性生活与情感的风情画卷,此曲为其中第三首,写一位思妇相思怀人的情景。

开篇写"盼断归期",直言相思历年之久与盼望远人回归心情之切,也隐含着期盼落空之痛。如果说首句对相思情感的直陈还比较抽象的话,第二句"划损短金篦"的行为描写就非常生动了:思妇近乎痴情地划着记号,一天天地计算着丈夫归来的日子,结果把梳头的金篦都磨短了,其相别之久、相思之深、相盼之切,都表现出来了。男女之情,大凡感情愈深,则相思愈烈,情怀愈痛,为此种相思痛苦折磨,形容憔悴,食不甘味,就一定是非常自然的事情了。所以三、四两句就写思妇腰肢瘦损:“一搦腰围,宽褪素罗衣。”这两句分别由欧阳修《行云》诗“叠叠烟波隔梦思,离愁几日减腰围”和秦观《点绛唇》词“美人愁闷,不管罗衣褪”等句意化来,言思妇为相思折磨得纤腰只剩“一搦”,连旧时合身的罗衣,现在也显得宽大了。接下来更进一步写思妇还渐渐地病了,究竟是什么病症,也“教人没理会”。乃至“拣口儿食”,也“陡恁的无滋味”。最后说请医生看病,谁知道“越恁的难调理”,根本就无从医治。这病当然是平常的医生所无法医治的。正如王和卿〔中吕·阳春曲〕所言述的:“情粘骨髓难揩洗,病入膏肓怎疗治!相思何日会佳期?我共你,相见一般医。”关汉卿为之代言的这位思妇,想必也是因相思而“病入膏肓”,难以“疗治”了,也只能是“我共你,相见一般医”,同她所思念的人见面,两人才能相互治好对方的病的。

此曲以代言方式,通过叙述相思女子的自述心曲,表现其怀人念远的内心隐痛。作者没有直写思妇是如何的痛不欲生,只是着笔于她“划损金篦”的痴举,以及“宽褪罗衣”的身体消瘦,还有无端致病、饮食“无味”等病态变化,思妇怀人之郁闷与痛苦便自可想见了。全曲纯用口语白描,本色质朴,几乎令人忘其为曲。

（赵义山）

## 【双调·碧玉箫】

关汉卿

### (十首其五)

你性随邪,迷恋不来也。我心痴呆,等到月儿斜。你欢娱受用别,我凄凉为甚迭[①]!休谎说,不索寻吴越[②]。咱,负心的教天灭!

## 注释

① 为甚迭:即为甚的。
② 不索:不必。吴越:吴、越两国在春秋时为敌国,元曲中常用以表示二者关系敌对。

## 鉴赏

此曲是关汉卿〔双调·碧玉箫〕小令十首中的第五首,写一位痴情女子对恋人爽约的气愤。

阅读全曲,可以知道作者所叙述的情事大致是这样的:一位痴心女子痴痴地等他的恋人前来赴约,她等呀等呀,一直等到夜深了,月儿西下了,她的恋人都没有来。可能在她都已经绝望了、满怀气愤的时候,那位男子才出现。她忍不住向那男子发泄不满,男子解释,她不听,打断他,要和他赌咒发誓,来证实是否负心。从头到尾,都是用女子的口吻来叙说的。一开篇就只见她向晚到的恋人发泄不满:“你性随邪,迷恋不来也。我心痴呆,等到月儿斜。你欢娱受用别,我凄凉为甚迭!”她埋怨的大意是:“你品行歪斜不端,一定是迷恋上别的女人才不到我这里来了。只有我才是傻子,一直等到这深更半夜月儿斜。你在别的女人那里寻欢作乐倒是特别受用,我究竟为了什么要受这样的凄凉呢!”她唠叨数落至此,那位男子或许的确因为在别处寻花问柳迟到了而心虚,抑或因为赴这种“地下”约会睡过头来迟了感到受了委屈,总之,他连忙解释,但已经气愤至极的女子根本不听,也不相信男子的话。大概男子这时也急了,失去理智了,就说:“你如果不相信我,硬要说我负心,那咱俩干脆就分手吧!”女子听了这样的话,不禁怒容满面地厉声说道:“你‘休谎说’!也不要说那些反目成仇的话,咱们对天发誓,要是谁负心了,就让天打雷劈,教老天爷灭了他吧!”曲作至此戛然而止,他们会怎样收场?女子最终原谅男子了吗?他们是和好了呢,还是分手了?这些都是悬念。曲作因此给读者留下了联想空间,富有余味。

这支曲子虽然通篇都只是对女子泄愤的语言描写,但其实有很强的叙事性,可以领略到人物、情节和对话,酷似一个独幕小品,能引人入胜。就人物而言,女子的形象是显性的,男子是隐性的;女子是痴情泼辣的,男子似乎是薄情虚伪的。就情节而言,只是选取了女子满怀愤怒指责男子这一片段,而略去其余,很精练集中。就语言描写而言,仅描写女子的数落抢白,男子的解释道歉和气话都没有直接写出,仅从女子声口的变化中暗示出来,因而很有意趣。全曲语言直白通俗,但很有表现力,富于个性特征和生活气息。作者不愧是善于驾驭语言和描写女性的高手。

(赵义山)

# 【双调·碧玉箫】

关汉卿

## (十首其八)

红袖轻揎,玉笋挽秋千。画版高悬,仙子坠云轩。额残了翡翠钿,髻松了荷叶偏。花径边,笑撚春罗扇。扇,玉腕鸣黄金钏。

### 鉴赏

此曲是关汉卿〔双调·碧玉箫〕小令十首中的第八首,描写的是一位闺中少女喜荡秋千的情景,其美丽的形象、华丽的衣着、活泼的性情,还有富贵典雅的环境,都如诗如画般展现在读者眼前。

"红袖轻揎,玉笋挽秋千",开篇两句着笔闺秀女子美丽的衣袖和一双玉手,但不用"玉手"二字而用"玉笋",这就不仅写出了女子手的白净之美,而且还写出了玉手像春笋一样的白嫩和丰润,因而极其生动传神。而"玉"手的白,与衣袖的"红",一红一白,映衬得更为耀眼夺目。虽然仅着笔于手和衣袖,但管中窥豹,这位闺秀女子动人的形象之美与衣着的华丽光鲜,已可见一斑。后面"挽秋千"三字,既点出女子即将进行的活动,又可见环境的富贵,因为贫寒人家的院落中难得有这样闲雅的设施。

“画版高悬,仙子坠云轩”描写这位美丽女子高荡秋千的快活,只见秋千的踏脚板(画版)被荡送到空中高悬,而打送秋千的那位美女,简直就像从云端里琼瑶玉轩中降落下来的仙女一般。这两句上承“挽秋千”三字作活动描写,展示了女子飘飘犹仙的动态美。紧接着写她高荡秋千的无比快活:“额残了翡翠钿,髻松了荷叶偏。”因为秋千飞荡,得意忘形,以致额头上的翡翠钿弄残了,荷叶型的发髻也蓬松着歪向一边。由此,女子的服饰之美得到全面展现,形象之美得到有力映衬。

最后四句,写这位美女打秋千累了,停下来去一边休息的情态:“花径边,笑撚春罗扇;扇,玉腕鸣黄金钏。”只见她快活地微笑着,在花径边撚(niǎn,用手指拈着玩弄)弄罗扇,当她轻摇罗扇之时,手腕上的金镯子遂玎珰作响起来。一个“笑”字不仅暗示了这位女子秋千玩得畅快,而且还表现了她的情态之美。其中“花径”照应“秋千”,暗写豪门院落的富贵;“春罗扇”与“黄金钏”照应“翡翠钿”和“荷叶髻”,明写闺秀服饰的华美;二者结合,共同渲染了这位女子豪门闺秀的高贵身份,也映衬了她的典雅华贵之美。

诵读此曲,如观仕女秋千图,如赏闺秀春游画,令人觉得美不胜收。

(赵义山)

## 【双调·碧玉箫】

关汉卿

### (十首其九)

秋景堪题,红叶满山溪。松径偏宜,黄菊绕东篱。正清樽斟泼醅,有白衣劝酒杯。官品极,到底成何济!归,学取他渊明醉。

## 鉴赏

此曲是关汉卿〔双调·碧玉箫〕小令十首中的第九首,内容为作者与友人临秋饮酒而生发的一首感慨之作,表达了作者对大自然的热爱和对污浊现实的不满。

开篇"秋景堪题",便逸兴满怀,直贯全篇。为何用一"堪"字?是因为在作者眼里,这秋景有其特别之处:秋意正浓之时,漫山红叶,层林尽染,作者漫步于苍松之下的小径上,抬眼便看见那满山红叶,以及被红叶映红的溪水,还有那篱边盛开的黄菊。简单的几笔勾勒,便显现出境界的开阔和秋景的明媚。没有伤春悲秋的哀叹,亦没有萧索凄凉的怨艾,作者笔下的秋天,一出现就是一幅美妙的艳秋之景。作者一反诗词中伤春悲秋的老调,用一腔豪迈之情去发现秋景的明艳与生机,颇有几分刘禹锡"我言秋日胜春朝"的气概。红叶,山溪,松径,黄菊,作者将这些具有艳丽明媚色彩的意象摄入笔底,巧加组合与安排,以素描之笔,写出了如画之境。

在这样美丽而浓艳的秋景映衬之下,作者一边欣赏美景,一边把酒临风,逸兴遄(chuán)飞,灵感顿生。五、六句便正面描写山林饮酒之乐。"泼醅"通"酦醅",是一种重酿和未过滤的乡村家常酒。"白衣",犹言布衣,指未做官者。酒不是很好,下酒之菜想来也并不丰盛,座中之人,也均是未仕的布衣。但是面对这漫山的红叶,面对这怒放的黄菊,推杯换盏之间,也定是一怀闲适潇洒之情。

酒过三巡,微醉之时,内心也不免生发出几多感慨。末尾四句便从正面抒发了不屑仕进的归隐之情。作为生活在社会下层的一介文人,面对这个时代的昏暗,对兼济天下已经不能有所期盼,所以关汉卿便情不自禁地感叹道:"官品极,到底成何济!"出仕为官,纵然品级升到极限,最终会有什么意义呢?作者眯着微醉的双眼,斟一杯酒,仰头饮下,醒醉之间,已然将所有的无奈都看开:"归,学取他渊明醉。"一个"归"字似也沾染了作者几许酣畅的酒气与豪迈。大不了,便是仿效渊明先生,也于这东篱边一醉方休。

借酒浇愁,本是文人的一贯创作思路,关汉卿也饮酒,而且饮的还是未曾滤过的浊酒,可关汉卿的酒,没有杜甫那般苦涩,亦没有李白那样酣畅,他喝他的酒,想他自己的事,享受着酒入喉间的畅快淋漓。但是同样是文人,饮醉之时,也不免要发一把文人失意的牢骚。可关汉卿没有怨天尤人,也没有唉声叹气,他用自己的方式为自己的牢骚寻了一个出口。这样的关汉卿,带着一点放荡不羁,却又是那么真情至性,让人忍不住赞赏。

整首散曲风格豪放落拓,写秋景不着悲凉肃杀语,而溢满沛然生机;书归隐之情,无人生如梦的颓废感叹,而语态豪迈旷达。全篇带着关汉卿式的放达与不羁,字里行间透出一种真情至性的感慨。读罢,也似一同饮下了作者杯中之酒,顿觉酣畅淋漓。

(刘 康)

# 【双调·大德歌】

关汉卿

## 春

子规啼,不如归,道是春归人未归。几日添憔悴,虚飘飘柳絮飞。一春鱼雁无消息,则见双燕斗衔泥。

## 夏

俏冤家,在天涯,偏那里绿杨堪系马?困坐南窗下,数对清风想念他。蛾眉淡了教谁画?瘦岩岩羞带石榴花。

## 秋

风飘飘,雨潇潇,便做陈抟睡不着。懊恼伤怀抱,扑簌簌泪点抛。秋蝉儿噪罢寒蛩儿叫,淅零零细雨打芭蕉。

## 冬

雪纷纷,掩重门,不由人不断魂。瘦损江梅韵,那里是清江江上村？香闺里冷落谁瞅问？好一个憔悴的凭阑人！

## 鉴赏

关汉卿的〔双调·大德歌〕组曲四首，分别以春、夏、秋、冬四季为题，因为四首时间顺序明确，内容联系紧密，为了便于分析，故将其放在一起欣赏。全曲写一位闺中女子在整整一年四季中深切思念远方恋人的情景。随着眼前景色随季节变换，女子思念的感情也同中有异，逐步加深，运笔描写的角度也随之变化，各有不同。

春天来了，万物复苏，景色迷人，本应该是恋人携手陌上，花前月下，卿卿我我，倾诉衷情，可是，目前的女主人公却是形单影只，形影相吊。因此，她无心欣赏大好春光，而是陷入深深的思念之中。唐王昌龄笔下"忽见陌头杨柳色，悔叫夫婿觅封侯"诗句中女主人公的心态，也同样是春光美景引发出来的。从此曲中的描写看，整日的忧愁苦思，使得她"几日添憔悴"。"憔悴"二字，为闺中人的整体外在形象恰切定位，是贯穿全曲的女子外在形象与精神状态的基本特点。联系前一句，女子因何如此憔悴呢？关键在于"春归人未归"，憔悴的原因一语道破。《春》这一首中，作者着意写了四种作为春天象征的景物，而以子规开其端。为何以子规起头呢？作者这种比兴手法中有深意寓焉。因为子规这种鸟的叫声近似"不如归去"，并且声调婉转哀伤，所以女子盼意中人归来的急切心态就借子规的啼叫声巧妙地表达出来了。据《禽经》载："江介曰子规，蜀右曰杜宇，瓯越曰怨鸟，一名杜鹃。"唐陈藏器《本草拾遗》曰："人言此鸟啼至血出乃止。"因此，古典诗词中经常通过子规悲鸣来表达这种感情。由此可见，作者借子规的啼鸣所表达的思乡恋人之情的深重迫切。第二种景物是"柳絮"，前面以"虚飘飘"状之，表达出女主人公感情没有寄托的空虚之感。一般讲，柳絮飘飞乃是代表着暮春的到来，自然会引发人们的伤春之感。好花不常开，春天不常在，这是人们面对自然规律从心底发出的无奈与伤感。第三种景物是"鱼雁"，这里代表书信，"一春鱼雁无消息"是委婉地传达出他乡的男子在整个春天都没有书信寄来。鲤鱼不能捎书，飞雁无法传信，这令相思中的女主人公更加焦虑，愈发担心。在担忧焦虑中，一抬头，却看到屋梁上“双燕斗衔泥”。在人单影只与燕子成双的强烈对比中,不能不让人发出“何以人而不如鸟乎”的感叹。这就使女主人公陷入更加深沉的悲伤之中。

在无尽的思念中,闺中女子送走了明媚而令人伤感的春天,迎来了炎炎夏日。开篇就明确点出“俏冤家,在天涯”,相距之远与相思之深是成正比的。“偏那里绿杨堪系马”的疑问中,饱含女主人公对男子不归的幽怨。辛弃疾《念奴娇·书东流村壁》云:“曲岸持觞,垂杨系马。”诗词中常以系马垂杨言驻于冶游之所。虽然怨其不归,但相思依旧,情不可扼,便直言“数对清风想念他”。思念的结果,是女主人公的消瘦,“瘦岩岩羞带石榴花”,以人的瘦态,间接表达相思之苦。这句中,有李清照“人比黄花瘦”的意境在焉。但“衣带渐宽终不悔”,女子“蛾眉淡了教谁画”的反问中,表达出女主人公渴望意中人为自己画眉以及对夫妻恩爱的期盼。据《汉书·张敞传》载,西汉张敞任京兆尹时,曾为其妻子画眉,此事后来便成为夫妻恩爱的典故。此外,这句也包含这样的意味:男子不在身边,她自己也不再梳妆打扮了,这也是对爱情忠贞的表示。“女为悦己者容”嘛,这就提升了女主人公感情的层次,强化了其审美价值。

夏去秋来,万物萧条,“俏冤家”仍旧在天涯,女主人公的思念之情愈发深重,已经达到了失眠状态。“便做陈抟睡不着”一句就明确点出其辗转反侧、无法入睡的失眠现状。陈抟乃五代时隐居华山修道的著名道士,是善睡的代表。《宋史·陈抟传》说他:“每寝处,多百余日不起。”作者以此典故极言失眠程度之重,即使如陈抟般能睡,此时此刻也会失眠的。以此深入一层地表达其相思情感之深。接下来,作者以秋风、秋雨、秋蝉、寒蛩的鸣叫、细雨打芭蕉等典型的秋景,从听觉角度来状写这一系列音响对作者心态的影响,更加重了其失眠的程度。在夜不能寐的煎熬中,女主人公的心态是“懊恼”的,其形象是“扑簌簌泪点抛”。这就从内外两个层面极写其相思情感的深重与难以排遣。尾句“淅零零细雨打芭蕉”的意境,与李清照《声声慢》中的“梧桐更兼细雨,到黄昏,点点滴滴”的意境不无相似之处。

秋去冬来,时至岁尾,本应归来的“俏冤家”仍然不见踪影。女主人公自然是思念日深,忧心如焚,寝不安席,食不甘味,坐立不安,“冷落”的香闺中无人瞅,无人问,无奈之中,只好走出香闺,凭栏远眺,希望能够看到“俏冤家”归来的身影。尾句“好一个憔悴的凭阑人”就告诉读者,女主人公当下就站在楼头极目远望呢。这个情景的设计,类似于柳永《八声甘州》中“想佳人,妆楼颙望,误几回天际识归舟”的意境。而眺望的结果,自然也是会令女子失望的,说不准多少次误识归舟呢!作者以此形象特征、以此情景收尾,令人深思,使人怅惘,留有余味。同时也启人遐想,说不定在远望中就盼回了女子朝思暮想的“俏冤家”呢!作者在曲中为女主人公找准了立足的位置,那么,前面“雪纷纷”“江梅韵”“江上村”等一系列冬景的描写,就皆成为了女主人公的眼中之景,与其心中之情恰如其分地结合起来,成为其情中之景了。“雪纷纷”不再是一般人眼中的洁净美景,而是成为阻止“俏冤家”归来的因素,因此“不由人不断魂”。雪中红梅也成为她“瘦损”的象征,令其更加伤感。尾句中的“憔悴”与第一首中的“憔悴”前后呼应,首尾贯通,又一次强化了女主人公的形象特征与精神状态,同时也强化了其相思感情的自始至终与不断加深。外形的憔悴虽然有损其美丽,但是其内在感情之美则又使其整体形象显现出特殊的美感。

这组《大德歌》四首,时序衔接,首尾贯通,感情浓重,情景交融。四首的共性与其各自的个性达到了辩证统一,各首能够紧扣时令特点,寓情于景,以景衬情。在思念之情的流动中,又有逐渐加浓的趋势,这的确是元代散曲中写思念之情作品的佼佼者。

(关四平)

## 【双调·大德歌】

关汉卿

### (六首其一)

粉墙低,景凄凄,正是那西厢月上时。会得琴中意,我是个香闺里钟子期。好教人暗想张君瑞,敢则是爱月夜眠迟。

## 鉴赏

关汉卿的这组〔大德歌〕小令共六首，这里选入的是第一首。这是一首情歌，写的是一位闺中少女对热恋中情人的思念深情。开头三句是写景，是月夜粉墙的凄迷景色。月上西厢，照耀着粉色的矮墙，景色本来是很迷人的，但在女子的眼中，这些美好景色的总体基调是凄凉伤感的，因为她此时此刻正处在相思的苦闷之中。“西厢月上时”一句中，暗含着杂剧《西厢记》中莺莺给张生的约会诗意在焉。莺莺写给张生诗为：“待月西厢下，迎风户半开，隔墙花影动，疑是玉人来。”张生自信地对红娘解释道：“‘待月西厢下’，着我月上来；‘迎风户半开’，他开门待我；‘隔墙花影动，疑是玉人来’，着我跳过墙来。”张生的这个理解是符合诗句原意的。本首小令中的女主人公，显然希望能够像《西厢记》中的张生与莺莺那样在月下约会，以表达相思之渴。接下来两句，用著名的伯牙与钟子期知音相得的典故，表达女主人公企盼与恋人能够达到知音相得的爱情层次。《列子·汤问》载：“伯牙善鼓琴，钟子期善听。伯牙鼓琴，志在高山，钟子期曰：‘善哉，峨峨兮若泰山。’志在流水，曰：‘善哉，洋洋兮若江河。’”后世便将钟子期比喻为知音者。女主人公明确表示：自己是香闺中的钟子期，完全可以领会琴音中的感情内涵。那么琴音中的感情内涵是什么呢？这里还是隐含着《西厢记》中张生鼓琴、莺莺听琴的情节，剧中张生知道莺莺在窗外潜听，便“将弦改过，弹一曲，就歌一篇，名曰《凤求凰》”，意在仿效“昔日司马相如得此曲成事，我虽不及相如，愿小姐有文君之意”，莺莺听后，大为感动，“不觉泪下”。曲中的香闺女子显然是把自己比作莺莺，而希望自己爱着的男主人公能够像《西厢记》中的张生那样痴情。最后两句，女主人公更是明确地把自己思恋的男子直接称作张君瑞，将剧中的人物形象与自己的心上人合二而一，直白地表达自己对他的难以遏制的思念之情，“好教人”三字传达出感情的浓重与迫切，急不可耐，难以排遣。“暗想”二字，说明他们的恋爱关系是不被封建家长认可的自由恋爱，还处于暗中进行的阶段。由此可见作品中女主人公敢于冲破封建礼教束缚、敢于追求真正爱情的勇敢精神。“爱月夜眠迟”一句出自宋陈元靓《事林广记·警语》：“惜花春起早，爱月夜眠迟。”作者在此又赋予其新的内涵：一是，此处之“月”与开篇的“西厢月”首尾呼应，以月起，以月结，月光贯穿全篇。月亮既是本篇的特有景色，也是女主人公感情的诱发物与寄托物。二是，女主人公的"爱月"，实质上是爱人，"夜眠迟"的真正原因则是思念情人而导致夜不能寐。这样，既深化了他们真挚的爱情，又表达含蓄，富有艺术化的韵味。

全曲处处以《西厢记》中张生与崔莺莺的爱情故事为比，使著名剧曲与散曲交相辉映，相得益彰。这也成为本篇的一个显著特色。这一方面表现了女主人公对理想爱情的追求，也可见《西厢记》故事在元代就已产生的巨大社会影响。

（关四平）

# 【双调·大德歌】

关汉卿

## （六首其五）

雪粉华，舞梨花，再不见烟村四五家。密洒堪图画，看疏林噪晚鸦。黄芦掩映清江下，斜缆着钓鱼艖。

### 鉴赏

这是关汉卿〔大德歌〕小令六首中的第五首。全曲通篇写景，描画出冬日漫天飞雪之时的诸种景物情状。开篇即点出"雪"字，以"雪"字领起全篇。前三句整体描绘出雪花漫天飞舞的壮观景象。作者以梨花比雪，既强化了雪花的晶莹洁白，也巧妙地化冬景为春景，令人浮想联翩，产生了独特的审美效果。唐代诗人岑参《白雪歌送武判官归京》中的名句"忽如一夜春风来，千树万树梨花开"也是以梨花比雪花。关汉卿巧妙地借用前人艺术手法与意境，自然地融合到自己的散曲作品当中，不露痕迹，浑然天成。作者以平日呈现在眼前的"烟村四五家"的消失，来状写雪之大，雪花之密，完全遮挡了人们的视线，漫天皆白，颇为壮观。紧接的"密洒"二字，既强化了雪花之密度，也写出雪花飘洒的状态。"图画"的比喻，就是作者完全以观赏的角度，被眼前的雪景图所吸引，犹如在欣赏一幅江山雪天奇景图。其赞赏之情，溢于言表。接下来的“疏林噪晚鸦”一笔，是雪景图中的特写镜头。“疏林”写出冬日树叶落尽之后的苍茫与萧索；“晚鸦”点出具体时间，显然是傍晚乌鸦归巢的情景；“噪”写出乌鸦鸣叫声的杂乱无章，聒噪于耳，并无美感。这一句在视觉形象中加入听觉形象，使画面生动化、立体化了，增加了画面的内涵与张力。其意境可与马致远笔下的“枯藤老树昏鸦”相媲美，从中也可看出作者心态的复杂化：既有欣赏雪景的愉悦，也不无烦躁不快的情绪。这既可理解为是乌鸦的噪声引发了作者的烦躁情绪，也可以理解为作者本来心情就烦躁，欣赏雪景时有所排解，而乌鸦的聒噪又败坏了其情绪，使其情绪与心态有了起伏的变化。唐代诗人钱起《送崔十三冬游》诗中有“丹凤城头噪晚鸦”的句子，其心态与情绪可作为读本篇的参考。最后两句，作者以淡泊心态于欣赏雅洁、闲适景物来收结全篇。这表明作者已经排解了烦躁情绪，归于平静心态，而眼前的景物选取，正好反映出作者心态的平和与恬淡。“黄芦掩映清江下，斜缆着钓鱼艖。”这又是一幅高人山野隐居图，与前面漫天皆白的雪景图大不相同了。黄芦掩映着清江，岸边停靠着一叶扁舟，景物自然、古朴，画面静谧、幽雅。虽然画面上没有出现人影，但垂钓之人的高雅情趣与闲适心态，于景物中全然见之。这不禁使人联想起李白“闲来垂钓碧溪上”的诗句。这个未现身的垂钓高人，当与柳宗元笔下的“孤舟蓑笠翁，独钓寒江雪”者相类似，处于同一人生境界上。

全曲画面鲜明，格调闲适淡雅，有陶渊明田园诗的味道，从中可见关汉卿的人生境界与高洁品格。

（关四平）

## 【商调·梧叶儿】

关汉卿

### 别　情

别离易，相见难，何处锁雕鞍。春将去，人未还，这其间，殃及杀*愁眉泪眼。

## 注释

＊ 殃及杀：为元朝元人方言，“殃及”是连累的意思；“杀”为程度副词，是厉害、甚、很的意思。

## 鉴赏

这是一首描写离情别绪的小令。曲名“梧叶儿”，又名“碧梧秋”“知秋令”。元周德清在《中原音韵·作词十法》中说它：“音如破竹，语尽意尽，冠绝诸词。”这说明它在曲调、语言、感情等方面都达到了很高的造诣。

就语言上来说，这首小令可以说是本色当行，没有任何的刻意雕琢，没有华丽的辞藻堆砌，也没有借用典故，而是以素描般的笔触直抒别情。整首散曲围绕离别相思这一情景，以最平常最朴实的语言描写人之常情，没有生搬硬套的刻意，只是语出平淡的自然。就感情上来看，这首小令虽写离情别绪，却没有柳永笔下“执手相看泪眼，竟无语凝噎”的难分难舍，而是重在写离别之后女主人公的悔恨之情。与唐王昌龄《闺怨》中“忽见陌头杨柳色，悔叫夫婿觅封侯”有异曲同工之妙。作者选取离别后的一个心理特写，更加真实生动地体现出女主人公内心细腻丰富的情感。

这首小令在内容和感情上可以分为三层。前三句描写了女主人公的悔恨与懊恼，四、五两句则是用委婉的手法抒发离别后的思念，最后两句真实生动地表达女主人公的爱恨交织。“别离易，相见难”这两句套用了李商隐《无题》“相见时难别亦难”的句意，却又进行了改编与生发。相见之难自不必说，此处却为何言“别离易”呢？是因为下句“何处锁雕鞍”。这一句巧妙地借用了柳永《定风波》“早知恁么，悔当初，不把雕鞍锁”的句意，暗暗悔恨自己当初没能把男子的“雕鞍锁”住，而轻易地让他离去，现在却非常后悔。在这里，女主人公内心有两层情感折磨：一方面悔恨自己当日离别之时，没有“锁雕鞍”；另一方面又怀疑是不是此时有人锁住了他的雕鞍，内心生发出几多懊悔。寥寥数语便将女主人公或嗔或悔的矛盾心情，生动地表现出来。

“春将去，人未还”，春天将要逝去，而他却还没有回来。相思之人那颗易感的心最容易感受到时令的变化，从而引发细腻的愁情，尤其是美丽而短暂的春天，更能引起女主人公的共鸣。这春天，既指时光的逝去，也指女子感叹自己韶华的即将凋零。如花美眷，似水流年，如果自己红颜不再，那他是不是就更不会回来了？如此一想，更觉心潮难平，满心的委屈与哀愁，情不自禁地便吐露出来：“这其间，殃及杀愁眉泪眼。”整句的意思是在埋怨这男子离开的这段时间里，连累死眉毛和眼睛了。眉为愁眉，眼为泪眼，不写相思，只写因为相思的种种表现，却将女主人公爱恨交织的内心世界生动而有层次地展现出来。全篇无一“思”字，却字字相思。使人情不自禁地走入这位女子的心中，同她一起盼，一起恼，一起怨，一起念。

整首小令仅二十七个字，只截取一个生活片段，却鲜明地塑造出这样一个爱恨交织的女性形象。情感真实生动，风格本色自然，不事雕琢。读来字字真情真性，具有极强的艺术魅力。

（刘　康）

# 【南吕·一枝花】

关汉卿

## 赠朱帘秀

【一枝花】轻裁虾万须，巧织珠千串；金钩光错落，绣带舞蹁跹。似雾非烟，妆点就深闺院，不许那等闲人取次展。摇四壁翡翠浓阴，射万瓦琉璃色浅。

【梁州】富贵似侯家紫帐，风流如谢府红莲，锁春愁不放双飞燕。绮窗相近，翠户相连，雕栊相映，绣幕相牵。拂苔痕满砌榆钱，惹杨花飞点如绵。愁的是抹回廊暮雨萧萧，恨的是筛曲槛西风剪剪，爱的是透长门夜月娟娟。凌波殿前，碧玲珑掩映湘妃面，没福怎能够见。十里扬州风物妍，出落着神仙。

【尾】恰便似一池秋水通宵展，一片朝云尽日悬。

你个守户的先生肯相恋，煞是可怜，则要你手掌儿里奇擎着耐心儿卷。

## 鉴赏

这篇套曲是关汉卿专门为当时著名的杂剧演员朱帘秀所写的作品,艺术手法独特,可见是其倾注心血创作的力作。全篇表面上句句是在咏珠帘,实际上是以珠帘喻人,即喻指朱帘秀。此意在题目上已经点明。这种艺术特色在关汉卿的散曲作品中是很突出的,值得关注。据元夏庭芝《青楼集》记载:“姓朱氏,行第四,杂剧为当今独步;驾头、花旦、软末泥等,悉造其妙。”可见,珠帘秀是她的乐名,她在当时的杂剧舞台上,是首屈一指的表演艺术家,艺术造诣相当高超。关汉卿在套曲中热情赞美了朱帘秀的表演才华、风度气质、艺德品格、高雅情趣,并且给予全方位的极高评价。

第一支曲子着重状写朱帘秀的外在美。开篇从珠帘的构成、制作起笔,“轻裁虾万须,巧织珠千串”两句,是说这个珠帘不一般,是以上万条海虾长须与上千串珍珠巧妙编缀而成的。虾须为帘的一种,后亦作为帘的美称;而帘又多用珠串连缀而成,故作者如此写来。陆畅咏《帘》诗有云:“劳将素手卷虾须,琼室流光更缀珠。”同时也要看到,作者起笔即含隐喻双关之意在内。古人常以成串的珍珠形容歌声的清亮圆润,如唐李商隐《拟意》诗即写道:“银河扑醉眼,珠串咽歌喉。”这即是以珠串形容歌声。关汉卿此处亦有借珠串来赞美朱帘秀歌声清亮圆润之意。接下来的“金钩”“绣带”“似雾非烟”等描写,也是语意双关,即是写珠帘的装饰,也是赞美朱帘秀蹁跹的舞姿与非等闲的美态。

〔梁州〕这支曲子则侧重描写朱帘秀的内心世界。其中包含感情美、品格美、人性美、道德美等审美内涵。作者从“愁”“恨”“爱”等层面分别揭示其心灵世界的多层内涵。“愁的是抹回廊暮雨萧萧”,以肃杀之景,传达出其内心中的冷落孤寂情怀。与此句相呼应,前面还有“锁春愁不放双飞燕”的描写,这是以“双飞燕”来反衬孤独人,不仅仅是“春愁”,也是“恨无知音赏”的孤寂愁情。“恨的是筛曲槛西风剪剪”,其内涵当是指朱帘秀被迫为豪门权贵演出时的忍气吞声,无可奈何。在古代诗词中,“西风”一般指秋风,“西风剪剪”意为风轻微而带有寒意。唐韩偓《夜深》诗中有“恻恻轻寒剪剪风”的句子,可帮助我们理解“西风剪剪”的内涵。联系前面“富贵似侯家紫帐,风流如谢府红莲”等句子看,作者以“富贵”状写之,意在强调其精神世界的富有与高贵,这当是针对当时轻视杂剧艺人的社会观念而有意为之;以“风流”形容之,是赞美其才华、气质与业绩的不同凡响。“谢府”指晋时望族谢氏的府第,此处代指贵族之家。作者以“谢府红莲”来比其“风流”,也是意在突出其高贵的气质与精神。“爱的是透长门夜月娟娟”,其内涵是表达女主人公对静谧生活的向往,对自由团圆的憧憬,对美好爱情的追求。“长门”是汉代长安宫名,因为司马相如《长门赋》中有“悬明月以自照”等描写月亮的句子,后代诗人即多以长门月为吟咏对象。由此可见,女主人公的内心情感是非常丰富细腻的。曲子的最后,作者又以“出落着神仙”的总括性、赞美性评价,来极力弘扬朱帘秀这种神仙般的品格与精神世界。其赞美的程度,可谓叹为观止,无以复加。

〔尾〕曲中,作者又以“一池秋水通宵展,一片朝云尽日悬”的比喻整体赞美朱帘秀。“秋水”状其纯净清澈,“朝云”比之高洁娴雅。这与前面的“神仙”总评相互照应,相得益彰。最后,作者又提出殷切希望:“你个守户的先生肯相恋,煞是可怜,则要你手掌儿里奇擎着耐心儿卷。”嘱咐朱帘秀身边的先生耐心地呵护她,好好地珍爱她。字里行间也表现出作者对朱帘秀的敬重与爱护。

全曲通篇巧妙运用比拟手法,物人一体,借物咏人,咏物与写人妙合无垠。同时,作者又交叉运用谐音、双关、比喻等修辞手法,从外在形象到内心世界,多角度、多层面地刻画出朱帘秀的完美形象,使这一元代杂剧女表演艺术家的形象闪现出独特的光辉,具有多方面的审美价值。

(关四平)

# 【南吕·一枝花】

关汉卿

## 杭州景

【一枝花】普天下锦绣乡,寰海内风流地。大元朝新附国,亡宋家旧华夷。水秀山奇,一到处堪游戏。

这答儿忒富贵，满城中绣幕风帘，一哄地人烟凑集。

【梁州】百十里街衢整齐，万余家楼阁参差，并无半答儿闲田地。松轩竹径，药圃花蹊，茶园稻陌，竹坞梅溪。一陀儿一句诗题，一步儿一扇屏帏。西盐场便似一带琼瑶，吴山色千叠翡翠。兀良，望钱塘江万顷玻璃。更有清溪、绿水，画船儿来往闲游戏。浙江亭紧相对，相对着险岭高峰长怪石，堪羡堪题。

【尾】家家掩映渠流水，楼阁峥嵘出翠微，遥望西湖暮山势。看了这壁，觑了那壁，纵有丹青下不得笔。

## 鉴赏

这篇套曲是关汉卿晚年南下杭州时的游览之作。杭州自北宋以来，便以经济繁荣和风景秀丽闻名天下，当南宋王朝建都于此后，经过一百多年的经营，就更为繁华富庶。在元灭南宋后，不少北方士子南来，作者大约也在此时南下游历，得以饱览杭州的湖光山色和市井繁华，于是满怀激情地写下此曲。全曲扣住"锦绣乡"与"风流地"，歌咏杭州一步一画屏的秀美山水和富丽繁华的城市风光，就此而言，此曲可与宋代柳永的《望海潮》词媲美。

首曲〔一枝花〕开篇即以"锦绣乡"和"风流地"高度赞美杭州的秀丽繁华，以此作为纲领提挈全篇。并把这"锦绣乡"和"风流地"的对比范围放到"普天下"与"寰海内"，真是所谓"上有天堂下有苏杭"了。三、四两句，说这杭州是被灭亡的宋王朝的旧地，现在成了堂堂大元王朝新归附的国土。因为曲作并非吊古，所以对南宋灭亡，杭州归附，以及大元朝的赫赫声威，皆点到即止。接着照应着"锦绣乡"，总写"水秀山奇"，到处皆是胜景；又紧扣着"风流地"，写"绣幕风帘"与"人烟凑集"，借用柳永《望海潮》词中"风帘翠幕，参差十万人家"语句而稍加变化，赞美杭州的街市繁华与人口众多；而这些，皆生发于"这答儿忒富贵"（这地方实在是特别富贵啊）的赞叹。

首曲作了总的赞美之后，次曲〔梁州〕则采用赋体手法，铺开来细致描写。起首"百十里街衢整齐，万余家楼阁参差"两句对偶而出，照应着前面的"风流""富贵"，展现城市的辽远，街道的整齐宽阔，楼阁的鳞次栉比，一派大都市繁华景象跃然于纸。接下来四句,则扣住“锦绣乡”,展示城市的园林风光,移步换形,两字一景,真是满目锦绣,处处丽景:“松轩竹径,药圃花蹊,茶园稻陌,竹坞梅溪。”诸多美景,独赏原已各色生香,合观更是相映成趣。作者遂情不自禁地礼赞到:“一陀儿一句诗题,一步儿一扇屏帏。”即每“一陀儿”(一块儿)景致都是一句好的题诗,每行一步都是一扇彩画的围屏。以上,皆为泛写。其后,则紧扣着“锦绣乡”,也略映带着“风流地”,则具体描写杭州几大名胜,重点突出的是“西盐场”“吴山”“钱塘江”“浙江亭”等富有地方特色的重要景观。“西盐场”,应是杭州当时的盐业采集加工作业区,作者用“一带琼瑶”比喻;“吴山”是杭州市名山,以“千层叠翠”描画;“钱塘江”为杭州观潮胜地,以“万顷玻璃”形容;“浙江亭”为宋元时杭州登眺名胜,则以对面的“险岭高峰怪石”映衬;一句一景,中间又以“清溪绿水”“画船来往”牵合映带,终于把这“人间天堂”的富贵风流、满眼锦绣展示给读者了。临末,则以“堪羡堪题”四字总收此曲。

最后的〔尾〕曲,又回到城中,写流水掩映中的人家,高耸于绿树之外的楼阁,而对于“西湖”美景,仅是“遥望”,侧笔而及,不作正面描写;最后“看了这壁,觑了那壁,纵有丹青下不得笔”三句,即虚写西湖美景,留无限想象,又总收全套,作总的赞美。

作者由北来南,面对这“人间天堂”,自多新奇之感,故在字里行间洋溢着兴奋和礼赞的热情,但也不无改朝换代、江山易主的感慨。纵观全套,首曲作总的赞美,提挈全篇,起得响亮高旷,确如“凤头”;次曲做具体描绘,层层铺写,疏密有致,笔酣墨饱,恰如“猪肚”;尾曲总挽全曲,侧写虚结,收得干脆,结得有力,真如“豹尾”。

(赵义山)

# 【南吕·一枝花】

关汉卿

## 不 伏 老

【一枝花】攀出墙朵朵花,折临路枝枝柳。花攀红蕊嫩,柳折翠条柔,浪子风流。凭着我折柳攀花手,直煞得花残柳败休。半生来折柳攀花，一世里眠花卧柳。

【梁州】我是个普天下郎君领袖，盖世界浪子班头。愿朱颜不改常依旧，花中消遣，酒内忘忧。分茶攧竹，打马藏阄[1]。通五音六律滑熟[2]，甚闲愁到我心头！伴的是银筝女银台前理银筝笑倚银屏，伴的是玉天仙携玉手并玉肩同登玉楼，伴的是金钗客歌金缕捧金樽满泛金瓯。你道我老也，暂休。占排场风月功名首，更玲珑又剔透。我是个锦阵花营都帅头，曾玩府游州。

【隔尾】子弟每是个茅草岗沙土窝初生的兔羔儿乍向围场上走[3]，我是个经笼罩受索网苍翎毛老野鸡蹅踏的阵马儿熟[4]。经了些窝弓冷箭蜡枪头[5]，不曾落人后。恰不道"人到中年万事休"[6]，我怎肯虚度了春秋。

【尾】我是个蒸不烂、煮不熟、捶不匾、炒不爆、响珰珰一粒铜豌豆，恁子弟每谁教你钻入他锄不断、斫不下、解不开、顿不脱、慢腾腾千层锦套头。我玩的是梁园月，饮的是东京酒，赏的是洛阳花，攀的是章台柳[7]。我也会围棋、会蹴鞠、会打围、会插科、会歌舞、会吹弹、会咽作、会吟诗、会双陆[8]。你便是落了我牙、歪了我嘴、瘸了我腿、折了我手，天赐与我这几般儿歹症候[9]，尚兀自不肯休。则除是阎王亲自唤，神鬼自来勾，三魂归地府，七魄丧冥幽，天哪，那其间才不向烟花路儿上走！

## 注释

① “分茶”二句：皆宋元时流行市井的娱乐游戏。分茶，是一种茶道游戏。攧竹，是一种抽签博彩游戏。打马，疑是一种以马为棋子的棋类游戏。藏阄，是一种以猜中别人手中所藏物品为胜的游戏。

② 五音：中国古代音乐中宫、商、角、徵、羽等五个音阶。六律：中国古代音乐十二律中的黄钟、太簇、姑洗、蕤宾、夷则、无射等六个律位。

③ 围场：打猎的场地，此处喻指陷阱甚多的妓院。

④ 蹅踏：踩踏。阵马：战阵，此处喻指风月场中陷阱。

⑤ 窝弓：猎人埋伏在草丛中用以射猎的弓箭。蜡枪头：元曲中常用以比喻中看不中用的东西。

⑥ 恰不道：岂不道，常言道。

⑦ 梁园：汉代梁孝王所建园囿，故址在河南开封附近。东京：指宋代都城汴京（今河南开封）。洛阳花：唐以来洛阳以盛产牡丹闻名，洛阳花因借指牡丹花，此喻指名妓。章台柳：唐许尧佐传奇小说《柳氏传》叙述文士韩翃与长安章台街妓女柳氏的恋情故事，后因以章台柳喻指名妓。

⑧ 蹴鞠：中国古代的足球游戏。打围：围猎。插科：戏剧表演中“插科打诨”的省语。咽作：歌唱。双陆：棋类游戏。

⑨ 歹症候：坏毛病。

## 鉴赏

这套曲子，不仅是关汉卿散曲的代表作，也是整个元散曲豪放类作品中个性十足的佳篇。套数的题目叫《不伏老》，初读此曲，一看这个题目，都自然会认为作者恐怕要表现老骥伏枥而志在千里的壮心豪气，然而，一读曲词，却会让你大吃一惊，甚至大惑不解。

首曲〔一枝花〕写放浪形骸的浪子风流，行文上紧扣“花”“柳”二字，放笔渲染其“攀花折柳”与“眠花卧柳”，且自诩为“折柳攀花”手，并为“直煞得花残柳败休”而自豪，也为“半生来折柳攀花，一世里眠花卧柳”而洋洋自得。可是，当我们知道这里的“花”“柳”是人们对烟花妓女的代称时，难道我们不为作者的自诩、自豪和自得大吃一惊，甚至大惑不解吗？更有甚者还在后头呢。

次曲〔梁州〕劈头就说："我是个普天下郎君领袖，盖世界浪子班头。"什么是"郎君"？这里就是指青楼柳巷中的嫖客；作者仿佛在大庭广众之中扯破喉咙大声宣称：我就是普天下嫖客的首领！是盖过全世界浪子的班头！此等角色自认，真让人瞠目结舌！接着，在叙说了自己"愿朱颜不改""花中消遣""酒内忘忧"的愿望后，便历数自己具有的各项本领和生活状况。他先说自己会"分茶攧竹、打马藏阄、通五音六律"等各种玩法和技艺，再说自己有"银筝女""玉天仙""金钗客"相陪相伴，其放浪形骸、逍遥自得、快心惬意之状，真是无以复加！紧接着，还以"不伏老"的口吻，否定他人对其"老也"的评说和"暂休"的相劝，坚定地表示：将一如既往地"占(定)排场"(戏艺表演场)，取得杂剧编演的头等"功名"，充分展示自己"玲珑剔透"(聪明伶俐)的才智；并回应本曲开首的"郎君领袖""浪子班头"，再一次豪迈地宣称自己是"锦阵花营"(妓院)里的"都帅头"(总头目)。如果说这种角色自认很令人惊诧，那么，在这种惊诧中，我们也就自然会感到他的"不伏老"已经背离了传统，背离了常态，而带有十分另类的意味了。这种背离传统的"不伏老"口吻，在本曲中还不过初露端倪，接下来的两曲才更能见出他那股"不伏老"的另类辣劲。

〔隔尾〕一曲，先照应着前曲"你道我老也"中的"你"，把"你"的身份点明："子弟每(们)"——烟花场中的浮郎后生们。对那些说他"老也"的"子弟每"，他表示出一种极大的轻蔑，仿佛同"子弟每"当面争吵一般，针锋相对地说子弟们不过是"沙土窝初生的兔羔儿"，乳臭味干，还稚嫩得很呢！然后又十分自豪地将自己比喻成"苍翎毛老野鸡"，而且在两相对比中，自夸其资深老辣、阅历丰富。其"不伏老"的辣劲得到突出表现。

〔尾〕曲，与上曲〔隔尾〕一样，一开始连用两个比喻性长句构成"我"与"子弟每"的鲜明对比。对于"我"，不仅自夸为"一粒铜豌豆"，而且还用了"蒸不烂、煮不熟"等一连串的形状词渲染其坚硬；对于"子弟每"，则不仅嘲讽其难以摆脱"千层锦套头"(妓院的圈套)的牢笼，而且更用"锄不断、斫不下"等一连串形状词夸饰"锦套头"的坚牢。在这种对比描写中，便进一步突出"我""老野鸡"般的老辣和"子弟每""兔羔儿"般的稚嫩。那么，作者自夸的"铜豌豆"究竟是什么呢？原来，这"铜豌豆"竟是当时人们对于妓院中"老嫖客"的称呼，明乎此，对于作者的自夸和自诩，难道我们不万分惊愕吗？其后，作者再以“我玩的是”四句，上承首曲中“攀花”“折柳”的描写，再一次夸写其狂放不羁的浪子生涯；又一口气举出九个“我也会”的技能，上承〔梁州〕一曲中“分茶攧竹、打马藏阄、通五音六律”的描写，再一次夸写“我”所具有的多方面的才能和技艺；并把这些称为“天赐与”的“歹症候”，而且发誓说，即使身手俱残，甚至“魂归地府”，也不会放弃这些爱好，一定要在“烟花路儿上”(喻指眠花卧柳的放浪)一走到底！这种坚定执著、至死不悔的顽强，倒是把这“不伏老”的个性，表现得淋漓尽致、无以复加了，就此而言，这只〔尾〕曲，的确说得上是一只难得的“豹尾”。但这种“不伏老”的精神指向，却令读者不得不大惑不解，不得不惊诧其近乎荒唐的另类。

通观全曲，一方面会被曲中所表现出的“不伏老”精神所折服，但另一方面，却也会惊愕其近乎荒唐的另类顽强。对于这样的内容，究竟怎样认识？自20世纪30年代以来，学界就不断地有所争论，或以为表现了“热爱生活”的乐观，或以为表现了“剥削阶级”的“放荡”，但最终基本达成共识，认为作者以寓庄于谐的手法、夸张浪漫的笔调，对书会才人放浪不羁的浪子风流做极端的描写，以自泼污水般的自毁自辱方式，表现了愤世嫉俗的痛苦，以漫画式的笔调赞扬为世所不齿的“浪子风流”，排遣郁积于胸的深广忧愤。这也就是作者在〔梁州〕一曲中所透露的“花中消遣，酒内忘忧”。如果说诗有诗眼，词有词眼，那么，曲自当有曲眼。在笔者看来，这“花中消遣，酒内忘忧”二句，就是《不伏老》之曲眼，正是这两句引导我们去感悟曲家们苦难的灵魂，所以决不可轻易放过。

此曲的语言表达方式，是以丰富的对仗、句式的排比和衬字的大量加入为显著特色的。尤其在夸写放浪形骸的快心惬意时，在〔梁州〕一曲中连用三个“伴的是”的长句排比成鼎足对；在〔尾〕曲中连用“玩的是”“饮的是”等四句排比成连珠对；在自毁自辱的角色认同和夸写中，从第二曲起，连用三个“我是个”的句式排比贯串三曲；在〔尾〕曲中夸写自己“玲珑剔透”的多方面才情技艺时连用九个我也“会”的句式构成长排，以及夸写放浪到底的决心时的“你便是”和“则除是”两句的排比；皆无不痛快淋漓，气势酣畅。同时，在这些排比句式中，也都加入大量衬字；又特别是〔隔尾〕和〔尾〕两曲的开首两句，诸如“茅草岗”“沙土窝”“初生的”“经笼罩”“受索网”“苍翎毛”“蒸不烂”

“煮不熟”“捶不匾”“炒不爆”“响珰珰”“锄不断”“斫不下”“解不开”“顿不脱”“慢腾腾”等一连串的衬字，皆被打磨得珠圆玉润，镶嵌得自然妥帖。其多种形式的对仗、气势酣畅的排比、珠圆玉润的衬字，与情感宣泄的痛快淋漓相结合，共同构成了这套曲子的淋漓泼辣之风。如果说“放浪”是元曲家们愤世嫉俗的痛苦陈述与经典表达，那么，此首《不伏老》便是放浪中的放浪，痛苦中的痛苦，经典中的经典。《不伏老》是不朽的，关汉卿是不朽的。

（赵义山）

# 【正宫·双鸳鸯】

王　恽*

## 乐府合欢曲(九首其一)

读《开元遗事》去取唐人诗而为之,一名《百衲锦》,因观任南麓*所画《华清宫图》而作。

驿尘红,荔枝风,吹断繁华一梦空。玉辇不来宫殿闭,青山依旧御墙中。

### 作者

* 王恽(1227—1304),字仲谋,号秋涧,卫州汲县(今河南卫辉)人。元中统元年(1260)入仕,历任监察御史、平阳路总管府判官等地方长官,后授翰林学士、嘉议大夫,大德五年(1301)致仕,大德八年(1304)卒。在当时较有文名,著有《秋涧先生大全文集》一百卷。今有《秋涧乐府》存世,收散曲41首,风格典丽雅致。

### 注释

* 任南麓:即任询(1133?—1204?),字君谟,号南麓,易州(今河北易县)人。在当时诗文书画俱有名,金元好问《中州集》谓其"为人多大节,书法为当时第一,画亦入妙品"。

## 鉴赏

《乐府合欢曲》是王恽创作的一组咏叹唐明皇与杨贵妃故事的散曲。根据序中“因观任南麓所画《华清宫图》而作”，结合《秋涧先生大全集》中《题任南麓画华清宫图后》序“至元二十四年，杨示余披玩者累日，尝欲赋一诗以发伟观，竟以事未暇”，可推知这组散曲创作于至元二十四年(1287)或稍后。

华清宫为古代离宫，始建于秦，唐天宝六年(747)改名“华清宫”。历史上唐玄宗先后49次来到这里，从开元二十八年(740)唐玄宗与杨贵妃在此初次相会开始，这里就成为二人宴乐之地。可见华清宫是与唐玄宗、杨贵妃的名字密切相连的，它见证了李、杨爱情的由喜到悲和唐朝历史的由盛转衰。题咏华清宫是晚唐咏史诗的重要题材，诗人多是借咏华清宫来讽喻帝妃奢华淫逸的生活和唐玄宗的荒淫误国，抒发昔盛今衰的历史沧桑感。代表作品有杜牧《过华清宫绝句》，张祜《华清宫四首》等。

作者在观看了任询的《华清宫图》后，有感于李杨爱情故事折射出的繁华易逝、盛衰难料的历史沧桑感，即兴创作了这组散曲。小令共九首，皆是“去取唐人诗而为之”，作者在曲作中极力渲染安史之乱前的繁华、马嵬坡下的生离死别及明皇对杨妃刻骨铭心的怀恋。曲词多化用前人成句，风格含蓄蕴藉、婉转雅致，写情缠绵悱恻，凄婉感人。

本篇是组曲中第一首。开篇“驿尘红，荔枝风”化用杜牧《过华清宫绝句》的“一骑红尘妃子笑，无人知是荔枝来”。据《新唐书·杨贵妃传》记载：“妃嗜荔枝，必欲生致之，乃置骑传送，走数千里，味未变，已至京师。”作者在此揭露并讽刺了唐玄宗和杨贵妃穷奢极欲的生活。“荔枝风”实际是指天宝后期弥漫朝中的骄奢淫逸的腐朽风气。作者于此指出唐王朝由盛转衰的原因是当时统治者的骄奢淫逸。唐王朝开元盛世以来近五十年的繁荣就在这阵阵“荔枝风”中断送了，如今昔日的盛世也成为一场幻梦。再看曾经风光无限的华清宫，昔日金碧辉煌的高墙如今宫门紧闭，冷落萧索，丝毫没有过去“承欢侍宴无闲暇”“仙乐风飘处处闻”(唐白居易《长恨歌》)的繁华景象，只有葱茏翠秀的骊山依旧矗立原地。“玉辇”为天子所乘之车,这里用车驾借代唐玄宗和杨贵妃。最后两句取自李约《过华清宫》中“玉辇升天人已尽,故宫惟有树长生”并稍作更改,意思是乘坐玉辇的人已经故去,昔日的繁华也随之灰飞烟灭,一去不返,与寥落华清宫相伴的骊山,却葱茏依旧。结句流露出浓郁的物是人非、盛衰难料之感。

这是一首韵味隽永的咏史小令,曲中多用典故,语言含蓄雅致。作者在其中寄寓了命运无常、枯荣难料的人生幻灭感和繁华易逝、兴亡无定的历史沧桑感。

(刘 洋)

## 【正宫·黑漆弩】

王 恽

### 游金山寺并序

邻曲子严伯昌尝以〔黑漆弩〕侑酒。省郎仲先谓余曰:“词虽佳,曲名似未雅。若就以‘江南烟雨’目之,何如?”予曰:“昔东坡作《念奴》曲*,后人爱之,易其名曰‘酹江月’,其谁曰不然?”仲先因请余效颦,遂追赋《游金山寺》一阕,倚其声而歌之。昔汉儒家畜声妓,唐人例有音学。而今之乐府,用力多而难为工。纵使有成,未免笔墨劝淫为侠耳。渠辈年少气锐,渊源正学,不致费日力于此也。其词曰:

苍波万顷孤岑矗,是一片水面上天竺。金鳌头满咽三杯,吸尽江山浓绿。蛟龙虑恐下燃犀,风起浪翻如屋。任夕阳归棹纵横,待偿我平生不足。

## 注释

＊《念奴》曲:指苏轼词《念奴娇·赤壁怀古》。

## 鉴赏

金山寺在今江苏省镇江市西北长江南岸,创建于东晋,原名泽心寺,为诸佛刹之冠。据王恽《游金山寺》诗注云:“庚寅岁十一月二日来游”,又后记云:“至元庚寅冬,予自福建北归渡江作此诗,未尝示人。”可知王恽在至元二十七年(1290)冬,自福建闽海道提刑按察使北归途中游览了金山寺。因苏轼作有《游金山寺》,所以他也以此为题,追赋了这首小令。

序文交代了创作的缘起和目的,作者受正统诗学观的影响,认为散曲是劝人以淫的雕虫小技,“今之乐府,用力多而难为工。纵使有成,未免笔墨劝淫为侠耳”,这种曲学观念决定了他的散曲创作与诗词同调,一归于典雅平正。作者希望这首小令能够“效颦”苏轼,为词坛“指出向上一路,新天下耳目”(宋王灼《碧鸡漫志》),一改当时曲坛“笔墨劝淫为侠”的风气。

“苍波万顷孤岑矗,是一片水面上天竺”中“天竺”,即古印度,因佛教产生于此,后人长以之代佛寺。这里则以“天竺”指代金山寺。意思是说金山在万顷碧波之中巍然屹立,壮丽的金山寺耸立其上。此二句写碧波无垠的江面、独立高耸的金山与金山寺的壮观交相辉映,极言金山寺之雄伟辉煌。开篇辽阔雄浑,极具气势,丝毫不减东坡“大江东去,浪淘尽,千古风流人物”的激荡雄壮。

“金鳌头满咽三杯,吸尽江山浓绿。”诗人携酒登上金鳌峰顶,满饮数杯后顿觉遥襟甫畅,逸兴遄飞,仿佛要把眼前浓绿如画的江山像美酒般一饮而尽。曲词中作者豪迈的胸怀、奇特的想象令人耳目一新,豪放处可追步东坡、稼轩。

“蛟龙虑恐下燃犀,风起浪翻如屋。”《晋书·温峤传》记载:“至牛渚矶,水深不可测。世云其下多怪物。峤遂毁犀角而照之。须臾,见水族覆灭,奇形异状,或乘马车著赤衣者。峤其夜梦人谓己曰:‘与君幽明道别,何意相照也?’意甚恶之。”此二句谓金山寺下水深莫测，风起时波涛汹涌，浪高如屋，其下似有蛟龙翻滚，水族惊乱。作者在此引用传说故事表现这座佛教名刹的庄严与神奇，令人顿生敬畏之感。

最后二句“任夕阳归棹纵横，待偿我平生不足”写夕阳西下，江面上的行船纷纷扬起归棹，而我却依旧陶醉于眼前雄伟壮丽的风景中，久久不肯离去。作者自知平生游览金山寺的机会太少，所以要趁眼下时机尽情赏玩，以弥补平生游赏之不足。曲至此戛然而止，作者的纵横豪气和快意山水、逍遥物外的情怀也跃然纸上。

整支曲子风格雄浑阔大，造语奇崛，写景则气势非凡，言怀则逍遥自适，以壮景写豪情，寓情于景，借景抒情，相得益彰。这支曲子表现了作者怡情山水、追求逍遥自由的人生理想，其豪放风格近似东坡的《念奴娇·赤壁怀古》，可谓有“一洗万古凡马空”（唐杜甫《丹青引》）的气象。

（刘　洋）

## 【越调·平湖乐】

王　恽

（十首其二）

鉴湖秋水碧于蓝，心赏随年淡。柳外兰舟莫空揽。典春衫，觥船一棹汾西岸。人间万事，暂时放下，一笑付醺酣。

鉴　赏

王恽在至元九年（1272）至十二年（1275）任平阳路（今山西临汾）总管府判官期内创作了一组十首赞咏汾西美好景色以及抒发宦游感慨的散曲。这是十首中的第二首，作者借游赏汾西美景抒发自己于山水中追求心灵的超脱和快意自适的人生理想。

平湖在平阳城西五里，源自平阳西南二十五里的平山，在此汇聚为湖，历来为郡人游玩之地。作者和友人于秋日携酒在湖中游赏，在美丽怡人的风景中饮尽千觞，仿佛达到了人间万事荡然一空的境界。

开篇写秋日平湖的景色和作者此刻的心境。“鉴谓之镜”（《广雅》），首句用“鉴湖”把清澈见底的湖面比喻为光洁的明镜。宋朱熹《观书有感》“半亩方塘一鉴开”即用此意。“心赏随年淡”句中“心赏”指心情欢畅，如“身闲爱物外，趣远谐心赏”（宋欧阳修《伊川独游》）。此句谓作者自叹随着年龄的增长，昔日欢畅的心情也逐渐变得淡然。然而当作者面对汾西赏心悦目的美景时，又不禁兴致陡增：还是乘着系在柳堤边的兰舟在湖中赏玩一番吧！南朝梁任昉《述异记》载“浔阳江中，多木兰树……鲁班刻木兰为舟”，后诗家多用“兰舟”作为舟的美称。作者沉醉于眼前美好的风光里，即使不惜典卖自己的衣衫以换取美酒，也要尽情地游览汾西的迷人景色。“典春衫，觥船一棹汾西岸”句意类似李白《将进酒》之“五花马，千金裘，呼儿将出换美酒，与尔同销万古愁”。于此可以窥见作者旷达乐观的情志和狂放超脱的生活态度。“觥船”亦作“觥舡”“觵船”，是一种用兽角制成的容量巨大的饮酒器，如金元好问《茗饮》诗：“宿醒未破厌觥船，紫笋分封入晓煎。”

本篇名为写景，实则是写赏景时的情感和心境。以景写情、直抒胸臆，语言流畅自然、豪壮洒脱。小令的前半部分极写汾西和平湖景色之美及作者徜徉其间的迷醉，表现了他寄情山水、狂放自适的性格。然而作者的情感体验此时并未达到终点，最后三句“人间万事，暂时放下，一笑付醺酣”在承接前文的基础上直抒胸臆：是啊，人世间还有什么事情能胜过眼前宜人的美景和杯中醉人的美酒呢？我暂且忘记凡尘俗世间的琐事和烦恼，尽情沉醉于这美好的景色中吧！“醺酣”即酣醉貌，如唐杜牧《郡斋独酌》：“醺酣更唱太平曲，仁圣天子寿无疆。”至此，作者的思想情感终于毫无拘束地倾泻而出，其淡泊世事、追求逍遥自由的理想人格也跃然纸上。

（刘　洋）

# 【越调·平湖乐】

王　恽

（十首其五）

采菱人语隔秋烟，波静如横练。入手风光莫流转，共留连，画船一笑春风面。江山信美，终非吾土，问何日是归年？

## 鉴赏

此曲为〔越调·平湖乐〕小令十首中的第五首，其创作时间当在至元九年(1272)到至元十二年(1275)作者任平阳路(今山西临汾)总管府判官期间。

首句写作者游湖所见：清澈的湖水平静得如同一匹展开的白绢，隔着初秋的蒙蒙薄雾，采菱女子的欢声笑语从远处随风飘来。由于此刻湖面笼罩着一层薄薄的烟霭，作者实际并未看见采菱女子，只是听到她们的声音，因此用"隔秋烟"三字带给读者"闻歌始觉有人来"(唐王昌龄《采莲曲》)的感觉。"波静如横练"化用南朝齐谢朓《晚登三山还望京邑》中的名句"余霞散成绮，澄江静如练"，把湖面比作一块平铺的素绢，极言湖面的平静清澈。开篇两句，诗人凭借听觉和视觉的通感效应营造了一个宁静澄澈的世界。

眼前的风景使作者心旷神怡、流连忘返。此时此刻，他希望美好的风光不要流逝，好让自己和友人尽情赏玩。作者沉醉于这美好的景色中，不知何时从远处漂来一艘画舫，舫上的美人明眸善睐，笑容如春风拂面。"画船一笑春风面"化用杜甫《咏怀古迹》(其三)"画图省识春风面，环佩空归月夜魂"，给原本清澈宁静的景色增添了几许旖旎妩媚之美。然而如此宜人的风景并没有阻断作者思乡盼归之心。"江山信美，终非吾土"，作者的情感在这里发生了转变，从之前的"莫流转""共留连"到思乡之情顿生的惆怅。此处化用王粲《登楼赋》"虽信美而非吾土兮，曾何足以少留"，表现他客居异乡、心怀故园之情。乡愁袭来，作者难以排遣，不禁喟然兴叹：

这里的山川风景虽然美好,但终究不是我魂萦梦牵的故土。岁月荏苒,归期遥遥,何时才能回到朝思暮想的故乡呢?作者用杜甫《绝句二首》中“今春看又过,何日是归年”入曲,抒发了自己宦游他乡思亲盼归的心境。

这是一首构思新颖的抒情小令。前半部分写游湖所见之景,作者极力渲染眼前的美好景色和流连其中的应接不暇,用清新明快的语言描摹出一幅轻盈明朗的山水画卷。然而正当读者沉醉于诗人精心营造的美好景色中时,末三句“江山信美,终非吾土,问何日是归年”却忽然跌出,使语义陡然一转,卒章显其志,说出自己虽然身在他乡但心系故土,作者久宦思归之心也溢于言表。王恽是元代有意识把散曲雅化的第一人,这首小令即是代表:语言委曲含蓄、淡雅整饬;化用前人名句如同己出,可谓“无一字无出处,无一字无来历”;写景明净清澈、抒情沉郁真挚;情景交融,以乐景写哀情,给人以无穷的余味。

(刘　洋)

## 【越调·平湖乐】

王　恽

### 尧庙秋社

社坛烟淡散林鸦,把酒观多稼。霹雳弦声斗高下,笑喧哗。壤歌亭外山如画。朝来致有,西山爽气,不羡日夕佳。

**鉴赏**

这首散曲创作于至元九年(1272)至十二年(1275)作者任平阳路(今山西临汾)总管府判官时。题目是《尧庙秋社》,主要是写平阳百姓于秋季祭神的盛况和作者观看祭祀的感受。

尧庙即尧帝之庙。《尚书》载“尧都平阳”,尧庙位于平阳南五里处,始建于西晋,至元五年(1268)重修。秋社是古代秋季祭祀土地神的节日,始于汉代,时间在立秋后第五个戊日。宋吴自牧《梦粱录》记载:“秋社日,朝廷及州县差官祭社稷于坛,盖春祈而秋报也。”可见秋社是古代非常重要的节日。

散曲前半部分叙述尧庙祭祀的盛况和百姓庆祝丰收的欢乐场景。开篇写祭日的庄严祥和:社坛前升起袅袅香烟,热闹的祭祀活动惊散了群鸦。我满怀喜悦,面对五谷丰登的景象把酒畅饮。“稼”即庄稼、谷物。其后三句写祭祀结束后,人们载歌载舞,弹起琴、唱起歌互相斗艺,到处是丰收的喜悦和欢快的场面。“霹雳”是一种古琴,明陆延枝《说听》:“吾乡有金某者,得古琴曰霹雳……其音清越。”此时作者眺望远处,壤歌亭外是一片美丽如画的山野风光,给祭祀庆典增添了一丝安详和壮阔。壤歌亭又称击壤台,相传帝尧之世,天下太平,百姓无事,有老人击壤而歌:“日出而作,日入而息。凿井而饮,耕田而食。帝力于我何有哉?”以此来赞美当时的太平盛世,后人于此建击壤台以志纪念。此句谓眼前的盛况仿佛使人回到帝尧时风调雨顺、万民富足、世风淳厚的年代。

最后三句写作者观看祭祀庆祝活动的感受。“朝来致有,西山爽气”出自南朝宋刘义庆《世说新语·简傲》:“王子猷作桓车骑参军。桓谓王曰:‘卿在府久,比当相料理。’初不答,直高视,以手版拄颊云:‘西山朝来,致有爽气。’”“西山”指伯夷、叔齐隐居的首阳山,王子猷以此表示自己超脱尘世的傲岸。作者取其意说明节日当天空气清新宜人,令人神清气爽。相比之下,我也不再羡慕陶渊明曾经吟唱过的“山气日夕佳”的归隐生活了。最后一句化用陶诗“山气日夕佳,飞鸟相与还”(《饮酒》),原诗表现陶渊明悠闲自适的隐逸生活,作者在此反其意而用之,用“不羡”说明对平阳政通人和、仓廪殷实、人民安居乐业感到欣慰和积极入世、为民谋福的政治理想。

这首散曲语言典雅自然,意蕴含蓄;融风俗描写和诗人的主体感受为一体,由近及远、由客观到主观,层次井然;用典绵密。在元代,士人中普遍存在的消极避世情绪使得散曲的思想内容多是慨叹世情险恶、远离政治生活,王恽作为一代名臣,其作品透露出的积极入世精神在元曲中可谓别具一格。

(刘　洋)

# 【正宫·菩萨蛮】

侯克中*

## 客中寄情

【菩萨蛮】镜中两鬓皤然矣，心头一点愁而已。清瘦仗谁医，羁情只自知。

【月照庭】半纸功名，断送关山，云渺渺，草萋萋。小楼风，重门月，应盼人归。归心急，去路迷。

【喜春来】家书端可驱邪祟，乡梦真堪疗客饥，眼前百事与心违。不投机，除赖酒支持。

【高过金盏儿】举金杯，倒金杯，金杯未倒心先醉。酒醒时候更凄凄，情似织。招揽[①]下相思无尽期，告他谁？

【牡丹春】忽听楼头更漏催，别凤又孤栖。暂朦胧枕上重欢会，梦惊回，又是一别离。

【醉高歌】寒窗夜永岑寂，有多少孤眠况味。欲修锦字[②]凭谁寄，报与些凄凉事实。

【尾】披衣强拈纸与笔，奈心绪烦多书万一。欲向芳卿行诉些憔悴，笔尖头陶写哀情，纸面上敷陈怨气。待写个平安字样，都是俺虚脾拍塞[③]。一封愁信息，向银台畔读不去也伤悲。蜡炬行明知人情意，也垂下数行红泪[④]。

## 作者

＊侯克中，生卒年不详，字正卿，号艮斋，真定（今河北正定）人。幼年不幸失明，全凭聆听童子读书而记诵在心。先习词章，后潜心研究《易经》，撰述《大易通义》。与白朴、胡祗遹、徐琰等多有诗文往来，著有《艮斋诗集》14卷，杂剧《燕子楼》惜未传世。元钟嗣成《录鬼簿》以〔凌波仙〕盛赞“史侯心友艮先生，诗酒朝酬老正卿”，可谓“千载标名”。

## 注释

① 招揽：惹出、生发之意。

② 锦字：由织锦回文之典简省，代指情书。

③ 虚脾：虚情假意。这里指言不由衷，难以说出的哀情。拍塞：充满，充斥。

④ 红泪：前秦王嘉《拾遗记》中说，魏文帝（曹丕）所爱的美人薛灵芸离别父母登车上路之时，用玉唾壶承泪，壶呈红色。及至京师，壶中泪凝如血。后世因称女子的眼泪为“红泪”。后世诗词中常见，如韦庄“罗袂湿斑红泪滴”（《木兰花》）、《西厢记》中写崔莺莺“淋漓襟袖啼红泪，比司马青衫湿”等。

## 鉴赏

据隋树森《全元散曲》记载，侯克中仅存两首完整散曲。这套套数是羁旅行役之间的客情自述，繁复曲折之间带出黯然销魂的姿态。

开篇言愁，看似平淡无奇，仔细品味，这几句传递出作者发自内心深处的无限感喟。人生漂泊，今非昔比。而今两鬓斑斑，深感人生易老红颜不再，在坎坷的人生经历中，带着悲欣交集，作者结穴为“一点愁”，貌似轻松口吻，其实已是层层堆积后的愁情简写罢了。作者感慨：因重重羁情纷扰而形容清瘦，除了自我，有谁能够体味万一呢？

〔月照庭〕点明归意。“半纸功名，断送关山”，眼见绿鬓衰红颜改，眼见羁旅漂泊在外，深有体悟之余对名缰利锁出以鲜明的嫌恶态度。此时，主人公心底大概也会升腾起“实迷途其未远，觉今是而昨非”的意绪吧。这也正是曲子主旨中思乡念远情结的精神起源。一旦有勇气言说心为行役，归心也便愈加迅疾。“云渺渺”几个短句顿挫适宜，写法也很幽微超群，好在对面写来之法：浮云渺渺、青草萋萋，楼台帘幕深处的伊人啊，无数次登楼远眺，该是一腔盼归心事。作者一石双鸟，巧妙烘托出了主人公的怀人和思乡之意。纵然归心似箭，但与家乡迢迢相隔，瞻望行程徒然一路迷离。

承接上文的思乡之意，〔喜春来〕抒写愁绪。“家书”“乡梦”，多么暖心的字眼！它们能够帮主人公驱走私心邪念，能够在精神上给予贴心慰藉，然而这些只是美好而遥远的臆想，事实上眉睫之前有很多违人心愿的麻烦事。对于主人公来说，要有所排遣支撑，除非是沽酒以慰愁烦。

〔高过金盏儿〕继续蓄势，点染久旅的乡愁和相思。“金杯未倒心先醉”，元代大量文士同样纵情于诗酒，主人公因有满腔心事，大概一人独酌，还没喝多少酒，就已经颓然而醉。也许醉态尚能暂时忘却乡思羁情，然而“酒醒时候更凄凄”，因而䌷绎萃集成“情似织”。历来言情的好句俯拾皆是，多喻情深似海，这一比喻则具有别样新意，似乎受回文锦的启发，极言其细密，极言其悠长，引人回味。客中羁旅，主人公心底生发无限相思，能讲述给谁听呢？言外之意是，眼前缺少个知音的人儿。

上述“相思”，难免是一语双关，指向故乡、家人。曲至〔牡丹春〕，作者把游子比为“别凤”，不仅孤单而且独眠，夜半更漏，声声敲人心碎。好不容易入眠，梦中难得欢会，然而梦境短促甜蜜即逝，惊梦时分反倒又享受一场别离之苦。梦里梦外，该有多少悲欣吞吐，自然让人无法再眠了。

随着主人公的情感演绎，〔醉高歌〕是为过渡，承上而启下。作者坚持明白叙述，并不刻意雕琢，写长夜漫漫一片寂寥，羁旅无眠的主人公形象宛然在目；而后，“欲修锦字凭谁寄”，无奈之时要修书一封，有意倾泻出“报与些凄凉事实”的肺腑奢求。而事实上如何呢？我们不妨看看最后一曲。

〔尾〕则如同电影蒙太奇镜头的转换，主人公披衣案前、铺纸拈毫的剪影跃然而出。然而此时心绪烦乱，本想着向离别的伊人陈诉一番客中所经受的“憔悴”之愁、“哀情”之悲、“怨气”之苦，终究由于不忍而改换成“平安”。主人公苦心感慨，其实书信上字字如愁啊！如此哀感缠绵、层次迭出，委实令人柔肠百转、心随曲动，烛台旁主人公难以重读书信的悲伤，给读者心头留下了至为深切的印痕。曲终处，主人公和红烛对视，惺惺相惜。蜡烛深谙离人的情意，连它也因同情从心底流下了数行烛泪。此处，“红泪”自然一语双关，表面指向红烛之泪，其实借此暗示主人公的心情，同时也怀有对伊人的眷惜之情吧。杜牧曾经移情吟诗：“蜡烛有心还惜别，替人垂泪到天明。”(《赠别》)作者借力于此,巧妙地化无形为有形,把挥之难去的情天恨海留给读者去想象去填补,空阔含蓄的艺术空间也因之而绽放。烛泪本是生活中一个常见的顷刻,从唐诗到元曲,一再吟诵定格便具有了永恒的艺术生命力。散曲尚直说胸臆、语言通俗,而此曲又语浅有味、意蕴悠长,和它多样化的手法也是分不开的,论修辞艺术,诸如〔月照庭〕、〔高过金盏儿〕中顶真续麻的运用,增强了感情的回环婉转;论渲染铺叙,即从“一点愁”翻为“数行泪”,情景辉映、顿挫层生。可以说,无论感情、韵律还是语言、结构,都日渐曲折也天然入妙了。

(高　莹)

# 【双调·雁儿落过得胜令】

庾天锡*

春风桃李繁，夏浦荷莲间，秋霜黄菊残，冬雪白梅绽。　　四季手轻翻，百岁指空弹。谩说周秦汉，徒夸孔孟颜。人间，几度黄粱饭；狼山，金杯休放闲。

## 作者

* 庾天锡，生卒年不详，字吉甫，一名天福，大都（今北京）人。曾任中书省掾，除员外郎、中山（今河北定州）府判。元钟嗣成《录鬼簿》列于"前辈已死名公才人有所编传奇行于世者"。杂剧 15 种皆佚。现存小令 7 首，套数 4 套。明朱权《太和正音谱》评其曲"如奇峰散绮"。

## 鉴赏

庾天锡的这首〔双调·雁儿落过得胜令〕的题旨是元人散曲中常见的避世忧生主题。首唱"春风桃李繁，夏浦荷莲间，秋霜黄菊残，冬雪白梅绽"四句，以随春夏秋冬四季变迁而流转对应的桃李繁茂、荷花盛开、黄菊残败和雪梅怒绽四种景象，蓄势拍出"四季手轻翻，百岁指空弹"的对比！死亡是个体无法抗拒的归宿，"生之来不能却，去之不能止"（《庄子·达生》）。西哲海德格尔所谓人是向死而生的存在（being towards death）。以"活在当下"的"及时行乐"来应对生命的有限性（以及"无常性"）这并不是元代散曲作家的"发明"。试看《古诗十九首》中的咏叹："生年不满百，常怀千岁忧。""昼短苦夜长，何不秉烛游。""不如饮美酒，被服纨与素。"……然而元人的避世忧生却是那么的决绝和彻底:“谩说周秦汉,徒夸孔孟颜”!一部“先王之道”的历史,所有先圣贤人的盛迹,都是毫无价值的!而在人间轮番上演的一出出富贵黄粱之梦,哪里抵得上一杯美酒呢!

此曲绮丽不俗,遍见珠玉的语言风格在庾氏散曲中很有代表性。

(王　昊)

## 【双调·雁儿落过得胜令】

庾天锡

(五首其二)

名缰厮缠挽,利锁相牵绊。孤舟乱石湍,羸马连云栈。　　宰相五更寒,将军夜渡关。创业非容易,升平守分难。长安,那个是周公旦?狼山,风流访谢安。

### 鉴赏

庾天锡的带过曲〔雁儿落过得胜令〕组曲共五首,内容皆感叹人生易逝、功名虚幻,应及时行乐。这是第二首,作者表达了对功名利禄的厌弃,歌颂了不喜权势、纵情山水的高士。

前四句即〔雁儿落〕曲,作者极力描写追名逐利的艰难险恶,意在劝人摆脱名利的羁绊,其譬喻精巧形象,令人惊悚。在曲家看来,人们孜孜以求的名利不过是羁绊自己的缰绳、限制行动自由的锁链,人一进入其中,就会被缠绕捆绑得死死的,身不自主,心不自由,犹如驾一叶孤舟在乱石隐现的激流之中颠簸,随时有触礁之险、倾覆之虞;又如骑一匹瘦马行进在颤动不已的连云栈上,随时有失足之危、坠岩之灾。其后〔雁儿落〕曲前四句进一步写即使位至将相,追到了名利,但是仍然有“五更寒”的劳累和“夜渡关”的艰辛。不止是创业艰难,而且守成不易。出将入相，本是封建时代无数士子的最高理想，然而，作者却认为，即使贵为宰相也要在五更天去上朝议事，受寒挨冷；即便贵为将军也不免要连夜渡河涉水、夜不安寝。由此呼应开篇两句，用事实表明，无论地位如何崇高，也在名利束缚之中，为名利而吃尽苦头。既然如此，哪里有跳出名利之外的人那么安闲舒适呢？曲家用片面观照之法，有意回避高官显宦地位的显达和受人追捧的荣耀，而只着眼于他们职任的辛劳和官场的险恶，暗寓着官不如闲的消极结论和弃官赋闲的人生选择。最后四句，分两层来写，先以"长安"两句，暗暗揭示令人厌弃官场的真正原因是现在朝廷里没有像周公旦"一沐三握发，一饭三吐哺"那样的圣贤，自己不愿与一帮尸位素餐者为伍；然后再以"狼山"两句，表明自己的人生志趣——渴慕谢安一样的隐居风流人物，希望能与他们一道，放情山水，远离尘嚣，在自然中领略美妙人生，这就曲折地表达出对现实的不满。

元曲家此类鄙弃功名、崇尚隐逸的主题，不仅表现了对功名仕途的深刻反省，也表达了远害全身、玩世享乐、纵情山水的消极态度。表面虽极放达，内心却极悲凉。整首小令层次分明，韵味深长，感情色彩鲜明强烈。

（方新蓉）

## 【中吕·十二月过尧民歌】

王实甫*

### 别　情

自别后遥山隐隐，更那堪远水粼粼。见杨柳飞绵滚滚，对桃花醉脸醺醺。透内阁香风阵阵，掩重门暮雨纷纷。　　怕黄昏忽地又黄昏，不销魂怎地不销魂？新啼痕压旧啼痕，断肠人忆断肠人。今春，香肌瘦几分？搂带宽三寸。

#### 作者

* 王实甫，生卒年不详，名德信，大都（今北京）人。元代著名杂剧、散曲作家。元钟嗣成《录鬼簿》将其列入"前辈已死名公才人"而位于关汉卿之后，主要活动在大德（1297—1307）前后的曲坛上。明初贾仲明在《录鬼簿续编》中曾写《凌波仙》曲吊王实甫，谓之："作词章，风韵美，士林中，等辈伏低。"明朱权《太和正音谱》评其曲"如花间美人"。著有杂剧14种，今存《西厢记》《丽春园》《破窑记》等三种。其散曲，隋树森《全元散曲》辑有小令1首、套数1套及残曲2首。

#### 鉴赏

王实甫为元曲大家之一，以《西厢记》杂剧久负盛名，散曲亦脍炙人口。散曲〔中吕·十二月过尧民歌〕《别情》，见《中原音韵》《尧山堂外纪》卷六八。这首带过曲由〔十二月〕和〔尧民歌〕两支曲子组成，写一位深闺女子与情人别后，在暮春时节的相思深情。

〔十二月〕“自别后”三字开门见山，直揭一篇的本事。以遥山远水写离别相思之苦，“遥山”层峦叠嶂遮断主人公的思念心情，“远水”波光粼粼摇荡恋人间的离情别绪。一、二句从大处落墨，画出远景：青山逶迤，隐于天际，绿水如带，碧波粼粼。“隐隐”和“粼粼”这一对叠字，不但点出女子与情人之间山遥水长的空间距离，那抑扬的曲调中还仿佛荡漾着女子思念情人的似水柔情。李白的《金陵酒肆留别》“请君试问东流水，别意与之谁短长？”和欧阳修的《踏莎行》“离愁渐远渐无穷，迢迢不断如春水”“平芜尽处是青山，行人更在青山外”，正道出了王实甫此句的言外之意。三、四句是写时间也是近景描画，柳絮飘飞，桃花盛开，醉脸醺醺，主人公触景生情，见物伤心。“杨柳”在古诗词中早已具有表现离愁别绪的符号意义。此处作者暗用王昌龄《闺怨》诗意“忽见陌头杨柳色，悔教夫婿觅封侯”；“桃花”则暗用崔护《题都城南庄》诗意“人面不知何处去，桃花依旧笑春风”。有胜景哀情、物是人非、触目伤心之感。五、六句写闺中女子为避风雨而掩重门，作者以这一外显动作烘云托月，反衬表现闺中女子难以掩饰、阻挡，不断袭上心头的离别悲苦。此二句所表达的正是欧阳修《蝶恋花》“雨横风狂三月暮，门掩黄昏，无计留春住”和李清照《临江仙》“浓香吹尽有谁知”之意。

接下来的〔尧民歌〕进一步写出闺中女子相思苦痛的深绵，四句皆有语词叠用。一、二句紧承上文，“黄昏”“不销魂”两两叠用，极写闺中人深受相思之苦，无法控制、无法摆脱的情状。“怕黄昏忽地又黄昏”中“黄昏”之所以可怕，是因为“独坐黄昏谁是伴？”（唐白居易《紫薇花》）、“落花寂寂黄昏雨，深院无人独倚门”（唐韦庄《春愁》）。“不销魂怎地不销魂”用江淹《别赋》“黯然销魂者，唯别而已矣”意。第三句描写闺中人整日珠泪涟涟的情状，如“衬儿袖儿都揾湿做重重叠叠的泪”（元王实甫《西厢记·长亭送别》），“压”字极妙，一字写出相思的连续与持久。第四句写的是“一种相思，两处闲愁”（ 宋李清照《一剪梅》）之意，写法如柳永《八声甘州》“想佳人妆楼颙望，误几回、天际识归舟。争知我，倚栏杆处，正恁凝愁！”“断肠人忆断肠人”以自己的极度相思推及对方的相思极度，再由对方的相思极度促得自己的相思愈加深刻绵远。最后三句是写相思之苦的外在显现，把抽象的相思深情具象化，让刻骨相思真切可感。此句用《古诗十九首·行行重行行》“相去日以远，衣带日以缓”和柳永《蝶恋花》“衣带渐宽终不悔，为伊消得人憔悴”意，以形体日渐消瘦，传达相思之深、别离之苦。

此曲充分发挥了散曲的语言特

点,〔十二月〕是景语,然景中有情。句句结尾用叠字,形成连壁对,完成一种缠绵的格调。〔尧民歌〕是情语,又情中有景。前四句用勾连回环之法,每句前后相重,然语词重复而语义不重,深刻地描写出人物的情感世界。元周德清《中原音韵·作词十法》评此曲云“对偶、音律、平仄、语句皆妙”,对此曲可谓赞赏备至,情有独钟。

(陆晓春　童晓峰)

# 【黄钟·人月圆】

魏　初*

## 为细君寿

冷云冻雪褒斜路，泥滑似登天。年来又到，吴头楚尾，风雨江船。但教康健，心头过得，莫论无钱。从今只望，儿婚女嫁，鸡犬山田。

### 作者

＊魏初(1232—1292)，字太初，号青崖，弘州顺圣(河北阳原)人。金末元初重臣魏璠从孙，历官国史院编修、监察御史、治书侍御史、江西按察使、南台御史中丞等。著有《青崖集》。《元史》有传。魏初曾受学于元好问，故其诗文有遗山规矩和风范。其散曲今存小令1首。

### 鉴赏

这首〔人月圆〕是魏初为妻子祝寿的小令，题目"细君"即指妻子。此曲话虽家常，情则半生。第一句"冷云冻雪褒斜路"，经典在"路"字；接着"泥滑似登天"一句既状写路面，也说出走路之态。"路"，一方面借喻魏初作为丈夫走马上任的官途，另一方面隐喻为妻子相伴半生的人生路。合而赏之，魏初感激妻子一直风雨相随，与他走过许许多多云雪漫天、泥滑难行的岁月。"褒斜"即褒斜谷，又称褒斜道，终南山的山谷，是由关中通往四川的重要通道。南口在褒城县北六公里。据《元史·魏初传》载，魏初曾"出佥陕西四川按察司事"，因此，褒斜路当是他往返川陕间所经之路；《青崖集》卷一尚载有《褒城即席送何侍御》五律诗，褒斜道相信是魏初纵横南北时印象深刻而且最具概括意义的孔道。

《元史·魏初传》记述魏初于中统初年开始仕宦生涯。他初为中书省掾史，中经隐居，后复起为国史院编修官，不久拜为监察御史，累官至南台御史中丞。其《青崖集》有一《凤翔城南得京都家书》七古诗，末段“匆匆二月长安道，南北驰心似秋草。女孙解语学念诗，应道在家贫亦好”写早年与家人聚散生涯。又有一首《登朝天岭》七言云：“余来汉中凡三年，大山小山行欲遍。今年复有东川行，大抵势随岗阜转。”他身居监察御史，职责是访察地方行政得失。《青崖集》中记述行历的诗作不少。其中一首七古诗《杭州大雪》，可以拿来与曲中“年来又到，吴头楚尾，风雨江船”互读。《杭州大雪》序云：“至元二十有一年，十二月七日，杭州大雪。”至元二十一年（1284），与青崖中统三年（1262）初入仕途，相去二十四个年头，跟他授国史院编官至元七年（1270）隔了十四年。《杭州大雪》写于调官南台御史中丞之后，应与〔人月圆〕曲写作时间差去不远。曲句“年来又到”写刚到任。吴头楚尾连成一线的，是长江。江南水乡风景中最有象征意义的，自是“风雨江船”。然而我们不要轻易放过“风雨”二字，因它与披盖云雪的“褒斜路”互相呼应，暗中写出深挚的感激之情。

行歌到此，夫妻情义跃然纸上。下阕展呈祝福语。“但教康健，心头过得，莫论无钱”，相信只有写给妻子才用如斯闲话家常的口吻作贺寿词。考《青崖集》，祝寿诗有五首，祝寿词则有十八首，祝寿曲则仅有一首。其中为亲人祝寿的，除这首〔人月圆〕外，尚有三首为祖母而写。对于曲中“莫论无钱”句，只要拿他的《送杨季海》诗“交亲零落鬓如丝，两袖清风一束诗”句对读，便可以知道他说的是大实话，并非故作姿态的穷酸语。

“从今只望，儿婚女嫁，鸡犬山田”写出老年夫妇的心愿：儿女成家立室，晚年门庭恬和平静，在田园享受生活。魏初较前有《水调歌头·室人降日以此奉寄》词，为纪念迎娶妻妾一周年而写的。下阕云：“山接水，水明霞，满林残照见归鸦。几时田园了，儿女团圞夜煮茶。”（《青崖集》卷三）虽然此词没有说明奉寄的是妻子还是姬妾，但字里行间表达父母对儿女幼时在膝，长大婚嫁的愿望，拿来和〔人月圆〕对读，可以互相发明。

此曲纯用浅显语，展示的是真实的生活，真实的心态，真挚的感情，其知足常乐的人生态度得到鲜明的表现。

（司徒秀英）

## 【中吕·喜春来】

伯　颜*

金鱼玉带罗襕扣，皂盖朱幡列五侯，山河判断在俺笔尖头。得意秋，分破帝王忧。

### 作者

＊伯颜(1236—1295)，八邻(巴林)部蒙古族人。元世祖至元初年受忽必烈赏识，拜中书左丞相，后升任同知枢密院事。统兵伐宋，战功赫赫。立国后又曾出镇和林(今蒙古国乌兰巴托南)，平定诸王叛乱。至元三十二年(1295)冬殁。《元史》有传。今存诗4首，曲1首，气势雄浑，脍炙人口。

### 鉴赏

据明《草木子》卷四《谈薮篇》载："伯颜丞相与张九元帅，席上各作一《喜春来》词……帅才相量，各言其志。"据《元史》伯颜、张弘范两传，至元十一年(1274)，左丞相伯颜领行中书省总兵攻宋。至元十三年(1276)，元兵占领临安(今浙江杭州)，南宋灭亡。由"得意秋"等句来推测，伯颜此曲，当作于元兵灭亡南宋之后。

这是一首形式短小而意气风发的小令，作者为新朝开国功臣，叱咤风云、挥斥方遒的得意气概跃然纸上。

此曲从官员的配饰写起，"金鱼玉带罗襕扣，皂盖朱幡列五侯"，一连串的名词罗列，金鱼、玉带、罗襕、皂罗、朱幡，都是高官身份的象征，一派高贵、豪华、显赫的气势呈现在读者眼前。由此自然引出"山河判断在俺笔尖头"一句，表现着历史的创造者坚实的自信精神和气势豪迈的胜利者情怀。之后两句语言形式灵活，“得意秋，分破帝王忧”，既是顺承上句自然而来，又畅快地表现了作者对自己在当朝所处的重要地位的自得。

此曲纯任性情，气势非凡，鲜明地体现了元曲自然、晓畅的风格。其磅礴气势，豪迈情怀，在元散曲中更是别具一格，所谓文如其人，信不虚也。

（赵　娜）

# 【中吕·喜春来】

张弘范*

金妆宝剑藏龙口，玉带红绒挂虎头，旌旗影里骤骅骝。得志秋，喧满凤凰楼。

## 作者

* 张弘范(1238—1280)，字仲畴，河内(今河北定兴)人。元朝大将，战功卓著，攻宋陷襄阳，下建康，俘丞相文天祥，攻占崖山，陆秀夫负宋帝蹈海死，因以亡宋。至元十七年(1280)病死，年43，封淮阳王，谥献武。《元史》有传。张弘范幼年从郝经学，能为诗歌，著有《淮阳集》《淮阳乐府》。其散曲内容主要是以铁骑征战自矜。元钟嗣成《录鬼簿》列其"前辈已死名公，有乐府行于世者"。明朱权《太和正音谱》将其列于"词林英杰"一百五十人之中。隋树森《全元散曲》存其小令4首。

## 鉴赏

这是一首武夫马上之曲，写元军灭宋之后凯旋的喧腾热闹场面。〔喜春来〕这一曲调的欢畅声情正与鼓乐喧天的热闹气氛相得益彰。

明叶子奇《草木子·卷四·谈薮篇》记载了这支曲子的写作背景："伯颜丞相与张九(张弘范排行第九)元帅，席上各作一〔喜春来〕词。伯颜云：'金鱼玉带罗襕扣，皂盖朱幡列五侯，山河判断在俺笔尖头。得意秋，分破帝王忧。'张云：'金装宝剑藏龙口，玉带红绒挂虎头。旌旗影里骤骅骝。得志秋，喧满凤凰楼。'帅才相量，各言其志。"按《元史》伯颜、弘范两传，至元十二年(1275)十一月，元兵分三路攻临安(今浙江杭州)，丞相伯颜率中军从建康(今江苏南京)进发。至元十三年(1276)正月，三路元兵会于临安，二月，南宋幼主出降。细玩伯颜曲意,伯颜、弘范席上作曲之事,当在至元十三年元兵会于临安之后。

这首小令尺幅短窄,仅二十九个字,却因为作者高超的技艺传达出异常丰盈的信息,有很强的画面感和现场感。

"金妆宝剑藏龙口,玉带红绒挂虎头"用整饬的对句为威风凛凛的将军写形。黄金做装饰的宝剑藏在龙形纹饰的剑鞘里,一个"藏"字,欲扬反抑,带给人的是"匣中宝剑夜有声"(宋陆游《长歌行》),按捺不住绝鞘欲出的张力。玉带轻摇,红绒婆娑,虎头金牌缠在腰际,在威猛的底色上又加抹一笔俊逸洒脱之姿,一个"挂"字,金牌随身摇摆跳脱的轻快意趣隐隐流出。"金""玉""红"描颜色质地,"龙口""虎头"壮气势声威,绝无一字落空。

"旌旗影里骤骅骝"与前两句的实处写形不同,转为影中传神,流光幻彩,往来驰骤,颇有"光影驰西流"(三国魏曹植《野田黄雀行》)的观感。"骅骝"是周穆王八骏之一,此谓骏马。唐杜甫《奉简高三十五使君》有"骅骝开道路,鹰隼出风尘"。骏马如飞,在旌旗耀眼斑斓的光影间倏忽而过,"骤"字言速度气势,更言风采神韵,举重若轻,把铁马漫卷的元军描述得有如天兵天将般飘洒烂漫。

最后,"得志秋,喧满凤凰楼"中"凤凰楼"可能是实景,杨果〔越调·小桃红〕有"玉箫声断凤凰楼"句,这里指朝廷、京城。这一句写凯旋还朝,举城欢腾。至此,几个画面一气贯下,一幅比一幅气势足,一幅比一幅动感强,如鼓角横吹,战鼓频催。最后,色彩、光影、音声、动静、神情等所有信息全由一个牢拢场面气氛感极强的"喧"字点化,一支首尾完具流光幻彩的小令便这样遏云而出。

为了造成这样一种干净利落的表达,作者在动词的选择上很讲究。"藏""挂""骤""满",下字稳重响亮,与句尾平声的平滑清扬相衬相应,抑扬顿挫,金石铿锵,讽咏之间颇有列队前行的战阵进行曲的声势。跟伯颜小令指点江山气定神闲的丞相气质相比,这一首的虎啸风生、奔腾驰骤正突显出一位冲杀万马军中不可羁约的勇将本色。在云一窝、月一梭叹世归隐情绪弥漫的元代曲坛,这首雄赳赳气昂昂的武夫马上之曲可称独步。

(马琳萍)

# 【双调·殿前欢】

张弘范

## 襄阳战

鬼门关，朝中宰相五更寒。锦衣绣袄兵十万，枝剑摇环。定输赢此阵间。无辞惮，舍性命争功汗。将军战敌，宰相清闲。

**鉴赏**

这是一首叙事感很强的令曲，叙宋元襄阳战事。曲中叙事很常见，但在篇幅短小的令曲中通篇叙事且叙事者是著名战役一方的主将，就是难得一见的稀罕篇什了。

“鬼门关”，指宋襄阳城。它地处南阳盆地南端，三面环水，一面依山，且与樊城南北夹汉水互为依存，地势险要，易守难攻，粮草储备丰盈，是南宋抵抗蒙古军队的边庭重镇，确实是蒙军眼中不折不扣的“鬼门关”。

襄樊之战长达六年之久，是宋元之间的生死之战，是蒙灭南宋一统天下从而导致宋元王朝更迭的关键一役。这场战役从南宋咸淳三年(1267)蒙将阿术进攻襄阳的安阳滩之战开始，中经吕文焕反包围战，张贵张顺援襄之战，龙尾洲之战和樊城之战，终因孤城无援，咸淳九年(1273)守将吕文焕弃城投降，历时近六年，以襄樊失陷而告终结。

这六年间大大小小战役很多，因此很难确定这支曲子具体写哪一次，但是，细察曲意，可以肯定，这支曲子应该是在一场恶战之前所写，目的是体贴宰相心思，为上司解心宽儿，也为自己和手下人打气，类似请战书、决心书或者战前动员。

“鬼门关”，一语之下，生死之间，写出了即将到来的这场战事的惨烈，也写出它带给人心理上的阴冷恐怖的气氛和感觉。

于是就有了下面一个特写：“朝中宰相五更寒。”因为要在鬼门关打一场决定生死的恶战，所以宰相才会觉得“寒”。这个“寒”写出大战之前宰相犹豫不宁、如履薄冰的心态。于是，善解人意的大将开始不动声色地开解劝慰：“锦衣绣袄兵十万,枝剑摇环。”“锦衣”句言物资充足,装备精良,兵多将广。“枝剑摇环”言摩拳擦掌,士气高昂。“定输赢此阵间。无辞惮,舍性命争功汗”是弘范将军向宰相重播自己慷慨激昂的“战前动员”——“这是一场决定生死的恶战,不能临阵脱逃,害怕胆小,要拼了性命去抢头功!人人奋勇个个争先!”当然,这几句也可以看作是作者在向宰相表决心。最后,“将军战敌,宰相清闲”,类似现在“我办事你放心”之言。

考察史实,“襄阳战”中这个将军表现确实不一般。曲里的“宰相”就是攻宋战役的总指挥伯颜。击破宋军最关键的战略方针几乎都是张弘范向伯颜提出来的:以重兵围困的方式夺襄阳;切断襄阳的粮道;在襄阳、樊城之间,亲自率军建筑阻隔性工事——“一字城”,像一把利刃,将襄樊军事防区切割为二;提出水陆夹攻之法,先破樊城,使襄阳成为一座孤城;攻打樊城时,肘部中箭,不下火线,身先士卒,轮番猛扑,亲自率军拿下樊城……

有这样的将军战敌,宰相当然会胜券在握,气定神闲。

这样,“宰相清闲”与“朝中宰相五更寒”首尾相应,就完成了一个很微妙的心理流程刻画。所以,除去令曲叙事,体贴入微地描画将帅之间的心理来往还是这首令曲的另一大特色。

此外,张弘范还有一首《鹧鸪天·围襄阳》词,心态与此曲迥异,是真正的战场进行时,可以参照来读:“铁甲珊珊渡汉江,南蛮犹自不归降。东西势列千层厚,南北军屯百万长。弓扣月,剑磨霜,征鞍遥日下襄阳。玉门今日功劳了,好去临江醉一场。”

(马琳萍)

## 【越调·天净沙】

张弘范

### 梅梢月(二首其二)

西风落叶长安,夕阳老雁关山,今古别离最难。故人何处?玉箫明月空闲。

## 鉴赏

这支曲子是作者〔天净沙〕曲牌下两首同题小令《梅梢月》的第二首，写来古雅壮大，有唐人意趣，在元散曲早期离别相思题材的作品中很别致。

前一曲如下：“黄昏低映梅枝，照人两处相思，那的是愁肠断时。弯弯何似？浑如宫样眉儿。”这两支曲子在写法上前后勾连，花开两朵，并写两面，分咏闺中思妇和天涯游子，君思我处我思君，颇有“照花前后镜，花面交相映”（温庭筠《菩萨蛮》）的双照效果。这种写法起自《诗经·周南·卷耳》，至唐有李白《长相思》、杜甫《月夜》、韦庄《女冠子》承其波，到宋有柳永《八声甘州》、周邦彦《风流子》等助其澜，在散曲中也时有运用，如杨朝英〔中吕·阳春曲〕（浮云薄处朦胧日）、卢挚〔双调·蟾宫曲〕《咏别》。

相比之下，写思妇落笔在“情”，工笔细描，笔锋向内，笔力小巧，见情热，旖旎香泽，粘连缱绻，尤其“黄昏低映梅枝”，画意超绝，一抹之下，色香意态影韵皆出。弯弯月映愁愁眉，描画出的更是粉泽情热的令曲本色。

为了与前曲区分，很明显，作者想要另辟蹊径写游子，别开生面。故用大笔，落笔在“境”，笔锋向外，用力稳重，冷峻跳宕，着意营造重浊壮大、苍远空寂之境，在古往今来人生百年的宏阔背景下审视一己之情，而思理寓焉。这样，两曲《梅梢月》蝉联而下，由热而冷，由情入境，人情与物色的转换终落在一抹空照的梅梢月下，几声闲置的玉箫声中。

通观全曲，作者几乎使用了前人惯用的经典熟络的叙别离之词、之象、之境。“西风”句出自贾岛《忆江上吴处士》“西风吹渭水，落叶满长安”，后周邦彦以之入词，有“荆江留滞最久，故人相望处，离思何限。渭水西风，长安乱叶，空忆诗情宛转”（《齐天乐·秋思》）；白朴以之入曲，有“玉露冷，蛩吟砌。听落叶西风渭水”（《双调·得胜令》），还有“更哪堪浐水西飞雁，一声声送上雕鞍。伤心故园，西风渭水，落日长安”（《双调·普天乐》）。

“夕阳”句以下多与宋人王观《生查子》相合：“关山魂梦长，塞雁音书少。两鬓可怜青，一夜相思老。归傍碧纱窗，说与人人道。真个别离难，不似相逢好。”这样既“点铁成金”又“夺胎换骨”（黄庭坚语）的全能式模仿很冒险，但在这支曲子中还算成功，没有堆垛断烂之嫌。何也？关键在于作者自有纲目，自成怀抱。经典意象虽“熟”却重且厚，内蕴和外延均可生出无限的阐释及想象空间；前人成句则如出土青铜器一般，在时间和心理层面会造成异常悠远莽苍的历史感，二者正与作者想要营造的重拙壮大之境相得益彰。

王国维《人间词话》有言：“‘西风吹渭水，落叶满长安。’美成以之入词，白仁甫以之入曲，此借古人之境界为我之境界者也。然非自有境界，古人亦不为我用。”这样看来，张弘范可算是善用古人者。

（马琳萍）

# 【正宫·叨叨令】

邓玉宾*

## 道情(四首其二)

一个空皮囊包裹着千重气，一个干骷髅顶戴着十分罪。为儿女使尽些拖刀计，为家私费尽些担山力。您省的也么哥*，您省的也么哥？这一个长生道理何人会？

### 作者

* 邓玉宾,生卒年不详,即邓玉宾子,玉宾子为其道号别称(宁希元先生有考证)。生平不详。元钟嗣成《录鬼簿》称其为“前辈名公有乐章传于世者”。曾在至元年间任峄山同知,后弃官入道。隋树森《全元散曲》辑有其小令7首,套数4套。明朱权《太和正音谱》评其词“如幽谷芳兰”。

### 注释

* 省的:懂得。也么哥:表示感叹语气的助词,也写作“也波哥”“也末哥”。

### 鉴赏

元代“道情”散曲的出现与金元间全真教的兴起密不可分。元朝前期举业废止,知识分子追求功名的出路被堵塞,促使文人滋长幻灭情绪,从入世、愤世,进而走向避世、玩世。全真教的兴起,为元代文人的隐逸思想提供了一条高雅的退路。有元一代文人、隐士、道士的思想倾向与生活追求存有很多共鸣。

题目“道情”源于唐代的《九真》《承天》等道曲,到元代成为散曲的一种体式,用以抒发道教思想情怀。此组小令共四首,紧扣题目“道情”,劝诫人一心向道,但又各有侧重。该首是该组曲四首中的第二首,写世人生活艰难而不能自省,表达对社会人生的看法,旨在通过对生活艰辛的慨叹,来劝告世人心向道教。

开篇一句以“空皮囊”来比喻人的肉体躯壳。为何躯壳竟如同一个皮做的空袋子?这让人不禁产生疑问。更为夸张的是,它虽空空如也,却还被“千重气”所“包裹”,似空而非空,却又完全不见灵魂之踪影。而下句“一个干骷髅顶戴着十分罪”,更是把这种氛围营造得阴森恐怖。即便人最终只剩下干瘪的“骷髅”骨架,却依然如“空皮囊”一般难以解脱,仍必须承受这“十分”的罪孽。此处连用“空皮囊”“干骷髅”两个比喻,把人的灵魂难安、不得超生的惨状形象生动地展现出来。如果真的存在轮回报应,那么人究竟是造了什么大孽,才落到此般可怜的境地呢?

“为儿女使尽些拖刀计,为家私费尽些担山力”同样运用“拖刀计”“担山力”两个比喻来回答上句的疑问。这里的“拖刀计”早已超越战术兵法的内涵。只要是为了儿女好,父母可以挖空心思、用尽计谋,一个“尽”字更道出父母所费心力之重。同样为了撑起一个家,还要费尽“担山力”。家庭重负如同一座大山压在肩上,使人耗尽心力。为了儿女和家庭,人们为物所累、殚精竭虑,但最终于轮回间竟落得“空皮囊”“干骷髅”的下场,难以逃脱所在业障,更别说得道长生了。

生活如此艰辛,人们要如何走出这个困境?题目“道情”不仅表达出自己对人生社会的思考,也是用“道”来解答疑惑,以“长生道理”明示众生。可惜世人不能自省,使得“长生道理”无人理会。在两个重叠句句尾加上“也么哥”是〔叨叨令〕的定格,而两句“您省的也么哥,您省的也么哥”,引出作者深深的感叹,希望可以警悟世人去潜心修道。

该曲内容连贯紧密,语意层层深入,让人能深刻认识到修道的重要性。语言明白浅显、整饬自然,尤其是“空皮囊”“干骷髅”“拖刀计”“担山力”四个比喻的连用,既形象生动,又自然贴切,使得劝道之言更易于被人理解和接受。这首小令虽是宣扬道法之作,但在艺术创作上亦有其独特魅力。

(李新宇)

# 【正宫·叨叨令】

邓玉宾

## 道情（四首其三）

天堂地狱由人造，古人不肯分明道。到头来善恶终须报，只争个早到和迟到。您省的也么哥，您省的也么哥？休向轮回路上随他闹。

### 鉴赏

这首小令是邓玉宾〔叨叨令〕《道情》小令组曲四首中的第三首。首句"天堂地狱由人造，古人不肯分明道"，体现了作者朴素的唯物主义观点。他认为，人是上天堂、还是下地狱，都是由自己来决定的，并不取决于先天的神。行善者上天堂，行恶者下地狱。正如佛家所言："人生在世如身处荆棘之中，心不动，人不妄动，不动则不伤；如心动则人妄动，伤其身痛其骨，于是体会到世间诸般痛苦。"这一点虽然古人没有向世人明示，但是世人一定要牢记古人的经验教训，避免重蹈覆辙。可以说首句便有振聋发聩的警示意义。紧接着作者总结历史规律，认为"到头来善恶终须报，只争个早到和迟到"。历史中的人物恰恰如此，如南宋抗金名将岳飞被奸佞小人秦桧陷害致死，但是秦桧恶有恶报，千年以来受世人唾弃，而岳飞则流芳百世。

"您省的也么哥，您省的也么哥？"承接上一句，作者发出由衷感慨，亦提醒世人万不可忘记前车之鉴。最后"休向轮回路上随他闹"，借鉴佛家因果轮回的观点来说明祸福不定、善恶必报的思想，亦有警示劝善的作用。

邓玉宾散曲的语言警拔生动，善于使用俗语、口语。曲子中"天堂""地狱""善恶"等用语浅显直白、明白晓畅、简洁易懂，使其作品具有流畅清新、活泼放逸的特点。另外，该曲行文气势奔放，酣畅淋漓，阐扬善恶轮回的道理发人深省。

（李新宇）

# 【正宫·叨叨令】

邓玉宾

## 道情(四首其四)

白云深处青山下，茅庵草舍无冬夏。闲来几句渔樵话，困来一枕葫芦架。您省的也么哥，您省的也么哥？煞强如风波千丈担惊怕。

### 鉴赏

这首小令是邓玉宾〔叨叨令〕《道情》小令组曲四首中的第四首,作者将官场的险恶与修道的愉悦作对照,警悟世人荡涤俗情。通过描绘隐居生活的恬淡安逸以及居住环境的赏心悦目,作者为人们展现了一个与仕途、世俗截然不同的场景,从而劝诫人们与世无争、潜心修道。

“白云深处青山下,茅庵草舍无冬夏。”一开篇,作者便身处悠悠白云之中,在青山碧水环绕的简陋的茅屋内,他终日吟诗作赋、潜心向道,向我们展示出一派悠然闲适的生活景象。作者静处在这样的环境里,甚至都感觉不到外面的风霜雨雪和酷暑严寒。人世间的一切荣辱兴衰、起起落落似乎都与他无关,好一个惬意的深山隐士!

“闲来几句渔樵话,困来一枕葫芦架。”作者平日的生活是如此简单,不过是与渔父、樵夫谈论一些平日的生计,颇有“把酒话桑麻”的境界。当闲谈困倦时,他会随意地枕在葫芦架下酣然入梦。这是历代文人在经历宦海沉浮、拼得精疲力竭之后都曾向往与追求过的写意生活。而作者又将此种“采菊东篱下,悠然见南山”的恬淡田园生活与令人“担惊受怕、风波千丈”的官场相互比较,两种生存方式孰优孰劣,自然非常明显。

该曲在叙写环境时营造出宁静超脱、闲适恬淡的意境,以修道人生活环境的宁静幽美、心境的怡然自得来启迪他人一心向道。另外,曲子有情有景,情景交融,将动作、情态、人物、想象相互结合。尺幅中意趣无限,简朴中韵味无穷,使作品流畅清新,颇具马致远散曲以景物结构篇章之韵味。

(李新宇)

## 【双调·雁儿落过得胜令】

邓玉宾

### 闲适(三首其二)

乾坤一转丸,日月双飞箭。浮生梦一场,世事云千变。　　万里玉门关,七里钓鱼滩。晓日长安近,秋风蜀道难。休干,误杀英雄汉。看看,星星两鬓斑。

**鉴赏**

该曲为双调中常见的带过曲,由〔雁儿落〕(前四句)和〔得胜令〕(后八句)两支曲牌组成。邓玉宾的〔雁儿落过得胜令〕《闲适》曲原作三首,这是第二首。

曲子通过对时空有限、人生无常的感叹,告诫有识之士不应沉迷于对高官厚禄的追求,而应摆脱功名利禄的羁绊,珍惜有限的生命。邓玉宾在官场中苦苦挣扎却屡遭失败,深感英雄无用武之地,于是避世悟道,体验归隐生活的乐趣。从"闲适"题目即可看出,此曲作于其弃官入道之后。

"乾坤一转丸,日月双飞箭。"开篇将天地比喻成可在手中运转把玩的小圆球,表现宇宙的有限性。在描绘日月如梭、光阴似箭时,用一个"飞"字写出时光流逝之迅速。作者从空间和时间入手,试图运用大小的鲜明对比和对速度的夸张描写来突出人生的短暂。接着用"浮生梦一场,世事云千变"表现人生如梦、变化无常,祈望能够消弭追逐功名富贵的浅薄欲望。另外,此联巧妙化用前人成句,如《庄子·刻意》

“其生若浮,其死若休”,李白《春夜宴从弟桃花园序》“浮生若梦,为欢几何?”杜甫《可叹》“天上浮云似白衣,斯须改变如苍狗”,用以说明人生短暂,世事多变,故而应学习老庄恬淡无为、顺应自然的生活态度,点明“闲适”的题旨。人只有以一种闲适的心境看待世事万物,发掘人生的真谛,才能避免一叶障目,不会因为一时得失而烦恼抑郁。

“万里玉门关,七里钓鱼滩。”以东汉班超和严光等人的经历举例说明高蹈之士的人生选择,进一步揭示富贵不足凭依的道理。东汉名将班超从永平十六年(73)至永元六年(94),陆续平定莎车、龟兹、焉耆等国,任西域都护,封定远侯。后以久在绝域,年老思乡,乃上疏说:“臣不敢望到酒泉郡,但愿生入玉门关。”(《后汉书·班超传》)东汉隐士严光是刘秀的同窗故友,隐居严陵,垂钓富春江畔的七里滩,汉光武帝欲延揽入朝,却隐身不见(《后汉书·逸民传》)。两个故事紧扣主题,说明仕进路遥,而隐逸的闲适则近在身边、唾手可得。

“晓日长安近,秋风蜀道难。”长安是汉、唐时代的首都,常常指代君主。这里用晋明帝幼年时探讨“日远长安近”的故事(《世说新语·夙慧》)来说明只有运气好,才能得到君主的信任。“蜀道难”是乐府古曲,历代作者皆用此题写艰险之状,如李白《蜀道难》便是描写“蜀道”地形险阻的名篇。本联连用两个典故,意在说明仕途变幻莫测、难以驾驭的道理。因此作者在后面紧接着劝告士人“休干”,希望士子断绝干谒仕宦的愚念。对高官厚禄的执著追求只会让许多英雄豪杰莫名地白了少年头。转瞬即逝的光阴怎经得起这样的荒废?更何况是为了原本无望的追求。前人的遭遇证明:痴迷地追求高官厚禄,无异于无端地断送自己的豪情壮志,徒然鬓染霜雪。正如左思《白发赋》所言:“星星白发,生于鬓垂。”

这支曲子的主题打破常规,告诫士子摆脱仕途上飞黄腾达的追求,认为唯有隐退的闲适才是人生的正确选择。该曲虽然不同于一般曲作的通俗而用典繁密,却不拘泥,能以浅白通俗的文字摆脱掉书袋的呆滞,展现元曲用语浅显巧妙、灵动自然的本质特色。另外,作者擅用比喻性意象创造开阔的心灵世界,也是此曲的一大特色。

(李新宇)

# 【南吕·一枝花】

邓玉宾

【一枝花】连云栈[①]上马去了衔，乱石滩里舟绝了缆。取骊龙颏下珠[②]，饮鸩鸟酒中酣。阔论高谈，是一个无斤两的风云怛[③]，蝜蝂虫[④]般舍命的贪。此事都谙，从今日为头罢参。

【梁州第七】俺只待学圣人问礼于老聃，遇钟离度脱淮南[⑤]。就虚无养个真恬淡。一任教春花秋月，暮四朝三，蜂衙蚁阵，虎窟龙潭。阑纷纷的尽入包涵，只是这个舞东风的宽袖蓝衫。两轮日月是俺这长明朗不灭的灯龛，万里山川是俺这无尽藏长生药篮，一合乾坤是俺这养全真的无漏仙庵[⑥]。可堪！这些儿钝憨。比英雄回首心无憾，没是待雷破柱落奸胆[⑦]。不如将万古烟霞赴一簪。俯仰无惭。

【随煞】七颠八倒人谁敢？把这坎位离宫对勘的岩[⑧]。火候抽添[⑨]有时暂，修行的好味甘。更把这谈玄口缄，甚么细雨斜风哨[⑩]得着俺。

注释

① 连云栈：在陕西汉中地区，为古代由秦入蜀险道。

② 取骊龙颏下珠：在骊龙的颔下取得宝珠，比喻冒生命危险取得大利。骊：古指黑龙。典出《庄子·列御寇》。

③ 风云怛：意为徒有虚名。

④ 蝜蝂虫：一种贪求负重且喜攀高的小虫。见唐·柳宗元《蝜蝂传》。

⑤ 钟离：道教传说中的八仙之一，姓钟离，名权。度脱：解脱人世的苦难而达于仙

境。淮南:即汉淮南王刘安,传说被八仙度脱。

⑥ 一合乾坤:整个宇宙。乾坤:《易》八卦中的两个卦名,分别代指天地。《易·说卦》:“乾为天……坤为地。”全真:保全人的本性天真,此为金元时盛行的全真道教的教义宗旨。

⑦ 没是:犹“莫是”,意即莫不是、莫非是。雷破柱落奸胆:比喻天颜震怒令奸佞破胆。

⑧ 坎位离宫:坎、离,皆《易》八卦中卦名,分别代表水、火。对勘:对合。岩:借用为“严”。

⑨ 火候抽添:指道教炼丹过程中的火候调节。

⑩ 哨:同“潲”,雨被风斜吹到身上。

## 鉴赏

元代文人由于政治上受压制,多流露出一份沉沦的感伤。文人们由此变得虚无冷漠、滑稽谑浪,并产生了两种生活态度:避世与玩世。避世者遁入山林,玩世者步入市井。邓玉宾的〔南吕·一枝花〕套曲恰好将这两种生活态度融为一体,以玩世的手法表达避世的态度。

整首套曲以两相对照的方式将作者期望摆脱俗世功名利禄的羁绊,以求道学精神寄托的隐逸情结表现得淋漓尽致。第一支曲〔一枝花〕运用比喻的手法,形象地表达出在仕途中追逐功名利禄的辛酸与艰难。那些奔波的人们,因贪恋眼前丰厚的利益而甘愿铤而走险。虽一时得利、酣畅尽欢,殊不知危险却如影随形。这正如那在险道上去了马橛子的马匹一样无可掌控,随时可能跌下万丈深渊;又如在急流险滩中断了缆绳的小船一样漂流无依,随时有可能在乱石上撞毁;又像探骊得珠、饮鸩求酣、蛸蜥贪得,免不了最终送命。

由此,作者看透了人间的浮华与险恶,在第二支曲〔梁州第七〕中将那些功名利禄、春花秋月抛于脑后,以问礼于老子直抒寄情于道学的胸臆。紧接着他连用数个比喻:以长明日月比不灭灯龛,以万里山川比长生药篮,以一合乾坤比无漏仙庵,不仅气势磅礴、恢弘壮丽,而且将渺小的个体与无尽的自然合而为一,问道求仙之意赫然显现。随着前后意象的高下相较,对于人生意义的思考也随之从具体微小升华到终极层面,天人合一的境界令人崇敬神往。所以,作者抛却世俗羁绊,对那些仍旧执著于仕途中的“钝憨儿”感到可悲,向他们发出“不如将万古烟霞赴一簪，俯仰无惭”的呼唤，寄予着对于人生永恒意义的追寻。

经过一系列的铺排对照，套曲进入到〔随煞〕，进一步表明作者的人生态度。他不无得意地向众人诉说着求仙问道、隐没于世的惬意快活。然而，诙谐的背后却隐匿着作者对于现世幻灭之感的苦涩情怀。此中映射着元代文人由入世、愤世走向避世、玩世的艰难转身。这与“以乐景写哀，以哀景写乐，一倍增其哀乐”异曲同工，于表面文字的轻松诙谐背后却饱含着更为深刻与复杂的痛苦情怀。

由邓玉宾的〔南吕·一枝花〕套曲，以及不少曲家的叹世归隐之作，很容易让人联想到陶渊明不为五斗米折腰而罢官归隐的形象。相对于诗文的雅致而言，散曲独有的诙谐通俗韵律，使邓氏隐逸情结表达得更别具一格。

（李新宇）

# 【中吕·普天乐】

滕 斌*

## 气

少年时，风云志。记篇诗杯酒，颠倒群儿。吾善养，今方是。唾面来时休教拭，看英雄自古如痴。前程万里，饶人一步，却是便宜。

### 作者

* 滕斌,生卒年不详,一作滕宾,字玉霄,黄冈(今属湖北)人。元武宗至大年间任翰林学士,出为江西儒学提举。后弃家入天台山为道士。元钟嗣成《录鬼簿》称他为:“高才重名,亦于乐府留心。盖文章政事,一代典型。”明朱权《太和正音谱》评其词“如碧汉闲云”。有《玉霄集》。存世小令15首。

### 鉴赏

这是滕斌所作的《酒》《色》《财》《气》组曲中的最后一支曲子。全篇表达了让为上、忍为高的人生价值观。可分三层赏析之。

前四句为第一层,回顾少年时气壮如虹的人生志向。“风云志”是写少年时代壮志凌云、意气风发的状态,这犹如陆游“早年哪知世事艰,中原北望气如山”的诗意。在赋诗言志、酒酣耳热之时,也曾“颠倒群儿”,傲视群雄。作者从少年阶段起笔,极言当年志向之大,意气之盛,眼光之高,以此作为当今人生观念转变的铺垫,为全曲主旨的表达做衬托。

接下来四句是第二层,描写当

今志向消退、心平气和的精神状态。“吾善养”一句当源自孟子“我善养吾浩然之气”的名言。孟子是以善养气著称的，韩愈受孟子的影响，也曾提出“气盛言宜”的文学理论。作者在这里是反其意而用之，孟子是气越养越盛，浩气冲天；而本篇作者则是随着年龄的增长，世事的折磨，越养气越消，心越平，看破红尘，学会了忍耐。这与少年时代形成了鲜明的反照，而作者对此的评价却是“今方是”。“唾面来时休教拭”一句的意思是说，如果有人在你脸上吐唾沫，你不能去擦拭，那可能会惹怒对方，而是让其自干。这是有“唾面自干”的成语典故的。唐代小说家刘悚《隋唐嘉话》中有《娄师德》一篇，娄师德的弟弟为了安慰哥哥，免其担心，声言“唾面自拭”，但娄师德仍不满意，谆谆教诲之曰：“此适所谓为我忧也。夫前人唾者，发于怒也。汝今拭之，是恶其唾而拭之，是逆前人怒也。唾不拭，将自干，何若笑而受之?”本篇用这个典故，是为了说明现在已经修炼到以善忍著称的娄师德那样的“唾面自干”程度了。既然已经意气消磨到如此程度了，那么少年时崇拜的英雄人物，自然也变换了色彩，“看英雄自古如痴”即表达出这种变化的结果，英雄不外乎“痴者”而已。对照冯子振〔正宫·鹦鹉曲〕《赤壁怀古》所云：“彻如今话说渔樵，算也是英雄了处。”宋方壶〔商调·梧桐叶〕《怀古》所云：“周公瑾，曹孟德，果何为，都打入渔樵话里。”可见元人散曲作品共同文化内涵之一斑。这与元代士人地位一落千丈而沉抑于社会底层有一定关系。因此其悲愤愈深，其出世之想也愈烈。

最后三句是第三层，展望明天的人生前景。说明如果保持这种忍让的心态，那就能够“前程万里”。不仅要能够忍为上，还要做到得饶人处且饶人，这样看似吃亏，实际上是占了便宜。“饶人一步，却是便宜”，表达的就是这种思想。王实甫散曲作品中也有“退一步乾坤大，饶一着万虑休”这样的退让思想。看来这也是元代士林的共通心态之一，显然也与当时士林地位的整体下降不无关系。

全曲以人生中过去、当今与未来这三段论来组建结构，层次分明，逻辑严谨，脉络贯通。同时作者还在过去与今天的鲜明对比中，更有力地表达出了“觉今是而昨非”的思想倾向。

（关四平）

# 【中吕·普天乐】

滕 斌

## (十一首其一)

翠荷残，苍梧坠。千山应瘦，万木皆稀。蜗角名，蝇头利。输与渊明陶陶醉，尽黄菊围绕东篱。良田数顷，黄牛二只，归去来兮。

### 鉴赏

这是作者创作的同一宫调曲牌下所包含的十一支曲子中的第三首。此组曲的共同特征之一为:结句都是“归去来兮”四字,可知其共同主题乃是赞美“归去来兮”的归隐思想。本篇可分两层赏析。

前四句为第一层,描写秋天的景色。前两句是特写镜头,作者由眼前的两个秋天意象来状写秋景。先是由秋花起笔,秋花中又将镜头对准荷花,写出夏日里翠绿的荷叶目前已经凋残衰败的凄凉景象。景中见情,借景抒情,可知作者心境的凄凉郁闷。接着作者的笔触转到苍梧的意象上,苍梧叶子的飘落,愈发令人伤感,秋意愈发浓郁。这与荷叶的凋残相互呼应,肃杀之气一下子弥漫开来。

三、四句是眺望远景,由于眼前秋景太令人压抑,于是作者放眼望去,注目远山的壮阔景象。由于山上树叶已经落去,树林也有了稀疏之感,因此千山自然也显得消瘦了。这种拟人的艺术手法相当成熟,自然独到,颇有味道。这不禁令人想起黄庭坚的名句“落木千山天远大”,因为山上树木落叶,千山显得低了,相比之下,天空就变得远大了。二者意境颇有相似之处。这里千山与万木呼应,气象恢弘,视野辽阔,虽然仍然不无萧索之气,但是作者的心胸已经开阔多了,秋景中的宏阔壮观要素被作者摄取了,画面一下子显得分外开阔,散曲的格调也由感伤变得硬朗起来。

后七句为第二层,表达出归隐

的意象,赞美田园生活的清静闲适。“蜗角名,蝇头利”二句,是对人们不遗余力追求的功名利禄的否定,认为那不过是像蜗牛角与苍蝇头一样微小而不值一提。《西厢记》中崔莺莺的唱词中有“蜗角虚名,蝇头微利,拆鸳鸯在两下里”的名句,那也是对功名利禄的否定。“输与渊明陶陶醉,尽黄菊围绕东篱”两句,赞美高洁隐士陶渊明,认为他才是真正摆脱了功名利禄束缚的隐逸诗人之宗,是历代士人的楷模。作者羡慕他在东篱下的黄菊丛中找到了自我的人生价值,享受到了人生的真正快乐。陶渊明《饮酒》诗中有“采菊东篱下,悠然见南山”的名句,这是此句之所本。相比之下,“黄菊绕东篱”的意象更加鲜明,意境更加高洁,色彩更加娇艳,美感更加强烈。读者似乎可以闻到菊花的清香,可以感受到作者那种菊花般高洁的人格魅力。“良田数顷,黄牛二只”两句,表明了作者对隐居生活需求的理解,表达了躬耕自资的生活态度。最后,作者以陶渊明《归去来兮辞》中的“归去来兮”收结全篇,既表达了对陶渊明的崇敬之情,暗示着其归隐思想与田园诗人陶渊明的渊源关系,也倾注了自己对归隐田园的向往之情。

全曲由景起笔,借景抒情,以言志说理结篇,这样景、情、理三者达到了自然的过渡与融合。同时景中有人,形象鲜明,使古人与今人相互映照,从而更好地表达了作者的人生价值取向,艺术上显得相当成熟老道。

（关四平）

# 【中吕·满庭芳】

姚　燧*

天风海涛，昔人曾此，酒圣诗豪。我到此闲登眺，日远天高。山接水茫茫渺渺，水连天隐隐迢迢。供吟笑，功名事了，不待老僧招。

## 作者

* 姚燧(1238—1313),字端甫,号牧庵,原籍柳城(今辽宁朝阳),迁居洛阳。少孤,依伯父姚枢成人,从许衡学。以秦王府学士入仕,身历世祖、成宗、武宗、仁宗四朝,官至翰林学士承旨知制诰兼修国史。能文善诗,文与虞集并称,曲与卢挚齐名。隋树森《全元散曲》辑有小令29首,套数1套。有《牧庵集》传世。

## 鉴赏

元大德五年(1301),年逾花甲的姚燧出任江东廉访使,自此在江南一带为官长达七年,从曲中所写景象以及感情基调推测,此曲当作于作者外任这一时期。

这首小令开篇气势不凡,首句"天风海涛"以大手笔写天风罡烈、波涛汹涌的恢弘气象,足以震慑人心。在如此开阔的视野下,作者的神思犹如脱缰的野马瞬时活跃起来:"昔人曾此,酒圣诗豪。"想起古往今来多少文人墨客曾在此饮酒赋诗,乐得逍遥。宏阔的景象配以沧桑的历史,两者相得益彰,使这几句充满深厚的文化底蕴以及饱满的艺术内涵。

"我到此闲登眺,日远天高。山接水茫茫渺渺,水连天隐隐迢迢。"这两句写作者远眺所得,叠词的使用更加凸显山水相接、水天相连的浩渺、深遥，一派开阔深远的景象尽收眼底。然而，如果联系作者的仕途细加品味，此处似乎别有深意。首先，一个“闲”字透露了作者的心思。作者无端外任，原因未明，但偏安一隅的冷官滋味难免让作者感到不得时用的失落。另外，“日远天高”，表面上是写眼前之景，其实隐含着作者外任时的惆怅。“日远”，语出“日远长安近”，典出《晋书·明帝纪》。“天高”，出自杜甫《暮春江陵送马大卿公恩命追赴阙下》诗句：“天意高难问，人情老易悲。”因此，此处“日远天高”可谓粲花之笔，一方面写远瞩之景如在眼前，另一方面则含蓄地抒发了作者向往朝廷而不得的无奈之情，为后文作者产生归隐之意埋下伏笔。

“供吟笑，功名事了，不待老僧招。”面对广阔的大自然，想起古人的潇洒风度，执著于功名的作者似乎有所顿悟：他自言要放下名利的纷扰，归隐山林也不必等老僧来招。从“不待”二字可以鲜明地感受作者此时此地归隐之意的迫切。此时，作者的心情已从先前的失意抑郁逐渐走向平静豁达，生动地展现了元代仕宦文人从留恋功名到向往隐逸的心路历程。

（张燕芬）

# 【中吕·满庭芳】

姚　燧

## （二首其二）

帆收钓浦，烟笼浅沙，水满平湖。晚来尽滩头聚，笑语相呼。鱼有剩和烟旋煮，酒无多带月须沽。盘中物，山肴野蔌，且尽葫芦。

### 鉴赏

姚燧的〔满庭芳〕小令有二首，前一首写登临所见，以山水之美发散作者之情；此首则写渔浦晚景，以渔家之乐抒发作者心中之向往。从曲中“钓浦”“平湖”等意象可见,此曲所写乃江南风光,当是作者宦游江南时作。

此曲开篇写景,意境优美,手法新奇。在形式上,作者采用了一个工整的鼎足对,撷取渔民生活中最常见的意象——帆、烟、水等物入曲,形神俱佳地描绘了渔浦码头傍晚时分的自然美景:船帆静静地垂在暮色之中,烟雾淡淡地笼在细沙之上,湖面一片宁静,微波轻轻地荡漾着……在优美的自然中,作者沉醉了,而那一种宁静平淡的氛围也深深地感染着读者,为全曲奠定了闲适的情调。

接下来几句由写景转入写人,世俗味渐浓,且描写的角度各不相同。“晚来尽滩头聚,笑语相呼。”此句写渔家劳作后归家休憩的场景,极富生活气息。从“滩头聚”“笑语相呼”这些细节描写中,可以想见渔民们岸边相聚、欢声笑语的轻松愉快,尽显民风之淳朴。“鱼有剩和烟旋煮,酒无多带月须沽”写渔民生火做饭、带月买酒的生活图景,亦弥漫着浓郁的渔乡风情。在富有诗意的描述中,简朴的生活脱去了现实的苦涩,显示出令人陶醉的诗情画意,让人不由地想起陶渊明“带月荷锄归”的田园野趣。“盘中物,山肴野蔌,且尽葫芦。”此句自然承接上句,写渔家吃山间野菜而怡然自乐。末句以“且尽葫芦”作结,深得元曲三昧,把元曲逍遥散诞的豪迈表现得极其洗练。

此曲采用白描的手法描绘一幅淳朴自然的渔家生活图景,但不应看作曲家生活的真实写照。姚燧一生宦海沉浮,虽屡有归隐之意,却始终难逃功名之念,因而此曲也只是作者的向往而已,可视为曲家在厌倦仕宦生涯后所幻化的理想人生境界,表达了他对归隐的渴望。艺术上,该曲对仗工整,语言优美亦不减通俗,是雅俗共赏的佳作。

(张燕芬)

## 【中吕·阳春曲】

姚 燧

墨磨北海乌龙角,笔蘸南山紫兔毫,花笺铺展砚台高。诗气豪,凭换紫罗袍!

## 鉴赏

姚燧此首小令，写文人对自我才能的高度自信以及博取功名的雄心大志。在元代厌世遁世之叹蔚然成风的散曲中，可谓独树一帜。此曲当作于作者早年积极求取功名、踌躇满志之时。

“墨磨北海乌龙角，笔蘸南山紫兔毫。”开篇两句，气势恢弘。寥寥数笔，一位豪气冲天、才华横溢的文人形象如在眼前。作者写文人才情之高，不从正面入手，却以文人常用之笔墨着眼，可谓以平常事作不凡语，尽得烘云托月之妙。况且，北海乌龙、南山紫兔均是世间神异之物，如何轻易寻得？作者此时却要以乌龙角磨墨、紫兔毫作笔，可见想象之奇特、笔法之夸张，在大手笔中尽显文人豪迈。接着，一句“花笺铺展砚台高”把读者引向更丰富的想象。铺展的花笺、高高的砚台无一不在暗示文人正在大笔挥墨，俨然胸中有万言而待发的气象。然而，他在写什么呢？是一首气势磅礴的山河诗，还是一篇激荡人心的古文章？不管所作何事，从散曲渲染的氛围看，其感情基调必定是豪迈激昂。

“诗气豪，凭换紫罗袍！”结尾一句，为全曲神光聚照之笔，直指作者内心之世界。文人奋笔疾书，原来是为了展示满腹的才华，以博取辅弼君王、建功立业的机会。一个“豪”字，出语不凡，足见文人对自身才情高度的自信。“紫罗袍”代指高官厚禄，据《元史·舆服志》载“公服，制以罗”“一品紫”。最后一句直抒胸臆，作者的感情亦喷薄而出，让人不禁想起李白“仰天大笑出门去，我辈岂是蓬蒿人”的豪迈与洒脱，文人欲有大作为的凌云壮志于此同得表露。

刘永济言：“元世曲人，襟怀浅陋，所作绝少深意。非自放于山巅水涯，即自娱于妇人醇酒。”此曲却脱尽窠臼，奋发激昂的豪情直接昭示文人尚未泯灭的功名之心以及实现政治抱负的迫切心情，在风气颓靡的时代可谓石破天惊，尽显姚燧作为一代文学巨匠不同凡响的抱负与襟怀。

（张燕芬）

# 【中吕·阳春曲】

姚　燧

笔头风月时时过，眼底儿曹渐渐多。有人问我事如何？人海阔，无日不风波。

## 鉴赏

姚燧，时人拟之唐朝的韩昌黎，是名副其实的文坛盟主。他性格旷放，豪迈耿介，“然颇恃才，轻视赵孟頫、元明善辈”（《元史·姚燧传》）。

这支《阳春曲》应是他的晚年之作，隐约可见作者对自己潇洒文墨人生的些许追悔，但又表现出一种深深的无奈。首句“笔头风月时时过”，是对自己逝去岁月的概括——以笔墨为生活而度过光阴。张养浩曾在《牧斋集序》中称其文：“才驱气驾，纵横开阖。纪律惟意，约要于繁，出奇于腐。江海驶而蛟龙拏，风雷薄而元气溢。”其实，这既是牧斋对自己文章风格的追求，也是对自己人格的追寻。这就决定了他不会甘心于翰墨，终老于雕龙缀凤。由此不难看出，“笔头风月时时过，眼底儿曹渐渐多”两句蕴含着他心中压抑的不平和郁积未发的豪气。所谓“时时过”“渐渐多”，都是在倾吐自己对老大蹉跎的怨郁，只是这种倾吐平静而不形于色罢了。

“墨磨北海乌龙角，笔蘸南山紫兔毫，花笺铺展砚台高。诗气豪，凭换紫罗袍。”（姚燧〔中吕·阳春曲〕）这才是他的真实性格，但在此曲中展露得太平淡了；“金鱼玉带罗袍就，皂盖朱幡赛五侯，山河判断笔尖头。得志秋，分破帝王忧。”（姚燧〔中吕·阳春曲〕）这才是他的真实愿望，但在此曲中表现得过于委婉。它给我们的感觉是，饱蘸浓墨的笔，最终只在纸面上轻轻一掠，才在纸上留下了依稀可辨的痕迹就作罢了。这或许就是他此时的心境，人都老了，心头的豪气曾陡然一现，却又为眼前的一切消磨了。所以接下来便笔锋一转：“有人问我事如何？人海阔，无日不风波。”他为自己的退避找到了一个平衡的支点，人生之海太阔、太深，没有一天不起风波的。所起的是什么“风波”呢？人生无常，岁月蹉跎，作者无心说出，只是轻轻一掠，制造出"欲说还休"的效果，让我们根据自己的生活经验去补充、去联想、去丰富、去理解作者那些不尽之意、无声之言，这就十分耐人寻味了。

此曲首二句是对句，结构、词性和平仄的搭配工整、稳帖，第三句的设问引起转折，通过自问自答把作者当时的心情表现得朦胧多义。黄周星说："论曲之妙无它，不过二字足以尽之，曰：能感人而已。"(《制曲枝语》)这首小令感人至深，读后令人浮想联翩，言尽而意存。语言简淡、俊洁，不加雕琢，纯乎天籁，但又不是未经选择和提炼。

（张进德　程憧丽）

## 【中吕·醉高歌】

姚　燧

### 感　怀

十年燕月歌声，几点吴霜鬓影。西风吹起鲈鱼兴，已在桑榆暮景。

**鉴赏**

这首小令短短四句，却道尽了作者半世惆怅——羁旅异地、倦客思归的愁绪。

"十年燕月歌声，几点吴霜鬓影。"开头两句，用极为简练的语言，概括出作者前半生离乡背井、漂泊无定的宦海生涯。"十年燕月歌声"中"十年"，谓其多年，作者曾在朝廷任翰林学士等职，宦游于京城大都（今北京，旧属燕地）。自古"燕赵多悲歌"，纵然有夜夜笙歌宴舞，寻欢作乐间，深掩心底的离思乡愁，怎不会陡然冒出，为这短暂的快乐染上一层深深的忧伤与怅惘？欢乐如指间流水，总是虚浮；笼绕人心的，不是美酒不是歌舞，是"身在异乡为异客"的凄凉无着。时光纷飞，随之剧增的，还有天涯游子归乡的思盼。"几点吴霜鬓影"，讲的是作者自大德五年(1301)出任江东廉访使后在吴地经历的几年风霜，其时作者已经年过花甲，岁月雕刻出作者鬓边的点点斑白。这里作者化用唐李贺《还自会稽吟》中“吴霜点归鬓，身与塘蒲晚”句，巧妙暗示了自己在吴地的生活。以上两句，是作者大半生经历的概述，看似不喜不怒的淡淡叙说中，隐含着作者沧桑历尽的复杂心情，这也为下文作者表述思归之热切积累了情感基础。

从回忆往事回到眼前情景，依旧是身在他乡。“西风吹起鲈鱼兴”，吴地风光使他想到晋代张翰的故事。身为吴郡人的张翰，曾到洛阳为官，一日见秋风乍起，忽思及家乡莼菜鲈鱼之美味，遂归。而作者恰恰身为洛阳人，却在吴地做官。家乡的一草一木，侵入心底；故乡的风景，已深深镌刻心上。更何况，此身已是“桑榆暮景”，风烛残年，想得最多的，总是叶落归根，回到生养自己的家乡。

同马致远〔越调·天净沙〕《秋思》一样，作者也是有感而发。真切深挚的感情，以淡语出之，寥寥数语，徘徊胸臆间的情感，缓舒而朴素地打动并感染着天涯游客。虽着墨无多，却如云淡天高，月朗星稀，别有一股简淡古雅的韵致。

（张进德　李金博）

# 【双调·寿阳曲】

姚　燧

## 无　题

酒可红双颊，愁能白二毛。对樽前尽可开怀抱。“天若有情天亦老”，且休教少年知道。

鉴赏

这是一首“自警”之作，于清新淡笔之中为我们刻画了一个狂放不羁、豪迈奔放的醉翁形象，同时让人领悟到一种“人生在世不称意，明朝散发弄扁舟”的人生真谛。

“酒可红双颊，愁能白二毛。”

“二毛”即头发斑白,古时常代指老年人。这句用了对称的手法,一“红”一“白”,色泽上的鲜明反衬,正道出了诗人此刻情绪上的落差。一方面在酒所助成的忘我境界里任情恣肆、尽情畅饮,其乐融融;一方面面对现实的不如意产生了愁闷的心情,越积越重,难以排遣。官位显达的他看透了官场的虚幻,无处诉说,进退两难却又无能为力,只能举杯消愁,这不由使人联想到李白“抽刀断水水更流,举杯消愁愁更愁”的忧愤与愁绪。然而诗人是“对樽前尽可开怀抱”,敞开胸襟,尽情欢饮,想用酒精麻醉自己的思想,抛除杂念,享受酒所带来的短暂的愉悦与慰藉。他喜欢酒的醇香味道,更喜欢酒中的那份蕴藉,酒后的那份醉意。人生如酒,可是酒中的万般滋味、千种心境,唯有饮酒的人方能知晓。这样,一个活脱脱的直爽豪迈的醉翁形象就跃然纸上。

“衰兰送客咸阳道,天若有情天亦老”出自唐李贺《金铜仙人辞汉歌》,宋元以来的好多诗人都喜借用。“天若有情天亦老”,常用来形容那些为情所困而愁苦万分的人,宋石曼卿吟出“天若有情天亦老,月如无恨月长圆”,一语既出,流传至今。意思是说凡有情之物都会衰老枯谢,就连亘古不变的苍天,倘若它有情的话,也免不了要衰老。此句设想新颖独特,意境辽阔高远,感情执著深沉,不愧为千古绝唱。壶里乾坤大,一醉解千愁,却不知借酒消愁愁更愁。虽然曹操写过“何以解忧,唯有杜康”的《短歌行》,但他立志统一中国,对人才的渴求,心诚意切,也告诉了人们“青青子衿,悠悠我心”,原来狂饮的背后却是求贤若渴,忧愁的是没有贤才同他志同道合,建功立业,唯有借酒消愁。这也是在告诫人们,要想借酒解忧,得先解开心结,才会避免借酒消愁愁更愁的尴尬。然而,在这里,诗人只是对酒开怀,“且休教少年知道”,不要少年如此。懵懂无知、天真烂漫乃少年之本性,诗人不忍心让正值青春年华的他们过早地受到人间俗务的困扰与污染,为人生琐事而烦恼,体现出诗人关注年青一代的博大胸怀,其中也不乏对他们未来人生的担忧。

全曲语言简洁生动,委婉含蓄,富有哲趣。整曲读来,诗人豪放洒脱的心境,风流疏宕的个性淋漓尽致地展现在世人面前,但这种洒脱之中却又包含着作者内心深处对世事的殷殷担忧,以及经历沧桑后的淡淡愁绪,意味深远,情韵绵长。

(张进德　牛亚伟)

# 【越调·凭阑人】

姚　燧

马上墙头瞥见他，眼角眉尖拖逗咱。论文章他爱咱，睹妖娆咱爱他。

## 鉴赏

这首小令选取才子佳人邂逅相遇、迸发爱情火花的那一瞬间，时间跨度极短，场景明晰简约，但在作者省净的笔墨中，显得富有情趣，别有一番韵味。

"马上墙头瞥见他"中"马上墙头"典出白居易新乐府《井底引银瓶》："墙头马上遥相顾，一见知君即断肠。"后来白朴根据诗意，创作出杂剧《墙头马上》，讲述了李千金与裴少俊一见钟情、逾墙相从、历经坎坷、终成眷属的动人故事，从而赢得了元代四大爱情剧之一的美誉，而"墙头马上"也因此成了男女青年追求自由爱情的一种象征。"马上"，这里借指男主人公，告诉我们故事发生时，男主人公正骑着骏马从墙外缓缓走过。"墙头"，表面是交代女主人公所在的位置，但暗中写出她渴望走出束缚她身心的高墙，感受外面大千世界的心情，表达出她对自由生活的热切渴盼。她正是怀着好奇而又期待的心情爬上墙头，窥探着外面的世界。"瞥"字用得极为巧妙，可以说是男女双方同时发出的动作：四目相对，彼此留意！首二句道出了才子佳人邂逅相遇的特殊场景：一位骑着白马的翩翩公子从墙外从容经过，与墙头窥视的绝色佳人不期而遇；公子不经意的一瞥，与凝视自己的女子目光相遇，原来她正"眼角眉尖拖逗咱"呢！"眼角眉尖"，感情真挚火辣，又不免几分娇羞。"拖逗"，同"迤逗"，勾引的意思，为元人口语。女主人公将自己直白而又炽热的感情通过眼睛和眉梢大胆地表露了出来。

男主人公感受到佳人的爱意后，一股自豪感油然而生，于是内心就不禁喊出了这句："论文章他爱咱，睹妖娆咱爱他。""文章"，指文才、才华；"妖娆"，形容一种娇羞、妩媚的姿态。宋李清照《庆清朝慢》

写道:“妖娆艳态,妒风笑月。”说的就是女子的容貌姣好,温柔多情。论起文章才学,我自信能赢得她的芳心;看她多情而又貌美,我当然会不顾一切地去爱他。这两句口语化的表述,男主人公落落大方地表达了自己邂逅爱情的喜悦与激动,毫无矫揉造作之态。

古代文学作品中,描写男女邂逅相恋的作品不在少数,歌颂男女爱情的篇什不胜枚举,但文人笔下的含蓄蕴藉与乐府民歌中的泼辣直白却有着严格的分野。而这篇文人小令,却将女主人公渴望并追求自由恋爱的心情表现得淋漓尽致,毫不扭捏,富有乐府民歌的情调,这固然与元曲这种文体的“蛤蜊”风格有关,但也不能不说取决于姚燧风流倜傥的个性与品行,更与当时民族大融合、草原文明冲击中原文明、传统思想相对松弛的社会文化背景息息相关。另外,曲中男主人公因自己才华满腹而自信满满,联系作者生平,姚燧本就是个恃才放旷、颇为自傲的才子,因此,我们似乎也能从男主人公身上看到作者姚燧的一丝身影。

此首小令短短二十六字,场景描写明朗简约,人物剪影生动传神;感情表达真挚恳切,毫不扭捏;造语平淡,不事雕琢;用典贴切自然,运用才子自述的代言体形式,将墙头马上邂逅相遇的颇具戏剧性的场景,与随后的内心独白揉为一体,大大增加了故事的真实感,构思上显得匠心独运,不失为元代散曲中的优秀之作。

(张进德　邱　露)

## 【越调·凭阑人】

姚　燧

### 寄　征　衣

欲寄君衣君不还,不寄君衣君又寒。寄与不寄间,妾身千万难。

## 鉴赏

姚燧在当时身居高位，声名盖世，是个典型的风流才子。他在公事之余不忘流连山水，又常出入勾栏瓦肆，多结交色艺双绝的名姬。这样的生活，在他留下的文字材料中都有所反映。这首小令就是他当时的应歌之作——写给伎人唱的流行小调的歌词。

牧斋这首《寄征衣》表现的是古老而又悠长的思妇主题。作为一种诗歌艺术题材的传统，思妇诗源远流长，它滥觞于先秦时代。《诗经·王风·君子于役》就是一首典型的思妇诗，不过当时还没有“思妇”一词。据《文选》记载，“思妇”一词最早见于战国宋玉的《高唐赋》，原文为“姊归思妇，垂鸡高巢，其鸣喈喈”。但此处，“思妇”是鸟名。直到《宋书·乐志》引三国魏曹丕《燕歌行》“慊慊思妇恋故乡，君何淹留寄他方”，“思妇”才确指怀念远出丈夫的妇人。

这首小令通过一位女子是否给远在他乡的丈夫寄去征衣的矛盾心理，表现其对丈夫的深切思念之情。读此小令后，我们可以想象一个女子在丈夫远行、久而不归的漫漫时日中独守空房的孤独与无助，以及思念与盼归的急切心情。她可能是“停梭怅然忆远人，独宿空房泪如雨”（唐李白《乌夜啼》），也可能是“自家夫婿无消息，却恨桥头卖卜人”（唐施肩吾《望夫词》），可也只能是“夫戍边关妾在吴，西风吹妾妾忧夫”（唐陈玉兰《寄夫》）。这时女子想到的是，边关天寒，丈夫无衣御寒，那就为其缝制一件征衣吧！在古代诗歌中，那些思妇们为了远在边关的丈夫能抵御寒冷，“素手抽针冷，那堪把剪刀”（唐李白《子夜吴歌》），“长夜缝罗衣，思君此何极”（南朝齐谢朓《玉阶怨》），担心的是“一行书信千行泪，寒到君边衣到无”（唐王驾《古意》）。可是，此曲中的女子并非如此，她担心的是“欲寄君衣君不还，不寄君衣君又寒”，是在寄与不寄之犹豫不决中的矛盾与踌躇。欲把这征衣寄去，但转念一想，他穿上了征衣会不会不想着归来呢？他久出不归，会不会薄倖、外遇、纳妾、再娶、寻花问柳、喜新厌旧呢？这岂不是更增加自己的痛苦吗？心一横，为了让他早日归来，还是不给这个“狠心人”寄吧。可旋即一想，若是不把征衣寄去，自己日夜思念的亲人，又如何能够抵御寒冷呢？就在这犹疑之间，一个多情女子对丈夫爱之深、念之切的心情跃然于读者心间。

“寄与不寄间，妾身千万难”是

对前两句矛盾心理的归结。我们看到一个犹豫、踌躇的女子,在闺房中苦苦思念,心中千转百回,时而欲寄,时而不寄,时而担心“君不还”,时而又担心“君又寒”。这犹豫、踌躇更深化了她对丈夫的思念与担心之情。也许,此时的她正在咀嚼“悔教夫婿觅封侯”的苦涩呢!

此曲别致之处在于,作者完全以思妇的口吻,直白地道出了思妇的矛盾心理。作者没有沿袭前人的抒情、比兴的老调旧路,而是选取一个十分巧妙的角度,把寄征衣这样的旧话说得新颖而鲜活。女主人公在寄与不寄的两难处境中,展现出一个柔情万种的心灵世界,词语的重叠反复,制造出往复回环、缠绵不尽的艺术效果。与韦庄的“碧天无路信难通,惆怅旧房栊”(《荷叶杯》),晏殊的“欲寄彩笺兼尺素,山长水阔知何处”(《蝶恋花》)相比,别有一番韵味。语言直白,情愫哀怨而逼真,缠绵而婉丽,言已尽而意无穷。

(张进德　程懂丽)

# 【黄钟·节节高】

卢　挚*

## 题洞庭鹿角庙壁

雨晴云散，满江明月。风微浪息，扁舟一叶。半夜心，三生梦，万里别，闷倚篷窗睡些。

### 作者

* 卢挚(约1243—1315后)，字处道，一字莘老，号疏斋，又号嵩翁，涿郡(今河北涿州)人，后迁河南。由诸生承乏侍从，历官江东提刑按察副使、陕西提刑按察使、河南路总管；大德初拜集贤学士，出任湖南廉访使；复入京为翰林学士，迁承旨等。文与姚燧颉颃，诗与刘因并称。曲作典雅清丽，元贯云石《阳春白雪序》称其曲作"妩媚，如仙女寻春，自然笑傲"。今存散曲，隋树森《全元散曲》辑有小令120首，另有李修生《卢疏斋集辑存》。

### 鉴赏

这首小令当作于元成宗大德年间。当时，站稳脚跟的统治者将政策重心由汉化文治转向钳制汉人，严格推行民族等级制度，社会黑暗，政治腐败，官场上更是尔虞我诈，钩心斗角。诗人虽官位显达，但对归隐田园的执著永不消退。他对官场失望乃至厌弃，顿悟了官场的虚幻，本来热心于王事却一下子变成了典型的玩世者，正是这种狂放与张扬的个性与当时正统思想格格不入，使他被外放湖南，出任岭北道肃政廉访使，被贬谪的遭遇使诗人激愤难抑。曲题中的"鹿角庙"，当位于岳阳市南洞庭湖滨的鹿角镇。这首写景抒情小令，成功地描绘出了一幅雨后月夜江景图,表达了作者对宦海沉浮的深深感慨。

前四句写景。一场大雨刚刚停息,乌云散去,只留下洁净的天空。皓月当空,水阔无垠,微风吹拂,波光粼粼。新雨过后,湖面透着氤氲的水汽。“风微浪息,扁舟一叶”,化用南宋张孝祥词句:“玉鉴琼田三万顷,著我扁舟一叶。”(《念奴娇·洞庭青草》)在柔和的月光下,水天一色,一叶扁舟既载着诗人,又载着诗人对现实的渺茫缓慢地向前荡去,诗人于宏大恬静的境界中融入到大自然的怀抱,其旷达的胸怀悠然可见。湖面上风微浪息,夜深江静,微风拂面,不得不让人思绪飞扬。“一切景语皆情语”,湖面的“静”反衬出诗人内心的“动”。此时此刻,诗人百感交集,不能自已。

“半夜心”即夜深人静时所引起的愁闷思绪。“三生梦”是佛教说法,即前生、今生、来生。诗人回想人生如梦,岁月如梭,未料今日却落得个不幸遭贬,背井离乡,面对这样的情景他怎能够不伤怀?然而命运的不眷顾,又增添了诗人无可奈何的悲哀和愁苦。“万里别”,抬头望见明月,诗人想到了自己的家乡,想到自己远离亲人和朋友,将过上一种孤独飘零的日子,又回想昔日亲朋好友欢聚一处,听歌赏曲,饮酒作乐,今日却相隔万里,相见又遥遥无期,无尽的伤感不禁涌上心头。从遣词来看,由“半”到“三”再到“万”,一层层的递进,可见诗人心中的烦闷越积越重,难以排遣,同时也给本来明晰的画面罩上了一层沉重黯淡的色彩。当各种复杂的情感猛烈地撞击着诗人心灵的时候,诗人想用睡眠来排遣胸中的苦闷,希望倚着篷窗,可以小睡片刻,但在这漫漫长夜里,诗人又怎能入眠呢?

全曲写景与抒情相融合,触景生情,情景交融。不仅让读者眼前浮现优美的月夜江景,留下无限的想象空间,也极易引起读者的共鸣。且通过种种对比,诸如明月的清辉与诗人心头的阴云,江面的平静与诗人内心的波澜,昔日的高官厚禄与今日的落魄贬逐,昔日亲朋好友的相聚与今日的离别等等,都为这首小令涂抹上浓重的感伤情调。

此令文辞俊朗清丽,意象明朗,笔法清新,气韵流动,既描绘出了一幅雨后月夜江景图,又传达出一种抑郁寡欢的心情,充分体现出卢挚散曲以清雅为主的基本格调。全曲清淡闲远,意境颇佳,引人入胜。

(张进德　牛亚伟)

# 【正宫·黑漆弩】

卢 挚

晚泊采石，醉歌田不伐〔黑漆弩〕，因次其韵，寄蒋长卿佥司、刘芜湖巨川。

湘南长忆嵩南住，只怕失约了巢父。舣归舟唤醒湖光，听我篷窗春雨。故人倾倒襟期，我亦载愁东去。记朝来黯别江滨，又弭棹蛾眉晚处。

## 鉴赏

此曲作于元成宗大德七年(1303)，时作者寓居江东，夜间行舟停泊于安徽马鞍山的采石矶。据题目可以看出，作者行舟途中因醉歌田不伐《黑漆弩》而触动情怀，依其韵做此小令寄予志趣相投的友人蒋长卿与刘巨川。

首二句追述往事表明心迹。作者约在二十岁时(1261)由诸生晋身为元世祖忽必烈侍从之臣，自此先后出任燕南河北道提刑按察司、江东道提刑按察副使、陕西提刑按察使、河南府路总管，拜集贤学士，又任岭北湖南道廉访使，复入为翰林学士，迁承旨，贰宪燕南河北道，晚年客寓宣城。一生宦海沉浮，饱尝官宦生活的漂泊不定和仕途险恶，颇有退隐之心。这在开头"湘南长忆嵩南住，只怕失约了巢父"两句中表现十分明显。作者于河南路总管任满后，在嵩山闲居，在此期间所做的〔南吕·金字经〕《崧南秋晚》中表现出的那种因暂时抛却俗尘而得到的悠然闲适之情反衬出今日舟行疲惫的倦厌之态，故而"湘南长忆嵩南住"，崧南闲居那段短暂美好的时光成为作者今日怀念而不可重拾的旧梦。"只怕失约了巢父"，一种深深的无奈与失落迎面而来。

"舣归舟唤醒湖光，听我篷窗

春雨”，从追忆往事回到眼前情景，这两句是对行舟途中的景物描写。划动的船桨搅动了平静的水面，湖光因这突来的打扰而分外明亮生动起来。此时将一切尽收眼底的“我”，正在船中倚着篷窗倾听春雨沙沙。舟中听雨，不由让人耳边响起蒋捷那首著名的《虞美人·听雨》：“少年听雨歌楼上，红烛昏罗帐。壮年听雨客舟中，江阔云低，断雁叫西风。而今听雨僧庐下，鬓已星星也。悲欢离合总无情，一任阶前点滴到天明。”这牵动人心最深处情思的柔柔春雨是如此不解人意，偏在此刻来助兴作者心底疯狂蔓延却无计可施的因现实人生的无法改变和理想的失落而产生的悲凉体验。“我”听到的不只是春雨，还有这叹息，这感慨，这因现实与理想之间的落差而生的万千惆怅。

“故人倾倒襟期，我亦载愁东去。记朝来黯别江滨，又弭棹蛾眉晚处。”作者又陷入了回忆之中：想当初，与“我”“芝兰同臭味，松柏共襟期”的挚友，殷殷话语犹在耳旁，然已各奔东西。犹记得那天清晨江滨离别，“黯然销魂者，唯别而已矣”，更何况，此去经年，何时才能再促膝共话心中事！人生无常、百味杂陈的种种感情沉淀在心底，经此牵引皆蠢蠢欲动，化作一江春水，如影随形，“载不动，许多愁”。此去前途茫茫，彼此珍重声里，化不开笼罩着人心的愁云惨雾。忆及此处，看看此身已又在行色匆匆中，船已渐行渐远，直到远山深处，这意味着“我”离过去美好快乐的生活更是愈来愈远。在一襟晚照斜阳暮色里，身世漂泊之感，羁旅行役之愁，追昔念往之苦，理想幻灭之怅，齐齐涌上心头，随着渐行渐远的扁舟延绵不绝……

纵观全曲，通篇都笼罩着浓浓的离思隐愁。人生之无法圆满，身世之漂泊畸零，理想之寂灭幻化带来的种种滋味纷沓而来。回忆过去与展示现在随舟行而交替进行，呈现出一种时空交错之感，更形成一种平平叙说下凄迷朦胧的氛围。此曲平白如话，而能给人以无尽回味之感。作者用情至真至纯，娓娓道来，使人感同身受，其功力可见一斑。

（张进德　李金博）

# 【中吕·喜春来】

卢 挚

## 和则明韵

春云巧似山翁帽，古柳横为独木桥。风微尘软落红飘。沙岸好，草色上罗袍。

### 鉴 赏

《和则明韵》为卢挚与友人的唱和之作，共三首，此为第二首。本首小令作者以清新、自然的笔调对春日里白云、枯柳、微风、落红、沙岸等景物进行描绘，将这一片明丽和谐的春景呈现在了我们面前。

“春云巧似山翁帽，古柳横为独木桥。风微尘软落红飘。”“山翁”，指晋人山简，他为人疏放，在襄阳醉酒而“倒着白接篱（一种以白鹭羽为饰的帽子）”（《世说新语·任诞》）。此处作者运用比喻的修辞手法，抒写自己由山顶罩着白云而引发的联想，与苏轼在《新城道中》“岭上晴云披絮帽”的描写异曲同工。前两句对仗工稳，巧妙设喻，后一句笔法凝练，言简意赅，仅此三句便用极简省的笔墨勾勒出了一幅和谐明朗的春景图：春日里，阳光普照，极目远眺，天空中的云朵笼罩在山峰之上，宛若山简醉酒时倒着的白帽；古柳根朽倒卧，横跨水面，成了一座自然天成的独木小桥。在春风徐徐的吹拂下，空气中的微尘变得清柔，花儿也纷纷扬扬地飘落下来。

“沙岸好，草色上罗袍。”草色悄悄地爬上了自己的罗袍，拟人化的语言实指作者的罗袍与青草颜色相同，二者相得益彰，融为一体。这般美景映衬下的沙岸也是那样的美好，“我”不禁沉醉其中，以致罗袍也渐渐与青草融为一色了。至此，我们才看到作者“犹抱琵琶半遮面”地融身于这浓浓的春景之中。

卢挚虽身为显宦，一生仕途坦荡，但在不少作品中都流露出了对闲适的隐居生活的向往以及对质朴自然的田园风光的赞美之情。正如本篇所铺展开的这幅暮春时节自然界一派生机盎然、欣欣向荣的画卷：春风和煦，花香馥郁，绿柳与青草争碧,这一切全沐浴在煦暖的阳光下,和谐而优美,确实给人以春光旖旎之感。诗人的整个身心都沉浸于柔美的春意之中,对这美丽春景的喜爱与向往之情自然是溢于言表。

此首小令格调清新婉丽,色彩明丽自然,正如贯云石说:“疏斋媚妩如仙女寻春,自然笑傲。”(《阳春白雪序》) 作者在写春景时,由远处山峰、白云入手,及至身上罗袍与脚边春草,笔调舒卷自如;语言质朴淡雅、明白晓畅。清人陶虞开曾称杜甫笔法高妙,能“以诗为画”(《说杜》),由此小令观之,卢挚继承了杜甫的这种笔法,并在此基础上营造出了“人在图画中”的新意境。

(张进德　邱　露)

## 【南吕·金字经】

卢　挚

### 宿邯郸驿

梦中邯郸道,又来走这遭。须不是山人索价高,时自嘲,虚名无处逃,谁惊觉?晓霜侵鬓毛。

**鉴赏**

在元代文人尤其是下层文人中,消极避世几乎成了那个时代的“世纪病”,现存元代大量的散曲作品足以证明这一点。如马致远的不少作品,都是以归隐为指归;即使像元代中期的张养浩那样做过高官的文人,当遇到政治风波,归乡之后所写的大量作品也都是抒写所谓的田园之趣,借此求得自己内心的平衡与安宁。卢挚虽然仕途比较顺畅,但元代统治者所推行的民族歧视政策及对汉人、南人的歧视,不可能不在他思想深处投下深重的阴影。汉人在元朝为官,常常会为不虞之祸而担忧。《元史·张养浩传》有这样的记载:张养浩因直言而得罪某蒙古贵族,贵族即扬言要杀张,张养浩变易姓名而遁出京城,埋名隐居十数载。卢挚虽无此类遭遇，想来也是处处谨小慎微。由此，我们可以设想到他为官的心境。

这首小令大约是他出京第二次就任燕南河北道提刑按察司，夜宿邯郸驿舍时所作。“梦中邯郸道，又来走这遭。”邯郸是座历史名城，战国时期赵国定都于此，历史掌故俯拾即是，诸如胡服骑射、豫让吞炭等尽人皆知的典故，都可信手拈来。可作者为什么偏偏就在这驿馆中想到“邯郸梦”这个街谈巷议、小说家之言呢？“邯郸梦”出自唐沈既济的传奇《枕中记》，写卢生在邯郸旅店遇道士吕洞宾，二人谈话间，卢生怨叹自己境况穷困，于是，吕洞宾从行李中取一枕头令其入睡。睡梦中，卢生做了高官并娶妻生子，享尽荣华富贵。可是，一梦醒来，黄粱米饭尚未蒸熟。于是，他领悟到人生不过是一场梦，荣华富贵好比过眼烟云，转瞬即逝的道理。这个典故又作“梦觉黄粱”“梦熟黄粱”“一枕黄粱”“黄粱梦”“邯郸一梦”等。作者之所以想起此典，不能仅仅归因于这个故事流传广、影响大，当与作者的心境有着密切的关系。他主政河南时，曾得到过道士吴全节在元成宗面前的称赞：“成宗问曰：‘卿所过郡县，有善治民者乎？’（吴全节）对曰：‘臣过洛阳，太守卢挚平易无为，而民以安靖。’”（《元史·释老传》）从吴道士的“平易无为”的称道之辞中，我们可以想见他的为人及为政作风。此时卢挚重官燕南，又一次来到“黄粱梦”故事的地点，回想自己的仕途生涯，于是产生了以往的仕宦生活不过是一场梦的想法。作者巧妙地运用“黄粱梦”的典故，对自己为功名奔波劳碌的一生，进行了自嘲自讽。

作者在自嘲的同时，明确指出自己未能隐归并不是“山人索价高”，而是自己不能逃脱对“蜗角虚名，蝇头微利”的追逐。仔细对照一下，自己不就是那个正在做“黄粱梦”而被世人嘲弄数百年的“卢生”吗？可是，猛然回顾，才发觉自己早已是两鬓晓霜了，在这斑白的毛发里，浸染了自己多少临深履薄的辛酸啊！触景生情，不由生发万千感慨……

在写作手法的运用上，这首小令颇有可圈可点之处。作者在毫无斧斤之痕的自然状态之下，将处世、处境、心绪与典故融为一体。在语言上，它不同于元人的众多小令作品以纯粹的口语写作，而是将书面语中的经典辞藻点化成浑然天成的口语，一气呵成，酣畅淋漓。

（张进德　程懂丽）

# 【双调·殿前欢】

卢挚

## 酒杯浓

酒杯浓，一葫芦春色醉山翁，一葫芦酒压花梢重。随我奚童，葫芦干、兴不穷。谁人共，一带青山相送。乘风列子，列子乘风。

### 鉴赏

卢挚的散曲大致分为咏史怀古和隐居乐闲两类，此令是后者的代表作。这首小令借用“酒”这种实物为我们勾画了一个纯净的冲虚之境，有我之境中交叉着无我之境。陶渊明“试酌有情远，重酌忽忘天。天岂去此哉，任真无所先”（《连雨独酌》），此令正是让人在清新自然、酒意春光中感受那份独特的超脱与任情。

“酒杯浓”，酒意已浓，开篇就为全曲笼罩了一层浓浓的醉意，醉眼蒙眬中看到的是“一葫芦春色”。“春色”此处指酒，一葫芦酒醉倒了山翁。“山翁”，即晋人山简，此处是作者自指，李白有“旁人借问笑何事，笑杀山公醉似泥”（《襄阳歌》）的诗句。“一葫芦酒压花梢重”，一葫芦酒挂在树梢上，压弯了花枝。试问：谁会将酒葫芦挂于树梢？除了童心未泯的孩童有这般任意外，也只能是无拘无束、任情恣性的醉翁卢挚了。酒挂树梢上，花枝随意俏，乱花更映酒意浓。

“随我奚童，葫芦干、兴不穷。”“随我奚童”句典出李贺事，《新唐书·李贺传》言李贺作诗“常从小奚奴，骑距驴，背一古破锦囊，遇有所得，即书投囊中”。曲中“奚童”即童仆，跟随“我”来的小童仆，酒虽喝干，兴致却无穷。在这样一种至情至性境界中，诗人与伴童如入无人之境，于心旷神怡中将自己交付于一个净美的纯真世界，既醉于浓酒，更醉于眼前的明媚春光，谁能和他共赏同游？然只有青山相随相送。不禁令人想到欧阳修“醉翁之意不在酒，在乎山水之间也。山水之乐，得之心而寓之酒也”（《醉翁亭记》）。在这里，酒退却了“与尔同销万古愁”中的凝重，洗去了“葡萄美酒夜光杯”中的铅华，抹去了“三杯两盏淡酒”中的哀怨，留下的是淡淡的清新，是纯纯的恬静，是浅浅的豪放。

卢挚一生一帆风顺，高官厚禄，所以他的作品缺少了一种厚重的深沉和深切的忧患，表现的是一种忘我的境界。但官场中的尔虞我诈、逢场作戏却极易让人感到疲惫，再加上文人特有的气质让他更易伤时感事，对任何东西都有一种异乎寻常的敏感。所以此时，在酒意阑珊中，作者想到的是“乘风列子，列子乘风”。“列子”，即战国时的列御寇，著名的思想家、寓言家和文学家。《庄子·逍遥游》云：“夫列子御风而行，泠然善也。”世人羡慕列子乘风脱俗的数不胜数，若真正达到忘我之境的又有几人？面对封妻荫子的诱惑，安逸如斯的温柔乡，舍不掉，忘不了，又在内心深处渴望着安宁、悠远，这样的冲突在无奈的现实中也只能在酒酣耳热之际于诗情画意中徜徉一番了。

作者所勾画的这种净美之境如水晶般晶莹透亮，不掺任何杂质。曲中反复出现的“葫芦”，不拘泥不死板，于清丽中透出少许的活泼。末尾处回环往复地歌咏列子，抒发了作者向往前哲无拘无束的逍遥自在之情，增加了全曲的洒脱之趣，给人一种清新自然之感。

（张进德　牛亚伟）

# 【双调·沉醉东风】

卢　挚

## 秋　景

挂绝壁松枯倒倚，落残霞孤鹜齐飞。四围不尽山，一望无穷水。散西风满天秋意。夜静云帆月影低，载我在潇湘画里。

## 鉴赏

这是一首描写潇湘秋景的小令。此曲作于元成宗大德初年，时卢挚在湖南宪使任上。曲中有景有情，其中时空推移的动态景象的描写，使整幅图景气象阔大而意境飞动。作者观赏秋景过程中心境的变化更值得人回味。在诸多写景词曲中，此曲犹以精致细腻的景物描写与曲中满溢的诗情画意取胜。

“挂绝壁松枯倒倚，落残霞孤鹜齐飞。”开头两句，作者下笔精准有力，采用焦点静观的方法，为我们展现出两处绝然不同而又如“大漠孤烟直，长河落日圆”般意境浑然天成的景观。一“挂”一“落”两个动词，使画面显得灵动而富有生气。“挂绝壁松枯倒倚”一句出自李白《蜀道难》中“连峰去天不盈尺，枯松倒挂倚绝壁”。作者将“挂”字提到句首，突显出了山的孤峭、松的奇崛。小令的首句给人以平地异峰突起的不凡之感，使人犹如置身华山之巅，四顾茫然。接着作者笔锋一转，“落残霞孤鹜齐飞”，让人仿佛从万丈高峰直接投身苍茫大海，心境由孤绝冷峭而豁然开朗。这一句化自王勃《滕王阁序》中“落霞与孤鹜齐飞，秋水共长天一色”，视线自苍然屹立的山巅转向傍晚时分的秋江，水光云影间，孤独前行的野鸭，因为有了伴其齐飞的残霞，纵孑然一身亦不再孤独相随。苍茫辽阔的天地间，忽多了许多明亮与欣喜的色彩，一抹淡淡的温馨流转，感动着冷眼静观的画外人。

如果说前两句作者为我们定位截取了由苍劲的绝壁枯松和明丽的孤鹜残霞构成的鲜明绚丽的具体画面，那么接下来作者带我们游赏这定格的一“山”一“水”之外的“不尽山”“无穷水”。“四围不尽山，一望无穷水”随一山一水延展而成千山万水，读者的心境也随视野的开阔而逐渐明朗。然而在这壮大辽阔的景观下，也未尝不能体味出一种万物廖罔、苍茫不尽之感。以上四句，作者先以工笔为我们呈现出精致小景，后又以写意泼墨式笔法书写山水，让读者置身画境体味浓浓秋意。接下来一句“散西风满天秋意”，一“散”字使无形可捕的“西风”变得可亲可近，无迹可寻的“秋意”到处可感。“自古逢秋悲寂寥”，这明净肃穆的表象背后有着更深一层的苍凉萧瑟的底蕴。秋意无限，带来悲凉的人生体验，使整首小令蒙上一层隐约可见的哲思。

小令至此，意与境浑，然也仅止于没有人物的静物图，而此小令妙处在于作者在时间与空间上对整幅图卷做了动态推移。这幅图上,不止有山有水,更有识山赏水的"我"。"夜静云帆月影低",时间自黄昏移至晚上,夜静悄悄而来,清旷的江面上,缓缓移动的是初升的月儿,还有悠悠的云帆。月儿的青光投射在船帆上,帆影低长,素月分辉,江天一色,静谧恬美的夜色中,将诸美景尽收眼底的主人公才"千呼万唤始出来"。"载我在潇湘画里"——原来这恍似仙境的一切,皆出自作者这双诗意葱茏的眼睛。因"我"的出现,那淡淡笼罩着读者的萧瑟悲凉似乎变得轻灵稀薄起来,转而有一种平静和轻喜。

此小令虽只有四十五字,但其境富于变化,其意无穷。作者眼界开阔,胸襟阔大,化古人典故如出己手,以自然清新之笔描绘出一派天然秋景,蕴含了作者陶然忘机的情怀。全曲意象明朗,气韵流动,文辞清丽俊朗,不用虚词衬字,与诗词的表象手法接近,体现了疏斋散曲以清雅为主的基本格调。

(张进德　李金博)

## 【双调·沉醉东风】

卢　挚

### 叹　世

拂尘土麻绦布袍,助江山酒圣诗豪。乾坤水上萍,日月笼中鸟。叹浮生几回年少。破屋春深雪未消,白发催人易老。

**鉴赏**

此小令为作者晚年卜居宣州时所作。"拂尘土麻绦布袍"中"麻绦布袍"指用麻线编织成的带子或绳子束着的布制长袍。明王守仁在《归隐·园林好》中曾写道:"布袍上系麻绦,把渔鼓简儿敲。"后也有用其指代布衣平民的,如"长安多少豪华客,何似山林一布袍"(周履靖

《和贯休山居十咏》)。此处是指作者远离了京都,脱掉官袍而穿起了布衣,回归到了平民生活中,兴之所至,饮酒作诗以歌美好河山。在这里,作者以寥寥数语道出了自己的生活境况,他以诗豪刘禹锡、酒圣杜康自比,尽显豪迈。

"乾坤水上萍,日月笼中鸟"套用杜甫《衡州送李大夫七丈勉赴广州》中的"日月笼中鸟,乾坤水上萍"两句。日月仅为笼中困顿之小鸟,乾坤不过是水上飘零不定之浮萍,日月、乾坤尚且如此,你我这般渺小之人,不过是沧海一粟罢了!至此,作者将自己大半生所酝酿的叹世之情,通过比喻的修辞手法酣畅淋漓地表达了出来。同时,人生短暂无常,自身渺小无依的感慨也由此抒发出来。

接着,作者不禁回忆起了自己年少青春到两鬓白发的流金岁月,"叹浮生几回年少"。"浮生"语出《庄子·刻意》:"其生若浮,其死若休。"因人生在世,虚浮不定,故称人生为"浮生"。作者慨叹这人生短暂,漂浮不定,美好的年少光景又能有几时呢?此时,深深的寒意将作者由追忆拉回了现实,正是"破屋春深雪未消"。此句源于金元好问《戏赠白发二首》中"镜中昨日又明朝,破屋春深雪未消"。这里采用写实的手法,实写眼前景物,而作者看到眼前残留的白雪不禁想起了自己双鬓的白发。是的,"白发催人易老",它时时刻刻提醒着自己已是垂暮之年了。

卢挚一生仕途坦荡,他笔下的叹世作品中所蕴含的感情既不同于陶渊明般超然于物外的旷达,也不像杜甫般在慨叹中隐藏着些许失意之痛,他是在对世事的感叹中寻找和满足自己精神上的充盈。因此该小令在嗟叹光阴似箭、日月如梭、人生漂泊如浮萍的同时,又别有一种悠远、安宁之感。与作者在〔双调·蟾宫曲〕《劝世》中抒发的劝诫世人珍惜时光、享受人生之意相较,又平添了一份淡泊与平静。

卢挚此曲描写现实环境之句格调清新婉丽,抒发内心情感之句慷慨豪迈,二者结合恰好体现了卢挚散曲清丽之中而兼豪放的特色。此外,小令内容饱满充实,感情充沛;用典频出,却又不显堆砌;语言上返璞归真、质朴平淡,为卢挚散曲佳作之一。

(张进德　邱　露)

# 【双调·沉醉东风】

卢　挚

## 七　夕

银烛冷秋光画屏，碧天晴夜静闲亭。蛛丝度绣针，龙麝焚金鼎，庆人间七夕佳令。卧看牵牛织女星，月转过梧桐树影。

### 鉴赏

晚唐杜牧七言绝句《秋夕》云："银烛秋光冷画屏，轻罗小扇扑流萤。天阶夜色凉如水，坐看牵牛织女星。"这首诗表现的是失意宫女孤独的生活和凄凉的心境。卢挚反其意而用之，用散曲小令翻新出奇，赋予原作崭新的意境，变冷清宫怨的抒发为人间良辰的赞颂。

首二句写景，极写环境之幽静，笔法从内到外。"画屏"，有二义，一指有画饰的屏风，前蜀韦庄《奉和观察郎中春暮忆花言怀见寄四韵之什》："落花带雪埋芳草，春雨和风湿画屏。"二指择婿，典出《新唐书·太穆窦皇后传》："(父毅)画二孔雀屏间，请昏者使射二矢，阴约中目则许之……高祖最后射，中各一目，遂归于帝。"运用此典，暗示今夜既是天上牛郎织女的相会之日，也是人间情人缠绵的良辰佳节。"闲亭"，指寂静的亭台。清幽沉寂的七夕之夜，银白色的烛光映在室内有美丽画饰的屏风上；窗外玉兔挂空，碧天无垠，庭院寂静的亭台阒无人声。天上牛郎织女相会，人间会如何表达对他们的衷心祝福呢？

次三句是泛写，点出人间对七夕节日的重视，再现了当时节庆习俗。"蛛丝"句运用"蛛丝卜巧"之典，是古时妇女于七夕之夜将蜘蛛放置盒内，以结网密疏卜得巧多少的一种游戏。五代王仁裕《开元天宝逸事·蛛丝卜巧》："帝与贵妃每至七月七日夜，在华清宫游宴。时宫女辈陈瓜花酒馔列于庭中，求恩于牵牛织女星也。又各捉蜘蛛于小合中，至晓开视蛛网稠密，以为得巧之候。密者言巧多，稀者言巧少。

民间亦效之。"《西京杂记》载:"汉彩女常以七月七日穿七孔针于开襟楼,人俱习之。"卜巧也好,穿针也罢,表达的都是一种美好的祝愿。如果说杜牧原作中宫女"轻罗小扇扑流萤"重在表现其失意中的百无聊赖的话,卢挚则一反这种幽冷的格调,重在表现人间女子七夕佳辰的美妙希冀。龙麝香在金鼎静燃,香气袭人;她们用细如蛛丝的五彩绣线对月穿针乞巧,将心底美妙的希望诉与织女:赐我一双灵巧的手,聪慧的心,更希望赐我一份圆满的忠贞爱情。

末二句是特写,表现乞巧女子对真挚爱情的热切向往。她轻卧软榻,遥望鹊桥,牛郎织女的"金风玉露一相逢",引发了世人多少美妙的遐想,激发出骚人墨客多少优美的诗篇!"月转过梧桐树影",一言月华不愿惊扰牛郎织女的相会,二写乞巧女子的痴情留恋,三现时间流逝的迅疾无情,一石三鸟,意蕴深邃,蕴含丰富,启人联想。

作为一首小令,本篇尺幅千里,在结构上颇费斟酌。从内在环境的细描到外在环境的渲染,从对人间重视七夕佳节的泛泛而言到对具体乞巧女子的聚焦特写,犹如一个个蒙太奇镜头,层层展示,生动逼真。其次,此曲意境鲜明,色彩明艳,将乞巧女子的内心世界展现得淋漓尽致。措辞上或直露或含蓄,处理得当,耐人寻味。这种典雅的语言,正代表了元代前期曲坛文人创作的普遍倾向。

(张进德 张韶闻)

## 【双调·沉醉东风】

卢 挚

### 闲居(三首其一)

雨过分畦种瓜,旱时引水浇麻。共几个田舍翁,说几句庄家话,瓦盆边浊酒生涯。醉里乾坤大,任他高柳清风睡煞。

## 鉴赏

此作一开篇即以对雨旱农时的准确把度,暗示作者对田园生活的熟悉,但分畦种瓜、引水浇麻,有清静无为的悠闲,而无农忙奔走的辛苦,这个化身田间的主人公,显然不是善事日常庄稼活计的农夫,而共田舍翁说庄家话,也自然而然抖落出作者内心的真实况味:虽然向往农家大碗喝酒的粗拙生涯,但清风高柳、天大地大的意兴,幻化出的却是淡淡的物外之趣和饱含文人情结的渊明精神。作为一代名儒,卢挚的闲居乐隐之作,确有浅显质朴、充满生活气息的一面,但"瓦盆边浊酒生涯",作为曲意的起转,勾画出的却是一道"在官言隐"、别有寓味的风景;邵平种瓜、五柳散澹、陈抟高卧的典事暗用,烘托出的是一个自任而又有所敛迹的乐隐君子的清雅形象。这种精神格调与关汉卿市井浪子一流"老瓦盆边笑呵呵,共山僧野叟闲吟和。他出一对鸡,我出一个鹅,闲快活"(〔南吕·四块玉〕《闲适》)所使用的语面材料和抒发的放逸情怀不同,也与曾瑞作为布衣曲家"就着老瓦盆,浮香糯,直吃的彻"(〔正宫·端正好〕《自序》)的谑中潜愤、穷途乐道有别,更与贯云石"唤稚子篘新酿,靠篷窗对客弹,直吃的老瓦盆干"(〔双调·水仙子〕《田家》)的流宕风致大异其趣。

其实,卢挚的这种心态是相当有代表性的。在元代,选择散曲这种"边缘文体"表达用世之心与避世之念的矛盾和交流,在官居大僚的循循大吏、师表当代的社稷重臣中大有人在。"在官言隐"不是博取终南捷径的噱头,不是言不由衷的附庸风雅,亦不在于个人功名的不得意,而在于自觉疏离与传统断裂的异己环境,唯在不经意,唯有真性情。卢挚是元代曲坛开典丽一派先河的名家,贯云石说其曲"疏斋妩媚,如仙女寻春",虽说道出了卢挚写景咏物散曲的清腴特色,但也从某个侧面抓住了卢挚散曲整体上透发出的含蓄婉妙、简淡疏朗的文人气味。

(丁淑梅)

# 【双调·沉醉东风】

卢　挚

## 闲居(三首其二)

恰离了绿水青山那答，早来到竹篱茅舍人家。野花路畔开，村酒槽头榨，直吃的欠欠答答。醉了山童不劝咱，白发上黄花乱插。

**鉴　赏**

刚刚饱览了那边的山野青翠、绿水涟涟，眼前又浮现出篱院草屋、竹影摇摇，随着一幅步出郊行图的展开，我们被一位白发老翁带入了一个色彩缤纷、景致逶迤的山村世界里。茅舍里飘拂的袅袅炊烟，染着几分亲切、几分好奇，动人游兴。次第绽放的野花，如村姑迷人的笑靥，招引着新来的客人。扑面而来的村野风趣，汩汩流出槽头的酒醪，简单而盛情的农家饭，终于让饱经宦路风霜的老人完全忘身于尘网之外，沉醉在一派拙朴任情、逸乐无边的境地中，以至于迷迷糊糊、醉态囫囵、口唇颤动、痴痴癫癫了。而宽和好客的村夫、侍酒顽皮的童子也如此善解人意，任由老翁手舞足蹈，奔呼踉跄，竟黄花叠映白发，醉意酿出童心，自放而自适至极，人老簪花不自羞了。

卢挚一生官居重位，奔波宦海，不仅为烦琐的公务羁绊，也看厌了官场的利名嗜夺、蝇营狗苟；即便官场中有应酬佳宴，觥筹交错之间亦须周备谨慎，岂能尽豪饮烂醉之兴？如此山水环抱、花酒相拥的远游邂逅，荡尽世路哀苦，洗涤心腑芜气，也难怪作者任意兴阑珊，甘心投入与村夫大醉解颐的乡村野趣之中，无拘无束，狂荡不羁，一醉方休，乐而忘返。与前一首同题“闲居”、收放有度的散曲相比，此篇的佳处正在口语生脆、风情澹荡，自醉醉人，生机盎然，将文人雅趣化入村野真趣，将田园生活的的快爽与人性舒张的自由淋漓挥洒，“土盆瓦缶”而有金石之音，放而不收，烂漫横陈，自然笑傲，令人神往。

（丁淑梅）

# 【双调·沉醉东风】

卢　挚

## 闲居(三首其三)

学邵平坡前种瓜，学渊明篱下栽花。旋凿开菡萏池，高竖起荼蘼架，闷来时石鼎烹茶。无是无非快活煞，锁住了心猿意马。

鉴赏

此篇起首,作者即立下宣言:要学东陵侯作布衣人,种瓜于长安城东,要学陶渊明弃五斗米,采菊于南山篱下,并非在借喻明志,表达自己弃官归隐、高蹈出世的初心,其实瞩望的是一种在官言隐、无忧无虑、无论何时何地都能超脱名利羁绊的自我期许。接着,作者对自己未来的生活场景和情趣做了进一步推想:那时节一定要凿一湾池水静养菡萏心怀,栽一架荼蘼安享风物清香,闲散时节石鼎煮茶,慢慢品味这一份难得的清静优游。为了能在不久的将来与远山远水比邻、过上一种清拔而富有生趣的生活,作者暗用道家语自我启示、自我开悟:如果真能锁住心猿意马、解开名缰利锁,达到荣辱皆忘、是非不问的境界,就不会陷入心思缭乱、追名逐利、难以捉摸的心灵煎迫了。这种逃世、避世之意虽含有消极意绪,但两相对照,却道出了隐居生活“快活煞”的轻快放适、自由无碍。

卢挚弱冠入仕,历任江东提刑按察副使,集贤学士、湖南廉访使、翰林学士承旨等职,官居大僚而享有文名。但看似闲达的漫漫仕路,也使卢挚看尽了官场炎凉、世态高低,内心积郁了太多的愤激、哀苦与失落,所以其闲居乐隐之作,大多表现出一种在谛听自然天籁中远离人世的纷扰,在徜徉物外野趣中寻求内在平衡与超越的心灵意向。不过,此篇情愫练达,典事的布置与前两章前后勾连,不似首篇表达的含蕴,较之次篇的放纵,内在节奏亦有了波荡和顿错,结尾则收束得响亮有力。

(丁淑梅)

# 【双调·沉醉东风】

卢　挚

## 重　九

题红叶清流御沟，赏黄花人醉歌楼。天长雁影稀，月落山容瘦，冷清清暮秋时候。衰柳寒蝉一片愁，谁肯教白衣送酒。

### 鉴赏

满地遍撒的红叶，四处绽放的菊花，本应渲染出重九热闹欢腾的佳节光景，但秋高气爽、花叶翻飞也伴着萧萧劲风、簌簌寒意而至，带给人莫名的伤感和愁恨。在这会亲邀友的时刻，题诗红叶的因缘巧合、赋酒黄花的文人雅兴，仿佛都已远去，往昔流连诗酒、买醉歌楼的快意生活，更衬托出今日迟暮独栖坐望空、念友无着知音稀的落寞。雁影缥缈、月印万川，随着时序的推移，山容衔来嶙峋，衰柳漾出清寂，聒噪的寒蝉，使人倍添难耐的寂寞。想到渊明重九于菊丛坐望，尚有白衣载酒、大醉之乐，作者不禁发出深深的慨叹：在这冷清清暮秋时节，目接秋色，冷暖自知，耳聆秋声，形销骨立；没有知音相赏，一片愁情无处安放，招白衣人笑酌快谈，竟成了徒唤奈何的奢想。

卢挚散曲中最为人称道的，即是他的这类写景抒怀之作。此曲写法特别，不是顺着触景生情的笔触展开，而是先从情事落墨，用典清妙，对仗工整，开篇即情景交融、境象浑成。接着转笔写秋日风物，而着意于秋容秋光，用碧空无垠、月起月落的空间感，有意拉长暮秋时序递变的节奏。而雁影无几，山容瘦削，景语衬出情语，蓄足了深秋的空旷与寂寥之后，才点出节令物候独有的时间感。虽然衰柳寒蝉的肃杀里，无酒可抵御透心的寒凉，但白衣载酒牵出的一丝暖意，却笔端注情，不仅使曲意婀娜跌宕，亦与缤纷点缀的起笔遥遥呼应，发抒了作者内

心渴望的友爱和温情。（丁淑梅）

## 【双调·沉醉东风】

卢 挚

### 春 情

残花酿蜂儿蜜脾，细雨和燕子香泥。白雪柳絮飞，红雨桃花坠，杜鹃声又是春归。纵有新诗赠别离，医不可相思病体。

#### 鉴赏

这支曲子是借春景来表达情思。作家以“残花”二字开头，一开始便给读者以破败凋零之感。历代写残花的诗词不少，如庾信《和宇文内史入重阳阁》中“旧兰憔悴长，残花烂漫舒”，李商隐《残花》中“残花啼露莫留青，尖发谁非怨别人”等，大多以“残花”喻青春已逝、红颜已衰。这支曲子的“残花”倒别无寓意，而是以衰煞意象给人带来的破败之感奠定了感情基调。“蜜脾”即蜜蜂酿蜜的巢房，连成一片，其形如脾，故称蜜脾。据王禹《蜂记》：“其酿蜜如脾，谓蜂脾。”有时也可以用来指蜜蜂。

“细雨和燕子香泥”，微雨之中，燕儿衔泥筑巢，因残花委地，故春泥犹自含香。此处“和”字与前“酿”字相对，作动词。濛濛小雨仿佛在助燕儿和泥，这便赋予“雨”以人的动态，写出了“雨”的灵性和意趣。“香泥”照应前句“残花”，对筑巢之燕来说，固然余香满口，求之不得，但对伤春之人来说，却不免无限惆怅，感慨特深。本来，“香泥”二字可以带给人一种芬芳的浪漫情调，但由于融化在由“残花”“细雨”所构成的氛围当中，便沾染了落花的气息，带上了花朵与枝丫分别时的离伤。作家在“残花酿蜂儿蜜脾，细雨和燕子香泥”这两句中赋予了自然界所有生物以情感和灵性，雨儿仿佛是在主动帮助燕儿，正所谓“草木有情，人何以堪”，作者之所以写世间万物皆有情，正是为了凸显人的情感。

“白雪柳絮飞”，化用东晋女诗人谢道韫的诗句。谢道韫乃一代名士谢安的侄女。一次，谢安与子侄辈讲论文义，俄而大雪骤下，安问：“白雪纷纷何所似？”安侄谢朗答：“撒盐空中差可拟。”谢道韫则说：“未若柳絮因风起。”安大悦。此事盛为后人传诵，谢道韫也因此被称为才女。道韫将白雪比作柳絮，卢挚则是反过来将柳絮比作白雪，真是各有妙趣。“红雨桃花坠”，化用唐李贺《将进酒》“况是青春日将暮，桃花乱落如红雨”诗句，写桃花由盛开而飘零的烂漫之景。“杜鹃声又是春归”，此处“春归”是春去的意思；杜鹃，鸟名，传说为蜀主望帝（杜宇）魂魄所化，啼声悲切，如“不如归去”之声。南朝宋鲍照《拟行路难》诗之六：“中有一鸟名杜鹃，言是古时蜀帝魂。其声哀苦鸣不息，羽毛憔悴似人髡。”唐杜甫《杜鹃行》：“君不见昔日蜀天子，化作杜鹃似老乌。寄巢生子不自啄，群鸟至今与哺雏。”可以说，杜鹃哀怨的叫声最能动旅客归思，故又称思归鸟或催归鸟。此句承上启下，作家用杜鹃啼声结束对春景的描写，同时引出对心中恋人的苦苦相思之情，显得自然而又贴切。

“纵有新诗赠别离，医不可相思病体”，意为即使把新作的诗赠给你，也医不好你的相思之症！“医不可”，即医不好，元曲中常见，如无名氏《云窗梦》第三折写郑月莲梦见张均卿：“这搭儿再能见俺可憎，便医可了天样般相思病。”获诗之人，相思不解，病体难医；然而，赋诗之人呢？这深情的相思难道是可以凭赋诗解除得了的吗？所以，这“新诗赠别”，愁不可解的描写，虽然是说着一方愁苦，但却关合着两地离思。

此曲以残春之景寄相思之情，语言清新明丽，如西湖杨柳，自然妩媚。

（黄　笑）

# 【双调·蟾宫曲】

卢　挚

想人生七十犹稀，百岁光阴，先过了三十。七十年间，十岁顽童，十载尪羸。五十岁除分昼黑，刚分得一半儿白日。风雨相催，兔走乌飞。子细沉吟，都不如快活了便宜。

## 鉴赏

〔蟾宫曲〕,元曲牌名,又名〔折桂令〕、〔天香引〕、〔广寒秋〕、〔步蟾宫〕等,是一支能灵活表达各种情感、表现性很强的曲牌。卢挚现存完整小令一百二十首,以〔蟾宫曲〕为曲牌的就有五十五首,可见曲家之偏爱。

曲作慨叹光阴易逝、人生短暂,表达恬淡自适的思想。这种主题在元散曲中屡见不鲜,唯独以算术入曲这种写法颇具匠心,是本曲的一大特色。在散曲中,作者认真地为人生算了一笔账:人生百岁光阴,七十已是古来稀,除去顽童十载、十年老叟,仅剩五十而已;而五十除去黑夜,白天只能分得一半,再加上人生的风风雨雨,真正能享受生活的岁月有几许?仔细斟酌、反复掂量,倒不如及时行乐,在闲适中享受人生,"快活了便宜"。

从思想上来看,此曲不外乎"人生苦短、及时行乐"八个字,显得颓靡消极。但在元代那个特殊的朝代,这种消极的思想也有积极的意义——它表明文人对传统"出仕为官"的人生模式的怀疑与否定,体现曲家对生命存在、个体价值的思考与重视,自有深层的思想内涵。对作者卢挚而言,他身居高位却标举"乐隐",亦可见其矛盾复杂的仕宦心理。

就创作艺术而言,该曲汲取较多民间俚曲的营养,显得生动有趣。在语言上,多用口语、衬字,显得通俗。在表达上,不假借烘托渲染,平白直叙;虽然也有用典,均化用得十分妥帖,因而不觉晦涩。如"兔走乌飞",用古代神话中月中有兔、日中有三足乌的传说来比喻日月运行、说明岁月匆匆,显得自然生动。在构思上,以妇孺皆知的加减乘除来表达主题,可谓独树一帜。明唐寅有《一世歌》曰:"人生七十古来稀,前除幼年后除老。中间光阴不多时,又有炎霜与烦恼。"这首诗当是受到本曲的影响,亦可见本曲之魅力。

(张燕芬)

# 【双调·蟾宫曲】

卢　挚

沙三伴哥来嗏,两腿青泥,只为捞虾。太公庄上,杨柳阴中,磕破西瓜。小二哥昔涎剌塔,碌轴上渰着个琵琶。看荞麦开花,绿豆生芽。无是无非,快活煞庄家。

## 鉴赏

卢挚的散曲,不同题材有不同风格。此曲描绘田家生活,则写得活泼有趣,充满浓郁的乡村泥土气息,表达作者对田园生活的眷恋。

这首小令,以生动的语言描绘三位农家少年的田家乐,写得自然逼真、引人入胜。开篇未见其人,先闻其声。伴随着小二哥一声响亮的召唤"来嗏",曲中的两位少年沙三、伴哥出场——只见他们两腿都沾满泥巴,原来刚去捞过虾。"两腿青泥",角度新颖,作者紧紧抓住农家少年特有的细节,充分展现田家生活的乐趣盎然。那么,小二哥喊他们干什么呢?原来是喊他们过来吃西瓜。一个"磕"字用得精妙,把三位少年迫不及待打开西瓜的动作描写得形神俱佳。

接下来几句特写小二哥,亦极富谐趣。"昔涎剌塔",写小二哥贪嘴,四个字就把他吃西瓜时汁水横流、身体邋遢的样子描写得栩栩如生,令人忍俊不禁。“碌轴上淹着个琵琶”,此处运用比喻,写小二哥吃饱西瓜仰面躺在碌轴(一种农具)上,远远看去,就像一把大肚子的琵琶,描写活灵活现,人物形象跃然纸上。

最后,随着三位少年的视线,作者也把眼光投向远处的田野:“看荞麦开花,绿豆生芽。”只见广阔的田野上,白茫茫的一片荞麦花与绿油油的绿豆幼苗相映成趣,煞是好看。作为一位旁观者,曲家看到这样一幅欢乐动人、优美恬静的生活画景,内心不由受到感染,因而情不自禁地说:“无是无非,快活煞庄家。”最后一句是作者的点评,亦是曲作的点睛之笔。一方面把农家的快乐以凝练的语言直接道破,另一方面也透露作者对这种远离是非田园生活的向往。

纵观全曲,乡土色彩浓厚是此曲的最大特色,亦是本曲艺术成就较高的原因。除了三个生动鲜活的农家少年形象之外,曲中所用语言、所写景物无一不是农村特有的景致,具有浓重的泥土气息。“来嗏”“昔涎剌塔”是地道的民间口语,世俗味十足,可见作者有意以俗语入曲的倾向。“碌轴”“太公庄”“荞麦花”等等,均是乡村具有代表性的事物,为人物活动提供典型的环境,很好地渲染了气氛。元贯云石曾在《阳春白雪序》这样评论卢挚之曲:“如仙女寻春,自然笑傲。”此曲写农家生活,不事雕琢、自然本色,堪称“自然笑傲”之典型。

(张燕芬)

## 【双调·蟾宫曲】

卢　挚

### 萧　娥

梵王宫深锁娇娥,一曲离笳,百二山河。炀帝荒淫,乐淘淘凤舞鸾歌。琼花绽春生画舸,锦帆飞兵动干戈。社稷消磨,汴水东流,千丈洪波。

鉴赏

作者采用本曲牌写了八支曲，分别歌咏丽华、萧娥、杨妃、西施、绿珠、小卿、巫娥、商女八位女性，此曲为其中之一。

萧娥，即隋炀帝杨广的皇后萧氏，是梁萧岿之女，在炀帝还是晋王时就选为妃；后来隋朝江山易主，她在国破家亡之际被突厥强俘至北塞。“梵王宫深锁娇娥，一曲离笳，百二山河。”曲作开篇所写正是萧后的人生遭遇，描写她从一代皇后到沦落北塞、只能以胡笳寄托哀思的悲惨下场，含蓄地指出其悲剧的根源就在于炀帝耽于美色以致断送大好河山。

“炀帝荒淫，乐淘淘凤舞鸾歌。琼花绽春生画舸，锦帆飞兵动干戈”把矛头直接指向炀帝。这里使用的是诗词中的“点染”手法，前句是“点”，直言不讳地点出隋朝的灭亡就在于炀帝的荒淫无度、耽于歌舞女色；后几句为“染”，撷取炀帝一生中富有代表性的事迹进行铺写，进一步深化主题。“琼花绽春生画舸”，传说炀帝为了观赏琼花的美丽，曾不惜兴师动众开运河、造龙舟远赴扬州。唐吴融《隋堤》写过此事：“曾笑陈家歌玉树，却随后主看琼花。”“锦帆”，以锦缎制作的船帆，传说炀帝乘船南游，就用彩锦作帆、连樯十里，极尽豪奢。唐李商隐《隋宫》亦有诗云：“春风举国裁宫锦，半作障泥半作帆。”从整体而言，以上几句构成一个因果关系，生动地指出炀帝的荒淫无度正是隋末人民反抗、干戈四起的原因。“社稷消磨，汴水东流，千丈洪波。”最后一句以写景作结，以隋朝开辟的汴河还在不停息地流淌反衬隋朝的短暂，抒发国家兴亡的感慨，深沉苍凉。

与其他写萧娥的诗词相比，此曲主题立意方面高出一筹。作者在归结一代兴亡的原因时，抛弃了陈腐的女色亡国论，把矛头直指隋炀帝，指出荒淫误国的道理，以警醒后人。在艺术上，此曲遣词造句极其雕琢工整，多处运用典故借代人和事，与运用口语的作品迥异其趣，属于风格雅正之作。

（张燕芬）

# 【双调·蟾宫曲】

卢　挚

## 咸阳怀古京兆

对关河今古苍茫，甚一笑骊山，一炬阿房。竹帛烟消，风云日月，梦寐隋唐。快寻趁王家醉乡，见终南捷径休忙。茅宇松窗，尽可栖迟，大好徜徉。

### 鉴赏

卢挚二十岁左右就名登仕版，宦游的足迹几乎遍布半个中国。政事之余，登临凭吊，创作了大量咏史怀古散曲，此曲为其中之一。据李修生《卢挚年谱》，这首小令当作于至元二十六年（1289），作者任陕西道提刑按察使期间。曲作借思古之幽情，悟功名之虚幻与历史之翻覆，流露出作者浓重的隐逸情怀。

"对关河今古苍茫，甚一笑骊山，一炬阿房。"开篇从咸阳的关山河流着笔。"苍茫"一词尽显咸阳山水之险要与历史的沧桑感，继而引出昔日建都于此的堂堂大秦。只见江山依旧，而当年繁荣鼎盛的秦朝、在骊山上大兴土木的阿房宫早已灰飞烟灭，在楚人一炬中化为乌有。"竹帛烟消，风云日月，梦寐隋唐。"秦国已矣，接下来的隋唐如今安在？不也始终难逃岁月的变迁、历史的埋汰，恍如梦寐一场？此两句回顾历史，感叹世事变幻无常，有极深的历史内涵。一个"笑"字与"梦"字深刻点破繁华的虚无，鲜明揭示作者否定历史的态度：千秋霸业不过是过眼云烟，短暂的人生还要苦苦追求史册流芳，岂不可笑？

作者如此冷漠地看待历史，功名利禄在他眼中还有什么意义？于是，抛弃功名、归隐山林的念头便油然而生——"快寻趁王家醉乡，见终南捷径休忙"。此两句用直白的语言道出作者心声，劝导世人不要贪恋功名，不如一醉方休乐得逍遥。"快寻趁""休忙"纯用口语，旁白似的语言让人感觉作者的话语如在耳际，散曲的谐趣亦从中而生。"茅宇松窗，尽可栖迟，大好徜徉。"接下来三句写隐居之乐，以田园生活的自由适意进一步坚定曲家归隐的信念。末句以“大好徜徉”作结,用语形象直白,曲家对隐居生活的向往在“大好”声中进一步强化。

文人怀古,或激昂慷慨,浩歌壮志;或感事伤时,消沉避世。卢挚十七首以“怀古”为题的散曲多属后者,可见元代风气。此曲在主题上无甚突破,但在构思上可称之为巧妙——曲家采用步步深入、层层推进的方式劝人隐逸,可见文人之匠心。在艺术上,此曲多用口语,遣词造句浅显易懂,是“俗而不俗、文而不文”散曲风格的又一体现。

(张燕芬)

## 【双调·蟾宫曲】

卢 挚

### 京口怀古镇江

道南宅[①]岂识楼桑[②],何许英雄,惊倒孙郎。汉鼎才分,流延晋宋,弹指萧梁。昭代车书四方,北溟鱼浮海吞江。临眺苍茫,醉倚歌鬟,吟断寒窗。

**注释**

① 道南宅:指周瑜,典出《三国志·吴书·周瑜传》:“策与瑜同年相友善,瑜推道南大宅以舍策,升堂拜母,有无通共。”

② 楼桑:指刘备,据《三国志·蜀书·先主传》:“(先主)舍东南角篱上有桑树生高五丈余,遥望见童童如小车盖,往来者皆怪此树非凡。”后因称楼桑里。

**鉴赏**

“京口”,即镇江。《资治通鉴》云:“其城因山为垒,缘江为境,因谓之京口。”京口地理位置险要,自古为兵家所重。三国时的孙权、南朝宋的刘裕均曾在此建立功业。后世文人身临此地,多有感慨之辞,著名的有唐戴叔伦的《京口怀古》、宋辛弃疾的《永遇乐·京口北固亭怀古》等。卢挚这首散曲虽不及前者著名,亦有其独特之处,体现了元代文人特有的精神风貌。

从内容而言,此首怀古小令可分两层赏析。第一层为怀古。作者登上京口这座历史悠久的古城,自然而然便想起三国时期曾在此地叱咤风云的孙权、刘备,怀古之情油然而生。据史载,建安十五年(210),刘备"诣京见孙权,求都督荆州",当时周瑜上疏孙权,谓刘备乃"枭雄之姿",不宜放归,但孙权为刘备才气所倾,并没有采纳这一意见。小令开篇所写正是这一史实,然而作者并没有以直笔铺叙,而是化用典故娓娓道来,增添了曲作的历史内涵。接下来"汉鼎才分,流延晋宋,弹指萧梁"几句笔锋陡转,叙述节奏明显加快。作者以急促的口吻历数汉室、东晋、南朝的更替,又以"流延""弹指"这些极富动感的词语将历史的急遽变化立体地呈现出来,借以表现历史无常的沧桑之叹。整体而言,这一层次笔法凝练,作者紧紧围绕与京口相关的人物、史实进行阐发,显得挥洒自如。

第二层由历史转向现实。"昭代车书四方"化用"车同轨,书同文"的典故,赞美本朝政治的开明。但饱经沧桑的作者清楚地明白,眼前的繁荣安定只是表面现象——"北溟鱼浮海吞江"形象地暗示了风平浪静之下无处不在的分裂危机。因为那些胸怀霸业的"北溟鱼"正在吐海吞江,时刻酝酿着下一轮的历史颠覆。可惜,面对苍茫辽阔的江山,满怀隐忧的曲家并没有像辛弃疾那样激起"气吐万里如虎"的豪情壮志,而是把内心的担忧化作无语之凝噎、对世事的冷漠。此情此境,他只想"醉倚歌鬟,吟断寒窗",在歌舞酒色中消磨短暂的人生,寻求心灵的解脱。于是,同样是"京口怀古",卢挚的消沉与前人的积极形成鲜明的对比,深刻地体现了一代官宦在特定时代背景下特殊的颓靡风气。

在创作上,此曲用典较多、笔法凝练,因而显得含蓄蕴藉,明显融入了诸多诗词创作的艺术手法,从中亦可看出卢挚深厚的文学功力。

(张燕芬)

# 【双调·蟾宫曲】

卢挚

## 长沙怀古潭州

朝瀛洲*暮舣湖滨，向衡麓寻诗，湘水寻春。泽国纫兰，汀洲搴若，谁与招魂？空目断苍梧暮云，黯黄陵宝瑟凝尘。世态纷纷，千古长沙，几度词臣？

### 注释

* 瀛洲:本指传说中的海上仙山。唐太宗为网罗人才,设置文学馆。入选此馆者令人羡慕,时人谓之“登瀛洲”,事见《新唐书·褚亮传》。此处喻指作者集贤院之官衔。

### 鉴赏

大德三年(1299),卢挚以集贤学士、大中大夫的官衔外任湖南,就职岭北湖南道廉访使。在湖南任职期间,作者创作了不少散曲,此曲为其中一首。

在创作上,此首小令遵循作者的心理轨迹而写,有浓重的感情色彩。“朝瀛洲暮舣湖滨”——早上还在集贤院担任要职春风得意,傍晚却已行舟万里泊于洞庭湖畔。“朝”时的荣耀与“暮”时的落寞形成强烈对比,使作者产生巨大的心理落差,难免怅然若失。于是,为了寻求心灵的解脱,作者只能“向衡麓寻诗,湘水寻春”,希冀岳麓的山色之佳、湘水的波光之美可以消除内心的失落。

“泽国纫兰,汀洲搴若,谁与招魂?”徘徊于湘水之滨,作者思绪纷纭。他不禁想起“行吟泽畔”的屈原,想起屈原便不能忘怀其美妙的诗句——“纫秋兰以为佩”(《离骚》)、“搴汀洲兮杜若”(《湘夫人》),亦不由地想起宋玉满怀哀伤为赍志以殁的屈子写下的《招魂》。昔人已矣,作者却从那“形容枯槁”

的骚人形象想到自已,可是又有谁为曲家招魂呢?“空目断苍梧暮云,黯黄陵宝瑟凝尘。”抬眼望去,远处的苍梧山上暮云沉沉。想到葬身山上的舜帝早已作古,黄陵墓里的湘妃宝瑟也因无人弹奏铺满灰尘、黯淡无光,曲家的内心又增添一丝感伤。

游山玩水之间,作者抑郁的心情并没有因此平复,反而进一步触动了曲家的心弦:“世态纷纷,千古长沙,几度词臣?”世事纷纷扰扰,千百年来,多少文人骚客曾被放逐长沙,志不得伸——屈原如是,贾谊亦如此。那么作者呢?作者没有明言,可满怀的贬谪感早已溢于言表,曲家怀才不遇的黯然神伤亦如在眼前。最后一句以“几度”作结,闪烁其词,令人回味无穷。

张若虚言:“怀古者,见古迹,思故人。其事无他,兴亡贤愚而已。”此曲名为怀古,实为自伤,因而整首曲子自始至终弥漫着淡淡的哀伤。作者外任湖南虽非贬谪,但始终是远离朝廷,曲家内心之不快可见一斑。艺术上,此曲语言典雅、对仗工整、用笔含蓄,可见文人曲家之清丽风格。

(张燕芬)

## 【双调·蟾宫曲】

卢　挚

### 醉赠乐府朱帘秀

系行舟谁遣卿卿,爱林下风姿,云外歌声。宝髻堆云,冰弦散雨,总是才情。恰绿树南薰晚晴,险些儿羞杀啼莺。客散邮亭,楚调将成,醉梦初醒。

鉴赏

朱帘秀,元代早期杂剧女演员,又作珠帘秀。《青楼集》说她“姿容姝丽,杂剧为当今独步,驾头、花旦、软末泥等,悉造其妙,名公文士颇推重之”,元代后辈艺人尊称她为“朱娘娘”。她与关汉卿、胡祗遹、卢挚、冯子振、王恽等皆有词曲赠答。关汉卿在赠曲中曾形容她“富贵似侯家紫帐,风流如谢府红莲”“十里扬州风物妍,出落着神仙”(〔南吕·一枝花〕《赠朱帘秀》)。胡祗遹还曾为她的诗集作序,说“以一女子,众艺兼并”“见一时之教养,乐百年之升平”(《紫山先生大全集》卷八《朱氏诗卷序》)。卢挚这支曲子便描写了朱帘秀的风度、技艺和才情。

“系行舟谁遣卿卿”中“卿卿”,即指朱帘秀,此句意谓我系行舟在扬州停留,是谁竟让你来和我相见!这是在表达相见甚欢的激动心情。“林下风姿,云外歌声”二句,一赞其潇洒风度,一赞其歌唱技艺。“林下风”语出《世说新语·贤媛》:谢遏绝重其姊,张玄常称其妹,欲以敌之。有济尼者,并游张、谢二家,人问其优劣,答曰:“王夫人神情散朗,故有林下风气;顾家妇清心玉映,自是闺房之秀。”这里用“林下风姿”赞美朱帘秀非同一般庸俗香艳的青楼女子,而具有超然洒脱的高雅风姿。“云外歌声”化用秦青引吭高歌时“声振林木,响遏行云”(《列子·汤问》)的典故,赞美朱帘秀歌唱技艺之高超。

接着“宝髻堆云”句,转而赞美朱帘秀的美貌。“宝髻”是对古代妇女发式的美称。在发髻上缀以花钿、钗簪、金玉花枝等饰物,统称宝髻。唐章本标《贻美人》诗:“宝髻巧梳金翡翠。”宋司马光《西江月》:“宝髻松松挽就,铅华淡淡妆成。”“宝髻堆云”是在描绘朱帘秀演出时的扮相华贵典雅,美轮美奂。“冰弦散雨”句又转而赞美朱帘秀高超的弹琴技艺。“冰弦”是琴弦的美称,传说中有用冰蚕丝作的琴弦,故称。金董解元《西厢记诸宫调》卷四:“宝兽沉烟袅碧丝,半折的梨花繁杏枝。粧一胆瓶儿,冰弦重理,声渐辨雄雌。”《剪灯馀话·贾云华还魂记》:“来早,娉乃破所照匣中鸾镜,断所弹琴上冰弦,并前时手帕,遣福福持去付生,为相思纪念。”“散雨”则是借雨声来形容音乐,如唐白居易《琵琶行》“大弦嘈嘈如急雨”。“冰弦散雨”与上句“宝髻堆云”相对,然后归结一句“总是才情”,凸显出作家对朱帘秀由衷的赞美之情。所谓“总是才情”,也就是说从朱帘秀的声、琴、色、艺当中皆可见出朱帘秀的才情。

“恰绿树南薰晚晴,险些儿羞杀啼莺”,切合环境氛围,继续夸赞朱帘秀的技艺。“南薰”暗指舜所作《南风》歌,歌中有“南风之薰兮,可以解吾民之愠兮”等句(参阅《礼记·乐记》疏引《尸子》《史记·乐书》集解、《孔子家语·辩乐解》等),后人用作和风煦育之意。如唐邬载《送萧颖士赴东府得君字》诗:“和风媚东郊,时物滋南薰。”这里便是用作和风之意。“晚晴”指傍晚雨后初晴，如唐司空图《山中》："昨夜前溪骤雷雨，晚晴闲步数峰吟。"宋苏轼《南歌子》："带酒冲山雨，和衣睡晚晴。"既已写到绿树成荫、春风和煦的环境，所以很自然地用啼莺反衬，极言其歌声乐声之优美动听，连婉转莺啼也无法与之媲美，因此黄莺闻之都会感到羞愧难当。这一句写来自然涉趣，十分妥帖，已令人忘其为夸张之笔。

曲家赠曲地点是在江边的驿馆，但却在接近篇末时才点出："客散邮亭，楚调将成，醉梦初醒。""邮亭"指驿馆，"楚调"即楚地的曲调，常与吴弦、燕歌对举，后为乐府相和调之一。唐陶翰《燕歌行》："请君留楚调，听我吟燕歌。"唐白居易《醉别程秀才》诗："吴弦楚调潇湘弄，为我殷勤送一杯。"但这里的"楚调"并非指古乐府相和歌中的"楚调曲"，而是指作家写的这支〔蟾宫曲〕，这是照应写作地点，也就是扬州，古称"吴头楚尾"之地。因为是"醉赠"，所以说是"楚调"将成之时，也是醉梦初醒之际，这里"将"有勉强之意，"将成"犹言"勉成"。

此曲感情真挚，夸赞自然贴切，恰到好处。篇末"醉梦"，呼应题目"醉赠"。曲家之"醉"，固然是因为相见甚欢的开怀畅饮，免不了"醉"于"酒"；但相见甚欢，却又未尝不是"醉"于朱帘秀的色、艺、才、情。酒，喝醉了；情，陶醉了；曲，勉强作成了；接下来，就该是离别伤怀了。卢挚还有〔双调·寿阳曲〕《别朱帘秀》一曲，便是感伤别离的："才欢悦，早间别，痛煞煞好难割舍！画船儿载将春去也，空留下半江明月。"朱帘秀又有〔双调·寿阳曲〕《答卢疏斋》："山无数，烟万缕，憔悴煞玉堂人物。倚篷窗一生儿活受苦，恨不得随大江东去！"将三曲互读，便更可感知他们之间的深厚情谊。

（黄　笑）

## 【双调·寿阳曲】

卢　挚

### 别朱帘秀

才欢悦，早间别，痛煞煞好难割舍。画船儿载将春去也，空留下半江明月！

## 鉴赏

元代初期，除一部分知识分子无意仕进、嘲风弄月、流连光景、混泯于市井、进行杂剧创作外，另有一些身居官场的文人，重浮华，喜宴游，结交歌伎，爱好曲作，成为优伶歌伎的挚友和捧场者。他们和优伶歌伎间的交往，在曲坛留下了一段段令人传唱的佳话，卢挚就是如此。

“别朱帘秀”是表达卢挚和朱帘秀之间恋情别意的一支有名的曲子。“才欢悦，早间别，痛煞煞好难割舍。”曲一开始，就毫无掩饰地披露了作者和朱帘秀两人难以割舍的别情。一对儿有情人，你思我念，情深意笃，但刚刚会面片刻，就早到了要分离的时候了。一个“才”字，极言二人欢会的时间是那么的短暂。也许他们欢会的时间确实短，也许这短暂只是作者自己的心理感受。欢悦嫌夜短，在情人心里，他们恨不得这欢悦的时间永远没有尽头。然而情人相会，终有一别。爱意正浓之际，却要分离，这离别的时刻就越发使人显得难割难舍。“痛煞煞”三字，把作者与情人分离之时内心的极度痛苦表达得淋漓尽致。

朱帘秀走了，画船儿载着可爱的人去了。刚才那欢悦的浓浓情景，片刻间化为乌有。劳燕分，留下来的作者显得是那样的孤独。在他看来，画船载去的不仅仅是自己心爱的人儿，而是载去了他和朱帘秀两个人那爱意缠绵的深情。温柔乡里卿卿我我的爱意，欢会时刻你推我就的恋情，全都成了难以忘怀的记忆。人去也，留给作者的只是一片怅惘和孤独，就好像映入半江水面的明月，那么寂寞，那么惨淡。一个“空”字，首先是真实情景的描写，因为人走自然显得空，同时这个“空”，也是作者自己的心灵感受。心爱的人儿去了，作者心里感到空荡荡是十分自然的事。此处用一“空”字，恰到好处，它活脱脱地道出作者与情人别后内心的无比凄凉。

卢挚散曲，素有“妩媚”“自然笑傲”之称，其写男女风情之作，曲词、曲情往往显得直率。“别朱帘秀”一曲，正体现了他散曲的整体风格。整支曲子纯是描写主人公内心的心理感受，情感表达直露，毫无掩饰，把一个多情才子在与情人分别前后那种依依不舍之情完全袒露在读者面前。曲用语通俗自然，前三句全用俗语、口语，明白如话。后两句略显雅致，稍含蕴藉。前后雅俗成趣，自然浑成，体现了元散曲雅俗共赏的审美特征。

（王忠阁）

# 【双调·寿阳曲】

卢　挚

## 夜　忆

窗间月，帘外铁，这凄凉对谁分说。剔银灯欲将心事写，长吁气把灯吹灭。

### 鉴赏

此曲题名冠以“夜忆”，写作者夜间苦思冥想的凄苦。那么，究竟是什么使得作者这样牵肠挂肚，以至于辗转反侧，昼夜难眠？是官场的烦恼冗事，还是对有情人的苦苦思念，也许是二者兼有，我们不得而知。但小令字里行间渗透着的那种百感交集、难以释解的情感，使这支曲充溢着一种感人的艺术魅力。

曲一开始就向人们呈现出一幅悲凉凄苦的画面：深夜，一轮残月透过窗户照进室内，月光本来是美好的，但在屋里的作者看来，它显得是那样的苍白、凄冷。室外屋檐下的檐铁在夜间微风的吹动下，发出阵阵响声。这檐铁发出的响声，在一般人听来，好像一曲曲美妙的音乐。但它透过窗帘传进屋内，却让屋内的人感到那样的揪心和烦躁。这里，景物的描写衬托出主人公无比痛苦、悲切的心境。“窗间月”是写静景，“帘外铁”是写动景，这一动一静、动静结合的夜间场景，深深渗进了人的情感，和人的心理活动水乳交融在一起。对于一个内心怀有无限痛苦和思念的人来说，重重心事已是无法摆脱，夜间寂寞的环境使他更添愁情，无怪乎他会发出“这凄凉对谁分说”的哀叹了。而这一哀叹，把作者愁思难解的悲凉心情推到了一个高峰。

思绪难断，愁情难解，作者是断然难以入睡了。曲写到这里，笔锋一转，由“窗间月，帘外铁，这凄凉对谁分说”的静态描写转向以下的动态描写：作者翻身起来，剔亮银灯，把纸铺在桌子上，想把那挥之不去的心事与烦恼写出来。很明显，作者实际上是想借“欲将心事写”的动作，来排遣自己内心的愁思。表面看来，这里是在写人的动作，实际上是作者痛苦至极而急于释解的内在心理活动的外现。读到这里,我们为主人公的痛苦而悬着的心也许可以平静下来了,因为他毕竟为自己找到了释放痛苦的方法和途径。但出人意料的是,他没有写下去,而是"长吁气把灯吹灭"。他想写的太多了,但又不知道写什么好,那萦绕在内心的苦思总是剪不断,理还乱。他只好长叹一声,吹灭银灯,继续去受那苦苦思念的痛苦熬煎,其无可奈何的内心情感,在这里表达得淋漓尽致。

这首小令艺术上很有特色,特别是心理描写手法多样,精湛细致。前半部分以景物描写衬托人物心理,后半部分以动作描写表现人物心理。特别是"剔银灯欲将心事写,长吁气把灯吹灭"一句,既细致入微地表现出人物内心的心理活动,又给人留下无限回想的余地。

(王忠阁)

## 【双调·湘妃怨】

卢 挚

### 西　湖

梅梢雪霁月芽儿,点波湖烟雪落时。朝来亭树琼瑶似。笑渔蓑学鹭鸶,照歌台玉镜冰姿。谁僝僽*鸱夷子,也新添两鬓丝。是个淡净的西施。

注 释

*僝僽(chánzhòu):埋怨,折磨。

鉴 赏

这是一首描写西湖雪景的曲子。曲一开始,就给我们展现了西湖月照雪梅、清丽雅淡的美丽图景：夜里，雪簌簌地下着，是那样轻、那样静。湖面像升起一片烟雾，朦朦胧胧。一叶月牙儿透过湖烟，照射在湖面上，时隐时现。雪停了，月辉洒向大地，洒在湖边的梅树枝头，月雪相映，梅梢的丁点儿冰雪显得是那样的晶莹洁白。白雪、月芽、湖烟、梅枝，浑然一体，构成一幅美妙绝伦、令人神往的西湖雪夜图。天亮了，天地浑然一色，处处银装素裹。湖上的亭子、岸边的树木，都披上了一层洁白的衣裳，把西湖装扮得那样素净，那样淡雅，宛如琼宫瑶台，整个西湖完全成为一个冰清玉洁的世界。卢挚散曲的景物描写，素来就以清丽淡雅著称，他对西湖雪景的描写，简淡明丽，处处充溢着诗情画意。他以素描的手法，把西湖雪景的淡雅明净清晰地呈现在我们面前。

接下来是作者对雪中人物的描写：那湖边钓鱼的渔翁，浑身披雪，犹如蹲在地上洁白的鹭鸶，显得那样可笑。歌台舞榭上歌舞的歌女，在雪的映照下，一个个玉镜冰姿，素雅可爱。谁还去责怪那雪中泛游西湖的鸱夷子范蠡满头发白，再添鬓丝呢？那是因为雪使他成为如此模样。这里，人物的描写分明不是实写，而是虚写，是作者富有情趣的丰富联想。这和前边三句对于自然景物的实写相互映照，一虚一实，相映成趣。而对于人物的虚写，又不表现以平实的笔调，而是带有一种善意的调侃，从而使得整首曲清新雅丽的风格中透出一抹天真活泼的世俗情调。

西湖之美，历来受到许多文人骚客的赞颂，苏轼《饮湖上初晴后雨》的"欲把西湖比西子，淡妆浓抹总相宜"，刘过《古诗》的"若把西湖比西子，淡妆浓抹也相宜"，王十朋《东湖》的"若把西湖比西子，东湖自合比东山"等，都是运用拟人化的笔法，把西湖和西施之美相提并论。

卢挚的〔双调·湘妃怨〕《西湖》组曲共四首，也全是如此。"淡净的西施"，是对雪景中西湖的形象比喻，它再现了西湖玉洁冰清的素雅和清新淡净的形象之美。

"梅梢雪霁月芽儿"一曲，用语清丽，格调淡雅，色彩清素，充满诗情画意，犹如一幅清淡素净的风景画。曲描写手法多样，人与物相映衬，虚与实相结合，联想丰富，诙谐成趣，颇具清新活泼之风格。拟人手法的运用，使曲显得形象更加逼真，韵味更加清美，使人颇有读之不厌之感。

（王忠阁）

# 【正宫·黑漆弩】

刘敏中*

## 村居遣兴(二首其一)

长巾阔领深村住，不识我唤作伧父①。掩白沙翠竹柴门，听彻秋来夜雨。闲将得失思量，往事水流东去。便宜教画却凌烟②，甚是功名了处?

### 作者

*刘敏中(1243—1318)，字端甫，号中庵，济南章丘(今属山东)人。幼已不凡，至元二十一年(1284)拜监察御史，因不满桑哥弄权，愤而辞官。不久，又起用为御史台都事。武宗时迁翰林学士承旨。后以疾还乡，延祐五年(1318)卒。其为文辞，理备辞明，著有《中庵集》，散曲今存小令2首。

### 注释

① 伧父:南北朝时，南人讥北人粗鄙，蔑称之为"伧父"，后泛指粗俗、鄙贱之人，犹言村夫。

② 凌烟:即凌烟阁，唐太宗为表彰功臣建高阁，阁中绘24位功臣图像。

### 鉴赏

刘敏中散曲作品今仅有〔正宫·黑漆弩〕《村居遣兴》二首传世，都是记录作者闲居乡野时的心境，这是第一首。这首小令借景抒情,前四句写“村居”,后四句写“遣兴”,虽引经据典,但用语清浅,直抒胸臆,明白晓畅。

从具体描写来看,首句“长巾阔领”,从着装就可以看出作者此时的身份是乡野平民。元代汉族平民男子多用巾裹头,服装以长袍为主。山西永乐宫纯阳殿保留有多幅元代平民男子裹巾、穿袍衫的壁画。“深村住”和“伧父”句又让我们联想到作者似乎是隐居山野之人。那么“长巾阔领”也就可以理解为是隐者的服饰了。接下来两句一语点破,原来果真是隐居村野的疏狂名士。“掩白沙翠竹柴门”化自杜甫描写隐者朱山人的《南邻》诗句:“白沙翠竹江村暮,相送柴门月色新。”此处作者用了一个“掩”字,突出他幽闭乡野的孤寂心情。作者不仅无意欣赏乡村美景,而且也无心感受乡野的风花雪月。借景抒情,是中国古典文学表情达意的手法之一,不同的节令和风景被创作者赋予了一定的含义,其中悲秋意象就是大家所认可的一种表达方式。“听彻秋来夜雨”句就活画出作者隐而不宁的矛盾心情。秋雨绵绵,滴滴落入心间,彻夜倾听,辗转难眠,那么是什么让作者辗转反侧,不能入睡呢?

后四句是作者的“遣兴”之笔。原来是因为思量往事得失,才导致作者彻夜无眠。敏中曾两次辞官家居,一次是不满权臣桑哥弄权时,一次是年老以疾还乡时。《元史·刘敏中传》记载敏中自幼卓异不凡,敬慕古贤“足于学而不求知,丰于功而不自衒”,志向高远。在朝任监察御史时,恰逢桑哥弄权,弹劾无果,遂辞职归乡。从曲中的忧愤之情看,这支曲像是这次辞官归乡时所作。那么作者思量来思量去,结果如何呢?往事只能是如水流东去,不堪细论矣。作者此时果真洞察世事,看淡了世事风云了吗?末两句表达了作者的疑惑,也是不得已的劝慰之语。就算是功成名就,载入当今王朝史册,就是自己所要追求的“功名了处”吗?《元史》还记载敏中“每以时事为忧,或郁而弗伸,则戚形于色,中夜叹息,至泪湿枕席”。作者常常以时事为忧,以社稷为念,而不是为了追求一己之功名利禄,可见作者对自己疑问的回答是否定的。

此曲是描写村居乡野生活的作品中比较有代表性的忧愤之作,整体风格悲凉沉郁,隐居乡野也未能化解作者心中郁闷,字里行间无不流露出他对自己的抱负未能实现的悲愤心情,结尾处的疑问仿佛加重了作者的忧思,曲外传情,让我们更加敬仰作者高贵的品格和情操。

(杨　峰)

# 【正宫·黑漆弩】

刘敏中

## 村居遣兴(二首其二)

吾庐却近江鸥住，更几个好事农父。对青山枕上诗成，一阵沙头风雨。酒旗只隔横塘，自过小桥沽去。尽疏狂不怕人嫌，是我生平喜处。

### 鉴赏

在诗、词、散曲作品中,描写乡居生活的佳作不少,由于作者人生经历以及观察和感受外物的角度不同,因此,同是描写乡居的作品,在不同作者笔下也会表现不一。即使是同出于刘敏中笔下的两首村居小令,也是同中有异,各有情趣。

这首小令是刘敏中仅存的两首村居小令中的第二首,其风格与第一首相比似乎轻快了许多,整篇描写了一个典型的吟诗作赋、对酒当歌、放任形骸、及时行乐的隐者形象。小令抒写作者归乡村居的闲适逸兴,江鸥、农父、青山、风雨,一派山野情趣;枕上吟诗,过桥沽酒,一派狂士风范,风格清新爽朗。

《列子·黄帝》有一则寓言,大意是说:古时有一人喜欢白鸥,每天清晨到海边,常有成群白鸥与其厮随。后人常以"鸥社""鸥盟""鸥鹭忘机"等意象喻指隐居自乐,不以世事为怀。此曲首句便以江鸥意象点明作者此时的生存状态是隐居。隐居在何处呢?是山林,还是乡野?第二句"更几个好事农父"告诉我们,作者是隐居在村野。并且此时农夫在作者的眼中是热情的,乐于助人的。从此处看,作者似已融入乡村生活,并且乐在其中。下面两句情景交融,详细描述了一个村居隐者的闲适生活。静卧处观青山,不觉诗已成。一阵沙头风雨亦是美景,这是典型的令人羡慕的隐士生活,闲散、淡定,与自然融为一体,于平淡处见真情。

高士闲居,诗酒为友,有诗岂可无酒。后四句荡开笔墨,作者尽写饮酒作乐,放浪形骸之举。过塘沽酒尽疏狂,不顾别人对自己议论短长。他生平喜处,果真是放浪疏狂吗？《元史》本传记载，其与同僚各言其志，曰："自幼至老，相见而无愧色，乃吾志也。"这样一个热心于国事民瘼、有抱负、有理想的读书人，何以此时如此放浪形骸，不再用力于民？《元史·奸臣传》记载桑哥弄权时，增赋税，括民财，卖官纳贿，贪赃枉法，天下骚然，百姓失业。敏中弹劾桑哥，无果，愤然辞官归乡。作者空有一腔热情，却遇到贤愚颠倒、天下无道的时世，又不愿与奸佞之人同流合污，只能诗酒疏狂，化解心中苦闷了。

散曲是元代新兴的文学样式，源自"俗谣俚曲"，语言质朴，崇尚自然明快的审美取向。此曲亦是本色创作，写村居生活的恬静闲适，风格旷达，清新自然。涵咏之间，我们既可窥见作者高洁的志趣，不与浊世同流合污的高风亮节，同时又使读者的情感得到升华，灵魂得以净化。

（杨　峰）

# 【中吕·喜春来过普天乐】

赵 岩*

琉璃殿暖香浮细，翡翠帘深卷燕迟。夕阳芳草小亭西。间纳履，见十二个粉蝶儿飞。 一个恋花心，一个搀春意。一个翩翻粉翅，一个乱点罗衣。一个掠草飞，一个穿帘戏。一个赶过杨花西园里睡，一个与游人步步相随。一个拍散晚烟，一个贪欢嫩蕊。那一个与祝英台梦里为期。

## 作者

* 赵岩，生卒年不详，字鲁瞻，长沙人，寓居溧阳（今属江苏）。宋丞相赵葵之裔。曾在太长公主宫中应旨，淡泊名利。后遭谤，退居江南，终生潦倒。长于赋诗，醉后可顷刻赋诗百首。因不得志而日饮酒，终醉病而卒。其作今仅存〔中吕·喜春来过普天乐〕1 首。

## 鉴赏

此小令原载于《至正直记》，为作者即席赋景之作。前三句主要写作者眼前所见之景物。由室内到室外，诗意地为描写主体的出场勾勒了一个十分优美的环境：富丽堂皇的殿堂里浮动着细细的暖香，珠帘低垂，周遭环境如此幽静，令人不禁陶醉其中。“夕阳芳草小亭西”一句，则点出在这江南暮春的典型景色的衬托下，作者将目光转向芳草萋萋的园亭西边。“间纳履”一句，则交代作者在酒后闲散之余，偶然弯腰提鞋，瞥见十二个粉蝶儿上下翻飞的情形，从而引出此小令所要描绘的优美意境。可以说，前四句是全曲的引子。

《普天乐》共十一句，极力重笔描绘这十二个形态各异的粉蝶儿那种种逗人的可爱姿态：一个恋恋不舍地盘旋于幽洁花心，一个意气扬扬地搬弄着美好春光；一个扇动粉翅凌空翻飞地表演着翩翩舞姿，一个款款依人地展现出可爱模样；一个低擦草地掠飞而过，一个高穿帘幕嬉戏而翔；一个追逐杨花后而安睡于花园之中，一个享受韶光而不离于游人之旁；一个恣意尽情地飞舞拍散了晚烟暮霭，一个贪爱鲜嫩的花蕊久久地停留其上；而那边的那个正和他的祝英台在美梦中相会。在这些描绘中，作者运用虚实、明暗等笔法，诗意地刻画一幅生动有趣、摇曳多姿的群蝶嬉戏图。尤其是，“那一个与祝英台梦里为期”一句，一笔则写两个蝴蝶——明虽一个，实寓两个，深刻反映出此小令尚巧之匠心；末句化用“梁祝化蝶”传说，以梦为期，由物及人，表现出作者对美好事物的歌颂，由此生发出作者对人间美好爱情的由衷赞赏，从而强烈地激发读者那无限美好的遐想热情。

此曲为作者茶余酒后之游戏笔墨，未有深刻寓意。但从曲中所刻画的那诸多可爱的蝴蝶嬉戏模样、从曲中字里行间流露出的欢愉情感看，作者当为热爱自然、热爱生命之人。整支小令，节奏轻快，韵味轻松，内容风趣，虽含戏谑之意，终无轻浮之态，令人由衷赏叹作者的高超技巧与悠游闲情。

（王　毅　温庆新）

## 【中吕·山坡羊】

陈草庵*

### 叹世(二十六首其四)

青霄有路，黄金无数，劝君万事从宽恕。富之余，贵也余，望将后代儿孙护，富贵不依公道取。儿，也受苦；孙，也受苦。

**作者**

* 陈草庵(1247—约1320),名英,字彦卿,号草庵,析津(今北京)人。大德、延祐间历官山东、陕西、河北诸路副廉访使,江南行台侍御史,云南、山南、浙西等路中书左丞,甘肃、河南行省参知政事等。其所存散曲,隋树森《全元散曲》辑有〔中吕·山坡羊〕小令26首,曲风自然疏放。

**鉴赏**

陈草庵所作一组〔中吕·山坡羊〕《叹世》小令二十六首,内容为仕宦人生的各种感慨,如历史虚无,富贵无常,功名虚幻,漠然世事而退隐耕稼等等,集中反映了仕宦无聊的倦怠情绪。此曲是《叹世》小令组曲二十六首中的第四首。作者从因果报应的角度规劝富豪显贵要为子孙着想,取财公道,行善积德,宽厚待人。

前三句是正面规劝富贵者不要刻薄作恶。青云直上、飞黄腾达的新贵,生财有道、富甲一方的豪绅,做事不要依仗世势,为富不仁,而是要与人为善,宽恕待人。宋元时代有句流行的俗语"青霄有路终须到",泛指官运亨通。中间三句叙写人的普遍心理,即人之常情。谁不希望恩荫百代、家业永昌。达官巨贾在富贵之后,此种盼望怕更是殷切吧。财富得继承,显达得延续,保我后代儿孙安享富贵。这种期许怎样才能实现呢?前三句劝谕就是你功施子孙的基本保障,横征暴敛、巧取豪夺之财断不能惠及后人。世出世间,都要受到因果的制约,只有积善因才能得善果。最后三句从反面告诫要是不择手段攫取富贵的话,子孙必将连累受苦。因为种下恶因必结恶果。到那时事与愿违,殃及子孙怕是悔之晚矣了。

这是一首劝世说教的散曲,作者以天地法理——因果为依据,抓住世人莫不疼爱儿孙的心理,先从正面阐释宽恕待人的道理,再从反面揭示贪赃枉法的危害,警醒世人。散曲结构上正反互补,曲折自然,循循善诱。

(陆晓春　童晓峰)

# 【中吕·山坡羊】

陈草庵

## 叹世(二十六首其十二)

三闾当日,一身辞世,此心倒大无萦系。淈其泥,啜其醨。何须自苦风波际,泉下子房和范蠡。清,也笑你;醒,也笑你。

### 鉴赏

此曲是陈草庵《叹世》小令组曲二十六首中的第十二首,借对历史人物屈原、张良、范蠡的感慨,抒发自己的愤世情怀。开篇三句假设屈原当时若辞去三闾大夫之职,摆脱官场的羁绊该是多么自在幸福啊。"三闾"代指战国时楚国诗人屈原,仕于楚怀王,为三闾大夫,故称。接下来进一步否定屈原不肯同流合污、以身殉志的精神。认为屈原应当搅浑浊水而随世道沉浮,畅饮薄酒而与世人同醉,何必自己独守清高于恶浊的世间呢。"淈其泥,啜其醨"语出《史记·屈原贾生列传》:“举世混浊,何不其泥而扬其波;众人皆醉,何不餔其糟而啜其醨;何故怀瑾握瑜而自令见放。”最后设想张良、范蠡对屈原“众人皆醉我独醒”的讥笑,再次否定屈原“诚明”的人生态度。九泉之下的张良与范蠡,一定会讥笑你那不与社会同流的独清独醒的洁身自好。子房,张良字子房。张良曾辅佐刘邦建立西汉王朝,范蠡曾为越王勾践雪会稽亡国之耻,两位英雄都是大功一成全身而退的著名历史人物。“清”与“醒”语出《史记·屈原贾生列传》:“举世混浊而我独清,众人皆醉而我独醒。”从表面上看起来,作者好像颠倒黑白,完全没有了是非立场,实际上,面对艰难险恶的仕途和腐败黑暗的吏治,作者的心里是既无奈,又激愤,以反语叹世,愤然道出自己复杂的情绪与心境。

(陆晓春　童晓峰)

# 【中吕·山坡羊】

陈草庵

## 叹世(二十六首其十六)

晨鸡初叫，昏鸦争噪，那个不去红尘闹。路遥遥，水迢迢，功名尽在长安道。今日少年明日老。山，依旧好；人，憔悴了。

### 鉴赏

此曲是陈草庵《叹世》小令组曲二十六首中的第十六首。其内容是嘲讽那些追名逐利之人,劝人看淡功名利禄。在元代,官员录用有两种方式:一是吏员,一是科举。元初试行科举时断时续,直到元代中期延祐年间(1314—1320)才正式开科取士,分蒙古、色目与汉人、南人两榜,相对唐、宋时代而言,取仕总人数很少,汉族举子考中的概率就更低。因此,大部分汉族官员都是从低级吏员做起,经过二三十年的宦海沉浮,只有极少数官员能得到晋升的机会,绝大部分都是默默无闻终老一生。因此,热衷于功名的人往往是一场徒劳,这就使得元散曲中多有看破功名、向往归隐的作品。陈草庵的一组《叹世》是其间的代表。

此曲前三句从时间入手,写追逐功名利禄者从清晨鸡鸣起,至暮鸦归巢时分,整天奔波忙碌、疲于奔命。晨鸡和昏鸦标定出追名逐利者的日日奔忙,又以"叫"与"争噪"的嘈杂声势的描写暗寓追求功名者的狂热心态。"闹"字极妙,落笔一字就活画出追名逐利者熙攘喧闹、趋之若鹜的情状,作者鄙夷的态度也因之而传达得一清二楚、旗帜鲜明。

接下两句又从空间角度写人们不顾艰辛,奔波于求取功名的漫长道路。"长安"泛指京都,是获取功名者的必经之地。入长安城求取功名之路如此漫长,意味着金榜题名之日遥遥无期。"路遥遥,水迢迢"皆是双关语,既指求取功名道路遥远,时间漫长,又暗喻得功名之事渺不可期。正如唐代王勃《春思赋》诗意:"盛年耿耿辞乡国,长路遥遥不可极。"

这首散曲嘲讽追求功名利禄的人们,一生忙忙碌碌,最终是虚度年华。最后几句曲意隐含在关于人生苦短的感叹里,意思是说,功名无日,白首有期,即便有朝一日得到了那极难获取的威赫功名,则又如何呢?追逐功名的过程使人心力交瘁,耗掉了青春的生命,转眼间由黑发少年变成白首衰翁。青山依旧美好,人却因追逐功名而憔悴不堪了。一如宋郭祥正《再至汀州倅宅南楼》"青山依旧人还老,一片离愁挂晚春",宋苏舜钦《寿阳闲望有感》"幽人憔悴搔白首,啼鸟哀鸣思故林"之诗意。这几笔曲意深长,彻底消解掉了追求功名的意义所在。

(陆晓春　童晓峰)

## 【中吕·山坡羊】

陈草庵

### 叹世(二十六首其二十二)

渊明图醉,陈抟贪睡,此时人不解当时意。志相违,事难随,不由他醉了齁睡。今日世途非向日。贤,谁问你；愚，谁问你。

## 鉴赏

此曲是陈草庵《叹世》小令组曲二十六首中的第二十二首,表达了作者对世事人心浑浊不堪的灰心失望,从而更加坚定了他的隐逸之志。

作品开篇就提出两位世上有名的隐逸贤者的故事,不为五斗米折腰的陶渊明和隐居华山修道、相传“每寝处,多百余日不起”(《宋史·陈抟传》)的陈抟老祖。与元代很多欲求仕宦而不可得、愤而隐逸的人不同,他们两人都是主动选择隐逸道路的。这样的选择,恐怕连很多对功名仕宦之路灰心、转而隐逸的人都不能完全理解,更何况那些借隐逸为“终南捷径”的假隐士,以及还汲汲于名利场上的奔走之徒呢?故而作者感叹“此时人不解当时意”。的确,当一个社会中绝大多数人都将富贵作为唯一的价值取向标准的时候,一般人又怎能去理解为了不违背自己的志向宁愿归隐避世、洁身自好的高士的想法和选择呢?作者作为极少数能够明了隐逸前贤精神的人,解释了两位隐者的“当时意”:“志相违,事难随,不由他醉了齁睡。”所谓匹夫不可夺志也,一个有高洁之志的人,自然难以违背自己的心志,随波逐流于不计廉耻、奔波名利之事,甚至不愿目睹世事的险恶,故而只能是选择醉乡自适、高卧不起的方式,来远离红尘的搅扰。“不由他”三字,充分体现出了两位前贤的主动选择,其实是出于不得已的无奈。

在举了两位前贤的故事并加以自己的阐释后,作者发出了对现实的感叹:“今日世途非向日。”“向日”,指与今日相对的往日,与往日不同的今日世道究竟如何呢?“贤,谁问你;愚,谁问你。”这看似简单的对比,却因其蕴含的多种解读方式,带来了丰厚的意味。其一,可理解为对当今的隐逸之人而言,无论你是清高避世的贤才,还是碌碌无闻的愚人,结果都一样:被社会抛弃而无人过问,想如“向日”的隐逸先贤那样留下清名是不可能的。其二,也可理解为感叹世道混杂、贤愚颠倒。村野中的贤人虽贤,无人过问;庙堂上的愚者虽愚,也无人责问。贤无人赏,愚无人责,令人无奈。其三,让人想到孔子称赞宁武子的话:“邦有道,则智;邦无道,则愚。其智可及也,其愚不可及也。”(《论语·公冶长第五》)然而如今之世,又有谁能够懂得这贤愚之道呢?凡此种种,丰富的内涵使得作者在曲末的感叹显得越发耐人寻味,也就令我们对于作者对当时世道的不满产生了更加深刻的体会。

(于杨甡)

# 【中吕·山坡羊】

陈草庵

## 叹世(二十六首其二十四)

尧民堪讶，朱陈婚嫁，柴门斜搭葫芦架。沸池蛙，噪林鸦。牧笛声里牛羊下，茅舍竹篱三两家。民，田种多；官，差税寡。

### 鉴赏

此曲是陈草庵《叹世》小令组曲二十六首中的第二十四首。作者描绘了自己理想的田园生活，民风淳厚质朴，日子祥和太平。起首句借“尧民”喻百姓祥乐生活。“尧民”语出《乐府诗集·击壤歌》：“帝尧之世，天下大和，百姓无事，有八九十老人击壤而歌。日出而作，日入而息。凿井而饮，耕田而食。帝力于我何有哉！”第二句写百姓相亲和乐的关系，“朱陈婚嫁”，据唐白居易《朱陈村》：“徐州古丰县，有村名朱陈。一村唯两姓，世世为婚姻。”又见宋代苏轼《陈季常所蓄朱陈村婚嫁图》：“何年顾陆丹青手，画作朱陈婚嫁图。”《朱陈婚嫁图》为五代前蜀人赵德元所画。第三句为实景描画，家家柴门边搭着翠绿殷殷的葫芦架。作者把镜头对准这一景象，用它来代表农家生活，是颇有一番匠心的，因为每架绿殷殷的葫芦藤下，都有着家家户户的生活场景，摘菜洗衣，饮茶试酒，饭后余话等，这是读者很容易联想到的。这就使“村居民乐图”有了供人想象的舞台。中间四句描写乡村民居的远景，有声有画，恬静疏淡，自然纯朴。池塘里蛙鸣鼎沸，树林里鸦噪不休，蛙沸鸦噪反衬乡居之幽。声声牧笛催赶着成群的牛羊返回村落，也奏响了自然纯朴的生活。村里三三两两散落着竹篱茅舍人家。此景好似陶渊明描绘的田园生活——“暧暧远人村，依依墟里烟”。最后两句写出作者理想的期盼：农民能有更多的田地来耕种，官府要尽量减少农民的劳役赋税。这期盼中表明了作者亲近百姓为民着想的美善立场。

（陆晓春　童晓峰）

# 【中吕·山坡羊】

陈草庵

## 叹世(二十六首其二十五)

红尘千丈，风波一样，利名人一似风魔障。恰余杭，又敦煌。云南蜀海黄茅瘴，暮宿晓行一世妆。钱，金数两；名，纸半张。

### 鉴 赏

此曲是陈草庵《叹世》小令组曲二十六首中的第二十五首。作者依旧表达了对名利的蔑视以及对追名逐利行为的检省。起首三句写世间俗人欲望甚深,难逃名利诱惑,追逐名利如同发疯中邪、走火入魔般无力自拔。殊不知滚滚红尘如海,风急浪高,名利背后处处风险。“红尘”的原意是指繁华的都市,语出自汉文学家、史学家班固《西都赋》:“人不得顾,车不得旋,阗城溢郭,旁流百廛。红尘四合,烟云相连。于是既庶且富,娱乐无疆。”现多指人世间,纷纷攘攘的世俗生活,亦借喻名利之路,曲中指世间。“魔障”为佛家语,意为魔设置障碍搅扰修道,泛指障碍磨难亦指波折。中间四句以一系列跨度较大的地名,展现出红尘中人为求名利四处奔波所付代价之大。从东南的杭州到西北的敦煌,再到云南、四川,瘴气肆虐的边远蛮荒之地。朝行暮宿,半世忙碌,到头来只求得蝇头小利。“黄茅瘴”语出《投荒记》:“南方六七月,芒茅黄枯时瘴大发,土人呼为黄茅瘴。”“一世妆”指终身所得。值得注意的是,此曲并非泛写,而是作者深有感触的自叹。据张养浩《析津陈氏先茔碑铭》和《甘肃行省创建来远楼记》等文记载,陈草庵曾任浙西廉访使、江南行台侍御史、甘肃行省参知政事、云南诸路行中书省左丞等官职。从其生平仕历来看，可知曲中“恰余杭，又敦煌。云南蜀海黄茅瘴”等叙写，正是草庵自己的仕宦经历。最后两句以有限的数字与逐利者无穷的奔忙形成强烈的对比落差，见之令人心寒。作者反思大半生官场拼搏，最终不过赢得数两金钱、半纸功名，值是不值？作者正是想通过这种对比所形成的反差，来达到警醒世人的目的。穷，尚可独善其身；而达，却不能兼济天下；那么，奔波劳碌的仕宦生涯，其人生价值何在呢？由此可知，元曲家的历史虚无感和人生幻灭感，源于元朝的社会现实。此曲充满愤世情绪，抒情与写实相结合，语言浅白，表达直率。

（陆晓春　童晓峰）

# 【双调·蟾宫曲】

奥敦周卿*

西湖烟水茫茫，百顷风潭，十里荷香。宜雨宜晴，宜西施淡抹浓妆。尾尾相衔画舫，尽欢声无日不笙簧。春暖花香，岁稔时康。真乃上有天堂，下有苏杭。

## 作者

* 奥敦周卿,生卒年不详,姓奥敦(汉译又作奥屯),字周卿,名希鲁,号竹庵,女真人。元世祖至元六年(1269)为怀孟路(今河南境内)总管府判官,后历任地方官,累迁至侍御史。明朱权《太和正音谱》将其列于"词林英杰"一百五十人之中。工诗词。作品多散佚,今存小令2首,套数3套。

## 鉴赏

揆其内容,此曲大概是宋灭后,奥敦周卿在游览西湖时所写。措辞典雅,韵味平稳,为元初"文采派"的格调。

奥敦周卿是以达官贵人的身份游览西湖的,其感受与普通百姓不同。北方人来到江南,对茫茫烟水、十里荷香备感新奇,赞赏之情溢于言表。诗人先是对西湖水和水中的荷花做了整体勾勒,西湖比起一般城市附近的湖泊要大得多,水势也较深,尤其是水中香气迷人的荷花,是西湖特有的景致。紧接着,化用苏轼的诗句"欲把西湖比西子,浓妆淡抹总相宜"。在这样的风景中,更有一些富贵人家的游船,歌舞笙簧,鼓乐不断,在西湖上首尾相连,借此尽情渲染了太平盛世的和平景象。诗人作为大元开国官员,竭力营造歌舞升平的气氛,又是春天,又是丰收的年景，毫不掩饰赞美、称赏之意。

此曲化用苏轼的成句入曲，又引用宋代的谚语“上有天堂，下有苏杭”，而能与全曲的格调浑然一体。景物描摹与场景展现生动逼真，语言声韵又朗朗上口，是一首优美谐畅的佳作。

（赵　娜）

# 【黄钟·人月圆】

刘　因*

茫茫大块洪炉里，何物不寒灰。古今多少，荒烟废垒，老树遗台。太行如砺，黄河如带，等是尘埃。不须更叹，花开花落，春去春来。

## 作者

* 刘因(1249—1293)，字梦吉，保定容城(今属河北)人。世为儒家。六岁能诗，七岁能文，落笔惊人。至元十九年(1282)诏拜右赞善大夫，以母病辞归。遂以教授为生，弟子造其门者，随材器教之，皆有成就。所著有《静修集》《四书精要》等。《元史》有传。刘因有诗名，与卢挚并誉。隋树森《全元散曲》辑其小令2首。

## 鉴赏

元代散曲好手，虽大多"屈在簿书，老于布素"，但亦有执宰贵人如刘秉忠、王恽、姚燧和张养浩等。此中刘因，以诗闻，与卢挚并称，名振一代，非抑沉下僚、志向不能实现的小簿书、老布衣。其散曲虽仅存两首，但有雍容华贵之气，能荡涤世间累念与凡尘积闷，心胸境界非同凡响。

这首〔人月圆〕，曲起笔落，眼前花花世界顿然变成无始无终的空境。"茫茫大块"四字力量充沛，我们读来无法不被牵入梦吉割断时间、摆脱空间的意想中，与他一同神思飞驰。他形容这个从无始而来，到无限而去的大块是一座洪炉。任何东西掉进其中，都刹那间燃烧，刹那间成灰。燃烧状态本来有热有光,但梦吉不着墨于热光,却用“寒”字直破机关。燃烧的片刻有如一座高楼建成,楼中嘉宾满座,然后楼塌瓦碎,留下一堆残片似的追忆冰冷森寒地伸向将来。

“古今多少,荒烟废垒,老树遗台”非常具体地用荒废的城垒楼台写出万事万物总成灰的意象。究竟荒台遗垣出现在刘因的现实世界,还是意念之中呢?在宇宙前,它既不是天地第一座,也非最后一座销入苍茫。废垒依以荒烟,遗台独见老树,意境更添荒凉。刘因《燕平学仙台》诗中有“大块如洪炉”一句抒发对万物终归销毁的浩叹。兹录一段以见其概:“大块如洪炉,金石难久坚。天地会有尽,何物为神仙。空山无笙鹤,落日下饥鸢。今古非一台,浩叹秋风前。”(《静修先生文集》卷六)刘因当时身处燕平学仙的地方,触目所见,皆成陈迹。诗文明白点示空间,散曲却完全从意想入题。诗和曲尽管指向同一目的——浩叹万物在大自然不由自主地转化,然而诗还要依靠具体的学仙遗台作凭借,而曲则脱尽名具,凭空寄意。“老树遗台”可以实指,也可虚托。实写有情,虚则起意。两种读法皆生趣味。

后段“太行如砺,黄河如带”则转入虚实并置之境,又见一番气象。据说汉代封建王爵用“河山带砺”立誓建盟;借衣带黄河,砺石泰山,象征长久稳固(见蔡邕《蔡中郎集·让高阳侯印绶符策》)。但刘因别出心裁地在“太行如砺,黄河如带”后接上“等是尘埃”一句,看来一座如磨刀般磨掉岁月的泰山,一条如束衣般束揽大地的黄河啊,最终等同尘埃!山河尚且如此,又何况人事!这里用反问夸张之笔,表现了世事无常之感。当然,刘因毕竟是超凡脱俗的人物,虽然他在观察宇宙变化时不自觉地流露出感伤,但他利用散曲灵活自如的特性,猛然从自然人性的情感反应中跳进豁然开朗之境。

“不须更叹”,作者仿佛在劝慰读者,“我”沉思宇宙,霎时伤怀,情不能已,也惹出你一番叹息吧。然而,我告诉你一个奥秘,你便无须感慨大块茫茫、人间如尘了。这奥秘就是随着“花开花落,春去春来”的转化而接受现实吧。曲子末段,由于刘因采用怜爱安慰的语气,情调变得亲和。“不须更叹”一句直写有如神来,至于最末两句,写“春归”了,再度“春”来是多么美妙的盼望。用万物复生作结,情和意暖。一方面与“何物不寒灰”相映成趣;另一方面传达自己的人生观——堕入大块,成灰之时,好好感受生命每刻的生生不息。

(司徒秀英)

# 【黄钟·人月圆】

刘　因

自从谢病修花史，天意不容闲。今年新授，平章风月，检校云山。门前报道，曲生来谒，子墨相看。先生正尔，天张翠幕，山拥云鬟。

## 鉴赏

此曲咏叹辞官养病，一心求静但君恩未许的心声。

“自从谢病修花史，天意不容闲。今年新授，平章风月，检校云山。”刘因用优雅的笔调雍容地传达事与愿违的感慨。何“事”何“愿”？我们不妨参考其至元二十八年(1291)写给宰相的辞书。他在书中忆述进宫讲学至母病辞官的经过：“向者，先储皇以赞善之命来召，即与使者俱行，再奉旨令教学，亦即时应命，后以老母中风，请还家省视，不幸弥留，竟遭忧制。遂不复出，初岂有意于不仕邪……是以形留意往，命与心违，病卧空斋，惶恐待罪。因素有羸疾，自去年丧子，忧患之余，继以痁疟，历夏及秋，后虽平复，然精神气血，已非旧矣。”(据《元史·刘因传》)“向者”即至元十九年(1282)，此年刘因在东宫教导近侍子弟。刘因有诗《万寿宫馆舍》记当时心事：“来时残雪点征衣，落尽庭花尚未归，梦里不知身尚病，春衫归路马如飞。”精神分析学分辨人类有三种“我”同时存在：本我、自我和超自我。刘因在词曲表现较大层面的自我，公务书信里则呈现更多的超自我。我们从诗作和史传文献掌握到的关于其生平行事的有：被召入宫当教授，继母病，辞官；母死，患慢性病，儿子亡，留家乡至卒。家居期间，朝廷请他复职，他婉拒。面对人生，刘因从心灵出发的自我反应，表现在〔人月圆〕小令中，至于从社会行为思想规范出发的超自我反应则表现在上宰相书中。上宰相书时他痛陈病况，刻意说“形留意往，命与心违”——强调出仕乃本愿，谢病招痛苦，但小令却抒发以病为由致仕还乡的快乐。那么，他离开仕途，是释放还是不舍？是自由解脱还是无可奈何？是喜悦还是焦虑？文与曲对读，揣摩其社会形象和心灵诉白的巨大差异，可添诠释乐趣。

“修花史”，即修撰群花谱传；“平章风月，检校云山”，即以往在官途上的职责转变为今天对寄情“风月”“云山”的个人生活的管理。刘因力求在痛苦的现实中净化自己、平静心灵，重新建构恬淡自适的心境，以此作为安身立命的依凭。

后段“门前报道”以下，写他拒绝朝廷征召后，醉心诗酒山林的超然自得。“曲生来谒，子墨相看。”“曲生”，代指酒(典出唐郑棨《开天传信记》)，“曲生”即“酒生”；“子墨”，原为扬雄《长杨赋》中虚构的人名，后用以代指文章，“子墨”即“文先生”。作者不说自己醉心于诗酒，借诗酒以消闲，而将酒与诗文皆拟人化，说酒这位后生和诗文先生都争着去拜访和看望他，这就显得非常幽默和诙谐，让人顿生奇趣之感。更有趣的是，酒与文两位还对刘因的辞官不做作出了评价“先生正尔”，言下之意是说，酒和文都认为“我”正应该辞官不做，这就越发奇中出奇，妙趣横生了。末尾两句，写“天张翠幕”，明朗长空；“山拥云鬟”，云山相依，皆是再造自然意象，书写其投身大自然的闲适情怀。临末，作者妙用艺术化的意境作结，刻意制造疏离效果，苦心经营的对句虚中见实，把全曲的感兴升华到意象层面，“云无心以出岫”之意，不由得呼之欲出。

(司徒秀英)

# 【南吕·四块玉】

马致远*

## 恬 退

绿鬓衰，朱颜改，羞把尘容画麟台。故园风景依然在，三顷田，五亩宅，归去来。

绿水边，青山侧，二顷良田一区宅。闲身跳出红尘外，紫蟹肥，黄菊开，归去来。

翠竹边，青松侧，竹影松声两茅斋。太平幸得闲身在，三径修，五柳栽，归去来。

酒旋沽，鱼新买，满眼云山画图开。清风明月还诗债，本是个懒散人，又无甚经济才，归去来。

### 作者

＊ 马致远（？—1324 前），号东篱，大都人。元钟嗣成《录鬼簿》载其曾任江浙行省务官。他早年热衷功名，但怀才不遇，五十岁左右遂退隐村舍。晚年游历江浙，寓居杭州，过着“林间友”“世外客”的闲适生活。早年在大都加入过“书会”，一生从事元曲创作，系元曲四大家之一。著杂剧 15 种，今存 6 种。隋树森《全元散曲》辑有小令 115 首，套数 22 首，残套 4 套。明贾仲明〔凌波仙〕挽词称其“战文场曲状元，姓名香贯满梨园”。明朱权《太和正音谱》评其曲“如朝阳鸣凤”，又说其曲“典雅清丽”“若神凤飞鸣于九霄”“宜列群英之上”。

## 鉴赏

〔南吕·四块玉〕《恬退》小令，四首一组，系作者五十岁左右脱离官场时所作。“恬退”一词的意思就是“淡于名利，安于退隐”。四曲从不同侧面共同讴歌了作者中年已过、历经仕途官场、看破名缰利锁、归隐田园的快活乐趣，抒发了作者志不获骋、饱谙世事的无限慨叹。作者在他所写〔大石调·青杏子〕《悟迷》一曲曾道“世事饱谙多，二十年漂泊生涯，天公放我平生假”，可以作为“恬退”的注脚。

第一首述说的是作者在官场浮沉若干年，岁月无情催人老，由黑发红颜的翩翩少年已经变成两鬓苍苍、颜面已无光泽的老人。“绿鬓衰”之“绿鬓”在这里是黑发之意，如李白《怨歌行》中“沉忧能伤人，绿鬓成霜蓬”和孟郊《望远曲》中“愁来望远烟尘隔，空怜绿鬓风吹白”。“朱颜改”之“朱颜”，即美好的容貌，如李煜《虞美人》词：“雕栏玉砌应犹在，只是朱颜改。问君能有几多愁？恰似一江春水向东流。”起手六字就把作者历经沧桑的面貌变化和盘托出，也给全曲笼罩了一种岁月无情人生无奈的愁绪。所以作者紧接着写他此时功名未成，事业未就，自己也觉颜面含羞。于是自然而然说出了一句“羞把尘容画麟台”。“麟台”的意义有多种，这里取意为“麒麟阁”的别称。“麒麟阁”是汉代阁名，汉武帝时建于未央宫中。汉宣帝时曾图霍光等十一功臣像于麒麟阁上，以表扬其功绩。此后，封建时代多把画像于“麒麟阁”视为旌表大臣的卓越功勋及大臣获得崇高荣誉的象征。唐代诗人高适《塞下曲》曰：“画图麒麟阁，入朝明光宫。”杜甫《秋野》(五)诗曰：“身许麒麟画，年衰鸳鸯群。”同时“麒麟阁”也称“麟台”，颜真卿《裴将军诗》曰：“功成报天子，可以画麟台。”《敦煌曲子词·菩萨蛮》有句：“效节望龙庭，麟台早有名。”“尘容”就是尘俗的容态，世俗的面貌。唐卢纶有诗句：“尘容带病何堪问，泪眼逢秋不喜开。”(《得耿沣司法书因呈河中郑仓曹畅参军昆季》)这里是说作者自觉半生蹉跎无所建树，庸庸碌碌，混迹世俗，老来更不能有所作为，羞于和历代功业有成之士为伍。但是作者功业无成能全怪作者吗？须知作者早年是一个胸怀大志、渴望建功立业的有志之士啊！他是在青年时代竭尽全力地奋斗过啊！但是时代和社会却不给他驰骋才华的机会，所以这里是使用了“正话反说”的笔法，把怀才不遇的悲愤之情抒发出来。曲词至此作者并没有再继续抒发他的伤感，而是巧妙地把笔锋一转，变为旷达。一句“故园风景依然在”，便表现了作者自我安慰、自我解愁的良好心态。悲愤如何？无奈如何？家乡风景依旧，田园尚在，身心疲惫正可以辞却官场回家安度晚年。“故国”即“故里”“故乡”，也就是作者欲回归的居留地，那里“风景依旧”，有那“三顷田，五亩宅”永远等待漂泊的游子归来。也只有在“故国”，作者的心境才能得到安然，心情才能得以平静，因为作者从此远离功名，不再追求，可以平静度过晚年了，所以作者要高呼：“归去来！”但是作者真能完全释怀吗？当然不能。正因为作者没有丢掉他的人生理想和他对事业的追求，所以他才感慨满怀，才有这样的曲作产生。

第二首讲述自己家园环境在“绿水边，青山侧”，有绿水青山，风光秀丽，一如世外桃源。“二顷良田一区宅”，即为有养生之田产和居住之房屋，但都不多不大。古代“顷”面积小，不是后世的百亩之谓。“区”也是小的意思，《汉书·胡建传》颜师古注：“区者，小室之名，若今小庵屋之类耳。”这里也可以看作是对上一首曲作“故国风景依然在”的进一步描画。作者以无官一身轻的姿态回乡，正好像出脱红尘，清闲自在。“红尘”原指繁华世界，这里代指官场。“闲身跳出红尘外”正表现了作者离开官场回到家园的喜悦之情。接着作者又写出家园肥腻的紫蟹和橙黄的秋菊正可以使归家的作者安享晚年，正如其〔双调·夜行船〕曲所述：“爱秋来时那些：和露摘黄花，带霜分紫蟹，煮酒烧红叶。”这里作者使用白描手法直抒胸怀，语言简朴色调明快，作者想象归家之喜悦心情，溢于言表。无官一身轻，名利抛身后，闲身远离仕宦生涯，自由自在自得其乐，闲悠悠乐悠悠，这样的“神仙”一般的日子谁不羡慕，谁不向往，所以作者要高呼“归去来！”作者的兴奋之意，高兴之情使人感同身受。同时也使人感受到作者对官场生活的厌恶之情已无可复加。

第三首进一步讲述归乡所居处所，在“翠竹边，青松侧”，松竹掩映围绕，有茅屋两幢，竹影婆娑，松涛声声，屋宇虽然简陋但是清幽高雅。这里所写竹之高风亮节、松之屹立挺拔，正是作者心高气傲的写照。而“太平幸得闲身在”则直写出作者半生奔竞，半生坎坷，半生漂泊，晚年归来终于可以安闲度日的兴奋和喜悦。世道太平，一身清闲，“三径修，五柳栽”，作者可以从容修整家园路径上的花草，栽种一棵棵杨柳，这种生活实在可以与陶渊明相比啊。所以作者要以陶渊明为榜样，不为五斗米折腰，再次高呼“归去来！”这支曲看似平静闲适，实则寄寓了作者许多不平之气。这从一句“太平幸得闲身在”即可得知。

何谓“幸得”？即庆幸得以及时脱离红尘跳出官场，落得清闲自在。然而这又是作者无可奈何的自慰，以旷达掩饰内心的悲愤和郁闷。曲中“三径”“五柳”皆指归隐者的家园。晋陶渊明《归去来辞》有句：“三径就荒，松竹犹存。”《五柳先生传》言：“先生不知何许人也，亦不详其姓字，宅边有五柳树，因以为号焉。”唐蒋防《题杜宾客新丰里幽居》诗：“退迹依三逕，辞荣继二疏。”

第四首讲述归隐生活的境况，“酒旋沽，鱼新买”，有酒有鱼，都是新鲜的，刚从市场购买的。“旋沽”，即刚刚买来之意。简单六字表达了作者对归隐田园生活的赞赏和喜悦之情。作者再放眼一望周围环境，所见全是美景如画，好似一幅幅云山图次第展开。“云山”一词，这里有双重含义。一是指自然山水，山清水秀，云雾缭绕，另一种含义则是指隐士居处。此句乃是写作者自在云山之意，人与景已经融为一体。当然也展现了作者的极度兴奋之情。身处这种美景之中，作者临风把酒，望月兴叹，要做的是“清风明月还诗债”。《南史·谢谌传》：“入吾室者，但有清风；对吾饮者，惟当明月。”“诗债”是说朋友赠诗未及酬答，如同负债，所以有空必当还债。唐白居易《自咏老身示诸家属》有句“走笔还诗债，抽衣当药钱”。为什么可以闲适饮酒赋诗？作者紧接着回答：“本是个懒散人，又无甚经济才，归去来。”这里是作者自嘲之词，“懒散人”“无甚经济才”，表面上看似乎是自谦，其实是反语。因为作者曾经很勤奋，很自负，“经济才”，即经世济国的才能。作者青年时代志向高远，曾表示“读书须索题桥柱”，他也“写诗曾献上龙楼”，更自诩有“佐国心，拿云手”。但是他怀才不遇，有什么办法？只得“归去来”！强自安慰，自得其乐。作者对当时社会不满的心情可以说溢于言表。

这组〔南吕·四块玉〕小令四首，从不同方面讲述了作者要跳出红尘归隐田园的原因和闲适生活的乐趣。曲曲将叙事、抒情与议论紧相结合，叙事则情溢于外，抒情则紧扣叙说，议论则皆句句含情。情因事起，事促情发，激情而论，因而使人深感作者情动于中而发于外，刻骨伤怀，议论深沉隽永，发人深思。曲中用词极其简练平易，色泽清新明丽，形象生动，描画逼真，意境简淡疏放，格调雅致高远，情感旷达洒脱，表现了作者向往自然、回归自然、淡泊宁静的心态。尽管字里行间流露着对现实的不满，有牢骚，有不平，有嘲讽，有悲愤，有怨艾，但是委婉含蓄，温文尔雅，不失文人雅士的风度。

（门　岿）

# 【南吕·四块玉】

马致远

## 巫　山　庙

暮雨迎，朝云送，暮雨朝云去无踪。襄王谩说阳台梦。云来也是空，雨来也是空，怎捱十二峰。

**鉴赏**

马致远《四块玉》咏史,原为组曲,这是其中的一首。“巫山庙”的来历,见宋玉《高唐赋》:“昔者先王尝游高唐,怠而昼寝,梦见一妇人,曰‘妾巫山之女也,为高唐之客。闻君游高唐,愿荐枕席’。王因幸之。去而辞曰:‘妾在巫山之阳,高丘之阻,旦为朝云,暮为行雨,朝朝暮暮,阳台之下。’旦朝视之,如言。故为立庙,号曰朝云。”古人诗文中说到巫山云雨,主要有两种寓意,一以言男女欢爱,一以刺帝王淫逸。

此曲即咏襄王梦遇神女一事,却反复在“云”“雨”“空”三字上做文章,意旨极为空灵,可说是归趣难求。前二句一“迎”一“送”,可见暮雨朝云,说实有也实有;三句却又说“去无踪”,可见云雨之为物,说虚幻也虚幻。这就兴起下句言楚襄王梦神女之事,用一个“谩说”两个“空”字予以冷峻的否决,言好梦不长,难与巫山十二峰的存在较量。这些仅是字面意义,其象征意蕴却是扑朔迷离的。见仁见智,可因人而异。大致可从以下几方面索解:一、发思古之幽情,二、有现实的感讽,三、寓人生无常、欢爱难久的感慨。从知人论世的角度言,作者的本意以第三解可能性较大。从读者接受的角度言,则可各得其解。“空灵”者,不是什么玄虚之义,乃是作品在艺术表现上空白较多,而读者想象的余地较大,故而灵动。这正构成此曲的一个显著特色。

在语言上,相应也具有一种扑朔迷离感。这首先在于“暮雨”“朝云”的离合翻弄,先分后合,最后又以“云”“雨”单字形式重复一次,给人形式上幻化多变之感。对于“去无踪”,又以“空”的单字形式重复两次，加以补充阐发，从而强调了虚无的感觉。末三句本是三字句，分别在其中和句首加了“也是”“怎捱”等衬字，使曲词富于口语色彩，增加了咏叹意味。“也是”的重复，更添了一分缠绵之致。

（周啸天）

## 【南吕·四块玉】

马致远

### 天台路

采药童，乘鸾客，怨感刘郎下天台。春风再到人何在？桃花又不见开。命薄的穷秀才，谁教你回去来！

鉴赏

此曲名为“天台路”，是借助传说中刘晨遇仙的故事表达作者对现实不满之情的曲作。“天台路”即刘晨遇仙之路。“天台”，即天台山，在今浙江省。刘晨遇仙的故事，最早见于南朝宋刘义庆《幽明录》。东晋干宝《搜神记》中《刘晨阮肇入天台》一则也讲述了这个故事。“刘晨、阮肇入天台采药，远不得返。经十三日，饥。遥望山上有桃树，子实熟。遂跻险援葛至其下，啖数枚，饥止体充，欲下山，以杯取水。见芜菁叶流下，其新鲜。复有一杯流下，有胡麻焉。乃相谓曰：‘此近人家矣。’遂渡山，出一大溪。溪边有二女子，色甚美。见二人持杯，便笑曰：‘刘、阮二郎捉向杯来。’刘、阮惊。二女遂欣然如旧相识曰：‘来何晚耶？’因邀还家。南、东二壁各有绛罗帐，帐角悬铃，上有金银交错。各有数侍婢使令。其馔有胡麻饭、山羊脯、牛肉，甚美。食毕，行酒。俄有群女持桃子，笑曰：‘贺汝婿来。’酒酣作乐。夜后各宿一帐，婉态殊绝。至十日，求还，苦留半年。气候草木是春时，百鸟啼鸣，更怀乡，归思甚苦。女遂相送，指示还路。既还，乡邑零落，已十世矣。”这支《天台路》曲极其简练地叙述了这个故事。“采药童,乘鸾客”是说采药童子刘晨在天台山遇见了仙人,就成为乘驾鸾鸟的仙客,因而成就了一段美好姻缘。“怨感刘郎下天台”是说令人遗憾,刘晨又因想念人间凡世生活下了天台山。“怨感”,即感伤、遗憾之意。为什么说令人遗憾呢?曲中写道“春风再到人何在?桃花又不见开”,那是因为刘郎下山后所见景象无限凄凉。神仙世界和社会现实有天壤之别,所以刘郎再向往那遇仙的天台路。可是“春风再到”,即时间更迭,四季循环,还是当年遇仙的季节,可是“人何在”?即当年遇到的仙人却不知在哪里,再也寻不见了,就连桃花也不见再开了。刘郎遇到这样的境况,能怨谁呢?作者只能感叹:唉,“命薄的穷秀才,谁教你回去来?”机遇失却,不可再来,你没有抓住美好生活的机会,再想寻求登仙之路已无可能了。

这首小令运用对比手法写出作者对神仙世界美好生活的赞美,借古讽今,曲折地表达了对现实社会的不满和对美好生活的向往之情。语言简洁含蓄又情意盎然,具有极强的概括力和感染力。尤其曲末对刘郎的调侃,实际表达了作者对现实生活处境的悲苦和无奈,神仙世界美好生活也只是传说,虚无缥缈,人们在现实社会也就只能备受熬煎,作者心酸之情已跃然纸上。

(门　岿)

# 【南吕·四块玉】

马致远

## 紫　芝　路

雁北飞,人北望,抛闪煞明妃也汉君王,小单于把盏呀剌剌唱。青草畔有收酪牛,黑河边有扇尾羊,他只是思故乡。

## 鉴赏

这是一首“咏史”曲,取材于著名的“昭君出塞”故事。题目《紫芝路》,是思乡路、悲伤路之意,也隐指昭君出塞之路。唐李白《过四皓墓》有句曰:“紫芝高咏罢,青史旧名传。今日并如此,哀哉信可怜。”“紫芝”是古代歌曲名。传说是秦末商山“四皓”以世乱退隐而作。唐人作《紫芝曲》亦称《紫芝歌》《紫芝谣》,亦泛指隐逸避世之歌。这里作者借古歌名写古时事,抒发一己之慨叹。此曲开始写道“雁北飞,人北望”,先写就一种悲凉的环境并渲染出一种悲凉的气氛。随着自然气候的变暖,春回大地,候鸟大雁则要向北方迁徙。此时“人”,也就是汉朝的君王也只能随着雁飞的方向无奈地向北眺望。为什么?

下一句“抛闪煞明妃也汉君王”则直截了当说明,因为汉元帝牺牲昭君,用昭君出塞和亲以取得自己政权的稳定,但是他又对昭君有一种眷恋和愧悔之情。这里明确表达了汉朝皇帝的无能与无奈。“抛闪煞”就是抛出,抛弃之意。作者笔锋犀利,一语道破帝王的自私和无能。“明妃”,即汉元帝宫人王嫱,其人字昭君。晋代避司马昭讳,改称明君,后人又称之为明妃。南朝梁江淹《恨赋》即曰:“若夫明妃去时,仰天太息。”“汉君王”,即汉元帝。说罢汉朝一方,接着作者将笔锋转向与汉王朝对立的匈奴王单于,写道“小单于把盏呀剌剌唱”。单于的表现和汉君王是鲜明对比,因为他依借强大的兵力威慑汉朝,取得昭君出塞,所以得意洋洋,喝着胜利的喜酒,唱着欢快的歌曲。“小单于”,即指匈奴呼韩邪单于。“把盏”,即端着酒杯饮酒。“呀剌剌”,这里是拟声词,形容小单于的歌声。在这种情况下,昭君如何表现?作者笔锋再转,写道:“青草畔有收酪牛,黑河边有扇尾羊,他只是思故乡。”这三句是说匈奴牧场草原上有大量奶牛,黑河岸边有许多肥壮的大尾羊,尽管风景美丽,牛壮羊肥,生活不错,但是昭君只是一直思念她的家乡,表现了昭君不忘故乡的情怀或者说爱国情感。“收酪牛”,即奶牛。“黑河”,是发源于甘肃省西北部,由张掖、酒泉间的南山和祁连山流出各河汇集而成的内陆河。这里泛指匈奴地区。“扇尾羊”,即肥羊,指羊尾如扇。“他”,即指昭君。

昭君出塞事始见于《汉书·元帝纪》和《汉书·匈奴传》,亦载于《后汉书·南匈奴传》。其后又有《西京杂记》《王昭君变文》等也写了昭君的故事。古代以昭君故事为素材写作的诗文戏曲有许多,主旨也不尽相同。马致远的曲作是这些类作品中的出类拔萃者。此曲一波三折,用四十几个字多层次多侧面多角度,极其简练概述了昭君故事,却又句句含情,运用对比映衬手法借古喻今强烈地抒发了他对现实社会异族统治民族压迫的不满情绪,同时也曲折地表达了他对汉族统治者软弱无能的屈膝求和的愤懑。

(门 岿)

## 【南吕·四块玉】

马致远

### 马嵬坡

睡海棠,春将晚,恨不得明皇掌中看,霓裳便是中原患。不因这玉环,引起那禄山,怎知蜀道难。

鉴赏

这是一首咏史曲,取材于杨贵妃和唐明皇的故事。"马嵬坡",即马嵬驿,在今陕西兴平市西,是杨贵妃缢死的地方。史载唐玄宗天宝十四年(755),"安史之乱"爆发,玄宗仓皇入蜀,至马嵬坡,为了平息护驾御林军兵谏,玄宗不得已令杨贵妃自缢。曲子开始三句"睡海棠,春将晚,恨不得明皇掌中看"写出杨贵妃妩媚多娇深得唐明皇宠爱,爱不够,看不够,百般呵护。"睡海棠"三字,比喻杨贵妃的娇媚。《太真外传》记载,唐明皇一次召见,杨贵妃酒醉,侍儿和力士扶掖而至,"妃子醉颜残妆,鬓乱钗横,不能拜见"。玄宗笑曰:"岂是妃子醉,真海棠睡未足耳。"唐明皇作为一国之君,整日与杨贵妃嬉戏玩乐,并制作了《霓裳羽衣曲》,由杨贵妃歌舞,唐明皇欣赏。"明皇",指唐玄宗,即李隆基(685—762),他庙号"玄宗",又因其谥号为"至道大圣大明孝皇帝",故亦称为唐明皇。"恨不得"三字形象地写出唐明皇对杨贵妃的宠爱之极,那真是要把杨贵妃捧在手心里当宝贝呵护啊。但是作者紧接着尖锐地指出"霓裳便是中原患",由于唐明皇贪恋女色荒废国事，终于导致安史之乱的爆发，使国家政权发生严重危机。“霓裳”，即《霓裳羽衣曲》，传为唐玄宗梦游月宫所记之乐谱，或说是河东节度使杨敬忠所献。后为舞曲，杨贵妃擅长此舞。唐杜牧《过华清宫》有句：“霓裳一曲千峰上，舞破中原始下来。”“中原患”，即指“安史之乱”。安史之乱是反对唐王朝的一次叛乱。安史之乱自唐玄宗天宝十四年(755)至唐代宗宝应元年(762)结束，前后达八年之久。作者于是发出深深慨叹：“不因这玉环，引起那禄山，怎知蜀道难。”就是说没有杨贵妃的被宠幸，怎么会引起安禄山等人的叛乱，没有安史之乱，唐明皇怎么会知道国事艰难啊。“玉环”，即杨贵妃(719—756)，原籍蒲州永乐(今山西永济)，天宝四载(745)被唐玄宗封为贵妃。“禄山”，即安禄山(703—757)，营州(今辽宁朝阳)人。“蜀道难”，指安禄山攻入潼关，唐玄宗仓皇逃往四川之事。杨贵妃和唐明皇的故事在正史都有记载，但是从唐代文人演绎出现，像白居易的《长恨歌》和陈鸿《长恨歌传》等使这个故事内涵更加丰富，表达的情感更加多样化，远远超出正史所载的内容和含义。唐代以后杨贵妃唐明皇故事为题材的作品很多，仅元代就有关汉卿的《哭香囊》、白朴的《梧桐雨》等杂剧。然而各人所作，思想倾向又不尽相同。

此曲咏史，指斥唐明皇和杨贵妃的荒淫误国，语词精练，顺畅自然，议论新警，发人深省。马致远此曲以为酿成安史之乱的罪责在于李、杨的穷奢极欲，有咏史警世之意。马致远作此曲也表现了他的民族意识，因为安禄山一向被称作“胡儿”，与他在《汉宫秋》杂剧中的用意是类似的。

(门　岿)

## 【南吕·四块玉】

马致远

### 洞　庭　湖

画不成，西施女，他本倾城却倾吴。高哉范蠡乘舟去，那里是泛五湖。若纶竿不钓鱼，便索他学楚大夫。

鉴赏

此曲题目"洞庭湖"是用范蠡功成身退归隐,泛舟太湖之意命名。太湖中有洞庭山,因此太湖也别称"洞庭湖"。

这是一支"咏史"曲,叙说的是西施和范蠡的故事。故事大概是说古代春秋之时,吴败越人于会稽,越王勾践命范蠡求得美女西施,进献于吴王夫差,吴王许和。越王卧薪尝胆,奋发图强;吴王迷恋西施,听信谗言。越终灭吴。西施亦归范蠡,从游泛五湖而去。汉代赵晔的《吴越春秋》和袁康的《越绝书》最早记述了这个故事。这支曲一开始写"画不成,西施女"即极赞西施之美,美到难以图画。宋王安石《明妃曲》赞王昭君有句曰:"意态由来画不成,当时枉杀毛延寿。"接着作者写道"他本倾城却倾吴",是说他,西施,有倾国倾城之美,《汉书·孝武李夫人传》赞语有:"北方有佳人,绝世而独立,一顾倾人城,再顾倾人国。"可是西施不仅貌美,而且她还担当了一桩政治使命——"却倾吴"。说的是西施是越国美女,但是在春秋时期吴越两国争霸时,西施却被越国统治者利用,巧使"美人计",结果使吴王沉湎酒色,不问国事,最终国亡。《越绝书》记载说:"越乃饰美女西施、郑旦,使大夫种献之于吴王。吴王大悦。"接着作者笔锋转向该故事另一主人公——范蠡,道:"高哉范蠡乘舟去,那里是泛五湖,若纶竿不钓鱼,便索他学楚大夫。"关于范蠡之事《史记·越王勾践世家》记载较详,其后演绎甚多。作者写范蠡开头就不同寻常使用了"高哉"这样极富感情色彩的赞叹语,然后解释为什么赞叹不已——那是因为范蠡能够功成身退。《越绝书》即记载说:"吴亡后,西施复归范蠡,同泛五湖而去。"可是作者又进一步说"那里是泛五湖",谁说范蠡真的是想泛舟在五湖上,要隐居不仕?实际上,如果他不是拿起钓竿去钓鱼,就会像那楚大夫文种一样落个被杀的下场。"五湖",即太湖,在今江苏省境内。张勃《吴录》曰:"五湖者,太湖之别名。以其周行五百余里,故曰五湖。""纶竿",钓鱼竿。"便索",就得。"楚大夫",指楚国人任越国大夫的文种。他和范蠡同受越王信任重用,而后被赐死。《史记·越王勾践世家》记载越王称霸后"范蠡遂去,自齐遗大夫种书曰:'蜚鸟尽,良弓藏;狡兔死,走狗烹。越王为人长颈鸟喙,可与共患难,不可与共乐。子何不去?'种见书,称病不朝。人或谗种且作乱,越王乃赐种剑曰:'子教寡人伐吴七术,寡人用其三而败吴,其四在子,子为我从先王试之。'种遂自杀。"此曲寄寓作者许多感慨,最主要是在于"伴君如伴虎",有才不得用是憾事,有才得所用,也需要伺机行事,不然也会因才杀身。所以做人如范蠡方是"高人"。此曲叙事简洁,议论深邃,感慨满怀,可为古今一味追逐功名富贵而不知其中利害者,做一当头棒喝。

(门 岿)

# 【南吕·四块玉】

马致远

## 叹 世

两鬓皤,中年过,图甚区区苦张罗。人间宠辱都参破。种春风二顷田,远红尘千丈波,倒大来闲快活。

带野花,携村酒,烦恼如何到心头。谁能跃马常食肉。二顷田,一具牛,饱后休。

佐国心,拿云手,命里无时莫刚求。随时过遣休生受。几叶绵,一片绸,暖后休。

带月行,披星走,孤馆寒食故乡秋。妻儿胖了咱消瘦。枕上忧,马上愁,死后休。

### 鉴 赏

这一组《叹世》曲,是直接抒发作者对现实世界的感慨而作,也是了解作者生平思想的重要作品。青年时期的马致远,是积极入世的,虽生不逢时,但他豪情万丈,多发慷慨之词,憧憬美好未来。随着二十年宦海浮沉,历尽漂泊之苦,他的幻梦破灭,遂发出“困煞中原一布衣”的感叹。由期待、盼望变得牢骚满腹。及至晚年,壮志消磨殆尽,棱角全无,“参透玄关,勘破尘寰”,对人间的荣辱、得失、是非,几乎已经完全淡漠,于是高唱起“归去来”,他试图在宁静恬退的隐居生活中,求得精神上的解脱和慰藉。这组《叹世》曲就反映了马致远的这种情绪。

第一支曲开始即道“两鬓皤,中年过,图甚区区苦张罗”,开门见山,直截了当地述说作者自己两鬓已经斑白,年龄已大,过了中年进入老年。“皤”(pó),即白素之貌。人到了这般年纪还图什么,张罗什么。什么功名利禄,什么建功立业,一切都不重要了。“区区”,形容不重要。为什么这样说?作者紧接着给予回答——人间宠辱都参破。世事、功业、升官、发财、荣辱,一切一切全没有什么意思了。不再争竞,不再奋斗,心灰意冷之后,作者是彻悟“种春风二顷田,远红尘千丈波,倒大来闲快活”。也就是说作者经过了半生的追求、拼搏、奋斗之后,还是怀才不遇,理想无着,他已经感到身心疲惫,再无意、无力、无心去追逐功名富贵,他开始陶醉于村居生活,在春风吹拂下,在自家的田地里耕作,这里没有宦海风波,没有官场的尔虞我诈,争权夺势,所以作者从内心感到这种生活可以给他带来老大的自在、闲适和快活。此曲感慨议论冲口而出,仿佛使人看到作者心胸肺腑,作者对现实社会的不满和厌恶之情充斥于字里行间,情感极其强烈,因而也就特别感人,极易引发同时代人的共鸣。

第二支曲作者展开描写他的村居生活的情景,“带野花,携村酒”,头插野生野长的鲜花,携带着由农村老乡自己酿造的村醪,也许还走几步,喝几口,自由自在的情态活灵活现。这种快乐的心境,自然是“烦恼如何到心头”。不会有宠辱之惊,不会有名利之扰,自然不会有烦恼。作者进一步推想世间“谁能跃马常食肉”就是说高官厚禄富贵永享不是任何人能够做到的,得到的。“跃马常食肉”,指高官厚禄,富贵得志。典出《史记·范雎蔡泽列传》:“蔡泽曰:‘吾持粱刺齿肥,跃马疾驱,怀黄金之印,结紫绶于要,揖让人主之前,食肉富贵,四十三年足矣!’”说到此,作者顺口就唱出“二顷田,一具牛,饱后休”。“一具”,一头。“具”,通“犋”,能拉动一张犁的畜力为一犋。有耕地,有耕具,能吃饱,复何求。知足常乐!这里作者如同白话家常,讲述他自满自足的村居生活,深深表达了他对仕宦生活的厌恶,和对退隐生活的由衷喜爱。曲词朴实无华,娓娓道来,却自有一种动人心弦的魅力。

第三支曲作者进行议论,直抒

胸怀。他唱道:“佐国心,拿云手,命里无时莫刚求。”任你有报国雄心,立志成为辅佐国君的栋梁,任你有非凡的才华,超人的本领,立志云天建功立业,但是如果你没有那个命运,没有机遇,生不逢时,你也就不能跟命争,不能去强求。“拿云”,能上干云霄之意,比喻志向远大,本领高强。“刚求”,硬求,强求。力不能及之求。因此面对现实应当“随时过遣休生受”,要随地随时随缘,随遇而安,在什么情况、什么环境下就过什么样的日子,不要有非分之念想。不要自寻烦恼,自找苦吃,不要自己为难自己。“过遣”,即消遣,过活。“生受”,即生生受苦。因此拥有“几叶绵,一片绸,暖后休”。能够吃饱穿暖就应该知足了,其他一切念头,什么功名利禄全部罢休了,不去想他了。通篇议论感慨强烈,对时代不满,对时不我与的愤懑,对志向不得伸展的苦痛,对命运的无奈屈服,对生活的强作欢颜,不得已的自我安慰,自我排解,种种情绪皆在一首小曲喷薄爆发。

第四支曲从回味人生写起:“带月行,披星走,孤馆寒食故乡秋。”作者写自己为了功名利禄曾经披星戴月不辞辛苦,奔竞、奋斗、拼搏、漂泊,孤孤零零,从春到秋,一年到头无论在旅途中,在馆舍里,尝尽寂寞孤苦滋味。“孤馆”,即形容远离家乡孤独的居所。“寒食”,节令名,在暮春时节,清明前一日或二日即寒食日。这里是写作者终年远离家乡,在旅途度过了寒食节,却转瞬又到了凄凉的中秋节。寒食祭祖上坟自己不能亲临,中秋家家团圆,自己仍旧孤身在外,只能倍觉凄凉。望月思乡,每逢佳节倍思亲。一个“馆”字,已暗示羁旅之愁。说“孤馆”则进一步点明客舍的寂寞和客子的孤单。白居易《寒食野望吟》“乌啼鹊噪昏乔木,清明寒食谁家哭。风吹旷野纸钱飞,古墓垒垒春草绿。棠梨花映白杨树,尽是死生别离处。冥冥重泉哭不闻,萧萧暮雨人归去”写清明寒食的悲凉,杜甫《月夜忆舍弟》“戍鼓断人行,边秋一雁声。露从今夜白,月是故乡明。有弟皆分散,无家问死生。寄书长不达,况乃未休兵”写秋夜怀人的凄苦,可以帮助我们理解“孤馆寒食故乡秋”一句的情感内涵。正因为作者在旅途思念家乡亲人,所以紧接着作者又写,想起“妻儿胖了咱消瘦”,有家不归,妻儿是胖了?瘦了?他们生活可好?思念不已。自己成年在外奔波劳碌落得憔悴瘦损,这又何苦?这种为名利不休的奔走究竟何时是头?作者回答说:“枕上忧,马上愁,死后休。”夜不能寐,躺在枕头上还要忧虑前程如何,日间劳顿在马背上也要愁思如何应对官场,这样的生活毫无乐趣,没有尽头,只有死了,结束生命,才能一了百了。对仕途名利的奔竞厌倦之情,写到这里已经分外清楚了。所以作者从此就要决心回归故乡了。作者的自怜自艾之情溢于言表,同时也塑造了一个孤苦的“断肠人在天涯”的游子形象。

这四支叹世曲子,作者从不同的角度发出了他对人生的感叹。第一首从时光流逝,青春不再,作者已经看破世俗,发出了跳出官场远离宦海风波才是最大快乐的感叹。第二首作者以野花村酒,乡居生活为满足,官宦富贵不长久,发出了能求饱食平安就快乐的感叹。第三首作者从自己年轻时的抱负远大,但是怀才不遇,时不我与,不能强求,发出随遇而安、能得一暖闲适自得就是快乐的感叹。第四首作者回忆并否定自己平生披星戴月,日愁夜忧,为功名利禄劳碌奔波的行为,发出了一生如此太不值得的感叹。能够及时醒悟就是最大的快乐。四首曲子反映一个共同的思想便是:作者已经看破红尘,无视名利富贵,只有自由闲适才是最大快乐。四首曲也共同表达了作者仕途不顺、心灰意冷的情感,作者所发出的也是一种英雄失路之悲,壮志未酬之叹。四曲共同的艺术特征是感怀激烈,格调悲怆,但又乐天达观,不失文人雅士胸怀和风貌。

(门　岿)

## 【南吕·金字经】

马致远

絮飞飘白雪,鲊香荷叶风。且向江头作钓翁。穷,男儿未济中。风波梦,一场幻化中。

担头担明月,斧磨石上苔,且做樵夫隐去来。柴,买臣安在哉?空岩外,老了栋梁材。

夜来西风里,九天鹏鹗飞。困煞中原一布衣。悲,故人知未知?登楼意,恨无上天梯!

## 鉴赏

马致远生活在13世纪40年代至14世纪20年代(1245—1315),早期在大都,时逢忽必烈在位,“举文学才识可以从政及茂才异等,列名上闻,以备擢用”(《元史·世祖本纪》),所以马致远也有过大展宏图的梦想,并且似乎看到了曙光,“且念鲰生自年幼,写诗曾献上龙楼”(〔黄钟·女冠子〕),“春满皇都,快与倒金壶”,“量有无,好风光不可辜”(〔双调·碧玉箫〕)。但是很快,“自至元以下……中州之士见用者遂寡”(余阙《青阳先生文集》卷一)。宦海风波让他感到仕途无望,进退无由,因而陷入深深的彷徨与绝望中,“醒了还醉,醉了还醒”“无也闲愁,有也闲愁,有无闲愁得白头”(〔双调·行香子〕)。作品风格也由早期的轻放畅达转而为沉郁豪放。

这一组小令正是这一创作及人生心态转折期的代表作品。三首曲子分咏钓翁、樵夫、布衣,从不同侧面展示汉族知识分子的生命图景,写出他们在元代特定历史文化背景下进退失据、走投无路的痛苦窘迫心态。

第一支曲子逸笔草草,写柳絮如雪,纷纷飘洒,鱼香荷绿,风舞云飞,权且化入这银白浅碧的青绿山水中学姜尚做钓翁吧?但是,“欲济无舟楫”,在末路穷途时运不济的男儿眼中,一川静水,浑化作一场世事风波,自己就在其中起落翻腾,理想和生命如梦如电,如泡影般幻化难测。此种状态让人绝不会有闲情逸致去“垂纶长川”,“目送归鸿,手挥五弦”。整首曲子写尽了一个“幻”字。

归隐山中做樵夫如何?第二支曲子道出了一个“空”字。“担头担明月,斧磨石上苔”,起首一句顿入电光火影、年命如流之境。随后用汉代朱买臣早年砍柴自给而后飞黄腾达的典故,把个人与时代与历史连缀,将诗境往时间的纵深处延展:如今柴在,买臣安在?这已经不是朱买臣的时代,隐居山中的结果只能是空老栋梁材!

不能进,不能退,“这壁拦住贤路,那壁又挡住仕途”(马致远《荐福碑》),“却道不如归,又叫行不得”(马致远〔双调·清江引〕),天荒地老无人识,高天厚地困煞人!于是第三支曲子一反前两曲的象征化图示,实录元代士子真实的生命状态,写出了一个“恨”字。

“夜来西风里,九天鹏鹗飞。”

"九天"指高天。古代传说中天有九重,九天是最高的一层。"鹏鹗",《阳春白雪》做"鹏鹗"。鹏、鹏、鹗,都是凶猛的飞禽,但喻意各不相同。考察二者在古诗中的习惯用法,"鹏鹗"既可比喻奸佞,《后汉书·张衡传》有"鹏鹗竞於贪婪兮,我修絜以益荣",也可喻才望超群者,王禹偁《酬种放徵君一百韵》有"如何宋右史,斥鹖议鹏鹗"。"鹏鹗"则只是高举远飞的鸟,用以比喻俊杰。在这里褒贬两意均能解释得通:无论奸佞占据九天有翅难飞,还是英俊翱翔九天徒有羡慕之情,落实到自己就只有一种处境——"困",只是一种情——"悲",人生的所有指向就只有一个字——"恨","恨无上天梯"。"登楼意"用王粲《登楼赋》的典故。王粲初投刘表,刘表见他貌丑体弱不肯重用,失意中登当阳县城楼感而作赋。赋中有"冀王道之一平兮,假高衢以骋力",希望天下太平,自己就可以借帝王之力施展才能。马致远的"登楼意"似有此番意思。"上天梯"指仕进的途径。

至此三支曲子合力描画出作者尴尬窘迫、抑郁难伸的复杂心态。在艺术表现上这几支曲子有其显著特点。首先是符号与象征手法的运用。"渔""樵"作为经典意象在中国古典诗学体系中已经固定为符号,具备了特定的象征意蕴。受此影响,每只曲子营造出来的意境也同样具有象征性,如烟水风波、空岩明月、西风九天等,都不可当作"真山真水"对待。这就使作品的深层意蕴向哲学层面拓展,深化为特定历史条件下士人生命状态及生命价值的形象化展示。

其次是风格层面多种美学因素的异质同构。王国维《宋元戏曲考·元剧之文章》曰:"马致远,高华雄浑,情深文明。"梁乙真《元明散曲小史》说:"他的作风,豪放之中而兼清逸,颇似词中的苏轼。"二人都指出了马致远散曲这一特点。例如第一支曲子"絮飞飘白雪,鲊香荷叶风"清丽和畅之境与"风波梦,一场幻化中"动荡莫测之境的相反相成,第二支曲子"担头担明月,斧磨石上苔"精描细画的实写与"空岩外,老了栋梁材"写意的虚写间的相互补充,整组曲子意象的符号化、意蕴的象征性与语言表达的直接、情感抒发的痛快不同因素并存共生,在风格上合力创造出变幻多彩的审美效果,极飘逸极沉郁,极雄放极空灵。

(马琳萍)

# 【双调·清江引】

马致远

## 野兴(八首其一、其二)

樵夫觉来山月低，钓叟来寻觅。你把柴斧抛，我把鱼船弃。寻取个稳便处闲坐地。

绿蓑衣紫罗袍谁为你，两件儿都无济。便作钓鱼人，也在风波里。则不如寻个稳便处闲坐地。

### 鉴赏

马致远的〔双调·清江引〕野兴一共八首,以上是其中的第一、二两首,是作者归隐山林后所作,曲辞所表现的忘情物外、避祸全身的思想和抒发恬适的隐居情怀完全一致。

“山月低”,即月亮已经落山了,“钓叟”就是渔翁。“稳便处”,安稳、方便的地方。“闲坐地”,闲坐着。此句的“地”为语助词,意为“着”。在山中砍柴的樵夫一觉醒来月亮已经落下去了,这时渔翁上山来找他。渔翁对樵夫说,你把砍柴的斧子扔了,我也把渔船丢弃,一起去找个安安静静没人打扰的地方闲坐着。“绿蓑衣”,就是用草或棕编制成的雨衣,这里是渔翁和樵夫欲为隐士的象征。

“紫罗袍”是紫色绮罗制成的官服。自南北朝以来,紫衣即为贵官公服。因此,紫罗袍是贵官的象征。“两件儿都无济”中“两件儿”就是指绿蓑衣和紫罗袍。“无济”,无用,无益,无济于事。“便”,即使、纵使。绿蓑衣、紫罗袍这两件事都没有好处,就算是做个钓鱼人,也颠簸在风波里。还不如找一个安安静静没人打扰的地方闲坐着,这里就表现出作者极端愤世之情。

两首小令的尾句同时出现了“寻个稳便处闲坐地”,反映了作者明哲保身的心态,同时道家思想也暗含于其中。马致远年轻时热衷功名,怀有强烈的政治抱负,但一直没能实现,既无回天之力,又不甘同流合污,只有用退隐的方式作无力的反抗,在清净淡远的超尘思想中寻求生活的真谛。在半世漂泊之后厌倦了世事,遂生退隐之心。他对社会现实的不平之气,已消磨殆尽,终于想要到园林中去找避难所了。上述小令中描写的“稳便处”恰恰是黑暗、混浊社会现实的对照。他否定了人间的黑暗,也否定了整个人间。把眼光和笔触从人世转向自然,转向“平静”的内心世界,发现大自然纯静的美,并表达了他旷达、纯真的心境,也体现了作者跳出纷繁俗世、独享安静美好生活的愿望。明朱权《太和正音谱》评马致远作品风格“如朝阳鸣凤。其词典雅清丽,可与灵光景福两相颉颃,有振鬣长鸣万马皆瘖之意。又若神凤飞于九霄,岂可与凡鸟共语哉!”正是着眼于清新脱俗的创作情趣。上述曲文充满强烈的抒情性和主观性,善于把比较朴实自然的语句锤炼得精致而富有表现力,语言清丽,词采清朗俊雅而不浓艳,豪放飘逸、沉郁却又不失洒脱,令人耳目一新。

(徐子方　宋　昱)

## 【双调·清江引】

马致远

### 野兴(八首其八)

东篱本是风月主,晚节园林趣。一枕葫芦架,几行垂杨树,是搭儿快活闲住处。

**鉴赏**

此曲系马致远《野兴》八首的第八首,主要表现的是作者享受归隐田园的惬意和赞许的情怀。整首小令结构简洁灵动,语言质朴明快,曲调真率自然,颇具诗意的飘逸。

小令起首即点明题意,使人仿佛一下子就融入到作者所展示的理想生活情景。“东篱”是作者晚年的号,联想到陶渊明的“采菊东篱下,悠然见南山”(《饮酒》),足见作者晚年的志趣。“风月”即清风明月的代称,原指美好宜人的景色,这里即可作原意解。“东篱本是风月主”,作者我原本就是个爱好美好景色、称得上是清风明月的主人。紧接着“晚节园林趣”,承接上句却陡然一转,一开一合,一个“趣”字更是堪称整个作品的“文眼”。“园林”,不是建造整饬、规模宏伟的皇家园林,亦不是巧夺天工、构造精致的私家园林,而是自然清新、宁静美好的乡间田园。“本是”“晚节”相对,重点在“晚节”,更加突出了作者晚年隐逸的志趣,也总领了以下的感情基调。

作者在抒发了整个的归隐情怀之后,紧接着描绘了具体的园林之“趣”。“一枕葫芦架,几行垂杨树”中“葫芦架”“垂杨树”都是乡间较为常见的景物,小令截取乡间田园常见之物,通过简单的勾勒,引发读者丰富的联想,由点带面,作者的园林之趣也在对这两点的简单勾勒之后,结合人们的无限想象,诗意化地展现出来了。一个“枕”字,道出了作者在乡间田园十分享受的心情,正如老北京胡同里的俗语“睡不着眯着”,此处的一个“枕”字,让人不禁联想到一个慈眉善目的垂垂老者静躺在葫芦架下独自品味生活的场面。老人或许是在想着前半生的人生遭际,或许是纯粹在欣赏眼前所看到的美景,这一切似乎都显得不那么重要了,重点是此处恰恰就有这么一个静谧的环境让这个劳累了大半辈子的老人有一个放松自我独自休息的空间。“葫芦架”之后,紧接着是“垂杨树”,在这里没有大片的杨树林,而只是用了“几行”,几行垂杨随风自然摆动,给人以极为飘逸自然的感觉。结合前面的“一枕”,静动结合,所写之景犹在面前,颇具画面之感。作者紧紧抓住“自然”这一乡间田园生活所给人的鲜明特征,用简笔画的手法诗意地再现了乡间田园生活的清闲。

在享受到乡间这么悠闲的生活之后,作者由衷地发出了这样的赞许之情:“是搭儿快活闲住处。”乡间的生活就是这么的快活,这么的悠闲,这儿就是一个快活悠闲的好去处啊。作者用“是搭儿”这种当时的民间口语发出如此强烈的内心感受,体现出了马致远散曲语言的通俗明快,这也是散曲和诗词语言的不同之处。“快活”“闲”字不仅直承上句的枕葫芦架和看垂杨,表现了乡间田园生活的主要特点,而且也照应了开头的园林之“趣”,诗意绵绵。

此首小令表现了马致远晚年归隐田园的心境,整个小令围绕这一主题,起承转合之结构十分清晰,选取的乡间景物自然生动,节奏变化流畅,动静结合,语言简约直率,却又韵味深长,令人遐思无穷。

(徐子方　阎　琦)

# 【双调·寿阳曲】

马致远

## 山市晴岚

花村外，草店西，晚霞明雨收天霁。四围山一竿残照里，锦屏风又添铺翠。

**鉴赏**

据宋沈括《梦溪笔谈·书画》记载："度支员外郎宋迪工画，尤善为平远山水。其得意者有《平沙雁落》《远浦帆归》《山市晴岚》《江天暮雪》《洞庭秋月》《潇湘夜雨》《烟寺晚钟》《渔村落照》，谓之'八景'。"元代有许多人吟咏"潇湘八景"，如鲜于必仁《普天乐》和沈和甫《赏花时》。马致远未必有游赏潇湘的经历，但他也创作了《潇湘八景》组曲，来摹写宋迪山水画的意境。《山市晴岚》是"潇湘八景"组曲的一首，描写了山村傍晚雨过天晴后的美丽景色，落墨不多而景色明丽如画。

"花村外，草店西，晚霞明雨收天霁。"这个小山村树木繁茂，鲜花盛开。数间茅舍错落有致，雨过天晴，山间散发的水汽在落日的余晖中形成绚丽的彩霞。"四围山一竿残照里，锦屏风又添铺翠。"雨后山村四周的群山，夕阳下的山峦，宛如锦绣的屏风，树木经过雨水的洗礼而苍翠欲滴。山村在群山怀抱中，显得更加宁静清幽。这首小令扣紧"山市晴岚"这个主题来写，剪取花村、草店、晚霞、青山、夕阳等典型的景色，以白描的手法，描绘出山村雨后的明丽景色。在画面的布局上，先写中间的山村，后写四周的青山，由内到外，层次井然。郑振铎《中国俗文学史》称："以淡墨秃笔作小幅山水，虽寥寥数笔，而意境无穷。这是他的不可及处。"

（刘占召）

# 【双调·寿阳曲】

马致远

## 远浦帆归

夕阳下，酒旆闲，两三航未曾着岸。落花水香茅舍晚，断桥头卖鱼人散。

鉴赏

《远浦帆归》是马致远“潇湘八景”组曲中的一首，描绘了暮春时节的渔村景色，表现出作者对宁静的乡村生活的向往。“夕阳下，酒旆(pèi)闲，两三航未曾着岸。”这三句点名时间和场景，夕阳下，乡村酒店已经客人稀疏，酒店招揽生意的旗子在晚风中飘扬；远处，波光粼粼的水面上，两三只小船正在慢慢靠岸。“落花水香茅舍晚，断桥头卖鱼人散。”作者移步换形，将视线由村外转向村内。茅屋数间，水绕树遮，落花飘落在水中，于是水也浮泛着香气。桥头卖鱼的渔民也收摊回家了，小桥隐没在苍茫暮色之中，整个世界一片宁静。

这首小令主要围绕渔村的悠闲宁静来写，《乐府新声》也有一首《远浦帆归》：“垂杨岸，红蓼滩，一帆风送船着岸。孤村满林鸦噪晚，断桥头卖鱼人散。”两相比较，更能凸显马致远的艺术造诣。首先，从开场的选景来看，马致远选取村外的酒店那随风飘扬的旗子，不仅富有生活的气息和动态美，而且“闲”字显示出酒店的宁静与安逸。其次，马致远没有写船靠岸，而是重点描写船将靠岸而未靠岸，可见渔民的归来并非是行色匆匆，而是悠闲轻松，更显出一种悠然不尽的韵味。再次，“落花水香”比起“满林鸦噪”，不仅景色温馨而淡雅，也更符合整个氛围的静谧。曲子的结尾，两首曲子都选取了“桥头人散”的场景，这也是为了凸显渔村的静谧。这首小令的构图极富匠心，夕阳、远浦、酒旗、归帆、落花、茅舍、断桥头、卖鱼人，远景近景，错落有致，动景静景，相得益彰，境界清疏而又淡雅，透露出作者向往隐逸生活的恬淡心境。

（刘占召）

# 【双调·寿阳曲】

马致远

## 渔村夕照

鸣榔罢，闪暮光。绿杨堤数声渔唱，挂柴门几家闲晒网，都撮在捕鱼图上。

### 鉴赏

《渔村夕照》是马致远“潇湘八景”组曲中的一首。《远浦帆归》写打鱼归来，这首小令则写归来晒网，都表现了渔村生活的悠闲和静谧。这首小令按照渔人的游踪来变换时空，描绘“渔村夕照”的动人画面。“鸣榔罢，闪暮光。”渔人捕完鱼后，已是夕阳西下时分。“鸣榔”是捕鱼时用的木棍，渔人用以敲击船舷来驱使受惊的鱼落到网中。“绿杨堤数声渔唱”承接上两句，渔人上了岸，把船系在绿杨树下，河堤上传来阵阵欢快的歌声。这一句从时间上看，是向前推移；从空间看，也由船上转向了岸上。“挂柴门几家闲晒网”写渔人从绿杨堤上走回自己家，并在柴门上晒网。“都撮在捕鱼图上”总收全曲，说上面所写的鸣榔、夕阳残照、绿杨系舟、堤上渔唱、柴门晒网等景致，都合起来，就构成一幅完整的捕鱼图。而这幅捕鱼图就是“渔村夕照”中最典型、最主要的内容。语言朴素，想象奇特。整首小令按照空间、时间的顺序，渔人的活动和渔村的风物历历在目，层次井然，开合自如。这个渔村没有压迫和剥削，没有世俗社会的功名利禄，渔民依靠劳动自给自足，俨然是悠闲富裕的世外桃源。这不仅是一幅风光旖旎的风景画，也体现着作者对美好生活的追求。

（刘占召）

# 【双调·寿阳曲】

马致远

云笼月，风弄铁，两般儿助人凄切。剔银灯欲将心事写，长吁气一声欲灭。

## 鉴赏

马致远〔寿阳曲〕小令收录在《全元散曲》的有三十一首。除了以组曲八首咏写潇湘八景外，其余写儿女相思。反复细读二十三首曲，发现“春将暮”及以下五首（按《全元散曲》排序）的曲意均环绕“别后相思、心事凭谁说”这个主题展开。从中国抒情传统来说，咏写这类主题的作品俯拾皆是。六首曲依次是“春将暮”“一阵风”“云笼月”“磨龙墨”和“从别后”两首。

前两首写春天归去，寒城寂寞，突出人物的处境。人无法与念中人接触和联系，自然伤悲莫名。为了形象地显示“隔断”的亲临感，作者刻意营造凄酸的环境，以此反映主人翁的感情投射，以利衬托其内心世界。中间两首写欲将心事寄情郎，在写与不写的两难之间，心事复杂起来。后两首写娇态，嗔怨远去的情人久疏音信。布局到此，从语气判断，“前台”主人翁已经由闺秀转换为市女。一路读来，自然体味出离别之苦，是无分闺秀或市女，士子或贩夫的。

现在分析“云笼月”一曲。此曲《雍熙乐府》题作“夜忆”，不注撰人。《彩笔情辞》以此首为卢挚作，不知何据。

自从与情人分别，情怀恶，意绪低落。情人在，内心遍地花开；情人去，内心落花飞絮。如何描状心间的沉郁和寂寞？东篱联想到没有月色的夜空。如何展示漫漫长空和有月还似无月的张力？如何透过意象制造美感？东篱选择“云笼月”三字，高挂夜空的明月，被密云团团笼罩着。有月仿若无月，张力比“缺月”强大。失去月华流泻的夜，是情人离去后生活黯然失色的一种比拟，也是心境凄凉的联想。为了加强心境与环境互通的感染力，东篱缀入“风弄铁”意象。“铁”，即铁马、檐马（簷马），古代挂在檐前作辟邪之用。风吹过,铁片互相碰撞,叮咚作响。张先有“云破月来花弄影”句,“弄”字传神。在张先笔下的整体意境中,“弄”字把花姿修饰得异常巧妙,而且渗透调皮可爱的人意。然而东篱把“弄”字移入怀人意境,艺术效果便截然不同。如连同“两般儿助人凄切”句一起读,更能体味东篱利用夜的沉黑、檐马的孤响来烘托人影孤单凄凉之匠心独运。“助”字扩大“凄凉”的向度,用得精当。

晏几道有“红叶黄花秋意晚,千里念行客”(《思远人》)句,写触景生情,千里外的人在念念中,物色摇动,每能勾起相思。红叶黄花和云月风马,在起情立意的作用上说来,并无两样。曲中的主人翁的心头涯岸拍起相思潮浪,情感一如晏小山词中人物一样澎湃,不得不借着文字抒写出来,因此“就砚旋研墨”。东篱选用“剔银灯”点缀主人翁细致纤柔的形象。剔灯,即挑起灯芯。她打亮灯光,为写信寄远做准备。与其面对无边的凄切和无限心事,她有所行动了。“剔”是动词,用得好,有戏剧感。这首短曲最引人入胜是最后两句。剔灯,正要写出心事——却遽然出现行动逆转——她长长地叹出一口气,差点把烛光吹灭。“一声欲灭”,一作“一声吹灭”,“欲灭”和“吹灭”,两意境有别。“欲灭”,点拨的是“长吁”这个突如其来的动作;“吹灭”,重心是灯火熄灭的结果,这结果是主动的。这份意绪在王国维的“书成付与炉中火,了却人间是与非”(《书古书中故纸》)得到回响。她为何事深长叹息呢?她心间堆满冷暖自知的人情,怪不得以“云笼月”来突显她的凄凉境况。东篱曲贵在典重,写到这里,戛然而止,就是典重。

(司徒秀英)

## 【双调·寿阳曲】

马致远

从别后,音信绝,薄情种害煞人也。逢一个见一个因话说,不信你耳轮儿不热。

## 鉴赏

"云笼月"写害相思的温柔女子,但这支"从别后"曲的女主人翁的性情却大异其趣。我们欣赏到的是别样情怀。有百代词曲之祖美誉的《菩萨蛮》云:"箫声咽,秦娥梦断秦楼月。秦楼月,年年柳色,灞陵伤别。乐游园上清秋节,咸阳古道音尘绝。音尘绝,西风残照,汉家陵阙。"东篱〔寿阳曲〕起笔,即下"音信绝"三字。"绝"字很有力量,但与《菩萨蛮》比较,就发现曲意轻松多了。古典诗词曲表现出奇妙的文字艺术,一字之别,意境相差千里。曲中"薄情种害煞人也"句中的"薄情种"写得很有性格,全赖一个"种"字修饰在"薄情"之后。只一字之差,"薄情种"和"薄情"的语感和情调趣味便迥然不同。宋姜夔《踏莎行》词也用过"薄情",其云"夜长争得薄情知,春初早被相思染",写得骚雅情深。东篱另外有一支〔寿阳曲〕用"薄情"二字写情郎,其云"蔷薇露,荷叶雨,菊花霜冷香庭户,梅梢月斜人影孤,恨薄情四时辜负",前四句分写四时花开美景,末句总结心情。情人远去,良辰好景真个虚设。"薄情"指寡情的人,通薄幸,最脍炙人口的要算杜牧诗"赢得青楼薄幸名"的用法。这支〔寿阳曲〕却用"薄情种",提供了两种对女主人翁身份的推测:一,青楼伶优;二,被小情人冷落的年轻女子。

曲中女子很是逗趣,也带点市井气息。她的薄情郎一去不回,面对爱情残局,她既不剔灯写信,也不长吁短叹,只见她充满戏剧性地走到前台,勇敢地说她要采取行动。这行动带点复仇意味。她打算把情郎薄幸的故事说出来,让每个人都看到这寡情薄幸的家伙。"不信你耳轮儿不热",意即当你知道自己的事传遍人口,你一定有感应,会脸红耳赤,羞愧不堪。你装作没事也不成了。

这支曲,近伶工之词。本来东篱曲的艺术特色主要是"洗去谐谑狎亵之习,感慨无端,清雄踔厉,似词中东坡,无事不可言,无意不可入,于是曲体始尊"(罗忼烈《元曲三百首笺》)。东篱赢得曲坛"雅正"之尊的地位,主要因为他"变伶工之曲,为士大夫之曲",因此"辞旨益见雅正"。这支在东篱乐府别树一格的〔寿阳曲〕,应作别向观。

(司徒秀英)

# 【双调·寿阳曲】

马致远

心间事，说与他，动不动早言两罢。罢字儿碜可可你道是耍，我心里怕那不怕！

## 鉴赏

先解曲意如下：每次向他倾诉心事，话未说完，他总说就此你我情断吧。你这般态度这种语气确确切切，像真要和我作罢。我听后凄惨可怜，你却说这是开玩笑。其实你道分手，我根本不怕。

这支曲有汉代乐府率直自然的本色。中国韵文写作，经过唐宋两代各大家、名家竞才显技，艺术境地登峰造极。元曲兴，变词曲，始于元好问。论元好问与马致远对振兴元曲之功，罗忼烈在《元曲三百首笺》中言简意赅地说：“自遗山远迹风骚，近绍苏辛，情兼雅怨，辞尚俊洁，一时刘秉忠、卢疏斋、姚牧庵闻风景从，故挺斋谓治世之音自三人始也。仁甫，东篱分哨余力以杂剧鸣，然所制散曲，莫不一唱三叹，比肩姚卢。”

这支〔寿阳曲〕跟前支“从别后”一样别开生面。汉乐府，民间作品多，士大夫之作少。唐人写诗，言志多，诗中出现的女性形象，用来点缀诗情而已。宋词倚声填词，抒情色彩较诗强烈。宋代词人每爱以代言方法探索各种感情倾向与情绪升降于长短句格局之艺术效应。因此，女性形象多彩多姿。加上李清照、朱淑真等女性工诗词，女性心灵世界和情感诉求，得以显现人前。元代小令，比宋词更近声腔乐调，用以抒情写怀，更得自然。事实上，乐府与俚歌之别，在于“文章”二字。这支〔寿阳曲〕写女性心声，模仿女子的情态，炉火纯青。这种抒情传统中的技巧，汉乐府民歌开先声，到宋代，词人善于会通两性细腻心境，表现方法日趋成熟。元杂剧以代言形式演唱故事，以个人感性想象他者的感情世界便得到进一步成熟。戏曲各形各相的角色，是作者锻炼表达技巧的面具。

要说这支曲的最大特色，应是

鲜明的形象。最末一句“我心里怕那不怕”把一个情多却随时绝情的女子,写得活灵活现。这种情多乃至情绝的女子,我们不难在传统戏曲里找到显例。《西厢记》的崔莺莺、明汤显祖《牡丹亭》的杜丽娘,都是外柔内刚、为情“怕那不怕”之辈。至于清初孔尚任《桃花扇》里的李香君,更是进一步用行动表现“怕那不怕”魅力的佼佼者。

（司徒秀英）

# 【双调·寿阳曲】

马致远

人初静,月正明,纱窗外玉梅斜映。梅花笑人休弄影,月沉时一般孤零。

## 鉴赏

这首小令抒写月下怀人、自感寂寞孤苦之情。全曲以“孤零”为无痕之贯穿线索,将人、月、梅、影等意象浑然组合在一个画面中,突出人的孤苦无奈之情。

前三句通过人、月、梅所构成的画面,表现出纱窗里人的孤寂的内心活动。窗内的人刚静,窗外的明月初生,映照在亭亭玉立的梅花上,在这宁静惬意的夜景中,怎能不让形单影只的纱窗内的人思绪纷然?后两句可谓神来之笔,在平叙中突然翻出奇意。当窗内人凝神注视着在明月银辉普照下随着柔风轻盈弄影的玉梅时,岂料梅花的轻影仿佛在嘲笑她的孑然孤单而故意地摆弄姿态,从而使纱窗内的她有点愠怒,嗔怪玉梅的不解人意,“梅花呀,别嘲笑人家的孤苦自舞轻影,可知否?等明月西沉后我们是一样的孤零!”其实,梅花并无此情,全是纱窗内的人主观感受的外化、移情,正是这别出心裁的构思,将人物无形的孤苦之情表现得可感、可形,梅花与人相映成趣,反衬烘托,拟人言情,将人物的内心情感表现得极深、极贴,显现出马致远这位“曲状元”写情的功力。

这首小令抒情真切，作者抓住富有生活情景的细节，采用拟人化手法，移情于物，把人物的内心细腻的情思描摹得惟妙惟肖、须眉可见。

（高益荣）

## 【双调·寿阳曲】

马致远

实心儿待，休做谎话儿猜，不信道为伊曾害。害时节有谁曾见来，瞒不过主腰胸带。

鉴赏

此曲乃是马致远写情的名曲，写一位热恋中女子对心上人不理解时的解释、诉说，饱含着她对情人的爱恋之情。写相思、抒恋情，这是中国诗词的传统题材，要写出新意，又要真切自然，不矫揉造作实属不易。这首小令在传统的题材上却写出新意，就在于其追求从生活中提炼细节、采用通俗自然之语写人摹情。此曲起笔就不凡，藏问于答，“实心儿待，休做谎话儿猜”，女子饱含埋怨、委屈地向男的解释：“我一片真实心肠等待你，可谁想你却将人的一片真心话语当成谎话儿猜！”这怎能不叫痴情的女子生气而备感冤枉呢？两人好不容易久别重逢，本该是倾诉绵绵私情、“挨着靠着云窗同坐，偎着抱着月枕双歌”，可大概因为男子的一句话没说好，也许男子对女子的真诚和相思持怀疑态度，破坏了初见的亲热场景，引发了女子的不满情怀，“为了你我曾将相思病害，你还说你不相信我为你害，居然当谎话猜！”这一连珠炮似的诉说、责问，从另一方面充满了女子对男子的深爱。或许男子还在狡辩，甚至说你害相思又有谁可作证之类的话语，于是女子便说“害时节有谁曾见来，瞒不过主腰胸带”，什么是相思病染最好的证据？就是“主腰胸带”。女子理直气壮、不可辩驳地指出，不管你相信不相信，我的“主腰胸带”的松缓就是我相思之情的见证。这既是这位女子真实形象的描述,也容易让读者联想到中国诗词常用的描写相思的意象“衣带渐宽终不悔,为伊消得人憔悴”,于是,透过女子那渐宽的腰带,可以窥视到她真挚的情怀。

马致远确实是言情的高手,每首小令都能选取不同的角度抒写同一情思。这首小令最大的特点就是藏问于答的对话式描写。全曲表面看来是女子的自我表白,但能猜到男子的话语,二者的对话逐渐将女子的感情推向高潮,从而表现出女子的相思之情之深、之浓,“昨宵今日,轻减了小腰围”,只有思念到极致,才会有如此之生活感受。

(高益荣)

## 【双调·寿阳曲】

马致远

因他害,染病疾,相识每劝咱是好意。相识若知就里,和相识也一般憔悴。

### 鉴赏

这首小令选择了相识的人相劝这一新颖的角度来描写,将热恋中女子的相思苦恼,表现得极其形象,富有生活情趣。

开篇让抒情主人公直言“因他害,染病疾”。“害”就是“害相思病”的意思,遍人间何物最苦?那便是相思之情。它是人的一种内心的感受,无影无踪,但又撩拨得人六神无主,寝食难安。正因为思念“他”太心切,害相思,以至于染病。染病了相识的人必然安慰劝说,但这种劝慰对当事人减轻苦恼其实作用非常有限,甚至无作用。但来劝慰的相识毕竟都是出于好意。作者抓住“相识每劝咱是好意”这一生活细节,将人物的思念之苦写得极其真切。最后两句顺着“相识”的感情意脉来设想,表现抒情主人公的内心感受。相识的熟人、朋友尽管好意劝慰我,是因为你们不了解内情;如果你们了解内情,肯定和我一样的憔悴。小令至此戛然而止,但给读者留下绵绵的遐思空间。周德清在《中原音韵》中提出"诗头曲尾"之说,曲的结尾处往往更为重要,更显作者之功力。这首小令正有此特点。用相识的如果了解内情就会一样憔悴这个生活细节来突出相思之苦,形象感人,又具有浓郁的生活气息。同时"一样憔悴"的形象将一切的思念之苦展现出来,真可谓王国维所言的"有我之境"。

这首小令在艺术上最大的特点是善于选取生活情景中的典型横断面来展示人物内心活动主情调,如"相识若知就里,和相识也一般憔悴"这一生活情景抓得极为准确,一下把相思之苦表现得既形象又真切。其次,语言朴素自然,但又极为生动传神,充分表现出散曲大家的语言风范。

(高益荣)

## 【双调·庆东原】

马致远

### 叹世(六首其一)

拔山力,举鼎威,喑呜叱咤千人废。阴陵道北,乌江岸西,休了衣锦东归。不如醉还醒,醒而醉。

**鉴赏**

马致远以《叹世》为题的〔庆东原〕小令共六首,此是其一,作者从项羽的悲剧命运引出对人世的感慨。

项羽是历史上著名的英雄人物。他生当豪杰蜂起的秦之末世,"乘势起陇亩之中""身七十余战,所当者破,所击者服,未尝败北",留下许多可歌可泣的动人故事,为历代诗家所讴歌、赞叹。所谓"胜败兵家事不期,包羞忍耻是男儿。江东子弟多才俊,卷土重来未可知"(唐杜牧《题乌江亭》)、"生当作人杰,死亦为鬼雄。至今思项羽,不肯过江东"(宋李清照《乌江》),所谓"一战快心惟钜鹿,三分失策在咸阳。

如何盖世英雄气，独为虞子泣数行”（清杜诏《戏马台》）、“盖世英雄酒一杯，悲歌只使后人哀。平生费尽屠龙技，今日空留戏马台”（明方孝孺《戏马台》），均是。然而，在短短的一首散曲中，作者不可能将其所有事迹尽数囊括，只能拣选最能体现项羽英雄个性的行为予以渲染。故首句高唱而入，极具气势，“拔山力，举鼎威，喑呜叱咤千人废”使英雄项羽力能扛鼎、叱咤风云的非凡气势凸现于纸上，令人似乎听到“力拔山兮气盖世”这一充满豪情的呼喊，“喑呜叱咤千人废”的雄豪画面也宛然在目，可谓将炽热的感情铺垫到极致。而后段，曲家笔锋陡转，将阴陵旧事重提。史载，项王垓下被围，四面楚歌，知大势已去，遂与虞姬对饮，慷慨悲歌，后拼死力冲出重围，所从者百余人耳。至阴陵，迷失道路，误陷沼泽中，为汉兵追及。突围时，项羽虽也有“大呼驰下，汉军皆披靡”“瞋目叱之，赤泉侯人马俱惊”之壮举，然终于难以挽救败局，落了个走投无路、乌江自刎的悲剧性结局。“衣锦东归”，乃暗用典故，据《史记·项羽本纪》载，项羽攻占咸阳后，“见秦宫室皆以烧残破，又心怀思欲东归，曰：‘富贵不归故乡，如衣锦夜行，谁知之者。’”恰证明项羽空有拔山之力，却无安定天下之远略，小胜即自骄，思慕炫耀乡里、安享富贵，故酿成此惨痛悲剧。倘若霸王不“背关怀楚”，成就霸业不过在朝夕之间，“阴陵道北，乌江岸西”之事怎会发生？可惜历史无法重写，于是，曲家一声悠长的“休了”，既包蕴进深沉的叹息，又流露出无可奈何的怅恨！

本首曲虽用词不多，但在表现手法上却颇具特色。曲家善于运用强烈的感情对比，来烘染所要表达的中心意旨。开头的“拔山力”诸句所彰显的胜利者的冲天豪气，与“阴陵道北，乌江岸西，休了衣锦东归”等句所叙写的凝咽凄怆之气，形成鲜明的情感反差，对作者平静的内在心理产生强力冲撞，使之对人生的感悟有了别样的解读，以致出现“不如醉还醒，醒而醉”之类喟叹。是曲家真的看破红尘，把功名、事业之成败视同一体，企图借酒以自我麻痹，管他春夏与冬秋，还是处在政治高压的特殊社会环境下，满怀壮志不能舒展，一腔的抑郁不平有待叙说，又无处叙说？读者恐不难想见。

（赵兴勤　赵　韡）

# 【双调·庆东原】

马致远

## 叹世(六首其三)

三顾茅庐问，高才天下知。笑当时诸葛成何计？出师未回，长星坠地，蜀国空悲。不如醉还醒，醒而醉。

### 鉴赏

本作在抒情手段上，与“拔山力”一曲有异曲同工之妙，然又稍有不同。“拔山力”之起句，所追述的乃个人之英雄行为，而“三顾茅庐”，却囊括进一段令无数贤才志士歆羡、向往的历史故事。东汉末年，军阀混战，刘备屯兵新野，闻知“卧龙”诸葛孔明之大名，为求得贤才辅佐，乃屈驾往隆中寻访诸葛，“凡三往，乃见”。事后，诸葛亮于《出师表》中回忆道“臣本布衣，躬耕于南阳，苟全性命于乱世，不求闻达于诸侯。先帝不以臣卑鄙，猥自枉屈，三顾臣于草庐之中，咨臣以当世之事”，所追述的正是这一史实。书生为世所用，得尽其才，当是人生之幸事。亮出山后，果不负所望，每出奇计，屡立大功。“外连东吴，内平南越，立法施度，整理戎旅，工械技巧，物究其极”，可谓“进欲龙骧虎视，苞括四海；退欲跨陵边疆，震荡宇内”（《三国志·蜀书·诸葛亮传》），是典型的读书人而立事功者形象。而本首散曲的作者，却避开诸葛亮之累累功业不论，以一“笑”字领起，使曲意陡然转折，跌入另一思想层面。以“成何计”的发问，将人们的思维路向引入理性追索空间，道出诸葛“出师未捷身先死”这段不堪回首之事，同样与“高才天下知”形成感情上、色彩上的强烈对比。诸葛虽负不世之才，“功高名亦尊”，然晚年却功败垂成。后主建兴十二年(234)春二月，孔明率十万大军由斜谷道进军武功，开始了第五次北伐。四月，亮与司马懿相持于渭水之南。懿坚守不出，亮分兵屯田，以补充军中给养，欲打持久战，且“百姓安堵，军无私焉”，士气高昂，积极备战，营阵之创设、布置，非奇才莫能为。然而，到了八月间，亮心力交瘁，撒手人寰，开疆拓土之大业毁于一旦，岂不令人感怀不已！多智如诸葛，尚且如此，何况区区常人？又自然引出"不如醉还醒，醒而醉"之怅惋诗句。作品中包蕴或旷达潇洒，或怅然无依，诸种复杂情感的历史画面交替出现，使作者内在的心理流动具有了顿挫感，有力地传示曲作的主旨。既然"尘寰"扰攘，英雄无用，那么，啸傲山林、"寄迹于酒"竟然也成了一种生命的表达。

（赵兴勤　赵　韡）

## 【双调·湘妃怨】

马致远

### 和卢疏斋西湖（四首其一）

春风骄马五陵儿，暖日西湖三月时，管弦触水莺花市。不知音不到此，宜歌宜酒宜诗。山过雨颦眉黛，柳拖烟堆鬓丝。可喜杀睡足的西施。

**鉴赏**

马致远的〔湘妃怨〕（又名〔水仙子〕、〔凌波曲〕、〔凌波仙〕等）共四首，分别写春夏秋冬四季之西湖。这是其中的第一首。曲题中的卢疏斋，即著名曲家卢挚。挚，字处道，一字莘老，号疏斋，涿郡（今河北涿州）人，官至翰林学士承旨。诗文与刘因、姚燧齐名，人以"刘卢""姚卢"并称之。有《疏斋集》，已佚。擅作散曲。《太平清话》谓："元士大夫以乐府名者，奇巧莫如关汉卿、庾吉甫、杨淡斋、卢疏斋。"程文海《卢疏斋江东藁引》曰："疏翁意尚清拔，深造绝诣，荦荦不羁，故其匠旨辑辞，往往隔千载与古人相见。"（《雪楼集》卷一四）

本作描绘的是春日丽景，起首便出语不凡。作者明明写的是"普天下锦绣乡，寰海内风流地"（关汉卿〔南吕·一枝花〕《杭州景》）的杭州西湖景色，却出之以“骄马五陵儿”的画面，为人们的想象拓展了空间。史上所称的“五陵”，即指修建有长陵、安陵、阳陵、茂陵、平陵等皇帝墓地的长安近郊一带，后来，竟成为豪门贵族聚居之地，亦尝“徙关东倡优乐人五千户以为陵邑”(毕沅《关中胜迹图志》卷八引《关中记》)，故有“同学少年多不贱，五陵衣马自轻肥”(杜甫《秋兴八首》)“万户楼台临渭水，五陵花柳满秦川”(崔颢《渭城少年行》)之说。“骄马五陵儿”画面的推出，使静态的景物具有了动感。景色再美，若无人物活动于其中，未免给人以凄清之感。将人写入画中，则给画注入了生命的活力。使人们似乎看到，身着华丽服饰的翩翩少年，稳坐于骄马之上，沐浴着和煦春风，徜徉于西湖之滨的热闹图景。而且，在表述上，基本上采用的是倒装句，先描摹人头攒聚之画面，再出之以时间、地点，以突兀见其奇，可谓用笔之妙。如果说，上两句是从视觉的角度写景，那么，“管弦触水莺花市”，则侧重于捕捉听觉的感悟。“莺花市”，在元代，一般指歌儿舞女较集中之处。这里不言歌台舞榭临水构建，而称“管弦触水”。一个“触”字，突出了管弦之声袅袅，有如无形之手，在轻轻抚摸清莹的湖面，真令人陶醉。这就细腻传示出美妙乐曲回荡于水上而盘桓不去的绝佳情景。若非对乐曲有特殊的喜好，此景此情，又岂能体味得到？故下文“不知音不到此，宜歌宜酒宜诗”，则转入对景物感悟的抒写，使客观存在的“景”与活动于其间的“我”，有了某种意义上的沟通，达到了物我交融。下面二句“山过雨颦眉黛，柳拖烟堆鬓丝”，一取远观之景，一采目下所得。雨后山峦的苍翠欲滴与岸边垂柳的密如鬓发，共同构成西湖的美妙画面，且又以初醒之美女西施作比，使画面的描摹略带谐趣，更体现出作者清丽晓畅、通脱旷达之曲作风格。

(赵兴勤　赵　韡)

## 【双调·蟾宫曲】

马致远

### 叹世(二首其一)

咸阳百二山河，两字功名，几阵干戈。项废东吴，刘兴西蜀，梦说南柯。韩信功兀的般证果，蒯通言那里是风魔。成也萧何，败也萧何，醉了由他。

## 鉴赏

马致远的这支〔蟾宫曲〕(又名〔折桂令〕)，通过回视历史、凭吊古迹，流露出对朝代兴衰、事业成败的感喟。咸阳，乃秦之故都，名胜之地。《史记·高祖本纪》曰："秦，形胜之国，带河山之险，县隔千里，持戟百万，秦得百二焉。地势便利，其以下兵于诸侯，譬犹居高屋之上建瓴水也。"秦咸阳，山川形势险要，本为易守难攻之地。楚汉之争中，许多战争频频在此处发生。鸿门宴之后，项羽曾引兵西屠咸阳，"杀秦降王子婴，烧秦宫室，火三月不灭"(《史记·项羽本纪》)。后则收取秦之货宝、妇女，衣锦还乡，分封天下，自立为西楚霸王。汉王刘邦朱旗遥指，回定三秦，在这一带打了许多胜仗。然而，历史却成了过去，所留下的仅有残存的记忆和折戟、破瓦。无论是项羽的兵败乌江，还是刘邦的身登大宝，在历史的长河中，都不过是瞬息间的转换。这一升一降，星移斗转，就像南柯之梦一样难以捉摸。然而，战争给百姓带来的沉重灾难，却是永远也抹不去的痛苦记忆。"两字功名，几阵干戈"，所透露的恰是这一信息。

韩信，为汉朝开国立下不朽功勋，最终也逃不过"狡兔死，走狗烹；高鸟尽，良弓藏"的历史宿命，为吕后等人所谋害，落得个"兀的般"(这般)"证果"(佛家语，结果)。韩信曾用谋士蒯(kuǎi)通之计，"袭破齐"，得封齐王。后蒯通依据形势，要求韩信拥兵自立。信优柔寡断，不肯听从。蒯通为求自保，遂假装"风魔"。韩信是因萧何的一再推荐才得到刘邦的重用，拜为大将；后来吕后杀韩信时，也是萧何设计将其骗来，以致命丧长乐宫，正所谓"成也萧何，败也萧何"，引路人竟然成了掘墓人，真世事颠倒如儿戏。

元代曲家，由于自身际遇的原因，对"功名"二字往往格外敏感，以致反复申说，如"糟腌两个功名字"(范康〔仙吕·寄生草〕《酒色财气》)、"竞功名有如车下坡，惊险谁参破"(贯云石〔双调·清江引〕)、"往常时为功名惹是非，如今对山水忘名利"(张养浩〔双调·雁儿落兼得胜令〕)、"功名两字酒中蛇"(乔吉〔双调·卖花声〕《悟世》)、"功名万里忙如燕，斯文一脉微如线"(薛昂夫〔正宫·塞鸿秋〕)、"取富贵青蝇竞血，进功名白蚁争穴"(马谦斋〔双调·沉醉东风〕《自悟》)、"功名半纸,风雪千山”(张可久〔双调·殿前欢〕《客中二首》)等等。

本来,古人非常看重功业的建立,且视为人生立世“三不朽”中重要内容之一,本作却竭力淡化功名、鄙视功名,其间恰蕴含了丰富的社会内容。古代真正的“士”,为人处世讲求的是道义责任的勇于担当,“内不愧心,外不负俗,交不为利,仕不谋禄”(三国魏嵇康《卜疑集》)。而在黑暗的现实面前,人生自我价值却不能实现,更无力扭转乾坤。那么,对于落拓不羁的文人来说,出路便只有将百年心事付诸“熏酣”了。壶中自有乾坤,也许可以借此抓住生活的一点希望抑或凭依。既然功业与己无望,索性典春衫而买醉。什么功名权位,不过是过眼云烟,转瞬即逝。清醒往往意味着痛苦,还是痛饮美酒,沉酣去吧!以“醉了由他”收煞,恰写出作者屡受挫折之后心灰意冷、无可奈何的心理情态,郁郁孤愤见于言外。其实,不管是对历史的回望,还是对现实的审视,都不过是“夺他人之酒杯,浇自己之垒磈”,用消极反抗表达自己的人生态度罢了!

(赵兴勤　赵　韡)

# 【双调·拨不断】

马致远

## (十五首其一)

九重天,二十年,龙楼凤阁都曾见。绿水青山任自然,旧时王谢堂前燕,再不复海棠庭院。

**鉴赏**

马致远的〔拨不断〕组曲共十五首,见于《阳春白雪》者十首,见于《太平乐府》者五首,是元散曲中归隐题材的代表作。本首列在第一。“九重天,二十年”,表明作者漂泊京华有一个较长的时期,这里以空间的极高处来代表权力的高点,与下文的“龙楼凤阁”相呼应。

“龙楼凤阁”本指皇家宫殿以及王公贵族的住所,在这里除用其本意之外,兼指决定国家命运的最高权力集团。按照作者少年的志向,是以天下苍生为己任,立志要进入这一集团的,但是“天”不随人所愿,作者的宦海生涯,始终被排除在这一集团之外。“龙楼凤阁都曾见”,用“曾见”二字表明自己始终只是“龙楼凤阁”外部的一个观看者。时约二十年徘徊其外,不得其门而入,其感慨如何?作者其时的心情是可以想见的。

“绿水青山任自然”是一个突然的反接,但了解了作者对其求仕生涯的感慨之后,便觉如此行文自有其顺理成章之处。“绿水青山”在这里指隐居的地方,唯其行文连接得突兀,上下文的比照才显得更加强烈。“任自然”三字不仅充分表达了隐居生活的逍遥自在及将精神寄托在青山绿水之间的快意自由,而且强烈反衬出官场生活的不自由与反“自然”。作者对官场生活的极度厌恶,在强烈的比照中得到含蓄而明确的显现。

此曲后二句从唐刘禹锡《乌衣巷》“旧时王谢堂前燕,飞入寻常百姓家”二句化来,刘诗原意仅为吊古伤逝,慨叹两晋曾盛极一时的王谢家族的繁华功业如过眼烟云,连欲回旧巢的燕子也无法回到旧日繁华的大厦之下了。本曲引用之后,形成了一个极巧妙的暗喻。本曲中的“堂前燕”用以自比,原来寄居在“龙楼凤阁”之下,飞翔在“海棠庭院”之中,现在,我要“飞入寻常百姓家”了,发誓“再不复海棠庭院”,宣告他以退隐的方式与官场作彻底决裂。

本曲回环映衬,巧妙化用典故,形象鲜明,表达含蓄且明晰,很有特色。

(王　甫)

## 【双调·拨不断】

马致远

(十五首其二)

叹寒儒,谩读书。读书须索题桥柱,题柱虽乘驷马车,乘车谁买《长门赋》?且看了长安回去。

鉴 赏

此曲是马致远〔拨不断〕组曲十五首中的第二首。作者换一角度宣扬退隐主张,这一支曲子表面是谈对读书人走仕宦之路的看法,实则为自己求仕失望的人生感悟。

“叹寒儒,谩读书”,此曲一开始就慨叹读书是徒劳无益的。以下三句用西汉文学家司马相如的典故。据晋常璩《华阳国志》卷三:(成都)“城北十里有升仙桥,有‘送客观’,司马相如初入长安,题市门曰:‘不乘赤车驷马,不过汝下’。”“读书须索题桥柱,题柱虽乘驷马车”二句即指此而言。可是,难道读书还是有用的吗?作了官又能如何呢?“千金谁买相如赋?”这一句反用汉武帝的皇后陈阿娇出价千金买司马相如《长门赋》的典故,告诉读书人纵使做了官,最高阶层不因你有才能就用你。一句反诘明明白白地回答了以上问题:既然做官无用,那么为追求做官而读书肯定是徒劳无益的。最后的结论只能是“且看了长安回去”。“长安”在这里借指京城大都(今北京)。求仕无果,不过是看一回京城的热闹繁华,便失望而归了。行文至此,就不难明白此曲并非泛泛的读书无用论,这里表现的读书人的遭遇与作者的宦游经历完全吻合,字里行间,流露出作者的自伤自叹,其失意潦倒之情,真是无以复加。

此曲将司马相如的典故正反连用,灵活而巧妙。先用“谩读书”(即空读书)对读书予以否定,至“题桥柱”“乘驷马车”是一转,“乘车”至“谁买《长门赋》”又是一转。行文用顶真体,势如贯珠又意多转折,语言极富张力。

(王　甫)

## 【双调·拨不断】

马致远

(十五首其七)

菊花开,正归来。伴虎溪僧鹤林友龙山客[①],似杜工部陶渊明李太白，有洞庭柑东阳酒西湖蟹[2]。哎！楚三间[3]休怪。

## 注 释

① 虎溪僧：晋时高僧慧远住庐山东林寺，影不出山，迹不入俗。寺前有虎溪，送客例不过溪。一日，与诗人陶潜、道士陆静修共话，不觉过溪，虎大鸣，三人相视大笑而别。鹤林友：镇江鹤林寺有杜鹃花，天下奇绝。五代时道士殷七七至此，时方重九，应镇帅周宝之请，作法花开，烂漫如春，人以为异。龙山客：晋时孟嘉为桓温参军，九月九日随温登湖北江陵之龙山，风吹其帽落地，泰然不以为意。

② 洞庭柑：江苏太湖洞庭山，产柑橘有名。东阳酒：即金华酒。西湖蟹：杭州西湖所产之螃蟹，肥美异常。

③ 楚三间：屈原曾任楚国三间大夫。

## 鉴 赏

此曲是马致远〔拨不断〕组曲十五首中的第七首，写归隐乐趣。

“九重天，二十年，龙楼凤阁都曾见”（〔双调·拨不断〕），在仕途中挣扎了大半辈子的马致远，晚年时还没有腾达的机会，一直浮沉于风尘小吏的行列中。二十年俯仰由人的生涯，留给他的，该有多少辛酸的回忆！马致远后期散曲中，不止一次提到宦海风波，时时准备退出官场，正是这种情绪的反映。这首小令就写于马致远归隐之后。

归隐，是马致远历尽仕途艰难后选择的人生之路。去忙就闲，和难堪的小吏生涯告别，和龌龊的官场决裂，开始新的、理想的生活，自然会使诗人为之鼓舞，为之欣悦。起首“菊花开，正归来”二句，用陶渊明归田的故事。他确实像陶潜那样，感到以往生活之可厌，是误入了迷途，而现在的归隐，才算是走上了正道。以下三句为鼎足对，将三组美好之事、高雅之人聚集在一起，极力装点，说明归隐的生活乐趣：虽然闲居野处，并不谢绝人事，不过所交往的，都是虎溪的高僧、鹤林的道友、龙山的佳客；就像他最崇拜的杜甫、陶潜、李白这些古代杰出的诗人那样，在草堂之中、菊篱之旁、青山之间饮酒斗韵，消闲而自适。何况，还有洞庭的柑橘,东阳的美酒,西湖的螃蟹! 这样的田园生活,自然使人为之陶醉,乐在其中矣。对于马致远的归隐,有些友人可能不太理解,因而在小令的最后,他才用诙谐调笑的口吻,作了回答:"楚三闾休怪!"这里,一点也没有否定屈原本人的意思在内,也不是完全忘情于天下,而是含蓄地说明,当权者的统治太糟,不值得费力气为它去卖命。这是他归隐动机所在。

此曲用典较多,但并不是堆砌。由于这些典故都比较通俗,为人们所熟知,以之为曲,抒写怀抱,不仅可以拓展作品的思想深度,而且容易在读者中引起强烈的共鸣,收到更好的艺术效果。

(宁希元)

# 【双调·拨不断】

马致远

## (十五首其九)

酒杯深,故人心。相逢且莫推辞饮,君若歌时我慢斟,屈原清死由他恁*。醉和醒争甚?

### 注释

* 恁:那么。

### 鉴赏

此曲是马致远〔拨不断〕组曲十五首中的第九首,言隐居交友纵酒之乐,同时也透露了作者内心的矛盾和痛苦。

此曲开篇即以"酒杯深"来比喻"友人心",扣住一个"深"字,酒杯之"深"是言饮酒之多,友人心"深"当指情谊之厚。但综合全文仔细品味，恐其意当不尽于此。友人与我，本属一类人，应当共有深邃幽曲之心事。“相逢且莫推辞饮，君若歌时我慢斟”，一边饮酒，一边唱歌，纵酒放歌，真是快乐无比。但表面的旷达并不能掩饰心中的矛盾与痛苦。因为他们又想到了屈原，想起屈原集中的《渔父》篇。《渔父》一文记载有屈原与渔父关于清浊醉醒的辩论，其中屈原有“举世皆浊我独清，举世皆醉我独醒”的话，“屈原清死由他恁。醉和醒争甚？”二句即出于此。屈原不肯与世人同流合污，要保持清高而死，姑且由他去吧，我们没有必要和屈原做谁醉谁醒的辩论，醉了固然不好，可醒着又能如何呢？还是喝酒吧。

这真是“此地无银三百两”方式的掩饰！作者越是说得轻松，让人越是感觉到他心事的沉重；越是故作姿态地表示豁达旷放，让人越是感觉到他内心矛盾之深和自责之切。这是一种类似反语的表达方式，矛盾的心态用矛盾的方式来表达，在这里达到了绝妙的境界。作者在开篇时用一“深”字透露的消息，到此时也终于明朗了。我们不能不佩服作者驾驭语言的深厚功力。

（王　甫）

## 【双调·拨不断】

马致远

（十五首其十一）

布衣中，问英雄，王图霸业成何用！禾黍高低六代宫，楸梧远近千官家，一场恶梦。

### 鉴赏

此曲是马致远〔拨不断〕组曲十五首中的第十一首，作者化用唐代诗人许浑名作《金陵怀古》入曲，感慨功名虚幻、世事无常。

许浑原诗是这样的:“玉树歌残王气终,景阳兵合戍楼空。松楸远近千官冢,禾黍高低六代宫。石燕拂云晴亦雨,江豚吹浪夜还风。英雄一去豪华尽,惟有青山似洛中。”

化用前人诗句、诗意,本是诗词曲的常法,曲对此尤为自由而不受拘束。然而许诗写六代兴亡,气象浑阔,涵盖一切,是久有定评的名作。化用这样的名篇是有相当风险的,而且,律诗和曲中的小令,在形式上的差异也很大,这些都是摆在马致远面前的难题。

从内容上看,原诗首尾两联主要是抒情,中间两联则侧重于写景。情景交融,本不可移易。但既要化之入曲,自然要对原诗进行高度的浓缩和精练,该留者留,该去者去,这样才不至点金成铁,流为笑柄。马致远基本上保留了颔联两句。这两句是诗人登临时眼中所见之景:千官废冢,六代颓宫,掩映于松楸禾黍之中。它是历史的见证,诗人对前朝史事的追忆,以及由此而来的兴废存亡之感,概由此出。没有这两句,览古凭吊之情就失去了依据,这是必须保留的。而诗中其他各句,由于律诗和小令毕竟差异很大,保留的余地是不多的。在这种情况下,马致远舍其次要成分,而把主要精力集中于首尾两联兴亡之感的抒发上。

试看,同样是怀古,许浑原作是由景及情,由登临之所见,多方渲染,说明江山如故而人事已非,慢慢归结到“英雄一去豪华尽,惟有青山似洛中”的感叹。他所要表达的情意,含蓄在形象里,让读者自己去体会。马致远的新作,却逆转来由吊古之情出发,而且情急语迫,直欲起亡灵于地下而问之。南朝宋齐梁陈四代开国之君,都是出身微贱登上皇帝宝座的,都是所谓的布衣中的“英雄”。和许浑一样,马致远蔑视他们,认为他们的霸王事业,到头来不过是一场噩梦而已。不同的是马致远的感慨,完全是由自己嘴中说出。曲中虽然保留了原诗写景的两句,但那是情中必有之景,是为了更好的抒情才用景的。和许浑笔下的景中之情是有所区别的。这样的化用,就有新意,就有更多的创造性,而不是随手去拾前人之牙慧。由于此曲具有自己的精神和风格,遂能与原诗并峙,为人们所传诵。

(宁希元)

# 【双调·拨不断】

马致远

## （十五首其十三）

子房鞋[①]，买臣柴[②]，屠沽乞食[③]为僚宰，版筑躬耕[④]有将才。古人尚自把天时待，只不如且酩子里[⑤]胡捱。

## 注释

① 子房鞋：指汉代张良（子房）见黄石公，为其拾履，得授太公兵法的故事。

② 买臣柴：汉代朱买臣早年穷困时靠打柴度日，但其后发达，位列九卿。

③ 屠沽：周代吕望即姜子牙曾为屠夫。《韩诗外传》卷七："吕望行年五十，卖食棘津，年七十屠于朝歌，九十乃为天子师，则遇文王也。"乞食：汉代韩信早年曾乞食漂母。事见《史记·淮阴侯列传》。

④ 版筑躬耕：分别指傅说和诸葛亮事。《史记·殷本纪》："武丁夜梦得圣人，名曰'说'。以梦所见视群臣百吏，皆非也。于是乃使百工营求之野，得说于傅险中。是时说为胥靡，筑於傅险。见於武丁，武丁曰：'是也'。得而与之语，果圣人，举以为相，殷国大治。故遂以傅险姓之，号曰傅说。"又晋陈寿《三国志·蜀书·诸葛亮传》："亮躬耕陇亩，好为《梁父吟》。身长八尺，每自比於管仲、乐毅，时人莫之许也。"

⑤ 酩子里：元曲中俗语，意即暗地里、背地里之意。如关汉卿《望江亭》第三折："酩子里愁肠酩子里焦，又不敢着旁人知道。"

## 鉴赏

此曲是马致远〔拨不断〕组曲十五首中的第十三首，通过对古代几位穷而后达的先贤的事迹的罗列和咏叹，以古人自况，表达了作者胸怀壮志却无处施展才华的苦闷，同时也是作者对自己的开解。

曲子开头四句“子房鞋,买臣柴,屠沽乞食为僚宰,版筑躬耕有将才”分别列举了张良、朱买臣、姜太公吕望、韩信、傅说、诸葛亮六位历史上杰出的能臣名将当年默默无名时的故事。一方面,通过连续的用事,自然将话题引至际遇穷通之上,为下文张本;另一方面,如此连续和重复的用事,也表达了作者急于自我开脱,借古人故事自遣的心情。马致远青年时期曾积极求仕,却一直困顿不遇。他在〔南吕·四块玉〕中自称的“佐国心,拿云手”的壮志,可以说终其一生也未有机会得以施展。但其热衷功名,有着相当远大的政治抱负这一点,是与元代诸多不愿出仕的散曲作家不同的,故而在仕途不顺、未得机会实现自己的理想的时候,其苦闷可想而知。观其连用六位先贤未遇之时的故事,仿佛可以想见那急于辩白“某某,某某他们如斯大才,还不是有这样穷困未遇之时,我这又算得了什么……”的情态。故而连用六事之下,自然接出一句“古人尚自把天时待”,这里所说的天时,除了一般意义上的命运起伏外,其实更多的是指得遇明君。所谓天者,圣明天子也,不过这一句,强调的仍然不是“把天时待”,而是“古人尚自”。依旧是承接之前的辩白和自我安慰的口气,说“古人尚自”,潜台词自然是“我亦何免”,以古人先贤自比,自然有诸葛孔明自比管、乐的自信,却更是一种自我肯定式的自遣;一如李白在其《行路难》中写下“长风破浪会有时,直挂云帆济沧海”一样,作者也是通过将自己与这些虽经穷困但终究才能得以施展、抱负得以实现的先贤对比,来安慰自己,怀才不遇只是暂时的,只要耐心等待天时到来,还是必将能够一展抱负的。然而这种等待却是如此的让人苦闷,故而作者最后还是无可奈何地叹息了一句:“只不如且酩子里胡捱。”这种对于前途未知的等待最是难熬,可又无法向人前去表现,“酩子里胡捱”五字,精当地表现了这种感觉,在经过对自己的反复开解之后,面对无奈的现实,作者也只能无奈地胡挨下去,毕竟作者心中也清楚,相比他举出的那些先贤,更多的怀才者的结局是终身不遇,只能空叹“冯唐易老,李广难逢”(唐王勃《滕王阁记》),何况元代文人本来就不受重视,要得到一展抱负的机会就更难。宋王安石在其《浪淘沙令》一词中写道:“伊、吕两衰翁,历遍穷通,一为钓叟一耕佣。若使当时身不遇,老了英雄。”作者所面临的,恐怕就是英雄空老的结局,然而又无力改变这一切,只能“且酩子里胡捱”,一个“且”字,一个“捱”字,将作者的无奈充分表达了出来,读来令人扼腕。

整首小令用事虽多,却不觉繁杂,字里行间,作者的声口颜色清晰可辨,充分体现了元散曲富于本色的特点。

(于杨甡)

# 【双调·拨不断】

马致远

（十五首其十四）

莫独狂，祸难防。寻思乐毅非良将，直待齐邦扫地亡，火牛一战几乎丧。赶人休赶上。

## 鉴赏

此曲是马致远〔拨不断〕组曲十五首中的第十四首，这是一首以乐毅破齐、田单火牛阵复齐的历史故事为咏叹对象的咏史小令。作者没有重复一般人对于这段历史做评论时常见的感叹君臣相知难得，猜忌误国等观点。而是以直白的口吻提出了自己的看法，虽然难说是对历史的中肯评价，抑或是作者自己就史事的借题发挥，但其独特的视角，还是为这首小令带来了它独有的价值。

根据汉司马迁《史记·乐毅列传》的记载："乐毅留徇齐五岁，下齐七十余城，皆为郡县以属燕，唯独莒、即墨未服。会燕昭王死，子立为燕惠王。惠王自为太子时尝不快于乐毅，及即位，齐之田单闻之，乃纵反间于燕，曰：'齐城不下者两城耳。然所以不早拔者，闻乐毅与燕新王有隙，欲连兵且留齐，南面而王齐。齐之所患，唯恐他将之来。'于是燕惠王固已疑乐毅，得齐反间，乃使骑劫代将，而召乐毅。乐毅知燕惠王之不善代之，畏诛，遂西降赵。赵封乐毅于观津，号曰望诸君。尊宠乐毅以警动于燕、齐。齐田单后与骑劫战，果设诈诳燕军，遂破骑劫于即墨下，而转战逐燕，北至河上，尽复得齐城，而迎襄王于莒，入于临菑。"从史实上来看，田单能以火牛阵大胜燕军，一战复齐，并非"乐毅非良将"之错，然而作者却并未将眼光放在史实的细节上，而是就乐毅"留徇齐五岁，下齐七十余城，皆为郡县以属燕，唯独莒、即墨未服"，而后田单以火牛阵破燕，一战尽复齐地这前后的对比，提出了"莫独狂，祸难防""赶人休赶上"的观点，不可不谓实属借题发挥。"赶人休赶上"，即逼迫人不要逼迫得太过分的意思,在作者看来,“火牛一战几乎丧”实在是乐毅“下齐七十余城”以至于齐国几乎处于灭亡边缘,逼迫太过,以至于齐人绝地反扑的结果。这观点是否符合史实,姑且不论,但是如果考虑马致远浮沉宦海二十余年,坎坷不得志的经历,他会在经历官场倾轧后发出“莫独狂,祸难防”“赶人休赶上”这样的发泄式的牢骚和感叹,却是完全可以理解的。这首小令与其说是在咏史,还不如说是马致远对于仕途险恶和当时政治的黑暗的一种借题发挥式的讥刺和警示。

这首小令用典浅显,议论直接明白,充分体现了马致远作品在表达情性方面能够淋漓尽致的特点,而其对于乐毅田单故事的独特议论,打破了就史咏史的局限,而是采用了借题发挥的手法,也可以说是一种别具匠心的独创。

（于杨甡）

## 【越调·天净沙】

马致远

### 秋　思

枯藤老树昏鸦，小桥流水人家，古道西风瘦马。夕阳西下，断肠人在天涯。

**鉴赏**

马致远曾有多年的漂泊经历,故写游子天涯秋思实有深切体验。如〔大石调·青杏子〕《迷悟》:“世事饱谙多,二十年漂泊生涯”;〔南吕·四块玉〕《叹世》:“带月行,披星走,孤馆寒食故乡秋。……枕上忧,马上愁,死后休”;〔双调·拨不断〕:“叹寒儒,谩读书。……乘车谁买《长门赋》,且看了长安回去”;〔双调·寿阳曲〕《潇湘夜雨》:“渔灯暗,客梦回,一声声滴人心碎。孤灯五更家万里,是离人几行情泪。”

故这首《秋思》无疑也是夫子自道，方能发自肺腑而又高度凝练。

宋柳永《雨霖铃》词中“多情自古伤离别，更那堪冷落清秋节”，一语道破了中国古代文学中最常见的两大主题：伤别和悲秋。古代士人要想求仕，必须外出游学，或增广见闻，或干谒游说；而那时交通和通讯之落后，是今人难以想象的。故有屈原“悲莫悲兮生别离”，江淹“黯然而销魂者，唯别而已也”之名句，和《古诗十九首》以降汗牛充栋的伤别诗词。而悲秋，因古代“天人合一”阴阳五行的哲学观，认为秋季是万物凋零、死亡的季节，故战争、处决囚犯都在秋季，秋季成了萧条冷落、肃杀凄凉的象征。故自宋玉《九辩》悲秋滥觞，往后悲秋文学就络绎不绝，形成文人悲秋传统。而东篱《秋思》正是合两大主题的结晶。

此曲结构别出心裁。开头三句鼎足对，每句全是由三个偏正名词组成，无一谓词；三个名词看似并列，实有宾主，三句的中心词皆在末尾，前两个名词都是修饰第三个中心词的定语，即“枯藤老树上的昏鸦，小桥流水边的人家，古道西风中的瘦马”。“夕阳西下”则是前三句秋景的时间光色的背景，末句“断肠人在天涯”才画龙点睛，卒章显志，点明主人公的身份和“秋思”的主题。

此曲写景意象皆景中含情，实中含虚，故含蓄蕴藉。第一句：枯萎的藤条，缠着衰老的树木，上面栖息着黄昏归巢的乌鸦，这是景、是实。而景中所含之情、实象之外的虚象却是：这光秃秃没有树叶的枯枝，怎能挡住秋夜的风寒；不过昏鸦虽然可怜，但总还比我强，好歹总有个窝可以过夜，而我这个游子，黄昏时连个“窝”都没有，今夜不知在哪里落脚呢！此即所谓言外之意、象外之象。这景与情、实与虚的关系则是悲景衬悲情，是谓正衬；都是灰暗的冷色调。第三句亦然：古老的道路上人迹罕至，唯有寒冷的西风扑面，尘土飞扬，一匹瘦骨嶙峋的马蹒跚而行；这是实景、实象。而隐藏的悲情、虚象则是游子的艰辛跋涉，只写马而游子自在其上，此为侧面描写；马都皮包骨头，游子的消瘦憔悴则不难想见；其原因自然是颠沛流离、囊中羞涩所致。此句亦是悲景衬悲情的冷色调。而夹在一、三两句中的“小桥流水人家”，虽也是景中含情、实中含虚，但却是暖色调的乐景衬悲情，属于反衬：玲珑的小桥，下面流水潺潺，彼岸即是村庄人家；此实景实象，隐含的虚象、悲情则是：村里人家此时黄昏正在合家团聚晚餐，享受天伦之乐；而游子的父母妻儿此时不知过得如何？自己黄昏还在赶路，饥肠辘辘，今夜住宿何处尚无着落呢！“以乐景衬哀，以哀景衬乐，益倍增其哀乐”（清王夫之《薑斋诗话》）两句正衬中夹一句反衬，正见错综之妙。

此曲意境达到虚实相生的化境。意境是由若干意象组成的艺术空间境界,其基本要求是情景交融,而最高标准则是虚实相生。此曲前三句都是写景意象,末句"断肠人在天涯"才使读者得知这些景象乃是漂泊天涯的游子怀着悲痛的心情所见所感,故上述景物无不着"游子"之色彩,带"游子"之感情。此即情景交融。其意境中的实境,就是一幅"天涯黄昏游子秋思图"。但若结合作者的生平经历透视,我们仿佛看到实境背后隐藏的虚境:那就是处于"八娼、九儒、十丐"地位的元代儒生,在科举中断78年中,为求谋生而浪迹天涯的悲惨命运。马致远在其杂剧《荐福碑》中也写儒生张镐漂泊求助而到处碰壁、时乖命蹇的遭遇,因而愤然长叹:"儒人颠倒不如人!"正是这首小令虚境的最佳注脚。

(熊　笃)

## 【双调·夜行船】

马致远

### 秋　思

【夜行船】百岁光阴如梦蝶,重回首往事堪嗟。昨日春来,今朝花谢。急罚盏,夜阑灯灭。

【乔木查】秦宫汉阙,做衰草牛羊野,不恁么渔樵无话说。纵荒坟横断碑,不辨龙蛇。

【庆宣和】投至狐踪与兔穴,多少豪杰。鼎足三分半腰里折,魏耶?晋耶?

【落梅风】天教富,莫太奢,没多时好天良夜。看钱奴硬将心似铁,空辜负锦堂风月。

【风入松】眼前红日又西斜,疾似下坡车。晓来清镜添白雪,上床和鞋履相别。莫笑鸠巢计拙,葫芦提一向装呆。

【拨不断】利名竭,是非绝。红尘不向门前惹,绿树偏宜屋角遮，青山正补墙头缺，竹篱茅舍。

【离亭宴煞】蛩吟罢一觉才宁贴，鸡鸣时万事无休歇，争名利何年是彻。看密匝匝蚁排兵，乱纷纷蜂酿蜜，闹穰穰蝇争血。裴公绿野堂，陶令白莲社。爱秋来时那些：和露摘黄花，带霜烹紫蟹，煮酒烧红叶。人生有限杯，几个登高节。嘱咐俺顽童记者：便北海探吾来，道东篱醉了也！

## 鉴赏

这是马致远的一篇力作,《中原音韵》《尧山堂外纪》题作"秋思",别本或无题。其正文,各本颇有异同,今据《中原音韵》参照别本,择善而从。这一套曲主要抒发作者愤世嫉俗、退隐田园的思想感情,由于作者将个人失意与宇宙人生的感喟结合在一起,绝妙好辞层出不穷,无论在当时还是后世,都备受推崇。

从谋篇布局上讲,这套曲采用了先总后分,最后概括的结构。首曲〔夜行船〕是套曲的提纲,总言人生若梦,所以对酒当歌。这里也用了元人最喜爱的典故——庄周梦蝶的故事总揽一笔,然后说"重回首往事堪嗟"——"往事"二字耐人寻味,就个人而言,有误落尘网、觉今是而昨非之意;不局限于个人,则是为后文的怀古悼亡之意作伏笔。"昨日春来,今朝花谢"是一种夸张的说法,极见青春易逝;"急罚盏,夜阑灯灭"是说及时行乐还来不及,言下之意是更何况不知珍惜光阴者耶! 这又为后文"空辜负锦堂风月"伏笔。"罚盏"即今人所说的"罚酒",是行欢作乐的意思。短短几句,发唱惊挺,纲举目张。

〔乔木查〕〔庆宣和〕两曲承"往事堪嗟"来,作者取了一个很大的参照系即历史长河,来谈古论今,对所谓不朽的功业予以否定和嘲弄。这两曲所谈论的历史,包括了秦汉三国两晋若干朝代。"秦宫汉阙""鼎足三分""多少豪杰",代表着轰轰烈烈的英雄霸业。而"做衰草牛羊野""投至狐踪与兔穴""纵荒坟横断碑,不辨龙蛇",则代表着沧海桑田,盛极而衰的周期率。作者嘲弄说,这些所谓伟大的人与事,最后剩下的只是一个话题价值,而且这话题还只属于渔夫樵夫一类的贱民。所以这价值也就极为有限。你可以说他有酸葡萄心理,但你不能说他毫无道理。作者语本宋人张升:"多少六朝兴废事，尽入渔樵闲话。"（《离亭燕》）但"不恁么渔樵无话说"，把雅言变成了口语，即见曲家本色。后来明杨慎《临江仙》："白发渔樵江渚上，惯看秋月春风。一壶浊酒喜相逢，古今多少事，都付笑谈中。"可以看作是这一话题的展开。"魏耶？晋耶？"一句，则活用陶渊明《桃花源记》的"不知有汉，无论魏晋"，措辞凝练而活络，耐人寻味。

《落梅风》一曲由怀古转入讽世，进一步对人间的荣华富贵予以否定和嘲弄。古谣谚说："贫不学俭，富不学奢。"意思是贫者俭朴、富者奢侈，是一种自然的趋势，不学而会。作者说"天教富，莫太奢"，也包含这样的意思。富贵不但与奢侈如影随形，而且与贪婪形影相追。恰如鲁迅笔下的"豆腐西施"所说："真是愈有钱，便愈是一毫不肯放松；愈是一毫不肯放松，就愈有钱。"然而，有钱的人越是好聚敛，越是终生坐在钱眼里不能自拔，就越是无从知解人生的乐趣。元人称吝啬鬼为"看钱奴"，所以作者说："看钱奴硬将心似铁，空辜负锦堂风月。"这是人生的一大误区，作者警示世人，千万不要掉进这样的误区。《红楼梦》中有首《好了歌》说："终朝只恨聚无多，及到多时眼闭了。"其警示意味与此相同。

〔风入松〕〔拨不断〕两曲，转而正面阐发作者的人生价值观，讲述他的处世态度和生活情趣。"眼前红日又西斜，疾似下坡车"二句，紧接前文"没多时好天良夜"而来，这个比喻是通俗、生动而新鲜的。"晓来清镜添白雪"则合李白"高堂明镜悲白发，朝如青丝暮成雪"两句为一句，强化了时不我待的意思。于是作者看破了，就决定放下，也就是决定告别一切的庸俗机巧，决定抱穷守拙。宋代有个陈郁，作了一首俏皮的咏雪词云："东郭先生都不管，关上门儿稳睡。"（《念奴娇》）这样的俏皮话如果写在曲中，更觉当行本色。关上门儿稳睡这层意思，作者却想出另一句俏皮话："上床和鞋履相别。"这话也有来历，却在民间，俗谚道："今天晚上脱了鞋，不知明早穿不穿。"王世贞说"上床"句大是名言，主要是因为这句话中包含有视死如归的通达的人生观，其次是因为其语言的独创性。"莫笑鸠巢计拙，葫芦提一向装呆。"俗谓斑鸠不会营巢，"鸠巢计拙"意味着不善钻营，"一向装呆"的意思就是守拙——这个观念来自陶诗的"开荒南野际，守拙归园田"，与名利场的机巧，是反对着的。作者在写下"利名竭，是非绝"两个斩钉截铁的短句后，用鼎足对推出一串优美的景语："红尘不向门前惹，绿树偏宜屋角遮，青山正补墙头缺，竹篱茅舍。""绿树""青山"二句是巧妙地改造了孟浩然"绿树村边合，青山郭外斜"的名联，而信手拈来的"红尘"一句，措辞工致天成，而它们的着落点则是"竹篱茅舍”。而这“竹篱茅舍”处在那样一片未曾污染的天地里,显得多么的可爱哟。

应该说,作者要表达的意思,到此已经说完。然而散曲与诗词不同,不倾向于含蓄蕴藉,而是务求淋漓尽致。因此,套曲的煞尾,往往在前面各曲的基础上反复咏叹,锦上添花。关汉卿〔南吕·一枝花〕《不伏老》如此,本篇也是如此。

《离亭宴煞》既是对以上各曲的总束,又是三复斯言,对曲旨作尽情发挥。大体上前六句为一层,总束讽世的内容。“蛩吟一觉才宁贴”承“上床和鞋履相别”而来,“鸡鸣时万事无休歇”则引出一番争逐名利、是非蜂起的世态人情幽默画:“密匝匝蚁排兵,乱纷纷蜂酿蜜,闹穰穰蝇争血。”这里用群聚忙碌的昆虫来形容人群,或是受唐传奇《南柯太守传》的启发,又加创新推广,寓否定功名利禄的思想,也形象地反映了元蒙时代争权夺利、如蝇逐臭的丑恶社会现实。这就将前文的讽世内容,写得更充分、更具体。后十一句为一层,总束言志的内容。这里出现了陶渊明——作者的精神导师,而且还拉裴度作陪。唐相裴度晚年因宦官专权,在洛阳筑“绿野堂”隐退;“白莲社”是晋僧慧远在庐山发起的宗教组织,曾邀陶渊明参加。又用“爱秋来时那些”提唱,仍以一组鼎足对尽情抒写隐者的生活乐趣——黄花、紫蟹、红叶、和露、带霜等意象,极富秋令特色。“摘黄花”插发,“烧红叶”煮酒,而“烹紫蟹”佐饮,正是重阳佳节的乐事。进而说到人生有限,重阳无多,故须登高饮酒,一醉方休。最后,作者以呼告语道:“便北海探吾来,道东篱醉了也。”“北海”指东汉北海太守孔融,他曾说:“座上客常满,樽中酒不空,平生愿足。”“东篱”则是作者的别号(东篱先生)。这两个称谓的对仗,是信手拈来,无意于工而无不工。以嘱咐童儿语终篇,令人想到李白《将进酒》,狂放之至,自在之至,洒脱之至。

全曲用第一人称的口吻抒怀,语言风趣流畅,无论说古道今,讽世述怀,均能前后映带,一气贯注,而又回环往复。有三组鼎足对,成为套曲的务头,“红尘”“绿树”“青山”的对比,“黄花”“紫蟹”“红叶”的描写,“密匝匝”“乱纷纷”“闹穰穰”的形容,绘声绘色,为曲子生色不少。造语铸词,既是满心而发、肆口而成,又做到推敲精当、毫发无憾。元人周德清说它“谚曰百中无一,余曰万中无一”,王世贞则称其“放逸宏丽,而不离本色”“元人称为第一,真不虚也”。

(周啸天)

# 【般涉调·哨遍】

马致远

## 张玉嵓* 草书

【哨遍】自唐晋倾亡之后，草书扫地无踪迹。天再产玉嵓翁，卓然独立根基。甚纲纪？胸怀洒落，意气聪明，才德相兼济。当日先生沉醉，脱巾露顶，裸袖揎衣；霜毫历历蘸寒泉，麝墨浓浓浸端溪；卷展霜缣，管握铜龙，赋歌赤壁。

【幺】仔细看六书八法皆完备，舞凤戏翔鸾韵美。写长空两脚墨淋漓，洒东窗燕子衔泥。甚雄势！斩钉截铁，缠葛垂丝，似有风云气。据此清新绝妙，堪为家宝，可上金石。二王古法梦中存，怀素遗风尽真习。料想方今，寰宇四海，应无赛敌。

【五煞】尽一轴，十数尺，从头一扫无凝滞。声清恰似蚕食叶，气勇浑同猊抉石。超先辈，消翰林一赞，高士留题。

【四煞】写的来狂又古，颠又实，出乎其类拔乎萃。软如杨柳和风舞，硬似长空霹雳摧。真堪惜！沉沉着着，曲曲直直。

【三煞】画一画如阵云，点一点似怪石，撇一撇如展鲲鹏翼。弯环怒偃乖龙骨，峻峭横拖巨蟒皮。特殊异，似神符堪咒，蚯蚓蟠泥。

【二煞】写的来娇又嗔，怒又喜，千般丑恶十分媚。恶如山鬼拔枯树，媚似杨妃按羽衣。谁堪比？写黄庭唤取，道士鹅归。

【一煞】颜真卿苏子瞻，米元章黄鲁直，先贤墨迹君都得。满箱拍塞数千卷，文锦编挑满四围。通三昧，磨崖的本，画赞初碑。

【尾】据划画难，字样奇，就中浑穿诸家体，四海纵横第一管笔。

## 注释

＊张玉嵓，生卒年不详，元代草书家，生平无考。东篱此套曲，正好填补了书史中一个空白。古人认为书品如人品，如姜夔《续书谱》："襟韵不高，记忆虽多，莫湔尘俗；若使风神萧散，下笔便当过人。"冯班《钝吟书要》亦云："山谷胸次高，故遒劲不俗。"刘熙载《书概》："羲之之器量，见于郗公求婿时，东床坦腹，独若不闻，宜其书之静而多妙也。"皆首重胸襟次重才识之论。

## 鉴赏

东篱套曲亦然，首曲〔哨遍〕为第一层：先写张玉嵓的胸襟气度不凡。开篇又采用欲扬先抑，重笔勾勒草书兴废史，谓晋唐之后"草书扫地"，但并非夸张过度，恰是慧眼卓识，与后人论书不谋而合。如清阮元《揅经室集》："唐人书法，多出于隋；隋人书法，多出于北魏北齐。……自宋人阁帖盛行，世不知有北朝书法矣。"康有为《广艺舟双楫》："六朝笔法，所以过绝后世者，结体之密，用笔之厚最为显著。……自唐以后局促偏急，若有不终日之势，此真古今人不相及也。"第三句突转入题：似乎苍天有眼，不欲草书绝世，故"再产玉嵓翁，卓然独立根基"，以此兴废继绝。"纲纪"即法度，指其书法要领。谓其人胸襟潇洒磊落，而意志才气又很聪明睿达，可谓才德兼备，因而书法高妙。"当日"以下八句，具体描绘玉嵓醉后狂草动态，以见其人胸襟气度。"脱巾露顶，裸袖揎衣"，状其醉后放浪不羁的狂态；"霜毫"二句，画其操笔蘸墨的雄姿；"卷展"三句绘其载书载歌的豪情。"霜毫""寒泉"虽指狼毫泉水，然其白色、晶莹，亦双关其人品之高洁；"麝墨""端溪"则以优质墨香和端溪名砚，旁衬出其人之高雅。再嵌入“历历”“浓浓”叠字，则酣畅淋漓之神态，呼之欲出。“霜缣”即白绢，“铜龙”代指笔管，“赤壁”即苏轼《赤壁赋》。三句鼎足对，其铺展绢帛、悬笔疾书、高歌赤壁的豪情逸兴，写得声态毕肖。大有“颠张狂素”之风。

从〔幺〕到〔二煞〕五曲为第二层：反复铺陈赞美张玉嵓草书的渊源、气势、技法、风格和神韵。〔幺〕曲写其渊源流变及磅礴气势。“六书”指西汉王莽变秦八体书为六体书，即古文、奇字、篆书、隶书、缪书、虫书。“八法”指“永字八法”，即汉字八种笔画：侧（点）、勒（横）、弩（直）、趯（钩）、策（斜划向上）、掠（撇）、啄（右短撇）、磔（捺）。“舞凤戏翔鸾”比喻气韵飞动，笔势飘逸。《唐会要·书法》载，许圉师赞高宗书法“凤翥鸾回”。“写长空”二句，形容下笔气势磅礴，挥洒淋漓，语出苏轼《虚飘飘》“雁字一行书绛霄”。“甚雄势”以下三句形容其书风骨雄健爽利而气势飘逸绵邈。唐虞世南《书髓》论草书“既如舞袖拂尘而萦纡，又如垂丝掺盘而缭绕”。姜夔《续书谱》云：“是点画处皆重，非点画处偶相引带，其笔皆轻。”故“斩钉截铁”状其刚而重，是点画处，“缠葛垂丝”喻其轻而柔，是引带处，“有风云气”则如《书断》所云“犹龙蛇战斗之象”。“家宝”谓家藏传世之宝，“金石”谓其草书完全够格载入金石专书传世。“二王”指书圣王羲之父子；“梦中存”意谓仿佛神授，语出蔡邕《石室神授笔势》，蔡文姬亦云：“臣父造八分时，神授笔法曰……”此二句谓梦中得“二王”神授，而又“尽真习”怀素遗风，因此能追踪晋唐、兴废继绝、四海无敌了。

〔五煞〕写其草书卷幅宏大：任一轴十几尺的长轴也是满篇气韵流动，潇洒飘逸，一气如注，毫无拘束呆板之处。那走笔落纸之声虽轻，却清晰可闻，像蚕吃桑叶沙沙作响；气势之勇又如雄狮（猊）要抉穿巨石一样。后句典出《新唐书·徐浩传》，谓浩书如“怒猊抉石，渴骥奔泉”。末谓像这样超越前辈的好书法，需要翰林学士写一篇赞颂，值得高人名士留一篇题跋，就更能誉满天下了。

〔四煞〕赞其风格神韵。谓深得张旭之颠、怀素之狂的遗风，纯古高雅而又壮实浑厚。“杨柳和风舞”形容笔势轻松灵动，秀润圆融；“长空霹雳摧”则状其结体遒劲，笔锋奇壮。两句喻其字兼阳刚阴柔之美，软硬轻重皆宜。草书尤忌横竖分明，故须“曲曲直直”相间。

〔三煞〕赞其笔画技法。头三句源出唐欧阳询《论书八法》云：“点如高峰坠石，横如千里阵云。”唐张怀瓘《书断》谓王献之行草“若大鹏抟风，长鲸破浪”。“弯环”指笔画弯折圆曲；“乖龙”，传说中的孳龙；"横拖"隐含"拨镫法"，即运笔如拈拨灯芯。林韫《拨镫说》："推拖捻拽是也。""神符"二句总喻其草书笔画如道士念咒的"符箓"屈曲迷离，像泥土中蚯蚓盘绕蜿蜒。

〔二煞〕写其字里蕴含的情态。娇美而又嗔怪，怒张而又喜悦，丑恶而又妩媚。唐韩愈《送高闲上人序》云张旭"喜怒窘穷，忧悲愉佚……必于草书发之"。《宣和书谱》评薛存贵草书"变态百出，或妍或丑"。故曲中用"娇、嗔、怒、喜、丑恶、媚"等词，既是书家寄寓的感情色彩，也是作者的审美评价。用拟人，写字字皆如活人各具情态。"山鬼拔枯树"形容笔法瘦硬凌厉。陈思《书小史》载邬彤评唐太宗草书学王献之"如凌冬枯树，寒寂硬瘦"；"杨妃按羽衣"谓草书如杨妃按拍跳霓裳羽衣舞一样风姿绰约。"写黄庭"二句用王羲之写《黄庭经》与道士换鹅的典故，赞张玉嵓草书堪与羲之媲美。

〔一煞〕和〔尾〕是第三层：赞其收藏历代名书之富，摹练之勤，融汇众长而自成一家，为天下第一。举颜真卿、苏轼、米芾、黄庭坚等唐宋书法大家概括其收藏"先贤墨迹"之广。"满箱"二句状收藏之富，"文锦"指锦绣花纹的丝织组绶，"文"是丝织物长度量词。"四围"，《释文》谓"径尺为围"；一说五寸为围，一抱也叫一围。此二句谓家藏墨迹装满箱，多达数千卷；用很长的丝带编捆，也有四大捆。"三昧"即奥妙诀窍。"磨崖的本"即摩崖碑的拓本，指元结撰、颜真卿书的《大唐中兴颂》碑。"画赞初碑"即《东方朔画赞碑》，赞文乃晋夏侯湛撰、王羲之书、颜真卿又临王字书刻为碑。这三句谓玉嵓除天赋外，更因勤奋善学，故能追踪前贤。〔尾〕曲言其融会贯通名家众体而自成一家，故笔画不凡，字样奇特，纵横四海第一。

此套曲有两大特色：一是长于铺叙展衍，首尾呼应。一般人赞美草书，会感到词源枯竭，用一小令足矣；而东篱却洋洋洒洒写了八支曲子，从其胸襟才气、书写动态、师承渊源、声气神韵、笔画技法、情感变化以及收藏宏富、贯通诸家等多方层层铺排挪展，每曲各有侧重，而以高超神妙贯穿全篇。以感晋唐倾亡草书扫地起，以师法晋唐、追踪先贤结；以"卓然独立根基"起，以"浑穿诸家""四海第一"结，可谓首尾呼应。胜读一篇张玉嵓传论。而用典博洽辞藻华赡，非深谙书学者莫办。二是比喻丰富生动，全篇不下二十多处，尤以〔三煞〕句句皆比，读后使人恍觉身临其境观其笔走龙蛇的风采一般。

（熊　笃）

# 【般涉调·耍孩儿】

马致远

## 借　马

【耍孩儿】近来时买得匹蒲梢骑，气命儿般看承爱惜。逐宵上草料数十番，喂饲得膘息胖肥。但有些秽污却早忙刷洗，微有些辛勤便下骑。有那等无知辈，出言要借，对面难推。

【七煞】懒设设牵下槽，意迟迟背后随，气忿忿懒把鞍来备。我沉吟了半晌语不语？不晓事颓人知不知？他又不是不精细，道不得“他人弓莫挽，他人马休骑”。

【六煞】不骑呵西棚下凉处拴，骑时节拣地皮平处骑。将青青嫩草频频的喂。歇时节肚带松松放，怕坐的困尻包儿款款移。勤觑着鞍和辔，牢踏着宝镫，前口儿休提。

【五煞】饥时节喂些草，渴时节饮些水。着皮肤休使粗毡屈，三山骨休使鞭来打，砖瓦上休教稳着蹄。有口话你明明的记：饱时休走，饮了休驰。

【四煞】抛粪时教干处抛，尿绰时教净处尿。拴时节拣个牢固桩橛上系。路途上休要踏砖块，过水处不教践起泥。这马知人义，似云长赤兔，如益德乌骓。

【三煞】有汗时休去檐下拴，渲时休教侵着颓。软煮料草铡底细。上坡时款把身来耸，下坡时休教走得疾。休道人忒寒碎。休教鞭飐着马眼，休教鞭擦损毛衣。

【二煞】不借时恶了弟兄，不借时反了面皮。马儿行嘱咐叮咛记：鞍心马户将伊打，刷子去刀莫作疑。只叹的一声长吁气，哀哀怨怨，切切悲悲。

【一煞】早晨间借与他，日平西盼望你，倚门专等来家内。柔肠寸寸因他断，侧耳频频听你嘶。道一声"好去"，早两泪双垂。

【尾】没道理没道理，忒下的忒下的。恰才说来的话君专记，一口气不违借与了你。

## 鉴赏

借马，是一个生活事件，这样的事件在唐宋时代是不能入诗的，大概只适合于散文家来叙写。然而对于元代散曲家、对于马致远来说，却是一个绝妙的题材。因为他看到其中有一个好玩的东西，就是小私有者的自私心理。这个为唐诗宋词所不宜的素材，却恰好是元曲家显摆本领的材料。元曲家好比"笑天下可笑之人"的弥勒佛，其看家本领之一就是"能笑"。一则中国笑话讲道：父亲叫儿子到邻居家借一把榔头，邻人不肯，父亲便对儿子说："这人太小气了，把我家那把新榔头拿出来用就是了。"小私有者的自私心理之可笑，就在于表面的大度，与内心的吝啬之不协调，也就是现象和本质的不协调。

首曲交代事件缘起。"近来时买得四蒲梢骑"，包含几层意思——买马不易，就特别爱惜；马是新买，就加倍爱惜；马是好马（"蒲梢"即大宛马，名牌马），更是"气命儿"（生命）般爱惜。具体表现，一是每晚上数十遍草料，二是有点脏就赶紧刷洗，三是有点累就赶紧下骑。夸张吗？有一点。过分吗？一点不。它完全符合一个梦想了很久、终于实现了买马愿望的人的情形。作者为"借马"安排的特定情境，叫做艺术概括，或者集中。在这种情况下，有人来"借马"，而这个人又是马主人的熟人，这才更有戏份，即更具戏剧性。因为借呢，又舍不得借。不借呢，又怕伤了和气。要之，干脆的借与干脆的不借，都没戏。唯独在借与不借之间,不愿借又不得不借,想推而又面对难挨的尴尬境地,戏就出来了。

既已牵马下槽,却又拖延时间("懒设设牵下槽,意迟迟背后随,气忿忿懒把鞍来备"),口头同意与内心反感,存在与目的的不协调,构成了幽默的因素。虽则马主明知对方不是不精细,注意事项不消多讲,有些话讲了也是白讲,可是,在一番"语不语"的踌躇之后,马主人还是忍不住讲了,这也可笑。

马主人对借马人的叮咛,占了套曲的大半篇幅,归纳起来无非是要求对马在生活上悉心照料,要求注意马的清洁卫生,不得鞭打伤害。这番话非常唠叨,非常琐碎。有的话再三重复——如说了"将青青嫩草频频喂",又说"饥时节喂些草""软煮料草铡底细";说了"砖瓦上休教稳着蹄",又说"路途上休要踏砖块";说了"三山骨休使鞭来打",又说"休教鞭飐着马眼,休教鞭擦损毛衣"。有的话纯属多余的——如勤觑鞍鞜、踏牢脚蹬、马要牢拴等;有的话没有可操作性,说了也白说——如说拣平地骑,哪有那么多平地呀;说找干净处拉屎尿,哪有那么称心如意的地方呀。这里,人物语言是戏剧化、性格化的,恰到好处地表现出马主人的小气。

叮咛了许多话,马主人还不放心,还要发誓赌咒。咒骂只能用拆白道字,"鞍心马户将伊打,刷子去刀莫作疑",隐射"驴屌"二字。意思是说:"这人要是坐在鞍心打你的话,他无疑是个驴屌。""屌"(男性生殖器)是骂人的话,"驴屌"取其大也。而且不能当人骂,只能对马说。这不是等于"吹了灯瞪他两眼"吗?动机与效果的不协调,再一次构成谐趣。最后马主人交马过手,一方面还在嘀咕"没道理、没道理,忒下的(太狠心)、忒下的",非常不情愿;一方面又说"一口气不违借与了你",仿佛非常大方、非常慷慨。现象与本质的不协调,构成极强的谐趣。

有人说这篇作品讽刺的是一个吝啬鬼。另有人和他抬杠说,本篇所写其实不过是人情之常,因为马主人经过一番思想斗争,毕竟将马借出去。就这一点,就与文学名著中的描写的吝啬鬼如莫里哀笔下的阿巴公、巴尔扎克笔下的葛朗台、乔治桑笔下的布芮可南等,不可同日而语。当然,他有吝啬心理,一般人也有吝啬的心理,其实就是小私有者的自私心理。作者把这种心理解剖来给人看,是一种揭短。鲁迅说:"真实地或略带夸张地写出某些人的缺点,被写的人便称这是讽刺。"作者讽刺的对象,也可以叫做人性的弱点,不排除自己在内的人性的弱点,他所取的,是一种自嘲的心态——“人啊,你笑你自己”(果戈理)。朱光潜说:“尽善尽美的人不能成为谐的对象,穷凶极恶的人也不能成为谐的对象。引起谐趣的大半介于二者之间,多少有些缺陷而这种缺陷又不致引起深恶痛疾。”本曲中的马主人就是如此。

总之,马致远的高明处,在于他发掘出一种比搞笑更为深刻的东西,即喜剧性。“喜剧必须有声有色地绘出存在与目的之间的不协调。”(别林斯基)马致远做到了这一点,诚如郑振铎所说——他将诙谐之极的局面,而出之以严肃不拘的笔墨,这才是最高的喜剧。

(周啸天)

## 【中吕·阳春曲】

王伯成*

### 别　情

多情去后香留枕，好梦回时冷透衾。闷愁山重海来深。独自寝，夜雨百年心。

#### 作者

* 王伯成，生卒年不详，涿郡（今河北涿州）人。明初贾仲明为《录鬼簿》补写的吊词中说他与“马致远忘年友，张仁卿莫逆交”。孙楷第《元曲家考略》考定张仁卿为画家，与王伯成同为至元年间（1264—1294）人。有《天宝遗事诸宫调》见称于世，今残，另著杂剧三种：《贬夜郎》《泛浮槎》《兴项灭刘》。前一种今存。隋树森《全元散曲》辑其小令2首，套数3套。

#### 鉴赏

这支曲子写心爱的人离去后雨夜孤栖的感受。这是古代诗歌中常见的题材，尤其在重情恋的元曲中更为普遍。它的独特性何在？

首先，传统写法中这个题材主人公多为女性，多用代言，即男性作家模仿女子的口吻声情来写，无论怎样惟妙惟肖终不免越俎代庖有隔靴搔痒之病。这支曲子却是男性作家我手写我心，自然天成，直截了当，省去很多东施效颦的麻烦。

其次，元曲中这类曲子大都写得粉泽香软，泼辣露骨，甚至稍涉淫媟，情色重而韵味浅。这支曲子淡化情色偏重表现心理感受，在含蓄和发露间开合有度，蜜意浓情之外更蕴含深刻的骨力和气度，独标高格。

细看来，开头“多情去后香留枕，好梦回时冷透衾”两句用七字对句忽往忽来纵横往还说尽刻骨相思。“多情”作主语很有趣，不表身份只言情分，是恋人、妻子还是情人？似乎都不重要，只“多情”足矣！在这里，“多情”是摇曳的姿态，更是旖旎的气氛和情调，一词之下，整首曲子一味任情的调子便定下来。多情故有香留，此“香”言味道，也可以是感觉甚至综合的印象、心象。有香故惹好梦，温庭筠有“水精帘里颇黎枕，暖香惹梦鸳鸯锦”（《菩萨蛮》）。只言梦“好”并无半字刻画形容，正是不着一字风流尽至，浅深聚散万取一收。关键在于虽好却是梦，梦即有破有醒，好梦回时，一人独对青灯，满眼绮罗香泽，满耳苦雨凄风，“多情”不在，情何以堪？故曰“冷透衾”。这个冷不是杜甫“布衾多年冷似铁”（《茅屋为秋风所破歌》）中真正的冷，纯是一种心理温度，心理感觉。不仅“冷”，更曰“透”，该是孟郊所谓“冷露滴梦破，峭风梳骨寒”（《秋怀》）了。

这种以衾冷衬情热的写法在以往的诗文中使用很多。温庭筠有“山枕腻，锦衾寒，觉来更漏残”“眉翠薄，鬓云残，夜长衾枕寒”（《更漏子》），顾敻有“良宵空使梦魂惊，簟凉枕冷不胜情”（《浣溪沙》），施绍莘有“半是花声半雨声，夜分淅沥打窗棂，薄衾单枕一人听”（《浣溪沙》）。白居易的《冬至夜怀湘灵》可以做这两句的注脚：“艳质无由见，寒衾不可亲；何堪最长夜，俱作独眠人。”

多情去，好梦回，去还留香，梦醒心凉，这样波折的苦情摇荡着回环往复的辞情和声情，“闷愁山重海来深”便水到渠成自然流出。愁而曰“闷”，是不能说出，还是不想说出？是主人公性格所致，还是客观情况不允许？总之是不能宣泄排解言说之愁，能且只能将它硬生生地咽下，潜气内转，闷在心里去翻江倒海。

最后，“独自寝，夜雨百年心”。“独自寝”在这里似乎重复和多余，关键在于对“夜雨百年心”的理解。“百年”指人的一生，王勃有“悲凉千里道，凄断百年身”（《别薛华》），杜甫有“乾坤万里眼，时序百年心”（《春日江村五首》其一），耿沣有“百年心不料，一卷日相知”（《屏居盩厔》）。联系前文的情境，这里至少有两层意思：第一层言这样的雨夜孤栖，一夜像过了一辈子，人生百味体会殆尽。这是一种心理时间，“似将海水添宫漏，共滴长门一夜长”（唐李益《相和歌辞·宫怨》）“毕竟不成眠，一夜长如岁”（柳永《忆帝京》），于此，含蕴不尽之味出矣。第二层意思是虽然“闷愁山重海来深”，但还要这样孤栖独宿下去，“系我一生心，负你千行泪”（柳永《忆帝京》），“惟将终夜长开眼，报答平生未展眉”（元稹《遣悲怀》）。读之，真有“夏之日，冬之夜，百岁之后，归于其居。冬之夜，夏之日。百岁之后，归于其室”（《诗经·唐风·葛生》）之概。于此，甘心负荷刻骨的闷愁和相思之意志及“此根绵绵无绝期”之骨力出矣。

这多层面的蕴含是此曲的第三个特点。作者在用词及表达上恰到好处的“含蓄”无意间为我们预设了无限的解读和阐释空间。主人公是男是女？（本文权且解作男）“多情”是妻子、情人还是露水知音？这一去是暂别还是久别、永别？这“夜雨百年心”究竟是何滋味？这一切都只藏在那永夜无眠的听雨之人心里了。

（马琳萍）

# 【中吕·粉蝶儿】

姚守中*

## 牛 诉 冤

【粉蝶儿】性鲁心愚，住烟村饱谙农务。丑则丑堪画堪图，杏花村，桃林野，春风几度。疏林外红日西晡①，载吹笛牧童归去。

【醉春风】绿野喜春耕，一犁江上雨。力田扶耙受驱驰，因为主甘分受苦。苦！苦！经了些横雨斜风，酷寒盛暑，暮烟晓雾。

【红绣鞋】牧放在芳草岸白蘋古渡，嬉游于绿杨堤红蓼平湖，画工描我在远山图。助田单英勇阵②，驾老子蓦山居③，古今人吟未足。

【石榴花】朝耕暮垦费工夫，辛苦为谁乎？一朝染患倒在官衢。见一个宰铺，借问农夫，气喘因何故，听说罢感叹长吁。那官人劝课还朝去，题着咱名字奏鸾舆。

【斗鹌鹑】他道我润国于民，受千辛万苦。每日向堰口拖船，渡头拽车。一勇性天生胆气粗，从来不怕虎。为伍的是伴哥王留④，受用的是村歌社鼓。

【上小楼】感谢中书部，符行移诸处。所在官司，禁治严明，遍下乡都。里正行，社长行，叮咛省谕：宰耕牛的捕获申路⑤。

【幺】食我者肌肤未肥，卖我者家私不富。若是老病残疾，卒中身亡，不堪耕锄，告本官，送本都，从公发付。闪得我丑尸不着坟墓。

【满庭芳】衔冤负屈，春工办足，却待闲居。圈门前见两个人来觑，多应是将我窥图。一个曾受戒南庄上的忻都，一个是累经断[6]北湹王屠。好教我心惊虑：若是将咱卖与，一命在须臾。

【十二月】心中畏惧，意下踌躇：莫不待将我衅钟[7]，不忍其觳觫[8]。那思想耕牛为主，他则是嗜利而图。被这厮添钱买我离桑枢，不睹是牵咱过前途。一声频叹气长吁，两眼凄惶泪如珠。凶徒，凶徒，贪财性狠毒，绑我在将军柱[9]。

【耍孩儿】只见他手持刀器将咱觑，唬得我战扑速魂归地府。登时间满地血模糊，碎分张骨肉皮肤。尖刀儿割下薄刀儿切，官秤称来私秤上估。应捕人[10]在旁边觑，张弹压先抬了膊项，李弓兵强要了胸脯。

【二】却不道闻其声不忍食其肉[11]，刬地加料物宽锅中烂煮。煮得美甘甘香喷喷软如酥，把从前的主顾招呼。他则道三分为本十分利，那里问一失人身万劫无！有一等贪餔啜的乔人物，就本店随机儿索唤，买归家取意儿庖厨。

【三】或是包馒头待上宾，或是裹馄饨请伴侣。向磁罐中软火儿葱椒熓，胜如黄犬能医冷，赛过胡羊善补虚。添几盏椒花露。你装的肚皮饱旺，我的性命何辜！

【四】我本是时苗[12]留下犊，田单用过牯。勤耕苦战功无补。他比那图财害命情尤重，我比那展草垂缰义有余。我是一个直钱底物：有我时田园开辟，无我时仓廪空虚。

【五】泥牛能报春⑬，石牛能致雨⑭，耕牛运土遭诛戮。从今后草坡边野鹿无朋友，麦垅上山羊失了伴侣。那的是我伤情处，再不见柳梢残月，再不见古木昏乌。

【六】筋儿铺了弓，皮儿鞔做鼓，骨头儿卖与钗环铺。黑角儿做就乌犀带，花蹄儿开成玳瑁梳。无一件抛残物，好材儿卖与了靴匠，碎皮儿回与田夫。

【尾】我元阳寿未终，死得真个屈苦。告你个阎罗王正直无私曲，诉不尽平生受过苦。

## 作者

＊ 姚守中，生卒年不详，字不详，洛阳人，姚枢孙，姚燧侄。元钟嗣成《录鬼簿》将其列于“前辈已死名公才人，有所编传奇行于世者”之列，说他曾为“平江路吏”。平江路为元代所置，辖今江苏吴县常熟、昆山等地，治所在今江苏吴县。近人孙楷第考出姚守中名埭，其先世为营州柳城（今辽宁朝阳）人。所作杂剧3种均佚，散曲今存套数〔中吕·粉蝶儿〕《牛诉冤》。明初贾仲明〔凌波仙〕吊词赞“《牛诉冤》巧用工”，明朱权《太和正音谱》评其曲“如秋月扬辉”。

## 注释

① 晡：太阳即将落山之时。

② 助田单英勇阵：战国时齐人田单曾以火牛阵大败燕军。事见《史记·田单列传》。

③ 驾老子蓦山居：老子即老聃，春秋战国时楚人。传说他曾骑牛入山隐居。蓦：超越，跨越。

④ 伴哥王留：作者虚构的牧童名字。元曲中常用“伴哥”“王留”等泛称农村青年。

⑤ 申路：向上级呈文报告。路：宋元行政区划名。

⑥ 经断:因犯罪而被流放。

⑦ 衅钟:古代杀牲以血涂钟祭祀,《孟子·梁惠王上》:"将以衅钟。"

⑧ 不忍其觳觫:语出《孟子·梁惠王上》。觳觫:恐惧貌。

⑨ 将军柱:旧时行刑时绑缚犯人的柱子。

⑩ 应捕人:捕捉罪犯的快手。

⑪ 闻其声不忍食其肉:语出《孟子·梁惠王上》:"见其生,不忍见其死;闻其声,不忍食其肉。是以君子远庖厨也。"

⑫ 时苗:三国时人。时苗初为官,用一头黄牛拉车。年余,黄牛生一犊。时苗离任时留下牛犊,说自己当初来上任时并没有这头牛犊。事见《魏略·清介传》。

⑬ 泥牛能报春:古代习俗,春天来临,塑泥牛鞭之,以迎春祈耕。

⑭ 石牛能致雨:据《广州记》,郁林郡有池,池有石牛。岁旱,百姓杀牛,以牛血和泥,泥石牛背,祠毕,天雨。

## 鉴赏

这套曲子是一篇寓意深刻的拟人之作。作品用寓言体的拟人化手法,借一头即将被屠宰的老牛的自诉,控诉了是非颠倒的社会现实,曲折表达了作者对蒙元一代知识分子屈沉下僚、志不获骋、朝不保夕的命运的不平与愤慨,抒写郁积于胸的丘壑块垒,对践踏知识、屈辱士人的黑暗世道给予了强烈的谴责。表面上是牛在诉冤,但联系作者以及元代知识分子的遭际地位,我们完全有理由认为,牛实际上是作者乃至元代知识分子的代言人。牛的诉冤,本质上说是惨遭迫害的士人在控诉!

前三支曲子是第一层,从自己居住"烟村",与自然的和谐相处,写到酷寒盛暑为主人扶耙拉犁所受的千辛万苦,最后陈述自己在人类历史上的煊赫功绩。居住简陋的农庄,与自然、与人类和谐融洽。无论是徜徉在杏花桃林夕阳绿野细雨中,还是嬉游于芳草岸白蘋古渡,优游于绿杨堤红蓼平湖,自己一直是与人为善,纯朴勤劳,与世无争,是自然万物和人类社会的忠实朋友。无论烈日盛夏,还是冰寒严冬,一年四季,自己都默默无闻,辛勤劳作,任劳任怨,虽然受尽驱驰,但自己毫无怨言,因为这都是本性使然。这样,老牛吃苦耐劳的品格被渲染了出来。退一步讲,即使撇开牛的耕作之功,作为自然的一分子,牛与花、与林、与山、与水、与夕阳、与江岸湖堤、与各种植物等等的组合，都是一幅美妙动人的图画。试想，如果大自然里少了牛，那也是一种莫大的遗憾！再考察人类历史的发展，文名如老聃，隐居时由我陪伴；武名有田单，破燕时少我不行；文人墨客吟诗作画，哪个离得了我的点缀参与呢？眼下，主人更是离不了我，春耕扶耙耕作于横雨斜风暮烟晓雾的酷寒盛暑，辅助主人创家立业。总之，我有值得炫耀的历史，有值得夸赞的功劳，于人类百益而无一害，人类没有任何排拒我伤害我的理由！这无疑是在告诉人们：人类历史文明的进展，离不开知识分子的参与，他们在青史上留下了值得赞叹歌咏的业绩！

次四曲即从〔石榴花〕到〔幺〕为第二层，陈说自己壮盛之年，能为人力耕时，受到人们的重视；如今老病疲羸，无力从事耕作，灾祸便无情降临。我帮助主人创家立业，朝耕暮垦，受尽驱驰，辛劳一生，功业赫赫。然而，一旦病老体衰，主人再也不念我曾经立下的赫赫功绩。侥幸遇到劝农的好官，出于本分职责，他问讯了我患病的原因，了解到我有帮助人们耕作的现实用途；出于本分与职责，将我的功劳上报朝廷，肯定我“润国于民”所受的“千辛万苦”，朝廷于是下令禁止屠宰耕牛。耕牛有益于农耕，朝廷自然禁止屠宰；而对于贡献辛劳一生、如今“不堪耕锄”的病牛如何处置呢？竟然是“告本官，送本都，从公发付”。如何才算“从公发付”，语焉不详，看来不幸马上就会降临了，因为对于羸弱疾病失去耕作能力的老牛来讲，现在对于人类唯一有用的东西，就剩下自己的身躯了。

从〔满庭芳〕到〔六〕为第三层，陈诉作为人类功臣的老牛的悲惨下场，控诉人类的无情与残忍。由第一层自己有用时与人类的和谐相处，到第二层劝农官员对自己功业的肯定，至此笔锋陡转，诉说自己的不幸结局：自己被卖到了贪婪狠毒、唯利是图的屠夫手里，被残忍肢解，或烹或煮，屠夫们或自己享用或招待宾朋。从此以后，野鹿无友，山羊失伴，柳梢残月下少了牛的身影，古木昏鸦旁没了牛的踪迹。生前辛勤耕作，死后将一切都贡献给了人类，没有一件“抛残物”！生前何等辛劳，身后何其凄凉！然而，请不珍惜我的人记住：“我是一个直钱底物：有我时田园开辟，无我时仓廪空虚。”实际上是正告那些当道者：迫害用功于社稷的士人，不仅自己要遭到惩罚，也会给国家带来灭顶之灾的！

结尾一曲为最后一层。一方面申诉自己平生受苦受累，却不得善终，“死得真个屈苦”的不幸，控诉人间的不公和残忍；另一方面也流露出自己的殷殷盼望，希冀当道者能够“正直无私曲”，主持正义，彰显公道，善待并重用那些于国于民有功的才智之士。

这套曲子构思别出心裁，手法新颖巧妙。通篇化人为牛，以牛喻人。表面是牛在“诉冤”，实际上是人在倾诉。而作者在借牛发抒悲愤勃郁之情时，始终扣合牛的具体特征、生存处境和特定心理，语语双关，亦牛亦人，使二者融会为一个你中有我我中有你的整体意象，借牛诉冤泄人之屈，达到对公道不彰的冷酷社会揭露的目的。

本篇以诉“冤”为指归，感情基调当然以悲愤为底色，但仅此不免给人以晦暗、绝望之感，所以，作品在悲怆凄凉的感情倾诉中，又饱含着郁勃不平之气，其间穿插画龙点睛的怒斥笔锋，如对屠夫的厉声呵斥：“凶徒，凶徒，贪财性狠毒，绑我在将军柱！”对饕餮之徒的愤怒责问：“你装的肚皮饱旺，我的性命何辜！”对公道不彰的黑暗社会的严正警告：“我是一个直钱底物：有我时田园开辟，无我时仓廪空虚！”这种血泪控诉，更能激起读者的悲愤，唤起听者的良知，引发人们对黑暗现实的深刻反思！

叙事与抒情融为一体，是本套曲子的又一突出特征。题目是“牛诉冤”，但并未从牛所遭受冤屈写起，而是起笔于牛与人类、自然的和谐相得，于主子扶耙耕作的辛勤劳作；通篇也不是牛的悲愤情愫的一味倾泻，而是客观地铺叙了牛身体强健时为主子劳作、老病时被屠夫宰割、最后成为世人桌上美餐、全身“无一件抛残物”的悲惨遭遇，侧重的是对自身命运的陈述，使负屈含冤的悲愤渗透到自己身前受苦、死后留冤的客观铺叙之中，字字泣血，句句含悲，对冷漠现实的谴责，对“贪财性狠毒”的“嗜利”之徒的指斥，对毫不念及我为开辟田园、充实仓廪贡献一生的饕餮之人的愤慨，对黑暗世道的血泪控诉，都融入到一个忠厚老实的无辜者饱受欺凌悲惨一生的客观叙述中。

总之，这套套数内涵深邃，匠心独具，在整个元人散曲中可谓上乘之作。与曾瑞的〔般涉调·哨遍〕《羊诉冤》、刘时中的〔双调·新水令〕《代马诉冤》有异曲同工之妙。

（张进德　张韶闻）

# 【双调·殿前欢】

阿里西瑛*

## 懒云窝(三首)

懒云窝，醒时诗酒醉时歌。瑶琴不理抛书卧，无梦南柯。得清闲尽快活，日月似撺梭过，富贵比花开落。青春去也，不乐如何?

懒云窝，醒时诗酒醉时歌。瑶琴不理抛书卧，尽自磨陀①。想人生待则么?富贵比花开落，日月似撺梭过。呵呵笑我，我笑呵呵。

懒云窝，客至待如何?懒云窝里和衣卧，尽自婆娑。想人生待则么?贵比我高些个，富比我憁些个②，呵呵笑我，我笑呵呵。

### 作者

* 阿里西瑛，生卒年不详，字西瑛，名木八剌，又称里(李)西瑛、长(常)西瑛，回族人，曲家阿里耀卿之子。其人身躯魁伟，善吹筚篥，曾居住在吴城(今江苏苏州)东北隅，取居名“懒云窝”。隋树森《全元散曲》辑有小令4首。

### 注释

① 磨陀：元人口语，消磨时光，逍遥自在之意。

② 憁(còng)：奔走钻营貌。

## 鉴赏

元代是中国历史上的一个特殊时期,儒生地位的下降,仕途科举的多舛,催生了较前代文人更为张扬的玩世不恭的人生态度和更为狂放的审美、艺术情趣,在一定意义上讲,元代文人的心态中,弥漫着一股末世意绪,并在这种意绪的推动下,面对不幸的现实,幻化出了一种达观超逸的心灵奇境。阿里西瑛的这三首散曲,正是当时文人特有心态的极端化写照。

题目"懒云窝"就颇为与众不同,古代文人一般多以"堂""斋""庵"等来命名自己的居舍,代表清净高雅之所,而阿里西瑛却用"窝"称呼自己的住处,新鲜而不落俗套。

我们且看这三首小令的写作环境,"懒云窝,醒时诗酒醉时歌""懒云窝,醒时诗酒醉时歌。瑶琴不理抛书卧""懒云窝,客至待如何?懒云窝里和衣卧,尽自婆娑"。三首散曲的写作环境和描述对象居然在床榻之上与纵酒酣眠之际,这其中的戏谑意味即刻跃然纸上。"日月似撺梭过,富贵比花开落。青春去也,不乐如何?"更为奇妙的是,他在床榻之上和纵酒之际,居然实现了思想的飞纵驰骋、人生况味的体味以及对自己生活态度的阐释。"诗""酒""歌""卧"几个动词,刻画了抒情主人公乖张的行为状态,活脱脱呈现出了一个放浪形骸的文人形象。之后,作者皆用一种带有醉意的语调,一种夸张的情绪,来表现自己对一些事物的态度和感悟,这其中也包括对本属于文人特有的高雅情致范畴的诗书瑶琴进行的嘲弄和慨叹,以及对青春、富贵、时光岁月发出了自己的觉悟感言,然后向人们提出了抛弃浮名、及时行乐的规诫。以第三首为例,作者选择了"客至"这一特定场景,将一个本该讲求礼数的场合,停留在无形无忌的状态下,既是对前两首中"瑶琴不理抛书卧"酒醉情状的延续,更是将一种玩世不恭的行为特点推向极致,呼应中有发展,发展中现极端,收到了回旋上升、层层叠进的艺术效果。最后,全曲在"呵呵笑我,我笑呵呵"的戏谑声中戛然而止,令人联想起庄周梦蝶的诘问。

这三首散曲,首尾贯通,一气呵成,一反传统文人之形象,字里行间尽是戏谑、狂放无形之语。于读者而言,收获的未必是轻松和嘲讽,可能更是一份沉重。抒情主人公极度颓废的情绪状态,不是一般的感伤、悲凉情绪的宣泄,而是绝望、空虚之后再也不能唤起严肃、真诚的人生态度,以消极、放纵的感官本能呈现的方式发泄内心的绝望、恐慌,乃至呈现出病态的沉疴。这可能更接近作者的本意,也是这三首曲辞的深层意蕴,表面称言要及时行乐,背后却是满满的酸楚与绝望。

之后,此曲引起了不小的反响,贯云石、乔吉、卫立中、吴西逸等皆作有和曲,足以证明阿里西瑛的这种心态,正是当时知识分子的一种普遍的心态。

(胡　颖)

# 【黄钟·人月圆】

赵孟頫*

一枝仙桂香生玉，消得唤卿卿①。缓歌金缕②，轻敲象板③，倾国倾城④。几时不见，红裙翠袖，多少闲情。想应如旧，春山⑤淡淡，秋水盈盈。

## 作者

* 赵孟頫(1254—1322)，字子昂，号松雪道人，湖州(今浙江吴兴)人。宋太祖之子秦王德芳之后，宋末为真州司户参军，入元后历仕世祖至英宗五朝，累官至翰林学士承旨、荣禄大夫，卒后追封魏国公，谥文敏。多才多艺，工诗文，晓音律，精书画，散曲仅存小令2首，有《松雪斋文集》12卷。《元史》有传。明朱权《太和正音谱》列其于"词林英杰"一百五十人之中。

## 注释

① 消得：值得，配得上。卿卿：本义为夫妻间的昵称，此代指对歌女的爱称。
② 金缕：《金缕曲》，《贺新郎》词的别名。
③ 象板：或称牙板，是民乐演奏时用作击拍的板。
④ 倾国倾城：形容绝世佳人。
⑤ 春山：即远山眉，形容女子的秀眉。

## 鉴赏

此曲写作者记忆中的歌女形象。

上篇五句追忆歌女当年表演时的情景。第一句“一枝仙桂香生玉”，是刻画其体貌、肤色。“仙桂”，指传说中月宫的桂树，借喻这位歌女玉树临风，身材婀娜。“玉”，借指这位歌女皮肤白皙。“香”，人、树共写，由树而人。爱美之心，人皆有之，更何况是位亭亭玉立、明丽动人、貌若天仙的美女呢！喜爱至深，禁不住轻声低唤。作者没有用“叫”或者“喊”字，唯恐粗鲁的行为会惊吓美女，而一个“唤”字，则将作者对歌女的珍惜和爱怜都表达出来了。这既是作者在当时的呼唤，如今想起，仍然情不自禁地再三低唤。以下三句是回顾当年的惊鸿一瞥：“缓歌金缕，轻敲象板，倾国倾城。”那是在一次酒宴上，这位美女朱唇微启，歌喉婉转，一边唱着那首动人的《金缕曲》，一边轻敲象板打着节拍，那种典雅和美丽，非“倾国倾城”不足以形容。这本是一次极其平常的演出，但由于有了这位美女的出现和演唱，给作者留下了极其深刻的印象，每当想起，她那美丽、娇媚的身影便会浮现在眼前。叙述之中，展现了一个动人的歌女形象，也再次激发起作者的由衷赞美和无限思念。

下篇六句想象歌女现在的秀雅神貌。很长时间没有再见到她了，想象她现在应该还是像当年见到的那样吧：穿着红色的长裙和翠绿色的上衣，光鲜艳丽，闲雅情长。特别是那双迷人的眼睛，秀眉如春山般黛青淡雅，眼波如秋水般清澈明亮，倩丽依旧，神采不减，风情万种，摄人神魄！“想应如旧”与以上的“几时不见”相应，则第二、三句和第五、六句，都是作者当年的所见，也是现在的想象，同时为上篇的人物形象描绘补充了一些细节。

作品歌咏的对象，根据曲中所用意象，如“仙桂香生玉”“缓歌”“象板”“红裙翠袖”等等，是典型的歌女形象，这在宋词元曲中是较为多见的。因此，此曲是写作者一段十分特殊的情感经历，表达了对一位歌女的深长思慕。很久之前的一次邂逅，怦然心动，给作者留下了极深的印象。即便已经记不起她的姓名，但当年一首《金缕曲》，已经使作者对这位女子的印象刻骨铭心，萦绕于心，始终不能忘怀。尽管是多年以后的想象，这位美女的形象依然鲜明生动。作者将精熟的传统绘画技法融入曲中，全篇工于描绘，细腻精致，色彩协调，透出一种秀雅风采、一股灵慧之气,宛若一幅工笔水彩仕女画。传统的所谓"诗中有画",此之谓也!

郑骞《北曲新谱》、徐沁君《北曲曲牌》均无〔人月圆〕曲牌,但是《北词广正谱》元集以张小山小令为例曲,题注:"与词余同。"则此实为词曲同体。

(许建中　张津瑞)

# 【正宫·鹦鹉曲】

冯子振*

序云:白无咎有【鹦鹉曲】云:"侬家鹦鹉洲边住[①],是个不识字渔父。浪花中一叶扁舟,睡煞江南烟雨。觉来时满眼青山,抖擞[②]绿蓑归去。算从前错怨天公,甚也有[③]安排我处。"余壬寅岁留上京[④],有北京伶妇御园秀之属,相从风雪中,恨此曲无续之者。且谓前后多亲炙士大夫,拘于韵度,如第一个"父"字,便难下语。又"甚也有安排我处","甚"字必须去声字,"我"字必须上声字,音律始谐。不然不可歌。此一节又难下语。诸公举酒,索余和之。以汴、吴、上都[⑤]、天京风景试续之。[⑥]

## 山亭逸兴

嵯峨峰顶移家住,是个不唧嚁樵父。烂柯时树老无花,叶叶枝枝风雨。

【幺】故人曾唤我归来,却道不如休去。指门前万叠云山,是不费青蚨买处。

### 作者

* 冯子振(1257—?),字海粟,自号怪怪道人,攸州(今湖南攸县)人。官至承事郎、集贤待制。冯子振今存散曲,隋树森《全元散曲》辑有 44 首,加上元陶宗

仪《南村辍耕录》中所载的一首失调名散曲《题杨妃病齿图》(此曲亦见《尧山堂外纪》《坚瓠辛集》《历代诗话》《顾曲麈谈》诸书。据王文才《元曲纪事》推断:"海粟之作疑属北由,故《麈谈》录之。")共为45首。著有《冯子振集》,明以后佚失。今人王毅辑有《海粟集辑存》。元贯云石《阳春白雪·序》中称其曲"豪辣灏烂,不断古今"。

## 注释

① 侬家:我家。鹦鹉洲:在汉阳西南长江中。
② 抖擞:抖动,打点。
③ 甚也有:真也有,正也有。
④ 壬寅:指元大德六年(1302)。冯子振时年46岁。上京:地名。契丹会同元年,改皇都为上京临潢府。地在今辽宁昭乌达盟巴林左旗。
⑤ 上都:本蒙古汗国开平府,中统五年(1264)加号上都。治所在今内蒙古正蓝旗兆乃曼苏默。
⑥ 天京:指元代都城大都(今北京)。

## 鉴赏

冯子振用〔鹦鹉曲〕这一曲牌写了一百首小令,今存四十四首,此为第一首。作者在曲中借樵夫和老树形象来表达追求大自然美好生活、蔑视世俗社会的强烈愿望。

上阕的头两句是自我介绍:家住在高峻的青山顶上,是一个纯朴的砍柴老汉。"不唧嚁",不伶俐、不精细。当然,这种介绍只是作者为表达思想情感的设想、虚构,作者并没有做过樵夫,也没有在青山顶上住过。接下来的两句是说:青山顶上的生活环境并不好,"树老无花",且有风雨相侵,但作者借用砍柴人王质的典故来表达自己跳出红尘、隐居青山,永远与尘世隔绝的意愿。"烂柯",腐朽了的树枝。据南朝齐祖冲之《述异记》记载,晋人王质上山砍柴,看到两个童子在下棋,遂守在旁边观局,等到终局时一看,手里的斧柄已经烂了。回到家里,才知道已过了百年。作者用典,无非希望像王质一样能远离尘世纷争,彻底忘怀世事。

下阕是对故友劝告的回答:青山上的环境固然不好,但"我"还是不愿下山。原因是这里超然物外,什么都不用钱买。末句兼用两典:

“青蚨”是《搜神记》中的典故：“（南方有虫）名青蚨，……以母血涂钱八十一文，每市物，或先用母钱，或先用子钱，皆复飞归，轮转不已。”后人因以“青蚨”作为钱的代称。这里说不用花钱买青山，还化用了“买山钱”之典：“支道林因人就深公买印山。深公答曰：‘未闻巢、由买山而隐。’”（见《世说新语·排调》）原意是深公讽刺支道林的话，后用以比喻隐居之志。这里连用二典，一是来强调隐居之意，二是表明对看重金钱、地位的世俗社会的批判态度。

邓子晋在《朝野新声太平乐府序》中盛称此曲“字按四声，字字不苟，辞壮而丽，不淫不伤”。并录此曲为开首之篇。全曲不仅具有音乐美，而且风格豪迈，结构严密，主题鲜明，语言生动，写出了超逸豪放的意兴与气概，塑造了一个遗世弃俗、超然物外、不满现实、感慨万千的隐者形象，给人一种高雅的审美愉悦和艺术享受。

（王　毅）

# 【正宫·鹦鹉曲】

冯子振

## 农夫渴雨

年年牛背扶犁住，近日最懊恼杀农父。稻苗肥恰待抽花，渴煞青天雷雨。

【幺】恨残霞不近人情，截断玉虹南去。望人间三尺甘霖，看一片闲云起处。

### 鉴赏

作者出生在农村，直至三十一岁才离开湖南家乡到北方京城任职，故对农村生活比较熟悉，对农民的心情把握得很准确。所以，这首表现现实生活中的农民盼望下雨的曲作写得活灵活现。

上阕以白描的手法直写农田稻苗遭遇旱灾、农民心急如焚的情状。

开头两句是总括农夫的处境和心情。“扶犁住”，即“扶住犁”，因韵律的要求而颠倒词序，是说在牛背后扶住犁耙，年年如此，以务农为生。“杀”同“煞”，是甚、特别、尤其、极端的意思。“抽花”是指水稻成长到中期，从稻苗顶端长出稻穗来。此时是最需要水分的时期，若是遭旱，便颗粒无收。不熟悉水稻生长特点的人是不可能如此准确描写的。

下阕是摹写农民渴望雷雨的心情。这里农夫渴雨的心理通过“懊恼杀”“渴煞”“恨”“望”“看”等系列的动词进行细腻的刻画，表现得真实可信。就是对农村景物和天气描写也具有高度真实性。“玉虹”，色彩绚丽的长虹。俗语云，晚霞日头朝霞雨，“残霞”“玉虹”“闲云”等都是天空中云层变化的现象，也都是没有雨下的天气迹象。清孙枝蔚有诗云：“日下云初黑，虹边雨又无。”(《无雨》)说的就是这种天气状况。本来是万里晴空，晚霞满天，毫无下雨迹象，但农夫在“懊恼杀”“渴煞”“恨”之后，还是万般无奈地对那片不是积雨云的“闲云”(不能下雨的云层)也充满了希望，“望人间三尺甘霖”来解救“懊恼杀”的农夫和“渴煞”的稻苗。这种写法，既写出了绝望之中的农夫的情态，激起读者的深切同情，也把标题中的“渴”表现得淋漓尽致。

元人散曲多叹世归隐、青楼调笑、宣扬及时行乐，而深刻地反映民生疾苦、揭露统治剥削阶级罪行的作品较少。冯子振的这首《农夫渴雨》，设身处地站在农民立场上，准确地表现农民的思想感情，在元散曲中是极为少见的。这里的农夫一扫虚拟的理想化色彩，成为现实生活中的活生生的农民。作者也完全跳出个人得失的感情圈子，扫除隐士的悠闲之态，把笔触深入到广大农民的心里，表现农民的愿望和要求。作者把自己作为农民的一员，完全扫除封建文人高高在上俯视农民的恶习(有些士大夫同情农民，也只是一种怜悯或施舍)。像这样的作品，在整个元代散曲中是相当触目的。因为要写出这样的作品，既要有农民的思想感情，又要熟悉农村生活。

当然，我们还可作更深一层的解读，作者曲中所表现的农民“渴煞青天雷雨”的迫切心情，似乎也表现了作者受挫后渴望朝廷恩惠的心情，流露出“被遣还家”后还望朝廷重新起用的心情。他那久旱的心田“渴煞青天雷雨”来滋润。

(王　毅)

# 【正宫·鹦鹉曲】

冯子振

## 故园归计

重来京国多时住，恰做了白发苍父。十年枕上家山，负我湘烟潇雨。

【幺】断回肠一首阳关，早晚马头南去。对吴山结个茅庵，画不尽西湖巧处。

### 鉴赏

本篇写作者欲归故乡的计划与设想。

作者在《十八公赋》中说："吾以丁亥(至元二十四年〔1287〕)之夏,……价下忝燕台之延。"那是作者第一次进元都城——大都(今北京)。"重来京国",是指作者贞元元年(1295)第二次进大都。三年前的至元二十九年(1292)冯氏因"桑哥案"被遣送回乡。前后算来有九年时间,故曰"多时"。"白发苍父",是对自己外貌特征的描写。作者此时(1302)虽只有46岁,因遭遇坎坷,又离别家乡与亲人,故未老先衰,已经满头白发。这一点,其《居庸赋》中的自述亦可佐证,赋云:"于是吾生四十六年矣。面加皱,鬓加白,脐始噬,腕始扼。肤焦然而欲槁,筋倦矣而犹客。"其《十八公赋》亦称自己为这一年"楚伧父"。

"十年枕上家山",言作者自遭受"桑哥案"至今恰已十年。自蒙受不白之冤之后,作者已清醒地认识到官场的黑暗,于是,乡情深切的归思、退隐林下的向往,不时萦绕心头,做梦都想到家乡。但是,人在官场,身不由己,欲归不得,欲隐不能。对"家山"的依恋,对"湘烟潇雨"的相思,"对吴山结个茅庵"的理想,就只能是"枕上"梦寐了。作者离家进京是至元二十四年(1287),至作〔鹦鹉曲〕时相隔十五年,而曲中说的只是后十年,难道前五年就不思念家乡吗？不！这只是因为前五年作者一心求进,无暇他顾。自从遭到打击后才有退隐之想,才有"袖手不如归去"之念，所以这里的"十年枕上家山"是十分准确的。无此经历的人决道不出。

归计难成，冯氏便在他的理想中塑造了一系列足不到市的平民形象，如《山亭逸兴》中的樵父，《荣华短梦》中的耕父，《农夫渴雨》中的农夫，《野渡新晴》中的田父，《渔父》中的钓叟纶父，《园父》中的牧羊父等；也描绘了许多功成名就而急流勇退的先世贤哲和隐居避世的逸士高人，如《陆羽风流》中的陆羽，《处士虚名》中的严光，《黄阁清风》中的贤相傅说、伊尹、萧何、李靖，《夷门怀古》中的侯嬴，《蟠溪故事》中的姜太公，《忆西湖》中的林逋，《买臣负薪手卷》中的朱买臣，《四皓屏》中的张良、伍员、四皓等；甚至传说中的神仙和民间故事中的人物也成为冯氏歌颂推崇的对象，如《拔宅冲升图》中的刘安，《泣江妇》中的曹娥，《洞庭钓客》中的吕洞宾等。这各类人物具有一个共同特点：没有市侩气，没有名利心。在他们身上，"利名心不挂丝毫""不恋人间险处"。而对那些同隐士相对立的追名逐利之徒，则采取讽刺、挖苦、批判的笔调加以揭露，如对《钱塘初夏》中的司马槱就是如此。两个不同的角度却共同表现了作者"恰殷勤离得深宫，便得到人间好处"的退隐思想。

贯云石在《阳春白雪序》中说："近代疏斋妩媚，如仙女寻春，自然笑傲。冯海粟豪辣灏烂，不断古今，心事天与，疏翁不可同舌共谈。"此曲亦可见一斑。

（王　毅）

# 【正宫·鹦鹉曲】

冯子振

## 渔　父

沙鸥滩鹭褵依住*，镇日坐钓叟纶父。趁斜阳晒网收竿，又是南风催雨。

【幺】绿杨堤忘系孤桩，白浪打将船去。想明朝月落潮平，在掩映芦花浅处。

## 注释

＊ 褵依:羽毛初生时濡湿黏合貌。

## 鉴赏

此曲描绘了一个渔夫的闲适而舒畅的隐居生活。

起始两句写渔夫所处的环境。那是一个鸥鸟、鹭鸶等野鸟生活栖息的地方,或许是小岛吧。头戴纶巾的渔夫整天整天地坐在这里悠然自得地垂钓。这里应该是一个与世隔绝的世外桃源,环境优雅,空气清新,没有尘世之人打扰,没有势力之人来往。否则,那刚刚出世、还不能行动的鸥鸟、鹭鸶恐怕就不能生存了。

"趁斜阳晒网收竿,又是南风催雨"写渔翁赶在太阳下山之前结束了一天的打鱼劳作,因为他还要收拾渔具,利用西斜的阳光晒干渔网,南风起了,说不定又要下雨了。一个"又"字,形象地说明了渔夫经常打鱼,也表现出渔夫对当地天气状况变化的掌握和了解。"南风"则表明此时的季节是夏天,这是打鱼的好季节。

下阕写渔夫潇洒自由、与世无争、顺从自然的情怀。渔夫打鱼归来,忘记把渔船系在绿杨堤上的孤椿上,结果渔船被傍晚涨潮时的白浪打走了。但渔夫并不着急,更不去寻找,因为他知道,等到明天早晨退潮时,那条被白浪打走的渔船肯定搁浅在那浅水的芦花之中。

散曲文学,是以避世思想作为构筑精神大殿的基础。冯子振的散曲作品,当然不能例外,叹世归隐是其散曲的轴心。〔鹦鹉曲〕创作于大德六年(1302),他当时46岁,已经历了太多的宦海风浪和人生坎坷,至元二十九年(1292)五月,因文字祸差点送了命。据《元史纪事本末》卷七载:"二十九年五月,中书省臣言:妄人冯子振为诗誉桑哥,及桑哥败,即告词臣撰碑引谕失当,国史院编修陈孚发其奸状。帝曰:词臣何罪?必以桑哥为罪,则在廷诸臣谁不誉之?朕亦尝誉之矣。"冯子振"乞免所坐",被遣还家。直到三年后元世祖死,太孙铁穆耳(成宗)即位于上都,冯子振才回到京城。经过这样的风波,冯氏的创作很自然地加入了元散曲避世归隐的大合唱。这类散曲所占的比重较大,他所塑造的"村父""耕父""愚父""白发苍父""野叟田父""钓叟纶父"

“园父”“野客”“处士”“洞庭钓客”“白头父”“跨牛父”“种果父”“采薪父”“牧羊父”“农父”等一系列人物形象，大多是一种象征性形象，都有作者的影子在，是冯氏精神世界中自我的写照。

这首散曲为我们塑造的“渔父”，同样是一个隐者形象，这位以打鱼为生的隐者与世无争，顺应自然，安逸快活，完全是作者精神、理想的追求。

全曲没有用典，也没有生僻的字眼，一色的口语化，读来朗朗上口，通俗易懂。本曲又写得具体生动，平易近人，利用细节来塑造人物，既没有居高临下教训人的口吻，也没有抽象说教的意味，使人读后深受启发，颇感亲切。这些，恐怕只有散曲大家才能为之。

贯云石曾评价“冯海粟豪辣灏烂，不断古今，心事天与”（《阳春白雪序》）。贯云石的人生态度、散曲风格都同海粟相近，贯云石的散曲创作受海粟的影响也最大。因此，贯氏对海粟的评价也最精赅到扣。贯氏论曲家风格，多用比喻来说明风格特征，如评关汉卿“如少女临春”，评卢疏斋“如仙女寻春”等，虽形象生动，却模糊莫定，亦不免夸张色彩，唯对海粟的评价具体、直接、毫不含糊，可见贯氏对海粟的敬畏之情。所谓“心事天与”，就是说海粟出于真心的高度超脱之怀，海粟的避世隐居有天然之态。所以，冯曲所创造的意境，所描画的“渔父”形象，所表现的隐士情怀和放诞超脱的人生境界，就显得真实可信，生动感人。这正是“豪辣灏烂”的内核，亦是其豪放风格的精髓。

（王　毅）

## 【正宫·鹦鹉曲】

冯子振

# 市朝归兴

山林朝市都曾住，忠孝两字报君父。利名场反复如云，又要商量阴雨。

【幺】便天公有眼难开，袖手不如家去。更蛾眉强学时妆，是老子平生懒处。

鉴赏

这同样是一首表现归隐思想的小令。

“山林朝市都曾住，忠孝两字报君父。”这两句是对以前生活的回顾。“山林”，是作者向往的隐居之所，这在散曲《感事》中有“江湖难比山林住”，两处的“山林”所指是一样的。“朝市”是指官场。这两种地方作者都曾待过，至元二十四年(1287)作者应召入京，官集贤院待制，至元二十九年因桑哥案遭斥而离都回乡，即“聚驿埃而决归”(《十八公赋》)，所以这是写实。“忠”是对君而言，“孝”是对父而言。“利名场反复如云，又要商量阴雨”是作者对官场的认识与评判，也是他产生归隐思想的根源。“阴雨”本来是一种自然现象，人力是不能控制的，怎么要“商量”呢？这只是一种比喻性的说法，其寓意是指统治者根本不顾社会发展的客观规律，也不顾下属的实际情况，胡乱发号施令，甚至指鹿为马，颠倒黑白，陷害忠良。

“便天公有眼难开，袖手不如家去。”作者正是有过蒙冤的经历，很自然就有了怨恨“天公”的情绪而生隐退之想。当然，这里的怨恨在言辞上有所保留，没有说“老天无眼”，而只说“有眼难开”。不过，二者的客观效果并没有区别，故而对人造成的伤害或者灾难是一样的。甚至可以说后者更为可恶，因为“有眼难开”是故意整人，成心害人。“更蛾眉强学时妆，是老子平生懒处。”“蛾眉”本指女子美丽的眉毛，可借指女子容貌的美丽，也可用作美女的代称。两句字面上的意思是说：我就像天生丽质的美女，强迫我去赶时髦涂脂抹粉，是懒得去做的。其实际含义则是作者决不愿意放弃自己做一个正直人的原则而去学时人的吹牛拍马，绝不改变自己“忠孝两字报君父”的道德良心而去摧眉折腰，谄媚求进。

读冯氏的这篇作品，我们可以明显地感觉到作者的独特个性，这就是作者绝不“放倒”自己，也不丑化自身，其间闪烁着一种不附流俗、独立自尊的人格精神，“更蛾眉强学时妆，是老子平生懒处”与传统的“不为五斗米折腰”的铮铮硬气一脉相承。这是避世隐居大合唱中的最强音，其中蕴藏着对污浊现实的鄙视和批判精神，尤为可贵。

曲中对名利场中明争暗斗的厌恶，对“天公”的埋怨，对谄媚求进的痛恨等等，都非常大胆而“豪辣”，在元散曲中难得一见。这大概是冯氏对自己早年欲求上进而险遭奇祸的反省，是对“桑哥案”所遭受奇耻大辱的洗刷，也是对十几年宦海生涯的清醒认识。

读冯子振的散曲,你会明显地感觉到其造语豪爽,用语灵活。他既不刻意求雅,也不故意追俗,每用直率语将胸中豪情一语揭出,使人感到痛快淋漓。“更蛾眉强学时妆,是老子平生懒处。”心声直出,一无遮拦,亦毫无含蓄修饰。对某些散曲的浅显粗鄙的流行款式,追俗求俚的时髦风格,冯子振是不屑为之的,他绝不愿“更蛾眉强学时妆”。

(王　毅)

# 【正宫·鹦鹉曲】

冯子振

## 赤壁怀古

茅庐诸葛亲曾住,早赚出抱膝梁父。笑谈间汉鼎三分,不记得南阳耕雨。

【幺】叹西风卷尽豪华,往事大江东去。彻如今话说渔樵,算也是英雄了处。

### 鉴赏

这是一首怀古的散曲。

“茅庐诸葛”二句点明“怀古”的对象——就是刘备“三顾茅庐”中的诸葛亮,开门见山。诸葛亮曾躬耕南阳,好为梁父吟。刘备请他出山。他为了报答“三顾”的知遇之恩,在危难之际,接受了辅弼的任务,故曰“赚出”。

“笑谈间汉鼎三分”,是说诸葛亮在《隆中对》中,分析了当时形势,预测了联吴抗魏、三分天下的结局;又在“赤壁之战”中把“汉鼎三分”变成了现实。“笑谈间”,写出诸葛亮在紧张、危急的战争之中那种轻松自如、运筹帷幄、神机妙算、稳操胜券的神态,表现出这位被后世称为“智绝”的诸葛亮的才干与智慧。而接下来“不记得南阳耕雨”这一句,则是从“忠绝”的角度来写。诸葛亮为了蜀汉的事业,他已经忘记了躬耕南阳隐居式的逍遥自在的“抱膝”生活,鞠躬尽瘁地为“三分天下”而劳心费力,一心一意地报答刘备,忠心于蜀汉。

下阕从上阕的怀古过渡到今日的感叹,一个“叹”字领起,也概括了本阙的内容。“叹西风卷尽豪华,往事大江东去。”“豪华”既指当年赤壁之战前曹操八十万大军南下那种声势浩大的场面,也指蜀汉建立后那种兴旺发达的景象。但这一切都被西风无情地卷走了。紧跟着又补充一句,三国时期的那些“往事”就像滔滔东去的长江水一去不复返了。这种感叹,在苏轼的《念奴娇·赤壁怀古》有:“大江东去,浪淘尽千古风流人物。”在关汉卿的《单刀会》第四折中也有:“大江东去浪千迭。”三者意思相近。

最后两句是第二重感叹:“彻如今话说渔樵,算也是英雄了处。”“彻”,直到。“彻如今”,就是到如今。“话说渔樵”,应该是“渔樵说话”,因平仄的关系而有意颠倒。“话”是故事,“话说”就是说故事。“了处”,结局。这两句的意思是说:三国虽然离我们已有数百年了,过去的事已经不能复返了,但是,渔翁、樵夫们到现在还经常在说三国故事,还在赞叹诸葛亮的聪明才智。这也算是英雄美好的结局了。

怀古,是从唐代才兴盛起来的新的诗歌题材,写法上一般是通过对古人古事的怀念而发为吟咏,多为山川景物的描写、环境气氛的烘托以及抚今追昔的感叹。宋词、元曲中也有这类作品,写法也大致相近。但冯子振的这首散曲却另辟蹊径,景物、环境等都没有,把笔墨重点放在对古人诸葛亮的评价上。这是值得称道的。而最可贵的是,前人关于赤壁怀古的作品,多从赤壁古迹中得出“人生如梦”“世事无常”之类的感叹,多少有种消极甚至颓废的情感,而冯子振通过赤壁怀古,赞叹诸葛亮的才智,肯定诸葛亮的历史功绩,称扬他是英雄,这显然积极多了。

(王　毅)

## 【正宫·鹦鹉曲】

冯子振

### 感　事

江湖难比山林住,种果父胜过刺船父。看春花又看秋花,不管颠风狂雨。

【幺】尽人间白浪滔天，我自醉歌眠去。到中流手脚忙时，则靠着柴扉深处。

鉴赏

此曲以"种果父"与"刺船父"的不同生活对比,暗喻人世险恶与隐居悠然。

上阕先把"江湖"中的"刺船父"与"山林"中的"种果父"进行比较,重点写"种果父"的好处。"刺船父"就是船夫,古时撑船叫刺船。下阕则是把二者对比来写,优劣分明。

"刺船父"历来被文人作为逸士高人的形象加以歌颂,元散曲中更是如此。而冯曲中的"船父"则恰好相反,成为讽刺批判的对象,那"到中流手脚忙时"的船父,分明是官场中的官吏形象。"江湖"历来是同朝廷相对的隐居之处,素为文人高士所向往。冯曲中的"江湖"却是险恶之地,那"颠风狂雨""白浪滔天"的江湖景象,显然是人世风波的象征。这里的"山林",才是作者向往的佳境,"种果父"才是作者心目中的理想形象,"看春花又看秋花",才是作者所倾慕的生活。可见冯氏的这首《感事》,创造出一个崭新的艺术世界。

文学创作都要强调意境,诗、词、曲尤贵意境,"词以境界为最上。有境界则自成高格,自有名句"(王国维《人间词话》)。冯氏散曲不仅有意境,有境界,而且多与人不同。他创造的艺术天地每出人意料之外,个性鲜明,独树一帜。这首散曲就有与众不同的意境,那就是把多为文人称颂的"刺船父""江湖"作为批判的对象,从而突出"山林"中"种果父"的悠然隐居。

高人避世、逸士隐居,几乎是元散曲的主题,元曲家无不放声大唱。冯子振虽然也写避世隐居,但却意境新颖,情思隽永,耐人寻味。

此曲写法的特点是运用对比的手法,来刻画"刺船父"和"种果父"两种形象。作品一共八句,每两句为一组,每组为一比,平均分配,均衡用力,一安一危,一闲一忙,一静一动,一褒一贬,一扬一抑,不言自明,达到美学上的"匀称美"。

元杨朝英编有《乐府新编阳春白雪》和《朝野新声太平乐府》,共选冯氏《鹦鹉曲》三十九首。任中敏曾说:"就中余最好《感事》一首云:'江湖难比山林住,……'盖以一词而写两种生活,一安一危,而处危既异于寻常,且能及时转安。示人处世,始则不必求安,既而最须乖巧。作者之意,即在此欤。"(《曲谐》卷二)任先生评价中肯。《感事》的意境,确不是袭古守旧、人云亦云,而是独辟蹊径、别开生面。在元人散曲中,像这样意境清新的作品,不是那么容易读到的。

(王　毅)

# 【正宫·鹦鹉曲】

冯子振

## 黄阁清风

箕尾傅说商岩住,空桑子伊尹无父。汉萧何昴宿分英,李靖唐时行雨。

【幺】出山来济了苍生,却卷白云闲去。一千年黄阁清风,是万古声名响处。

### 鉴赏

这是一首怀古的小令,作品列举古代四位贤相加以赞誉,并借以抒发感慨。标题中的"黄阁"是汉代丞相听事办公的地方,汉以后三公官署厅门涂黄色,故称"黄阁"。这里是泛指各代丞相办公之所。

上阕四句,一句一典。第一句是写傅说。傅说是商代人,隐居在傅岩,高宗武丁访到他,举以为相,国大治。传说他死后跨于箕、尾二宿之间,成为一个星宿,即傅说星。第二句说的是伊尹。伊尹也是商代人,传说他无父,生于空桑之中,故名空桑子。长而贤,耕于莘野。汤以币三聘之,任为相,助汤伐桀,解救民众。汤尊之为"阿横",孟子称之为"圣之任者"(详见《吕氏春秋·本味》)。第三句说的是萧何。传说萧何是昴星(为二十八宿之一)下凡,以丞相之职辅佐刘邦取天下(详见《初学记》—引《春秋佐助期》)。这里说萧何不是平凡之辈,而是星宿下凡。第四句写李靖。传说李靖未显达时,曾代替龙王行雨(李复言《续幽怪录》卷四《李卫公靖》)。

下阕四句,则是作者对前四人的赞叹。说这些贤相(前举四人只有李靖没有当过丞相,但他的出处、功绩及归属和前三人相同,故一并论之)都出身低微,却身怀绝技,都能以天下苍生为己任,放弃安逸自在的隐居生活,出山来辅佐君王,平定动乱,造福百姓。一旦功成名就,又能急流勇退,辞官于朝廷,遁迹于山林。“黄阁清风”(喻贤相的高风亮节)已经吹拂了一千多年,这就是他们美好而响亮的名声所带来的结果。

作者在短短的一首小令中一连列举四位贤相来加以赞美,这自然表现出作者的审美观和善恶观。在这赞美声中,我们可以清楚地感觉到作者心中的那种“修、齐、治、平”的传统的知识分子的社会责任感,赞美贤相,说明他是要以历代贤相为榜样,为人类,为社会做点贡献,而不再计较个人的荣辱得失。表现这种积极向上的进取精神的作品,在元散曲中是不多见的,就是在冯子振的散曲中也不多见,故对此曲应当大加称道。

全曲虽然用了五个典故,但因这些典故早在民间流传,已为民众所熟知,故读起来还是通俗易懂,还是保持了散曲的本色。

(王　毅)

## 【双调·沉醉东风】

冯子振

缘结来生净果,从他半世蹉跎。冷淡交,唯三个,除此外更谁插啵。减着呵少添呵便觉多,明月清风共我。

### 鉴赏

“缘结来生净果,从他半世蹉跎。”“缘结”即“结缘”,佛教用语,《法华文句记》卷二下:“结谓结构,立机之始;缘即缘助,能成其终,则为未来修得三德之先萌也。”“来生”,佛教轮回的说法,人死后再投生为人,对“今生”来说是来生。开头两句大意是说:为了与佛菩萨结下缘分,作为将来得度的因缘,求得下辈子有个好的结果,我这一辈子只好虚度光阴了。

"冷淡交,唯三个,除此外更谁插㕽。"此三句是承"半世蹉跎"而来,是对"蹉跎"的具体说明,说自己不能有所作为,也不敢和人交往,泛泛之交的仅仅三个而已,除此之外,再没有谁插在我们三个之间了。

"减着呵少添呵便觉多,明月清风共我。"或许有人认为三个太少,抑或太多,但作者认为:若减少一个就觉得少了,若添加一个又觉得多了,三个刚刚好。那么,这三个是谁呢?原来是天上的明月,地面上的清风,再加上"我"。

冯子振自从遭受不白之冤后,生活上发生了很大的变化,思想上也来了一个大转变,从过去的求进转向避世归隐。这样,释道的"无累""无为"的避世哲学,便成了冯氏的追求目标,也是治疗他心灵创伤的最好镇痛剂。也就是在桑哥被罢职查办的至元二十八年(1291),冯子振结识了高僧中峰和尚,两人过从甚密,诗来词往,自此结下不解之缘。海粟习禅修道,大概也就是从这个时候开始。据《苏谈》记载,在吴中雁荡村之西有中峰祥师修建的庵寺,"建此庵时,冯海粟炼泥,赵子昂搬运,中峰自以涂壁"。《元诗选·智觉禅师明本》亦有相同的记载。中峰著有禅籍《一花五叶集》,冯子振为其作序跋,说明两人的交情不浅,亦可知冯氏对禅学是十分喜爱而又精通的。在与中峰交往的日子里,冯子振又结识了专程入元习禅的日本僧人,现在还可以查考的有晦上人无隐、日本著名僧人正具阐提的法嗣放牛光林以及古林清茂,因为这些人都得到过冯子振的手迹,且这些宝贵的书法真品至今还完好无损地保存于日本。这些人或是中峰的高足,或是通过中峰的介绍而认识冯子振的。冯子振在赠送给日本僧人的诗文中,多内含着禅机。

另外,子振和道士张雨的关系也非同寻常。张雨,字伯雨,别号贞居子,钱塘人,宋崇国公九成之后,年二十就弃家为道士,自号句曲外史,尝居茅山。两人常有书信来往,并有诗词唱和。泰定二年(1325)十月,六十八岁高龄的冯子振还从大都出发,到茅山拜访张雨,商讨道学。

他的散曲当然也不可能不反映禅机道意。比如〔鹦鹉曲〕组曲中的《南城赠丹砂道伴》《拔宅冲升图》《洞庭钓客》等都充满着道家的气味,而这首《沉醉东风》则是禅意绵绵了。

(王　毅)

# 【双调·寿阳曲】

朱帘秀*

## 答卢疏斋

山无数，烟万缕，憔悴煞玉堂人物。倚篷窗一身儿活受苦，恨不得随大江东去。

### 作者

* 朱帘秀(约1260—约1320)，姓朱氏，后人称其为“朱娘娘”，王恽《题珠帘秀序后》是中称她为“洛妹”，可知她应该是河南洛阳一带人。朱帘秀是元代初期著名的杂剧演员，她旦、末兼攻，众艺俱备。所扮人物形神逼真，令人绝倒。她早年活动在大都(今北京)，后南移扬州，晚年流落杭州以终。与关汉卿、胡紫山、王恽、卢挚、冯海粟等剧作家、散曲家、诗人交往甚密。隋树森《全元散曲》收其小令1首，套数1套。

### 鉴赏

卢挚和朱帘秀会面之后，因感情难割难舍，心中极其痛苦，于是写下《别朱帘秀》一曲。朱帘秀见到卢挚写的曲子，随即作《答卢疏斋》曲以和之。该曲在《太平乐府》中位于卢挚〔双调·寿阳曲〕《别朱帘秀》后，题目为“答前曲”。

该曲承卢挚《别朱帘秀》之意，同样表达了两人依依不舍的惜别之情与相思之苦，只是角度与前曲有所不同。卢曲纯是写自己与朱帘秀分别时内心的痛苦，而此曲中朱帘秀不仅表达了自己对卢挚的思念，而且以己度人，活画出对方思人而不得的万般无奈和悲痛。“山无数，烟万缕”，以比起兴，比喻卢挚思念之苦如无数重山那么重，如万缕尘烟那么多。且山山重叠，难以分离，喻思念之情难以割舍；尘烟轻扬，不唯多且不能割断，是喻思念之情斩不断，理还乱。这里，以可见的世间之物来比喻看不见、摸不着的思念之情，把情感的东西物质化，使无形的东西变为有形、可感的东西，从而使人对于卢挚的思念之苦有更为真切的感受。其比喻和贺铸《青玉案》"试问闲愁有几许？一川烟草，满城风絮，梅子黄时雨"，李清照《武陵春》"只恐双溪舴艋舟，载不动，许多愁"，欧阳修《踏莎行》"离愁渐远渐无穷，迢迢不断如春水"等有异曲同工之妙。"憔悴煞玉堂人物"，是形容卢挚因思念之切而变得憔悴不堪，这是对于卢挚思念之苦的直接描写。"玉堂"，豪华的殿堂，这里是说翰林院。卢挚曾在翰林院供职，为翰林学士，因代指卢挚。

曲的下半部分是曲作家在述说自己的思人之痛。和卢挚别离之后，朱帘秀也时时刻刻在思念着自己心上的人，其痛苦之状难以明说。她每日里只有靠在船的窗子旁边，回想她和卢挚之间的恩恩爱爱。但回想终归是想，那可爱的人毕竟离自己是那样的遥远，可想而不可即。她越是想念，其痛苦就越增添十分。现实使其显得那样无可奈何，她只有默默地忍受着思念的痛苦。"一身儿活受苦"几个字，把朱帘秀内心思人的熬煎之痛表达得是那样的形象而又真切。这对亲人的思念缠绕着她，使她难以排遣。她也极力想从痛苦中摆脱出来，让痛苦"随大江东去"，但那痛苦似迢迢江水，总是流之不尽，挥之不去。"随大江东去"也只能是一种"恨"而"不得"的自我幻想罢了。

这支曲在情感的表达上较为直白，体现出散曲表情直率的总体特征。比兴手法的运用，又使得该曲略显含蓄。感情的东西形象化，使得整个曲子所塑造的形象具体可感，给人以更为真切的艺术感受。曲既抒发自己的内心痛苦，又推己及人，抒写他人的心理感受，使得曲的情感表达显得曲折跳荡，波澜起伏，表现出感人的艺术魅力。

（王忠阁）

## 【正宫·醉太平】

曾　瑞*

相邀士夫，笑引奚奴。涌金门外过西湖，写新诗吊古。苏堤堤上寻芳树，断桥桥畔沽醽醁，孤山山下醉林逋。洒梨花暮雨。

### 作　者

* 曾瑞(1260？—1330后)，字瑞卿，号褐夫，大兴(今属北京)人。曾瑞卿祖籍平州(今河北卢县)，古孤竹国所在地，后来，他的祖父与父亲移居燕地(今北京)。曾瑞因喜爱杭州景物繁盛，徙居杭州。曾瑞在昆阳(今河南叶县)与林景熙相识，林为曾瑞作《孤竹斋记》。钟嗣成是曾瑞生前好友，其《录鬼簿》有曾瑞略传。今存杂剧《误元宵》(又名《留鞋记》)。其散曲集《诗酒余音》已佚。隋树森《全元散曲》辑有小令95首，套曲17套。明代朱权《太和正音谱》将其列于"词林英杰"一百五十人之中。

### 鉴　赏

曾瑞因"喜江浙人才之多，羡钱塘景物之盛"而从大都迁居杭州，其间也应该有西湖对诗人的吸引。此曲写散曲家曾瑞与朋友们乘兴游赏西湖美景，全曲是按时空顺序来写的，叙事、抒情、写景完备，采用了赋的手法和线性结构。起首两句写出游的准备。约上些诗朋酒友，带上几个书童家仆。"奚奴"出自《新唐书·李贺传》中"从小奚奴背古锦囊，遇所得书投囊中"，后指家仆。第三、四句就写乘兴出发及所行路线与游湖目的了。诗人一行出涌金门,绕湖畔南行,沿途赋诗凭吊古迹。“涌金门,旧名丰豫门。宋时有丰乐楼与门相值,若屏障然。”(见明田汝成《西湖游览志》)依“苏堤”“断桥”“孤山”可知,诗人一行从杭州城出发,出涌金门,绕湖南行,经苏堤、孤山、白堤再回到涌金门,环湖三十里水色山光饱览无余。“苏堤堤上寻芳树,断桥桥畔沽醽醁,孤山山下醉林逋”,一组鼎足对句极言西湖的山美、水美、树美,抒发了诗人赏春怀古之幽情。苏堤春晓本是西湖胜景。苏堤芳树则愈见其美,《武林旧事》有:“苏公堤,元祐中东坡守杭日所筑,起南迄北,横截湖面,夹道杂植花树。”“断桥”,又名段家桥,西湖白堤入口处。张祜《杭州孤山寺》:“断桥荒藓涩,空院落华深。”“醽醁”,指美酒。唐太宗李世民《赠魏徵》诗:“醽醁胜兰生,翠涛过玉瓒。千日醉不醒,十年味不败。”“孤山”,位于西湖西北角,四面环水,居于西湖的里湖与外湖之间,故名孤山,又因多梅花,一名梅屿。北宋隐士林逋曾隐居于此。林逋,宋初山林诗人,以咏梅诗著称于世。字君复,钱塘人。终身不妻不仕,以梅鹤为伴,有《林和靖先生诗集》。作者曲中饮酒与林逋共醉,就表明自己与林逋有同样的人生态度。结句寓情于景。“落花”在古典诗词中本也是“韶华易逝,美景堪伤”的符号意象。日暮时节,梨花飘落,纷纷扬扬,犹如诗人忧伤孤寂的惆怅情怀。这首小令借游湖赏景抒发诗人内心的怀古幽情,语言优美,曲意隽永。

(陆晓春　童晓峰)

## 【中吕·喜春来】

曾　瑞

### 春　闺　思

蜂蝶困歇梨花梦,莺燕飞迎柳絮风。强移莲步出帘栊,心绪冗,羞见落花红。

鉴 赏

此曲写暮春时节,女主人公独守闺房,感物伤春思人。前两句写暮春景象令人伤感。蜂蝶因困倦而眠梦于梨花上;莺燕迎柳絮而翻飞。这本是典型的春景描画,但因闺怨而显得意味深长。首先,蜂蝶与花的亲密关系历来被喻指两情相悦,如宋周密《好事近》的“下阶笑折紫玫瑰,蜂蝶扑云鬓。回首见郎羞走,罥绣裙微褪”,宋周邦彦《六丑·蔷薇谢后作》的“但蜂媒蝶使,时叩窗隔”,宋吴文英《风入松》的“黄蜂频扑秋千索”等等,蜂蝶与花的美好恋情是闺中女子孤单无依的凸显和反衬。其次,莺燕迎风而飞与柳絮共舞,那也是在大好春光中展示和歌唱着他们各自的爱情,其点明闺怨主题的作用与“蜂蝶”句无异。后三句人物出场,直接写女主人公伤春的情态。勉强移动莲步,走出闺房,本心绪烦乱,更怕见到满地凋零落花。“羞见”,怕见。“强移莲步”是表现女子伤春意绪的外显动作,一如唐温庭筠《菩萨蛮》的“懒起画蛾眉”和宋李清照《凤凰台上忆吹箫》的“起来慵自梳头”。“落花”在古典诗词曲中一直有青春易逝的比兴意味,如宋辛弃疾《摸鱼儿》的“惜春长怕花开早,何况落红无数”,宋张炎《高阳台》的“莫开帘,怕见飞花,怕听啼鹃”等等,形单影只的闺中女子对落花之怕见,就把“相思摧心肝”的况味表达殆尽了。一曲二十九个字的小令,把闺怨表达得这样深婉凄美,不能不令人叹服。

(陆晓春　童晓峰)

## 【中吕·喜春来】

曾　瑞

### 闺　情

鸳鸯失配谁惊散,燕子无双飞兴阑,妆楼便当望夫山。凝泪眼,无语凭栏杆。

鉴赏

此曲主题也是闺怨,写女主人公登楼远眺久久未归的丈夫。以比兴起笔,第一句以诘问的语气提出,鸳鸯失去了配偶,是谁把它们拆散?毫不掩饰对使其分离者的不满。第二句与第一句对举,写燕子形单影只便失去了迎风奋飞的兴致,暗示女主人公独处的心灰意懒。这两句看似平常的比喻,却因诘问的大胆率直、拟态的真切可感而显得不同寻常。接下来人物出场,女主人公整日身锁闺阁,便把梳妆楼当作望夫山,极目远眺,盼夫归来。“望夫山”,见《水经注·浊漳水》:“望夫山位于山西黎城县西北,亦名石竚山。山之南有石如人作对空凝望状,因以为名。”最后两句写女主人公凭栏凝望的情态。她默默无语,泪洒栏杆的样子真是楚楚可怜,这种无言的深情不仅有穿透纸背的力量,更有穿越时空的力量,在人情日益淡泊的今日,读来更令人感动和震撼。“凭栏远望”的意象在古典诗词曲中是极常见的,其所抒情怀依抒情主体的性别、身份和当时的主观意绪而有所不同。如宋姜夔《点绛唇》的“今何许?凭阑怀古,残柳参差舞”是哀叹国势衰微的,宋周邦彦《满庭芳》的“凭阑久,黄芦苦竹,拟泛九江船”是感慨仕宦沉浮的,宋辛弃疾《水龙吟》的“把吴钩看了,阑干拍遍,无人会,登临意”是喟叹报国无门的,南唐李煜《浪淘沙》的“独自莫凭栏,无限江山。别时容易见时难,流水落花春去也,天上人间”是伤悼亡失故国的,宋柳永《凤栖梧》的“伫倚危亭风细细”是思念爱人的。不一而足。但当抒情主体为女子时,“凭栏远望”的抒情指向就基本局限在思亲念夫了,而且闺中女子的这一深情样态也被诗人们当作思亲念远的典型样态而常常见诸笔端。如唐温庭筠《望江南》的“梳洗罢,独倚望江楼。过尽千帆皆不是,斜晖脉脉水悠悠。肠断白苹洲”,唐冯延巳《谒金门》的“斗鸭阑干独倚,碧玉搔头斜坠。终日望君君不至,举头闻鹊喜”等,都是很典型的作品。

此曲起笔以物衬人,中间以夸写过渡,篇末以情态描写收结,形象鲜明,情态逼真。短短数语,呈闺情无限,不愧以尺幅寓万千的成功之作。

(陆晓春　童晓峰)

# 【中吕·喜春来】

曾 瑞

## 未 遂

功名希望何时就，书剑飘零甚日休。算来著甚可消愁，除是酒，醉倚仲宣楼。

### 鉴赏

此曲表现作者以诗酒解忧来抒发自己未能完成宿愿的愤懑之情。前两句写何时才能成就平生夙愿，什么时候才能功成名就？携书带剑、四处奔波的日子什么时候才能结束？“书剑”，指读书出仕与仗剑从军，代指人生追求。如唐许浑《别刘秀才》：“三献无功玉有瑕，更携书剑客天涯。”唐陈子昂《送别出塞》：“平生闻高义，书剑百夫雄。”“飘零”，漂泊零落。如唐杜甫《衡州送李大夫七丈勉赴广州》：“王孙丈人行，垂老见飘零。”后三句写借酒消愁，作此曲抒发不得志的情怀。想来想去，什么可以排忧解愁呢？看来只有酒了，正如汉曹操《短歌行》云：“何以解忧，惟有杜康。”“仲宣”即王粲，三国魏三阳高平人，字仲宣。《三国志·魏书·王粲传》载，荆州刘表“以粲貌寝而体弱通侻，不甚重用”，王粲滞留荆州，曾登当阳城楼，作《登楼赋》以抒发自己客居荆州日久，才能无法施展而产生的思乡情绪。作者自己也像东汉的王粲一样登楼作赋，发泄自己的郁闷情绪。据元钟嗣成《录鬼簿》记载，曾瑞神采卓异，洒然如神仙中人，不肯随波逐流入世为官。然而，这样的人也要发出功名未就、书剑飘零的慨叹，可见并非不愿入仕途，只是求仕无门。作者故而以“未遂”为题抒发壮志未酬之恨。想见有元一代，这样百般纠结的仕隐矛盾，恐怕普遍存在于莘莘儒子的心中！

全篇以口语直陈，自然质朴；篇末虽用王粲登楼之典，但十分切题；因感慨深切，虽寥寥几句，亦具有相当的感染力。

（陆晓春 童晓峰）

# 【中吕·山坡羊】

曾 瑞

## 自 叹

南山空灿，白石空烂，星移物换愁无限。隔重关，困尘寰。几番眉锁空长叹，百事不成羞又赧。闲，一梦残；干，两鬓斑。

鉴赏

此曲写怀才不遇、虚度年华的感慨。

首二句用甯戚的典故来表明自己在政治上不遇圣明君主。据《史记》集解："齐桓公夜出迎客，而甯戚疾击牛角而歌曰：'南山矸，白石烂，生不遭尧与舜禅。短布单衣适至骭，夜长漫漫何时旦。'公召与语，说之，以为大夫。"作者在甯戚所唱商歌"南山矸，白石烂"里加了两个"空"字，深叹自己没有甯戚那样的运气，甯戚终被重用，而自己实在是怀才不遇、求仕无门，所以就引出下面的"愁无限"。"星移物换"，指时间流逝，如唐王勃《滕王阁序》："闲云潭影日悠悠，物换星移几度秋。"中间四句写明壮志难酬的原因。重重关隘阻隔，使我困顿人世间。多少次紧锁双眉长吁短叹，然而长吁短叹又于事何补呢？大丈夫终无所成，这令我羞愧脸红。"尘寰"，指尘世。"赧"，指因羞愧而脸红。结尾两句更进一步表现作者进退两难的矛盾心理。遁世闲居，会把有限人生虚无成梦幻；入仕谋职，却已是两鬓斑白，身心衰老而无力求取功名，更何谈施展抱负。"干"，指求取功名。此曲在短短四十三个字里，用了三个"空"字，极言人生空过一事无成是多么令自己痛心疾首，然而面对求仕无路的残酷现实，也只能"空长叹"。曲里面道出了一代知识分子渴望出仕实现自我价值的殷殷热望，更哭出了才华无人赏而虚度终身的深深绝望。

此曲简洁凝练，用典贴切，感慨深沉，真实地表现了散曲家怀才不遇的悲思。

（陆晓春　童晓峰）

# 【中吕·山坡羊】

曾 瑞

## 闺 怨

孤帏独卧，良宵空过，付能有梦还惊破。病成魔，泪如梭，凄凉无数来着末。凭谁顿开眉上锁。咱，无奈何。愁，无处躲。

鉴 赏

春闺梦中，正是思念之情最为浓烈的时刻。这首散曲以此入手，描写了一段闺怨之情。

闺中思念心上人，最难挨的便是这夜晚独守床帏的情境。曲的开篇"孤帏独卧，良宵空过，付能有梦还惊破"，寥寥数语，描摹出一个凄苦、孤寂、悲怨的画面。一个"空"字，既是眼前环境的反映，更是主人公心境的写照，点出其因没有了心上人的陪伴而产生的缺少归属与依赖的落寞。"付能有梦还惊破"将这种情绪推向了高潮，在行单影孤、充满思念的夜晚，就算片刻的入睡，也难逃苦痛的罗网，梦醒后，换来的是更为强烈的情感折磨——"惊破"！作者以此来说明这种幽怨的情绪不仅浸入肉体，深入骨髓，简直到了与呼吸、与生命同在的地步。

如果说开篇三句描写的是主人公抽象的"心之感"，是因；接下来，"病成魔，泪如梭，凄凉无数来着末。凭谁顿开眉上锁"数句，作者展开具体描述，用"病""泪""眉"摹写主人公"形之衰"，绵绵的思念不仅侵蚀着女主人公的心，也正在摧毁着她的身体，于是心理的愁苦外化成了病痛、成了奔流如梭的泪水、成了"眉上锁"；可以想象，如果不是到了无以忍受的极限程度，女主人公无论如何也不会轻易让自己的外表暴露内心的秘密，而外表的这些变化正是前面一系列情感起伏与令人心悸的体验之结果。

结尾"咱，无奈何。愁，无处躲"直抒胸臆，尤其是"愁，无处躲"与开篇呼应，既是主人公对命运遭际无可奈何的慨叹与忧怨，也是其对现状极度不满的控诉与悲鸣。

全曲语言简洁明快，从心理、外

表两方面，以第一人称的口吻成功地描绘了女主人公渴望爱情而不得的苦痛。

应当指出的是，结合曾瑞的生平与创作，这首散曲表面看是一首闺怨曲，实则可能曲折地反映了作者的心志。曾瑞生前虽不屑仕进，但作为封建文人，“达则兼善天下”应是他们的最高追求目标，相信曾瑞也不例外。而包括社会在内的种种外力阻挠了他的这种理想的实现，于是他便借助文学创作来表达对自己怀才不遇、功名无着的伤感。借男女之情来抒写自己的身世之感，这在文学作品中并不少见，这首曲辞也概莫能外。

（胡　颖）

## 【中吕·山坡羊】

曾　瑞

### 妓　怨

春花秋月，歌台舞榭，悲欢聚散花开谢。恰和协，又离别，被娘间阻郎心趄。离恨满怀何处说。娘，毒似蝎。郎，心似铁。

**鉴赏**

歌伎是生活在社会底层的一个特殊群体，她们的人生遭际和命运结局早在从事这一职业的那一天起就已经注定了。曾经的荣华富贵，总难逃脱始乱终弃、人老珠黄、门庭冷落、潦倒悲苦的人生宿命，因此，她们往往成为历代文人同情、感叹的对象。本曲作者正是从这一立场出发，用第一人称的口吻，倾诉了一名歌伎的内心痛苦，描写了一段有情人难成眷属的爱情悲剧，揭示了主人公奢华之下的悲凉心境和无法掌握自己的命运，任人摆布、摧残的凄婉之情。

开篇“春花秋月，歌台舞榭，悲欢聚散花开谢”三句，描写了一种奢华的场景，然而，乐境之中写哀情，一声悲欢聚散和花开花谢的感慨，平添了一份愁苦的情绪。这一声哀叹，立即将春花秋月、歌台舞榭的欢愉涤荡得干干净净。景是人非，更衬托出一种强烈的黯然神伤。紧接着，笔锋一转，“恰和协，又离别，被娘间阻郎心趄”三句，直叙一个欲爱不得、曾经相爱又不得不分手的爱情过程。另一番感叹，跃然纸上，对比手法的运用，让痛苦的哀鸣声极具震撼力。“恰和协，又离别”用凝练的笔墨，写出了一段始爱终弃的情感历程。好不容易遇到了如意郎君，并以心相许，但最后还是春梦一场，无果而终。这两句，是对“悲欢聚散花开谢”感叹的延续，但更为具体，更为真切，因为加入了具体的情节过程。此处用“赋”的手法，回应了前面的感叹，使叙事和抒情结合在了一起。接着，主人公讲述了导致这一爱情悲剧的具体原因，“被娘间阻郎心趄”，原来是鸨母从中作梗，郎君畏缩退避，这一句虽然还在叙事，但已隐含了主人公鲜明的情感指向。对鸨母的怨愤，对负心人的失望，深深地折磨着主人公。“离恨满怀何处说”一句，描摹了她一腔情感只能压抑心中，无处倾诉的苦痛，让人感到哀怜和无奈。但最终，这种情感还是爆发了出来，“毒似蝎”“心似铁”的词句，更像是一种绝望的呐喊，一种无所顾忌的宣泄。此时，她已经没有了先前的含蓄和幽怨，而是直抒胸臆，大胆无束地喊出了内心的愤恨，这也完成主人公的心态历程和性格成长的历史。

这首散曲，叙事与抒情结合，比赋手法共存，叙事简明，抒情细腻且有发展变化，符合人物的性格、身份，准确地表现了人物的心理变化过程，用典贴切，语言雅俗共用，相映成趣，浑然一体。

（胡　颖）

## 【南吕·四块玉】

曾　瑞

### 述怀（五首其一）

冠世才，安邦策，无用空怀土中埋。有人跳出红尘外。七里滩，五柳宅，名万载。

## 鉴赏

曾瑞的〔南吕·四块玉〕《述怀》小令共五首，主旨为抒发隐逸避世思想。此为第一首。开篇“冠世才，安邦策，无用空怀土中埋”，是大实话，也是牢骚语。说是大实话，是因为现实没有给文人士子们提供太多安邦济世的机会，纵使他们才能冠世、胸怀安邦良策，也只能沉沦下僚，甚或埋没红尘，无用武之地，不能大有作为。在蒙古统治者一贯奉行的等级制度下，元代汉族文士地位相对低下，且大多仕途偃蹇。与前代文人相比，他们不再有“四民之先”的身份和荣耀，儒家兼济天下的理想也几乎成为空想。曾瑞出生于1260年左右，卒于1330年之后，与“元曲四大家”之一的马致远同时。从理论上来讲，他有晋身的机会，因为延祐二年(1315)元仁宗首开科举。但元代的科举给予汉人的机会极少。曾瑞一生未仕，从他的曲中可知，他并非不愿出仕，而是与马致远及当时其他文人一样，有着“功名希望何时就”(曾瑞〔中吕·喜春来〕《未遂》)的强烈愿望。只是长期的沉沦无望，使他“百事不成羞又赧”(曾瑞〔中吕·山坡羊〕《自叹》)，而希望“醉乡忘尽人间事”(曾瑞〔南吕·四块玉〕《乐饮》)，进而对社会、对朝廷生出满腹牢骚。

承上牢骚，曲家笔锋一转，以“有人跳出红尘外”宕开。以下两句，与其说是对“跳出红尘外”者的历史叙述，毋宁说是无奈地对历史的反观。“七里滩”，本是一个普普通通的地名，但因为汉代一个个性超逸的人物，使之成为文学史上一个极富诗情的意象。据《后汉书·逸民列传》载，严光字子陵，少曾与汉光武帝刘秀同游学。秀即帝位，光隐遁披羊裘钓泽中。秀遣人觅访，征召到京，授谏议大夫，不受，退隐于富春山。之后，严陵、七里滩、严陵濑、严陵钓台等便成为文学作品中隐逸的象征。“五柳”，即东晋田园诗人陶渊明，因其宅边有五柳树，因以为号。陶渊明曾任江州祭酒、建威参军、彭泽县令等职，后弃官归隐，过着“躬耕自资”的生活，留下了《归园田居》《饮酒》《归去来兮辞》《桃花源记》等优秀篇章，陶渊明也就成为后世隐逸者的典范。严子陵、陶渊明并非无“冠世才，安邦策”，但他们之所以能名垂千载，却不是因为安邦济世，而是因为隐逸避世。故此，不用叹息才华被埋没，也不用埋怨社会的不公，山水田园间的隐者同样可以流芳千古。表面上诗人是在崇五柳、美严陵，实则是自慰自劝，为自己的无所作为寻找一个冠冕的台阶。

“学成文武艺，货与帝王家”，说到底是凭借冠世之才、安邦之策建功立业获取荣耀，这是中国几千年来文人们追求的目标。曾瑞的这首小令以“跳出红尘外”而名垂千载的严陵、五柳反观传统的功名意识，将功名与隐逸对照，历史与现实对照，表现了元代特定环境下文人们的隐逸情怀。

(叶爱欣)

# 【南吕·四块玉】

曾　瑞

## 述怀(五首其二)

白酒笃[①]，黄柑扭[②]，樽俎临溪枕清流。醉时歌罢黄花嗅。香已残，蝶也愁，饮甚酒！

### 注释

① 白酒笃：过滤白酒。笃：本指一种竹制的滤酒的器具，此指滤酒。

② 黄柑扭：摘下黄柑。扭：拧断，此指采摘。

### 鉴赏

这首小令，是曾瑞〔南吕·四块玉〕《述怀》五首中的第二首。一开篇，作者便以世俗而又超凡的意境给人无限向往和无穷遐思：清清小溪，潺潺流水，漱石枕流，樽俎杂陈，这是一幅怎样自在怎样清新的画面！樽中是刚筛的白酒，盘中是新摘的黄柑，饮美酒食鲜果，悠然自在，这是一种怎样惬意怎样闲适的生活！“枕流”典出南朝宋刘义庆《世说新语·排调》：“孙子荆(楚)年少时欲隐，语王武子(济)‘当枕石漱流’，误曰‘漱石枕流’。王曰：‘流可枕，石可漱乎？’孙曰：‘所以枕流,欲洗其耳;所以漱石,欲砺其齿。'”“枕石漱流”本是魏晋间形容隐士生活的一个成语,后亦以“漱石枕流”比喻隐逸。

隐士并非不食人间烟火,樽俎酒食本是世俗生活之一部分,但诗人却以临溪枕流,使得世俗饮食充满了尘外情趣,脱俗飘逸。

但隐居避世只是在不能有所作为后的无奈选择,徜徉江湖也并非所愿,酒也只是暂时排遣郁闷、浇愁释怀的东西。酒醒来,歌罢后,所有的烦忧还会一股脑儿涌上心头。眼前是花凋零、蝶怨愁,心中是失意、惆怅、焦灼、颓丧,凄凉景助凄哀情,人生无聊,酒也无趣。“蝶也愁”三个字,透露出了全篇的主题:愁。从而告诉读者,诗人不是在宣扬隐逸,是在抒泄隐逸后的愁绪。

七十八年不开科举,阻断了元代文人的晋身之路,消磨了元代文人的功名之心,也蹉跎了元代文人兼济天下的志向。但“修身齐家治国平天下”的人生理想不是轻易就可以撂得开的,隐与仕的问题也就成为他们难以释怀的心结,是他们必须直面的问题。元代文人的隐逸大多是在仕途受阻后不得不隐时的选择,因此他们常常一方面高唱隐逸之乐,另一方面陷入深深的痛苦之中。此首小令以恬淡闲适始,以愁绪满怀结,从中亦可见诗人在隐与仕之间的矛盾纠结。

诗人以冷落的清秋季节为背景,通过借酒浇愁、枕流忘忧这种看似洒脱的行为,与烦恼郁结、无情无绪的怅然心境形成反衬,揭示诗人内心难以排解的苦闷。同时,又以景写情,以花香已残、蝴蝶也愁映衬内心的愁情恶绪,所谓“一切景语皆情语”(王国维《人间词话》),写景而情在其中,情与景合,表现了诗人的悲凉情怀。

(叶爱欣)

## 【南吕·四块玉】

曾　瑞

### 述怀(五首其五)

衣紫袍,居黄阁,九鼎沉如许由瓢。调羹无味教人笑。弃了官,辞了朝,归去好。

鉴 赏

"紫袍",紫色朝服,喻指高官。据《隋书·礼仪志》:"五品已上通着紫袍。"《旧唐书·舆服志》:"三品已上大科绸绫及罗,其色紫,饰用玉。""黄阁",汉代丞相、太尉和汉以后的三公官署避用朱门,厅门涂黄色,以区别于天子,称黄阁,唐时门下省亦称黄阁,后借指宰相。无论是紫袍还是黄阁,让人想起的是显赫、权势、荣华、富贵。

夏禹划分天下为九州,令九州州牧献青铜以铸九鼎;商时规定只有天子才能用九鼎,从此,九鼎便成为国家的象征,成为至高无上的王权的象征。据传,周显王时九鼎沉没于泗水彭城下。许由为古代隐士,夏则巢居,冬则穴处,饥则仍山而食,渴则仍河而饮。饮无杯具,即以手捧水,人以一瓢送之,饮毕,以瓢挂树,因风吹树动,瓢历历有声,许由以为烦扰,遂取损之。后遂用"许由瓢"代指隐逸,也比喻烦扰。"九鼎沉如许由瓢"一句,将"九鼎"和"许由瓢"一重一轻、一仕一隐两个完全相反的意象放到一起比类,九鼎之重忽如许由之瓢,陡然一下变得轻飘飘的了,而且带给人们的也只是烦扰。从而彻底解构了儒家思想,否定了至高无上的权威,消解了历代文人所追求的功名事业。

"调羹"一词出自《尚书·说命》中的"若作和羹,尔惟盐梅",后因以之喻治理国家政事。此处"调羹无味"既指治理国家不能使各方调和,手段拙劣;也指做官的无趣与无意义,是承接上句"九鼎沉如许由瓢"而来。一旦虚无了历史与功名,"鸡恰啼,人忙起"的劳碌,便成了惹人嘲笑的无聊游戏。与其因"利逼名煎苦相催"(曾瑞〔南吕·四块玉〕《述怀》)而费神劳形为人留下茶余饭后的谈资与笑柄,不如高唱"归去来",弃官辞朝,远离"密匝匝蚁排兵,乱纷纷蜂酿蜜,闹穰穰蝇争血"(马致远〔双调·夜行船〕《秋思》)的钩心斗角,优游于山水间,徜徉在田园里,看云舒云卷,花落花开。

"衣紫袍,居黄阁"是历代文人汲汲以求的人生目标,为此他们寒窗苦读,试图凭借满腹经纶成为国家之"调羹手"。元代文人亦不例外。在文化与文人不被看重甚至遭受荼毒的社会大环境下,他们依然渴望着通过自己的才学成就不朽的功业。但是经历了太多奔波、碰壁、困顿、挫折，痛定思痛，他们才终于明白：人生贵适意，所谓的功名事业只能给自己徒增烦扰。

这首小令活用“九鼎”“许由瓢”“调羹”三个典故，将显赫的权势和尊荣的事业一并打入虚无。尤其“九鼎沉”和“许由瓢”的比类，形象揭示了功名乃人生烦扰的道理，指出只有弃官辞朝归去，摆脱九鼎之束缚，才能任情适意，优游快活。

（叶爱欣）

## 【中吕·山坡羊过青哥儿】

曾瑞

云山叠翠，枫林如醉，潇潇景物添秋意。过山围，渡山溪，扬鞭举棹非容易。区区只因名利逼。思，家万里。愁，何日归。　飘零飘零客寄，困长途尘满征衣，泣露秋虫助客悲。泪眼昏迷，病体尪羸，无甚亲戚，谁肯扶持？行不动哥哥鹧鸪啼，人心碎。

### 鉴赏

这首散曲描写了秋景的萧疏冷寂，烘托出游子异乡漂泊的感伤，表现了作者在特定的时空里的一种苦闷落寞的心情。

“云山叠翠，枫林如醉，潇潇景物添秋意”写出了最具秋意的眼前美景。翠绿的山岭，点点红叶，色彩的对比变化，再加上潇潇的风声，动静结合，视觉与听觉互通，寥寥几笔，就为读者勾画出一幅色彩丰富、层次分明的秋天景象。其间化王实甫《西厢记》中“晓来谁染霜林醉”之句，恰到好处，不露痕迹。紧接着，“过山围，渡山溪，扬鞭举棹非容易”描写主人公在这秋景中的行为状态，一路匆匆的步履，仿佛顾不上感悟眼前的浓浓秋意，而且心情也变得沉重起来。“非容易”正是这沉重心情的真实写照。是什么原因导致如此的结果呢？那就是“区区只因名利逼”。这种原因进而引发了作者的思乡之情和离愁别绪——“思，家万里。愁，何日归”。一个“思”一个“愁”，准确地揭示了作者此时的心境，那就是思念万里之外的家园，为不知何时重归而感到哀愁。此曲上篇，从写景起笔，然后转入心境的描摹，景与情紧密相连，情由景生，贴切自然，准确生动。

如果说上篇重在写景，写由景而生的情绪，那么，下篇则以情感的抒发为主。“飘零飘零客寄，困长途尘满征衣，泣露秋虫助客悲”三句，表达自己作为一个游子，漂泊天涯、无法归家的痛苦和无尽的思家之情。孤身在外的羁旅之人，过着寄人篱下的日子；漫漫长途，风尘仆仆，到了夜晚入睡之时，窗外寒露中的秋虫凄凄切切地泣叫声，更加剧了客居之人对家乡的无限思念。“泣露秋虫”的描绘，颇具匠心，使客观景物笼罩上了一层强烈的主观色彩。“泣”字的使用，堪称妙笔，为作者的情感抒发，找到了非常具体而又满怀悲凉气氛的抒情环境。悲上心头，不由得泪眼婆娑，愁绪满心满怀。“泪眼昏迷”正是作者这种情感喷发后状态的真实写照。而此时“病体尪羸”，又“无甚亲戚，谁肯扶持”，在病中又无人照料，无可依托。此情此景，此地此人，此时此刻，心中愁苦之情无法用言语诉说，恰听到鹧鸪的声声啼叫：“行不得也哥哥，行不得也哥哥！”直叫得人心碎如裂，肝肠寸断！

要之，这首散曲通过雅俗相间的语言，描述了浓浓秋意中一个因被名利所逼而不得不客居在外的知识分子的悲苦、孤寂、思乡的情怀。自古以来，被名利迷住心窍的人数不胜数，拼命追逐，忘记了自己最初的梦想，迷失了最本质的天性。作者也是为名利所逼之人，但是不同的地方在于他看清楚了名利是一个枷锁，一条缰绳，想摆脱却又摆脱不了，以至于产生了深深的痛苦。

此曲用语不避俚俗，以市井语入于曲中，继承了早期散曲通俗本色的传统。以〔中吕〕之〔山坡羊〕带过〔仙吕〕之〔青哥儿〕，这样的带过形式，在现存元散曲中仅见于瑞卿所作两首；且〔青哥儿〕中“泪眼昏迷”四句，又全部是增句；凡此，可见瑞卿在曲中的创造精神。

（宋　洁　胡　颖）

# 【南吕·骂玉郎过感皇恩采茶歌】

曾瑞

## 闺情

才郎远送秋江岸，斟别酒唱阳关，临岐无语空长叹。酒已阑，曲未残，人初散。 月缺花残，枕剩衾寒。脸消香，眉蹙黛，髻鬆鬟。心长怀去后，信不寄平安。拆鸾凤，分莺燕，杳鱼雁。 对遥山，倚阑干，当时无计锁雕鞍。去后思量悔应晚，别时容易见时难。

### 鉴赏

这支带过曲由〔骂玉郎〕、〔感皇恩〕和〔采茶歌〕三支曲子组成，三支曲子自然地分为三层意思，作者以细腻的白描手法和微妙的心理描写，通过送别、别后相思以及“悔教夫婿觅封侯”的痴语，表现了闺中女子的离情别绪。

曲子第一层写送别时情景。诗人将有情人的分别放置在“秋江岸”，所谓“多情自古伤离别，更那堪冷落清秋节”，秋色凄凉，江水茫茫，为送别笼罩上一层淡淡的感伤。在这样充满伤感的氛围里，满斟的送别酒一杯杯频递，低唱的阳关曲一叠叠婉转，直让人情依依，意缠绵。但天下没有不散的宴席，送君千里终有一别，难舍难分，终究要分，远送至秋江岸的才郎即将扬帆登程。水脉脉，人无语，声声长叹，婆娑泪眼，“临岐无语空长叹”写尽了有情人分别时的眷恋、无奈、幽怨与痛苦。酒阑曲残人散，是分别时景的狼藉，也是分别时情的落寞。

第二层承接“酒已阑，曲未残，人初散”，写女子送别行人后的孤苦凄凉和苦苦相思。诗人用“月缺花残”起兴，通过“脸消香，眉蹙黛，髻鬆鬟”的情态描写，叠用“拆鸾凤，分莺燕”两个重复的意象，极写女子与才郎秋江岸别后的担忧、孤寂和无情无绪，勾勒出一个形单影只、愁眉不展、慵懒、无助的怨妇形象。揭示了女子对才郎的深情和内心的隐忧。鸾凤、莺燕喻有情人,一"拆"一"分"可见为情势所迫,离别实非情愿,所以更加突出分别之难。"信不寄平安"与"杳鱼雁"意思相同,前后两次出现,说明闺中女子憔悴、担心之因,及相思之痛之深。

第三层写别后之悔,实则以后悔写相思。"无计锁雕鞍"活用柳永《定风波》"恨薄情一去,音书无个。早知恁么,悔当初,不把雕鞍锁"几句;"去后思量悔应晚"化用王昌龄《闺怨》"忽见陌头杨柳色,悔教夫婿觅封侯"意境;"别时容易见时难"则出自李煜的《浪淘沙》"无限江山,别时容易见时难"。曲家先叙说女子登高望远,让人想象其斜倚栏杆、遥望重重远山,而行人还在重山之外的失望情态;再化用前人诗境描摹女子复杂微妙的悔恨之情。写相思却不着一相思语,然失望的情态和悔恨的心理已经将相思写足写尽。

这支曲子从别时情景,到别后之痛,再到最后悔恨"无计锁雕鞍",写闺中女子对才郎相思的痛苦。前两层主要采用白描手法细致描摹;第三层是感情重重堆砌后的倾泻,诗人采用了情态描写和心理描写相结合的表现手法,多角度描写;整支曲子将实写和虚写相结合,将情态和心理相结合,极好地揭示了思妇辗转于怀的微妙而复杂的相思之情。

(叶爱欣)

## 【南吕·骂玉郎过感皇恩采茶歌】

曾　瑞

### 闺中闻杜鹃

无情杜宇闲淘气，头直上耳根底，声声聒得人心碎。你怎知，我就里[①]，愁无际。　帘幕低垂，重门深闭。曲阑边，雕檐外，画楼西。把春酲唤起[②]，将晓梦惊回。无明夜，闲聒噪，厮禁持[③]。　我几曾离，这绣罗帏，没来由劝我道不如归。狂客江南正着迷，这声儿好去对俺那人啼。

## 注释

① 就里：个中，内中。
② 春醒：春日醉酒后的困倦。
③ 厮禁持：想纠缠。厮：相互。禁持：纠缠。

## 鉴赏

杜鹃，又名杜宇、子规，传说为蜀帝杜宇的魂魄所化，因其叫声凄切，故文人骚客多借以抒悲苦哀怨之情；又因其鸣若“不如归去”之音，文学作品多借以比兴，以之寄托游子思乡之情及离愁别恨。这支曲子题为《闺中闻杜鹃》，表面上看似以主人公对杜宇“不如归去”的鸣叫的埋怨贯穿全篇，实际上是以“我”——闺中女子期盼远方行人归来的心理活动作为线索，通过“我”闻听杜鹃的叫声引起的一系列心理活动，揭示闺中女子对远方游子的思念与期盼。

也许杜宇本无情，也许杜宇“不如归去”的鸣叫也无意；但在有情人的心中，杜宇的鸣叫声却似声声含情。这一声声有情的“不如归去”，聒噪得闺中女子心烦意乱，心痛心碎，愁绪满怀。从“你怎知，我就里”中，我们似乎可以看到有情女子埋怨的情态和委屈的泪水。那么，她闻杜宇“不如归去”之声为何心碎？是因为身在异乡不能归故里吗？又为何委屈？为何“愁无际”？曲子第一层为读者留下了一个个悬念。

第二层采用铺陈手法，写杜宇“不如归去”的鸣叫如影随形，无处不在：低垂的帘幕遮不住，一道道深闭的朱门关不住，在曲阑边，在雕檐外，在画楼西；无明无夜，无时不在：白日唤起春醒，夜里惊回晓梦。我们简直不敢想象，这赶不走、拂不去的声声“不如归去”，是怎样折磨着已是“愁无际”的闺中女子那颗敏感的心！但若仔细想来，“不如归去”岂止是杜宇的聒噪？或许就是闺中女子的心声！若非如此，这声音又怎会无处不在、无时不在呢？

第三层先言“我”埋怨无情杜宇的原因：“我几曾离这绣罗帏，没来由劝我道不如归。”由此可知，“我”闻杜宇“不如归去”而心碎，并非因为自己身在异乡。那么，真正的原因又是什么？“狂客江南正着迷”解开了所有的谜底，原来是游子久客江南、迷恋江南胜地而不知归。至此，女子的心碎、委屈和“愁无际”便都有了答案。而结尾处“这声儿好去对俺那人啼”，虽隐约，但也不无明了地表现了闺中女子期盼游子归来的心情。

曾瑞写情散曲极多，风格也多种多样。《闺中闻杜鹃》以第一人称叙事抒情，全篇通过“我”闻听杜宇“不如归去”后的自言自语，委婉地表达了女主人公对久客他乡的游子的无限怨尤和深切期盼。

整篇皆为闺中女子对无情杜宇的絮语，杜宇的“闲淘气”看似无情却有情，通过人与鸟的交流叙事抒情，表现手法新奇独特。另外，曲子本是写闺中女子期盼游子归来，但一直到篇末才以“狂客江南正道迷，这声儿好去对俺那人啼”隐约点出，含蓄蕴藉，余味无穷。

（叶爱欣）

## 【般涉调·哨遍】

曾　瑞

### 羊　诉　冤

【哨遍】十二宫分了巳未，禀乾坤二气成形质。颜色异种多般，本性善群兽难及。向塞北，李陵台畔，苏武坡前，嚼卧夕阳外。趁满目无穷草地，散一川平野，走四塞荒陂。驭车善致晋侯欢，拂石能逃左慈危。舍命于家，就死成仁，杀身报国。

【么】告朔①何疑，代衅钟②偏称宣王意。享天地济民饥，据云山水陆无敌。尽之矣，駞蹄熊掌，鹿脯獐豝，比我都无滋味。折莫烹炮煮煎爊蒸炙，便盐淹将卮，醋拌糟焙。肉麋肌鲊可为珍，莼菜鲈鱼有何奇，于四时中无不相宜。

【耍孩儿】从黑河边赶我到东吴内，我也则望前程万里。想道是物离乡贵有些峥嵘，撞着个主人翁少东没西。无料喂把肠胃都抛做粪，无水饮将脂膏尽化做尿。便似养虎豹牢监系，从朝至暮，坐守行随。

【幺】见一日八十番觑我膘脂，除我柯杖外别有甚的。许下浙江等处恶神祇，又请过在城新旧相知。待赁与老火者残岁里呈高戏，要雇与小子弟新年中扮社直。穷养的无巴避③，待准折④舞裙歌扇，要打摸⑤暖帽春衣。

【一煞】把我蹄指甲要舒做晃窗，头上角要锯做解锥⑥，瞅着颔下须紧要绘挝笔⑦。待生挦⑧我毛裔铺毡袜，待活剥我监儿踏磹皮。眼见的难回避，多应早晚，不保朝夕。

【二】火里赤⑨磨了快刀，忙古歹⑩烧下热水，若客都来抵九千鸿门会。先许下神鬼朌⑪了前膊，再请下相知揣了后腿。围我在垓心⑫内，便休想一刀两段，必然是万剐凌迟。

【尾】我如今刺搭⑬着两个蔫耳朵，滴溜着一条粗硬⑭腿。我便似蝙蝠臀内精精地，要祭赛的穷神下的呵吃。

## 注释

① 告朔：于朔日（农历初一）祭祀鬼神。
② 衅钟：古代杀牲以血涂钟行祭。
③ 巴避：亦作巴鼻，意即来由，根据。
④ 准折：抵消，抵折。
⑤ 打摸：筹划。
⑥ 解锥：古代骨制的解结用具，形如锥，亦省称“解锥”。
⑦ 挝笔：古兵杖之一，长一丈三尺，柄端安一大拳，拳握一笔，纯以铁制。
⑧ 挦：扯，拔。
⑨ 火里赤：蒙古语的译音，意为弓手。
⑩ 忙古歹：蒙古语。小番。

⑪ 彪(biāo):抛掷。
⑫ 垓心:战地中心。
⑬ 剌搭:软绵无力,下垂貌。
⑭ 粗硬:粗大而又不灵便。

## 鉴赏

在元代散曲中,借家畜的悲惨命运隐寓社会不公平的作品有刘时中的套曲〔双调·新水令〕《代马诉冤》,姚守中现存唯一的套曲〔中吕·粉蝶儿〕《牛诉冤》及曾瑞此套套数〔般涉调·哨遍〕《羊诉冤》。这些套曲采用拟人手法,大量运用方言俗语,借马、牛、羊的口吻叙事抒情言志,牢骚、抱怨、不平贯穿套曲始终,字里行间充满着对社会现实的不满和嘲谑。语言直白通俗,风格诙谐滑稽,充分体现了元散曲追求以俗为雅、俗而有趣的"蒜酪蛤蜊"之味的特点。

这套套数,以拟人手法,运用第一人称让羊自诉冤屈。前两支曲子为羊自述其美:具有色异、种多、性善、味美等特性,并通过苏武牧羊、左慈化羊、齐宣王以羊代牛等典故,说明自己"舍命于家,就死成仁,杀身报国"的优秀品质,及在祭祀天地、救济民饥等方面无与伦比的重要作用。

之后,为羊自诉冤屈。〔耍孩儿〕曲首先诉从塞北到江南万里迢迢历尽艰辛,却遇到新主人"少东没西",无料喂,无水饮,且"从朝至暮,坐守行随",不得自由。〔幺〕和〔一煞〕则控诉主人千方百计从羊身上渔利。活着时即靠许愿、租赁、雇佣等手段剥削;并打算捋其毛剥其皮,甚至羊的"蹄指甲要舒做晃窗,头上角要锯做解锥,瞅着颔下须紧要绘扭笔",无一物不被抛残,简直是做到了敲骨吸髓。与元代无名氏小令〔正宫·醉太平〕《讥贪小利者》"夺泥燕口,削铁针头,刮金佛面细搜求,无中觅有。鹌鹑膆里寻豌豆,鹭鸶腿上劈精肉,蚊子腹内刳脂油"的描写异曲同工。而且,被剥削尽了的羊,连死也是十分悲惨可怜:"便休想一刀两段,必然是万剐凌迟。"

羊的美好品质与在现实生活中的重要作用,和其悲惨命运形成鲜明的对照,通过前后这种强烈的反差,折射出来的正是元代善良的百姓在当时的生活处境和卑下地位。

蒙古贵族统治中原后,为巩固自己的政权和特权,将人民分为蒙古人、色目人、汉人和南人四个等级,推行阶级压迫和民族压迫政策。尤其是蒙古统治者的民族歧视政策,使得汉人和南人像牲口一样被奴役和剥削。在当时的大都、上都等地,不仅有马、牛、羊交易市场,也有汉人和南人为主的“驱口”交易市场。刘时中、姚守中、曾瑞所作的马、牛、羊之冤屈,反映的正是这些被剥削被奴役的人们连牲口都不如的悲惨生活。

这套曲子语言俚俗,如“无料喂把肠胃都抛做粪,无水饮将脂膏尽化做尿”“我如今剌搭着两个蔫耳朵,滴溜着一条粗硬腿。我便似蝙蝠臀内精精地”等,但正是这种不避忌讳、甚至是很粗俗的语言文字,淋漓尽致地表现了作者和广大被剥削被奴役的百姓的愤怒。

(叶爱欣)

## 【双调·蟾宫曲】

赵禹圭*

# 题金山寺

长江浩浩西来，水面云山，山上楼台。山水相辉，楼台相映，天与安排。诗句就云山动色，酒杯倾天地忘怀。醉眼睁开，遥望蓬莱。一半烟遮，一半云埋。

### 作者

* 赵禹圭(1262？—1335？)，字天锡，元钟嗣成《录鬼簿》列其为“前辈已死名公才人，有所编传奇行于世者”之内，称其为“汴梁人”，做过“镇江府判”。贾钟明〔凌波仙〕吊词云：“曹公汤饼试何郎，大德名公家汴梁，《金钗剪烛》音清亮。为府判，任镇江；出台阁，官样文章。显新句，贮锦囊，金玉铿锵。”所作杂剧2种今佚，明朱权《太和正音谱》评其曲“如秋水芙蕖”。隋树森《全元散曲》辑其小令7首。

### 鉴赏

金山寺位于江苏省镇江市西北的金山上，东晋时创建，距今已有1600多年的历史，为著名佛教禅宗名寺，闻名遐迩。民间传说《白蛇传》中的金山寺即指此。因金山地势险峻，建于其上的佛寺雄伟壮观；又因这里景点众多，风景迷人，并且充满历史传说与神话故事，所以被古人赞为江南名胜之最，也成了历代骚人墨客登临吟咏、即景抒怀的所在。

这首小令是诸多金山览胜、赏景题咏佳作中的一首。前六句写景。作者伫立船头，极目远眺，浩浩的江水咆哮而至;抬头观望,巍峨的金山高耸入云;高楼和台阁依山而建,殿宇栉比,金碧辉煌。山矗水中,寺映江面,山水楼台相映成趣,宛若一派虚无缥缈的仙境。而这鬼斧神工的景色,似乎都是造化的精心安排。从视角来说,从远到近,由平眺到仰观,由模糊到明晰,颇见层次。从意境来讲,仿佛一幅水墨画,动中有静,静中有动。"天与安排"四字,不仅道出作者对眼前令人陶醉的景色的由衷喜悦赞颂之情,也使前面的景色描写着上了浓重的感情色彩,景中有情。

后六句抒情。面对如此美景,作者诗兴大发,思如泉涌,挥毫泼墨。注视眼前的江山云寺,他仿佛忘怀天地万物,犹如痛饮玉液琼浆,飘飘欲仙,醉入天界。醉中遥望,金山寺一半被江面的水汽遮蔽,一半被空中的云彩隐藏,似有似无,若隐若显,宛如蓬莱仙境。身临其境,宠辱皆忘;蓬莱之喻,启人遐思。欣喜陶然之情由景引发,感情附着于具体的实景之上,情中有景。

这首小令意境开阔,场面宏大。远近高低,江山云寺,虚实之境,信笔所至。作者在这阔大壮观的景色展现中,表达出他对金山寺迷人景色的由衷喜爱,也映现出他轻松愉悦的心情。作者在写景时,并非仅就山寺落笔,而是从更广阔的背景上,抓住寺矗山巅、山立江中的特征,动静结合,远眺纵览交替,形象生动,情景交融。

(张进德　张韶闻)

# 【正宫·塞鸿秋】

张养浩*

春来时绰然亭*香雪梨花会，夏来时绰然亭云锦荷花会，秋来时绰然亭霜露黄花会，冬来时绰然亭风月梅花会。春夏与秋冬，四季皆佳会，主人此意谁能会？

## 作者

* 张养浩(1270—1329),字希孟,号云庄,济南历城(今属山东)人。至元廿八年(1291)辟吏入仕。大德末知堂邑、博平县。至大元年(1308)拜监察御史,因上《时政书》遁去。仁宗朝任右司都事、秘书少监、翰林直学士、礼部尚书。英宗立,参议中书省事,元夕疏谏灯山忤旨,辞归屡诏不起。文宗天历二年(1329)召拜陕西行台中丞救灾,到官四月累病而卒。著有散曲别集《云庄休居自适小乐府》,诗文集《归田类稿》。《太和正音谱》评其曲"如玉树临风"。

## 注释

* 绰然亭:当是作者归隐云庄后自己建造的亭子。

## 鉴赏

张养浩的散曲集《云庄休居自适小乐府》主要创作于他归隐之后的八年中。因此,描写山水田园风光美景,抒发林泉啸傲的闲情逸趣,展示热爱生活、崇尚自然的平和心态,就成为其重要的题材内容。如果说仕与隐的心态支配着中国古代文人对于生命形态的抉择，那么选择了归隐田园的张养浩就必然要把他的这一“生命形态”投射于山水林泉之中，使内在的精神世界同外在的自然美景交融、契合，形成美妙的意境，从而记录下作者的“生命体验”、心路历程，并从中折射出其峻洁的人格美的光辉。

这首小令通过描述春夏秋冬四季花开的美景，将作者脱离官场、归隐云庄后的闲情逸趣充分展示了出来，其中更蕴含着超越外物限定后无欲无求、与大自然混融为一的人生妙悟与快感，大有陶潜“采菊东篱”的悠然自得。作者笔下的四季之景花团锦簇、姹紫嫣红，令人赏心悦目。绰然亭的四季佳景，均涂染了作者浓重的审美色彩和主观色彩，映现了他的生活理想和美感追求。笔触细腻生动，描绘如在目前，字字句句仿佛从心灵深处流泻出来，打动人心的是蕴寓其中的真挚情感和恬淡、平和、质朴、天然的审美取向。

曲中首先选择了最具时令特征的四季花卉，营造出美好恬淡的意境氛围，无论似一片香雪海般漫天飞舞的雪白梨花，还是如一张天然织锦般满眼弥望的田田荷塘，抑或带露凝霜傲然挺立的簇簇黄菊，霜风冷月中疏影横斜暗香浮动的朵朵梅，不仅带给人们的是美不胜收的四季风景，更有淡然洒脱、热烈奔放、抗霜斗雪、风骨凛然的浪漫情怀与人生启示。同时，五彩缤纷、姿态万千的四季鲜花，也象征着人生丰富多彩的体验与感悟，表现了作者心灵与精神的多维追求与活力。

其次，以四季鲜花为中心的美景次第展开，显示出自然景物作为一种生命体所具有的生命律动，它不仅呈现出千姿百态的生命性状，而且作为审美客体，被赋予了审美的文化意义，因此拥有了自然美与人文美的双重价值。当张养浩以诗人的眼光审视这些自然山水时，首先是被它们的美吸引了、陶醉了，随后，渗透着他的个性和文化内涵的审美判断，便会融入其中，并在他笔下勾勒的画面中折射出来，这便是作者欲说还休的“主人此意谁能会”与陶潜所谓“此中有真意，欲辨已忘言”异曲同工。

最后，这首小令简单纯朴，自然随意，完全出之以意兴所及，无丝毫牵强生硬之迹，更无人为斧凿之痕。目之所触，耳之所闻，身之所历，心之所动，纯然天成，达到物我为一、神与物游的境界，从而超脱于俗世红尘，泯灭功利之心，具有赤子般的真诚与纯朴。张养浩就是这种率真自然的人，因此，他的作品散发出的就是一股闲雅淡远之气，静穆中显示的是返璞归真之趣。

（窦春蕾）

# 【中吕·朱履曲】

张养浩

那的是为官荣贵，止不过多吃些筵席，更不呵安插些旧相知。家庭中添些盖作，囊箧里攒些东西，教好人每看做甚的？

才上马齐声儿喝道，只这的便是送了人的根苗，直引到深坑里恰心焦。祸来也何处躲？天怒也怎生饶？把旧来时威风不见了。

正胶漆当思勇退，到参商才说归期，只恐范蠡张良笑人痴。腆着胸登要路，睁着眼履危机，直到那其间谁救你？

## 鉴赏

此组〔中吕·朱履曲〕小令共九首，《乐府群珠》卷四前六首题作《警世》，后三首题作《又》，这里选的是其中的三首曲子。

张养浩自小接受儒家经典的熏陶，救世济民，勤政奉公，施展才干，有所作为是他的政治理想和人生追求。能够在儒士地位一落千丈沦为“臭老九”的元代，跻身于官场上层的他，并没有因为感到“荣幸”而忘乎所以，更没有为了官位亨通而丧失原则立场。他无私无欲，刚正不阿，时刻保持着头脑的清醒，坚守着为官处世的一贯原则。在进退出处之间坚持有所为、有所不为的人生准则，重品行节操，轻功名利禄，以人格完善为精神旨归。

因此，当他踏入仕途，在世人瞩目的职位上行使牧民权力时，就对为官的行为准则进行了严格的自我规范和约束。“那的是为官荣贵”这首小令便语重心长地告诫道：当官绝不能为了个人的荣华富贵,吃香喝辣,风光无限;为了"一人得道,鸡犬升天",使亲戚朋友"沾光""图利",彼此在有利位置上相互照应,官官相护;为了个人中饱私囊,家庭发财致富! 否则"教好人每看做甚的?"作者痛恨封建官场中假公济私、贪污受贿、拉帮结派、损人肥己的恶劣风气,并坚决与之拉开距离,以出污泥而不染的磊落风范保持着人格的独立与完美。同时,作者也格外重视百姓的口碑,在意"好人每"的评价。可见为官作宦并不是作者人生追求的终极目标,而只是他借以施展才华,实现济世救民政治理想的途径和手段。

面对官场的种种诱惑,作者之所以能够始终保持清醒的头脑而不为之心动,除了个人的道德修养之外,还在于他能够高瞻远瞩,对封建官场的黑暗内幕和腐恶生态了然于心,且不止一次遭到打击。尤其当作者本着济世安民的壮志,希望在元朝的政治舞台上大有作为时,却因与污浊的朝廷政治产生巨大的冲突而难以为继。他因直言敢谏多次得罪权贵,被构罪罢官,甚至差点招来杀身灭族之祸。这使他深感"道不行"的悲哀与无奈,也切实体会到"祸来也何处躲? 天怒也怎生饶?"的宦途凶险。官员们骑着高头大马,在鸣锣开道中威风凛凛之时,即预示着他最终的悲剧收场。于是,作者一针见血地指出,做官恰是招惹灾祸的"根苗",官场乃陷人于绝境的"深坑",纵然小心谨慎,也难免不被构陷。

张养浩既已认识到在元王朝的黑暗政治环境下,要想实现自我价值,又不至于付出无谓牺牲,是根本难于调和的"二律背反",那就只有"正胶漆当思勇退",急流勇退,返回故乡,在田园和山水之间安身立命,洁身自好,追求人格的独立与升华。否则,"到参商才说归期",那可就太晚了,"直到那其间谁救你?"纵观历史,那些懂得适时进退的人都是真正的智者,范蠡和张良就是榜样,他们既成就了宏图伟业,也知道见好就收,给自己规划了一个较为圆满的人生轨迹。这种进退裕如的人生态度反映了张养浩达观理性的思想意识,也与孔子的"天下有道则见,无道则隐"(《论语·泰伯》)"道不行,乘桴浮于海"(《论语·公冶长》)的处世原则一脉相承。

总之,张养浩的警世散曲,不仅表现了可贵的民本思想和进步的吏治建设思想,而且表现了他在出处选择上,注重道德追求和人格完善的睿智明达,并在揭示理想的实现和人生的价值中,体现了传统文化特重个人操守、关怀天下民生的积极意义。正是这种崇高的价值观和对理想人格的不懈追求,造就了张养浩作品在思想境界上的高远博大和人格操守上的独特魅力。

(窦春蕾)

# 【中吕·普天乐】

张养浩

楚离骚，谁能解？就中之意，日月明白。恨尚存，人何在？空快活了湘江鱼虾蟹，这先生畅好是胡来。怎如向青山影里，狂歌痛饮，其乐无涯。

## 鉴赏

这首小令,以屈原的遭遇和悲剧映衬自己的人生经历和情感态度,笔触异常沉痛悲愤。曲子开头即直奔主题:“楚离骚,谁能解?”将屈原的人生价值观摆在了进行评判的位置。的确,千百年来,围绕着对屈原的认识和品评,至少形成了两种不同的人生价值观,一种代表了儒家的主流思想意识,高度赞扬屈原忠君爱国,坚持美政理想,积极进取,虽历经磨难,遭馋受诬,仍然“虽九死而犹未悔”的精神,以及独立不迁、不随俗俯仰的峻洁人格。另一种则代表了隐者的思想意识,认为“圣人不凝滞于物,而能与世推移”(《楚辞·渔父》),即识时务者为俊杰,要附合流俗,顺应时势,独善其身,灵活处世,最终求得全身远祸。因此不赞成屈原的坚定不移和自我牺牲。

对此,作者的态度首先是赞成和欣赏,“就中之意,日月明白”。将屈原及其《离骚》放置在了与日月同辉、千古不朽的崇高地位,从中可以看出作者的主体意识和精神追求正与屈原一脉相承。然而,对于屈原最终选择“道不行”则自沉汨罗江的做法,作者又表达了不同的看法,认为这是徒劳无益的牺牲,“空快活了湘江鱼虾蟹”,应该予以否定,“这先生畅好是胡来”,否则,“恨尚存,人何在?”对于自己一生坚持追求的事业和人生理想来说,反倒是一种难以弥补的损失。因此,当人生无路可走时也不必绝望,更不该选择自我牺牲,不如暂且“放下”,以退为进,蛰伏待机,或许还有“东山再起”、大展宏图的时机。纵然最终时不我待,机不再来,也可让自己面对青山,怡情悦性,快乐无涯地度过人生。

屈原无疑是伟大的,他的作品、

他的精神永远光耀千古,泽被后世。屈原把国与君等同起来,他坚定的爱国情感与他执著的乡土之思是融为一体的,在那个朝秦暮楚、急功近利的时代,他以自己惊世骇俗的一跳刷新了世人关于爱国者的记忆,成为后世那些在国家民族危难之际舍生取义、以身殉国的志士仁人追慕的榜样。

然而张养浩的选择也是明智的。当历史演进到元代时,文人的思想意识也在不断与时俱进。在张养浩的观念中,出仕做官就是要为国为民,国与民是可以画等号的。当他在元王朝黑暗政治不断挤压、逼迫下,清醒地意识到"致君泽民"的理想根本无法实现,而自己却有可能成为这"无道"政治的牺牲品,便毅然选择了归隐田园。因此,当他回首历史的浩瀚云烟,将目光锁定在屈原及那些功勋卓著的历代忠臣身上时,不禁为他们几乎无例外的悲剧结局感慨唏嘘,同时又对于他们不能明智地选择进退,以至最终白白牺牲不以为然。这正如熊笃在其论文《张养浩的人生观及其两次辞官归隐原因探微》中所说,张养浩选择的是一条"陶渊明式的淡泊名利但并不淡泊现实,尤其是范蠡、张良式的功成身退"的人生道路(《河北学刊》1993 年第 3 期)。他最终以垂暮之年前往陕西赈灾,并以身殉职就是最好的诠释。

(窦春蕾)

# 【中吕·喜春来】

张养浩

亲登华岳悲哀雨，自舍资财拯救民，满城都道好官人。还自哂，比颜御史费精神。

十年不作南柯梦，一旦还为西土臣，空教人道好官人。还自哂，闲杀泺湖春。

路逢饿殍须亲问，道遇流民必细询，满城都道好官人。还自哂，只落的白发满头新。

乡村良善全生命，廛市凶顽破胆心，满城都道好官人。还自哂，未戮乱朝臣。

## 鉴赏

此组〔中吕·喜春来〕小令共九首，这里选的是前四首，作者写于天历二年(1329)在陕西赈灾之时。而在此之前，张养浩不愿随俗浮沉，在黑暗腐恶的政治环境不断挤压、逼迫下，毅然选择了归隐田园，并在“七见征书下日边”，其中不乏权高职重如吏部尚书之类的“肥缺”时也毫不为之所动。然而天历二年(1329)，关中大旱，当朝廷任命他为陕西行台中丞前往赈灾救民时，他竟不顾年老体弱，毅然出山，并做好了一去不返的打算。据《元史·张养浩传》记载：“天历二年，关中大旱，饥民相食，特拜陕西行台中丞。既闻命，即散其家之所有与乡里贫乏者，登车就道。遇饿者则赈之，死者则葬埋之。道经华山，祷雨岳祠，泣拜不能起，天忽阴翳，一雨二日。……闻民间有杀子以奉母者，为之大恸，出私钱以济之。”张养浩立刻全力以赴地投入到救旱赈灾的各项事务中。

在这四首曲子中，既有作者忧民勤民、劳心劳力、自舍资财、雪中送炭、事必躬亲、心系灾民的种种善举义行；也有作者惩处邪恶、打击滋事扰民、伸张正义、为民做主的措施与决心；还有作者无论在朝为官，还是归隐为民，始终胸怀天下苍生、关注民生疾苦、始终“以天下为己任”的人格操守。字里行间充盈着的是与民同甘共苦的博大情怀和无私奉献精神，是急百姓所急、想百姓所想的一腔赤诚。这正如他在《牧民忠告》中所言：“民之有讼，如己有讼；民之流亡，如己流亡；民在缧绁，如己在缧绁；民陷水火，如己陷水火。凡民疾苦，皆如己疾苦也，虽欲因仍，可得乎？”这种与民休戚与共，苦乐一体的纯朴至诚，数百年来，读之依然使人感奋。

勤政爱民的张养浩最终以实际行动为自己的生命添上了最辉煌最厚重的一笔：“到官四月，未尝家居，止宿公署，夜则祷于天，昼则出赈饥民，终日无少怠。每一念至，即抚膺痛哭，遂得疾不起，卒年六十。关中之人，哀之如失父母。”(《元史·张养浩传》)他不仅赢得了时人最深切的敬重与哀悼，也拨动了无数后人心中最深切的感动。

这四首小令，纯然一片天籁之音，用最朴素的语言，道出了心中最真诚的情感。对身处天灾人祸中的弱小百姓，充满了悲悯情怀和人文关怀精神，强烈表现了与百姓同甘苦共患难，渴望救民于倒悬的献身精神和赤子之情。这正如宗白华先生所说：“深于情者，不仅对宇宙人生体会到至深的无名的哀感，扩而充之，可以成为耶稣、释迦的悲天悯人；就是快乐的体验也是深入肺腑，惊心动魄；浅俗薄情的人，不仅不能深哀，且不知所谓真乐。”(《艺境·论〈世说新语〉和晋人的美》)张养浩正是这样一位心地坦诚、胸怀博大的“深于情者”，他对民生疾苦的感受是那样深刻强烈，他与民同乐的情义完全发自肺腑。

总之，这四首散曲中流露出的一心为民、鞠躬尽瘁、无怨无悔的崇高品格，充满了对民生疾苦的深切体认，凝聚着儒家思想中“先天下之忧而忧，后天下之乐而乐”的精神文化内核。它积极进步的文化意义就在于先人后己、先忧后乐和以民为本的可贵意识。同时，由于它“第一次将同情民生疾苦的内容引进了散曲创作的题材领域”(赵义山《元散曲通论》)，故在散曲史上也具有十分重要的文学地位。

(窦春蕾)

## 【中吕·山坡羊】

张养浩

### 潼关怀古

峰峦如聚，波涛如怒，山河表里潼关路。望西都，意踌躇。伤心秦汉经行处，宫阙万间都做了土。兴，百姓苦；亡，百姓苦。

鉴赏

张养浩的这支〔山坡羊〕,即使与唐宋以来"潼关怀古"为题的诗词相比,也算得上佼佼之作,自然也是元散曲中的杰作。潼关故址在今陕西潼关东南,山川形势极为险要,不但在秦汉时代是称帝关中的必争之地,就在唐代也是动关国家安危的咽喉之地。行经潼关,人们最常想到的,就是刘项亡秦、楚汉相争以及安史之乱的几段历史。

"峰峦如聚"的"如聚"以形山峦之多,化静态为动态;"波涛如怒"的"如怒"以见黄河之险,写动态以拟人。这个有声有色的开头,造成了雄关如铁的气势感,是豪放派词的感觉。潼关西近华山,北据黄河,古人谓之"表里山河"(《左传·僖公二十八年》)——它是形胜之地。"望西都,意踌蹰",是一转。"西都"在秦为咸阳,在汉为长安,此泛指秦汉古都,它是以潼关为屏障的。"踌蹰"本指步态,意为犹豫。

作者在西望古都时,心中为何犹豫呢?以下分两层回答这个问题。一层是"伤心秦汉经行处,宫阙万间都做了土"。司马迁说:"物盛而衰,固其变也。"一个朝代兴起了,一个朝代消亡了,"其兴也勃焉,其亡也忽焉",这就是历史,这就是几千年中国封建社会的历史。用黄炎培的话来说:"一部历史,'政怠宦成'的也有,'人亡政息'的也有,'求荣取辱'的也有。总之,没有能跳出这个周期律。"张养浩在潼关,一部分的犹豫,是因为这个周期律。

另一层,或者说更进一层的,则是"兴,百姓苦;亡,百姓苦"。这两句更是一针见血地道破了历史的真谛——指出封建王朝与人民群众的对立。对照秦汉以来的历史,回想唐太宗李世民"水能载舟,也能覆舟"的箴言,还有诗人杜牧描写的那幅惊心动魄的历史画面:"戍卒叫,函谷举;楚人一炬,可怜焦土。"(《阿房宫赋》)实在是令人感慨万端。"楚人一炬,可怜焦土",不正是"宫阙万间都做了土"的最好注脚嘛。封建统治者的压榨造成"百姓苦",百姓不堪其苦时,则导致了封建王朝的灭亡,潼关就是历史的见证者。

此曲结尾的两句,不仅具有高度概括性,凝聚着深厚的思想内容,而且语言表现极为有力。"兴"字领出"百姓苦"三个字,与"兴"相反的"亡"仍然领出同样三个字,不期然而然,语言效果便尤为强烈,尤有气势。此曲写在作者任陕西行台中丞,治旱救灾、路经潼关的途中,包含着许多现实感慨。作为一个正直的官吏,他一方面是为百姓鸣冤叫屈,另一方面也是为当局敲响警钟。

(周啸天)

## 【中吕·山坡羊】

张养浩

### 北邙山怀古

悲风成阵，荒烟埋恨，碑铭残缺应难认。知他是汉朝君，晋朝臣?把风云庆会消磨尽，都做了北邙山下尘。便是君，也唤不应；便是臣，也唤不应!

鉴赏

这首怀古之作,是张养浩在天历二年(1329)退隐复出、赴陕西救灾时创作的西行组曲之一。张养浩一生三次出仕,两次退隐,这种种坎坷颠踬的特殊经历,磨砺了他的性格,使他对人生穷途荣华及生死有着深刻的理解。因此,当张养浩登上洛阳北面的邙山——埋葬了从汉到宋众多帝王将相、达官显贵,被视为殡葬安冢的风水宝地时,不由得产生了对生死富贵的感慨。

前三句写登临所见,真可谓满目萧然,阴森凄凉。悲风阵阵而来,荒烟四起,极目所见,皆是残铭断碑。写铭立碑,意在扬名显姓,流芳百代。历数代风雨,“碑铭”已“残缺”得面目全非。这里面埋葬着多少前朝遗恨啊!寥寥数笔凄怆悲凉的环境描写奠定了全曲的基调。

接下四句,抒写作者感慨!“知他是汉朝君,晋朝臣?”作者由眼前之景引发内心感慨:也不知所葬者是汉代君王,还是晋代大臣。此即指所葬于北邙山的历朝天子朝臣,岁月无情,因为年代久远,碑铭残缺不全,而早已不知道他们的真实情况。也正是他们“把风云庆会消磨尽”,却还是“都做了北邙山下尘”。可想而知,由于身份显贵,他们生前一定是享尽了荣华富贵,其显赫程度恐常人难以企及,最终还是全部化作了北邙山下的一抔尘土,而无人知晓。这也是人生在世亘古不变的自然规律:人终有一死,“死去元知万事空”,这是谁也摆脱不了的客观规律!作者以这种方式道出,更平添几分对生死问题的认识与对人生宿命的慨叹。

最后四句“便是君,也唤不应;便是臣,也唤不应!”将人生如梦、富贵无常的悲凉咏叹推到了极致。也不管你是君,还是臣,也不管你生前多么显赫,此刻已化为尘土,任凭你怎么呼唤,也是无济于事。以呼唤的形式结尾,让人读来更为惊悚不已。

这首散曲中作者登高望远,有感而发,以质朴古拙的手法概括出生存死亡的自然规律。质朴中见大巧,浅显中见深刻,全曲没有艰深的文字,也没有令人生畏的晦涩典故,更没有华词丽句,而是以眼前所见,述说现实的功名地位在生死面前是毫无差别的。联系作者的仕宦经历,以及作者当时所见“路遇饿殍”“道遇流民”的惨状,亦可见作者一方面表达的是对生死问题的深刻认识,另一方面也在间接地表达作者对当时黑暗社会的鞭挞。

(王　彪　赵望秦)

## 【中吕·山坡羊】

张养浩

(十首其七)

与人方便,救人危患,休趋富汉欺穷汉。恶非难,善为难。细推物理皆虚幻,但得个美名儿留在世间。心,也得安;身,也得安。

### 鉴赏

张养浩一生以儒家经世致用为己任,重视名声节操,其〔山坡羊〕组曲十首,便是劝人勿贪恋权势名利而应行好向善的作品,此首是十首中的第七首，最能表现组曲的主旨。

作者开篇就明确提出要“与人方便，救人危患，休趋富汉欺穷汉”的主张，告诫人们要乐于助人，救人于危难之中，不能嫌贫爱富、用金钱来衡量人的地位、做那种亲近富人、欺负穷人的势利小人。抗日名将冯玉祥在其《答客问》中也说：“在大难当前，我们每个人都要尽其至善的至大的努力去解除危患。”此与张养浩之劝有异曲同工之妙。此曲先以质朴平实之劝教展开，下面则好似回答读者一层一层的追问，娓娓道来，栩栩如生。先回答什么呢？先回答的是这样的善行容易做吗？回答是“恶非难，善为难”：恶事做起来才容易，而善事做起来却很难。既然难做，我们为什么还要做呢？作者再进一步深思事物发展规律，感悟到一切追名逐利的行为最终都是徒劳的、虚幻的，没有永恒意义的。那么，具有永恒意义的是什么呢？就是能有一个好名声留在人间，这样就可以万古流芳，而不是遗臭万年。最后一句“心，也得安；身，也得安”呼应全篇，意为只要能做到开篇所提出的主张，我们才会心也安稳，身也平安，即身心俱安，这可是人生的大境界啊，若能如此，何乐而不为呢？作者又好似在呼唤，在摇旗呐喊，在唤醒民众行动起来，劝世之情于此更进一步，这也集中体现了张养浩的以天下为己任的用世思想。

唐末道士吕岩（吕洞宾）就有《劝世》：“一毫之善，与人方便。一毫之恶，劝君莫作。衣食随缘，自然快乐。算是甚命，问什么卜。欺人是祸，饶人是福。天眼昭昭，报应甚速。谛听吾言，神钦鬼伏。”此外“与人方便，与己方便”在元明时期的小说话本常有出现，以劝人向善、乐于助人为目的。如《西游记》第十八回：“行者陪着笑道：‘施主莫恼，与人方便，自己方便。你就与我说说地名何害？我也可解得你的烦恼。’”

这首散曲在结构上环环相扣，层层递入，却不落痕迹。先提出观点，然后层层剥开，细细分析：先劝善，再分析，最后一句以铿锵有力的语调做总结。以其浑厚质朴，朴素明快的语言，冲口而出，既饶平易亲近之感，又饱含沧桑之叹。

（王　彪　赵望秦）

# 【中吕·朝天曲】

张养浩

## （九首其三）

自刎，退归，用不着风云气。疏狂迂阔拙又痴，今日才回味。玩水游山，身无拘系，这的是三十年落的。翠微，更奇，知道我闲居意。

### 鉴赏

张养浩有散曲集《云庄休居自适小乐府》，主要是他辞官以后所写，如就其思想感情而言，主要表现为两种：一种是对官场的反思，一种是对百姓的关怀。官场的反思是一种痛定思痛，真切地经历过宦海风波、世态炎凉之后的深沉感慨，其〔朝天曲〕小令九首，就是书写这种感慨的组曲。本曲为这九首小令中的第三首。

这首散曲主要表现的是作者对其三十年宦海沉浮的反思，同时抒发自己急流勇退之后的闲适自得之情。至治元年（1321），时任参议中书省事的张养浩，因“会元夕，帝欲于内庭张灯为鳌山”而上《谏灯山疏》，“帝大怒，既览而喜曰：‘非张希孟不敢言。’即罢之，仍赐尚服金织币一、帛一，以旌其直”（《元史·张养浩传》）。开头即写张养浩经过反思，毅然以“父老”辞官归乡。因为作者深知局势变化无常，等到那时才离开，去过自己向往的山林生活，恐为时已晚，因此明哲保身，知难而退。紧接着两句写的就是作者退归之后对自己宦海生涯的回顾反思，先说是“疏狂迂阔拙又痴，今日才回味”，说自己今天才回味过来认为自己首先是“疏狂”，即狂放而不受拘束；其次是“迂阔”，是说思想行为总是不切实际事理；另外作者还说自己是又笨拙又痴愚。张养浩之隐居，有着复杂的背景和难言的苦衷。他生性忠厚，为人正直，那种噤若寒蝉、如履薄冰的为官生涯，与他的性情实相违拗。作者通过对自己的分析而不由得感叹道：“玩水游山，身无拘系，这的是三十年落的。”三十年的仕宦经历，作者一无所获，痛苦不堪，到如今游山玩水，过着毫无拘束的日子,虽是作者所愿,但多少有些辛酸在里面。最后一句运用移情于物的拟人手法,表达自己对山水的热爱之情,那青山似乎更显得新奇美丽,仿佛是知道我闲居的心意,与我的心境息息相通。这就更深入地表达了作者闲居的快乐心情,山未更奇,乃作者之心"奇"也。

联系张养浩一生行迹,二十余岁出仕,或因直击时弊,或因朝廷无道而时仕时隐,这样的人生之路让作者对自己的经历有了明确的认识。此曲表达的便是作者由仕而隐的心路历程,先写自己检视自己,然后写隐退,再反思自己,最后运用拟人手法表明自己的心迹。全曲蕴藉深刻,语言质朴自然,娓娓道来,将作者心路历程表露无遗。尤其最后一句,用拟人手法,表达作者"性本爱丘山",并决意归隐山林的决心,乃全曲最精彩处。

(王　彪　赵望秦)

## 【中吕·朝天曲】

张养浩

(九首其五)

牧笛,酒旗,社鼓喧天擂。田翁对客喜可知?醉舞头巾坠。老子年来,逢场作戏,趁欢娱饮数杯。醉归,月黑,尽踏得云烟碎。

### 鉴赏

张养浩的〔朝天曲〕小令九首,除书写对宦海风波、世态炎凉的感慨以外,还抒发了退隐山居的愉悦心情,本首小令便是如此。

牧笛横吹,歌声悠扬,酒旗高挂,美酒飘香,社鼓隆隆,震天喧响,好不热闹的村子啊!社鼓是旧时社日祭祀土神时所鸣奏的鼓乐。古代百姓不但通过作社活动表达他们对减少自然灾害、获得丰收的良好祝愿,同时也借以开展娱乐活动。民众集会竞技,进行各种类型的作社表演,集体欢宴,非常热闹。宋陆游就有《秋社》诗:"雨余残日照庭槐,社鼓冬冬赛庙回。"这首散曲开头即展现出一个繁荣喜庆的农村乡镇进行社日祭祀活动的场景,寥寥几笔,而情景毕见,这就是作者隐居之地,可以想见作者经历宦海蹭蹬后终于如愿以偿时的快乐心情。田翁看到作者的欢喜之情,通过"舞""坠"两词即表达得淋漓尽致。田翁喝醉了,欢快地舞蹈着,醉酒之舞,飘飘欲仙,舞得更有激情,舞得更加豪迈,连裹在头上的头巾都舞掉了。短短数字,田舍翁之舞便恍在眼前,栩栩如生了。田舍翁之乐也衬托出作者随乡民之乐而乐的欢喜之情,或许作者也在尽情地舞蹈,尽情地欢乐,也未可知。

前面两句铺陈,后面两句则极写作者之乐。这些年来,作者仕宦漂泊,过着噤若寒蝉、战战兢兢、整日逢场作戏的日子。今日方能如释重负,难得如此心情畅快,不如就趁着这欢愉的心情尽情地豪饮一番,一醉方休吧!酒总是与隐居生活有着紧密联系,苏轼就曾做过《酒隐赋》来说酒与隐居生活的种种不可分的乐趣。作者这样的豪饮,自然最后只能"醉归"了,月色朦胧,醉醉的他自然是飘飘欲仙了,然而还是将比他更缥缈的云烟给一点不剩地踩碎了。最后一句如神来之笔,将作者醉酒夜归,在村落间踩云踏烟,如神仙般自在欢畅之情推向极致。

全曲采用直陈白描的表现手法,将作者随民之乐而乐之情写得淋漓尽致。"老子年来,逢场作戏,趁欢娱饮数杯"更是把作者豪情万丈、欣喜若狂的欢愉心情,实实在在、明明白白地描写了出来。全曲平白如话,并不刻意求工,但却形神顿现,表达了作者对农村纯朴民风的挚爱,以及与农民相知相亲的浓厚情谊。

(王　彪　赵望秦)

## 【双调·胡十八】

张养浩

(七首其一)

正妙年,不觉的老来到。思往常,似昨朝。好光阴流水不相饶。都不如醉了,睡着。任金乌搬废兴,我只推不知道。

## 鉴赏

此曲必作于归隐云庄时期，最可能作于泰定元年(1324)。因为“任金乌搬废兴”中“金乌”即太阳，喻皇帝；“废兴”，唯英宗被弑、泰定帝即位一事最切。

首二句感叹人生苦短，弹指间就由青年妙龄变成老翁了。张养浩从20岁入仕任东平学正，23岁入京补礼部令史(参见熊笃《张养浩生平三考》，载《文史》第43辑)，至泰定元年已54岁，故曰“老来到”。“思往常，似昨朝”二句，是在云庄触景生情，想起当年“弱冠出仕”而今“知命而归”(见其《归田》诗序)，往事历历在目，唯有年华已老。故喟叹“好光阴流水不相饶”。但张养浩是元代名臣，任知县作《牧民忠告》，任御史作《风宪忠告》，任中书参议作《庙堂忠告》，其忧国忧民之心，如日月昭然；晚年又奉诏赴陕西行台救灾，鞠躬尽瘁累死任所。纵观其一生，从未消极沉沦，更非忧老惧死、醉生梦死之人。

“都不如”以下四句，实乃对泰定朝时局回天无力的忧患愤激之语。至治三年(1323)八月，英宗和丞相拜住回京途中被逆党刺死，九月泰定帝即位于晋王镇所，十月诛杀铁失逆党，并为英宗朝被逆党诬杀和流放的大臣昭雪平反。泰定元年(1324)召张养浩为詹事丞。奇怪的是，养浩三月赴京，但与同僚王继学、虞集及门生马祖常、许有壬等相会后并未上任，次日突然飘然回家了。据《元史·泰定帝纪》载，早在英宗朝，晋王亲信、内史倒刺沙就派其子哈散打入拜住相府侦探，铁失又派人与倒刺沙密谋政变后推立晋王为帝。晋王扣留来报使者，并派人到上都告发逆谋。疑点在于：明知两天赶不到而故作此举，显为事后洗刷勾结的嫌疑预设伪证。否则他为何不理直气壮召开诸王大会揭发铁失，让大会推选新皇帝，反而匆忙即位，还任命首犯铁失为枢密使，任命主犯也先帖木儿为右相呢？至十月才暗派人捕杀此二人，这不是杀人灭口吗？逆党被杀，独倒刺沙反而升为左丞相，岂非掩耳盗铃？故泰定帝一死，文宗即位宣称“晋邸违盟构逆，窃据神器”(《元史·文宗纪》)，不予加庙号。蒙古王位，从成吉思汗就定下由忽里勒台(诸王选汗大会)选举，往后诸帝直到武宗都是选举即位的。武宗立其弟为皇太子(仁宗)，约定今后兄弟叔侄世代传位。但仁宗后来却立己子为皇太子(英宗)，故英宗即位就不名正言顺，隐伏了诸王争位、权臣借此发动政变的祸根，终至南坡被弑。而泰定帝更非先帝所立皇太子，比英宗更加不名正言顺。且刚即位就大修佛事，穷奢极侈，封八思巴兄弟为白兰王、为三公，“气焰熏灼”“为害不可胜言”（《元史·释老传》）。朝臣批评他“逆党未讨，奸恶未除，忠愤未雪，冤枉未理，政令不信，赏罚不公，赋役不均，财用不节”（《元史·泰定帝纪》），此即养浩为何奉召入京而“翌日入城，则飘然归矣”的内幕原因（参见熊笃《张养浩的人生观及其两次辞官归隐原因探微》，载《河北学刊》1993年3期），也是他为何要“醉了，睡着，任金乌搬废兴，我只推不知道”的难言隐衷。

此曲绵里藏针，意内言外，末四句巧妙运用反语和比兴，将皇权更替的一大阴谋表现得如此含敛而自然，而“任金乌搬废兴”微露端倪，有春秋皮里阳秋笔法之妙。

（熊　笃）

## 【双调·胡十八】

张养浩

### （七首其五）

人会合，不容易。但少别，早相离。幸然有酒有相识，对着这般景致，动着这般乐器。主人家又海量宽，劝诸公莫辞醉。

**鉴赏**

此曲作于泰定三年（1326）农历三月初三，时值养浩过55岁寿辰、大宴宾朋的宴会上。（参见熊笃《张养浩生平三考》，载《文史》第43辑）

首四句感叹人生聚少离多，老来与亲朋故旧相聚，更属不易；但凡少年时告别的，早早便相离去了（而今多数离世，少数还能重聚，殊属难得）。抚今追昔，不免隐含着几分黯然神伤。“幸然”三句一转,从感伤转折到庆幸眼前的祝寿宴会繁华,不仅有美酒佳肴,有相识的宾朋故旧,还有新落成的绰然亭园林美景和侑酒助兴的音乐歌舞。按《全元散曲》与此曲相连的前三曲都是写此次寿辰的,“从退闲,遇生日。不似今,忒稀奇,正值花明柳媚大寒食。齐歌着寿词,满斟着玉杯,愿合堂诸贵宾,都一般满千岁”。“客可人,景如意。檀板敲,玉箫吹,满堂香霭瑞云飞。左壁厢唱的,右壁厢舞的”。又〔越调·寨儿令〕《寿日燕饮》:“一雨晴,百花明,谢诸公不辞郊外行。尽是簪缨,充塞门庭,车马闹纵横。……眼睁睁,险踏碎绰然亭。”酒宴之丰盛,贵宾之众多,花明柳媚的艳阳春景,轻歌曼舞中的香霭瑞云。正可作“幸然”三句的注脚参看。从其诗文集《归田类稿》卷廿《绰然亭落成自和十首》和卷八《绰然亭上梁文》考知,绰然亭正好落成于泰定三年之春季,济南郊外的历城云庄,空气清新,故有“谢诸公不辞郊外行”;而刚落成的新亭园林美景,更一新耳目,故有“险踏碎绰然亭”。结尾二句的劝酒词又与“满斟着玉杯”几句呼应。

该曲开头四句追昔:感伤人生聚少离多;中间抚今,庆幸寿宴的繁华丰盛;结尾劝酒,主人海量的豪放热忱;结构顺理成章。感情起伏跌宕而又因果蝉联,语言明快质朴而又蕴含丰富。不愧是言简意赅、本色当行的劝酒词。

(熊　笃)

## 【双调·胡十八】

张养浩

(七首其七)

自隐居,谢尘俗。云共烟,也欢虞。万山青绕一茅庐,恰便似画图中间裹着老夫。对着这无限景,怎下的又做官去。

鉴赏

张养浩《归田类稿》卷六《云庄记》云:"余性雅嗜山水……谢政来日与之处,凡七年,无厌意。……别业,第宅一区,始皆茅茨,且狭,近年侈而易之以瓦。……王维辋川殆伯仲埒。"按养浩至治元年(1321)辞归,"凡七年"则为泰定四年(1327)作此记。但"近年"之前为"茅茨"。又文集同卷《处士庵记》云:"余既构绰然亭于华鹊之云庄,以其羡材为庵于东,偏茨苫而土垣之。弦诵之隙,偃息其中。"按绰然亭泰定二年(1325)上梁,故知此曲应作于泰定二年,"茅茨""茅苫"正与"茅庐"相合。

开篇四句写自从归隐后谢绝一切尘世俗务,无官一身轻,终日与山水云烟共处,自由自在,无拘无束,再无官场的尔虞我诈、钩心斗角,更无"伴君如伴虎"的担心忧虑,因此心情特别轻松欢乐。三字短句排比,节奏跳跃明快,恰与轻松欢愉之情相吻合。腹中二句描写云庄风景如画。据作者《云庄记》和《翠阴亭记》,云庄在历城西北十几里,周围有标山、鹊华山诸峰,"背有水西流","前引流为池,中植石一株曰玉云峰,环以荷芰,岸树倒影,池水益绿,当其雨之,既而日之夕也,云与山若相娱嬉,往来出没锦翠间,愈变而愈奇"(《翠阴亭记》),这便是"万山青绕一茅庐,恰便似画图中间裹着老夫"的具体注脚。结尾二句抒发感慨:面对着与"王维辋川殆伯仲埒"的无限美景,怎下得了决心离开这云庄别墅再次去做官呢?

从表面看,似乎诗人因陶醉于山水林泉的隐逸乐趣才不愿再去做官,如此理解就太肤浅。试看他的〔双调·雁儿落兼得胜令〕就知个中底奥:"也不学严子陵七里滩,也不学姜太公磻溪岸,也不学贺知章乞鉴湖,也不学柳子厚游南涧。"严光终生不仕,只求"独善",与养浩"致君泽民""进退皆有为"的理想不合;姜太公八十岁才遇文王,是时运不济,而磻溪垂钓,又似"终南捷径",与养浩主动辞官,七诏不赴迥异;贺知章晚年悟道归隐山阴,求玄宗赐鉴湖为放生地,而养浩不信佛道,归隐也不带条件;柳宗元被贬永州作《南涧中题》和《永州八记》,是被贬放情山水排遣忧愤;而养浩是审时度势,知机先退。他的归隐"不是区区爱翠微"。故对这四种隐居类型他都"不学"。盖因至治、泰定两朝皇帝即位都不名正言顺,因此隐伏下帝后党争迭起,皇位争夺杀机四伏;而这两个皇帝又都极端刚愎自用,拒绝纳谏。养浩出仕是为

"行道","道不合即去",这才是他不愿再次当官的原因。

该曲最大特点是在外表恬淡欢乐中隐藏着深沉的难言隐衷,因皇权黑幕不便明言,只能借陶醉山水来寄托。其次是巧用对比,末二句以眼前如画山水的清新安乐,暗中对比朝廷官场的污浊险恶,此亦皮里阳秋史笔的妙用。

(熊 笃)

## 【双调·庆东原】

张养浩

(四首其二)

人羡麒麟画,知他谁是谁。想这虚名声到底原无益。用了无穷的气力,使了无穷的见识,费了无穷的心机。几个得全身?都不如醉了重还醉。

### 鉴赏

这是《云庄乐府》卷三,排列在一起的四首〔庆东原〕中的第二首,内容情调与第一首相似,像是同时所作。而从第一首"整做了三个十年梦""辞却凤凰池,跳出醯鸡瓮"等句,可知两首皆作于至治元年(1321)作者刚辞官回家之时。养浩至元廿八年(1291)出任东平学正,至治元年辞归正好三十年。

开篇三句振起全篇,指出追求虚名无益。麒麟画典故,是西汉宣帝甘露三年(前51),画功臣霍光、张安世、韩增、赵充国、魏相、丙吉、杜延年、刘德、梁丘贺、萧望之、苏武十一人图像于麒麟阁,以示表彰。但时过境迁,后代人有几个知道他们是谁呢?可见追求这种虚名声原本是无益的。《左传》有"立德、立功、立言",谓之"三不朽",成为历代士大夫的人生理想目标。张养浩并非否定为国"立功",只反对追逐虚名。首二句对比人我之间价值观的不同,第三句才慨叹虚名无益。中间三句用鼎足对兼复叠对,连用三个“无穷”,将官场上追求虚名的人,和那些真心愚忠的功臣们刻画得淋漓尽致。既是对“人羡”的具体否定,也是对“虚名无益”的具体铺叙。末二句突转反问:“几个得全身?”形成跌宕顿挫。这里并非实指霍光等十一人,而是泛指历代图画麒麟阁、云台、凌烟阁之类的功臣们,如东汉明帝图画中兴功臣三十二人于云台,唐太宗、唐代宗都曾图画功臣于凌烟阁等等。联系作者〔双调·沉醉东风〕所列举的忠臣班超、屈原、李斯、陆机、张柬之、苏轼等人的悲惨遭遇,与本曲的思想如出一辙:即忠臣为昏君卖命都没有好下场;所不同的是本篇还对追逐功名的人多了一层讽刺意味。但这两类人总之都未看透功名和忠君的实质,而作者彻底悟透了官场黑幕和“功成身退”的真谛,所谓“飞鸟尽,良弓藏;狡兔死,走狗烹”,所以结句说“都不如醉了重还醉”。虽然这只是回天无力的愤激之语,但总归是全身远祸的明智之举。

此曲风格爽辣豪放,直言不讳,而在愤激中又语含微讽,狂放中又隐含明智。起势突兀,腹间铺排对仗淋漓酣畅,结尾反问且与开头形成对比。

（熊　笃）

## 【双调·庆东原】

张养浩

（四首其四）

鹤立花边玉,莺啼树杪弦。喜沙鸥也解相留恋。一个动开锦川,一个啼残翠烟,一个飞上青天。诗句欲成时,满地云撩乱。

鉴赏

据《归田类稿》卷六《翠阴亭记》:“家有苍、白二鹤,山椒水涯,必与俱往,其他鸥鹭鳞甲之属,亦莫不雍容闲雅,飞泳自如。”记作于泰定二年(1325),则此曲之作,亦当本年前后。

“鹤立花边玉,莺啼树杪弦”,两句对仗珠联璧合,两个暗喻更精巧绝伦。仙鹤亭亭玉立在锦簇花团旁边,活像一尊玉雕高贵;黄莺呖呖啼叫在纤细如弦的树梢枝头,宛如琴弦发音圆润悦耳。一静一动,前者如无声诗,后者似有声画。“喜沙鸥也解相留恋”,一个“喜”字加一个“也”字,透露出这诗情画意的美景,不仅令诗人喜悦流连,就连无知的沙鸥也懂得欣喜留恋。沙鸥是活动在江海的水鸟,而江海常比喻在野的隐士,如《庄子·让王》:“身在江海之上,心居乎魏阙之下。”故“喜”字又蕴含作者与沙鸥为伴的隐逸情趣;“沙鸥也解”用拟人手法将作者与自然物我融一,产生了“物化”境界。

腹间三句用鼎足对分别铺写仙鹤、黄莺、沙鸥的飞鸣活动。仙鹤冲开锦川,黄莺啼残翠烟,沙鸥飞上青天。“冲、飞、啼”均有声;“锦、翠、青”皆染色,堪称有声有色。据其《云庄记》自述云庄面积“水陆为亩且五百”“第前有林甚茂”“负林为亭,面亭激流为池,实以荷芰,环以丛篁重柳,桧柏花卉之植”,此即构成“锦川”。又叙二鹤“尝得鹤二豢养既久”“或翔或眠或立,或曲颈理羽”“当其戛然而鸣,声动寥廓”“闻之令人神形飘洒,不待目昆邱蹑蓬莱,已仿佛其羽化矣”,此即仙鹤“冲开锦川”的美感。“环以丛篁重柳”,丛竹垂柳暗淡,如含烟惹雾;而呖呖莺声,能“啼残翠烟”,仿佛朦胧烟雾被逐渐驱散竟是莺啼的功劳,这是移情而又夸张。沙鸥飞上青天,又是何等自由逍遥!

结尾“诗句欲成时,满地云撩乱”,不用“缭”而用“撩乱”撩拨诗思纷乱。诗人被这美景冲动,诗兴灵感油然而生,腹中诗句将成之时,顿时风起云涌,云烟笼罩弥漫了整个云庄。《翠阴亭记》云:“既而日之夕矣,云与山若相娱戏,往来出没锦翠间,愈变而愈奇。”《云庄记》述其名云庄之由:“池取其芳名曰云锦,墅取其幽名曰云庄,林取其洁名曰云香。”其诗《我爱云庄好》亦云“云水一铜镜,霜林万锦机”“苔香花复砌,石润竹通泉”,这些都是“满地云撩乱”的最好注脚。对此怎能不诗兴大发呢!

这是一幅描绘云庄花鸟动态的写生图,寄托了作者心旷神怡的隐逸闲趣。诗人凝神观照景物,用移情入景的手法“使物皆着我之色彩”,高卧林泉的逍遥闲适情趣蕴含其中。加之暗喻、对仗、拟人、铺陈、夸张等修辞,和炼字(如喜、又、撩、乱等)、声色、动静的错综运用,故而意境清新鲜活,诗情画意浓郁,读之令人神往,发人深思。

(熊　笃)

# 【双调·清江引】

张养浩

## 咏秋日海棠

寂寞一枝三四花，弄色书窗下。为着沉香迷，梦见嵬坡怕，且潜身在居士家。

睡起不禁霜月苦，篱菊休相妒。恰与东君别，又被西风误。叫他这粉蝶儿无是处。

鉴赏

这是《云庄乐府》卷七中《咏秋日海棠》十首组曲中第七首和第九首。从第八首中"这的是绰然亭绝妙处"句，考绰然亭落成在泰定三年(1326)春(参见熊笃《张养浩生平三考》，载《文史》第43辑)，故十首组曲均作于当年秋季。

第一首比海棠花为杨贵妃，担心被君王过分宠爱而遭祸，所以潜身于居士家园。首二句写这株海棠枝上只有三四朵花，颇感孤独寂寞，以其鲜艳的颜色呈现青睐于诗人的书窗之下。着一"弄"字，顿生绰约风韵、搔首弄姿之态。"为着沉香迷，梦见嵬坡怕"，暗用杨贵妃与唐明皇沉香亭的迷恋和马嵬坡赐死两个典故。据《明皇杂录》载，唐明皇登沉香亭赏牡丹，召杨贵妃同往，而贵妃酒醉未醒。待高力士和侍女将她扶出来后，她醉颜残妆，鬓乱钗横，不能拜见。明皇笑道："岂是妃子醉耶？真海棠睡未足耳。"因为有沉香亭的这般宠爱迷恋，所以才导致后来的马嵬坡御林军哗变，认为安史之乱是明皇"占了情场，弛了朝纲"所致，故逼明皇赐杨妃自缢而死。但杨妃生前怎知有马嵬赐死之事？故诗人巧用"梦见"二字，使人感到这株海棠乃是杨妃死后的惊魂所化，故前生惨祸如昨梦前尘，今生尚历历在目,余悸未消。"梦见"二字绝妙,既轻而易举解决了生前岂能预知后事的逻辑矛盾,又暗示"人生如梦"、魂化海棠的神秘妙境。因此结尾就顺理成章:前车之鉴,今生不攀帝王宫,潜藏在民间居士家更安全。"居士",此指不做官的士人。其中不也寄托了诗人急流勇退、辞官归隐、全身远祸的妙谛吗!

第二首描写海棠在秋风秋霜中容颜渐衰、精神递减的苦楚,寄托了作者饱经宦海风霜的感慨和处在"天下无道"中无法锐意进取,只能韬光养晦的无奈之情。

首二句写春季开花的海棠禁受不了秋霜冷月的摧残之苦,当她睡醒之后,颜色暗淡,精神萎靡,自然比不上竹篱园里迎霜绽放、精神旺盛的秋菊。古人认为海棠是花中神仙,堪与牡丹媲美;而秋菊与松、竹、梅乃岁寒四友,虽无海棠娇艳,却更坚韧不屈。所以诗人移情入景,用拟人手法劝告她们千万不要互相妒忌。按海棠本春季开花,但也有秋季再次开花的。如宋程金紫就有诗《今朝秋气萧瑟,不意海棠再开》,但经秋风霜露,毕竟"精神不比篱边菊,莫把寻常醉眼看";杨万里《张子仪太守折送秋日海棠》:"新洋西风较劣些,重阳还放海棠花。春红更把秋霜洗,且道精神佳不佳。"海棠花瓣春季最红,夏秋逐渐变淡,最终变白。故三、四句谓:"恰与东君别,又被西风误。"春天与司春神告别,犹如告别青春时期;秋天西风肃杀、风霜凌厉,使海棠枯萎凋谢,误了她的靓丽光彩。结句"教他粉蝶儿无是处",蝴蝶要想采花蕊都没办法了。海棠无法实现她的亮丽光彩,全因天降"西风""霜月"的摧残;犹如诗人无法锐意进取,全因王朝腐败,天下无道。孔子说:"邦有道,则仕;邦无道,卷而怀之。"作者正是处于天下无道、政治黑暗的泰定时期,当然只能把自己的本领收藏起来。

刘熙载《艺概》认为咏物词要"不即不离";吴衡照《莲子居词话》亦谓咏物"贵有不粘不脱之妙";邹祗谟《远志斋词衷》也说咏物"不可不似,尤忌刻意太似"。这两首曲,写得既有些像在写海棠,但因用移情、拟人手法,又像在写诗人自己,若即若离,妙在似与不似之间。此外两曲都用拟人,以海棠比拟美人,而在寄托中又以男女比君臣,故寄慨遥深。

(熊　笃)

# 【双调·水仙子】

张养浩

平生原自喜山林，一自归来直到今。向红尘奔走白图甚？怎如俺醉时歌醒后吟。出门来猿鹤相寻。山隐隐烟霞润，水潺潺金玉音。因此上留住身心。

中年才过便休官，合共神仙一样看。出门来山水相留恋，倒大来耳根清眼界宽，细寻思这的是真欢。黄金带缠着忧患，紫罗襕裹着祸端。怎如俺藜杖藤冠。

鉴赏

张养浩辞官归隐八年，朝廷七召不赴。唯有泰定元年(1324)三月召为詹事丞曾使他动心，因此时老父已故，三年丁忧已满；而泰定帝即位改元换代，为英宗朝被诬陷构罪的一批忠臣平反昭雪，似有振兴气象。但他奉召至京，先不报到，而秘密拜访同僚好友和门生，了解到暗杀英宗的铁失事先与晋王(泰定帝)亲信倒刺沙多有勾结，弑成又拥戴泰定帝即位，泰定帝上台先封铁失等为枢密使、丞相，既而又暗中捕杀其灭口。倒刺沙却高升丞相平安无事。养浩以其远见卓识洞察先机，预料皇权后党必争，大乱将兴，"出仕行道"不可为，故次日即飘然归家，从此坚卧不起。此曲"向红尘奔走白图甚"就透露出上述背景的端倪。故两首皆泰定元年归家后有感而作。

第一首开篇二句淡泊明志，性好山水。与其散文《云庄记》"余性雅嗜山水"如出一辙。"一至归来直到今"更以行为映证。第三句转折反问：既然如此，那为什么还要向红尘奔走，到底白白祁图什么呢？"向红尘奔走"即指奉召詹事丞事；"白图甚"则是事后的检讨反思。按其仕隐观是"出仕以行道"，即"致君泽民"之道(《牧民忠告》)，

“道之所在,死生以之”(《风宪忠告》),合于道,绝不贪生怕死;但“道不合则去”(元许有壬《至正集·张文忠公年谱序》)不能无谓牺牲。四年后果然应验:泰定帝一死,就爆发了大都拥立文宗(武宗子)和上都拥立天顺帝(泰定子)的血战,两帝并存长达三个月,各地战乱长达一年多。王公大臣也不由自主附属两派,结果天顺帝失败,大臣都惨遭逮捕下狱。养浩如果赴任詹事丞,下场也一样。此即“白图甚”的具体内容。“怎如俺”以下四句庆幸自己知机远祸,醉酒高歌,醒后吟诗,与猿鹤为伍,纵情山水,优哉乐哉。结句收煞,“留住身心”耐人寻味:归隐山林,得以“苟全性命于乱世”,是“留住身”;“道不合则去”,“进退皆有为”,又满足了“性嗜山水”志趣,是“留住心”。恰与开头“喜山林”句回应。

第二首承前首余绪,肯定自己选择急流勇退的正确,隐居林泉如神仙般快活。其至治元年(1321)才过五十就辞官,故曰“中年”。“出门”以下三句,铺叙申说“神仙”的乐趣:一是山水相恋,心凝神释之乐;二是耳根清净,无官场倾轧喧嚣,道法自然,更加拓宽了眼界心胸;三是自己隐居不同于那些故作清高走终南捷径之人,也不同于那些崇佛佞道、逃避现实的方外之人,而是“仁者乐山,智者乐水”,“以义处命”(《牧民忠告》)的“真乐”。“倒大来”犹言绝大。六、七两句用合璧对形容官场的险恶,“黄金带”指佩带的鱼形金符和玉饰腰带,“紫罗襕”指紫色的罗袍,二者都代指高官。元散曲中常将官场比作“虎狼窝”“鬼门关”“酰鸡甕”。连身为宰相的不忽木在《辞朝》套数中都说“宁可身卧糟丘,赛强如命悬君手”。可见“伴君如伴虎”并非夸张,而张养浩更是从多次切身体验中总结出的教训。这两句恰与前面的“神仙”快乐形成强烈的对比。结尾卒章显志:“怎如俺藜杖藤冠!”老藜木手杖藤条皮斗笠,代指隐士的无拘无束,与起手“神仙”句首尾呼应。

此二曲总的风格是乐天旷放,但乐天中隐藏着忧患,旷放中亦蕴含有沉重,如“向红尘奔走白图甚”以及“黄金带”“紫罗襕”等句就是。又都前后对比强烈,肯定与否定鲜明。结构上都是首尾呼应,中间铺叙。语言浅易畅达,但浅中有深意,俗中含雅趣。

(熊　笃)

# 【双调·落梅引】

张养浩

## (六首其四)

野水明于月，沙鸥闲似云。喜村深地偏人静，带烟霞半山斜照影。都变做满川诗兴。

### 鉴赏

张养浩歌咏隐居云庄之闲情逸兴的〔双调·落梅风〕小令共六首，此曲为第四首，歌颂云庄别墅的幽雅静谧。从第一首中“亭中春有余”和第六首中“每日乐陶陶辋川图画里”等句可知创作时间。考《归田类稿》卷六有《云庄记》作于泰定四年(1327)，《翠阴亭记》作于泰定二年(1325)，卷廿《绰然亭自和十首》作于泰定三年(1326)。故知此曲必作于泰定二至四年(1325—1327)之间。

起首二句描写云庄地处溪流环抱、闲云野鹤的澄澈水乡。野外的流水连着山庄的水池，比月华还要皎洁澄明;水边栖息着沙鸥点点，如闲云片片。据作者《云庄记》载，庄在历城西北十余里，“水陆田为亩且五百”“第前有林甚茂”“树多梨、杏、桃、柿，交枝合阴，盛夏亦爽然无暑意。面亭激流为池，实以荷芰，环以丛篁重柳，桧柏花卉之植”。又《翠阴亭记》谓云庄前有标山“乱石从矗，危立道左，其背有水西流”“前引流为池”“家有苍白二鹤”“其他鸥鹭鳞甲之属，亦莫不雍容闲雅”。

“喜村深地偏人静，带烟霞半山斜照影。”村庄地处深山水乡，远离红尘，黄昏时的余晖烟霭弥漫半山，色彩朦胧，投影水中。一个“喜”字，由前二句“无我之境”转为“有我之境”，于是野水、明月、沙鸥、闲云、村深、人静、烟霞、斜照影的世外桃源之景，与诗人远离红尘、喜好山水的隐逸之情，便水乳交融为超然忘我之境了。结句水到渠成挽结:这优美动人的山光水影，“都变做满川诗兴”，直让人诗情喷涌，灵感勃发，非下笔不能自已了。

这首小令短短五句，却尺幅万里，奥妙在于抓住了“包孕性的片刻”(莱辛《拉奥孔》),选择了黄昏日落月升的交替瞬间,日虽落而余晖抹山,月初生而映衬流水。诗人只伫立村庄水边,便能从倒映水中洞见山色水态、天光云影的微妙变幻。结构上第三句是连接前二句写水、第四句写山的关键,“喜”字不仅将山和水聚焦到地偏人静的“深村”,也使景与我、虚与实水乳般交融一片。水是实写,山是虚写(从水中倒影看见);通篇均是写景,唯“喜”字、“诗兴”微露诗人情趣,遂构成情景交融、虚实相生的妙境。

(熊　笃)

## 【双调·得胜令】

张养浩

### 四月一日喜雨

万象欲焦枯，一雨足沾濡。天地回生意，风云起壮图。农夫，舞破蓑衣绿；和余，欢喜的无是处。

**鉴　赏**

这是张养浩天历二年(1329)赴任陕西御史中丞救灾时所作。据《元史·张养浩传》:“天历二年,关中大旱,饥民相食,特拜陕西行台中丞。……登车就道,遇饿者即赈之,死者即葬之。道经华岳,祷雨于岳祠,泣拜不能起。天忽阴翳,一雨二日。”考其诗文中有华阴岳庙《祈雨文》《催雨文》及《哀流民操》诗,均为当年三月所作,四月一日至华州,天降大雨,故此曲和套数〔一枝花〕《咏喜雨》皆同时所作。

开头二句以反面合璧对概写旱情严重和否极泰来而构成对比。“万象欲焦枯”包括宇宙间一切生物和人类,庄稼草木、鸟兽虫鱼等在大旱中都奄奄待毙,人类草根树皮吃光后乃至“饥民相食”,亦将焦枯为“人干”尸骨。在这山穷水尽的绝望时刻,岂料天公开眼,一场滂沱大雨,万物复苏,突现柳暗花明的转机。诗人的忧喜之情隐含其中。中二句用正对歌颂皇天的恩惠和造化之功：天地万物将从焦枯中回转到生机勃勃的意态，风云的变化亦将使万物呈现壮美的宏图。草木繁茂，鸟兽腾跃，五谷丰登，六畜兴旺，一派欣欣向荣的景象。末二句用扇面对描写农夫和作者的心喜如狂。农夫穿着蓑衣手舞足蹈，蓑衣久旱未穿，由枯黄而变"绿色"，象征焦枯的蓑衣也恢复了生命活力，也有了用武之地；连我（诗人）也欢喜得不知如何是好了！"民以食为天"，最高兴、最受益的当然是农夫；但以救灾为己任的作者，亲自为民祈雨，自然也被农夫之乐所感动，充分体现了"与民同乐"和"后天下之乐而乐"的博大胸怀。

此曲修辞上一大特色是通篇对仗，反对、正对、扇对（即隔句对）分别用于开头、腹间和结尾。开头反对，对比突兀而露"惊喜"；腹间正对，大笔勾勒，气势浩荡，而含"壮喜"；结尾扇对分写农夫与作者构成铺叙，则是"狂喜"。故"喜"字是贯通全篇的线索和诗眼，放在末句，正好卒章显志，紧扣题目，有画龙点睛之妙。

（熊　笃）

# 【双调·沉醉东风】

张养浩

## （七首其二）

班定远飘零玉关，楚灵均憔悴江干。李斯有黄犬悲，陆机有华亭叹。张柬之老来遭难，把个苏子瞻长流了四五番。因此上功名意懒。

**鉴赏**

张养浩的七首〔双调·沉醉东风〕在《雍熙乐府》和《云庄乐府》中都是排在一起的，前者题下作《隐居叹》；且每首都以"因此上功名意懒"结尾，像是同时作的一组曲。又首尾二首都提到云庄的"绰然亭"，考绰然亭在泰定三年(1326)之春季落成,因此可断定组曲必作于泰定三年至天历元年(1326—1328)这三年间,因为天历二年(1329)二月他就奉召赴任陕西行台救灾了。在其归隐的八年中,朝廷曾七次召他回朝,仅泰定朝就有四次,但他都坚卧不起。这首曲就回答了个中原因。

前六句一气铺叙六个历史人物的悲剧遭遇。东汉班超为立功边陲而投笔从戎,出使西域有功,官至西域都护,封万里侯爵。虽然功成名就,但朝廷让他在西域长达三十一年。年将七十上疏乞归说:“臣不敢望到酒泉郡,但愿生入玉门关。”翌年召回洛阳,三个月就病死了。楚国左徒屈原“忠而见谤”,曾被楚王两次放逐汉北和湘水;《史记》屈原传叙其“至于江滨,披发行吟泽畔,颜色憔悴,形容枯槁”,最后投汨罗江殉国。秦始皇的丞相李斯为灭六国的统一大业建立了不朽功勋,又扶持二世胡亥登基,但被宦官赵高诬陷谋反而腰斩咸阳,夷三族,临刑对儿子说:“吾欲与若复牵黄犬俱出上蔡东门逐狡兔,岂可得乎!”表示对出仕的悔恨。西晋名诗人陆机是松江华亭人,随成都王司马颖讨伐长沙王司马乂时被诬陷遇害,死前叹道“华亭鹤唳,岂可闻乎!”唐代宰相张柬之在武则天病重时辅佐唐中宗复位有功,封汉阳郡王。八十多岁被武三思构陷贬广东新州司马,忧愤而死。北宋苏轼曾“奋励有当世志”,位至礼部尚书,但神宗时因乌台诗案曾贬黄州、汝州,哲宗亲政又贬惠州、儋州(海南),故曰“长流了四五番”。以上六人虽朝代不同,经历有异,然都是功臣良将,忠心耿耿,只因昏君佞臣当道,伴君如伴虎,故同样遭到悲惨下场。而元代泰定朝也同样黑暗,皇权争夺,朋党倾轧,杀机四伏,仇怨丛生,一触即发。果然泰定帝刚死不久,就爆发了上都、大都两帝并立的大血战,王公大臣都被无辜卷入这场灾难之中,而泰定帝儿子一方失败,大臣也被下狱。张养浩洞察知机,故四召不起。所以结句“因此上功名意懒”,既是总结了历代忠臣只知进、不知退的经验教训,又是见微知著、预知当时政治矛盾隐藏的危机,不愧是“守志待时”的智者。

此曲结构别致,前六句用铺叙一气呵成,历数自古忠臣的悲惨下场,作为原因铺垫;结句才是结果,也是全篇的主旨;前因后果,水到渠成。但其中隐含的是上述六人只知进取尽忠,而不能知机急流勇退;观养浩三仕两退的行为和“进退皆有为”的理论便知。二是这《隐居叹》无异于咏史,从逻辑上,前六句是从个别到一般的归纳论证,结句则又从古人的经验与自己的处境构成类比论证。故其逻辑严密。但作者高明之处不是抽象议论,而是议论中寓有情感和具象描写,因而形象生动感人。

(熊　笃)

# 【双调·折桂令】

张养浩

## 中　秋

一轮飞镜谁磨？照彻乾坤，印透山河。玉露泠泠，洗秋空银汉无波，比常夜清光更多，尽无碍桂影婆娑。老子高歌，为问嫦娥：良夜恹恹，不醉如何？

### 鉴赏

八月十五，恰居三秋之中，故曰中秋。中秋节民俗主要是饮酒赏月。北宋孟元老《东京梦华录》卷八《中秋》条载："中秋夜，贵家结饰台榭，民间争占酒楼玩月，丝簧鼎沸。……夜市骈阗，至于通晓。"南宋吴自牧《梦粱录》卷四《中秋》载："此夜月色倍明于常时，又谓之'月夕'。此际金风荐爽，玉露生凉，丹桂香飘，银蟾光满，王孙公子，富家巨室，莫不登危楼，临轩玩月，或开广榭，玳筵罗列，琴瑟铿锵，酌酒高歌，以卜竟夕之欢。至于铺席之家，亦登小小月台，安排家宴，团圞子女，以酬佳节。……玩月游人，婆娑于市，至晓不绝。"

月与酒，在古代诗词中也结下不解之缘。汉乐府《艳歌》有"天公出美酒""姮娥垂明珰"；曹操《短歌行》有"对酒当歌""明明如月"；李白《月下独酌》有"举杯邀明月"，《将进酒》有"莫使金樽空对月"；苏轼《水调歌头》有"明月几时有？把酒问青天"。张养浩这首散曲，虽题为"中秋"，而主旨却是写此夜赏月醉饮的豪情而已。

首句发问突兀破空，尤为奇绝。将圆圆明月比作"飞镜"，镜乃人间之物，着一"飞"字，使人觉得这月亮是从人间飞向天空的明镜。李白有"月下飞天镜"，是形容月亮坠落倒映水中；此处则似从地上飞到苍穹，这已够奇绝；再问"谁磨"？则更耸人听闻；古以金属为镜，须常加磨冶，使之明亮，故有专业磨镜工匠。诗人惊问，是哪个能工巧匠把这圆镜磨得如此闪光明亮？而它又是怎样飞上天空去的？问得不但奇绝,而且引人想象。“照彻乾坤,印透山河”二句,写月光照射之广度和深度。照遍整个宇宙,无处不在,故用“彻”;深入山谷林间、江河湖底,无处不穿,故用“透”。堪称练字传神。“玉露”四句,写月华如水之清澄。秋空的月华,似乎经过晶莹水泠的露水洗涤,像浩渺无垠的银河,可又没有波浪;中秋的明月比平常更加清净光亮,但完全不妨碍月中的桂影婆娑(舞动貌)。以“玉露”“洗秋空”见想象奇特;以无波的“银汉”比月华,见比喻精彩;以“桂影婆娑”反衬,正如“鸟鸣山更幽”,不但以动衬静,还以暗衬明。凡此都见修辞之妙。前面七句纯是描写月光之美,结尾四句则是转入抒情:面对如此良辰美景,老夫情不自禁引吭高歌,且问月中嫦娥:如此月色安详的良夜,怎能不一起狂欢痛饮,一醉方休呢?“老子”犹言老夫;“恹恹”,通“厭厭”,化用《诗经·小雅·湛露》中“厭厭夜饮”句意。以反问结尾,言已尽意无穷,且回应开头问句。

此曲风格乐天放旷,与诗词中月下饮酒多写愁怨或相思迥异,正元曲本色也。而其结构则是触景生情,前半写景,写月轮如镜、月光广深、月华如水,用飞镜、乾坤、山河、玉露、银汉、桂影等意象作正反映衬、比喻,使无形无色的月光形神毕肖,而首尾设问更呼应巧妙。后半抒情,转、合融一,用典不露痕迹。凡此皆别具一格。

(熊　笃)

## 【越调·寨儿令】

张养浩

### 冬白战体

天欲明,觉寒生,打书窗只闻风有声。步出柴荆,遥望郊坰,滚滚势如倾。四围山岩壑都平,道途间无个人行。爱园林春浩荡,喜天地气澄清。巧丹青,怎画绰然亭!

## 鉴赏

这是《云庄乐府》中写“春夏秋冬”的〔寨儿令〕组曲四首中的最后一首。从第二首《夏》首句“爱绰然”和此首末句“怎画绰然亭”句可知,此曲作于绰然亭落成的泰定三年(1326)冬或泰定四年(1327)冬。

“白战体”得名于元祐六年(1091)苏轼在颍州所作的《聚星堂雪》诗末句“白战不许持寸铁”。因该体始创自皇祐二年(1050)欧阳修在颍州所作咏《雪》诗,而禁用“玉、月、梨、梅、练、絮、白、舞、鹅、鹤、银”等与雪花色态相似的典故词汇,故苏轼四十一年后守颍州约客咏雪时效欧公。后人将这种咏物禁体称之为“白战体”。“白战”比喻手无寸铁、赤手空拳的战斗。

此曲描绘了一幅严冬郊野雪景图。开头写拂晓寒气侵袭,风声叩窗,惊醒了诗人;从触觉、听觉写风雪之寒、风雪之声,但未露“雪”字,造成悬念。“步出”三句写开门所见郊野空中,如浪翻滚,倾天而降;则从视觉写风雪的威势,但仍未露“雪”字。“四围”二句写大地山壑填平,路上不见行人,让人想起柳宗元《江雪》中“千山鸟飞绝,万径人踪灭”的相似境界;仍从视觉上写大地雪景,但谜底仍未揭穿。“爱园林”二句则转入抒情,视觉也转入村庄的园林,是写雪晴;“春浩荡”,令人联想到岑参《白雪歌送武判官归京》“忽如一夜春风来,千树万树梨花开”的景象,顿生无边春意,神清气爽;着一“爱”字,一“喜”字,则从感觉上将琼枝玉卉、玉宇澄清的愉悦之情溢于言表。末句将上述情景总体收煞:再高明的画家,纵巧妙的画笔,在尺幅上又怎能画出绰然亭这琼阁玉树的胜景和冰清玉洁的意态呢? 以反问收结,更令人无限神往。

此曲未用与“雪”外形相似字词,不尚形似而遗貌取神,离形得似;不着实说破,而仿佛形容,以虚代实;不求局部的比喻描写,而贵整体的氛围烘托;凡此皆完全符合白战体的要求。结构上先从室内触觉、听觉开头摹写雪寒、雪声,以成悬念;次从室外视觉上写雪之势,从岩壑、人踪环境方面写雪之厚、之阔,再从园林内感觉上写雪之美、之洁,最后感叹画笔难足,以冰清玉洁之景来衬托闲适恬淡之情。欧、苏咏雪诗题和正文中均各有一“雪”字,而此曲从题到篇均未露“雪”字,纯然“不着一字,而尽得风流”;欧苏诗中尽情铺叙各类人物在雪中、雪后的活动,虽烘托淋漓尽致,然终非写雪之本体,而此曲中人物只有作者一个,更显孤高的独隐意味;景物句句皆未离雪:打窗之雪、郊野之雪、岩壑之雪、道途之雪、园林之雪、浑天之雪等等,笔力更加集中,手法也更切近咏雪而非叙述人事;欧苏诗中仍用了“龙蛇”“皓”“落屑”等与雪相关喻字,而此曲通篇无这类字词,纯用白战,“白”得不能再“白”了。明朱权《太和正音谱》评“张云庄之词,如玉树临风”,信然。

(熊　笃)

## 【中吕·十二月兼尧民歌】

张养浩

### 归　田　乐

从跳出功名火坑,来到这花月蓬瀛。守着这良田数顷,看一会雨种烟耕。倒大来心头不惊,每日家直睡到天明。　见斜川鸡犬乐升平,绕屋桑麻翠烟生。杖藜无处不堪行,满目云山画难成。泉声,响时仔细听,转觉柴门静。

#### 鉴赏

这是一首带过曲,抒写作者归田之后的闲适与愉悦心情。此首带过曲是由同属于中吕调的〔十二月〕和〔尧民歌〕两支曲子组成。而这两支曲子一般不单用,不论是在小令,还是套数中,都必须连用。

〔十二月〕起首一句即将自己所隐居之地比作蓬瀛,蓬瀛是指蓬莱和瀛洲,是神山名,相传为仙人所居之处。作者认为这样清幽秀丽的田园风光就如同仙境,而将功名场看成是火坑。称自己弃官归隐就是由火坑跳出,来到了蓬瀛仙境,过上了一心向往的美好生活,作者对污浊官场之厌弃可见一斑,同时亦可知作者对田园生活的无比热爱。紧接着便是一系列田园闲适自如生活的描写。一个“守”字,一个“看”

字,引出真真切切的农村生活:守良田,看雨种烟耕。"烟耕"指用火烧荒后进行耕种。可见作者也是像陶渊明一样,有真正的躬耕生活经历的。后面两句更见作者归隐生活的轻松,"倒大来"意即无比,十分。是说作者在田园隐居,从来也没有一点儿担惊受怕,晚上睡觉也是一觉到天亮,闲适之情溢于言表,这也在无形中与作者为官时战战兢兢、如履薄冰的日子形成了鲜明对比,因此作者将归隐之地比作蓬瀛仙境也就顺理成章了。

〔尧民歌〕一开始就有一种清新愉悦的感受跃然纸上,让人心旷神怡,恍惚置身画中。前句漫收近景,斜川、鸡犬、屋舍、桑麻、翠烟,一系列的景物杂居在一起,以见、乐、绕、生这些表示动态的词连接,活现出一派安静祥和的升平景象。这时作者出现了,手执藤藜手杖,表现年事已高,却意态安闲,四处游山玩水,足见其喜悦之情。"满目云山画难成"一句又将画面引向青山白云,让村庄不显得孤独,并展示了一片开阔的远景。这个村庄坐落平畴而又遥接青山白云,自成一统,别有天地,这样美妙如画的自然环境,能不叫人陶醉吗!最后一句有若天籁之音,以泉水之声写庭院之静,以动写静,人与自然和谐相融,美不胜收。这句与王籍的"蝉噪林愈静,鸟鸣山更幽"、王维的"倚杖柴门外,临风听暮蝉"、杜甫的"春山无伴独相求,伐木丁丁山更幽"等以声响衬托宁静的名句有异曲同工之妙。

这首带过曲语言清新婉丽,寓情于景,情景交融,富有诗情画意。一幅平静安详、明媚秀丽的大自然山水田园画作,在其笔底一挥而来。明朱权《太和正音谱》评其曲"如玉树临风",正说明他清丽的风格。张养浩在归隐之后,写了许多此类寄情山水、吟咏闲适生活的小令。而此曲则为此类曲作中的上乘之作。

(王　彪　赵望秦)

## 【中吕·最高歌兼喜春来】

张养浩

诗磨的剔透玲珑,酒灌的痴呆懵懂。高车大纛成何用?一部笙歌断送。　金波潋滟浮银瓮,翠袖殷勤捧玉钟。对一缕绿杨烟，看一弯梨花月，卧一枕海棠风。似这般闲受用，再谁想丞相府帝王宫。

## 鉴赏

张养浩至治元年(1321)辞官归隐,元英宗曾两次下诏,召其还朝任吏部尚书,因其老父张郁卒于至治元年(1321)底,此前他要承欢膝下,此后他要守孝三年,故均辞不赴任。《归田类稿》卷六《制中辞吏部尚书》谓:“三年两见征,颜厚甲九重。将行惧违孝,欲止还戾忠……吾亲卧邱垅,子亦当同凶。”考此诗作于至治三年(1323)二次辞召之时,且此时云庄尚未建成,故此曲不像是至治年间所作。观曲中诗酒自娱的牢骚,作于泰定二年(1325)或泰定三年(1326)云庄别墅基本建成之时最为可能。因为泰定元年(1324)召拜詹事丞,养浩本欲赴任,但进京后从同僚好友处了解到泰定朝黑幕,次日即飘然归家,往后屡诏不起(参见〔胡十八〕“正妙年”背景),与此曲情景最为相符。

首二句起势突兀,引起悬念:为何要磨诗、灌酒,夸张纵情诗酒自娱的狂放?结合三、四两句,方知隐含牢骚:潜心打磨锤炼诗句,直到“剔透玲珑”,是写其清醒时只能将满腹牢骚寄托于笔端诗篇;豪饮醉卧进入梦乡,才好“痴呆懵懂”,是状其难得糊涂借以排遣忧愤和忘却世情。一醒一醉,用反面对仗,似相反实相成,都是释放牢骚自我平衡心态之法。三、四两句设问对比:纵然位极人臣,出行宝马高车,帅旗仪仗,荣华富贵,威风凛凛,而人生如朝露,临终还不是“一部笙歌”送入坟墓了断吗!

“金波”以下五句则从否定以往的议论转入肯定当前的描写,情感也由前面的愤激转为以下的快乐。“金波银瓮”,状酒浆酒器之精美华贵;“翠袖殷勤”化用晏几道《鹧鸪天》“彩袖殷勤捧玉钟”词句,写美人侑酒助兴之乐趣;一缕绿杨烟,一弯梨花月,一枕海棠风,分别化用李贺《浩歌》“娇春杨柳含细烟”、晏殊《寓意》诗“梨花院落溶溶月”、元好问诗《雪岸鸣鹤》“秋千横索海棠风”句意,用鼎足对,分别以动词“对”“看”“卧”,数量词“一缕”“一弯”“一枕”,琢对精工,把纵情风月、回归自然的闲情逸趣铺排得淋漓尽致。作者彻底摆脱了名缰利锁的羁绊,无牵无挂;有美酒、美人、美景的陪伴,心旷神怡。故结尾水到渠成地抒情总结:“似这般闲受用,再谁想丞相府帝王宫!”恰与开头四句的牢骚相呼应。

此曲从前半的愤激牢骚,否定官场,到后半心旷神怡,肯定隐逸,形成强烈的对比,恰与〔最高歌〕和〔喜春来〕两曲牌名的含义若合符契,其中寄寓了作者进退行藏的难言心曲。从牢骚不平到怡然自得,否定以往而肯定眼前之间的转折过度也流转自然,顺理成章。起势突兀,隐含悬念,好似"凤头";腹间两组对仗,铺排浩荡,有如"猪肚";结尾收煞有力,干净利落,恰如"豹尾";结构严密,情感起伏跌宕,而又首尾呼应。前后两半均以奇偶错综,先以偶句植骨,铿锵有力;再以奇句嗟叹,回肠荡气;又选择东钟韵的宽宏、阳声共鸣的声情,恰与愤激、畅怀的豪放词情吻合,堪称声情并茂。凡此皆凸显出散曲的当行本色。

(熊　笃)

## 【双调·沽美酒兼太平令】

张养浩

在官时只说闲,得闲也又思官,直到教人做样看。从前的试观,那一个不遇灾难:楚大夫行吟泽畔,伍将军血污衣冠,乌江岸消磨了好汉,咸阳市干休了丞相,这几个百般、要安、不安。怎如俺五柳庄逍遥散诞。

### 鉴赏

至治元年(1321)初,元英宗刚登基不久,就大兴土木,诏各郡建八思巴殿,制逾孔庙,又拟建造安寿寺和柳林行宫,御史观音保等三人及大臣成珪、李谦亨等上章极谏,英宗大怒,杀观音保等三人,杖成珪二人。次日又下诏元宵节"内庭张灯为鳌山",张养浩时任参议中书省事,上《谏灯山疏》认为这是违反祖制,"愿以崇俭虑远为法,以喜奢乐近为戒",又触怒英宗,故于夏季以父老为由辞官归养,从此高卧云庄长达八年。此曲即作于刚归隐不久。

前三句回顾自己仕途中从进退行藏的矛盾困扰到下决断隐退的心路历程。养浩入仕近三十年,曾两次辞官。这两进两退的原因正符合他在《牧民忠告》所说“出仕以行道”“进退皆有为”“以义处命”的仕隐观,故许有壬说他“道不合即去”(《至正集·张文忠公年谱序》)。“道不合”还包含他的审时度势:延祐七年(1320)正月仁宗病死,答吉太后不待英宗即位就命已被仁宗罢相的奸臣铁木迭儿复相,二月就诬罪捕杀弹劾过他的御史中丞杨朵儿只、中书右丞萧拜住、上都留守贺胜,逮中丞赵世延入狱;英宗即位后,铁木迭儿党人平章合散、黑驴、御史大夫脱忒哈、徽政使失烈门等阴谋发动政变,英宗怀疑答吉是后台,立逮四人处死并籍其家。养浩目睹权奸当道,帝后党祸迭起,大乱将兴,不可能“行道”,加之英宗即位,已违反兄弟叔侄传位的约定,埋下祸根,故毅然辞官。果然至治三年(1323)发生了“南坡政变”,英宗被刺而死。两次皆因“道不合”而向往辞官清闲;但归隐后仍关心时事,隐居待时,以求实现继续行道“致君泽民”,故曰“思官”。观其晚年为救灾而出任陕西行台就可证明。“直到教人做样看”,意谓直到看透了古今忠臣豪杰的榜样都没好下场,这时才下定决心归隐。

中间六句列举历代不能审时度势、知机隐退的忠臣豪杰最终都是悲惨下场:屈原被流放而投江殉国,伍子胥身为相父却被夫差赐死,楚霸王项羽最终落得个乌江自刎,秦丞相李斯被赵高秦二世斩首。榜样的反面教训是促使其归隐的外因。

结尾两句说这几人百般努力奋争,要安邦定国,却不能安邦定国,连身家性命都不保;怎如我急流勇退、像陶渊明隐居五柳庄一样自由自在呢!“要安”是主观愿望,“不安”是客观结果,主客观乖违,则悲剧不可避免。既回应了开头三句的心理矛盾,又对比证明了自己选择隐退的明智,使读者联想到历史上如范蠡、张良、陶渊明等“智者”进退行藏人生哲理的玄机奥秘。

此曲由前五句〔沽美酒〕和后八句〔太平令〕衔接而成“带过曲”。在质朴明快的语言中蕴含着复杂的政治背景和深沉的进退知机哲理。结构严密,开头有悬念,结尾才解密,首尾呼应,皆用抒情议论;腹间叙事排比,充足浩荡,有“豹头、猪肚、凤尾”之妙。　　(熊　笃)

# 【双调·雁儿落兼得胜令】

张养浩

## （六首其一）

往常时为功名惹是非，如今对山水忘名利。往常时趁鸡声赴早朝，如今近晌午犹然睡。往常时秉笏立丹墀，如今把菊向东篱。往常时俯仰承权贵，如今逍遥谒故知。往常时狂痴，险犯着笞杖徒流罪。如今便宜，课会风花雪月题。

### 鉴赏

张养浩《云庄乐府》风格疏放，评家共识。罗忼烈《元曲三百首·叙论》在“疏放”与“本色”问题上极有见地。他认为：“疏放者流，虽承本色，勃成风宗，亦元曲之一派耳，未足正统一代也。榜其尤，则已斋（按：关汉卿）冠于前，云庄酸斋昂夫（按：张养浩、贯云石、薛昂夫），汪云林（按：汪元亭）殿于后。”罗先生称美元曲小令三品：一雅正，二华美，三疏放。疏放者，“跌宕纵恣，昌言无忌，绝去蹊径，不可羁勒；闳中肆外，墨饱笔酣，辞尚浑成，情多慷慨，禀气赋形，有所独锺，未可力学”。

这首〔双调·雁儿落兼得胜令〕最得“绝去蹊径”之精神。《全元散曲》收张养浩〔双调·雁儿落兼得胜令〕带过曲共六首，皆辞官退隐后歌颂隐逸之作，此为第一首。说此首“绝去蹊径”，因为它打破立意造境的传统，情尽见于字面，不假借余韵寄意。作者意绪，一目了然。全曲用“往常时—— 如今”句式排列五组对句，其中并无难训字词和艰涩典故。第一组对句写人生（名利）和生活（山水）价值，第二组对句写生活方式的转变，第三组对句写心态上的变化，第四组对句写生活和精神面貌的完全改变。全曲核心要旨，在“变”和“正”。觉今是而昨非，故修改生活，重新寻觅人生价值。

从语言策略说来，这首〔雁儿

落兼得胜令〕可算成功之作。修辞学派认为,语言是传达作者心声的媒介,如何传达清晰,讲的是方法和技巧。修辞学是语言方法学,张养浩的语言方法可以作为"疏放""本色"修辞的显例。先谈策略,他用"往常时"和"到如今"明快地把退隐前后生活一刀截成两段。连用五组相同句式,目的强调痛改前非的决心。作者在修辞方面也见谋略。他写"往常时"部分刻意选择厌恶和偏向"丑化"的词汇,如"惹是非""俯仰(奉)承""权贵""险犯着""笞杖""罪",当写"如今"部分他选择的是艺术的、带美化作用的词汇,如"对山水""把菊(向东篱)""逍遥""风花雪月"。

我们承认张养浩善于运用修辞策略,把"归隐"主题写得潇洒脱落。"归隐"主题在他刻意经营下,不独成为元曲主题之大宗,而且因强烈的美丑对立而渗染出来的价值观,一直影响元一代及后来文人对"归隐"的艺术想象。

(司徒秀英)

## 【双调·雁儿落兼得胜令】

张养浩

(六首其二)

云来山更佳,云去山如画,山因云晦明,云共山高下。倚仗立云沙,回首见山家。野鹿眠山草,山猿戏野花。云霞,我爱山无价。看时行踏,云山也爱咱。

### 鉴赏

此曲为张养浩〔双调·雁儿落兼得胜令〕歌颂隐逸组曲六首中的第二首。此曲以云山立题。首四句直写云山相悦。片片云朵来近而归远,山景因此灵活秀丽。云朵散去,长天空朗,山景静美如画。起两句一动一静写云有云无山常在的风光。云影投在山冈上,使得山光有明有灭。云层厚时,云底游雾便跑到山腰处,云薄雾轻时,云朵儿只肯在山底徘徊。这是“山因云晦明,云共山高下”的意思。

张养浩为人,耿介自适,静虚恬淡。自弃官归养,休居鹊华山,筑有云庄,其堂名遂闲,亭号绰然。绰然亭临泺水。泺水源出山东西部,北流至泺口,入古济水。他的庄舍以云为名,住客有云,也有他。云是他人格、性情、品味的投影。人如云,云如人;云山相悦,人山共欢。以此细味“云来山更佳,云去山如画,山因云晦明,云共山高下”,趣味盎然。

其后〔得胜令〕部分写云庄在苍茫空阔、云沙交接处倚杖伫立,此意从王维“倚杖柴门外,临风听暮蝉”(《辋川闲居赠裴秀才迪》)诗句出,又见从杜甫诗句“独立苍茫自咏诗”(《乐游园歌》)转化得来的觉醒。他前望苍苍远地,回首悠悠山居,写的是自在与陶然。“野鹿眠山草,山猿戏野花”是心迎外景。山间杳人迹,少什么野鹿山猿,触目皆是山草野花。有情无情,似管非管,若束非束,任自性而存活。适意而活者,除鹿猿花草外,还有云庄自己。

云庄在山水之中找出人生价值和意义。其价值内容,他没有借曲文一一表述,只凭曲寄意,写的是找到“安身立命”之依归的欢喜。“云霞,我爱山无价”写出欢喜;“看时行踏,云山也爱咱”写出愉快。全曲紧扣“云”“山”意象抒情寄意,不断变换角度和组合方式,并以“野鹿”“山草”“山猿”“野花”等意象点缀其间,再加上“我”的融入,构成了自然和谐、悠然闲适的审美意境。

(司徒秀英)

## 【双调·雁儿落兼得胜令】

张养浩

(六首其四)

三十年一梦惊,财与气消磨尽。把当年花月心,都变做了今日山林兴。　　早是不能行,那更鬓星星。镜里常嗟叹,人前强打撑。歌声,积渐的无心听,多情，你频来待怎生。

## 鉴赏

此曲为张养浩〔双调·雁儿落兼得胜令〕歌颂隐逸组曲六首中的第四首。

曲起,犹如急雨直下,涤去许多凡尘,消尽胸中块垒,获得一场痛快。“三十年”是另一首〔雁儿落兼得胜令〕所说的“往常”和“如今”之间的距离。张养浩“平甫逾冠,游京师,平章不忽木辟为礼部令史”(郑骞《曲选》,作者小传附录)。英宗即位,养浩上疏劝谏戒奢靡,由于言词激烈,触怒英宗。英宗后来平息怒气,但养浩已意兴阑珊,加上感愤时政,遂托词父老,离职归返故乡。自至元末年(1290左右)踏上仕途直到至治元年(1321)退官,约三十年。在他看来,名利场一段生涯,仿如一梦。“三十年”又见云庄另一支〔朝天子〕曲。曲云:“自劾,退归,用不着风云气。疏狂迂阔拙又痴。今日才回味,玩水游山,身无拘系。这的是三十年落的。翠微,更奇,知道我闲居意。”功名场中三十年,不仅受到权利与财富的引诱,生活上还沾染上追逐“花月”之习。第二句“财与气”和第三句“花月心”写官场陋习。然而,梦破,习气随之消散。第三、四句写当年对声色感官快乐的追求,一一转化为退隐后山水为乐的心灵修养。

在这段焕然一新的人生路上,所居有泉石花木之胜,所游有鹊华峰泺水之奇。太平民享受自由身。(“乞得自己身,且作太平民”)。如此自在的人生旅程,早年条件未足,不能成行。到如今万事俱备,人已年岁老去。从而抒发岁月如流、青春一去不复的感慨。“那更鬓星星”曲意,借入蒋捷《虞美人·听雨》对读,更见可爱。蒋捷词云:“少年听雨歌楼上,红烛昏罗帐。壮年听雨客舟中,江阔云低断雁叫西风。而今听雨僧庐下,鬓已星星也。悲欢离合总无情,一任阶前点滴到天明。”《虞美人》写人生不同阶段对悲欢离合的感情反应,人到双鬓带霜时,对世间之“情”几入看破之境。词从“情”一路谈人生内容,云庄此曲则取径于“志”。其志若何?山林之兴也。

(司徒秀英)

# 【双调·雁儿落兼得胜令】

张养浩

## (六首其六)

也不学严子陵七里滩，也不学姜太公磻溪岸，也不学贺知章乞鉴湖，也不学柳子厚游南涧。俺住云水屋三间，风月竹千竿。一任傀儡棚中闹，且向昆仑顶上看。身安，倒大来无忧患。游观，壶中天地宽。

### 鉴赏

此曲为张养浩〔双调·雁儿落兼得胜令〕歌颂隐逸组曲六首中的第六首。无论句法经营或思想建构，张云庄都刻意追求新奇。

首先，连用四句以“也不学”为领字的九字句，句句押韵，力求达到声情慷慨的效果。这四句，妙在一个“也”字的多次反复，假如没有这个“也”字，云庄“不学”的对象就只有严子陵、姜太公、贺知章和柳子厚。但“也”用得很俏皮活泼，云庄借此告诉我们，昔时真隐假隐，深怨浅恨者，岂仅四人。然而他心里自有洞悉，生活自有去向。平凡之辈固然难作楷模，就算高风亮节如严子陵，等待机遇者如姜太公者也不足学。那么乞求鉴湖作放生湖的贺知章，谪官时遣愁于南涧的柳宗元自然不足为学习标准。凡辈不学，非凡之辈也不学。这当然是云庄有意经营思想内容的笔法。

下阕用“拟态”方法展示真正学习的对象。云庄说他的居所建于云霭水气之间。“云”代指山居，“云山”“水岸”与红尘滩头隔断，“云水屋”是“山家”经过艺术修饰的形象。“山家”在哪里？在云可飘来、水可流去、翠竹任意适性生长的地方。从“山家”俯视尘寰，看到绕着桐庐的七里滩，倚着陕西的磻溪岸，离不开绍兴的鉴湖和流不出柳州的南涧。还有，依着这些名胜流传开来的故事——故事中的绳规和标准。

这正是开篇张养浩连用四人物接四实地的用心。人物地点越说得确实,越反衬"云水屋"的清虚,无所凭恃。世间人物,任他圣贤豪杰,始终是凡尘中人。凡尘如戏棚,世人莫不是傀儡。那么,谁够资格"一任傀儡棚中闹,且向昆仑顶上看"呢?

王国维词中有名句:"偶开天眼觑红尘,可怜身是眼中人。"一天不离红尘事,一日难作出世仙。云庄咏曲至"昆仑顶上看",他所拟态的对象呼之欲出。是修仙者,是真神仙,才有资格把人间看成戏棚,将世人视作傀儡。接着的是一连串修仙者身心状态的模拟书写,将之看成是人向"仙家"拟态的语言也无不可。

"身安——倒大来无忧患——游观——壶中天地宽"。真仙者之歌也。

李白《拟古诗》其八云"日月终销毁,天地同枯槁……饮酒入玉壶,藏身以为宝"。"酒壶"就盛器训义说来,可以引申为载着日月运行的一个无缝无漏的整体。这完美的整体,乃天地合一,在"一"之上是"道"。在修仙者的精神世界,日月融和,天地归为"一"体,心灵接纳万物时,无对立,没两分,自然"身心""无忧患"。"壶中天地宽"正是表现天地合一的具有神话原型意义的美丽意象。养浩用"拟态"方法写出世者的状态,借此道出他所向往的心灵境地。

(司徒秀英)

# 【南吕·一枝花】

张养浩

## 咏喜雨

【一枝花】用尽我为民为国心,祈下些值玉值金雨。数年空盼望,一旦遂沾濡。唤省焦枯,喜万象春如故。恨流民尚在途。留不住都弃业抛家,当不的也离乡背土。

【梁洲】恨不的把野草翻腾做菽粟,澄河沙都变化做金珠。直使千门万户家豪富,我也不枉了受天禄。

眼觑着灾伤教我没是处，只落的雪满头颅。

【尾声】青天多谢相扶助，赤子从今罢叹吁。只愿的三日霖霪不停住，便下当街上似五湖，都淹了九衢，犹自洗不尽从前受过的苦。

## 鉴赏

据《元史·张养浩传》，他于至治元年(1321)因上《谏灯山疏》触怒英宗而辞官归隐济南历城云庄，八年之中朝廷七次下诏征拜皆高卧不赴。直到天历二年(1329)，关中大旱，饥民相食，特拜陕西行台中丞，他才毅然"登车就道，遇饿者即赈之，死者则葬之。道经华山，祷雨于岳祠，泣拜不能起。天忽阴翳，一雨二日。及到官，复祷于社坛，大雨如注，水三尺乃止。禾黍自生，秦人大喜"。此即"咏喜雨"之由来。

〔一枝花〕曲写作者对久旱逢雨的欣喜若狂和对灾民流离失所的深情遗憾。首句"用尽我为民为国心"，蕴含真诚凝重，符合他一贯奉行的"出仕以行道""进退皆有为""以义处命"的人生准则，其"道""义"即是"致君泽民之心"(《牧民忠告·闲居》)。故许有壬说他"道不合即去""其久退一出，又有合于义之大者也"(《至正集·张文忠公年谱序》)。其隐居八年七诏不赴，就因为至治、泰定两朝皇族党争、奸臣当道，不能行"致君泽民"之道；而今是为救灾，解饥民于倒悬，正是行"致君泽民"的关键时机。所以他不但几次为民祈雨，一路赈饥葬死，还为民解决昏钞、抑制豪滑吏弊、命米商出粜；又率富民出粟，上书请求纳粟补官之令；听说有杀子以奉母之事，为之大恸，出私钱以济之。"到官四月，未尝家居，止宿公署，夜则祷于天，昼则出赈饥民，终日无少怠"(《元史·张养浩传》)。似乎苍天也被他的"为民为国心"所感动，降下了价值金玉的滂沱大雨，使焦枯的禾苗复苏，"喜万象春如故"。作者在〔双调·得胜令〕《四月一日喜雨》和〔中吕·喜春来〕(亲登华岳悲哀雨)中写他喜雨的"欢喜的无是处"和受"满城都道好官人"的拥戴，可与此曲参照互证。难能可贵的是他并未以此满足，对流民的"弃业抛家""离乡背土"仍怀受不了(当不的)的遗恨。其爱民忧民的崇高形象，至此才呼之欲出。

〔梁洲〕一曲则承上曲的遗恨写他的忧民的焦虑，感情也由前曲的悲悯转入愤激磅礴:恨不得用惊人的法术把田里野草全都变成绿油油的豆粟,把一川河沙都变成黄澄澄的金珠,让千家万户民众都成为豪富;只有这样,自己才对得起朝廷的俸禄。虽然忧民之心不逊于杜甫白居易,但这只是诗人的浪漫幻想;当他回到现实,只能无奈悲叹"眼觑着灾伤教我没是处(不知怎样才是好办法)",忧心如焚使他落得满头白发,憔悴不堪。

〔尾声〕从现实出发希望大雨下个不停,情绪从前曲的幻想愤激转入现实的聊以慰勉。因为虽然幻想破灭,但毕竟天降甘霖是好事,应感谢苍天,慰勉百姓;然后希望雨水连绵不绝,即使街道都变成湖泊也洗不尽百姓数年灾害之苦。这里虽有夸张,但仍意在突现诗人民胞物与的仁爱之心,希望能一洗苍生的苦难。写实中包含有理想。

这套曲始终贯穿着悲喜交集的情感,而不仅仅是"咏喜雨",喜的是久旱降甘霖,绝路逢转机,活下来的黎庶有救;悲的是灾难中死去的苍生,以及背井离乡、抛家弃业的百姓仍未脱离苦海;唯其悲喜交集方能突出全曲的曲眼"为民",亦即"先天下之忧而忧,后天下之乐而乐"的崇高胸怀。也唯有悲喜交集,方能情绪跌宕起伏,一波三折,喜而悲,悲而愤,愤而叹,叹而慰,慰而愿,层层转折,始终不离"为民"。幻想中有夸张,写实中有沉郁,欣喜中有忧患,宽慰中有遗恨。此即套曲感人至深的奥妙所在。

(熊 笃)

# 【南吕·一枝花】

施　惠*

## 咏　剑

【一枝花】离匣牛斗[①]寒，到手风云助。插腰奸胆破，出袖鬼神伏。正直规模[②]，香檀把虎口双吞玉，沙鱼鞘龙鳞密砌珠。挂三尺壁上飞泉，响半夜床头骤雨。

【梁州】金错落盘花扣挂，碧玲珑镂玉妆束，美名儿今古人争慕。弹鱼空馆，断蟒长途；逢贤把赠，遇寇即除。比莫邪[③]端的全殊，纵干将未必能如。曾遭遇诤朝谗烈士朱云，能回避叹苍穹雄夫项羽，怕追陪报私仇侠客专诸。价孤[④]，世无。数十年是俺家藏物，吓人魂，射人目。相伴着万卷图书酒一壶，遍历江湖。

【尾声】笑提常向尊前舞，醉解多从醒后赎，则为俺未遂封侯把它久担误。有一日修文用武，驱蛮静虏，好与清时定边土。

作　者

* 施惠，生卒年不详，大约与钟嗣成同时。钟氏《录鬼簿》载入"方今已亡名公才人"，并为之传云："惠字君美，杭州人，居吴山城隍庙前，以坐贾为业。""诗酒之暇，惟以填词和曲为事"。曾与人合撰《鹔鹴裘》杂剧，已佚。散曲唯存套数1套。明朱权《太和正音谱》将其列于"词林英杰"一百五十人之中。

## 注释

① 牛斗:二十八宿中的牛宿和斗宿。相传晋朝初年,斗宿和牛宿之间常有紫气照射。雷焕说,这是宝剑之精上彻于天的缘故。后果然在豫章丰城地下掘得龙泉、太阿二剑。后常用"牛斗之气"来写剑。事见《晋书·张华传》。

② 规模:形状。

③ 莫邪:与后面的"干将"都是古代名剑。

④ 价孤:价值高得少有。

## 鉴赏

这是一篇由三支曲子组成的套数,篇幅不算长,却极尽铺叙夸张之能事,淋漓酣畅,堪称咏物佳作。

从结构上来看,全套可分为两部分。第一部分由前两支曲组成,分别渲染了剑的外在形象和身世来历的不凡,既着力刻画了它华美的外表,奕奕的神采,又铺叙了它离奇曲折的经历,从而使一把神异不凡的宝剑凸现在读者面前,紧扣了咏物的主题。第二部分,即〔尾声〕,只有短短几句,但在全首的结构上却是一个转折,由写剑到写剑的主人——"俺"。剑主人对携剑游江湖、解剑买一醉的生活,感到后悔,希望能凭借宝剑之力,建立一番不朽的功业:"驱蛮静虏,好与清时定边土。"在这种描写对象转移的同时,作品的抒情成分在增加,咏物成分自然相应地减少了。但是,激发起剑主人立功愿望的,正是为了不辜负这一神剑"则为俺未遂封侯把它久担误",从这一点来看,这〔尾声〕仍是前两曲对剑的吟咏赞叹的继续,没有离题。相反,把前两曲在咏剑过程中自然流露的赞美之情,珍惜之态,提到了爱国的高度,达到了咏物与抒情的统一。因此,〔尾声〕不仅完成了外物内感交融的完整结构,而且展示了主题内涵的深度,使此曲不再是一首单纯的咏物作品,而是融入了作者深沉强烈的感情和慷慨豪迈的气概,曲折地显示出作者久郁心中的远大抱负。施惠作为等级最下的"南人"(他是杭州人),在元朝外族统治下表达这样的愿望,可能另有深意,可惜施惠散曲仅存此套,其生平材料流传极少,无法更多地了解他的思想面貌,对于此曲的理解,不免打了折扣。总之,〔尾声〕不是泛泛之文,而是全曲的"眼",是中心,这是可以肯定的。

从以上的结构分析中，不难发现这篇套数层次分明，吟咏过程次序井然。在这里不妨拿它与另一首咏剑名作相比较，即李贺的《春坊正字剑子歌》。李贺此诗也大致有三个方面的内容：剑的外表、剑的来历和由此引发的感慨，但在次序上则是穿插交杂而出，打乱了描写层次。第一、二句写剑的来历不凡："先辈匣中三尺水，曾入吴潭斩龙子。"接着四句写剑的形象："隙月斜明刮露寒，练带平铺吹不起。蛟胎皮老蒺藜刺，鸊鹈淬花白鹇尾。"写了剑的闪闪光芒和沉沉质地，写了剑鞘的奇异材质和鸟形花纹。接下来两句，借剑的明珠暗投，抒发了自己怀才不遇的愤慨："直是荆轲一片心，莫教照见春坊字。"写到此，作者回过头来又写了剑外表的华丽神威以及不凡的经历："挼（ruó 揉搓）丝团金悬簏簌（lùsù，下垂貌），神光欲截蓝田玉。提出西方白帝惊，嗷嗷鬼母秋郊哭。"写了丝编剑络的华彩，写了剑的光芒可把蓝田美玉切断；又说佩提此剑，能使白帝惊怕、鬼母哭泣。这种层次感的有无，反映出两位作者不同的艺术个性和艺术感受，也与曲的特点有关。曲是一种歌唱文学，加上套数的篇幅较长，人们就对听觉感受要求较高，而层次分明正是听来顺耳、便于记忆的基本条件之一，否则，听众就会感到不知所云。而唐宋以后的诗大都已脱离了歌唱，成为一种案头文学，人们可以反复揣摩，渐尽其妙，李贺的这种跳跃式的结构才有可能成为一种独创的艺术风格。

统观施惠此曲全篇，其间充溢着一股英豪之气，咄咄逼人。如起首四句，突兀而起，气势不凡，"离匣牛斗寒，到手风云助。插腰奸胆破，出袖鬼神伏"，刚辞利句，凛然生威。又如〔梁州〕一曲中，典故汇集，各组排句错综而出，喷涌而来，显示出勃勃英气。但是，作者并不是被动地受控于这股"气"，任其毫无遮拦地一泻而尽，而是巧妙地驾驭这股"气"：既写到了宝剑令人胆寒的神威，又用浓丽的笔墨、绚烂的文采，细腻地描绘了宝剑的彩饰；既有寄身江湖的闲逸之趣，又有建功立业的昂扬之慨。强弱有节，高低相谐，一波三折，极有节奏感。气盛而有致，这是本篇的一大特点。

本篇的另一个特点是用典和铺排，字数不到二百，明典就用了六七个，暗典更是俯拾即是；而通读全曲，我们还会感受到排比句所造成的浩荡气势、亢奋情绪和浓烈畅快的行文风格。其实，用典和铺排是元曲中最常用的两种艺术手法，而施惠在运用这些手法时，有自己的独到之处。种种的用典和铺排，都在极力渲染剑的神异：外表形象的神异，身世来历的神异，却只字不提剑的内在功能有何神异之处，不见那种形容剑刃锋利的一般比喻，如

"刃可吹毛""削铁如泥"之类。(李贺的"神光欲截蓝田玉",就是正面写锋利,却想象奇特。)但我们从字里行间仍可感受到这把剑斩敌之爽利,而不会产生此剑徒有其表的印象。在这里,施惠巧妙地运用了艺术的定向思维的原理。所谓定向思维,是指一个艺术形象经过长期欣赏的积淀,会引起固定的联想,如古代诗歌中"雨滴芭蕉""雨中梧桐"等外物形象,往往使人产生"愁"这种固定的感受。施惠此曲中,先写剑的装饰:用玉石镶嵌的檀香剑柄,用鲨鱼皮做的、闪着珠纹光彩的剑鞘,装潢的华贵考究暗示着质地的优异;刀锋亮得如飞泉,并能泠泠作响,则其锋利无比、欲有作为,可以想见;此剑几经易主,主人都是能人、雄主、贤士,那弹剑而歌"食无鱼"、暂被孟尝君冷遇的冯谖,那拔剑斩蛇(白帝之子所化)于途的汉高祖刘邦,那挂剑于徐君之墓、崇尚信义的春秋时吴国季札……所谓强将手下无弱兵,此剑当然是名不虚传、神奇异常了。施惠还用其他历史名人来陪衬此剑,有朱云,他是汉成帝时人,上书直谏,请剑以斩安昌侯张禹,堪称刚烈之士;有项羽,这位西楚霸王最后在垓下四面楚歌中以剑自刎,成为失败的英雄;有专诸,他为春秋时吴国公子光刺杀吴王僚,以帮助公子光自立为王,自己却当场被吴王僚左右所杀。此剑只追从朱云,而于项羽、专诸却是"能回避""怕追陪",有所不取,更反衬出此剑(实际上是剑主人)的襟抱之高,识见之卓,而其名贵锋利,也是不言而喻的了。这是不写之写,是一种极经济的艺术手段。

(王水照)

## 【正宫·鹦鹉曲】①

白　贲*

# 庄家不识构阑

侬家鹦鹉洲②边住，是个不识字渔父。浪花中一叶扁舟，睡煞江南烟雨。

【幺】③觉来时满眼青山④，抖擞绿蓑归去。算从前错怨天公，甚也有安排我处。

### 作者

* 白贲(约1270—1330前)，字无咎，号素轩，祖籍太原文水(今属山西)，南渡后居钱塘(今浙江杭州)。诗文名家白珽之子。仁宗、英宗朝累官至南安路总管府经历。能诗，善画，工曲。《元诗选·癸集》《元曲家考证》等载其生平事迹。今存散曲小令2首，套数4套。明朱权《太和正音谱》评其词“如太华孤峰。孑然独立，峭然挺出，若孤峰之插晴昊，使人莫不仰视也”。

### 注释

① 〔鹦鹉曲〕：曲牌名，〔黑漆弩〕的别称，因此曲首句而得名。

② 鹦鹉洲：地名，原在今湖北武汉西南长江中。东汉末江夏太守黄祖长子在此大宴宾客，有人献鹦鹉，祢衡作《鹦鹉赋》，因而得名。汉以后已冲刷浸没。

③ 【幺】：〔幺篇〕，即后篇之意。

④ 觉来时满眼青山：《阳春白雪》末尾尚有一“暮”字，《太和正音谱》等无，证以他人和作，当以无“暮”字为是。

## 鉴赏

这首小令写渔父的自得其乐。

上篇四句侧重描绘渔父生活。首二句是渔父的自我介绍:第一句交代住处在“鹦鹉洲边”;第二句交代身份是个老渔翁,且不识字。“侬家”,我,是吴地方言。次二句展示了渔父生活的两个典型场景:大江之上,白浪滔天,一叶小舟,出没风浪,这是写渔父生活的艰辛和危险;江南烟雨,风光秀美,无所旁顾,酣然而睡,这是写渔父生活的自在与闲适。这宛如两幅山水泼墨画,生动而贴切地表现了渔父生活的动静相间、险夷相伴。

下篇四句侧重抒发渔父情怀。前二句承上“睡煞”,描写了渔父醒来以后的一个精彩动作:面对“满眼青山”的美丽风光,没有驻足欣赏,也无任何留恋,只是抖一抖蓑衣,驾起小舟,即便归去。次二句抒怀:过去也曾埋怨过老天爷不公,其实错了,现在看来,“死生有命,富贵在天”,做个渔父也是一种极好的命运安排,是老天爷对我的眷顾。

此篇在形式结构上分作上下两篇,但在内容上浑然一体:前二句是渔父人物简介,次四句展示渔父生活,末二句抒发渔父情怀。此曲描写多秀丽生动之景,如浪花、扁舟、江南烟雨、满眼青山、绿蓑等等,都是与渔父生活紧密相关的特定意象,但景中有人,如驾舟捕捞、睡煞、觉来、抖擞、归去等等,都是“渔父”的特定动作。更重要的是全篇都从第一人称出发,是“渔父”的所见、所为、所感、所思,因此景中寓情,情景交融。

由于《楚辞·渔父》的影响,“渔父”已经成为后代隐逸高士的传统意象。在元代散曲中,以“渔父”借喻隐士的现象十分普遍,隐逸山水也是常见的主题。因此,全曲表层写一个目不识丁的渔父,深层则是写一个托身渔父的隐逸山水之人,蕴含了作者怀才不遇或抱负无法实现的某种感慨。由此理解,江南烟雨、满眼青山,秀美的景色并没有令渔父陶醉,因为此即我之所有:耳得之而成声,目遇之而成色,身处之而成景。无识无虑,无思无烦。渔父生活虽然有出没风浪的艰险,但也有睡卧烟雨、抖蓑而归的自在闲适、自得其乐,作品正是表现出对这种生活态度和生活方式的钦羡和向往。

此篇韵律极严,很难下语。如“父”“甚”必须用去声字,“我”必须用上声字,音律始谐,不然不可歌。因此,此篇名动一时,和者甚多。冯子振续和之作多达百首,今天尚存四十余首,卢挚、刘敏中、吕济民等人也有和韵之作。

(许建中　张津瑞)

## 【双调·折桂令】

虞　集*

### 席上偶谈蜀汉事因赋短柱体①

鸾舆②三顾茅庐，汉祚③难扶，日暮桑榆。深渡南泸④，长驱西蜀，力拒东吴。美乎周瑜妙术，悲夫关羽云殂。天数盈虚，造物乘除⑤，问汝何如，早赋归欤。⑥

**作者**

＊虞集(1272—1348),字伯生,号道园、邵庵,抚州崇仁(今属江西)人。南宋丞相虞允文五世孙。少从吴澄游,历成宗、仁宗、文宗、顺帝四朝,累官至奎章阁侍书学士,卒谥文靖,追封仁寿郡公。元代著名学者、诗人,列“元诗四大家”之首。领修《经世大典》,著有《道园学古录》《道园遗稿》等。《元史》有传。现存小令1首。

**注释**

① 短柱体:词曲中俳体的一种,每句往往有两韵到三韵。其句式短小、整齐,形如短柱,故称。
② 鸾舆:本义是皇帝所乘车驾,此代指刘备。
③ 汉祚:指蜀汉国运。祚:国祚,国运。
④ 泸:泸水,今金沙江。
⑤ 造物:造物者、万物主宰,与前之“天数”同义。乘除:增减、消长,与前之“盈虚”同义。

⑥ 归欤:归隐。陶渊明《归去来兮辞·序》:初任彭泽令数日,"眷然有归欤之情"。

## 鉴赏

文学史上多有以一篇作品而传世者。虞集即因这首怀古小令而占得散曲史一席之地。

全篇前八句写"蜀汉事",后四句因事抒怀。三国故事,人物众多,线索繁富,错综复杂。此篇以诸葛亮为主角,极为精练地概括了他为扶持蜀汉所做的努力。"三顾茅庐"是其效命刘备之始,"汉祚难扶,日暮桑榆"是其事业的状态,也是一个终极判断。接着选取了一个典型事件:晚年南征,平定西南诸郡叛乱,安抚夷越,阻止东吴对蜀汉的进攻。"周瑜妙术"指周瑜为帅,在赤壁(今湖北蒲圻)大败曹军,这也是诸葛亮联吴抗曹战略的胜利,初成三国鼎立格局。"关羽云殂"是指关羽骄傲自大,违背了诸葛亮的联吴抗曹战略,华容道兵败被杀,成为蜀汉由盛而衰重大转折的关键性事件。此两句虽然未写诸葛亮,但人物隐含其中,是不写之写。世事多变,天道无常,非人力所能掌控。"是非成败转头空,江山依旧在,几度夕阳红"。因此,"天数盈虚,造物乘除",既是对诸葛亮的感叹,也是对蜀汉三国历史的感叹:个人努力在天命面前显得软弱无力,千古英雄,如今安在?更何况其他人呢!由此引发一个问题:"问汝何如?"作者自问自答:"早点像陶渊明一样归隐田园吧!"

三国人物和故事是元散曲较为常见的题材,归结于隐逸也是元散曲的基本主题,所以有人认为此篇内容无奇,实事求是,颇为准确。从"隆中对"到五伐中原,诸葛亮一直推行的是联吴抗曹战略,因此"力拒东吴",其实也有违诸葛亮的本义。只是虞集诗风典雅精切,深沉含蓄,这种诗风贯彻到他的散曲创作之中,这首小令也蕴寓一种深沉厚重的历史感,这是值得注意的。

此篇赢得后世盛誉的原因,在于多用藏韵,形成了二字一韵的"短柱"体式,独特新颖。传统诗词用平水韵,元代北曲则通行北音,"蜀""术"等传统诗词的入声字,在周德清《中原声韵》中"平分阴阳,入派三声",都入鱼模韵,因此韵部统一。较〔折桂令〕正格,此篇把三个七字句都减为六字句,增第十句四字,为完成二字一韵奠定了形式基础。短柱体通常一句两韵,二字一韵在《西厢记》等作品中,也仅偶有单句,此为全篇二字一韵。由于以上诸多因素,制作难度极大,且通篇叙述完整,评议兼备,韵字妥贴,新奇流畅,因此受到时人和后人的高度评价。元陶宗仪《南村辍耕录》卷四《广寒秋》记载了作者的创作情况,评价说:“两字一韵,比之一句两韵者为尤难。先生之学问该博,虽一时娱戏,亦过人远矣。”王骥德《曲律》卷三《论巧体》:“一句两韵,名曰‘短柱’,为极难作。虞邵庵作‘銮舆三顾茅庐’一曲拟之,则二字一韵,盖尤难矣。”吴梅《顾曲麈谈》卷下第四章《谈曲》认为:“先生文章道义,照耀千古,出其绪余,尤能工妙如此,洵乎天才,不可多得也。”王季烈《螾庐曲谈》卷四第四章《词曲掌故杂录》:“虞学士之〔折桂令〕咏蜀汉事云云,通篇用‘短柱体’,语妙天成。”

(许建中　葛莹莹)

# 【正宫·塞鸿秋】

郑光祖*

(三首其三)

金谷园那得三生富?铁门限枉作千年妒。汨罗江空把三闾污,北邙山谁是千钟禄?想应陶令杯,不到刘伶墓。怎相逢不饮空归去。

## 作者

* 郑光祖,生卒年不详,字德辉,平阳(今山西临汾)人。元钟嗣成《录鬼簿》载其"以儒补杭州路吏",一生仕宦不顺,主要在平阳、杭州度过。为"元曲四大家"之一,曾创作杂剧17种,现存7种。现存之散曲,隋树森《全元散曲》辑其小令6首,套数2套。明朱权《太和正音谱》评其曲"如九天珠玉"。

## 鉴赏

郑光祖的〔塞鸿秋〕小令共三首,内容连贯,语调一致,末句皆以"去"字押韵收结,是一组"重尾"小令。第一首赞叹陶渊明通达时务,辞官归隐;第二首托物寓意,通过描写大自然的纯净衬托世俗生活的污浊,表现对归隐生活的向往;此为第三首,多借古人之事说人世间的一切尘俗都只是暂时的、徒有虚名的,是很不值得的。通观郑光祖一生的仕宦遭遇,贫穷落魄,此组曲作应是其写心之笔。

"金谷园"句借用石崇典故。石崇为西晋巨富,财产无数,曾造别馆名为金谷园。"三生"为佛教用语,指前世、今生、来世。白居易曾有诗云:"世说三生如不谬,共疑巢许是前身。"作者首先用古人之事以反问的语气质疑富贵荣华的长久性:就算是富可敌国的石崇又哪能享用三生的荣华富贵呢?随后以十分肯定的语气否定了尘世忙碌:“铁门限枉作千年妒。”这句化用唐王梵志的诗句:“世无百年人,拟做千年调。打铁作门限,鬼见拍手笑。”谓人生有限,世人虽然用尽力气想要做长久的打算,到头来也只是白费力气,一切枉然。在对富贵和忙碌进行否定之后,作者继而又对忧国和功名给出了自己的价值定位:“汨罗江空把三闾污,北邙山谁是千钟禄?”前句化用屈原典故,屈原曾任楚国三闾大夫一职,以忧愤国事,最终自投汨罗江而死。作者认为屈原投江实在是有些不值得,所以特着一“空”字,“何须自苦风波际”。后句把公卿贵族死亡埋葬之所“北邙山”和高官显爵之标志“千钟禄”两个意象放在一起进行对比,用来说明人死终究一切归于虚无,毫无意义。

作者在分别对富贵、忙碌、忧国、功名的永恒进行否定之后,提出了自己的价值观和人生方向:“想应陶令杯,不到刘伶墓。”这两句借用了陶渊明和刘伶的典故。陶渊明,东晋诗人,因厌恶官场污浊而退隐,躬耕田园,饮酒赋诗。刘伶,魏晋时文人,为“竹林七贤”之一,性嗜酒,狂放不羁。自己决定要追随陶渊明和刘伶,今朝有酒今朝醉,及时行乐,人死就什么都不知道了。

这首小令流露出郑光祖强烈的悲观厌世情绪,这应是他在长久的仕宦无望之后,在寄寓杭州艰难落魄之时,借古人古事,以抒发其抑郁不平之气和孤独落寞之情。艺术上,此曲几乎通篇用典,虽然近于堆砌,但因其人其事人尽皆知,也不显生硬。用典繁多能够引起人们广泛联想,避免了质直乏味,又不令人生厌,体现了博雅浑厚的特色。

(张倩倩)

## 【双调·蟾宫曲】

郑光祖

### 梦 中 作

半窗幽梦微茫,歌罢钱塘,赋罢高唐。风入罗帏,爽入疏棂,月照纱窗。缥缈见梨花淡妆,依稀闻兰麝余香。唤起思量，待不思量，怎不思量！

## 鉴赏

郑光祖杂剧代表作《倩女离魂》借助梦境让倩女灵魂和肉体交替出现，在各自的生活空间，按照自身的逻辑，在共时性舞台上以虚幻的方式展示了荒诞缥缈的离魂故事，堪称一绝。此首《梦中作》小令依然使用同样的手法。作者构思巧妙，让虚无缥缈的梦境、凄凉孤独的现实和似梦非梦的幻觉交替出现、交相呼应，在恍惚迷离中寄托自己的理想与情怀。

“半窗幽梦微茫”，起笔切题，点明梦境。作者用“幽”和“微茫”来形容梦，使得原本就虚幻的梦境更加扑朔迷离。窗儿半掩半开，若明若暗，这是主人公醒来时看到的真实场景。下面两句是写男子对梦境的追忆。“歌罢钱塘”借用南齐钱塘名妓苏小小的故事。《春渚纪闻》记载她的《蝶恋花》词一首，词中有“妾本钱塘江上住，花落花开，不管流年度”之句。“赋罢高唐”借用宋玉的《高唐赋》中描写楚怀王游高唐，梦见巫山神女与其欢会的故事。梦中，他日夜思念的情人通过这半掩的窗儿随风飘来自己身边。女子有苏小小般的美丽容颜和多才多艺，两人在一起吟咏歌舞、惬意逞情。这种幸福有没有持续下去呢？没有。作者在句中连续嵌入两个“罢”字即是对这种风流云散、人去楼空最好的诠释。

夜风吹入轻罗帐，透过疏朗的窗棂，梦中热闹的场景和现实凄冷的秋夜形成巨大的反差使得他清醒了一些。月光斑驳，映照纱窗，也照在离人的脸上，这是多么美妙的秋夜啊！难道刚才的欢乐真的只是梦境吗？她真的没有来过吗？还是悄悄来过又悄悄离去？他极力从刚才的梦境中寻找答案。“缥缈见梨花淡妆，依稀闻兰麝余香”，好一位美妙脱俗的女子，怪不得令他如此地魂牵梦萦！他有着梨花一样的面容，兰麝一样的芬芳。化用白居易《长恨歌》“玉容寂寞泪阑干，梨花一枝春带雨”诗意，却能不着痕迹，可见作者语言功力。此处的“见”和“闻”都是在似梦非梦、似醒非醒的状态下进行的，都只是自己感官上的错觉而已。所以当他完全醒来后彻底明白：如此佳人，如此一往情深的感情唤起思量实属必然。但这种刻骨铭心的思量，只能使自己在这个良辰美景中徒增苦痛而已，所以他决定不再思量。如果感情能够受到理智的控制，如果心能够随理性的驾驭而驿动，他又怎能如此痛苦呢？他对情人的思念就在这火山爆发式的“怎不思量”中自由驰骋。“唤起思量，待不思量，怎不思量”，三个“思量”并列使用，音节婉转流动；情感回环往复，跌宕多姿。这三句的直抒胸臆和前面几句的蕴藉含蓄完美结合，把古典词曲之美发挥得淋漓尽致。

此曲题为《梦中作》，曲中所叙述的与情人梦中相会的情景，当又属梦中之梦了。如此梦境与现实交错，迷离恍惚，亦真亦幻，仿佛宋人情词的缠绵悠远。郑光祖不愧是一个描写梦境幻觉的行家。

（张倩倩）

# 【仙吕·寄生草】

范 康*

## 酒色财气(四首其一)

常醉后方何碍?不醉时有甚思?糟腌两个功名字,醅渰千古兴亡事,曲埋万丈虹蜺志。不达时皆笑屈原非,但知音尽说陶潜是。

### 作者

* 范康,生卒年不详,字子安,一作子英,杭州人。杂剧、散曲作家。今所知作有两种杂剧,现存《竹叶舟》一种。元钟嗣成《录鬼簿》说他"因王伯成有《李太白贬夜郎》,乃编《杜子美游曲江》,一下笔即新奇,盖天资卓异,人不可及也"。可惜此剧不存。隋树森《全元散曲》录其小令4首,套数1篇,内容多为避世归隐,偏于消极出世。

### 鉴赏

此曲一作白朴所作,两者略有区别:另一首句作"长醉",二句作"不醒时",是词句上的对举;而本曲,两句都用有"醉"字,却是意义上的对举,即"醉"与"不醉"两种生命状态的对举。

"糟腌"以下三句,是一个鼎足对,"功名"两个字拿了去,放在酒糟里腌了,把历史上的兴亡之事"醅渰"了,"醅"是未曾过滤的酒,"渰"同淹,"醅渰"即是制作醉食之法,现今黄酒之乡绍兴一带就擅长制作醉鸡醉肉等;"曲埋",也是一种食品制作法,把食物埋进发酵剂曲酶里,令其发酵,"万丈虹蜺志"如此制作后,与"糟"功名、醉兴亡一样,也就成为了一种下酒菜了。

小令的前五句，句句不离“酒”，紧扣主题。作者原是个有功名心、关心兴亡事、志向高远的人，因为江山易主、城头换旗的刺激，变得失望与感伤，只得钻进酒天醉乡里去寻找安慰。“何碍”，无思，表面上看，皆是洒脱之辞，进一步体味，则分明又都是激愤之语。男儿有泪不轻弹，所以只好装假醉，说胡话，唱无腔曲，以求排遣心中的郁闷。

最后两句是全曲的画龙点睛之笔。十分明确，作者讽刺嘲笑了因为清醒而投汨罗江自尽的屈原，肯定并赞扬了嗜酒如命、不为五斗米折腰的隐士陶渊明。

史书与文艺作品里的陶渊明，都是瘾君子。“忽与一觞酒，日夕欢相持”（《饮酒二十首》之一），是陶渊明夫子自道；陶氏深知酒的好处，道：“酒能祛百虑，菊为制颓龄。”（《九日闲居》）这正是元代文人引其为知音的最大原因。况且，渊明也有渴酒而不得酒、令人同情的境况：“余闲居爱重九之名，秋菊盈园，而持醪靡由，空服九华，寄怀于言。”（《九日闲居》序）有酒时“无夕不饮”（《饮酒诗》序），无酒时空口吃菊英替代，真所谓醉翁之意在酒又不在酒，这样的人生态度，是元代曲家们最欣赏的。

元代的汉族文人多“不达”，或者像作者一样自愿“不达”，主动“不达”，作者身边的知音朋友们，都认为陶潜“是”而屈原“非”，这是他们的是非观，元曲中一以贯之的是非观。

贯云石有一首〔殿前欢〕专说屈原：“楚怀王，忠臣跳入汨罗江。离骚读罢心惆怅，日月同光。伤心来笑一场，笑你个三闾强，为甚不身心放？沧浪污你，你污沧浪。”离骚读罢，也曾心怀敬意，也觉得离骚堪与日月一样光荣。同时也为爱国诗人伤心。但问题的关键是“伤心来”应当哭一场的，却不哭，反而“笑”了起来，还整整“笑”了一场。笑什么呢？笑屈原过于认真，过于执著，近乎迂腐。贯云石觉得屈原应该学学远古“沧浪之水清兮可以濯我缨，沧浪之水浊兮可以濯我足”的人生态度，天下不是混浊吗？那你就去做个泥腿子好了，在沧浪里洗洗你的泥腿，以浊还浊不就得了？何必去死呢？这首曲很能够代表元代一般人的“屈原观”。

在元朝，抱屈原式的人生态度者，简直没法做人。元曲对屈原，进行了这样善意而淡淡的嘲笑。

元人的“陶潜观”在剧曲和散曲里更可以一目了然。他们崇敬他不以做官为意，辞官归隐做了个真正的农人，真个是做到“沧浪污你，你污沧浪”了。他们艳羡他逍遥的生活、洒脱的风度。

陶渊明是中国文化的一个符号，是清高、潇洒的理想人格的象征符号。陶渊明后来成为了中国人重阳节的偶像,正表现了其文化符号的意蕴。因为屈原与端午节相关,陶渊明与重阳节相关,因着元代人独特的“屈原观”和“陶潜观”,影响到这两个节日在元代的盛衰:元散曲中写重阳的篇章比写端午的多得多。而在其他时代,几乎都是端午节比重阳节显要。

(翁敏华)

# 【般涉调·哨遍】

睢景臣*

## 高祖还乡

【哨遍】社长排门告示，但有的差使无推故。这差使不寻俗，一壁厢纳草也根，一边又要差夫，索应付。又言是车驾，都说是銮舆，今日还乡故。王乡老执定瓦台盘，赵忙郎抱着酒葫芦。新刷来的头巾，恰糨来的绸衫，畅好是妆么大户。

【耍孩儿】瞎王留引定伙乔男女，胡踢蹬吹笛擂鼓。见一飚人马到庄门，匹头里几面旗舒：一面旗白胡阑套住个迎霜兔，一面旗红曲连打着个毕月乌，一面旗鸡学舞，一面旗狗生双翅，一面旗蛇缠葫芦。

【五煞】红漆了叉，银铮了斧，甜瓜苦瓜黄金镀。明晃晃马镫枪尖上挑，白雪雪鹅毛扇上铺。这几个乔人物，拿着些不曾见的器杖，穿着些大作怪衣服。

【四】辕条上都是马，套顶上不见驴。黄罗伞柄天生曲。车前八个天曹判，车后若干递送夫。更几个多娇女，一般穿着，一样妆梳。

【三】那大汉下的车，众人施礼数。那大汉觑得人如无物。众乡老屈脚舒腰拜，那大汉挪身着手扶。猛可里抬头觑，觑多时认得，险气破我胸脯。

【二】你须身姓刘，你妻须姓吕。把你两家儿根脚从头数：你本身做亭长，耽几盏酒。你丈人教村学，读几卷书。曾在俺庄东住，也曾与我喂牛切草，拽坝扶锄。

【一】春采了桑，冬借了俺粟，零支了米麦无重数。换田契强称了麻三秤，还酒债偷量了豆几斛。有甚胡突处？明标着册历，见放着文书。

【尾】少我的钱，差发内旋拨还，欠我的粟，税粮中私准除。只道刘三，谁肯把你揪捽住，白什么改了姓、更了名唤做汉高祖。

## 作者

＊睢景臣，生卒年不详，字景贤，或云名舜臣，字嘉宾，里居未详。元钟嗣成《录鬼簿》列入“方今已亡名公才人余相知者”一类中。云其大德七年(1303)“自维扬来杭”。从《录鬼簿》所载和钟嗣成所作吊词看，景臣终身未仕，以书会才人终老。其所存套数3套，以《高祖还乡》一套滑稽戏谑之作知名于世。明朱权《太和正音谱》评其曲“如凤管秋声”。

## 鉴赏

汉高祖还乡本事见《史记·高祖本纪》，故事梗概如下：汉十二年十月，刘邦平英布归途经家乡沛县，逗留数日，置酒社庙，悉召故人父老子弟纵酒，又组织一百二十名里中少年演唱《大风歌》，歌曰：“大风起兮云飞扬，威加海内兮归故乡，安得猛士兮守四方！”

据元人钟嗣成《录鬼簿》记载，“维扬诸公(扬州书会才人)，俱作《高祖还乡》套数，惟公(睢景臣)《哨遍》制作新奇，诸公皆出其下”。不难想象，当时诸公所制，大体依据《史记》提供的事实。只有睢景臣出了怪招，完全不受事实的束缚，另起炉灶，虚构喜剧故事，却是歪打正着——以“制作新奇”，成就了一篇元人套数中屈指可数的杰作。

这个套曲由八支曲子组成，首曲为〔哨遍〕，自第二曲〔耍孩儿〕起，与三到七曲连续使用的五支〔煞曲〕(按倒计数法标为“五煞”“四煞”至“一煞”)为过曲,第八曲为〔尾声〕。

这篇讽刺之作分三步写来。第一步用渲染法嘲谑帮闲。首曲〔哨遍〕写高祖未到时乡里的忙乱。元代农村户外置粉壁,乡上有通知时,便挨家写上,在元典章上叫做“排门粉壁告示”。曲中说社长又写告示,又派公差,说这回的差使不同寻常,恰如俗话所说:“上边一个屁,下边跑断气。”“又言是车驾,都说是銮舆”,“车驾”“銮舆”本是一回事儿,都是皇帝卤簿(车队仪仗)的代名词,但乡民限于文化水平,概念搞不清楚,不免闹出笑话。一旦闹出笑话,就灭了神圣的光环。“王乡老”“赵忙郎”,是乡里五老七贤之类的人物,有接驾的任务,所以换过了一身浆好的新衣,手里捧着瓦台盘、酒葫芦,形象较平时为矜持,同时也显得滑稽。这一曲的作用是铺垫,烘托出喜剧的气氛。

第二步用漫画法调侃卤簿。紧接三曲,紧锣密鼓,写皇帝的卤簿。〔耍孩儿〕写先头的乐队和旗队——“王留”为乐队指挥、“乔男女”为乐队成员,他们的规定动作,是乡民们从来未曾见过的,当事人一本正经,旁观者却觉得古怪,所以用“瞎”“乔”“胡”等形容词,在用字上带有贬义。卤簿的彩旗上,绘有吉祥图案,大都为动物图腾,乡民又限于文化水平,依旧弄不清楚,便用“白环套住迎霜兔”形容月旗、“红圈套住毕月乌”形容日旗、“鸡学舞”形容凤旗、“狗生双翅”形容飞虎旗、“蛇缠葫芦”形容龙旗。俗话说:“聋子会安名,瞎子会弹琴。”〔五煞〕写仪仗队,一些象征皇帝威严、以壮观瞻的器仗,也胡乱编派出可笑的名称——金瓜锤、狼牙棒被称作“甜瓜苦瓜黄金镀”,朝天镫被称作“马镫枪尖上挑”,等等。〔四〕(四煞)写车驾前后的侍卫、扈从、宦官、宫女等,被称作“乔人物”。本来,在封建时代,卤簿的作用,“一以明制度,示威等;一以慎出入,远危害”,是至高无上权力的象征,非常神圣。由于乡民不懂,加以漫画化,都成了哈哈镜里的物象,更是大灭神圣的光环。

第三步用误会法揶揄皇帝。最后四曲中,主人公汉高祖亮相,全曲的喜剧气氛达到高潮。〔三〕(三煞)写众人见驾,分明是大汉天子,却连呼“那大汉”,是无知者大不敬的语气。“那大汉觑得人如无物”——架子满大的,“众乡老屈脚舒腰拜,那大汉挪身着手扶”——面子满大的。“猛可里抬头觑”以下,写乡人认出所谓高祖,原来是刘三——连他的“根脚”(履历)都十分熟悉的刘三,于是产生了一大“误会”。在这里,作者倒是依据《史记》的记载,揭露了刘邦鲜为人知的流氓行径。例如他在秦时曾任泗水亭长,“好酒及色”。常往武、王两家酒店赊酒,年终一笔勾销。赶上秦末农民起义风潮,做了沛公以后,有溺儒冠(往读书人帽子里撒尿)之事,等等。〔二〕〔一〕所写,就属于这种内容。曲中以熟人口气,数落刘邦“春采了桑,冬借了俺粟,零支了米麦无重数。换田契强称了麻三秤,还酒债偷量了豆几斛”。然后不客气地向他讨债,要求“少我的钱,差发内旋拨还,欠我的粟,税粮中私准除”。最后以教训的语气说,“只道刘三,谁肯把你揪捽住,白什么改了姓、更了名唤做汉高祖。”以为刘邦称帝而不名(按“高祖”为庙号,为刘邦死后所加,由于元曲受众主要为不识字的大众,所以作者不作这样的考究),动机是为了赖债。这可是天大的误会,却又确实揪住了“狐狸尾巴”——鲜为人知的一面。明王伯良论作曲之法,谓“末句更得一极俊语收之方妙”,此曲的结尾就是最佳的范例。“喜剧把无价值的撕毁给人看”(鲁迅),由此观之,《高祖还乡》套曲有很强的喜剧性。

元散曲尤其是套数,受唐参军戏和宋元杂剧作风影响较深,往往喜欢在曲子里使用夸张手法,滑稽笔调,民间口语,使曲子洋溢着幽默诙谐的喜剧趣味。本篇中庄稼人不识卤簿的构思,可能受到杜仁杰《庄稼人不识勾栏》的影响。本篇把“不识勾栏”改为“不识卤簿”,由嘲弄农民变为嘲弄皇帝,等于提出了“皇帝本质是流氓”这样的命题,表达形式是嬉皮笑脸的,思想内容则有严肃深刻的一面。

(周啸天)

# 【正宫·叨叨令】

周文质*

## 自叹（二首其一）

筑墙的曾入高宗梦，钓鱼的也应飞熊梦，受贫的是个凄凉梦，做官的是个荣华梦。笑煞人也末哥*，笑煞人也末哥，梦中又说人间梦。

### 作者

* 周文质（？—1334），字仲彬，其先建德人，后居杭州。元钟嗣成《录鬼簿》称他"体貌清癯，学问该博，资性工巧，文章新奇。家世业儒，俯就路吏。善丹青，能歌舞，明曲调，谐音律。性尚豪侠，好事敬客。"与钟嗣成相交20年，卒时年仅中寿。所作杂剧4种，仅《苏武还朝》存有残曲。今存散曲小令43首，套数5套。《太和正音谱》评其曲"如平原孤隼"，隋树森《全元散曲》评其"应为大家"。

### 注释

* 也末哥：语尾助词，表感叹。重复两遍，是〔叨叨令〕定格规定。

### 鉴赏

《自叹》一组两首，从题目可知为作家抒发胸臆之作。此首感愤时世。

开篇两句为对句，接连用了两个君臣际遇、隐士见用的典故。"筑墙"用商朝贤相傅说的典故。据

《尚书·说命上》《史记·殷本纪》等记载,傅说隐居傅岩(今山西平陆)时,曾为人夯筑土墙。殷高宗武丁思复兴殷,"夜梦得圣人,名曰说",遂遍访天下,得其于野,举用为相,殷国大治。"钓鱼"句用周朝贤相姜太公吕尚老来遇文王的典故。周文王将出狩猎,行前占卜,卦辞说:"所获非龙非螭,非虎非罴,所获霸王之辅。"果然在渭水之北遇见太公。(事见《史记·齐太公世家》)"非虎"一作"非熊",后又误为"飞熊",并以"飞熊入梦"喻指明君得遇贤臣,风云际会。次两句也是对句,描绘现实生活中对立的两种情态:贫贱者唯有凄凉悲苦之梦,权贵者只有富贵荣华之梦。相对于上古的君臣相得,末三句作旷达之语。痴人说梦,固然可笑,但在今天还想象着重现古代明君贤相的美好佳话,无疑梦人说梦,更加惹人讥笑。

全篇以"梦"为眼,古今政治生活形成鲜明反比。卑贱者在古代,只要具有德才,犹有可能实现抱负,飞黄腾达;但在现在,纵有才学也无人赏识,纵有抱负也无法实现,只能倍受压抑,沉寂终身。即便他们不甘寂寞,不肯安贫乐命,但面对冷酷的现实,面对没有任何希望的前途,也只有生不逢时的苦涩和无奈。因此,"笑煞人"的笑声和"梦中又说人间梦"的梦语,正表现出对现实彻底绝望以后的疏旷、放达和自我解嘲。作者"家世业儒","学问该博,资性工巧,文章新奇",却又"俯就路吏",沉居下僚,联系曲题,完全可以理解为这是作者的自抒胸臆、愤世嫉俗之作。

此篇除首四句各增一个"的"字作衬,其余完全合乎〔叨叨令〕正格的规定要求。值得注意的是,全篇用独木桥体,通首用"梦"字押韵,颇为新奇。这是元曲独有的一种体式,任半塘《散曲概论》列为元曲俳体之一种。

(许建中　周文静)

# 【正宫·叨叨令】

周文质

## 自叹(二首其二)

去年今日题诗处，佳人才子相逢处，世间多少伤心处，人面不知归何处。望不见也末哥，望不见也末哥，绿窗空对花深处。

### 鉴赏

这是《自叹》的第二首,写相思深情。

唐崔护《题都城南庄》诗十分著名:"去年今日此门中,人面桃花相映红。人面不知何处去,桃花依旧笑春风。"唐人孟棨《本事诗》记其本事。这个故事影响较大,"人面桃花"也成为男女邂逅有情、旋遭别离的著名典故,屡见于诗、词、曲,还进入了小说、戏曲等叙事文学领域。

此篇化用其境,但具体情节略有不同。首先是回忆相逢相爱的甜蜜:去年的此时此处,才子佳人相遇有情,题诗以记。然后是抒发别后相思的苦痛:时间荏苒,佳人杳无音讯,无从寻觅,自己无比牵挂,此处也成伤心之地。最后油然生发出"望不见"的感叹,孤寂独立,窗外正百花盛开。缠绵悱恻,感情真挚!

此曲多有化用崔诗之句,如"去年今日题诗处""人面不知归何处",也有蕴藉之句,如"绿窗空对花深处",但相对于崔护诗的含蓄深婉,全篇则直白得多。不见佳人,感慨时光易逝,心中空留遗憾,重复"望不见也末哥"两句,既是〔叨叨令〕定格,也充分表达了不见伊人的相思之苦。有人认为此篇是用崔诗意境以阐发作者光阴荏苒、好景不长的感叹,可能是将一种独特的经历、独特的情感泛化了。如果联系曲题和第一首自抒胸臆的情况,此篇亦当是自写情事,自抒情感。这是一个十分有趣的文学现象:时隔五百年,元人周文质之曲竟然与唐人崔护之诗写出了十分相似的事件、十分相近的情感！诚可谓:爱是不能忘记的,爱的感受是古今相通的！所以欣赏此曲,必须与崔护之诗对读。此曲之独特与别致,也在于此。

在体式上，此篇仍用独木桥体，都用“处”字押韵。按格律要求，〔叨叨令〕五个七字句的平仄相同，均用“平平仄仄平平仄”格式，但此曲第四句因化用崔护原诗第三句，故改用“仄仄平平平仄仄”格式。

（许建中　周文静）

# 【正宫·叨叨令】

周文质

## 四景（二首其一）

春寻芳竹坞花溪边醉，夏乘舟柳岸莲塘上醉，秋登高菊径枫林下醉，冬藏钩暖阁红炉前醉*。快活也末哥，快活也末哥，四时风月皆宜醉。

### 注释

* 藏钩：古代一种握拳猜物以较胜负的游戏。相传汉昭帝母钩弋夫人少时手拳，入宫，汉武帝展其手，得一钩，后人乃作藏钩之戏。

### 鉴赏

此组《四景》两首，是寄情山水之作。此篇写陶醉于四季风光。

一年四季，风光不同，民俗也各异。开篇四句，即描述了汉民族最具有代表性的时令风俗。在竹林小屋和花团锦簇的溪边寻觅春天的芳踪，这是写春天踏青。由于时代和地域的差异，踏青的具体时间有正月初七、二月二、三月三等多种记载。“寻芳竹坞花溪”，则时当清明三月。在杨柳沿岸莲花满塘处泛舟，这是写夏日水上避暑。沿着菊花盛开的小路，观赏红于二月花的枫林，这是写暮秋重阳。九月初九最迟在唐代就已经正式确定为令节，民间有登高、赏菊、插茱萸、饮菊花酒、吃重阳糕等活动。在暖阁火炉旁做藏钩的游戏，则是写冬时饮酒祛寒。作者按时序描绘了一年四季的美丽风光，每句自成一景，四句并列，堪称四幅一组的四季山水图。但静景之中又蕴含了人物动作，只是省略了所有动作的主体，所以实则写人，生动传神。四句连缀，又成一整体，时空转换迅捷，短笺之中，意象丰富，雅趣隽永。

后三句为作者抒怀。“快活”是直白咏叹，“四时风月皆宜醉”是曲眼，是全篇的命意所在。因此，曲中反复咏唱之“醉”，并非指作者生性耽酒，更非酗酒，而是陶醉于四季山水之美好，以酒助兴，景为主而酒为宾，正所谓“醉翁之意不在酒，在乎山水之间也”！

此曲描述的寄情山水，诗酒为乐，这也是元人散曲中较为常见的内容。这既非身羁仕宦的官僚生活，当然也不是忙于生计的普通民众生活，而是一种较为典型的隐士生活，因此表现了十分浓郁的传统文人审美意趣。通篇借四季风光抒发了热爱美好自然的情怀，表现出一种隐逸生活自由、闲适、自得其乐的独特感受，其中也隐含有对于当政者的某种失望情绪。

此曲用独木桥体，都用“醉”字押韵。前面四句，句句相对，又成为明朱权在《太和正音谱》中所说的“连璧对”，这是元曲首创的一种对偶形式。依照曲律，“春”“夏”“秋”“冬”四个时序词和“边”“上”“下”“前”四个方位词都是衬字，即便删去此八字，《四景》之题依然成立，此组第二首即以桃花、芰荷、金菊、蜡梅指代四季。作者在此标明四季，意在与第二首形成区别，可见其“资性工巧”，设计精心。

（许建中 周文静）

## 【正宫·叨叨令】

周文质

### 失题

呜呀呀寒雁空中叫，扑冬冬禁鼓①楼头报，淅零零疏雨窗间哨②，吉丁当铁马③檐前闹。睡不着也末哥，睡不着也末哥，纵然有梦还惊觉。

## 注释

① 禁鼓:设置在谯楼上报时的鼓。
② 哨:"潲",雨点随风斜落。马致远〔仙吕·赏花时〕《孤馆雨留人》套曲〔幺篇〕:"客舍骎骎过几朝,雨哨纱窗魂欲消。"
③ 铁马:悬于檐下的金属片,风吹时相互撞击可发出声音。

## 鉴赏

寒秋肃杀,万物萧疏,如果更兼夜晚的凄风苦雨,倍增阴冷,人的情感受其影响,往往情绪低落,百无聊赖,早早收拾,上床睡觉。这是我们常有的生活体验。此篇则以疏淡清冷的笔调,描绘了一幅秋雨不寐图。

首四句是四句相对的连璧对,以寒雁、禁鼓、疏雨、铁马几个传统意象,竭力渲染秋天夜晚风雨交加的清冷。寒雁的叫声呜咽凄凉,禁鼓的声音低沉悠远,秋日夜雨之声连绵不断,风中铁马之声飘摇无定,营造出了一种阴沉凄冷的整体氛围。这里最大的特点是紧紧抓住声音,精心描摹其听觉的感受。呀呀的大雁叫声,咚咚的禁鼓之声,淅淅沥沥的秋雨打窗声,叮叮当当的檐下铁马声,由高到低,由远及近,全部汇集在自己的窗前,俨若一首秋声曲。如果说宋李清照《声声慢》"梧桐更兼细雨,到黄昏点点滴滴",声音较为单纯,可比喻为秋声独奏曲,此则堪称秋声交响乐了。在这个意义上,此篇可与欧阳修《秋声赋》对读。

末三句写曲中主人公在此特定情境中的情态。"睡不着"是其总体感受,"有梦还惊觉"是"睡不着"的进一步深化。在这样的夜晚,主人公情绪低沉,思绪杂乱,辗转反侧,无法入眠,即使勉强入睡也会从梦中惊醒。

这首小令以模拟秋夜风雨的声响为特色,由于大量采用叠字和拟声词,声音模拟生动形象,音响效果鲜明动人,也可以称作是有声的秋雨不寐图。其实细想一下,这个夜晚仍是十分静谧的,多种声音的清晰可辨,也反衬出了秋日雨夜的寂静,只是主人公感觉到秋风秋雨,声声入耳,声音嘈杂,扰人心烦,无法入眠。俗话说:睡不着觉怪床歪。主人公为何"睡不着",为何"有梦还惊觉"?是仅仅受此秋夜阴雨的自然感染,拨动了主人公多愁善感的心弦,还是另有隐情？作者对此并没有解释和说明,也不作任何提醒和暗示,这就如同在画面上留下了大片空白,留给了人们无限想象的空间。

（许建中　周文静）

## 【正宫·叨叨令】

周文质

### 悲　秋

叮叮当当铁马儿乞留玎琅闹,啾啾唧唧促织儿依柔依然叫,滴滴点点细雨儿淅零淅留哨,潇潇洒洒梧叶儿失流疏刺落。睡不着也末哥,睡不着也末哥,孤孤另另单枕上迷颩模登*靠。

**注　释**

* 迷颩模登:迷迷糊糊的样子。

**鉴　赏**

"悲秋"是中国古代文学中的一个母题,因为感物生情是人们的一般心理,秋天的肃杀往往能够引发人们的感时伤怀之情。所以陆机《文赋》有所谓:"遵四时以叹逝,瞻万物而思纷。悲落叶于劲秋,喜柔条于芳春。"但是,此曲虽然以"悲秋"为题,其实却另有隐情。

首四句描写悲秋之景。作者采用与上一首相近的方式,紧紧抓住具有典型性的秋声表现秋夜的悲凉。摆动的铁马,悲鸣的促织,淅沥的秋雨,飘落的梧叶,意象的选择与上一首同中有异:保留了秋夜最具有代表性的铁马和细雨两组声响，而“入我床下”的蟋蟀、“一叶落而知秋”的梧叶，较之寒雁与禁鼓，更富有秋天的韵致。描摹的声音也由大到小，由可闻到细微几不可辨，在序列上较前一首也有所不同。特别是在夜深人静之际几乎能够辨识出梧叶的飘落之声，更是以秋声的嘈杂反衬出实际环境的静谧，也更能够表现出主人公的敏感。

末三句写主人公的悲秋之情。是怎样的情形使主人公能够在夜晚注意到被常人忽略的声音？原来是因为“睡不着”；那又为何深夜无眠呢？原因是“孤孤另另”。也可以反过来理解：因为孤零，所以倚靠在单枕上，夜不能寐。也就是说，悲秋是表，孤独是里：由于悲秋，倍感孤独；因为孤独，更感秋悲！在这里，两者互动，互为因果，这实际上也解释了前四句萧瑟秋声、声声入耳的原因。

此篇名写悲秋，实是抒发秋夜孤独之感。在形式上，五个七字句对仗工整，这在所选五首〔叨叨令〕中是唯一完全符合定格规范的。最大的特色仍在于突出秋夜之声。除了两句定格，每一句都运用了两个口语化的四字拟声词组，其中一个还是双声叠字，声音描摹较上一首更加形象、细腻、精微而生动，寂静之中显得那样清晰，撞击心底。此曲的主人公同样也“睡不着”，但较之上一曲，却揭示出原因在于“孤孤另另”，悲凉的秋声更增加了主人公在孤独之中的凄苦。自然感发与人文情怀相融合，诚可谓景中寓情，情景交融。（许建中　周文静）

## 【双调·落梅风】

周文质

鸾凤配，莺燕约，感萧娘肯怜才貌。除琴剑又别无珍共宝，则一片至诚心要也不要？

## 鉴赏

在中国古代词、曲中,男子多假托女性身份进行创作,揣摩、表现女性的情感和思想。这是一个与古代诗歌“言志”传统完全不同的有趣现象。此曲则坚守身份特征,写一位男子的真挚情爱。

首三句写真诚感谢。“鸾”与“凤”“莺”与“燕”,在古代都是吉祥之鸟,是比喻美满姻缘的传统意象。“配”与“约”,用互文法,相配成约。前两句表现出主人公获得爱情以后的幸福感受,以此美喻,起兴下一句:“感萧娘肯怜才貌。”萧娘,泛称女子,这里指主人公的所爱之人。怜,怜爱。为何幸福?因为心爱之人也爱上了我!当然也可以位序倒置,理解为:由于美好的女子垂青于我,因此感觉美好姻缘天造地设。所以,第三句是核心、是关键,是主人公的幸福之源。主人公在此以“才貌”自指,带有自贬之意:何才何貌,竟让萧娘垂顾?所以用“感”字抑己,以“肯”字扬她,叙述之中包含一种颇感意外的惊喜,强化了自己的感激之情。

后二句写真诚酬谢。琴、剑是古代文人的随身之物,此则借指一介寒儒,身无长物,更无珍宝,唯有一片至诚真心,以酬答你的怜爱。二句都省略了第一人称主语:前一句承上,具体说明自己并非“才貌”不佳,实在是囊中羞涩,这是感激萧娘垂青的真正原因,也使“感”和“肯”两个字得到了落实;末句则以口语化的设问句式献忠心、表决心,更用“要也不要”将最终的决定权完全交给对方,以一种极谦恭的被动态方式深化自己的酬谢。

这首曲子看似只是元曲中常见的抒情作品,所写也是元曲中常见的青楼士子爱情,但在写法上却颇有特色。作品撷取了一个特定生活中的情感片断:两情相悦,山盟海誓。从男子感激的角度落笔,叙述与抒情有机融合,相辅相成:前用比兴手法,补叙缘由,表达惊喜之时的感激之情;后则坦陈胸怀,说破窘境,抒发奉献忠心的至诚之意。最为精彩的是末句,以问句收结,既表现出真挚爱情的纯洁,也充分表达了主人公对相爱女子的真诚酬答,以心相许,听命对方,显得坦率直白,警策动人。这种表达方式在古代诗歌中是极为少见的。

(许建中　张津瑞)

# 【越调·寨儿令】

周文质

（十首其三）

鸾枕孤，凤衾余，愁心碎时窗外雨。漏断铜壶，香冷金炉，宝帐暗流苏。情不已心在天隅，魂欲离梦不华胥[①]。西风征雁[②]远，湘水锦鳞[③]无。吁，谁寄断肠书？

## 注释

① 魂欲离：用唐人陈玄祐《离魂记》故事。后多指精诚所至，能使魂魄离开身体而追求自由幸福。华胥：用《列子·黄帝》典故。黄帝昼寝，梦游华胥国，其地远几千万里，非舟车所能及，神游而已。后泛指梦境。
② 征雁：用《汉书·苏武传》典故。后代指书信。
③ 锦鳞：用汉乐府《饮马长城窟行》故事。后代指书信。

## 鉴赏

爱情是文学创作永恒的主题，相思是文学作品绵长的咏叹。周文质的〔寨儿令〕十首即写相思愁情。此曲乃十首中的第三首。

首三句写思妇独处的孤单和冷清。鸾枕是绣有鸾鸟的枕头，凤衾是绣有凤鸟的被子。如今枕“孤”衾“余”，反衬出当时的两情欢悦、出入成双，曾经的缠绵与现实的孤清造成巨大的反差。“愁心碎”以内在情感的揭示，描画出一个思妇的生动形象：不言人落泪，但讲“窗外雨”，思妇的愁苦心情已经暗寓其中；窗外秋雨的凄冷，也让人倍感思妇的孤独和悲凉。次三句以“刷色”之笔再作生活环境的渲染。漏声已断，无法计时；香火已灭，无人添续；流苏已暗，无从辨认。这一切都从思妇眼中看出，表现的则是夜深晦暗，思妇仍愁肠百转，辗转反侧,难以入眠。漏是古代的计时器物。流苏指用彩色丝线或羽毛制成的垂挂状穗子,是旧式帐幔上的饰物,因夜深天黑而“暗”。作者没有直接描绘思妇的愁容,而是以鸾枕、凤衾、铜壶、金炉、宝帐、流苏等成套生活物品的华贵和精美,以孤、余、断、冷、暗等一组情状性质的形容词语,表现出一个贵族思妇“愁心碎”的悲情与愁苦。

以下直接抒发思妇的情感。深情不已既是以上夜不能寐的原因,也是以下思绪万千的基础。真情难抑,我心飞翔,古有倩女离魂佳话,我亦欲神魂相伴相随。这是第一层,写相思情深。但我辈不幸,好梦难聚。这是第二层,写相思情苦:身不能至,梦亦不能至。鸿雁传书、鱼传尺素是古代通信的美好传说,而一个“远”、一个“无”,则显示了现实的残酷。这是第三层,写相思情怨:梦不能至,书信俱无。“吁”一声低婉深沉的长叹,无限情感蕴含其中。“谁寄断肠书”为全曲之眼,是以上描述、抒怀的根本原因。这既可以理解为“谁为我寄断肠书”,也可以理解为“我为谁寄断肠书”——纵有万般柔情,此情谁诉!这是第四层,写相思情叹:书信谁寄!梦回萦绕,愁绪百结,层层递进,终不可解!

此曲依据曲律,第一、二句,第四、五句,第七、八句,第九、十句,均作对句,十分工整。作品不作具体的人物刻画,而是集中笔墨状物抒怀:上半段重在对景物充满感情色彩的细致描绘,通过思妇的所见、所感来反映人物形象,表现人物情感;下半段多用古代传说和典故,展示思妇丰富而复杂的愁绪。全篇以词笔作曲,清雅深婉。

(许建中　张津瑞)

# 【越调·寨儿令】

周文质

## (十首其四)

蟾影①边,凤台②前,箫声为谁天外远?欹枕情牵,倚槛无言,血泪③洒寒烟。自薄情别后经年,想嫦娥④不念孤眠。葡萄架梧叶井,杨柳院海棠轩。天!陡恁[5]月儿圆。

## 注释

① 蟾影：月影，月光。
② 凤台：用《列仙传·箫史》典故。秦穆公时人萧史，善吹箫，穆公女弄玉好之，公遂妻之，为筑凤台，夫妇居其上。后多比喻和谐美满的夫妻生活。
③ 血泪：用《拾遗记》薛灵芸典故。灵芸是魏文帝所爱美人，初别父母时，歔欷累日，以玉唾壶承之，及至京师，壶中泪凝如血。后指眼泪。
④ 嫦娥：古代神话中的月神。此代指美女。
⑤ 陡恁：陡然如此，突然这样。

## 鉴赏

此曲是〔寨儿令〕十首中的第四首，写思妇的悲怨情怀。

首三句描绘了一幅较为典型的传统仕女画：月光倾泻，楼台高耸，一位思妇孤独地吹着凄婉哀怨的箫曲。这里暗引弄玉、萧史吹箫作伴的典故，反其意而用之，更加显现出凤侣失伴的孤独。画面清雅，画中有声，其音感伤。次三句由此进一步推进，以空间位置的转换，突出表现思妇的秋夜无眠。在室内，欹枕因情而不寐；在室外，倚槛孤寂而无语。在秋夜的寒烟之中，独自默默地流淌着凄苦之泪。此处化用薛灵芸泪流成血的典故，更增加了思妇的孤苦伤悲。前六句，句句写景，但又句句写人，人在景外，景由人出，描画出一个具有立体感的思妇形象。

第七、八两句是全曲之眼，思妇所有的悲怨都由此而生。骂“薄情”，原因是“别后经年”，客观上造成了“不念孤眠”的状态。“想嫦娥”应当理解为思妇的揣度之词：“薄情”离别太久，仍不归还，一定是另有所图了吧？这样，既巩固了嗔怪“薄情”的伦理正义性，也增强了自己悲怨的情感力度。但这一切，其实仍是缘于内心不能忘怀、不忍割舍的爱，否则一定会是火山爆发式的痛斥和批判，哪里还会是如此缠绵、如此柔情？次两句笔墨宕开，由嗔骂转而描绘现实居所：“葡萄架梧叶井，杨柳院海棠轩”，极为华贵典雅。“天”的一声长呼，却不再继续责骂“薄情”，反而逼出了十分警策的末句“陡恁月儿圆”，奇特而新颖。思妇迁怒于月，是因为月圆人未圆,则人不如月,油然生发出无限不平。但其实质仍在于埋怨"薄情"的轻离别:如此华美府第,如此月圆良辰,竟不还家!此又是不骂之骂。结语含蓄蕴藉,曲折深婉。

全篇由第三人称旁观描述而转入第一人称主观抒情,笼罩着一种浓郁的感伤色彩。以指责"薄情"暗写孤苦,悲怨之中不乏娇嗔柔媚。由于自己的孤独而十分无理地迁怒于自然客观的月圆,无理之中也暗合人物的情理逻辑。作品集中描绘了大量的生活场景,但一切都是思妇的眼中所见、心中所感,人为主而景为宾,景中寓情,情景交融,俨若一幅凄美淡雅的秋夜思妇图。以词笔作曲,清丽典雅,含蓄蕴藉,隽永绵长。

(许建中　张津瑞)

# 【正宫·塞鸿秋】

贯云石*

## 代人作（二首其一）

战西风几点宾鸿至，感起我南朝千古伤心事。展花笺欲写几句知心事，空教我停霜毫半晌无才思。往常得兴时，一扫无瑕疵。今日个病恹恹刚写下两个相思字。

### 作者

* 贯云石(1286—1324),字浮岑,号酸斋、芦花道人。维吾尔族人,阿里海牙之孙。大德末袭父爵为两淮万户府达鲁花赤,出镇永州。后让爵于弟。皇庆二年拜翰林侍读学士、知制诰同修国史。延祐初辞官,南游江南,隐居杭州。善书法,能诗文,尤工散曲。曾为《阳春白雪》、小山《今乐府》作序,现存小令86首,套数9套。今人辑其曲,与徐再思散曲合为《酸甜乐府》,又辑其诗文词为《贯云石作品辑注》。明朱权《太和正音谱》评其曲如"天马脱羁"。

### 鉴赏

此曲题为"代人作",共二首,文中的"我"皆是代替别人抒情。有人误以为是"伤古感时主题",但只要看第二首"只被这俏苏卿抛闪煞穷双渐",便知其"伤心事"并非"伤古感时"了。

首句用逆秋风而行的鸿雁起兴,触景而生伤心之情。"战西风",言与秋风抗争,即逆风而行。"宾鸿"语出《礼记·月令》"鸿雁来宾”,以其秋季南飞度冬,犹宾客寄居而言。次句化用金代词人吴激《人月圆》的词句:“南朝千古伤心事,还唱后庭花。”借指旧日在南方与歌女的一段失恋故事。从第二首得知,他们开始爱得热烈,几年后女方被一位万户长霸占,就找借口抛弃了他,使他伤心欲绝。而今虽事隔多年,仍难以忘怀,所谓“野火烧不尽,春风吹又生”。想重温旧梦,再续前缘,写封情书给女方,无奈提起毛笔(霜毫),半天也理不出一点思绪,真是“剪不断,理还乱”。五六句用往常来反衬今日,往常兴致好,提笔修书总是一挥而就,毫无增删改动,而今日为何精神不振,像病恹恹的状态,只写了“相思”二字就写不下去了呢?结句才点明“伤心事”“知心事”的谜底,原来是为“相思”,但为何“无才思”,仍是悬念,言已尽而意未止,留给读者想象。也许是伤心过度,也许是以为歌女水性杨花已不可能回心转意……

善于用悬念和衬托手法,是此曲的一大特色:始以“宾鸿”起兴,兴起悲秋、鸿雁传书和客居他乡等联想,已成悬念;继而化用吴激词句再添悬念,使人误以为是在怀古伤今;再而揭出中心事件是修书写“知心事”,与首句鸿雁传书呼应,但“知心事”仍是悬念;第四句突转:为何满腹知心事却“半晌无才思”,又是一重悬念;五六句用“往常”做衬托,却把以上悬念悬置起来;直到结尾才揭出“相思”谜底,但为何“无才思”,仍留下悬念。直如层层剥笋,隐约其词。此乃该曲艺术魅力之所在。

(熊　笃)

## 【正宫·小梁州】

贯云石

朱颜绿鬓少年郎,都变做白发苍苍。尽教他花柳自芬芳,无心赏,不趁燕莺忙。

【幺】东家醉了东家唱,西家再醉何妨!醉的强,醒的强?百年浑是醉,三万六千场。

## 鉴赏

此曲表现了贯云石看透世事，淡泊名利的人生理想和生活追求。首句中“朱颜”指青春红润的面容；“绿鬓”指乌黑的头发。“朱颜绿鬓少年郎”表现出年轻时候的诗人是如此的风华正茂、朝气蓬勃。然而却抵不住时间的流淌，岁月的流逝，曾经的“朱颜绿鬓”如今全变作“白发苍苍”，青春年华不再，容颜老去的同时，人的心态也随之苍老。“尽教他花柳自芬芳，无心赏，不趁燕莺忙”，任凭那大自然万紫千红的景色再撩人、娇艳，却激不起诗人一丝一毫的兴趣，没有心情去欣赏它们，更不会如燕莺一般追逐、穿梭、游戏于花丛、树荫之间，流连忘返，忙碌其中。这里的“花柳”“燕莺”也可以理解为是“名利”与“追名逐利之辈”的一种象征。因此，生性淡泊的贯云石对此种行为是不屑一顾，更不愿为之的。

他要追求的生活是“东家醉了东家唱，西家再醉何妨”，从东家喝到西家，从西家唱到东家，恣意而为，放荡不羁，心中无丝毫之束缚，这才是他想要的自由疏放。也许对这种放纵不免自感过度吧，曲家遂情不自禁地思索起“醉”与“醒”的两种人生态度：“醉的强，醒的强？”是像屈原那样清醒好呢，还是像阮籍、刘伶那样沉醉好呢？结尾两句，算是他给出的答案：“百年浑是醉，三万六千场。”在作者看来，即使人生百年，一年三百六十天，天天都豪饮而醉，也不过才“三万六千场”啊！其潜台词便是：哪能为名利羁绊，陷于俗务而轻易放弃任何一场醉饮呢？诗人是真正看穿了名利，断绝了功名之念，是超然于物外、脱离尘世的一位高人，名利对他是多余、繁琐的，仿佛拖累、玷污了他，他追求的是一种自由、洒脱、随意的人生境界。在贯云石的曲篇中，这种理想体现得很多，如：“功名戏我，我戏功名”“沧浪污你，你污沧浪”（〔双调·殿前欢〕之二、三）“弃微名去来心快哉，一笑白云外。知音三五人，痛饮何妨碍？醉袍袖舞嫌天地窄”（〔双调·清江引〕）等等。

这首小曲，篇幅不长，语言直白，却鲜明深刻地体现出贯云石“不为世事所累，适性而为”的人生态度，字里行间透露着诗人的狂放、清高与率性。

（曹静宜）

# 【正宫·小梁州】

贯云石

相偎相抱正情浓，争忍西东？相逢争似不相逢！愁添重，我则怕画楼空。

【幺】垂杨渡口人相送，拜深深暗祝东风："他去的高挂起帆，则愿休吹动。"刚留一宿，天意肯相容？

## 鉴赏

此曲描写了情侣间欢会之后，分别之际难舍难分的情景和心理。"相偎相抱"，一对相爱的恋人紧紧地靠在一起，紧挨着，相互拥抱，动作刻画表现出这对情侣感情的深厚，浓情蜜意。"正情浓"，表现此刻这对恋人正处于如胶似漆、你侬我侬的阶段。感情甚好，又"争忍西东"，两人心中都充满着依恋和不舍，又怎忍抛下对方，各分东西，天各一方，相见遥遥无期，饱受相思之苦。这种相见之后愈加爱恋，因为分别而更加不舍的感觉迫使女主人公不得不发出内心的哀怨"相逢争似不相逢"，是真的不愿相逢吗？当然不是，而是迫不及待地想见，因短暂的相见后而愈发的"愁添重"，这离愁相较不见更重、更多，内心的思念、不舍也因相见而更甚，真是"相见时难别亦难"。女主人为何如此伤感呢？"我则怕画楼空"，原来他走后，女主人公又得独自面对冷清清、空荡荡的画楼，这相聚满以为可以带给自己希望，哪知它是如此的短暂，她想起他走后自己形单影只的孤寂生活，不由得心生害怕。"空"，不仅仅描写了人走楼空的客观事实，更重要的是表达出女主人公在面对自己心爱之人离去后的一种思想上的惆怅、孤单、寂寞和空虚，因为没有他，生活的颜色都是灰白的，仿佛自己的心灵世界已经被掏空了，如张倩女的魂一般随着王生走了。

"垂杨渡口人相送"，现实是残酷的，他最终还是走了，她去送他，渡口垂柳依依的景色是美好的，人的心却是充满离愁别绪，充满着不舍。即使在最后一刻,女主人公仍然不放弃自己内心想将爱人挽留下来的心愿,“拜深深暗祝东风”“他去的高挂起帆,则愿休吹动”,她不停地、默默地拜求、祈祷:风啊,千万不要吹动他所搭乘的那条船上高高挂起的风帆!“深深”表现出这位痴情女子内心留人愿望的迫切和深厚,惹人怜爱,其遭遇让人同情。特别是“刚留一宿,天意肯相容?”——这对恋人只相聚了短短一个晚上,却因为难以言明的客观原因而不得不分离,因此女主人公只能寄希望于老天爷,祈求他看在我们相聚难得的份上,今晚风吹不走他的船,再容他们相守片刻。然而天意是否刮起了风吹动了船帆,我们不得而知,但女主人公痴情、纯情的形象却印刻在我们的脑海中,令人动容,感人至深。贯云石另有一曲〔正宫·小梁州〕“巴到黄昏祷告天”与此曲有异曲同工之妙,该曲〔幺〕篇有云:“盼才郎早早成姻眷,知他是甚日何年?何年见可怜?可怜见俺成姻眷,天地下团圆,带累的俺团圆。”女子将内心最美好的心愿祷告上天,愿老天成全自己,善良、朴实、纯真、美好的女子形象跃然纸上,在贯云石的作品中这类女子的形象很有代表性。

(曹静宜)

# 【正宫·小梁州】

贯云石

## 春

春风花草满园香,马系在垂杨。桃红柳绿映池塘。堪游赏,沙暖睡鸳鸯。

【幺】宜晴宜雨宜阴旸,比西施淡抹浓妆。玉女弹,佳人唱,湖山堂上,直吃醉何妨?

## 夏

画船撑入柳阴凉,一派笙簧。采莲人和采莲腔。声嘹亮,惊起宿鸳鸯。

【幺】佳人才子游船上，醉醺醺笑饮琼浆。归棹晚，湖光荡，一钩新月，十里芰荷香。

## 秋

芙蓉映水菊花黄，满目秋光。枯荷叶底鹭鸶藏。金风荡，飘动桂枝香。

【幺】雷峰塔畔登高望，见钱塘一派长江。湖水清，江潮漾，天边斜月，新雁两三行。

## 冬

彤云密布锁高峰，凛冽寒风。银河片片洒长空。梅梢冻，雪压路难通。

【幺】六桥顷刻如银洞，粉妆成九里寒松。酒满斟，笙歌送，玉船银棹，人在水晶宫。

### 鉴赏

贯云石晚居西湖，视杭州为第二故乡。〔正宫·小梁州〕是组曲，分别以春、夏、秋、冬为题，以四支小令，画出杭州西湖四季风光。

"春"写游园。春风和煦，花香草绿，园林外马系在垂杨。人呢？不言而喻，游园去了。园内桃红映日，柳绿映水，实在好玩。"泥融飞燕子，沙暖睡鸳鸯""水光潋滟晴方好，山色空蒙雨亦奇。若把西湖比西子，淡妆浓抹总相宜"，作者一高兴，笔底驱使杜工部、苏东坡奔走不暇。加上"系马高楼垂柳边"（唐王维《少年行》），诗中化用唐宋诗名句不少，增添了许多雅致。最后写到湖山堂小酌，"玉女弹，佳人唱"，也倒罢了，结尾却来一句大白话"直吃醉何妨"。杂烩雅俗，构成谐趣，可称本色。

"夏"写游湖。人在画船，船入柳荫，一边赏美景，一边听乐曲。忽然传来一阵歌声，把船中人的注意力引将过去，原来是采莲姑娘在唱《采莲曲》，歌声是那样嘹亮，恰是五代词中情景："乘彩舫，过莲塘，棹歌惊起睡鸳鸯。"（唐李珣《南乡子》)游船上,江南才子,吴越佳人,谈笑欢洽,饮兴大增。待到酒阑歌竟,整装归去时,已是一弯新月当空,十里莲塘弥漫着荷花的香气,游人如在梦幻,哪还有半点夏日暑气,全是一派清凉世界。游湖消夏,选材典型。“采莲人”“采莲腔”的重叠,“一钩新月”“十里芰荷”的对仗,为作品增添了声情和风韵。

“秋”写登高。先描绘金秋景色:水边芙蓉赤,篱下菊花黄,荷叶已枯,桂花飘香,水塘中有鹭鸶偷偷窥伺鱼虾。较之春夏,已别是一番风光。重阳节登高,在雷峰塔畔放眼一望,长江下游入海口的钱塘,江面特别开阔。近处的西湖碧波,与远处的钱塘潮水,此时俱收眼底。到了傍晚,天上一片斜月高挂,几行新雁南飞,久久不想回去。此曲准确捕捉秋天物候,同时抓住杭州湖山特征,用语恰切,不可移易。

“冬”写雪景。未写大雪,先以彤云、寒风预报气象,甚有理致。写下雪联系到“银河”,从来没有人道过。雪是从天而降的,又是银白的,联想到银河,自然入妙。因雪及梅,便不俗。雪封了路,又可见原野一片白茫茫了。再看西湖,已是冰雪世界:六桥桥孔成了银洞,九里寒松如经粉扑,载着歌酒的画船成了玉船,湖上湖下、湖里湖外皆成琼瑶,游人恍恍惚惚,如入水晶宫。曲子抓住雪景的特点,一再运用银、粉、玉、水晶等字面形容景色,再现了冬日西湖冰清玉洁的美景,颇具奇趣。

(周啸天)

# 【中吕·红绣鞋】

贯云石

东村醉西村依旧,今日醒来日扶头,直吃得海枯石烂恁时休!将屠龙剑,钓鳌钩,遇知音都去做酒。

## 鉴赏

此曲鲜明地表达了贯云石的“吾生宦情素薄”的疏懒心态和生活态度。“东村醉西村依旧”,此句是从空间上来表现生活状态,东村喝醉了,西村继续喝。“今日醒来日扶头”,《广雅·释诂》:“日,二也。”

这里作“再”讲。“扶头”,《元曲释词》:“易醉之酒也。”此句是从时间的角度来说明诗人今天刚酒醒却继续饮起酒来。“依旧”“日”均表现昼夜不止的饮酒生活,仿佛饮酒成为其生命中最重要的一件事情,是其全部,以至于“直吃得海枯石烂”方才停止,真是生命不息,喝酒不断啊! 诗人放荡不羁、天马行空的形象跃然纸上。那么究竟是何原因导致诗人如此喜爱喝酒,并以此作为自己的生活方式? 原来诗人将喝酒的这种行为作为自己人生态度的一种表达和宣泄,这是以他极端、特殊的方式在与过去牢笼般官宦生活的一种告别。

喝酒的生活在外人看来也许是浑浑噩噩、醉生梦死的,但曲家内心却得到了彻底的解脱和放松,真正地达到了一种解放,因此他大声疾呼:“将屠龙剑,钓鳌钩,遇知音都去做酒!”“屠龙剑”一典,当由《史记·高祖本纪》所载汉高祖剑斩白帝子事演化而来;“钓鳌钩”典出《列子·汤问》龙伯国大人“一钓六鳌”的故事。这里用“屠龙剑”“钓鳌钩”来比喻安邦治国的非凡才能,但诗人却“遇知音都去做酒”,遇到自己志同道合的朋友后,便把“屠龙剑”“钓鳌钩”都拿去换酒喝,其寓意为将轰轰烈烈的宏伟志向抛之脑后,只愿与朋友们一起喝酒,过自己心中想要的无拘无束、随意率性的生活,不为名利的枷锁所羁绊,如闲云野鹤般的潇洒自由。这就鲜明生动地表现出贯云石灵魂深处的人生理想和追求。贯云石这首小曲虽不长,却写得很有力度,借饮酒从侧面表达出自己向往自由、不受束缚的人生理想和境界,启人深思,引人感慨。

(曹静宜)

## 【中吕·红绣鞋】

贯云石

挨着靠着云窗同坐,偎着抱着月枕双歌,听着数着愁着怕着早四更过。四更过情未足,情未足夜如梭。天哪,更闰一更儿妨什么!

鉴赏

这一篇的题目可作《题情》。开篇就以复叠的语言为乐趣,又是挨着、靠着、偎着、抱着,又是同坐,又是双歌,"云窗""月枕"的造语也很风雅别致,穷形尽相地描绘出男欢女爱、卿卿我我之事。开诗词绝无之境界。

钱钟书对快乐有一个别致的解释,大意是说快乐的属性就是过得快。无怪有"春宵苦短""好景不长"之说。曲中这一对男女,就一面快乐着,一面又听着、数着、愁着、怕着,不知不觉早四更过。所以他们一面叫苦,一面央求:天哪,更闰一更儿妨什么!

常言道"穷苦之词易好,欢娱之词难工",此曲写欢情,却不一味写欢,也写欢乐的美中不足,欢乐中的叫苦,所以工了,所以好了。

此曲的出色,不仅在内容,而且在形式。看他一口气八个"着"字,如大珠小珠落玉盘,又连连顶真"愁着怕着早四更过。四更过情未足,情未足夜如梭",酣畅淋漓之至,充分表现了散曲豪辣的本色。人们听说过闰年、闰月,谁听说过"闰更儿"?亏他想得出。这便充分表现了散曲的谐趣。

(周啸天)

## 【中吕·醉高歌过红绣鞋】

贯云石

看别人鞍马上胡颜,叹自己如尘世污眼。英雄谁识男儿汉?岂肯向人行诉难。　阳气盛冰消北岸,暮云遮日落西山,四时天气尚轮还。秦甘罗疾发禄,姜吕望晚登坛,迟和疾时运里趱。

## 鉴赏

这是一首带过曲。带过曲是介于小令和套数之间的一种小型组曲,由同一宫调或不同宫调的两支或三支音律恰能衔接的曲牌组成。本篇的〔醉高歌〕和〔红绣鞋〕都是中吕宫的曲牌,属同宫带过曲。

此曲意在勉励英雄豪杰守志待时、终会时来运转的穷达观,不像是写作者自己的遭遇。因为贯云石祖父是开国元勋,父亲官至湖广、江西行省丞相,他本人不到二十岁就袭父爵任两淮万户府达鲁花赤,后让爵于弟,得姚燧推荐,拜翰林侍读学士、知制诰同修国史。延佑初修《世祖实录》中发现祖父功高自杀的内幕档案,深感宦海风波可畏,故称病辞官,浩然归隐。八年仕途可谓青云直上,官运亨通,并无穷困潦倒的遭遇,故曲中抒情是在劝勉别人。前曲形容英雄落魄时的心态。首句用反面对,写世俗人的两种情态:看别人骑高头大马那种踌躇满志、趾高气扬的脸色(胡颜:何颜,何等得意脸色),因而自惭形秽,喟叹自己如尘世讨人厌、脏人眼的人。三四句一转,正面写诗人的看法:人在落魄时,世俗人有谁能识别出你是英雄大丈夫呢?但真正的英雄豪杰又岂肯低眉折腰向别人去诉说自己的时乖命蹇的苦难呢!前曲只四句,就把世俗人的眼光和诗人(也代表英雄)的胸襟眼光形成了鲜明的对照。

后曲则以物理和典故来劝勉落魄的英雄豪杰守志待时,终有否极泰来的时机。阳气上升的春天,河川背阴的北岸坚冰也会消融;暮云笼罩,火红的太阳也会降落西山。两句反面对,分述由冷变热、由明变暗,都在向相反方向转化。“四时”句小结前两句,说明天气物候无时不在轮回变化,侧面暗示人事的穷达不也同理吗?“秦甘罗”二句正面转入人事:秦国甘罗十二岁就出使赵国说服赵王割让五城与秦,以功封为上卿,因其童年发迹很快,故云“疾发禄”;姜太公吕望直到八十岁垂钓渭滨才遇周文王拜为太傅,登坛拜将,后助周武王灭商,故云“晚登坛”。两句用典为反面对。末句又小结前两句:虽然有发迹迟速的不同,但都在时来运转中赶路(趱),英雄终归有用武之地,得以大展宏图。

善于将议论说理寓于形象的叙事抒情和描写之中,使抽象的说理化为具体的形象和理趣,是此曲的一大特色。其次是多用反面对仗,形成鲜明的对比,如一二句、五六句、八九句都是反面对,而一二句与三四句又形成世俗之见与英雄之见的对比,后曲的前三句与后三句又形成物理的冷热转化与人事发迹的迟速变化的类比。这些对仗句和对比句的运用,无疑加强了辩证观点的说服力。

(熊　笃)

# 【南吕·金字经】

贯云石

## (二首)

蛾眉能自惜,别离泪似倾。休唱阳关第四声。情,夜深愁寐醒。人孤另,萧萧月二更。

泪溅描金袖,不知心为谁?芳草萋萋人未归。期,一春鱼雁稀。人憔悴,愁堆八字眉。

### 鉴赏

第一支曲子取女子角度抒写别情。男方要走,留是留不住了。从道理上讲,女主人公也知道忧能伤人,不宜过分忧伤,然而到了送别的时候,还是情不自禁地洒下了许多的眼泪。唐人诗道:"相逢且莫推辞醉,听唱阳关第四声"(唐白居易《对酒》五首之四),那是劝酒之辞,改一字作"休唱阳关第四声",则是表明承受不了太多的别情。一字句"情"耐人寻味,能使人联想到"从来只有情难尽"(唐雍陶《题情尽桥》)"问世间情为何物"(金元好问《雁丘词》)等名言。最后写男方走后,女主人公深夜不能成寐,独起看月的情态。萧萧是风声,衬托出环境的凄寂。散曲的用韵较诗为密,此曲除首句外,其余句句入韵,韵密则气促,读来更觉词苦声酸。

第二支曲为一位期盼远人的闺阁佳人造象。唐李白《怨情》诗道:"美人卷朱帘,深坐颦蛾眉。但见泪痕湿,不知心恨谁。”此曲一起即用之,妙在从旁观的角度写出。“芳草萋萋”句用楚辞《招隐士》“王孙游兮不归,春草生兮萋萋”句意,点明佳人心之所恨,在远人未归。“期”字如一锤定音,是全曲的主题字。“一春鱼雁稀”即“一春鱼雁无消息”(元王实甫《西厢记》),这也是佳人所恨内容之一。结尾作特写:佳人形容憔悴,愁眉不展。“八字眉”,本唐代妇女眉式,未必即佳人所描。只是因为她眉头高蹙,眉尖低垂,便成了八字眉。虽写闺怨,却带一点诙谐和风趣,这是散曲不同于诗词的特点之一。

(周啸天)

## 【双调·蟾宫曲】

贯云石

### 送　春

问东君何处天涯?落日啼鸦,流水桃花,淡淡遥山,萋萋芳草,隐隐残霞。随柳絮吹归那答?趁游丝惹在谁家?倦理琵琶,人倚秋千,月照窗纱。

鉴赏

这是一支送春曲,作者依离别之作的写法,起首将春人格化,直呼春为“东君”,问他到远方何处去了,仿佛是一位女子作别她的如意郎君。然后一气用五个四言句写暮春物候:落日啼鸦、流水桃花、淡淡遥山、萋萋芳草、隐隐残霞,语极整饬。后三句为鼎足对,是散曲延展了的一种对仗辞格,以取酣畅之致。

“随柳絮吹归那答?趁游丝惹在谁家?”这两句忽然从书面化的语言,转为口语化的问话:你究竟随柳絮吹归何处?随着游丝暂歇谁家?从暮春的众多物象中,作者撷取柳絮、游丝,是具有匠心的。盖柳絮、游丝皆暮春空中随风飘浮之物,一旦它们都飞尽了,春也归得无影无踪了。从送别诗来看,问对方的去向，虽属常情，却问得别致——一种有情人别有担心的样子。

最后推出一个伤春人的形象，就是这支“送春”曲中的主人公了。这个形象给读者的感觉，是那样的慵倦——对着琵琶却不想弹琵琶，倚着秋千却不想打秋千，月照窗纱还不能入睡。当然，这人必是年轻的，且不管她年方几何，年年送春，今年又送走一个春天，她又长了一岁。人长了一岁，心事就多了一分了。这个结尾是耐人寻味的。

（周啸天）

# 【双调·清江引】

贯云石

弃微名去来心快哉！一笑白云外。知音三五人，痛饮何妨碍？醉袍袖舞嫌天地窄。

## 鉴赏

贯云石曾两次辞官，第一次在至大元年（1308）让爵位于弟，辞官北上就学，在外祖父廉希闵家得与文坛耆旧程文海、赵孟頫、袁桷等前辈交游，拜翰林承旨、太子少傅姚燧为师。后得姚荐，皇祐初拜为翰林侍读学士、知制诰同修国史。后与陈俨同修《世祖实录》，发现其祖父阿里海牙自杀的内幕档案，深悟宦海风波，忧谗畏讥，遂于延祐元年（1314）称病辞官，南游江南。根据此曲的情绪，当是作于第二次辞官后之南游途中。

“弃微名”，视青年得志的高官厚禄为“蜗角虚名，蝇头微利”，高唱“归去来兮”，何等轻快、痛快！摆脱了官场的桎梏与烦恼，投向大自然的怀抱，在青山白云、林泉沟壑中自由呼吸、陶冶性情，顿觉一身轻松，心旷神怡了！痛快之情统统爆发为“一笑”：这是觉醒后如释重负的欣喜欢笑；这是整个身心与万化冥合的陶然醉笑；这是对那些追逐功名利禄尚未觉醒者的冷笑；这是对王侯将相们鄙夷的傲笑。起首二句就如天马行空，挣脱羁绊，不同凡响。

“知心三五人,痛饮何妨碍?”诗人辞官后南下壮游中,经梁山泊与渔翁吟诗夜话,为换得芦花被而痛饮;普陀山与诗僧鲁山共赋《观日行》,为东海日出的壮观而痛饮;登岳阳楼缅怀祖父阿里海牙征南宋“剑光影动乾坤浮”的壮举而痛饮;采石矶招太白之魂,汨罗江畔吊屈原之灵,也都离不开痛饮。凡此皆可谓“知音”,无拘无束,自然了无妨碍。

结句高度夸张、豪迈狂放之极,与其《桃花岩》诗“酒酣仰天呼太白,眼空四海无纤物”中浮云富贵、粪土王侯的傲岸狂放之情可谓异曲同工。

该小令笔调俊快,风格豪迈,诚如明朱权《太和正音谱》所评“贯云石之词,如天马脱羁”。因“快”而笑,因“笑”而痛饮,因“痛饮”而醉,因“醉”而“舞”,意脉贯穿,始终洋溢着弃功名如敝屣的狂傲豪放之情,诗人自我形象亦呼之欲出。

(熊　笃)

## 【双调·清江引】

贯云石

(二首)

竞功名有如车下坡,惊险谁参破?昨日玉堂臣,今日遭残祸。怎如我避风波走在安乐窝。

避风波走入安乐窝,就里乾坤大。醒了醉还醒,卧了重还卧。似这般得清闲的谁似我。

鉴赏

从文中“安乐窝”推断,此二曲当是延祐二年(1315)作者卜居杭州后所作。第一首揭示出元代官场杀机四伏、危如累卵、随时都有杀身之祸的险恶现实,抒发了作者勘破功名、急流勇退、全身远害的知机庆幸之情。

“竞功名有如车下坡，惊险谁参破?”开头就突兀破空，“直疑高山坠石，不知其来，令人惊绝”(清沈德潜《说诗晬语》)。车下陡坡，疾驰如飞，马易受惊，疯狂难制，极易人仰马翻，粉身碎骨，即使偶然幸存，亦将重伤致残。把官场“竞功名”比作“下坡车”，既通俗又生动，但是只有知机者才能觉悟，多数人只是殚精竭虑地追逐功名利禄，故对其间的惊险自然不可能参破。古往今来，除范蠡、张良、李泌等屈指可数的极少数人能“功成身退”外，像元曲中常提到的钽麑、豫让、伍子胥、文种、屈原、韩信等忠臣，都未能参破“飞鸟尽，良弓藏；狡兔死，走狗烹”的道理，最终落得惨死的悲剧下场。作者在另一首〔清江引〕中比喻攀功名是“高杆上人弄险”，与“下坡车”堪称有异曲同工之妙。比元曲中常把官场比为“连云栈”“醢鸡甕”“鬼门关”“虎窟龙潭”更为本色生动。

“昨日玉堂臣，今日遭残祸”则是承“惊险”而揭示的具体内涵。这绝非危言耸听，而是事实。仅武宗、仁宗两朝，因皇位之争而殃及无辜的大臣，如拥立安西王的明里铁木儿、阿忽台、八都马辛、怯烈被武宗处死；仁宗即位前后排除异己，杀死丞相脱虎脱、三宝奴、平章政事乐实、左丞保八、参政王罴等一大批。贯云石上《万言书》中“释边戍以修文德”是批评仁宗对八百媳妇国和吐蕃用兵之事；“教太子以正国本”是针对英宗的不良行径；“立谏官以辅圣德”是针对只有御史纠察百僚而无谏官批评皇帝，故仁宗览后“未报”。七年后英宗即位，铁木迭儿复相，一上台就处死丞相萧拜住、中丞杨朵儿、上都留守贺伯颜，贯云石的老师平章政事李孟也被夺爵降职。幸亏他及时辞官，隐居西湖才能在湖光山色的“安乐窝”中安度晚年，否则“残祸”肯定难免。

第二首写安乐窝中清闲自在、无忧无虑的隐逸乐趣，与前一首在朝做官的惊险、残祸形成鲜明的对比。

首句用顶真修辞手法承接前一首末句，以领起下文的“安乐”，过渡自然而巧妙。“就里乾坤大”，夸耀自己这个安乐窝不同寻常，这里面的天地广大。贯云石定居杭州正阳门海鲜巷，又在凤凰山栖云庵和龙华山龙华寺置办了两处别业，西湖周围的湖光山色可随意遨游。定居西湖后，先后与张可久、阿里西瑛、杨朝英、乔吉等曲家以及诗文作家邓文原等诗酒唱和，又与钱塘才媛曹妙清、杭州名优杨驹儿、杨买奴等过从甚密，谈戏论曲，“又尝诡姓名，易冠服，混迹于市民观灯群中，卖药于钱塘街市之上，人无有识之者”。这种丰富多彩的隐逸生活，物质精神领域，都可谓天地宽广。

“醒了醉还醒，卧了重还卧”，

用正对兼叠字对，突出了那种随心所欲、优哉乐哉的自由生活。睡醒了就诗酒唱和，或游览饮酒，酒醉或疲倦了就睡，睡醒了再继续游乐或著书创作，不论白天夜晚，睡卧不足就继续睡卧，总之没有时间、空间的限制，没有外物的牵挂干扰，没有任何心理负担，一切任我逍遥自在。故结句收束水到渠成："是这般得清闲的谁似我。"

此二曲皆直抒胸臆，有感而发，比喻、对比、对仗各臻其妙，通俗中深藏哲理，凝练中却包罗万象，堪称"豪华落尽见真淳"之作。

（熊 笃）

## 【双调·清江引】

贯云石

### 咏梅（四首其一）

南枝夜来先破蕊，泄露春消息。偏宜雪月交，不惹蜂蝶戏。有时节暗香来梦里。

**鉴 赏**

贯云石《咏梅》组曲共有四首小令，这是第一首。好的诗词意境总是在实境之外还有虚境。这首小令的实境是赞美梅花傲冰雪而早放报春，送暗香而不张扬的高标逸韵；虚境则是暗示诗人自己虽少年得志，而不随波逐流、不媚流俗、洁身自好的高尚品格。作者出身贵族功臣之家，弱冠即官居翰林侍读学士，却能急流勇退，辞官隐居，漫游江南山水，诗酒自娱，与梅花报春而不争春品格相似，故借咏梅以明心志。

开头两句写梅花破蕊报春，向人间传达喜讯，但并非所有的梅花都已绽放，仅仅是朝阳的南面枝条破蕊占先。唐李峤《红梅》："大庾天寒少，南枝独早芳。"可见"南枝"是严寒中最早的报春花，其斗霜傲雪的勃勃生机不言自明。"夜来""泄露"，则写出了梅花报春隐秘而不张扬，是化用唐杜甫《腊日》"泄露春光有柳条"句而来，只是梅花是比柳条更早的报春使者，拟人手法生动传神。

“偏宜雪月交,不惹蜂蝶戏”,写梅花的高标逸韵。“偏”字凸显梅花迥异百花独立不群的个性:不似百花在艳阳春光、惹人注目的白天竞放,而是偏要在冰雪严寒的夜月中绽放,不会招蜂惹蝶嬉戏。“雪月”喻洁白无瑕;“蜂蝶”喻招摇媚俗。两句反对,写出梅花的神韵。

末尾一句写梅花的幽香入梦,有时伴随着明月清风,把它的暗香散发给梦中的人们。梅花虽与“雪月”同是纯洁无瑕,但雪月却不具备梅花的暗香,故宋王安石《雪梅》云“遥知不是雪,为有暗香来”,卢梅坡《雪梅》也说“雪却输梅一段香”。而本曲此句不仅突出梅花这一特性,更是化用宋林逋《山园小梅》中“暗香浮动月黄昏”那迷离隐约的意境,且与首句“夜来”遥相呼应。

这首小令句句写梅,亦句句都有作者自身人格的投影。咏物诗词讲究“物物而不物于物”,即既要描写物之形神,但又不被物所局限,所谓“不即不离,不粘不脱”,物与我之距离,妙在似与不似之间。此曲就恰到好处地把握了这种距离,又善于熔铸点化典故,如盐溶水,饮水乃知咸味。这就是此曲的艺术特色所在。

(熊　笃)

## 【双调·清江引】

贯云石

### 咏梅(四首其三)

芳心对人娇欲说,不忍轻轻折。溪桥淡淡烟,茅舍澄澄月。包藏几多春意也。

鉴赏

此乃酸斋《咏梅》小令四首中的第三首。小令描写诗人漫步郊野溪桥,观赏梅花在淡烟明月中婆娑娇美的幽姿和纯情无限的风韵,抒发了作者对野梅的倾心赞赏和爱怜之情。

首句用拟人手法把梅花比作冰清玉洁的美人,她那美好的灵魂似乎在含情脉脉、柔声细语地对人欲说还休,原想轻轻折下一枝观赏,也终于于心不忍了。诗人那一片爱梅惜梅之心,简直呼之欲出。诚如作者在另一首《咏梅》中喟叹“冰姿迥然天赋奇”“休教玉楼三弄笛”,连吹《梅花三弄》的笛声都会担心触动“梅花落”,更不用说忍心下手折枝了。

三四两句对仗精美工稳,是正对兼叠字对,十分传神:用“溪桥”而不用“溪水”,点化林逋“疏影横斜水清浅”句意,多了“小桥”这一意象而使画面更臻丰富,而“溪桥”之下必有溪水,用笔更兼含蓄精炼。空中淡烟暮霭飘浮,宛如给梅花美人披上一层轻盈的面纱,平添了几分神秘朦胧之美。“茅舍”则点明郊外野梅的隐居环境,暗示其远离红尘、孤芳幽独的高洁品性,那澄澄的月华,更衬托出梅花美人的绰约英姿,增强了她那冰清玉洁之秀。

结尾“包藏几多春意也”,是化用宋李清照《孤雁儿》“梅心惊破,多少春情意”句,但冠以“包藏”一词,更加突出梅花所潜在的青春活力之无限。正因为诗人热爱春光,渴望春光永驻不衰,而梅花寒冬早开,故包含潜藏着无限春意,所以诗人才克制一己的喜悦冲动,“不忍轻轻折”,意脉首尾呼应。

此曲写诗人月下观赏野梅的瞬间感受,善于通过拟人咏物,不仅传神刻画出野梅的风姿神态,而且细腻地描写出诗人瞬间变化的微妙心态。物我浑然一体,情景交融一片。景语清新素雅,情语风趣缠绵,构思和用典皆新颖别致,不落前人窠臼而贵创新。这首小令仿佛是作者与梅花美人情意缠绵的一幅无声画,意蕴无穷。

(熊　笃)

## 【双调·清江引】

贯云石

### 惜　　别

玉人泣别声渐杳,无语伤怀抱。寂寞武陵源,细雨连芳草,都被他带将春去了。

## 鉴赏

这是贯云石众多《惜别》小令之一，抒写了送别远行人之后，独守闺中的女子寂寞感伤的情怀。

小令前两句具体描摹离别时的场景。容貌秀丽的女子为恋人的离去而默默哭泣着，那抽泣的声音越来越小，以至最终无语而默默伤怀。她虽然沉默着，但眼望着渐渐远去的恋人，内心无比伤感。一个“伤”字可谓曲眼，内心无法割舍，却又无可奈何。这一去不知何年何月才能回来，心中似有千言万语，却一句话也说不出。此时无声胜有声，“无语”一词更衬托出了内心伤感之重。

后三句写作者对恋人的思念。“寂寞”一词将别后感受一语道破。原本如桃花源般的美好家园，连绵的细雨滋润着碧绿的芳草，现在因为恋人的离去而感觉春天也随他而去了。恋人就是抒情主人公心中的春天，没有了恋人的日子，已百无聊赖，虽值大好春天，却心如止水。

本曲在艺术上最大的特点是运用了奇特的想象和大胆的夸张。古有李白言愁句“白发三千丈，缘愁似个长”（《秋浦歌》）；南唐后主李煜慨叹“问君能有几多愁，恰似一江春水向东流”（《虞美人》）；宋代著名女词人李清照词“只恐双溪舴艋舟，载不动，许多愁”（《武陵春》）；元代王实甫的“遍人间烦恼填胸臆，量这些大小车儿如何载得起”（《西厢记》）；贯词中还有“绕清江买不得天样纸”……诸多言情诗词，借助于想象和夸张，给人以真切的感受。本曲中用人带春去，极言心情之凄凉，好似象征着生命活力的春天已经被带走了，夸张的描写中让人体会到诗人的情感，丰富的想象展现了诗人的才情。

另外，逼真的细节描写为本曲增辉添色。恋人的因“别”而“泣”，哭声渐远，自已的“无语”而伤，以白描手法写出了离别时的哀感。真是“黯然销魂者，唯别而已矣”（江淹《别赋》）。

（王金良）

# 【双调·清江引】

贯云石

## 惜别(四首其四)

若还与他相见时，道个真传示：不是不修书，不是无才思，绕清江买不得天样纸。

**鉴赏**

此曲是贯云石以《惜别》为题之〔清江引〕小令四首中的第四首，写男主人公托朋友带口信给女方，巧妙幽默地表达了自己对情人的一腔忠诚和无尽相思之情。文中的“清江”地名，一在湖北，即古夷水；一在江西，即流经新干、清江等地的那段赣江。贯云石之父贯只哥于延祐二年(1315)自湖广调任江西行省平章政事，而酸斋在辞官之后的南游中，也确曾到过湖北、江西等地，因此这个男主人公或许就是作者自己，也未可知。

开头两句是男主人公对捎信的朋友说，如果你回到故地还能找到她，那就向她好好说说我的真实情况吧。这两句已经隐约透露出男女双方离别之久、距离之远和相见之难。“若还”二字意味深长，表明有一线希望和可能，但也没有把握。也许有家庭阻力，也许有人事变故，也许有住址变迁等等，总之是未定数。

接下来照理说应当向女方倾诉自己对她如何刻骨相思，或因某种原因而无法抽身与她团聚了吧，不料作者却故弄狡狯之笔，连用了两个否定句，盘马弯弓，引而不发：不是我不愿写情书，也不是我不善于写情书。前一句隐含着“我并没有忘记你”，后一句则表明“我很富有写情书的才气和情思”。因为连用两个“不是”，语势上形成了两次顿挫吞吐，就为后面的谜底揭晓做了充分的蓄势，造成有力的反跌，增强了悬念。直到结句才说破底细：是因为我绕着清江跑遍了很多地方，也买不到一张像天那样大的信纸啊！话说得含蓄而幽默，言外之意是说：因为我对你的相思眷恋之情，有如天长海阔，岂是小小的一般信纸所能容纳得了、倾诉得尽的呢！

所以须得天大的纸才能写尽我对你的这份相思之情啊！

此曲成功运用了奇特的想象和高度的夸张。《吕氏春秋·明理》有“尽荆越之竹犹不能书”，《汉书·公孙贺传》有“南山之竹不足受我辞”之说，虽有夸张犹不足惊人。而酸斋自出机杼，用于男女情书上，“绕清江买不得天样纸”，给人耳目一新之感。《文心雕龙·夸饰》说，夸张可以“发蕴而飞滞，披瞽而骇聋”，但必须有几分真实合理，“夸过其理，则名实两乖”。恋人的情话的确是说不完的，这就夸张得有几分真实，而天空光洁、平展，看去也恰如一张大纸，这便有几分合理。构思别致巧妙而又含蓄幽默。写男女相思，常见的或托物比兴，或借景抒情，但这首小令都不是，而只让朋友说明自己没有写信的原因，只字未写相思而相思自见，寓浓情于淡墨之中，于悬念中含幽默之趣，胜过万言情书。

（熊　笃）

## 【双调·清江引】

贯云石

### 立　　春

金钗影摇春燕斜，木杪生春叶。水塘春始波，火候春初热。土牛儿载将春到也。

**鉴 赏**

这首小令标题是“立春”，用“藏头”兼“嵌字格”，每句首字连起来是“金木水火土”五字为藏头，每句又各嵌进一个“春”字，描写立春节气，春到人间，万物欣荣、生机盎然的景象和热闹古朴的民间风俗。

“金钗影摇春燕斜”，首句以点带面只写妇女头饰，则春服盛况可管窥一斑。“金钗”“春燕”都是古代妇女立春日头上所戴的彩饰。南朝梁宗懔《荆楚岁时记》载：“立春日悉剪彩为燕以戴之……王沂公《春帖子》云：

‘彩燕迎春入鬓飞,轻寒未放金缕衣。’又欧阳永叔云:‘不惊树里禽初变,共喜钗头燕已来。’……皆春日帖子句也。”宋庞元英《文昌杂录》卷三载:民间每到立春日,“莫不缕金刻缯,加饰珠翠,或以金银,穷极工巧,交相遗问焉”。燕形黄金钗叫“燕钗”。也有用金银纸箔或绢帛剪成燕、蝶等状统名之谓“幡胜”,可互相赠送。燕属玄鸟,春分而来,秋分而去,是迎春的象征。用“影摇”“斜”形容钗、燕,化静为动,彩燕欲飞,活现出妇女头饰在艳阳下光彩照人的摇曳生姿或临水倒映出随波摇动的倩影。“木杪生春叶”,写草木的欣欣向荣,树梢上长出了嫩绿欲滴的叶子。“春到人间草木知”(宋张拭《立春偶成》),绿色乃是青春活力的象征。见树生绿叶,则不难想象原野也是绿草如茵、百花含苞待放的阳春艳景了。

“水塘春始波,火候春初热。”春风吹绿了一池清水,仕女游客可欣赏池塘中鸳鸯戏水,乳燕斜飞,游人也可在烟波中荡起龙舟画舫。立春,标志着阳气回升,气候渐暖。一个“热”字,不仅指气温变热,也包含立春的热闹欢乐。

结句“土牛儿载将春到也”,既是对前面“春燕”“春叶”“春波”“春热”的总结,也是古代土牛鞭春的风俗。立春前一日的迎春仪式:由人扮“勾芒神”,鞭土牛,由地方官行香主礼,叫做“打春”,以劝农耕,象征春耕的开始。宋孟元老《东京梦华录》载:“立春前一日,开封府进春牛入禁中鞭春。开封、祥符两县,置春牛至府前,至日绝早,府僚打春,如方州仪。”结句回应首句,以写风俗作结,歌颂人们除旧迎新的风土人情。

明人蒋一葵《尧山堂外纪》云:“贯酸斋尝赴所亲宴,时正立春,座客以〔清江引〕请赋,且限‘金、木、水、火、土’五字冠于每句之首,句中各用‘春’。酸斋即题云……满座绝倒。”藏头兼嵌字,已够难了,再加上格律甚难,如首句末二字需用去上声或去平声,三四句须对仗,结句末二字须用去上声。如此严格限制,常人只能望洋兴叹,纵能勉强成篇,也难免成为呆板的文字游戏。而酸斋居然写得文意充实,意境生动,章法有致,语言活泼自然。其深厚的艺术功力,直令人叹为观止,佩服不已。

(熊　笃)

# 【双调·寿阳曲】

贯云石

鱼吹浪，雁落沙，倚吴山翠屏高挂。看江潮鼓声千万家，卷朱帘玉人如画。

## 鉴赏

这首小令是描写钱塘胜景的。贯云石辞去官职回到江南后，曾在杭州住过一段时间。据明李开先《词谑》记载，贯云石在杭州居住时，"往来卖药钱塘市，诡姓名，易服色，人无识者"。而这首小令，便是他在杭州居住时所作。

钱塘江流经杭州的东南，是杭州的胜景之一。要用短短的一支小令来描绘钱塘江的胜景，这是相当困难的，而作者摄取了钱塘江大潮这一富有特征的壮观景象来描写。开首三句是写江潮未来时的情景，江面开阔，风平浪静，"鱼吹浪，雁落沙"。鱼儿在江中嬉戏，大雁在沙滩上栖息。作者根据鱼、雁的特征，精心选择了一个"吹"字和一个"落"字，形象而生动地写出了鱼和雁的不同动态。"倚吴山"句，则是写靠着吴山所搭起的一座座翠绿色的用以观潮的"看幕"。据南宋周密《武林旧事》记载，每年观潮时，沿着江岸，搭有许多观潮用的"看幕"。这些临江靠山的"看幕"相连成片，就像一块巨大的画屏，青翠葱绿，与钱塘江水相映成趣。"倚"，靠的意思，作者采用了拟人化的手法，把静物也写得富有生气。接下去两句是写江潮涌来时的情景。"看江潮鼓声千万家"，钱塘江之潮十分壮观，著称于世。前人常以"鼓声"来形容江潮之声势，如《钱塘候潮图》云："常潮远观数百里，若素练横江；稍近，见潮头高数丈，卷云拥雪，混混沌沌，声如雷鼓。"宋代词人潘阆写钱塘江观潮的〔酒泉子〕词也有这样的描写："来疑沧海尽是空，万面鼓声中。"谓排山倒海的江潮一齐涌来时，犹如千万面战鼓齐鸣，震天动地。因此，观潮成为杭州居民的一大盛事。每当江潮起时，城内居民倾城而出，出现了千万家争睹江潮的场面。南宋吴自牧《梦粱录》载："每岁八月内，潮怒胜于常时，都人自十一日起，便有观者，至十六、十八日，倾城而出，车马纷纷，十八日最为繁盛。”“江潮鼓声千万家”，正形象地描绘了这一观潮盛况。“卷朱帘玉人如画”，动地而来的江潮也吸引了生活在深闺中的女子，她们也卷起朱帘，向江上眺望。“朱帘”，装饰华丽的门(窗)帘；“玉人”，对女子的美称。从表面看来，作者的笔触似由写景转到写人，但其实仍未离开景，即借美女的卷帘眺望来突出钱塘江潮之胜。

这首小令的笔调比较轻松。如一开始，作者就通过对鱼儿嬉水、大雁栖息的描绘，展示了一幅惬意安逸的画面。即使在描写江潮排山倒海汹涌而来的景象时，作者也仍是出以轻快的笔调，如最后“卷朱帘玉人如画”句，作者没有去描写观潮时人山人海的热闹场面，而是闹中取静，选择了深闺女子卷帘眺望这一比较娴雅的情景来描写。“玉人”纤手慢卷朱帘的动作，同江潮涌来时如万马奔腾、战鼓齐鸣的热闹情景，形成了极强烈的对比，故以此句作结，闹中寓静，仍给人以一种轻松恬静的美感。

(俞为民)

## 【双调·寿阳曲】

贯云石

新秋至，人乍别，顺长江水流残月。悠悠画船东去也，这思量起头儿一夜。

### 鉴赏

这首小令是作者初秋时节在长江岸边送别友人乘船东去时所作，表达了诗人目送友人时依依惜别、无限惆怅的思念之情。

“新秋至，人乍别”，六个字既交代了季节是初秋，事件是恰好要离别，也兴起悲秋的感伤，为全曲定下了惆怅悲情的基调。宋玉《九辩》：“悲哉秋之为气也！萧瑟兮草木摇落而变衰，憭慄兮若在远行，登山临水兮送将归。”从此形成了文人的“悲秋传统”。因秋季是万物萧条肃杀的季节,也是生命迟暮衰老、行将死亡的象征。古代因交通、通讯条件极其落后,因而离别就成为人生最悲伤的事件。君不闻《楚辞》名言“悲莫悲兮生别离,乐莫乐兮新相知”吗?江淹《别赋》也说:“黯然销魂者,唯别而已矣。”而离别又兼悲秋,则如柳永《雨霖铃》词所言:“多情自古伤离别,更那堪、冷落清秋节。”酸斋此曲正是如此。

“顺长江水流残月”,不但点明了送别的地点和时间,而且写景中蕴含着丰富的情感。“顺”字暗示友人是乘船顺流而下,则送别必在长江中段的岸边,也许是在岳阳,或者是在采石……这些都是酸斋辞官南游时到过的地方。友人随着浩浩江水离去,作者伫立目送,直到“孤帆远影碧空尽”,江水不仅带走了友人,也流走了水中的一弯残月。圆月是团圆的象征,残月则是离别的意象。而今水中的残月陪着行者东去,也寄托了作者一缕思念陪着友人东去。犹如峨眉山月陪伴李白“影入平羌江水流”一样,则“思君”之意隐含其中。

“悠悠画船东去也”,载着离人的画船渐渐东去,消失在天际,而作者凝神“目送”,孑然独立,倍感孤独凄凉,万种思绪萦绕胸中,“剪不断,理还乱”,情何以堪!

结句一笔宕开,虚处传神:“这思量起头儿一夜”,这离愁别绪、刻骨铭心的思念还只是开头的第一夜啊!言外之意,往后夜夜经受这无尽思念的折磨,将何时是了?从此天各一方何时才能重逢相聚?由眼前的离恨遥想未来的黯然销魂,将是“此恨绵绵无绝期”了。这个结尾不仅非常含蓄,言已尽而意无穷,而且将全曲的感情推向高潮,又戛然而止,堪称“情结以动荡见奇”的“豹尾”。

此曲言简意赅,叙事中寓情于景,用新秋、乍别、长江、残月、悠悠画船、起头一夜等意象,尽力渲染离情别绪,蕴含着极大的容量。尤其巧妙的是结尾,极“富于包孕性的片刻”,使离愁得到无限延长,从而避免了“动作”的终点。

(熊　笃)

# 【双调·水仙子】

贯云石

## 田家(四首其三)

田翁无梦到长安，婢织奴耕尽我闲。蚕收稻熟今秋办，可无饥不受寒。乐丰年畅饮开颜，唤稚子笃新酿，靠篷窗对客弹。直吃的老瓦盆干。

**鉴赏**

贯云石《田家》一组小令共四首,每首都以“直吃的老瓦盆干”结尾,这是其中的第三首,歌颂田家丰衣足食、无忧无虑、知足常乐的田园生活,寄托了自己厌倦官场、隐居乡村的隐逸乐趣。

开头两句是“田翁无梦到长安,婢织奴耕尽我闲”。长安,代指京城,也包括科举官场等。说田家没有这些梦想,他们只满足于有奴婢耕田纺织、自给自足的田园悠闲生活。这里的“田家”显然不是普通的农民,有“奴耕婢织”,只能是地主或奴隶主。蒙元南下灭宋时大量掳掠人口,“男曰奴,女曰婢,总曰驱口”(元陶宗仪《南村辍耕录》卷十七)。贯云石祖父“荆湖行省阿里海牙以降民三千八百户没入家奴,自置吏治之,岁责其租赋”(《元史》一六三《张雄飞传》)。“平章政事车世安家童不啻万指”(元吴澄《车公墓志铭》);宁晋县令李让“蓄家奴数百指”(元王恽《李公墓志铭》)。曲中的“田家”不是官僚贵族,奴婢自然没这么多,但也是中小地主或奴隶主。

三四句承第二句,写“奴耕婢织”的结果,蚕丝丰收,稻谷丰产,丰衣足食,无饥寒之忧。“乐丰年”三句,具体描写“尽我闲”:分别铺叙庆祝丰年的畅饮开怀,呼唤小儿子过滤新酿的酒待客,靠篷窗对宾客弹琴高歌。三句将田家庆祝丰年的其乐融融写得淋漓尽致,乡村的纯朴敦厚、热情好客的民情风俗亦生动呈现,历历在目。

结尾一句“直吃的老瓦盆干”,收煞有力,如截奔马。“民以食为天”,大碗喝酒,大块吃肉,竟然把瓦钵瓦盆的酒菜全都吃得干干净净,真率得放浪形骸,可谓豪放酣畅、淋漓痛快之极!

此曲结构紧密有致,开头二句总领,写田家的生活理想,含蓄精练;中间五句具体铺叙丰收丰产的保障和庆祝丰年的活动,写得饱满浩荡,热情洋溢;结尾一句画龙点睛,将欢快的豪情推向高潮,干净利落,戛然收煞,体现出"凤头、猪肚、豹尾"的结构特点。语言风格则是朴素真率兼豪放痛快。

(熊　笃)

## 【双调·殿前欢】

贯云石

(四首其一)

畅幽哉,春风无处不楼台。一时怀抱俱无奈,总对天开。就渊明归去来,怕鹤怨山禽怪。问甚功名在?酸斋是我,我是酸斋。

### 鉴赏

贯云石书写隐逸情怀并咏叹其复杂感慨的〔殿前欢〕小令共四首,这是其中的第一首。贯云石因见仕途险恶,便称疾辞仕,正如《元史》本传中记载,"称疾辞还江南,卖药于钱塘市中,诡姓名,易服色,人无有识之者"。他移居江南,改姓换名,以卖药为生,过着诗酒自娱的隐逸生活。这首〔殿前欢〕就将这种隐逸的闲适自得表现得淋漓尽致。

开篇"畅幽哉,春风无处不楼台"二句,鲜明地展现了诗人舒畅痛快、无忧无虑的心情。这不仅仅因为春暖花开,春光无限,一片春意给人带来积极向上的希望和快乐,更是弃官后远离尔虞我诈的官场,没有负担,没有压力,逍遥自在的解脱之感。"一时怀抱俱无奈",面对这满眼的春意,想到这正是一年中最好的时节,而自己没有为国家子民效力,反而有闲欣赏这美景。不是自己不愿为国为民效力,而是因为一时的抱负不得施展，自己的言论不被采纳，是无奈之下以“患疾”为由辞官，是无可奈何之举。道不同不相为谋，自己的满怀无奈，“总对天开”，是苍天可以明鉴的。

“就渊明归去来”，“就”，是跟从之意。“归去来”，指陶渊明的《归去来兮辞》。贯云石仰慕屈原、李白、陶渊明，“月明采石怀李白，日落长沙吊屈原”（元钱惟善《酸斋学士挽诗》），他也要像陶渊明那样归于田园山林。“怕鹤怨山禽怪”，是说归隐犹迟，白鹤及山中飞禽要怪怨自己，言外之意是早该痛下决心，管他什么功名前程，唯闲是乐吧。末尾二句“酸斋是我，我是酸斋”，是退出官场后找到自我的无比畅快和兴奋，又仿佛是隐者的立世宣言，它掷地有声，铿锵有力，意蕴无穷，让人仿佛看到一个拍着胸脯，直言不讳的倔强才俊。

这首小令似信笔写来，直言无隐，坦率真诚，全无扭捏之态，也从另一个角度反映出元代知识分子的无奈。

（刘　博）

## 【双调·殿前欢】

贯云石

（四首其二）

楚怀王，忠臣跳入汨罗江。离骚读罢空惆怅，日月同光。伤心来笑一场，笑你个三闾强，为甚不身心放？沧浪污你，你污沧浪？

### 鉴赏

此曲是贯云石〔殿前欢〕小令四首中的第二首，是作者借凭吊三闾大夫屈原而表达自己人生态度的宣言书。

此曲开首便谴责楚怀王，因为昏庸不识忠良，逼得三闾大夫屈原自沉汨罗。一个“跳”字将屈原那种义无反顾、悲痛万分、一跃投江的悲壮气势表现出来,同时也将作者的悲愤之情展露无遗。“离骚读罢空惆怅,日月同光”,“日月同光”是司马迁对《离骚》的评价,说它“与日月争光可也”。此处不仅指出《离骚》有着可与日月同光的价值,三闾大夫屈原的精神和品格也是可与日月同辉,光照千古的。因此,读罢可与“日月同光”的《离骚》,作者陷入沉思,如此忠臣却被奸佞陷害,不被国君重用。反思自身,上书的奏表不被君王采纳,提出的意见反被认为是没有见地的滑稽之谈。可见,古往今来,凡是有作为的进取者,皆是屡遭磨难,命途多舛的。

“伤心来笑一场”,想到先贤和自己的命运,真是伤心之至。贯云石本出生显贵,祖父官居高位,年方二十便承袭父爵,出任两淮万户达鲁花赤,其后又官至翰林学士,因仕途险恶,只能做出借病弃官的无奈之举。“伤心”和“笑”,看似荒诞,实为一种复杂情绪,是一种伤心悲愤到极致的苦笑。笑什么?“笑你个三闾强”,三闾大夫,是屈原的官职,此处借官职代指屈原。笑屈原心性太强,为什么不放达超脱一点呢?此意与“不达时皆笑屈原非,但知音尽说陶潜是”(范康〔寄生草〕《饮》)中的用意大略一致。表面上是笑屈原的不通达时务,实际上是愤极之语。

结语故意混淆清浊是非:究竟是沧浪之水玷污了你呢?还是你的自沉玷污了沧浪之水呢?其言下之意是说,举世浑浑浩浩,清浊莫辨,你屈原这样怀抱高洁而弃世,又有谁能理解呢?你何不放达超脱一些呢?可酸斋那遁世隐逸之举,不也是出于无奈痛苦矛盾的选择吗?无疑,作者在抒发放达超脱的背后,潜含着对黑暗社会现实的不满与愤慨。

这首小令中时出反语,间或流露出辛酸与愤懑,耐人寻味。

(刘　博)

# 【双调·殿前欢】

贯云石

(四首其四)

怕西风,晚来吹上广寒宫,玉台不放香奁梦。正要情浓,此时心造物同。听甚霓裳弄,酒后黄鹤送。

山翁醉我，我醉山翁。

## 鉴赏

此曲是贯云石〔殿前欢〕小令四首中的第四首，表面上歌咏归隐的快乐闲适，但内中或别有隐情。此曲诸家选本未见选入，可能与词旨隐晦、背景难明有关。笔者仔细阅读、反复寻绎曲意，姑且试作臆解。一孔之见，或不足为训；见仁见智，以俟方家。

此篇当是酸斋归隐杭州后追怀往日宫中一桩特殊的婚外恋情而作，表现作者渴望与她重逢欢会的刻骨相思，但残酷的现实却又让他万般不能与之相会，这样一种欲望与礼法、情感与理智、自然人性与社会人性、本我与超我的尖锐矛盾，最终以庄子的"物化"思想自我调侃、排解收结。

开头三句中，西风即秋风；广寒宫即月宫；玉台是天帝居所，此代指皇宫；香奁是妇女梳妆的镜匣，香奁梦则代指与女性欢会的温柔梦。三句突出一个"怕"字：一怕，秋月最圆最明亮，故而引发了月圆人不能团圆的相思熬煎之苦；二怕，秋风、广寒宫，使人顿生阴冷、不寒而栗之感，所谓"高处不胜寒"；三怕，秋风"常以肃杀而为心"（宋欧阳修《秋声赋》），后宫则是警卫森严的禁地（古人惯以日喻君、月喻皇后），与秋气都有"杀机四伏"之忧；四怕，月宫嫦娥，《山海经》说嫦娥是帝俊之妻，《大戴礼记·帝系篇》说她是帝喾之女，《淮南子》说她是后羿之妻，与这种后宫地位的女人约会都很危殆；五怕，玉台既是天帝所居，岂能放过他人在此做温柔美梦？以上三句侧重从礼法、理智、超我等方面写作者的顾虑惧怕。

中间四句，则从人的欲望、情感、自然人性和本我等层面写作者的浪漫向往与渴求：作者幻想夜间被西风吹到月宫后，与昔日两情相悦、而今久违的心上人儿正要欢度良宵之时，忽闻响起《霓裳羽衣曲》的音乐。但人性此时的心理状态，原是与造物主相同的，既然如此，还听观什么《霓裳羽衣舞》的表演，等什么酒后派黄鹤仙鸟载送回去呢？须知"相见时难别亦难"，不可虚度一刻千金的良夜啊！《霓裳羽衣》是化用罗公远向空掷桂枝化作桥，引玄宗到月宫偷听仙乐的典故（见宋乐史《杨太真外传》），借以衬托仙境，暗示欣赏仙乐也不及与情人欢会重要；"黄鹤送"则是反用任昉《述异记》中荀瓌在黄鹤楼与驾鹤神仙相会对饮，而后仙人又驾鹤腾空而去，渺然湮灭的典故，但此处意在不要仙鹤再送而归于湮灭。

末尾二句"山翁醉我,我醉山翁",写作者从梦幻中回到现实的自问:到底是现实隐居的这个贯云石灌醉了那个浪漫幻想中的贯云石呢,还是富于浪漫幻想的贯云石灌醉了现实隐居的贯云石呢?犹如《庄子·齐物论》庄周梦中化为蝴蝶,醒后自问:不知是庄周做梦化为蝴蝶呢,还是蝴蝶做梦化为庄周呢?用"物化"观点说明物我界限消解,万物融化为一的平等观。不论是现实隐居的还是浪漫幻想中的贯云石,都是合理平等的存在,没有是非高低的分别。调侃中蕴含着耐人深思的理趣,这是对"存天理,灭人欲"礼教的大胆叛逆。

史载贯云石"神采迥异","膂力绝人","善骑射,工马槊……运稍风生,观者辟易"。姚燧"见其古文峭厉有法,歌行古乐府慷慨激烈,大奇其才"。欧阳玄赞其"武有勘定之策,文有经济之才"(《贯公神道碑》)。如此相貌堂堂、武艺超群、才华横溢而又出身贵族、年轻潇洒的翰林学士,又是太子英宗的说书老师,自然有接触后宫的机会。后宫嫔妃或公主对他暗送秋波、目成心许也是可能的。我甚至怀疑酸斋正在青云得志时突然辞官远遁,隐居杭州还要"诡姓名,易冠服,混于居人",可能与这桩宫闱艳事已经泄露有关。

此曲用醉后梦幻手法将以往难以明说的隐私与现实的渴望相思和惧祸心理隐约地表现于瞬间,极富于"包孕性",给读者留下无限想象空间,颇像李商隐无题诗一般扑朔迷离。这恰是本篇最突出的艺术特色。

(熊　笃)

# 【仙吕·村里迓鼓】

贯云石

## 隐　逸

【村里迓鼓】我向这水边林下,盖一座竹篱茅舍。闲时节观山玩水,闷来和渔樵闲话。我将这绿柳栽,黄菊种,山林如画。闷来时看翠山,观绿水,指落花。

呀，锁住我这心猿意马。

【元和令】将柴门掩落霞，明月向杖头挂。我则见青山影里钓鱼槎。慢腾腾间潇洒。闷来独自对天涯，烫村醪饮兴加。

【上马娇】鱼旋拿，柴旋打，无事掩荆笆。醉时节卧在葫芦架。咱，睡起时节旋去烹茶。

【游四门】药炉经卷作生涯，学种邵平瓜。渊明赏菊在东篱下，终日饮流霞。咱，向炉内炼丹砂。

【胜葫芦】我则待散诞逍遥闲笑耍，左右种桑麻。闲看园林噪晚鸦，心无牵挂。蹇驴闲跨，游玩野人家。

【后庭花】我将这嫩蔓菁带叶煎，细芋糕油内煠。白酒磁杯嗛，野花头上插。兴来时笑呷呷。村醪饮罢，绕柴扉水一洼。近山村看落花，是蓬莱天地家。

【青哥儿】呀，看一带云山，云山如画，端的是景物，景物堪夸。剩水残山向那答？心无牵挂。树林之下，椰瓢高挂。冷清清无是无非诵南华，就里乾坤大。

## 鉴赏

贯云石于延祐初年不到三十岁就看破朝廷黑幕，遵循儒家"天下无道则隐"的古训而急流勇退，辞官南游，后隐居杭州。这首套曲当是隐居杭州后所作，表现了作者陶醉山水林泉、追求逍遥自由的农桑渔樵田园生活和心无牵挂、恬淡自适的隐逸情趣。

首曲〔村里迓鼓〕是全篇的引子，总叙自己隐居于"水边林下"自盖的"竹篱茅舍"，自种绿柳黄菊，终日"观山玩水""和渔樵闲话"，以此来锁住自己的红尘欲望。"心猿意马"是佛教用语，《维摩诘经菩萨品变文》："卓定深沉莫测量，心猿意马罢癫狂，情同枯木除虚妄，此个名为真道场。"用猿腾马奔比喻凡心的无定多变，后用以比喻心神不宁。

〔元和令〕写自己与落霞、明月、青山为伴的宁静幽独的乐趣：黄昏则“柴门掩落霞”,初夜则“明月杖头挂”,白天则观赏“青山影里钓鱼槎”,闷了就独自饮酒助兴。宁静幽独,恰与官场的喧嚣污浊形成鲜明的对比。

〔上马娇〕写食用就地取材的方便和起居随心所欲的自由:想吃鱼就旋去捉拿,要烧柴就旋去打,这些都是唾手可得的。没事就关了柴门饮酒,醉了就睡卧在葫芦架下,放浪形骸,醒了就旋去烹茶品茗。物质生活何等丰足便利,精神生活又何等自由自在,无拘无束!

〔游四门〕写读经、种瓜、赏菊、炼丹的生活情趣:药炉,从末句“向炉内炼丹砂”可知是指炼药石的丹炉;经卷,从尾曲“诵南华”可知,当指道家经卷,道法自然,讲修身养性,正与酸斋隐逸情趣相符。邵平瓜,邵平是秦朝广陵人,封东陵侯。秦亡后家贫,种瓜于长安城东,汉初曾劝相国萧何让封勿受,后代指遗民隐士。“饮流霞”典出王充《论衡·道虚》,相曼好道学仙,后随仙人上天,饿了饮一杯流霞,则数月不饥,复回人间,人称斥仙。作者要学邵平种瓜,学陶渊明赏菊,学神仙饮流霞,学道家读经炼丹。

〔胜葫芦〕写隐居生活的散诞逍遥:作者在茅舍左边种桑,右边种麻。想静,就观赏园林晚鸦;想动,就骑着蹇驴到村野人家去闲逛。

〔后庭花〕写田园饮食的丰富和蓬莱仙境般的快活:把鲜嫩的嫩蔓菁连根块带叶子切了煎炒,把质地细腻的芋头做成糕在油锅里煠(zhá,同炸)。白酒倒满磁杯,就着糕、菜浅斟慢饮;乘着酒兴,头上插戴着野花,笑嘻嘻地再饮村醪;酒醉饭饱后绕着柴门水边溜达一圈,在山村附近观赏落花。这光景真像是东海蓬莱岛上的神仙人家一般快活。

尾曲〔青哥儿〕总结赞颂山中风景如画,心灵了无牵挂,无是无非,诵读《南华经》(即《庄子》),体悟出世外桃源的“就里乾坤大”。传说东汉神仙壶公卖药后,就跳进壶中,里面有天地日月(见《后汉书·费长房传》和葛洪《神仙传》)。后世遂以“壶中日月”喻神仙生活,如唐李白《下途归石门旧居》:“何当脱屣谢时去,壶中别有日月天。”尾曲中写“云山如画”“景物堪夸”与首曲中“山林如画”“看翠山,观绿水”等句正好首尾呼应。

一般写隐居生活,难免有枯寂消沉,甚至“不食人间烟火”之感,但这套曲却写得极富于山村田园的生活乐趣。那浓郁的乡村泥土气息扑面而来,把读者带进那青山绿水环抱的竹篱茅舍之中。有绿柳黄菊、流霞明月、桑麻野花供你观赏;有白酒村醪、邵平甜瓜、鲜鱼蔓菁、油炸芋糕等绿色食品供你享用;有渔樵陪你闲话解闷,有蹇驴供你闲跨游玩;有葫芦架供你醉卧,有山茶供你品茗;有《南华经》供你诵读,还有炼丹炉灶供你实践体验。让你真的感觉回归到返璞归真的世外桃源之中,神清气爽,宠辱皆忘。之所以有这样的感染力,得力于作者有真实的隐居经历和真实的田园生活感情体验,与那些终南捷径的假隐士生活判若霄壤,故能将发自肺腑的隐居乐道的激情诉诸笔端,感动读者。这是此曲艺术上最值得称道之处。作者又善于将白话口语和文言词汇巧妙自然地熔为一炉,形成既本色自然又活泼幽默的语言风格。如"将柴门掩落霞,明月向杖头挂""鱼旋拿,柴旋打""终日饮流霞""野花头上插"等句,都极为活泼传神;而又灵活嵌进了心猿意马、邵平瓜、渊明东篱赏菊、孟浩然跨蹇驴、就里乾坤大等文言典故,与白话浑化无迹,自然畅达。其融汇能力,非功力深厚者莫办。

(熊　笃)

## 【中吕·粉蝶儿北】

贯云石

### 西湖游赏

【粉蝶儿北】描不上小扇轻罗,你便是真蓬莱赛他不过,虽然是比不的百二山河。一壁厢嵌平堤,连绿野,端的有亭台百座。暗想东坡,逋仙诗有谁酬和?

【好事近南】谩说凤凰坡,怎比繁华江左!无穷千古,真个是胜迹极多。烟笼雾锁,绕六桥翠障如螺座。青霭霭山抹柔蓝,碧澄澄水泛金波。

【石榴花北】我则见采莲人和采莲歌,端的是胜景胜其他。则他那远峰倒影蘸清波,晴岚翠锁,怪石嵯峨。我则见沙鸥数点湖光破,咿咿哑哑橹声吹过。我则见这女娇羞倚定着雕栏坐,恰便是宝鉴对嫦娥。

【料峭东风南】缘何?乐事赏心多,诗朋酒侣吟哦。花浓酒艳，破除万事无过。嬉游玩赏，对清风明月安然坐。任春夏秋月冬天，适兴四时皆可。

【斗鹌鹑北】闹穰穰的急管繁弦，齐臻臻的兰舟画舸，娇滴滴粉黛相连，颤巍巍翠云翠云万朵。端的是洗古磨今锦绣窝，你不信试觑波：绿依依杨柳千株，红馥馥芙蕖万朵。

【扑灯蛾南】清风送蕙香，月穿岫云破。清湛湛水光浮岚碧，响珰珰晓钟敲破；乌噎噎猿啼在古岭，见对对鸳鸯戏清波。迢迢似渔舟钓艇，碧澄澄满船雨笠共烟蓑。

【上小楼北】密匝匝那一坨，疏剌剌这几窝。我这里对着晴岚，倚着青山，湛着清波。微雨初收，微烟初散，微风初过。却正是再休题淡妆浓抹。

【扑灯蛾南】叠叠层楼画阁，簇簇奇花异果。远远的绿莎茵，茸茸的芳草坡，圪蹬的马蹄踏破。隐隐似长桥跨波，细袅袅绿绿金波。迢迢似渔舟钓艇，碧澄澄满船雨笠共烟蓑。

【尾声】阴晴昼永皆行乐，古往今来题咏多，雪月风花事事可。

## 鉴赏

这篇套曲是贯云石辞官后定居杭州时所作，属于南北曲合套。从〔粉蝶儿〕开始，共九支曲调，调后面所标的“北、南”小字，表示该调属于北曲或南曲，一北一南交错排列。南北曲各自有不同的宫调体系，要合成一套，必须两调音律恰能衔接和谐方可。单纯的北曲套数只限一人演唱，而南北合套则可两人轮唱。北曲刚劲，南曲柔婉，刚柔相济，更得中和之美。此曲不见于元代选本，最早收入明代《盛世新声》,没有标题。后来《雍熙乐府》收入,编者才加上“西湖十景”标题,而《北宫词纪》则题为“西湖游赏”。现全套九支曲,只有前八曲具体写景,看不出是“西湖十景”,故用“西湖游赏”为题,文题比较相符。通篇描写西湖的湖光山色、鸟语花香、层楼画阁、晓钟猿啼、雨笠烟蓑等良辰美景,以及游人如织、兰舟画舸、诗朋酒侣、急管繁弦、粉黛娇娥等赏心乐事,表达了作者对西湖的千般旖旎、万种风情的倾心赞美之情。

首曲〔粉蝶儿〕是总赞西湖之美。首句惊叹西湖之美博大精深,美不胜收,想要把它浓缩画到一把小扇上或者画到一幅轻柔的丝帛上,根本画不尽,容不下;接着用蓬莱仙境对比,也“赛他不过”;再以形胜险要的“百二山河”(典出《史记·高祖本纪》)做陪衬,谓西湖虽然比不得秦国关中的百二山河地形险固,但它却以秀丽妩媚甲天下。“百二山河”是以险固著称,属阳刚之美;而西湖以人间天堂的秀丽闻名,属阴柔之美。二者不可比,故曰“比不的”,因为它们各领高标。西湖不同寻常,它湖中镶嵌着平坦的长堤,周边连着碧绿的原野,仅亭台楼阁就有百余座。古往今来不知有多少诗人为它倾情赞美,最让人遥想的当数大文豪苏东坡和“梅妻鹤子”的林逋了,他们的西湖诗篇不知引起多少人酬唱赓和啊?连用惊叹、对比、陪衬虚写,举平堤、绿野、亭台实写,以“暗想”东坡、林逋诗篇引人联想,构成套曲美丽的“凤头”,引人入胜。

以下七曲,从多侧面铺写西湖之美,是浩荡充实、淋漓尽致的“猪肚”部分。

〔好事近〕从大处、远处、视觉上落笔写西湖静态,先举北方名胜“凤凰坡”对比,“谩说”即慢说、且说。怎能与“繁华江左”(古以中原为中心,面向南方称左边为江左,即今东南江浙一带)相比,简直难望其项背,故曰“谩说”。但见苏堤六桥(映波、锁澜、望山、压堤、东浦、跨江)把西湖分作里湖、外湖,周围是座座如碧螺重叠的青山,环绕着平如明镜的一泓湖水,山水都笼罩在轻纱般的烟雾之中,青霭给群山抹上柔和的蓝色,阳光把碧水变成潋滟的金波。

〔石榴花〕则从细处、近处,有声有色地写游人的动态镜头:田田荷叶中穿梭着采莲船只,船上姑娘们唱着采莲歌,荡漾在晴空;远峰、晴岚、怪石在湖中的倒影都随波摇曳;一群沙鸥掠过,划破了平静的湖面;咿咿呀呀的渔船摇橹声有点刺耳;蓦地瞥见一艘画舫上,一位依靠雕栏端坐的娇羞少女,她那面对平湖的姿态,活像嫦娥对镜的倩影。

〔料峭东风〕又侧重抒情。作者化用谢灵运“天下良辰、美景、赏心、乐事,四者难并”的名句(《拟魏太子邺中诗集序》)而自问:为何赏心乐事这么多呢?就因为西湖有“诗朋酒侣吟哦”的雅兴,有“花浓酒艳”的排遣,有“清风明月”的玩赏,有“四时皆可”的适宜。

〔斗鹌鹑〕〔扑灯蛾〕两曲重点写游人之乐,多用对仗句、叠字句穷形极相地铺张:急管繁弦、晓钟敲破、猿啼古岭,是诉诸听觉;兰舟画舸、粉黛相连、翠云万朵、依依杨柳、月穿云破、水光浮岚、鸳鸯戏波、渔舟钓艇、雨笠烟蓑,是诉诸视觉;风送蕙香、馥馥芙蕖,是诉诸嗅觉。有静有动、有声有色。这“洗古磨今锦绣窝”,确实令游客流连忘返,心旷神怡。

〔上小楼〕则是作者写主观志趣欣赏的景象:首二句“密匝匝那一坨,疏剌剌这一窝”,仍是承上写各色游客,以便与下文写自己感受形成鲜明对比。“我这里”以下用两组鼎足对,写自己“对着晴岚,倚着青山,湛着清波”,最欣赏的是“微雨初收,微烟初散,微风初过”。这是一种胸无红尘、回归自然、与万化冥合的胸襟,是一种了无牵挂、追求自由逍遥、自我超越的精神境界;是一种静虚物化、用心灵感应的审美灵感。东坡所谓“静故了群动,虚故纳万境”,此之谓也。用这种胸襟、境界、灵感来关照西湖之美,是只可意会不可言传的。故作者认为:“再休题淡妆浓抹”,意谓即使东坡的名句“欲把西湖比西子,淡妆浓抹总相宜”,比起西湖的无限美也是有限的,难以形容的。

〔扑灯蛾〕又转入客观铺叙:写层楼画阁、奇花异果、绿茵芳草、长桥跨波、碧绿金波等景观,因为与第六曲〔扑灯蛾〕同调,是规定的重复歌唱,故末二句也与前曲歌词重复。

〔尾声〕只用三句高度概括,收煞总结:“阴晴昼夜”从气候时段上收结前面写游人之乐三曲;“古往今来”从历代题咏上收结〔凤蝶儿〕〔料峭东风〕〔上小楼〕等曲;“雪月风花”则概括了以上所有写景物风情内容,且与首曲首尾呼应。

这篇套曲在艺术上有两大特色:一是结构严密,首曲总写西湖之美,中间七曲从各个侧面铺叙,尾曲总结收煞。首曲几处伏笔,后面都有呼应,如前有“真蓬莱赛他不过”,后有烟笼雾锁、翠障如螺、山抹柔蓝,水泛金波、远峰倒影、晴岚锁翠、怪石嵯峨、依依杨柳、馥馥芙蕖、风送蕙香、月穿岫云、奇花异果等赛过仙境的描写;前有“嵌平堤,连绿野”,后有苏堤六桥、长桥跨波、绿莎茵、芳草坡、马蹄踏破等呼应;前有

"亭台百座"伏,后有"叠叠层楼画阁"应;前有"东坡、逋仙诗有谁酬和"之问,后有"采莲人和采莲歌""诗朋酒侣吟哦""再休题淡妆浓抹"等呼应。再加上北南曲调交错演唱,刚柔相济,得中和之美。二是语言上大量用叠字造句,如:青霭霭、碧澄澄、闹穰穰、齐臻臻、娇滴滴、颤巍巍、绿依依、红馥馥、清湛湛、响珰珰、呜咽咽、密匝匝、疏剌剌、细袅袅;迢迢、叠叠、簇簇、远远、茸茸、隐隐、呀呷哑哑等,形容事物的光、色、声、态极为传神,而且这些叠词又多半是用在合璧对、鼎足对、连珠对等对仗句中,更见巧妙而富于穷形极相的表现力。《文心雕龙·物色》谓:"写气图貌,既随物以婉转;属采附声,亦与心而徘徊",并举叠字的妙用是"一言穷理""两字穷形""并以少总多,情貌无遗"。以此来评此套曲,正当之无愧也。

（熊　笃）

# 【正宫·绿幺遍】

乔　吉*

## 自　述

不占龙头选，不入名贤传。时时酒圣，处处诗禅。烟霞状元，江湖醉仙，笑谈便是编修院。留连，批风抹月四十年。

### 作者

* 乔吉(约1280—1345)，一名乔吉甫，字梦符，号笙鹤翁，又号惺惺道人。原籍太原(今山西太原)，长期寓居杭州，并曾游历湘、闽、苏、皖一带。一生寄情诗酒，著杂剧11种，今存3种；有小令209首、套数11套。明朱权《太和正音谱》评其曲如"神鳌鼓浪"。

### 鉴赏

当我们阅读乔吉这支小令时，自然会想到这位出生于北国，客居江南，放荡江湖四十年的文人的漂泊生涯，也会联想到"怪胆狂情"的柳永和"浪子班头"关汉卿。宋元以来，这些与伎艺人有着密切联系的文人学士的生活道路和思想情趣，放射出一种特异的光彩。

小令的题目已经明白地告诉我们：这是一篇述志的作品。"龙头"即状元，"龙头选"即状元榜。宋王禹偁《寄状元孙学士》诗曰："惟爱君家棣萼榜，登科记上并龙头。""名贤传"即传录名人贤者的册簿。曲子开门见山，首先用二句斩钉截铁的否定句，十分明确地表示了作者否定仕途进取，鄙薄争名夺利的超脱态度。乔吉在另一首〔满庭芳]《渔父词》中,也曾正面宣称:“名休挂齿,身不属官。”与本首的表白完全相同。中间五句,他不无自豪地讲述自己特殊的生活方式。“时时酒圣,处处诗禅”两句中的“酒圣”,即善于饮酒的人,唐李白《月下独酌》:“所以知酒圣,酒酣心自开。”“诗禅”,即以诗谈禅,旧有诗道与禅道相一致的说法。联系作者在〔折桂令〕《自述》中所说:“伴柳怪花妖,麟祥凤瑞,酒圣诗禅。”可以知道他时时处处与“酒圣”为伴、以“诗禅”作乐,表现出以诗酒自娱的放诞不羁的情怀。“烟霞”即山水,“烟霞状元,江湖醉仙”两句,联系〔折桂令〕《自述》“不应举江湖状元,不思凡风月神仙”可知:“江湖”与“烟霞”、“风月”与“江湖”对举,能够互易,意思是相同的。乔吉即啸傲山水,又醉情风月,并以此作为与蜗角虚名、蝇头微利相抗衡的精神力量,完全将自己放在了与正统士子生活道路相对立的位置上。“笑谈便是编修院”,编修院,即翰林院。作者认为谈笑今古事,等于进翰林院编修史籍,这就更表现了他狂放自傲的态度。结尾所表现的对自己吟风弄月四十年的流连之情,与关汉卿〔一枝花〕套曲《不伏老》结尾所说的“则除是阎王亲令唤,神鬼自来勾,三魂归地府,七魄丧冥幽,天那,那其间才不向烟花路儿上走”,有异曲同工之妙。他以愤世的态度肯定了自己的生活道路,真是终老不悔,怡然自乐。

这支小令初看似游戏文字,细读便知它最能表现作者的心性。乔吉寄情山水、风月、诗酒、谈笑,也颇放达,但与元初马致远的豪放派又有区别。其愤世之情更为隐秘,豪放之气较为收敛。作品中更多的是随境自适的情调,然而却非浅薄轻狂。正如钟嗣成为乔吉所写的〔凌波仙〕吊词所说:“平生湖海少知音,几曲宫商大用心。”他也确实是这样一位不遇于时,将一生才力倾注于曲的落魄文人。

作为元曲大家,乔吉既著有多种杂剧,又写了不少小令套数。他的杂剧被视为文采派的代表,他的散曲更是清丽派的宗师。然而他的小令并不都是雅正清丽之音,而是包含着多种多样的艺术风格。明代著名作家李开先曾这样评论他的作品:“蕴藉包含,风流调笑,种种出奇,而不失之怪;多多益善,而不失之烦;句句用俗,而不失其文。”将这一评语用于此首小令,同样十分恰当。它文笔自然流畅,雅俗并用,从不同的角度表明了作者的生活态度,抒发了作者的愤世嫉俗之情。开头连用两个否定句,中间用五句排比陈述,结句追述总结四十年的生活。虽为短制,却语多变化,平仄互叶,音调活泼,颇能传情,确实是一篇耐人寻味的佳作。

(李修生)

# 【中吕·满庭芳】

乔 吉

## 渔父词(二十首其九)

沙堤缆船，樵夫问讯，溪友留连。笑谈便是编修院，谁贵谁贤。不应举江湖状元，不思凡蓑笠神仙。鱼成串，垂杨岸边，还却酒家钱。

### 鉴 赏

乔吉所撰的《渔父词》小令二十首,主要叙写渔父悠闲自在的生活。这些作品在内容上虽各有侧重,但是组合在一起时,在题材上并无规律可循,因此可能并非一时一地之作,也并非有意组织的组曲,而是不同时期创作的零散之作,最后结为一组。这里选的是第九首,主要通过渔父的社会交往来表现其生活的悠闲。首句写渔父的日常活动"沙堤缆船"。渔父钓鱼回来,将船系在铺着细沙的小溪岸上,然后提着鱼上岸,那是多么惬意的一种光景!路遇樵夫,也许是打柴回来,也许是刚出门打柴,彼此问候几句,情景自然温馨。这儿的"溪友",或者是一起钓鱼的朋友,或者是陪伴自己钓鱼的溪边禽鸟,相互间要分手了,却显得有些不舍。"问讯"显示出渔父生活的平淡和自然,"留连"显示出渔父对这种生活的依恋和自得。渔父与友人笑谈的话题是编修院里的人物谁贵谁贤。编修院和国史院是当时国家集中招揽文人的中央政府机构。普通百姓议论朝廷人才,其动机并不是他们如何关心国家大事和政治状态,而是出于一种表达自我和实现交流的需要。将政治与文人轶事作为自己饭后茶余的谈资,表现出他们生活的怡然自得和不俗情趣。对于"笑谈便是编修院,谁贵谁贤"也有另一种理解:朋友之间见面时的笑谈,也是谁贵谁贤,就像是编修院的生活一样。编修院和国史院生活,是那个时代文人的追求和梦想。作者将渔父生活与编修院生活相提并论,是对渔父生活的一种调侃式赞许。这种表面上的"相提并论",实际上含有一种言下之意,即如果要渔父(作者代言人)选择的话,他宁愿选择当前的生活,也不愿选择编修院供职。因此从这种理解角度,可以说此处采用了一种“以谦代褒”的手法。

渔父对当前生活的满足是不言而喻的。他认为自己就像是江湖状元和蓑笠神仙。他凭什么把自己与状元类比呢?状元的特点有二:一是名声和荣誉感,二是抱负和才能。按常理,其他人唯有这两方面特点同时具备,才敢与状元相比。一个普通的民间渔父,何来这两方面的特点呢?也许是渔父认为,自己具备一名状元那样的抱负和才识,虽然两种才能的表现空间并不相同;自己具备状元那样的满足感,虽然这种满足感的来源并不相同——状元的满足感来自于名声和成就,渔父的满足感来自于悠闲的生活,以及那种韬光养晦的自许自得。不仅如此,渔父还有状元比不了的地方——具有神仙一般的自由。这种自由不仅表现在人身方面,也表现在心灵方面。人身自由指的是不受尘世环境的制约,心灵自由指的是内心没有对尘世名利的欲望。乔吉另一散曲〔双调·折桂令〕《自述》中有“不应举江湖状元,不思凡风月神仙”一句,由此可见,这儿的渔父是作者的自喻,渔父生活是作者生活的自况。作品结尾处叙述了以鱼换酒的场面。在垂杨岸边,渔父将柳条串成的鱼带到酒家里,一部分用于偿还以前欠下的酒债(由“还却”一词可知),一部分用于这一次购酒。这种物物交易和赊销习惯带有古朴淳厚的意味,表现出乡村生活的随意和自足。

(黄云生)

## 【中吕·山坡羊】

乔　吉

### 寓　兴

鹏抟九万,腰缠十万,扬州鹤背骑来惯。事间关,景阑珊,黄金不富英雄汉。一片世情天地间,白,也是眼;青,也是眼。

## 鉴赏

此散曲为作者的述感之作，表达了其抨击世事不公、感叹世态炎凉的思想情怀。前几句点明，凌云之志和富贵升仙是世人孜孜以求的对象，这种追求很容易实现。作者对此追求是什么态度，至此尚未表明。接下来作者用三句描绘了与此相反的一个现实：那些才能超群的英雄好汉，却总是事情曲折难成，处境惨淡。可见，俗世中那些没有高尚品质、高远胸怀的人追求富贵往往容易成功，但有理想追求的英雄好汉却命运多舛，无法摆脱穷困，更无法实现抱负。所以，这些英雄好汉，只能受到世人的白眼。就算他们因为某种原因会有一时的顺境，从而得到世人的青眼相待，但是最终的结果却是陷入穷困，受到世人轻视。作者点明，这种“美景迟暮，英雄末路”的现象，“一片世情天地间”，在现实中是很普遍的。今天对富贵缠身的你青眼有加的世人，明天可能因为你的穷途末路而对你白眼相向。同时，作者也许对这种青白眼并存的现象提出了质疑：同一双眼睛，为什么时白时青呢？或者说，都是人的眼睛，为什么就有青、白之分呢？由此可见，作者对于不公正现象和俗世的待人态度深恶痛绝。但是这种痛恨感情没有直接表达，而是隐藏在看似平实的叙述之中。这种含蓄表达，并没有影响文字所要透露的愤懑之情，这使得文字具有浓郁的文学性和感染力。

另外一种解读认为，这首散曲在感慨世事不公和世态炎凉的同时，也隐含了作者蔑视富贵功名、追求精神独立的精神情怀。“黄金不富英雄汉”也可理解为：由于世事无常，加之英雄对财富的不在意，因此，再才能超群的英雄好汉，也有财富穷尽、成就黯淡之日。但是英雄好汉本来就不为财富所动，他们的追求不会因此改变，青眼又如何？白眼又如何？不过都是尘世俗见罢了。由此，作者轻视富贵功名、追求精神独立的情怀跃然纸上，不言自明。

在艺术方式上，全曲采取比兴手法，并借用一串典故来抒怀寓兴。“鹏抟九万”借用《庄子·逍遥游》中大鹏扶摇直上九万里之典，喻指凌云壮志。“腰缠十万”及“扬州鹤背”借用《说郛》载《殷芸小说》中之典，喻指人生富贵和升仙逍遥，即兼有巨富、显贵、升仙三者的完美无缺的生活。末尾借用阮籍“青白眼”之典，喻指世情的反复无常。同时，作品也采用了对比手法，如用世人追求富贵的状况与英雄对富贵的不屑形成对照。手法的灵活运用，增强了艺术表达效果。

（黄云生）

# 【中吕·山坡羊】

乔 吉

## 冬日写怀(三首其二)

朝三暮四，昨非今是，痴儿不解荣枯事。攒家私，宠花枝，黄金壮起荒淫志，千百锭买张招状纸。身，已至此；心，犹未死。

### 鉴 赏

《冬日写怀》共有三首,写冬日离家客居时对世情的感怀。此为第二首,主要讽刺那些追求富贵享乐的人,刻画了他们庸碌享乐后的悲哀下场及昏聩心态。“朝三暮四”和“昨非今是”写人心世情的变幻不测。“朝三暮四”借用成语,写人心之易变;“昨非今是”化用俗语,述世情之不测。这种变幻不测的根源在于人性,在于名利之心。仁人智者看得清这一点,虽然无能为力,但能够通过自律,不参与尘世名利之逐,凭此与变幻现象抗衡;而那些世故之人(即所谓的“痴儿”)却看不清名利的本质,看不清名利的必然结局,蝇营狗苟,追逐不休。如果说前三句侧重于总论,有说理的意味,那么中间四句则侧重于举例,有例证的意味。那些一心积聚钱财的人,过着花天酒地的生活。一方面可以说享乐是聚财的目的,即所谓为“宠花枝”而“攒家私”;另一方面也可以说享乐是聚财的结果,即所谓“黄金壮起荒淫志”。实际上这两方面又是经常结合在一起的,互为动力。这种享乐行为的本质和结果是什么呢?其结果便是得到一张“招状纸”。“招状”是罪犯招供的文字记录,而享乐行为的本质便是用“千百锭”财富换得一张“招状纸”的结局。面对这种结局,享乐者又做何感想呢?作品进而对此做了分析,认为他们即使面临这种结局,也依然“痴”心不改,不会死心,不会悔恨自责。这样的分析,将享乐者的悲剧性揭示得更为深刻,更具代表性。结尾处的“心,犹未死”,与开始的“不解荣枯事”相呼应。从某一角度说,两者形成因果联系:“痴儿”之所以会心犹未死,原因就在于“不解荣枯事”。他们不仅不明事理,连自己的悲剧性也没有看到,因而不思悔改。这种呼应,结合中间四句对于聚财与享乐关系的揭示,一起形成了一个周密的逻辑:世事变幻不测,这固然是客观存在的现象,但同时又何尝不是由“痴儿”一类人物导致的不良风气呢?“痴儿”们不懂得这个道理,只是一味追求一时的享乐,而不顾日后的结局如何,是一件多愚蠢可悲的事啊!

全曲虽仅有寥寥数语,但是内涵丰富,逻辑严谨,论述周密,语言流畅。叙述中杂以议论,说理中带有嘲讽,通俗中蕴涵哲理,是思想性和艺术性兼具的一首佳作。

(黄云生)

## 【中吕·朝天子】

乔　吉

### 小娃琵琶

暖烘,醉容,逼匝的芳心动。雏莺声在小帘栊,唤醒花前梦。指甲纤柔,眉儿轻纵,和相思曲未终。玉葱,翠峰,娇怯煞琵琶重。

鉴赏

这首散曲写的是一位年少的琵琶女。在描写琵琶女之前,首先写其弹琵琶的温暖气氛。温暖的原因,曲中没有说明,也许是季节因素,也许是屋内生了火,或者屋内人多热闹所致,也许纯粹是心理因素。在这种温暖环境中,人的心态必然也是温馨的。“暖烘”一词,不仅说明了环境的温暖,也说明了气氛的热闹。在这种热闹气氛中,喝酒听曲,是何等的悠闲舒适!“醉容”有二解:一指聚会听曲者喝酒之后醉态微显的样子;二指琵琶女面容如有醉意,这种醉容或者因为她本来就面容娇美,红中有白,白里透红,或者因为她还不太习惯这种场合,故而神态娇羞。“逼匝的”有“使人不得不”之意。这样的温暖环境,这样的热闹酒宴,这样的娇羞佳人,难免使人芳心萌动。这儿的“芳心”,

可能指与宴者的心态，他们面对这种环境，不由得心绪为之所动；也可能指琵琶女的神态和心态，即由其神态可见其“芳心动”的心态。这几句写气氛，接下来几句写景物——窗帘外小黄莺的啼鸣。鸣叫声是如此娇嫩悦耳，竟然连做着花前好梦的人也可以唤醒。小黄莺为什么要在窗前啼鸣呢？是为了唤醒人的好梦呢，还是它想与琵琶声一较高下？她们俩都是那么幼小，声音都是那么娇嫩动听，那么，她们俩的命运和遭遇是不是也有类似之处？小黄莺这一意象的出现，对于琵琶女的曲音、命运究竟是一种顺衬，还是反衬？这些问题不禁让人深思。弹着曲子的琵琶女又是什么样子呢？她纤纤玉指轻轻拨动，弯弯黛眉微微舒展，似乎沉浸在自己的歌曲中。她弹奏的是一首相思曲。“曲未终”可能指曲子正弹奏到中途之时（此时她出现了前述神态），也可能指其曲最终没有弹完。那么，为什么没有弹完呢？是她年龄太小能力有限，还是想到了自己的伤心之事不忍再弹，还是观者不忍再听？作者没有回答，留给读者猜想。散曲继续描写琵琶女的身貌，她有着洁白柔嫩如小葱的玉指，青翠高耸如山峦的秀发，她是如此娇柔，以至于她拿着的琵琶显得那么大，那么重。“娇怯”有二解：一是指琵琶女的心态，她年龄尚幼，身单力弱，不能胜琵琶之重，故而身娇而心怯；二是指观者心态，观者看到琵琶女娇弱之态，产生了其不胜琵琶之重的心怯和怜惜之感。

乔吉一生落魄，爱诗好酒，他在浪迹江湖的过程中，见到了一个弹琵琶的小姑娘，不免要如贬谪时的白居易那样，产生“同是天涯沦落人”的感慨。他这首散曲用语不多，也没有直接描绘歌曲，而是通过对环境和琵琶女某些身貌的描写，刻画了一个娇羞柔弱的下层歌伎的形象，暗示了琵琶女明珠落尘的命运，蕴涵了作者对她的怜惜和慨叹。

（黄云生）

## 【双调·折桂令】

乔　吉

### 自　述

华阳巾鹤氅蹁跹，铁笛吹云，竹杖撑天。伴柳怪花妖，麟祥凤瑞，酒圣诗禅。不应举江湖状元，不思凡风月神仙。断简残编，翰墨云烟，香满山川。

## 鉴赏

这首散曲是作者的自述之作，主要表现自己的超脱与雅致。为了刻画一个超凡脱俗的形象，作者从衣着、器物、行为、交往、定位、兴趣等方面对自己进行了描写。他的衣着非同一般，头戴华阳巾，身披鹤羽衣。器物也非比寻常，手持铁笛，腰携竹杖。华阳巾是道士所戴之帽，鹤羽衣为有道高人所穿之服，铁笛一般是隐士高人吹奏的笛子，作者借此表达自己不同凡响的追求。笛声响遏行云，竹杖高可撑天。"铁笛吹云，竹杖撑天"也可理解为"铁笛本为天上奏乐之物，竹杖本为天上撑天之器"，即把自己所有之物视为天上神物。无论哪种理解，作者胸襟之广与气魄之盛由此可见。作者的衣着和器物都如此不凡，其行为气度也自然不同尘俗：风度翩翩，以铁笛吹云，以竹杖撑天。作者在此用浪漫的想象和夸张的手法，表现出一种傲视天下、睥睨万物、纵横捭阖的气势，表达自己不与世俗为伍的非凡追求。接着作者叙述自己奇特的交往：与柳怪花妖、祥麟瑞凤、酒圣诗禅为伍。这里用了比喻的手法，"柳怪花妖"比喻那些不为俗世所容的奇士异人，"麟祥凤瑞"即祥麟瑞凤，比喻那些才能超群的高人，"酒圣诗禅"夸张式地喻指那些喝酒作诗的高雅人士。作者用三个比喻，揭示了与自己交往的人物的特点：一是才华超群，性情高雅；二是有一些怪癖，如嗜酒成圣，恋诗入禅；三是怀才不遇，不为世所容，成为世人眼中的"柳怪花妖"；四是这种人物数量很少。上述特点用一个词概括，就是"不凡"。当然作者交往的人物中，并不是每个人都同时具备以上四方面特点。例如，有人认为"柳怪花妖"代指沦落在烟花风月场中的下层人士，如鸡鸣狗盗之辈、乐场青楼之流。作者与这些被世俗所轻视的人物为伍，表示了他对世俗的不满和反抗。在接下来的文字中，作者对自己进行了定位，将自己誉为"江湖状元"和"风月神仙"。他用夸张和幽默手法，表达了对自己才能、志向的极大自负，对于自己怀才不遇的讽刺和不满，以及对现实庸俗的远避，对出世隐居的自得。这里的"风月"，未必专指风月之场即歌舞之场，而当是逍遥、自由之意。作品末尾，作者表达了自己的爱好兴趣。他喜欢的是舞文弄墨，读书创作，认为这种寄情翰墨的生活，可以"香满山川"。至此，作者完成了对自己超凡脱俗形象的塑

造,一个不与尘世为伍的"风月神仙"栩栩如生,呈现在读者眼前。 (黄云生)

## 【双调·折桂令】

乔 吉

### 荆溪即事

问荆溪溪上人家,为甚人家,不种梅花?老树支门,荒蒲绕岸,苦竹圈笆。寺无僧狐狸样瓦,官无事乌鼠当衙。白水黄沙,倚遍阑干,数尽啼鸦。

**鉴赏**

这首散曲通过描写荆溪岸边荒凉的景象来表现元末社会的残破状况,从而表达了作者对人民生活的同情和对政府腐败的不满。据说梅花为荆溪一景,两岸人家有种梅的传统,可是作者在此地却看不到处处梅花的景象。他不禁询问溪上人家为什么"不种梅花"。这一问与其说是疑问,倒不如说是设问,因为作者其实是知道答案的。可是这个答案他并不直接说出来,而是通过下面的景物描写一步步地揭示出来。首先写到的是枯木支门、荒蒲乱飞、破竹成篱的衰败景象。这里的树木、门、蒲草、岸、竹、篱笆,无一不残破。值得注意的是,在表达这种残破时,上述意象有些是直接点明其残,如树木、蒲草、竹;有些则是间接点明,如门的残朽是通过树木的枯老来暗示的,岸的荒芜是通过蒲草的荒枯来暗示的,篱笆的残破是通过竹的枯破来暗示的。面对这种满目疮痍的状况,作者的心情必定是忧郁沉重的。他知道在这样残败的人家里,很可能没有人烟了,就算是有,也必定处于一种凄惨艰难的生活之中,连生存也难以保证,更何况是种梅花呢?这样,作者初步回答了溪上人家为什么不种梅花的问题,这是第一层回答。但是,这种回答还不够深入,作者还要继续探究原因。接着文字转向荒寺和闲衙。寺庙里面没有了僧人,就成为狐狸等动物戏耍的舞台;衙门里面官员不办事,就成了乌鸦和老鼠横行的天地。这里的寺庙可能是实写,即作者确实在荆溪附近看到了寺庙的荒凉,也可能是虚写,即只是作者触景生情,产生的一种联想和比喻。不过可以肯定的是,这儿提及衙门时是虚写,可能是联想,或者是一种比喻。无论对衙门的描写是联想还是比喻,作者无疑用它对前面荆溪景象的荒凉和百姓生活的悲惨做了解释。他看到了导致黎民生活悲惨的罪魁祸首,正是那些不为民办事的各级官员,因此这是对前设问题的第二层回答。虽然作者对腐朽政府的揭露是含蓄的,并没有直接点明这是前述荒败景象的原因,但是读者对此一目了然。接着作者继续以景抒情。苍白的溪水映着惨黄的细沙,他久久倚在阑干上,把过往啼叫的乌鸦数了一遍又一遍。这一结尾虽然没有议论,几乎纯是写景,但是情含其中,显得意味深长。

这首散曲借景抒情,通过眼前景象设问,并进而分两层分析问题的答案,并以景作结,作者所要表达的情感在当时文人中比较常见,所采用的题材也比较典型,但构思巧妙,手法独特。

(黄云生)

# 【双调·折桂令】

乔　吉

## 寄远(二首其一)

怎生来宽掩了裙儿?为玉削肌肤,香褪腰肢。饭不沾匙,睡如翻饼,气若游丝。得受用遮莫害死,果实诚有甚推辞?干闹了若干时,草本儿欢娱,书彻货儿相思。

## 鉴赏

《寄远》有两首,都是从一个女子的角度着笔,描写她对远方情人的思忆之情。两首小令从不同角度写相思之苦。除主要写相思之苦外,第一首还主要写"悔",即后悔没有珍惜以前在一起的时光;第二首主要写"忆",即回忆以前在一起时的快乐。此为第一首。

此曲以设问起句,自问为什么裙子显得宽了,自答原因是肌肤消瘦,腰变小了。接着进一步解释消瘦的原因:寝食不安,身虚气弱。然后,再深一层解释这种寝食不安现象的原因:后悔当时推辞而不"受用"。那么,她当时推辞的是什么呢?下面给了答案:两人闹腾不安,使得本来是一件快乐的事,现在只能在书上写着相思之情。最后落笔是"相思",至此完成了对上述问题的解答。这样层层设问,层层推进,逻辑周密井然。前几句主要写相思之苦,后几句主要写对当时"干闹"而不"得受用"爱情甜蜜的后悔。在写相思之苦时,主要从消瘦入手。一方面写消瘦的直接原因:一位佳人躺在窗前,吃不下饭,睡不着觉,日夜思念远方的情人,她的身体因此日益瘦弱。另一方面写消瘦的结果和表现:裙儿宽了。抓住裙儿宽了这一细节进行展开,是一处妙笔。在解释完"为什么会"这一问题之后,女子面对消瘦这种情况,不禁还要问"怎么办"。于是思绪转而变成后悔:如果当时能够不"干闹",不推辞,能够享受爱情的甜蜜,即使是现在相思得几乎要死,也值得了。或者女子也同时在想:如果那时能够享受爱情之甜,现在又何必害相思之病呢?"早知如此,何必当初"的悔态因此得以凸现。因为分离和相思之苦,女子对爱情表达形式的态度从昔日的娇羞、顾虑,发展到当前的直露、坚决。

使用俗词来增强表情达意的效果,是本曲的一个特点。如"怎生来"有"怎么会""怎么办"两层意思,它准确表达了女子对相思之苦既忧虑无奈,又夹着几分嗔怨、迁怒的复杂微妙心情,在语气上也符合一个娇弱女子的口吻,表现女子对情人撒娇时的嗔怨神态,惟妙惟肖。"遮莫"也是俗语,有"即使""不必"之意,此处虽两解皆通,然似以后者更当。这个词形象地表达了女子当前对感情的坚决心态,从而间接表现了她相思之苦的程度之深。"草本儿欢娱,书彻货儿相思"另有版本作"本是结发的欢娱,倒做了彻骨儿相思",由此看,"草本儿""彻货儿"两词当为俗语,"草本儿"大约为

"本来,按照原来"之意;"彻货儿"为"彻底,深刻"之意。这两个俗词,生动地表现出女子的纯朴之态,娇羞之意。

（黄云生）

## 【双调·折桂令】

乔　吉

### 赠罗真真

罗浮梦里真仙，双锁螺鬟，九晕珠钿。晴柳纤柔，春葱细腻，秋藕匀圆。酒盏儿里殃及出些腼腆，画帧儿上换下来的婵娟。试问尊前，月落参横，今夕何年？

鉴赏

这首散曲是赠送给一位名叫罗真真的女子的,主要描写这位女子的美貌。乔吉在长期客居生涯中,常游历于歌楼舞榭,认识了不少女子。他一直以隐者自居,对这些处于社会下层的女子怀有深刻的同情,并与她们结下了友谊。他有些散曲就是赠送给这些女子的。这首曲子描写罗真真的美丽外貌时,字里行间充溢着一股赞誉之意。开篇就把罗真真抬到"罗浮梦里真仙"的地位。这一句巧妙地扣住描写对象的名字用典。"罗浮梦"典出唐柳宗元《龙城录》,写有人在罗浮山中的树下做梦,梦到一位美丽的仙女,醒来时,佳人已逝,"月落参横"。"真仙"即同"真真",也算是用典:唐杜荀鹤《松窗杂记》载一幅画中的美女真真在被人呼名时会复活,后来"真真"成为美女的代称。作者在赞扬罗真真像罗浮梦里的仙女之后,用一大堆比喻具体描写了她乌黑秀丽的发髻和光芒四射的珠钿,她纤细柔软的身材,细腻的手指,浑圆的胳膊。涉及这些意象时,除了描摹外观,使用比喻,还提及了"晴""春""秋"等天气和时节。这些都是易令人产生感触的词汇,它们配合比喻与描摹,形成一组可爱可怜的意象,将罗真真美丽可爱的外貌描绘得生动细致。“九晕”是以实代虚,形容光芒之多,从而以首饰的耀眼衬托出女子的艳丽。接着作者写到女子在酒后的神态显出一些腼腆,就像从画里走出来的美女。“殃及”本有贬义“连累”之意,这里化贬为褒,褒贬参半,既有对酒的埋怨,埋怨它让人有了醉态,又有对酒的赞许,赞许它让女子显得更加娇羞可爱。同时“酒盏儿里殃及出些腼腆”又有双重的双关。第一重双关是:既指喝酒让人“殃及出些腼腆”,又指酒盏里的酒映出人的腼腆面容。其中“喝酒让人显得腼腆”又有双关意味,此即第二重双关:酒让人脸红,让人误以为腼腆;酒让人略有醉意和略显醉态,姿态更添出与平时不同的娇羞和腼腆。“画帧儿上换下来的婵娟”,与首句“真仙”用典呼应。最后,作者从自身的角度来刻画女子的美丽。他把女子当成仙女,恭恭敬敬地上前请教,问她在这个“月落参横”的时候,究竟是哪一年?“月落参横”是深夜时分,与前面首句用典呼应;“今夕何年”化用宋代苏轼名词《水调歌头》之句,切情切景。通过作者神智的迷惘来间接表现女子之美,暗示女子之美令作者神魂颠倒,不知这是人间还是天上。最后这一问,如神来妙笔,令人会心一笑之余,不禁叫绝。

在艺术表达方式上,这首散曲最大的特点是使用了比喻这一修辞手法。首句既是用典,也是比喻——将女主人公比作仙人。接着几句描写几乎句句用了比喻或类比:将发髻比作双锁,身材比作晴柳,手指比作春葱,胳膊比作秋藕,把女子比作画中人物。这些比喻或者类比,从不同角度表现女主人公的美丽动人。

(黄云生)

## 【双调·折桂令】

乔　吉

### 七夕赠歌者(二首其一)

崔徽休写丹青,雨弱云娇,水秀山明。箸点歌唇,葱枝纤手,好个卿卿。水洒不着春妆整整,风吹的倒玉立亭亭。浅醉微醒，谁伴云屏？今夜新凉，卧看双星。

## 鉴赏

《七夕赠歌者》共有两首，这是第一首，主要写一位歌伎的美貌，也提及了她淡淡的孤独。首句用典，以历史上的美女崔徽与主人公进行比较。崔徽是唐代歌伎，她无法与心上人相聚，便画了自己的肖像送给他，并害相思病而卒。主人公与崔徽，既是类比又是对比。类比是指主人公与崔徽一样都是歌伎，都很美丽，作者提及崔徽，无疑是要映衬主人公的美丽。对比是指作者为了突出主人公，对崔徽进行了一定程度的否定：崔徽所画的美人也无法与主人公相比。那么作者眼前的女子是如何美胜崔徽的呢？作者用一系列比喻进行了描绘。女子像细雨般柔嫩，彩云般娇艳，像碧水般清秀，青山般明丽；歌唇之小巧可比筷端，玉手之纤细堪媲小葱。然后作者赞叹：好一个娇艳可爱的女子！比喻连带对仗，句子顺畅如行云流水，显示出作者赞不绝口、怜爱有加的感情。然而这种赞美还没有结束，作者思如泉涌，继续描摹着女子的外貌。春妆整齐油光滑亮，以水洒之而不附；身材修长亭亭玉立，微风拂之而欲倾。这里用了略带夸张的诙谐手法，动态描写与静态描写相结合，突出主人公姣好的身材和迷人的风韵。接着文字转向神态描写，写主人公从浅醉中刚刚醒来的样子。“浅”和“微”表明程度，女子略带醉意或者小睡半醒时的样子是最朦胧最具风韵，因而也是最迷人的。主人公本来就是“水秀山明”的一个女子，又处于浅醉微醒之时，那模样必定更加令人心动。但是作者的描摹接着陡转，由神态转向心态。“谁伴云屏”一句，表明了女子身边无人相伴，因此她也许会产生孤单之感。在这带着新凉的夜晚，这种孤单感必定更易滋长。作者在这里设了一个小小的悬念：主人公作为一个貌美的歌伎，身边怎么会无人相伴呢？因而，这里的“无人相伴”，也许只是一种心态，也许她总觉得在热闹中还缺乏知音，因而在人群中感到孤独。这说明了她并不是一个简单的美女，不是一个简单的歌伎。这样，主人公的形象在貌美的基础上，还增添了一定的内涵。当然，这种孤独感应该并不强烈，而是淡淡的，所以她还有心情闲卧着观看天上的双星。双星指牛郎星和织女星，传说中牛郎和织女深深相爱但每年只能相会一次。主人公此刻在想什么？是带着忧郁的心情羡慕牛郎与织女能够相爱相会，还是以同病相怜的心情感慨他们平时无法相聚？作者没有说，这使得作品留下了很大的思考空间，意味悠长。

（黄云生）

# 【双调·折桂令】

乔　吉

## 七夕赠歌者（二首其二）

黄四娘沽酒当垆，一片青旗，一曲骊珠。滴露和云，添花补柳，梳洗工夫。无半点闲愁去处，问三生醉梦何如。笑倩谁扶？又被春纤，搅住吟须。

### 鉴赏

这是《七夕赠歌者》的第二首，写一位歌伎的美妙歌声、美丽风姿和快乐生活。黄四娘当是女子的泛称，这既可视为“歌者”所唱曲子中的人物，也可视为对散曲要赠送的“歌者”即主人公的喻称。主人公所弹唱的珍珠般动听的欢歌，或许就像美女当垆所售的那些美酒一样，给作者这样的人带来了无穷的快乐，为他们营造出一片脱离现实的温柔之乡。接着作品写到了主人公的美貌。她晶莹剔透的眼眸，柔润得似乎要滴出水来，乌黑发亮的头发，茂密得似乎戴着一片美丽的云。她细致地梳洗打扮，在鬓角插上鲜花，把眉毛描成柳叶的模样。她是如此快乐，没有半点苦恼忧愁。为什么没有忧愁呢？作者进行了解释：人的三生不过就像醉梦一样，得享乐时就应该享乐。这种理解，是主人公的心声，也是作者的心态。有了这种心态，“歌者”的享乐也有了一些高度。当然这种心态也许仅是作者强加于“歌者”的，这句话与其说表达了“歌者”的心态，还不如说是表达了作者的心态。也许是有了醉态，作者笑着要请“歌者”扶他，而“歌者”则用纤手去揽着作者的胡须。这儿参与打闹的或许并不止“歌者”一位,或者说,此曲所赠的并不一定就只有一位“歌者”。无论“歌者”有几位,最后描写的调笑打闹场面都是欢快热闹的,这个场面与前面叙述的“一曲骊珠”的愉悦、“滴露和云”的美丽、“无半点闲愁”的快乐、“问三生醉梦何如”的洒脱都是相一致的,表现了作者认为人生应该追求享乐的心理。最后的笑闹场面,将这种享乐描写推到了高潮。这种以高潮结尾的手法,符合乔吉曾经提倡的“凤头、猪肚、豹尾”的作曲理论。“歌者”与作者之间的关系非常轻松随意,他们可以随心所欲地调笑打闹,这种欢乐当然是由衷的,但是在“三生醉梦何如”的心态下,却又难免带有一点淡淡的忧愁。末尾几句或许也可作这种理解:作者问女子做了一个怎样的醉梦,做梦时都在笑着,是和谁相伴?于是女子娇笑着,用纤纤玉手搅缠着他善于吟诗的嘴边的胡须。为什么要说“搅住吟须”,虽然作者没有明说,但是结合题目,可以推测这是女子在央求作者赠曲。乔吉长期流连酒楼歌榭之中,结识了不少风尘女子。这些女子佩服这位“江湖状元”的才华,难免会请求他为自己赋曲,所以乔吉散曲中有一部分就是赠送给这些女子的。乔吉或许年纪已老,但他依然与这些歌伎们混在一起。或许他心目中已将自己类同于这些女子,与她们相处的光阴自他的青年一直贯穿到他的老年。作为一个浪子,他的命运又何尝不与这些女子以及那当垆沽酒的美女一样,将自己的青春甚至一生的时光,都挥洒在一片酒旗下,或一曲欢歌中。在那样的美酒欢歌中,在热闹快乐之余,年华日逝的他们回首往昔,又怎能没有一丝淡淡的惆怅、忧郁和凄凉呢?

(黄云生)

# 【双调·折桂令】

乔　吉

## 丙子游越怀古

蓬莱老树苍云,禾黍高低,狐兔纷纭。半折残碑,空余故址,总是黄尘。东晋亡也再难寻个右军,西施去也绝不见甚佳人。海气长昏，啼鴂声干，天地无春。

## 鉴赏

这是乔吉现存散曲中唯一一篇明确标年的作品。丙子年为1336年，作此曲时乔吉已有五十多岁，他当然不知道自己在这个世上只剩下九年，但是他一定能感觉到逝者如斯、剩日无多的苍凉。这一年，他游历越地（今浙江绍兴一带），面对着这块历史悠久的土地，想到一位位风流传奇之士，不禁在悠然神往的同时，产生诸多感慨。最大的感慨无疑是这片土地的荒凉衰败：古树参天，乱云苍茫，禾苗参差，狐兔出没，残碑遍地。古树的苍老之态可比蓬莱岛上的树木，形容越地历史之久，同时也暗喻了越地之衰。禾黍这一意象，让人联想到黍离之悲。而丙子年离南宋灭亡刚好一个甲子（六十年）。因此，有人认为这篇作品表达了对宋朝灭亡的感慨，这种理解是恰当的。不过，值得注意的是，作者对宋朝灭亡的感慨，基本上恐怕还属于感慨世事变迁的范围，未必与他对历史上其他朝代灭亡的感慨有什么不同。"空余故址，总是黄尘"的感慨，显然并不专为宋朝一代而发。乔吉出生于宋灭亡之后，他本身对宋代应该没有什么特殊的感情，他对元代社会的不满除了多一层反抗民族压迫的民族意识，与其他朝代（如宋代）中下层人士对政府的不满在本质上并无差别。当时的元代社会也走到了日落西山的境地，起义的烽火连绵不断，愈演愈烈，统治者的腐朽和战争的破坏，使得人民生活在水深火热之中。面对这衰败凄凉的越地，作者怀古思幽，想到古代的风流人物。右军指东晋王羲之，他本是山东人，迁浙江，并曾在江浙一带任官。他是历史上有名的书圣，可是东晋之后，这种人物却再难遇到。西施是春秋时越国的美女，她为越灭吴的故事在越地流传千古，影响深远。作者发出"后无来者"的叹惜，表现出他对历史的怀念和对当世残败社会的哀叹。最后，作者写到海上的昏暗气象，山中悲鸣的杜鹃，并沉重地发出"天地无春"的总结式的悲音。

这篇散曲在结构上有自身的特点。全篇采用了"写景—议论—写景"的结构。前六句为写景；中间两句为议论；后面三句又是写景。抒情寄寓在写景和议论中，写景中除了蕴有抒情，也含有议论。不过，前后的写景在议论、抒情浓度上也有所不同。前面写景时议论、抒情相对较少，这符合比兴手法的特征。后面写景时，议论、抒情意味有所加重，尤其是末句既写景，又议论，意境悲劲苍凉，富有强烈的艺术感染力。这种结尾方式，符合乔吉提倡的结尾要响亮这一创作要求。

（黄云生）

## 【双调·水仙子】

乔　吉

### 吴江垂虹桥

飞来千丈玉蜈蚣，横驾三天白螮蝀，凿开万窍黄云洞。看星低落镜中，月华明秋影玲珑。赑屃金环重，狻猊石柱雄，铁锁囚龙。

鉴　赏

这首小令笔力雄健，是乔吉写景曲中的雄奇之作。在元代散曲中，像这样倾力描写一座桥的情况殊为少见。作者对吴江垂虹桥的描摹极为精彩，写出了它的气势宏阔、雄伟壮丽。

这首小令用词得体，虚实相宜，依靠巧妙的修辞手段，把垂虹桥这样一个静止的庞然大物写得大气而不失活泼可爱。垂虹桥在江苏吴江县东，始建于北宋仁宗庆历八年(1048)，原为木桥，因其环如半月，长若垂虹，故名。上有垂虹亭。元泰定二年(1325)易木为石，改建为联拱石桥，以白石垒砌，长500多米，设72孔，壮丽秀美独步江南。此曲前三句通过大胆的联想和想象，运用了一系列具体生动又略带夸张的比喻，极其形象地展示了垂虹桥的外观和形状，极口赞扬桥的宏伟壮丽，表现了作者由衷的喜爱和赞美之情。首句“飞来千丈玉蜈蚣”赞垂虹桥之长。桥本是静物，作者却喻之为飞来的玉蜈蚣，妙在把静物写活了。“千丈”是极夸其长，凸显其江南第一长桥的地位，因为当年桥体有三重起伏，故用“蜈蚣”亦颇为形象。“横驾三天白螮蝀”

是赞垂虹桥之高,远远望去就像从天上垂下来的一道白虹卧于碧波之上,垂虹桥之状跃然纸上,气势雄浑壮观。"凿开万窍黄云洞"用"万窍"形容桥洞之多,而"凿开"二字,使长桥平添了几分生气。接着作者极口称赞垂虹桥的秀丽,"看星低落镜中,月华明秋影玲珑"写出了月夜桥影映于江中的美景。在月色如水的秋夜,星星像颗颗明珠散落在如镜的水面上,桥的倒影叠映在江水细碎的波纹里,清风徐徐吹来,水波如柔丝般闪动,在月光的映照下,整座桥变得玲珑剔透,好一幅壮观的水墨画!接下两句"赑屃金环重,狻猊石柱雄"使用对偶,描写桥碑底座和桥栏的雕饰,进一步旁衬整座桥的厚重雄美。最后一句"铁锁囚龙"则极口称赞长桥的稳健,长长的垂虹桥雄跨江面,像条巨大的锁链把吴江这条猛龙给锁住了,显得气势雄壮,更具意象美。

(李克)

# 【双调·水仙子】

乔　吉

## 寻　梅

冬前冬后几村庄,溪北溪南两履霜,树头树底孤山上。冷风来何处香?忽相逢缟袂绡裳。酒醒寒惊梦,笛凄春断肠,淡月昏黄。

### 鉴赏

这首小令咏物赏景,笔法跌宕,构思精巧,即景抒情,表面上是描写梅花,实际上却处处流露落寞失意之情和对梅花高洁品质的赞美。

寻觅梅花的过程,事实上是作者对理想执著追求的过程。这首小令头三句用鼎足对,核心即在一个"寻"字,也凸显寻梅之艰难。他为了寻找钦羡已久的梅花,走过很多村庄,越过溪畔水涯,两脚遍历霜雪,最后来到杭州西湖的孤山上,找遍每一棵树,仍没有找到。梅花究竟在何处?他在遍寻无望之际,内心充满无限的懊丧和失望,作者就是通过这种欲扬先抑的笔法,为下文找到梅花的惊喜埋下伏笔。

就在他懊丧、失望的时候,情绪却骤然起了波澜,因为"冷风来何处香?忽相逢缟袂绡裳",他依稀闻到冷风送来阵阵幽香,而抬头仔细观望,心仪已久的梅花已宛若飘然临风的仙子一般,骤然出现在他面前,"众里寻他千百度,蓦然回首,那人却在灯火阑珊处",仿佛在人生的旅程中忽然达到彼岸,他心中不禁产生由衷的愉悦。曲中赋予梅花以白衣仙子的意象,状其杳渺之态,写其幽冷之香,梅花的神韵就活灵活现、跃然纸上了。

但寒风彻骨,骤然酒醒,凄婉的笛声令人断肠,而朦胧的月色,正把梅花消融。结尾连用三个典故,进一步描写梅花的神韵。"酒醒寒惊梦"用典极为隐蔽,不仔细体会觉察不到。相传隋代赵师雄在罗浮山林舍遇一白衣淡妆女子,相约酒店饮酒,赵醉卧,醒后发现自己躺在一棵白梅树下。盖所遇之女子乃白梅仙子。(见旧题唐柳宗元撰《龙城录》)这个典故紧承上句"缟袂绡裳"而来,圆转自然。"笛凄春断肠"用晋向秀《思旧赋》典,后常用"闻笛"喻思念旧人。"淡月昏黄"化用宋林逋"暗香浮动月黄昏"之句(《山园小梅》)的诗意,突出梅花之神韵,而且点明与梅相逢的时间,堪称巧妙。小令就是这样在层层铺垫中反复渲染梅花的风神。但我们也要看到,本曲在颂美梅花的同时,也自然带出作者因理想难以实现的感叹和忧伤,客观上记录了作者复杂的心曲,折射着当时复杂的社会现实。

这首小令构思十分精巧,情感起伏回环,情节一波三折,通过寻梅、相遇、酒醒三个片断,起于失望,间以惊喜,而结于悲凄,最后以"淡月昏黄"而境界全出,颇有"大匠运斤"之妙。曲中几乎纯用白话,自然而又精巧,风格清丽质朴,结构紧凑细密,和李白的一些诗作异曲同工。乔吉不愧"曲中李白"之誉,是一位不可多得的天才!区别也许在于,李白纯以才情驱动诗句,而乔吉有意识地以一种雅俗融会的风格进行艺术创作,其散曲在自然质朴中见工巧,涵融了作者的艺术匠心。

(李　克)

# 【双调·水仙子】

乔　吉

## 重观瀑布

天机织罢月梭闲，石壁高垂雪练寒，冰丝带雨悬霄汉。几千年晒未干，露华凉人怯衣单。似白虹饮涧，玉龙下山，晴雪飞滩。

### 鉴赏

乔吉的创作特色，主要表现在以下两个方面：首先，他的作品不避俚俗，善于运用口语，并喜用日常生活中常见的事物作比喻，有雅俗共赏的特点；其次，他的作品秾丽奇俊，想象丰富而出奇制胜。这首《重观瀑布》小令比较鲜明地体现了他的后一种创作特点。

乔吉曾作过另一首小令〔水仙子〕《乐清白鹤寺瀑布》，《重观瀑布》或是作者继之而写的第二首吟咏瀑布的作品。乐清县正是号称"东南第一山"的雁荡山所在，其中山奇水秀，颇多胜境。作者涉险探胜，流连于大好山水之中，乘兴挥洒，《乐清白鹤寺瀑布》小令侧重写寻仙访道的内容，而这首《重观瀑布》则全在描写瀑布飞泻的雄伟瑰丽的景象。

作者自远而近从几个不同的角度描述瀑布胜景。首先作者从远处看瀑布倾流而下，壮伟的景象深深震撼了作者的心灵，使他感到这一奇景是天运神功所造："天机织罢月梭闲，石壁高垂雪练寒，冰丝带雨悬霄汉。"作者以大胆的想象，把瀑布比作天上织女织成的一幅白练，从陡峭的石壁垂下。那白练的缕缕经纬线，湿漉漉的，带着蒙蒙的水汽、丝丝的细雨直从空中飘下，十分形象地描绘了瀑布垂挂悬崖的姿态。

把瀑布比作白练，早已有之，如唐徐凝《庐山瀑布诗》："千古长如白练飞，一条界破青山色。"又如《太平御览》载周景式《庐山记》也有"望之若悬素"的词句。乔吉则在前人的基础上有所发展，创造了更加神奇的意境。李白在其著名的诗篇《望庐山瀑布》中把瀑布比作银河："初惊河汉落，半洒云天里。"

"飞流直下三千尺,疑是银河落九天。"乔吉似从李诗中得到启发,才造"天机""月梭"等词语,把瀑布想象成银河边织女抖落下来的白练,使作品具有奇丽的色彩。自然,李白诗句才调高迈,涵容天地,气势不凡,非乔吉所能追比。但却可以看到,乔吉在这首小令中,学习前人诗作,刻意求工、求奇的创作意图。

"几千年晒未干,露华凉人怯衣单。"作者自远至近,已经靠近瀑布飞流的石壁,来到清溪汩流的滩头,因而他感到飞沫飘落在身上,如天降甘露,感到寒气逼人而觉得衣服太单薄了。同时,又看到阳光照耀下的几千年不停息地磅礴奔流的瀑布,不禁引起了对永恒的大自然肃然起敬的赞叹。作者身临其境,已不仅是看,而是进一步去感受,去体验,注入了感情。

"似白虹饮涧,玉龙下山,晴雪飞滩。"作者连续用了三个比喻进一步描绘瀑布变幻的姿态。"白虹饮涧"写瀑布自石壁飞驰而下,一头栽入涧底,似乎要吞饮涧水。"玉龙下山"又写出瀑布泻下时,随着山势的变化,蜿蜒曲折、摇曳生姿的状态。"晴雪飞滩"则写瀑布撞击嶙峋的山石,溅起朵朵飞沫,飞洒在滩头。仔细回味,我们不仅能看到如白练悬空的瀑布,似还可以看到如烟似雾的飘动的水汽,在阳光下闪着粼粼白光的溪水,因阳光折射而产生的似隐似现的霞光,似乎还可以听到瀑布轰然奔流的声响,以及溪水的淙淙流淌。作者给我们的是一幅壮丽奇谲的图画,令人欣赏之余还引起不少遐想。这里,作者用了两则典实。关于"虹"这一自然现象,古人有不少传说,早已赋予它生命。南朝宋时刘敬叔《异苑》中曾记晋陵薛愿家发生了"虹饮其釜澳,须臾噏响便竭"的异事。还记薛愿再注酒请它喝,它喝完后留下黄金走了。宋代沈括《梦溪笔谈》有一条关于"虹饮涧"的记载:"世传虹能入溪涧饮水,信然。熙宁中,予使契丹,至其极北黑水境永安山下卓帐。是时新雨霁,见虹下帐前涧中,予与同职扣涧视之,虹两头垂涧中。使人过涧,隔虹对立,中间如隔绡縠。"沈括记载了他亲自见到的大自然奇妙景象,也告诉我们,宋、元时早已有"虹饮涧"的传说。这对我们理解与欣赏乔吉的小令是有帮助的。"玉龙"常用以形容雪景,最突出的例子是张元的《雪诗》:"战死玉龙三百万,败鳞风卷满天飞。"(宋吴曾《能改斋漫录》)他把漫天大雪形容成玉龙的鳞片。也有人用以形容瀑布,如金元好问诗《黄华峪十绝句》即是一例:"谁著天飘洒飞雨,半空翻转玉龙腰。"而乔吉则兼而用之,主要是形容瀑布倾斜下山时生龙活虎、曲折翻腾的姿态,却又从水花飞溅似片片雪花的情景,引起最后一句——"晴雪飞滩"。中间过渡得十分自然。明王骥德曾说过:

“曲之佳处不在用事，亦不在不用事。好用事，失之堆积；无事可用，失之枯寂。要在多读书，多识故实，引得的确，用得恰当。”这一说法颇为得当，乔吉在这一小令中用典是用得比较恰当的，并无“堆积”的毛病，反而使作品增加神奇的色彩，耐人咀嚼、回味。

（吕薇芬）

## 【双调·水仙子】

乔　吉

### 游越福王府

笙歌梦断蒺藜沙，罗绮香余野菜花，乱云老树夕阳下。燕休寻王谢家，恨兴亡怒煞些鸣蛙。铺锦池埋荒甃，流杯亭堆破瓦，何处也繁华。

#### 鉴赏

福王赵与芮是宋太祖赵匡胤十世孙，理宗赵昀的同母弟。理宗即位后，封赵与芮福王，府第在绍兴府山阴县。（见《万历会稽县志》）赵与芮位高爵显，府第豪华奢侈。宋恭帝德祐二年（1276），在元兵铁骑威迫下，赵宋王朝降元，元丞相伯颜率兵占领临安，赵与芮投降，被封为平原郡公，成了没落的贵族，王府也日渐破败。时隔数十年后，乔吉游历绍兴时经过福王府，看到王府已成为一片荆棘瓦砾，想到昔日的繁华，不由唱出荆棘铜驼、兴亡无定的哀歌。

这首小令突出的特点是借景抒情。作者不措意于眼前之景的细致刻画或直抒胸臆，而是巧妙地把想象当年之景与眼前所见之景交织在一起，如笙歌和蒺藜沙、罗绮香和野菜花、堂前燕和百姓家、铺锦池和荒甃、流杯亭和破瓦等。这些事物显然有着显著的典型性，它们是作者眼前所见之实际景物，但也承载着作者悲凉哀伤的情感。在强烈的对比中,这首小令形成一种内在的张力,有着更丰盈的内蕴和可阐释的空间。从中,我们不仅能感到现实的残酷,感到作者内心的那种悲叹繁华凋落的感伤,更有一种人生真幻无定、兴亡莫测的悲凉。这种悲凉与作者内心的哀伤同构,他不禁感慨:面对满目沙砾、蒺藜丛生,当年追欢逐乐的"笙歌"到哪里去了?那一丛丛野菜花繁茂地吐着芬芳,满身罗绮的宫人的脂粉香又何处寻觅?夕阳销蚀着乱云老树,燕子们何必还要徒劳地寻找当年筑巢的王府雕梁呢?野塘中传来青蛙的鸣叫声,当年向怒鸣的青蛙凭轼致敬、以鼓舞越国军民向吴国复仇的勾践不是也归了尘土吗?一堆堆的残砖破瓦,见证着这里是当年建筑物的遗迹,但也仅此而已,池底铺锦的豪奢,曲水流觞的风雅,过去的一去不复还。也许,任何繁华欢乐不过是一场梦幻,没有什么东西能永恒地停留在某个固定的地方,无一不在时间的长河里消亡。人生至此,那种莫名的悲哀是残酷而又真实的。

这首小令的结构也有自己的特点,很显然,曲中从视觉、嗅觉和听觉等全方位展示作者的兴亡感受,但在具体的句子上并无一定的次序,这在客观上说明,实际景物就是凌乱的,而作者的情感意绪在现实的冲击下也是纷繁错综的。这种手法打乱时空顺序,把主观的思维活动和客观所见所感杂糅在一起,构成一系列对比鲜明而又朦胧的意象,表现出一种写意性的特征,展现了中国艺术中写意传统在诗歌中潜移默化的渗透,而作者驾轻就熟,则展现其写意艺术功力的深厚。

(李　克)

## 【双调·水仙子】

乔　吉

### 赋李仁仲懒慢斋

闹排场经过乐回闲,勤政堂辞别撒会懒,急喉咙倒换学些慢。掇梯儿休上竿,梦魂中识破邯郸。昨日强如今日,这番险似那番,君不见鸟倦知还。

## 鉴赏

这首小令是乔吉受到朋友李仁仲的书斋“懒慢斋”名号触发而写就,抒写了自己的隐逸生活与情怀,与陶渊明的《归去来兮辞》有异曲同工之妙。李仁仲,应是乔吉之友,然生卒年及事迹均不详。

本曲紧紧围绕“懒慢”二字而生发,作者想要在“懒慢斋”中偷闲,表达了要回归隐逸生活的强烈愿望。“懒慢斋”这种理想“栖居”的构筑,与陶渊明虚构的美妙绝伦的神仙国度“桃花源”有着内在的一致性,是为自己找到的一条“久在樊笼里,复得返自然”的“还乡”之路。在人生旅途中,要经历过热闹的名利场,名利场上你争我夺,钩心斗角,让人身心俱疲,现在可以把它抛在一边,回归一种闲适飘逸的生活状态。整天起早贪黑,在勤政堂里兢兢业业,现在可以偷得浮生半日闲。说话做事也不应那么着急,要学会慢下来,也不再耳根软,轻易听从别人的怂恿或无端被人利用。人生很短暂,所谓的荣华富贵不过是一场梦罢了。曲中用“邯郸梦”的典故非常恰切。邯郸梦的故事出自唐沈既济传奇小说《枕中记》,概云:有一个青年叫卢生,他在邯郸的一家客店中遇见了道士吕翁,就用吕翁所给的瓷枕睡觉。在睡梦中,卢生历数十年富贵荣华、世事沉浮。等到卢生醒来,店主煮的黄粱米还没有熟。后来就常用“邯郸梦”来喻人生如梦、繁华虚幻。

对于那些沉迷于官场的人,他们宁可在尘世中被撞得头破血流仍孜孜不倦地追求荣华富贵、高官厚禄。在乔吉看来,世风如江河日下,人心不古,尔虞我诈,官场表面上风光无限,实际上比战场更可怕,如风口浪尖,稍有不慎就会舟覆人亡。他奉劝那些在外面做官的人要像倦鸟归林那样赶紧回来,不要急功近利,继续在宦海中沉浮,那里不是久留之地,退一步海阔天空,回归“懒慢斋”吧,闲适自由才是理想的生活状态。但客观而言,乔吉归隐的想法只是当时知识分子在饱经沉沦之苦和不公正待遇之余的无奈之举,实际上退隐山林又有什么用呢?一些归隐的名士即便如陶渊明,不还是有那么多的牢骚吗?

这首小令在风格上熔质朴、清新于一炉,洒脱干练而又自然飘逸,在乔吉的散曲中亦备一格。

(李　克)

# 【双调·水仙子】

乔　吉

## 暮春即事

风吹丝雨噀窗纱，苔和酥泥葬落花，卷云钩月帘初挂。玉钗香径滑，燕藏春衔向谁家。莺老羞寻伴，蜂寒懒报衙，啼煞饥鸦。

### 鉴赏

这首小令应是乔吉浪迹江南、定居杭州时所写的，全曲融情于景，借暮春之夜的自然景物抒发感情，于本色直率中见新巧，是乔吉写景咏物散曲中的佳作。

暮春三月，江南草长莺飞，一个美丽而又略带忧愁的季节。傍晚的时候，天空飘起了蒙蒙细雨，诗人站在窗前，用他的感官和心灵，贪婪地触摸着这美丽而沉郁的世界。"风吹丝雨噀窗纱，苔和酥泥葬落花，卷云钩月帘初挂。"他隐约听到沙沙的声音，这时风在轻轻地吹，把一丝丝带着雾气的细雨喷洒到碧纱窗户上，带来丝丝清新的凉气。透过碧绿的纱窗，诗人敏感的心灵，受到更大的激发。他看到那些曾经傲立枝头的花儿，在细雨中，在风中，不情愿地离开枝头，回归大地。但"落红不是无情物，化作春泥更护花"，有了充足的养分，明天的花儿会开得更加娇艳。渐渐地，雨变小了，风也慢慢停了下来，天空中的阴云并未完全散去，它们积聚着，像席子一样把弯钩一样的月亮遮住了，夜幕转深，人们开始拉上窗帘。有谁迈着莲花步在芳香小径上走，地上稍微有些湿滑，她小心翼翼地走着。衔着春泥的燕子准备垒巢，它们三三两两，在空中飞来飞去，不知到底要飞向哪一户人家的檐下。"莺老羞寻伴，蜂寒懒报衙，啼煞饥鸦。"在这令人感伤的季节，黄莺慢慢变老，它孤单地待在那里，羞于再去寻找侣伴，而寒夜里蜂儿也懒得再采花，它们也要慢慢或陆续进入睡眠。沉郁的空气中，饥饿的乌鸦在不停地叫唤。

曲中,作者充分调动听觉、视觉、触觉和心灵感觉,以白描手法写暮春景色。他善于抓住景物的特点来构思,如轻风细雨、春泥落花、燕子衔泥、乌鸦哀鸣等,这些景象在诗人的精心组织下,便构成了一幅暮春夜景画,形象具体,色彩鲜明,不刻意求工而形神毕现。随着时间推移,景物相应起着细微的变化,无论是无生命的雨、风、泥水,还是有生命的莺、蜂、乌鸦,它们并不是静止在某个点上,诗人赋予它们以人格化的特征,从而丰富了作品的内涵。诗人在驱动诗句以完成这幅暮春即景图时,并不是为写景而写景,而是有所寄托,这是和他怀才不遇、落寞悲伤的心境分不开的。乔吉一生,没有做过官,虽赶上了元仁宗延祐年间恢复科考,但已三十多岁,加之科考规定不公平,使他不屑也不愿就范,只好流落江湖,纵情诗酒,一生穷困潦倒。因此,本曲中多少流露出对现实的不满情绪,而暮春天气更能诱发人的感伤和对现实悲凉无助的感慨。当然,这些情感正面不着一字,全都寄寓于眼前的自然景象之中。

(李　克)

## 【双调·水仙子】

乔　吉

### 为友人作

搅柔肠离恨病相兼,重聚首佳期卦怎占?豫章城开了座相思店。闷勾肆儿*逐日添,愁行货顿塌在眉尖。税钱比茶船上欠,斤两去等秤上掂,吃紧的历册般拘钤。

注释

* 勾肆:勾栏瓦肆,宋元时伎艺人主要活动的场所。

## 鉴赏

乔吉散曲以"清丽新奇"见长，也有不少"本色之曲"，《为友人作》就是一首本色质朴的佳作。

思念是诗词常见的主题，多有即物起兴以言志者。本曲则一开始就直接切入友人怀思的形态。"搅柔肠离恨病相兼"，离愁别恨，积压心中，搅得人柔肠寸断，更何况还有病相煎熬。这种才下眉头却上心头的离愁别恨，何时才能摆脱呢？多想和心上人再聚首，可何时才能等来相遇的佳期呢？在万般无奈之下，友人想到了算卦，让自己的命运由一纸卦象来决定，不管他主观上信与不信，这种做法确实有点病急乱投医的味道。"重聚首佳期卦怎占？"友人其实是考虑到了这一层的，他在心里反复地问自己，这卦怎么个占法呢？他心中的盼望、希冀、焦虑、不安她会知道吗？谁又能理解他呢？在他看来，如果连如何占卦都不知道，佳期聚首的愿望十有八九是落空了。友人的相思之苦在"豫章城开了座相思店"一句里彰显无遗。豫章城的故址在今江西南昌，这里用双渐与苏卿故事。宋元时，妓女苏卿与双渐相爱，双渐进京求官未回，鸨母将苏卿卖给了茶商冯魁。双渐闻讯追赶，在金山寺壁上看到苏卿留下的诗句，终于得以团聚。作者用"开了座相思店"来凸显友人对心上人思念之重，语言轻巧俗俚，显然是从生活俗语中随手拈来而又颇为恰切别致。当然，这也在客观上为以商贾行话比喻愁闷做了铺垫。友人积郁成病，愁闷不已，为了排遣这种愁绪，他自然而然想到了去瓦肆勾栏解解闷，然而"闷勾肆儿逐日添"，时间在流逝，他心中的相思和愁闷并没有随着时间的流逝而减少，反而相思愈来愈深，愁闷与日俱增。他的相思和愁闷像采购的货物一样堆积在那里，这就引出下句"愁行货顿塌在眉尖"。"愁行货"指使人愁的货物，"顿塌"即堆积。用货物的堆积来喻思念和愁苦的增加，确是新颖别致，而其中的"愁思"之重可见一斑。此曲的后三句仍以商贾之语出之，耐人寻味。"税钱比茶船上欠"，这里的"税钱"比喻相思(与俗语所说的"相思债"不尽相同)，他既然爱上了自己的心上人，就要付出相思的代价，就像商家必须缴纳税钱一样。他的"税钱"到哪里追比呢("比"，即追缴赋税)？苏卿为茶商所夺，最终在双渐的努力下终于团圆，而友人呢，按照典故的暗示，他的心上人很可能也是为强力所迫走，他该怎么办呢？作者并没有沿着这写下去，而是用排比的句式反复渲染友人的相思愁苦。"斤两去等秤上掂"和"吃紧的历册般拘钤"同样如此,前者比喻用具体的等秤掂量愁思的轻重,后者意味着相思像在账本上记着似的无法改变。

这里有意思的是曲中所使用的语言带有浓厚的商贾色彩,它们在整体上采自宋元以来的俗话系统,鲜明地体现了元曲俚俗本色的特点,是时代风俗在散曲创作中的反映。

（李　克）

## 【双调·水仙子】

乔　吉

### 怨　风　情

眼中花怎得接连枝，眉上锁新教配钥匙，描笔儿勾销了伤春事。闷葫芦铰断线儿，锦鸳鸯别对了个雄雌。野蜂儿难寻觅，蝎虎儿*干害死，蚕蛹儿毕罢了相思。

#### 注释

* 蝎虎:即壁虎,又名守宫。据说以朱砂喂壁虎,使其全身赤红,而后捣烂,涂于女子身上,若不交接男人,则赤红终身不消。常用以表示守贞。(见西晋张华《博物志》)

#### 鉴赏

这首小令生动地展现了一个女子失恋后剪不断、理还乱的内心世界,其中纠结着相思忧愁、困惑疑猜、怨愤绝望等复杂的情感,令人倍感伤情。

当往事渐渐成为往事,熟悉的渐渐变得不那么熟悉,回忆却像一条蛇还停留在曾经的故事里,女主人公虽然不能忘情,但她面对现实,必须努力走出失恋的阴影,从而减轻因失恋带来的梦魇式的痛苦、相思的煎熬和忧愁的折磨。因此,小令起首用一鼎足对将这种复杂的心境展露无遗。这里的“眼中花”并非真花,而是自己的心上人。“连枝”即连理枝,“怎得”表明自己与意中人的爱情山穷水尽,很难结合在一起。为此,她忧心忡忡,双眉紧蹙,仿佛被一把锁紧紧困住。她不能就此自怨自艾终其一生,必须找到打开眉上锁(亦即心锁)的那把钥匙。“描笔”即画笔。可见,描几笔字画无疑是她情感释放的最佳方式,于是,她在抑郁之中,提笔写下断肠诗,她希望那些失恋的相思、怨愤和痛苦能找到一个隐秘的突破口发泄出来,那些青春爱情的烦恼、令人感伤的琐碎情节和心灵的痛苦能就此一笔勾销。可是,蓬山已远,锦书难托,纵然写好情书又寄往何处呢?“闷葫芦铰断线儿”,心上人没有说什么,就无缘无故中断了联系。她在心里反复掂量这件事,种种可能的原因被一一提起,又一一被否决,最终,像闷葫芦一样,她找不到发生变故的原因所在,也不知道怎样才能找到他。“锦鸳鸯别对了个雄雌”,困惑之余,她猜测心上人很可能是看上了别的女子,另觅新欢了。最后三句,写出了她的怨恨和绝望。她没料到,自己的心上人和其他轻浮薄幸的男子一样,不把感情当回事,像野蜂一样,到处寻花问柳,踪迹难寻。这个痴情的女子在刹那间彻悟了男人的劣根性,恨自己为什么那么痴傻,何苦要为这样滥情不专的臭男人坚守贞操,白白地害相思。她的心底升腾起一种愤激的情感,她要自己坚强起来,要像蚕蛹一般停止吐丝,把曾经的心上人从心里摈弃,从而决绝地告别过去,活出一个真正的自己。

这首小令大量采用俗语口语入曲,摈除典故和藻采,一以本色出之,使这位女子声口毕肖,生动传神,尤能展现元代散曲质朴通俗的特点。曲中每句皆用比喻,形象得体,语言活泼俏皮,清爽洒脱,风格迥别于赋体小令和清丽之曲,值得品味。

(李　克)

## 【双调·水仙子】

乔　吉

### 咏　雪

冷无香柳絮扑将来,冻成片梨花拂不开。大灰泥漫了三千界，银棱了东大海。探梅的心噤难捱，面瓮儿里袁安舍，盐罐儿里党尉宅，粉缸儿里舞榭歌台。

## 鉴赏

历来咏雪诗以南朝和唐朝为最，前者重在体物，多以观玩心态出之；后者重在抒情，即物起兴，拓展了诗境。乔吉的这首《咏雪》小令，虽近于前者，但写得大气磅礴、千姿百态、别具一格。

小令开篇第一句"冷无香柳絮扑将来"一语点明题旨。咏雪，以"柳絮"做喻体，用柳絮来比喻雪花的轻盈、洁白，这并非乔吉首创，晋朝谢道韫(谢安之侄女)曾形容雪为"未若柳絮因风起"(南朝宋刘义庆《世说新语·言语》)，千古传诵。但本曲中加上"冷无香"三字，从触觉与嗅觉来表现雪的形态和神韵，从而使雪的形与神俱现。一"扑"字，雪的气势和境界全出。眼前的大雪下个不停，轻盈而洁白，"忽如一夜春风来，千树万树梨花开"(唐岑参《白雪歌送武判官归京》)，面对这样的景观，作者不由脱口而出"冻成片梨花拂不开"，以片片梨花喻雪，的确形象而生动，彰显了前人的智慧，作者又巧妙地用"冻成片"来形容，进一步烘托天气之"冷"，可谓妙手偶得。"拂将来"的大雪似乎没有要止住的意思，这样，就出现了一幅苍茫无垠的雪景图画，引起人无限的遐思：雪下得那么厚，像大片大片的白灰泥，覆盖了无限苍茫的大地，远方的大海不再泛着波涛，而是被镶嵌了一层白银，一片白茫茫的世界静静地躺在那里，仿佛在等待诗人，等待它的知音的到来。诗人果真来了，他用他的澄澈的心灵来触摸这片洁白的世界，不忍破坏了她的莹洁。"三千界"语出佛经，指宇宙存在，从而增加了雄奇的意境。这种写法不落窠臼，读来令人赏心悦目。而在这样莹洁的世界里，诗人推己及人，想象雪中的行人该有着怎样的感受呢？"探梅的心噤难捱"，也许，野外踏雪寻梅的人会不胜其寒，这么冷的天气，也许多少会减弱他们游赏的雅兴。紧接着，又进一步以一系列的典故来形容雪之大及雪中不同人的精神境界。大雪停后，大大小小的人家、高高低低的屋舍，都陷在厚厚的积雪中，天地间同是白茫茫一片。但在雪封的表象下，人们却过着各自苦乐不均的生活。前面的所谓的"柳絮"和"梨花"似乎也变了味道，一瞬间就被揭去了粉饰太平的面纱。"面瓮"句用"袁安卧雪"典(见《后汉书·袁安传》)，言大雪封屋，寒士袁安僵卧在家不出,县令掘雪救之,袁安说:"大雪人皆饿,不宜干人。"后用"袁安舍"指代寒士不乞之气节。"盐罐"句概指宋初武夫党进官居太尉,遇雪天在家饮酒作乐,宅舍被覆如盐堆。袁安和党进一文一武,一贫一富,这样就在对比中构成一种张力,彰显不同的人在雪中的境界和趣味,也形容雪之大。更主要的是,曲中的这些典故与俚语、俗喻搭配在一起,就愈显得相映成趣了。

这首《咏雪》曲写得极新鲜诡异。诸如"梨花""灰泥""银""面""盐""粉"等,举凡可比喻白色的东西都用上了,且语言诙谐滑稽,风趣生动,质朴率直,格调亲切可爱,产生了独特的艺术效果。

(李　克)

## 【双调·水仙子】

乔　吉

### 嘲　楚　仪

顺毛儿扑撒翠鸾雏,暖水儿温存比目鱼,碎砖儿垒就阳台路。望朝云思暮雨,楚巫娥偷取些工夫。殢酒人归未,停歌月上初,今夜何如?

鉴赏

乔吉一生穷困潦倒,寄情诗酒,其散曲中有大量题赠伎女之作。这首小令就是他和歌伎楚仪间的调笑之词,也是一篇广为传诵的佳作。

楚仪,姓李,一作李芝仪,维扬(今江苏扬州)人,元中期前后在世,演艺活动在江南。元夏庭芝《青楼集》中说她是扬州名伎,"工小唱,尤善慢词"。乔吉与李楚仪来往甚密,赠以词曲亦富。《乔吉集》中至少有七支散曲是赠给李楚仪的,如〔折桂令〕《贾侯席上赠李楚仪》《会州判文从周自维扬来道楚仪李氏意》,〔水仙子〕《席上赋李楚仪歌以酒送维扬贾侯》《楚仪赠香囊赋以报之》《嘲楚仪》,〔小桃红〕《楚仪来因戏赠之》《别楚仪》等,可见乔吉与歌伎李楚仪的感情非同一般。

这首小令真实地写出了乔吉对李楚仪的依恋与牵挂。可以说,勾栏瓦舍、青楼舞榭,作为歌伎活动的场所,已经成了乔吉混迹江湖的生存空间,其中有他的情感寄托所在,李楚仪仿佛是上天为了怜悯诗人的一腔才华而赐给他的馈赠。这一点,乔吉的经历和宋代柳永的狭邪之行颇为相似。乔吉在倚红偎翠、诗酒往还之中,也像柳永一样,甘愿用生花妙笔来抚慰这些生活在最底层的歌伎们。"顺毛儿扑撒翠鸾雏,暖水儿温存比目鱼",曲中用可爱的"小鸾鸟"和"比目鱼"来比拟李楚仪,既写出作者悉心照拂的温情,又初步暗含李楚仪的温柔和多情。但是,作者又有点担心他们二人之间的情感并不牢靠。"碎砖儿垒就阳台路。""阳台"用"朝云暮雨"的典故(见战国楚宋玉《〈高唐赋〉序》),后常用"阳台"指男女欢会之所。"碎砖儿垒就"比喻情感建立的不牢固。作者在心里也明白,李楚仪作为扬州名伎,不可能整天守在自己的身边。"望朝云思暮雨,楚巫娥偷取些工夫",他只希望她能抽空匀出点时间来陪伴自己。"殢酒人归未,停歌月上初,今夜何如?"当作者买醉归来,李楚仪的歌声停歇下来,明月升起,夜慢慢地深了,作者不由得担心晚上会是怎样的一个结果。也许,她还有别的预约,那自己一个人在空房中,如何度过漫漫的长夜。也许,她会陪着他,那该是怎样的一种幸福啊,自己又如何才能讨得她的欢心呢?作者陷入了沉思。

乔吉的散曲以"清丽奇巧"见称,在这首小令中,大量引当时的俗语入曲,流畅婉转,表现出融清丽与通俗于一体的风格特征。

(李　克)

## 【双调·水仙子】

乔　吉

### 乐清箫台

枕苍龙云卧品清箫,跨白鹿春酣醉碧桃,唤青猿夜拆烧丹灶。三千年琼树老，飞来海上仙鹤。纱巾岸天风细，玉笙吹山月高，谁识王乔？

## 鉴赏

这首小令是作者游览吴越时所写,描写了隐逸山林而怡然自得的情趣。

乔吉失意官场后,遂寄情山水,放浪于形骸之外。乔吉的遁世似乎更少外在因素的制约,更多的是率性而为,没有受功名利禄的羁绊,因此写出的作品其中都有一种高蹈远世的隐士风范。在浙江乐清,存留着传说中王子乔成仙后遗留下来的升仙台,作者在山间徜徉,展开大胆的想象,颇具仙风。"枕苍龙云卧品清箫",首句作者就展开想象的翅膀,显得豪迈、飘逸,他醉卧箫台山下金溪之畔,想象自己卧在云彩中间,头枕高高的青松,悠然吹奏起清箫。"跨白鹿春酣醉碧桃",他要骑着白鹿在山间行走,阳光和煦地照着,山间泉水涔涔,春天的气息已经笼罩着这片大地,碧桃花在春风的吹拂下,仿佛醉了一样,他也在这如诗如画的仙境中沉醉了。下句"唤青猿夜拆烧丹灶"中引用的是张文君修仙的故事。张文君名鹰,字子雁,东晋人。隐于丹霞山(今乐成镇金村境内),他以修道为乐事,不应征召,乐清金溪留有他当年炼丹的烧丹灶。相传郡守王羲之曾慕名访之,他避入竹林,不肯与会,郡人咸称之为高士。后来,他舍宅为寺(即白鹤寺),骑鹿出游,不知所终,后人称他仙去。这里,作者要呼唤烧丹的青猿在夜间拆掉张文君的烧丹灶。既然已经成仙,何必还要炼丹呢?表达了自己寻仙访道的意愿。"三千年琼树老,飞来海上仙鹤",到此,作者更是展开无穷的想象力,眼前一草一木,甚至每一块石头都充满灵性,多年生的仙树日渐衰老了,有仙鹤从海上飞来。"玉笙吹山月高,谁识王乔?"王乔即王子乔,亦称王子晋,神话传说中的仙人。他好吹笙作凤凰鸣。他曾在伊、洛一带漫游,被道士浮丘公接引上嵩山。三十年后,一次他偶遇老朋友柏良,告别时就让柏良带信给家人,让他们七月七日在嵩山北边等他,他要和他们告别。七月七日那天,王乔果然乘白鹤在山头等着家人,家人能看到他却无法与他接近,他挥手告别众人驾鹤而去。(见刘向《列仙传》)可见,当诗人推开戴着的纱巾、露出头额任天风轻拂时,玉笙声在如水的月光里高高飞扬,他多么渴望与神仙结交,因此他不禁发问,有谁认得吹笙仙去的王乔呢?

此曲引用了张文君、王子乔成仙的故事,表达了对仙境的向往,白鹿、青猿、琼树、仙鹤、天风等意象杂陈,使人油然感叹时空变幻无穷,只有箫声明月一片。

(李　克)

## 【双调·殿前欢】

乔　吉

### 登江山第一楼

拍阑干。雾花吹鬓海风寒。浩歌惊得浮云散。细数青山，指蓬莱一望间。纱巾岸，鹤背骑来惯。举头长啸，直上天坛。

**鉴　赏**

乔吉一生游历了很多地方,有不少登临之作。其中《登江山第一楼》堪称佳篇。江山第一楼,指镇江北固山甘露寺内的多景楼。宋陈天麟在唐代临江亭故址所建。登其楼可俯瞰大江,遥望东海,颇为壮观。宋著名书法家米芾游多景楼时赞为"天下江山第一楼",元周权《多景楼》诗曰:"谁言宇宙无多景,今见江山第一楼。"乔吉所登,正是此楼。

多景楼既负盛名,历来登临题咏者极多,其中也不乏佳作。如宋晁端友的《登多景楼》:"楼上无穷景,楼前正落晖。开轩跨寥廓,览物极纤微。云破孤峰出,潮平两桨飞。东溟看月上,西渡认僧归。木落吴天远,江寒越舶稀。鱼龙临海窟,鸡犬隔淮圻。草色迷千古,波声荡四围。废兴怀霸业,融结想天机。浩浩群流会,沉沉百怪依。登临真伟观,回首重歔欷。"写景细微,境界参合有度,跳跃有致,正合"多景"之特征。在登临题景之作中,是有名的一篇。元方回赞曰:"此诗无一字一句不工,孰谓宋诗非唐诗乎?"乔吉的《登江山第一楼》则从另一角度别开生面。它并不着意于"多景"的描绘,而是借登临之举一展作者自己的内心世界,观照的焦点不在外部景物,而在诗人的内在心灵。

因而全曲以“意”为脉,以“情”为络,层层起伏开阖,气势豪宕酣畅。

“拍阑干”,开篇便气势不平。一个陡然的动作切入,既点“登楼”之题,同时又引导人们进入诗人的深沉心境。辛弃疾〔水龙吟〕《登建康赏心亭》词有“江南游子,把吴钩看了,阑干拍遍,无人会、登临意”之句,本曲巧借其意,显示出诗人内心深处是不平静的。全曲意脉由此发端。“雾花吹鬓海风寒”,精练而传神地写出登此浩水之滨高楼的感觉。“雾花”指水气,水滨之风,强劲而湿润,水气夹风,扑面而来,鬓发飘拂,一个登楼者的形象写意化地凸现出来。一个“寒”字,既是海风袭人的感觉,又是诗人的心理感受——世界并不是一个温暖的存在。这就把“拍阑干”的意脉推向深层。乔吉散曲常写“寒”“冷”之境:如“酒醒寒惊梦,笛凄春断肠”(〔水仙子〕《寻梅》),如“冷笑诗仙,击楫扬舲”(〔折桂令〕)。之所以如此,只要知道元代下层文人和乔吉的处境便不难理解。但元曲写寒冷之境往往并不流于悲切伤感,而常以旷达之语出之,“寒意”来自现实,然而诗人却要在另一世界寻找自我舒展的存在。“浩歌惊得浮云散”便一下子将诗人独立“寒”中而奇崛自傲、藐视现实的胸臆极豪放地托出。“浮云”,在古代诗歌中或比喻不足挂心之事(如《论语·述而》“不义而富且贵,于我如浮云”),或比喻卑鄙小人(如李白《登金陵凤凰台》“总为浮云能蔽日,长安不见使人愁”),或借指变幻不定的事物(如杜甫《哭长孙侍御》“流水生涯尽,浮云世事空”)。而乔吉的“浩歌”正要将这一切世间“浮云”一惊而散。乔吉向往和追求的是美好的彼岸世界。“浩歌”句是全曲意脉的一个转折点,此后,便一气流注,展现了诗人的理想境界。

“细数青山”,暗用“买山”之典,本意指归隐,作者在这里则借以表达超脱情怀。“指蓬莱一望间”,蓬莱,古代传说中海上三仙山之一,为仙人所居之地,“一望间”谓诗人之心境实与仙境一脉相通。求超脱是元代文人一种普遍的心境,乔吉〔中吕·满庭芳〕《渔父词》有“回首是蓬莱”之句,乃是此心境更明确的表露,可作此句的注脚。“纱巾岸,鹤背骑来惯”用“王子乔骑鹤”典,王子乔是传说中的的得道成仙者,诗人正以此自喻。一“惯”字,下得极洒脱,表现了超脱尘俗之念,遨游于无羁无绊的天地间乃是诗人一贯追求的人生至境。接着,诗人以“举头长啸,直上天坛”把这种境界推向全曲的归结。它与“浩歌惊得浮云散”在意脉上相呼应:摆脱了人间“寒”气,摆脱了“浮云”的缠绕,诗人的身心便似乎进了“天坛”——没有烦恼,没有悲伤,只有任我驰骋遨游的新世界。

然而,诗人真的能使“拍阑”之情、“寒气”之感在他的胸中泯灭吗?况且,乔吉的这种心境又是千百年来失意文人的共同感受！自从汉末王粲写了著名的《登楼赋》以后，尽管登楼而“把酒临风，其喜洋洋者矣”的不乏其人，而去国怀乡、有志难展的慷慨悲凉之思却是古代“登楼”之作的主旋律。杜甫的“凭轩涕泗流”(《登岳阳楼》)，崔颢的“烟波江上使人愁”(《登黄鹤楼》)，陈与义的“老木沧波无限悲”(《登岳阳楼》)，乃至李白，虽飘逸不群，亦不免“长安不见使人愁”(《登金陵凤凰台》)之感，这种登楼“感极而悲者矣”是古代失意文人的普遍心态。而这种心态乃是历史的赋予——封建社会用“兼济天下”塑造了文人的人生价值观，一旦这种人生的价值不能实现，又怎能不“感极而悲”呢？但在古代，除了元朝，历代文人都还可以在现实中找到希望，找到机会，所以他们都尽情地一诉其悲，而其中包含的实际上是他们对现实炽热的眷恋。但元代是文人绝望的时代，所以，他们的“悲”中包含的是对现实的冷漠，他们只有到远离现实的“天坛”中去寻找，用彻底的超脱去寻求人生的慰藉。于是，元曲中近于虚无的“超脱”反而造就了前所未有的豪放之“本色”。本曲充满了一种与前代“登楼”之作所不同的意趣，正是这个总格调的典型体现。它深沉，但不悲切；它慷慨，但不凄凉。从本曲的酣畅豪爽中，我们体验到一种渴望自由的生命之力。然而，乔吉的这种豪放之情，似乎也总让人感到一丝“雾花吹鬓海风寒”的冷气。

(李昌集)

## 【双调·卖花声】

乔　吉

### 悟　世

肝肠百炼炉间铁，富贵三更枕上蝶，功名两字酒中蛇。尖风薄雪，残杯冷炙，掩清灯竹篱茅舍。

鉴赏

乔吉生长在北方，流寓杭州，落拓江湖四十载，不受知遇。这首小令生动、恰切地展现了乔吉对富贵功名的内心感受和穷困潦倒的生活境遇。

题为“悟世”，自非阅尽人间沧桑者不能言。小令一开始即用一工整的鼎足对。“肝肠百炼炉间铁”指出了自己的意志就像久经锻炼的钢铁一样坚强，同时又有悲叹自己历经磨难之意。而富贵功名则宛若枕上蝴蝶和酒中蛇影，虚幻缥缈。曲中运用庄周梦蝶、杯弓蛇影两个典故，对功名富贵予以彻底否定，否定之中又具有批判的意味，古往今来，多少人为了虚幻的富贵功名而折腰，一辈子深陷泥淖，奔波劳碌，不能自拔？只有看淡了世事，以超脱的心胸来看待人生，就会领悟到富贵功名，都是人世浮荣，繁华过去成一梦，无论你拥有高官厚禄，还是赢得声名远播，都会被时间之流无情地冲洗殆尽。

“尖风薄雪，残杯冷炙，掩清灯竹篱茅舍。”风雪旋飞，严寒刺骨，然而一贫如洗的知识分子只能用剩酒残羹果腹，只能在竹篱茅舍中，在如豆青灯之下苦读。“尖”“薄”二字用来形容风雪，确实形象而又生动，寒风刺骨，刺激着人的感官，像针一样尖利；雪如刀割人，不正凸显了其“薄”的特点吗？风雪交加，其摧人之烈，可想而知。但是即使是这样恶劣的生活环境，作者也甘愿接受，坦然以竹篱茅舍为居，从而表明自己回归自然、安贫乐道的人生态度，表明自己对宁静淡泊生活的向往和追求，以及不愿与恶势力同流合污的人格操守。

作者生活的遭遇实际也是其他知识分子的写照。作者通过描写自己的生活状况，也从侧面揭露了世情的污浊黑暗，渲染追求安逸恬静的田园生活的思想，表达对退隐生活的满足。其实，对大多数人说来，那种田园之乐只是幻象，现实生活的压力是没法摆脱的。

此曲清丽典雅、和谐委婉，韵律谐美，节奏感强，是乔吉散曲短制中的精品，深为时贤及后人称赏。

（李　克）

# 【越调·天净沙】

乔　吉

## 即事(四首其四)

莺莺燕燕春春，花花柳柳真真，事事风风韵韵。娇娇嫩嫩，停停当当人人。

### 鉴赏

乔吉此题共有散曲四首,分别写春景、羁旅思人、爱情和佳人。此为第四首,描绘明媚春光里一位佳人的艳丽风姿。结合四首散曲的内容,可以推测这是一组小令:第一首写春天离别的情景,第二首写羁旅经历与思念,第三首写忆思情人之感,第四首写与情人重逢时的春景和情人的风姿。

此首散曲首先描绘一幅春意盎然的图画。莺儿和燕子飞来飞去,似乎在为明媚的春光载歌载舞。鲜花争艳,杨柳呈绿,令人赏心悦目,心旷神怡。在莺歌燕舞、花红柳绿的春光里,一位佳人袅娜而来,这是一幅多么令人心动的美景!作者通过这种景物描写,表达了与情人相逢时喜不自胜的心情。“真真”一句可算是用典。晚唐杜荀鹤《松窗杂记》载,唐代有人得到一幅美人图,上面的美女为神女,名真真,据说只要呼其名一百天,美人就会从画中走出来,变为真人。后来,“真真”成为美女的代称。接下来,作品描写了这位美丽的女子,写她的秀美风姿和优异气度。她不仅行为很有风度,富于韵致,而且又是那么娇美年轻,更为难得的是,她处事端正妥帖,恰到好处。由此可见,这位“真真”有四个特点:一是年轻,由“嫩”字可知;二是漂亮,由“娇”字可知;三是有气质,由“风风韵韵”可知;四是行为端方有礼,由“停停当当”可知。可以说,这位佳人不仅年轻貌美,而且富有见识和才华。这样一位集外美与内秀于一身的佳丽,在灿烂的春天里向你姗姗走来,你能不为之心动吗?作者所表达的喜悦之情，跃然纸上。

作品用白描手法赞美了春景和美人，表达出与情人重逢后的喜悦心情。全曲言简意丰，音韵和谐。在写作风格上，此曲最明显的特点是通篇全部文字采用了叠字手法。全曲共二十八字，用了十四对叠字。叠字的使用不仅可以产生音韵美，可以强调情感色彩，还可以丰富内涵。如“莺莺燕燕”，可以产生鸟儿成双成对的意蕴，这种意境与春回大地的背景相符如契，与情人相逢的场面也很贴切。又如“花花柳柳”，不仅形容花柳繁茂，从而展现出春机蓬勃的气象，还可以表现出人们面对春花春柳时眼花缭乱的感受和欣喜若迷的心情。再如“人人”，两字相叠，可以透出一股亲切爱惜之情。使用叠字时，词性也有特色：其中十对为名词，四对为形容词。这种多用名词而少用形容词的方式，在叠字手法中也是极其少见和比较大胆的。

（黄云生）

## 【越调·凭阑人】

乔　吉

### 金陵道中

瘦马驮诗天一涯，倦鸟呼愁村数家。扑头飞柳花，与人添鬓华。

**鉴赏**

这是一首羁旅之曲，写金陵道中的萧条景象。一匹行走天涯的瘦马驮着作者的诗，走在寂寞的金陵古道上；一只倦于飞行的归鸟发出哀愁的啼声；不远处的田野中稀疏地点缀着几户人家。金陵即今天的南京，有“六朝古都”之称，自古为风流繁华之地。如今却被作者称为“天一涯”，也许此地其时已荒僻萧条，也许这仅是作者的一种心态——对于一个浪迹天下的游子而言，再繁华之地也不过是天涯海角。当然更可能的是，这儿的“天一涯”并不专指他正走着的金陵古道，而是泛指自己带着瘦马已经走过的山山水水，从这个意义上说，“瘦马驮诗天一涯”是作者在走上金陵古道前的一种生存状态，而这种状态，存在于过去，也必将存在于将来，不会因金陵之繁华而改变，或者说，与金陵之繁华形成鲜明反衬。马是瘦的，说明它已经走了很远很远的路，已经消耗了大部分精力，以至于浪子不忍心乘坐，只让它驮着自己的诗。马已至斯，可是前面的路还遥遥无期，也许它注定了必将死在途中。马的命运，实际上也就是马主人的命运。浪子究竟有没有马，我们没必要过于详细探求，因为马可视为对浪子的比喻，他就像一匹驮诗的马一样，带着自己钟爱的诗浪迹天涯，即便在他最穷困潦倒的日子里，他也可以与诗相依为命。一种穷困得只剩下诗的奔波生活，是如何的孤独寂寞，恐怕只有身处其中的浪子才真正体会得到。当他看到倦鸟时，内心很可能会产生同病相怜之感。“倦鸟”此处当指倦于飞行的归鸟。晋陶渊明《归去来兮辞》有“鸟倦飞而知还”一句，可视为此曲之典所出。再说，不管此鸟是不是归鸟，在浪子心目中，依然可能把它视为一只归鸟。所以倦鸟之愁，无疑代表了浪子之愁。这是一种间接抒情（借物抒情）的手法。浪子进而看到不远处的人家，这必定更勾起了他“吾乡似此乡，此乡非吾乡”的羁旅思乡之怀。至此浪子已百感交集，不料更有那不懂事的柳花，竟然飞上浪子的头发，使得头上的白发显得更多了。此处不直言头发之白，而借柳絮言之，可谓妙笔。浪子白发从何而来？当然是羁旅之挫和思乡之念所致。全曲从瘦马（喻浪子之瘦）入笔，至柳絮（影射浪子之白发）收笔，不直接写人，而已将人的羁旅之愁写得入木三分，刻骨铭心。

此曲在结构方面也有其特点。它以三个主要自然意象作线，每个自然意象引出一系列人文意象，这样贯穿起来，构成全文的网络。这三个自然意象是瘦马、倦鸟、柳花。它们依次引出相关人文意象：瘦马引出的意象有诗、天涯；倦鸟引出的意象有愁、村；柳花引出的意象有人、鬓华。这种结构方式可以实现意象自然舒展、材料形散实聚、结构简明有序的艺术效果。

（黄云生）

# 【南吕·玉交枝带四块玉】

乔　吉

## 闲适二曲(二首其一)

山间林下，有草舍蓬窗幽雅。苍松翠竹堪图画，近烟村三四家。飘飘好梦随落花，纷纷世味如嚼蜡。一任他苍头皓发，莫徒劳心猿意马。　自种瓜，自采茶，炉内炼丹砂。看一卷道德经，讲一会渔樵话。闭上槿树篱，醉卧在葫芦架，尽清闲自在煞。

### 鉴赏

这是一首以“闲适”为主题的散曲,写一种远离尘世的悠闲生活。作者一生寄情诗酒,擅长撰写以隐居避世为题材的散曲作品。为了表现“闲适”这一主题,作者描绘了一幅以“幽雅”为特点的风景人物画。“山间林下”是主要背景,后面的景物铺展、人物活动都在这一背景下进行。山林具有人迹较少的特征,环境幽静,少有外界干扰,是高人隐士的理想居住地。特别是一些不愿与世俗为伍的高雅人士,更是愿意在山林这种自然环境中寻找安慰,洁身自爱。因此山林不仅具有“幽静”这一自然属性,也具有“雅洁”这一人文属性。山林背景再配以“草舍蓬窗”这种简陋的居所,更添了几分自然随意,从而突出了“闲适”这一主题。作品接着对环境进行更具体、更有人文意味的描绘:“苍松翠竹”让人联想到活跃的生机,近处的烟村也展示出一种偏远古朴、历久不息的生存状态。下一句的人文色彩进一步增浓:写到了“梦”和“世味”。这里的“梦”可以有多重解读:既可能是芸芸众生的入世追逐、一枕黄粱之梦,也可能是离尘隐居者的避世归隐、清闲自在之梦,还可能是离尘隐居者在隐居之前的理想追求之梦。好梦如落花一般逝去,“飘飘”与“随落花”形成反衬,既有追求受挫之遗憾,又有随遇而安之悠闲,使得“闲适”这一主题在富有内涵的同时,又不流于沉重。“飘飘”修饰“好梦”,既赞许其洒脱,又有轻微的嘲讽,意涵充实;以“随落花”来表现好梦之逝,凄怨中带几分婉美,意境丰富。“世味”如嚼蜡,用一个形象简明的比喻,点出了避世隐居的直接原因,从而表现出“闲适”的必然和可贵。“苍头皓发”和“心猿意马”,代表着在尘世中的各种选择和诸多奋斗,揭示了无论在尘世做何种努力,其结果都是“徒劳”而已。以上八句,前四句写“山间林下”的悠闲和幽雅,后四句写尘世奋斗的无趣和徒劳。两者对比,突出主题。

下文接着回到对山林的叙述上。与前文对山林风景进行描绘所不同的是,这里叙述的是山林中人的生活状况与生活情调,从而进一步与前文所述的尘世生活进行对比。山间林下的生活是如何一种闲适的状况啊!耕种、采摘、炼丹、读书、聊天、喝酒,可谓随心所欲,无牵无挂。在这些活动的对象方面也紧扣主题。耕种采摘的对象不是容易让人产生劳苦联想的谷麦之类,而是瓜和茶这类对于生存而言并非必需品的作物,因此种瓜和采茶象征着享受和轻松。加上一个“自”字,更显悠闲自由之态。炼丹砂、看道德经,都让人联想到道家清静无为之论;聊渔樵之话,平常中带几分雅洁;而最后描写的葫芦架下醉卧,更是将闲适这一主题推到了高潮,因此,文末的“尽清闲自在煞”这一议论呼之而出,水到渠成。

(黄云生)

# 【南吕·一枝花】

乔　吉

## 合　筝

【一枝花】酒酣春色浓,帘卷花阴静。佳人娇和曲,豪客醉弹筝。心与手调停,敛袂待弦初定,雁行斜江月影。捣银甲指拨轻清①,按金缕②歌喉数声。

【梁州第七】歌应指似林莺呖呖,指随歌似山溜泠泠，同声相应的凉州令[3]。滴银盘秋雨，敲玉树春冰，恰壮怀慷慨，又私语丁宁。迸琼珠万颗玐琤[4]，间骊珠一串[5]分明。恰便似卓文君[6]答抚琴相如，黄念奴[7]伴开元寿宁，小单于学鼓瑟湘灵[8]，绎如也以成[9]，迟疾纤巧随抠掐[10]无些儿病。腔儿稳，字儿正，一对儿合得着绸缪有情，效鸾凤和鸣。

【尾】煞强如泣琵琶泪湿青衫[11]上冷，仿佛似鹦鹉声讹锦罩内听，洗得平生耳根净。风流这生，乞戏可憎[12]，我便有陶学士的鼻凹也下不得絣[13]。

注释

① 搊(chōu)：弹拨。银甲：套在指尖上的拨弦器具。
② 金缕：古代乐曲《金缕曲》或《金缕衣》的省称。
③ 凉州令：即《梁州令》，隋唐时西北少数民族乐曲，此或指流行歌曲。
④ 玐琤(cōngzhēng)：形容玉石相击的音响。
⑤ 骊珠一串：形容歌喉婉转。唐白居易《寄明州于驸马使君三绝句》："何郎小妓歌喉好，严老呼为一串珠。"骊珠，十分难得的宝珠，《庄子·列御寇》："夫千金之珠，必在九重之渊，而骊龙颔下。"
⑥ 卓文君：汉代临邛富商卓王孙之女，雅好音乐，新寡家居，司马相如以琴挑之，文君遂夜奔相如。
⑦ 黄念奴：唐开元、天宝年间著名歌女，曾得玄宗激赏。见宋王灼《碧鸡漫志》。寿宁：即唐开元年间的寿王李瑁和宁王李宪，二人皆精于音乐。
⑧ 小单于：本指古乐曲名，宋郭茂倩《乐府诗集》："唐大角曲亦有《大单于》《小单于》《大梅花》《小梅花》等曲，今其声犹有存者。"此处当指善于用角吹奏《小单于》曲调的著名艺人，其人未详。鼓瑟湘灵：传说中善鼓瑟的湘水女神。屈原《远游》："使湘灵鼓瑟兮，令海若舞冯夷。"
⑨ 绎如也以成：乐声连绵不绝，最终乐成。语出《论语·八佾》。
⑩ 抠掐：指弹筝的指法。
⑪ 泪湿青衫：白居易《琵琶行》描写自己为歌女的琵琶弹奏技艺所感动，有"座中泣下谁最多，江州司马青衫湿"句。

⑫ 乞戏：元代俗语，意即可喜。可憎：可爱。

⑬ 陶学士：宋初翰林学士陶穀，字秀实，以端严著称。曾奉命出使南唐，在邮亭与歌伎秦若兰私恋，后来才知道中了韩熙载的美人计。元戴善甫《陶学士醉写风光好》杂剧即以此为题材。鼻凹：嘴脸，脸面。絣：同绷。

## 鉴赏

这篇套数写佳人歌唱、豪客弹筝伴奏，声乐器乐，珠联璧合，精彩绝伦。

首曲〔一枝花〕先写佳人、豪客合作的环境氛围，以及调弦试声的准备活动。“酒酣春色浓，帘卷花阴静”，“合筝”是在春色浓郁、花影满庭的夜晚，几位雅集的朋友酒酣耳热之际进行的。“佳人娇和曲，豪客醉弹筝”，歌唱和弹奏的准备开始了，两位高手，一为“佳人”，自然风情月貌；一为“豪客”，想必倜傥不羁。佳人启朱唇，动玉齿，合筝声，妩媚风流，所以是“娇和”；豪客乘酒兴，展高才，逞艺忘形，所以是“醉弹”。此“娇和”“醉弹”四字，极富韵味，最是动人。其后“心与手调停，敛袂待弦初定”二句写调弦试声，就更为具体生动。“心”，就歌唱的“佳人”而言；“手”，就弹筝的“豪客”而言。“调停”，指两人配合默契。“敛袂待”，亦就“佳人”着笔，写其试声停当、气定神闲之态；“弦初定”，则就“豪客”落墨，写其调弦既定、准备就绪。行笔至此，作者还不忘单独绘筝一笔：“雁行斜江月影。”此言托起筝弦的一排筝柱顺次斜放，正像空中一排斜飞的“雁行”；在一条条白色丝弦之下的筝柱，则形如弯月。此以“雁行”“江月”比喻古筝形状，极有诗情画意。末尾“挡银甲指拨轻清，按金缕歌喉数声”二句，一写“豪客”轻弹，一写“佳人”放歌。“银甲”“金缕”，一指拨弦器具，一指歌曲名称，既是写实，且又对仗极工。首曲虽然仅是“合筝”前环境氛围和准备工作的一些描写，但已极显环境氛围高雅，艺术气息极其浓郁，真乃“未成曲调先有情”者也。

次曲〔梁州第七〕则是对“合筝”效果的具体描写。前三句写“佳人”“豪客”合作奏唱《凉州令》的情景。“歌应指”“指随歌”“同声相应”，皆写歌声、筝声丝丝入扣、妙合无间。“似林莺呖呖，山溜泠泠”，是赞美歌声筝声相和像林中的黄莺婉转悦耳，像山间的飞泉清脆动听。其后“滴银盘秋雨”以下六句，继续用一连串生动形象的比喻具体描写音乐效果。说这美妙的歌声与伴奏的筝声，繁密时就像秋雨洒落银盘，清脆时就像春冰敲打玉树；激昂时有如壮怀慷慨，缠绵时则如私语叮咛；急促时如万颗珍珠蹦跳相互撞击,婉转时如一串骊珠分明。如果说以上的描写皆为以声摹声,接下去则借用相如琴挑文君、念奴雅伴寿宁、湘灵鼓瑟出妙音等历史典故和传说,夸写“佳人”“豪客”的多情善感与“娇和”“醉弹”的珠联璧合,不但由此增添了神奇浪漫的色彩,而“佳人”的风流、“豪客”的浪漫也得到了极好的衬托。紧接着“绎如也以成,迟疾纤巧随抠掐无些儿病。腔儿稳,字儿正”几句,则正面赞扬歌唱与弹筝技艺的高超。结尾“一对儿合得着绸缪有情,效鸾凤和鸣”两句,再次对“娇和”“醉弹”的效果加以总的赞美,以此收煞本曲。

〔尾曲〕写作者自己被深深打动以后的动心移情,是对“合筝”神奇的艺术魅力的侧面烘托。作者感觉到自己今夜听“佳人娇和”“豪客醉弹”,要远胜过当年白居易浔阳江头夜听琵琶女弹奏的艺术享受和被感动,如仙乐般的妙音,仿佛清洗了耳根的俗尘,使其感觉到清新洁净。面对“佳人”“豪客”的“风流”“可憎”(可爱),即使有“陶学士”那样可以故作端庄冷漠的人,现在恐怕也绷不住冷严面孔而要得意忘形了吧!

前人描写音乐的作品甚多,仅唐诗中的名篇便有李颀的《听董大弹胡笳》、白居易的《琵琶行》、韩愈的《听颖师弹琴》、李贺的《李凭箜篌引》等,但是,像本篇这样描写歌唱与器乐的巧妙配合,一笔两写,既写出歌声的美妙,又同时写出筝声的神奇,以及两相配合的珠联璧合,“绸缪有情,效鸾凤和鸣”,如此精彩纷呈,却是少见的。全篇善用对仗和比喻,成功地为瞬息即逝的音乐传真留影,千载而下亦令人神往不已。

(赵义山)

# 【中吕·山坡羊】

刘　致*

## 燕城述怀

云山有意，轩裳无计，被西风吹断功名泪。去来兮，便休提，青山尽解招人醉，得失到头皆物理。得，他命里；失，咱命里。

### 作者

* 刘致(？—1234以后)，字时中，石州宁乡(今山西中阳)人。因石州归太原管辖，故有"太原寓士"之称。大德年间流寓长沙，遇翰林学士姚燧，荐为湖南宪府吏。历永新州判、河南行省掾、翰林待制、江浙行省都事等职。晚贫，卒无以葬，由道士王真人收葬于德清。隋树森《全元散曲》辑有小令74首，套数4套。

### 鉴赏

这首小令，表现了淡泊功名，人生如梦，及时行乐，听天由命的消极人生观。

刘致有小令《燕城怀古》。燕城故址位于今河北易县东南，相传战国时燕昭王为报齐仇，在燕城修造黄金台，置金台上，延请天下贤士，乐毅、邹衍、剧辛等前来投奔，得遇昭王，干出了一番轰轰烈烈的事业而名垂青史。黄金台从此成为千古美谈，无数仁人贤士，每当失意之时，无不向往能够遇到燕昭王那样的明主，实现自己兼济天下的人生理想。

据孟繁仁《刘时中生平研究》一文考证，刘时中曾在元武宗至大年间(1308—1311)出任河南行省掾吏,于仁宗皇庆元年(1312)前后奉诏入燕城大都。刘致大约在此期间,游历了黄金台。从其套曲〔双调·新水令〕《代马诉冤》分析,刘致也确有怀才不遇之愤。

刘致作为一个小小的河南行省掾吏,地位微贱,根本没有资格奉诏入京。如果孟繁仁所说刘时中曾于皇庆年入燕城之说可以成立,他应当是到大都参加元朝科举的。蒙元入主中原,中断科举。至元仁宗即位后的皇庆二年(1313),方才诏告天下,恢复中断八十余年的科举。延祐元年(1314),元朝正式举行了首届科举考试。

大概是科举遭遇了挫折,刘致未能得到朝廷的轩裳相招,取得官位爵禄。功名无望,遂登黄金台,怀古自伤。云山有意相招,刘致却无计得到功名,是西风吹断了他的功名之望。西风即秋风,指秋天。元代科举,先在各省省城和京城举行乡试,考取举人,然后赴大都参加会试和殿试,考取进士。乡试在每年八月举行,称为秋试。刘致应当是到大都参加乡试的。刘致为山西石州人,山西在元代隶属中书省。刘致科举不中,功名无望,想到一生的功名追求,遂生怀才不遇之愤,难抑伤心失落之泪。虽愤怒不平,却又不得不安慰自己。归去来兮,功名再休提。燕京不留人,自有留人处。还是青山有情,招我归来,陶醉山林。得与失都是天意常理,得官是他命中注定,失官也是我命中注定,天命从来不可违。曲中虽然发泄一种怀才不遇的愤怒,也流露一种听天由命的无奈选择。

刘致在燕城大都的科举得失,并非命中注定。蒙元入主中原,不重文治,中断科举,文人地位一落千丈,难得朝廷重用。元仁宗虽然恢复科举,元代科举又十分不公平,仍然实行排斥汉人、南人的民族歧视政策,以保证蒙古、色目官员在朝廷中占有的绝对优势。元代众多胸怀济世之志的中原文士,因此不得不怀着回望魏阙的心情,选择隐逸山林作为人生归宿。所以,刘致的山林之归,并非个人悲剧,而是一代文士的悲剧,一代社会的悲剧。全曲用语凝重,情感深沉,流露出了元代文人不能掌握自己人生的悲凉与哀痛,借以发泄了对元代社会的愤慨之情。

(田同旭)

# 【中吕·山坡羊】

刘 致

## 西湖醉歌次郭振卿韵

朝朝琼树，家家朱户，骄嘶过沽酒楼前路。贵何如？贱何如？六桥都是经行处，花落水流深院宇。闲，天定许；忙，人自取。

### 鉴 赏

刘致曾任江浙行省都事职，故有机会常与友人西湖醉歌。

除此曲外，刘致另有二曲题赠郭振卿，即〔中吕·山坡羊〕《怀长沙次郭振卿韵》和〔中吕·山坡羊〕《怀武昌次郭振卿韵》，可惜郭曲无存，其人待考。

刘致好酒。在隋树森《全元散曲》所辑其七十四首小令中，至少有三十一首小令写酒。刘致好酒又好醉，常醉歌西湖，得以醉观世道。

首先进入刘致醉眼的是西湖的繁华："朝朝琼树，家家朱户，骄嘶过沽酒楼前路。"展示西湖达官人家的豪富。自东晋、南朝以来，杭州繁华富贵不衰，至南宋达到极盛。宋吴自牧《梦粱录》记："柳永《咏钱塘》词曰：'参差十万人家。'此元丰前语也。自高庙车驾由建康幸杭，驻跸几近二百余年，户口蕃息，近百万余家。杭城之外城，南西东北各数十里，人烟生聚，民物阜蕃，市井坊陌，铺席骈盛，数日经行不尽，各可比外路一州郡，足见杭城繁盛矣。"蒙元南下，杭州虽经战火，依然繁华富贵。关汉卿〔南吕·一枝花〕《杭州景》记："普天下锦绣乡，环海内风流地。大元朝新附国，亡宋家旧华夷。水秀山奇，一到处堪游戏，这答儿忒富贵。满城中绣幕风帘，一哄地人烟凑集。"

杭州的繁华，其实都是达官贵族的富贵。刘致作为一个小小的江浙行省都事，不过是达官贵族属下一个贱吏而已。于是他问："贵如何？贱如何？"他清醒地认识到：无论贵，无论贱，"六桥都是经行处"。而且，贱者无所谓落花流水，唯有贵者的"深庭宇"，才有"花落水流深庭宇"的厄运。刘致其实并不沉醉，醉眼不醉,似醉而醒,醒眼观世,非常清醒,清醒地看清了官场的盛衰,贵贱的无常,深切地表达他对富贵的蔑视。

元代文人的社会地位卑贱低微,即使做官,也只能沉抑下僚,志不获展。刘致是以江浙行省都事的身份,来到西湖与友人醉酒而歌的。他似乎很悠闲,用不着为着追求富贵而奔波忙碌。“闲,天定许;忙,人自取”,用语警拔醒世,换句话说,悠闲是天意,天意原本不可违背;忙碌是人为,原本就是有违天意。所以,贵贱原本无常,忙忙碌碌追求富贵者,终究难免“落花流水春去也”的下场。此曲,依然表现刘致一再主张的命中注定、听天由命的思想。

非是刘致消沉,元代本非中原文士酬志济世的时代,刘致对这个社会已经绝望,才去追求悠闲醉酒的生涯,给予元代社会深深的蔑视。

此曲带有哲理,有点以理入曲的倾向。“醉歌”二字为曲眼,总领全曲。写景、叙行、抒情、议论,交相转换,既有行云流水的自然展开,又有起伏跌宕的情致。全曲充满着一份清醒的淡定,正是这份淡定,透露出了作者对社会世道的深深失望。

(田同旭)

## 【中吕·山坡羊】

刘　致

### 侍牧庵先生西湖夜饮

微风不定,幽香成径,红云十里波千顷。绮罗馨,管弦清,兰舟直入空明镜,碧天夜凉秋月冷。天,湖外影;湖,天上景。

**鉴赏**

元代翰林学士姚燧,字端甫,号牧庵。据《元史》本传:元世祖至元十七年(1280),姚燧由陕西汉中道“调山南湖北道,按部澧州,兴学赈民,孜孜如弗及”,“二十三年,自湖北奉旨赴朝,明年,为翰林直学士”。

元代湖北道隶属湖广行省，并辖湖南。刘致应当在姚燧任职湖北的六年期间，流寓长沙而遇姚燧，被荐为湖南宪府吏的。姚燧对刘致有师生之谊、知遇之恩。

姚燧可能在元成宗大德五年(1301)以后，曾有杭州之行，“大德元年，授中宪大夫，江东廉访使，移病太平(今安徽当涂)。九年，拜中奉大夫，江西行省知政事”。姚燧亦有小令〔中吕·普天乐〕记其杭州之行：“浙江秋，吴山夜，愁随潮去，恨与山叠。塞雁来，芙蓉谢，冷雨青灯读书舍，待离别怎忍离别？今宵醉也，明朝去也，宁奈些些！”

姚燧至杭州，刘致恰任江浙行省都事，因对姚燧竭尽弟子之礼，倾情陪伴恩师畅游西湖。西湖之游是从白天开始的。首三句写：微风不停地吹动，落花撒满花间小道，此为陆道游历。来到湖边，突然看到十里荷花盛开在碧波千顷的湖面上。红云十里，应指西湖景观十里荷花。宋柳永《望海潮》：“重湖叠巘清嘉，有三秋桂子，十里荷花。羌管弄晴，菱歌泛夜，嘻嘻钓叟莲娃。”宋杨万里诗《晓出净慈寺送林子方》：“毕竟西湖六月中，风光不与四时同。接天莲叶无穷碧，映日荷花别样红。”刘致曲化用前人诗境，了无痕迹，天衣无缝。

中四句写游湖饮酒。游者登上兰舟，荡漾湖中。兰舟又称花船，船中有歌伎，唱曲侑酒，以助游兴。唐白居易《武丘寺路》：“银勒牵骄马，花船载丽人。”“绮罗馨，管弦清”二句，一写歌伎华丽的装束，一写其吹管弹弦的技艺。于此之时，饮美酒，观佳丽，听清歌，品丝竹，不知不觉，兰舟驰入西湖深处，湖水清澈广渺，饮者游兴也渐入佳境，于是流连忘返。直到夜色降临，碧天夜空，只感秋风习习，阵阵凉意，却依旧游兴不减，又见月光清凉，洒遍湖面，犹如明镜，使人陶醉销魂。“空明镜”，本喻夜空明月，此喻西湖湖水清澈广渺。“碧天”句，借用唐杜牧《秋夕》“天阶夜色凉如水”、宋孙锐《平湖秋月》“月冷寒泉凝不流”等句意，用语简洁，视觉与体感结合，很有情致。

尾四句直写感觉，最见功力：“天，湖外影；湖，天上景。”此写西湖夜色，用语精要。满天繁星，仿佛是西湖外景；西湖灯火阑珊，俨然人间天堂。作者极其传神地概括出“杭州人间天堂”的意象，表达了对西湖的无限赞美之情。

全曲精致玲珑，风格俊逸清丽，造境极有情致。论曲境，一首短曲，概括西湖绝美的景观，荷花美，兰舟美，人美，水美，月美，歌美，组合成美丽夜景，构成一幅绝美的西湖夜游图。论曲艺，其画面美，语言美，用韵美，造境美，作者流露出的感情也美。全曲几乎句句有景，字字有情。此曲以意境烘托情感，浑然天成，本身就像一杯醇厚的美酒。

(田同旭)

# 【中吕·朝天子】

刘 致

画船，绮筵，红翠乡中宴。荷花人面两婵娟，花不如人面。锦绣千堆，繁华一片，是西湖六月天。扣舷，采莲，怕什么鸳鸯见。

## 鉴赏

刘致曾任江浙行省都事，久居杭州，常游西湖，往往能够体味到西湖的绝美之处。曲写刘致六月乘舟游赏西湖“十里荷花”的美景。

首三句，意谓人多赞赏西湖的水美花美，刘致则以为西湖的船美。登上华美的画船，品尝华美的筵席，有美丽的歌伎唱曲侑酒，陪伴游赏美丽的十里荷花，真是美不胜收，美不可言。曲中“红翠乡”应有二意，一指西湖画船中歌伎，也指西湖盛开的荷花，二意重合而用。

次二句，虽说西湖船美，酒美，花美，人美，最美者则在“荷花人面两婵娟”。“荷花人面”，化用唐崔护《题都城南庄》“人面桃花相映红”诗意。“两婵娟”，苏轼《饮湖上初晴后雨》有“欲把西湖比西子，淡妆浓抹总相宜”句，刘致则进一步把西湖荷花与美人比作两婵娟，而且指出“花不如人面”美。清钱德苍《解人颐》载有传说：苏轼曾携琴操与佛印同游西湖。佛印见月下琴操，大概想起了苏轼“千里共婵娟”词句，有感而吟：“一个美人映月，人间天上两婵娟。”琴操敏对：“五百罗汉渡江，岸畔波心千佛子。”佛印是把月亮与美人视为两婵娟。

接着写杭州锦绣繁华，最盛者则是“西湖六月天”。每年六月至九月是荷花之花期。六月，十里荷花初放，是一年中西湖最美景观，故而人们争相游西湖观赏荷花。宋杨万里有诗《晓出净慈寺送林子方》：“毕竟西湖六月中，风光不与四时同。接天莲叶无穷碧，映日荷花别样红。”杨万里视荷花映日，别有风景。刘致则以为，西湖六月美，其美莫过于荷花与采莲女这“两婵娟”。六月荷花盛开，人们争相赏荷，采莲女则忙于采莲，两两相映，构成西湖绝美之处。

尾句“怕什么鸳鸯见”,意为见到鸳鸯又有什么可怕呢?如此收结,别有意味。采莲女何以怕见鸳鸯?宋崔复初《湖边》:“西子湖边水正肥,鸳鸯双浴湿红衣。蜻蜓立在荷花上,受用香风不肯飞。”宋何应龙《采莲曲》:“采莲时节懒匀妆,日到波心拨棹忙。莫向荷花深处去,荷花深处有鸳鸯。”荷花深处有双宿的鸳鸯,或者还有一对情人在相依相爱。敲击船舷而往荷花深处采莲,岂不惊散鸳鸯,既使别人扫兴,又勾起自己的怅惘之情?

曲意分为三层,西湖船美花美,美不过“荷花人面两婵娟”,更美不过西湖六月采莲女。三层相递深入,意脉清晰可见。由于〔中吕·朝天子〕的曲格要求,曲中多短句,有四处用二字语节,节奏顿挫,干脆利索。曲句雅俗间用,富有情致,且深情贯注,自然真实,寄意深婉。

(田同旭)

## 【南吕·四块玉】

刘　致

佐国心,拿云手,命里无时莫强求。随缘过得休生受,几叶绵,几匹绸,暖时候。

### 鉴赏

这首小令,元杨朝英编《阳春白雪》属刘时中,元无名氏编《乐府新声》(一名《梨园乐府》)则属马致远,文字小有异同,隋树森《全元散曲》两收之。此从《阳春白雪》,定为刘时中作。此首小令之主题较为常见,是中国古代知识分子入世和出世、儒道互补思想的反映。但结合元代社会现实和刘致的生平行迹,这首小令的创作有一定新意。

开头两句“佐国心,拿云手”,激情满怀,中国古代士人“修身、齐家、治国、平天下”的豪言壮志呼之欲出,真切生动,非常具有感染力。“佐国心”,即辅助国君建功立业的决心。“拿云手”,出自唐李贺《致酒行》“少年心事当拿云,谁念幽寒坐呜呃”,比喻志向远大,本领高强。

刘致化用此诗,也是其自视才高志远的表现。紧接着下一句“命里无时莫强求”,笔锋一转,士人沉抑下僚、抑郁不得志的心理落差和无奈跃然纸上。每当此时,深藏在中国文人内心的“乐天知命”思想便会不自觉地流露出来,既然不能“兼济天下”,那就退而“独善其身”吧。于是本首小令的后四句“随缘过得休生受,几叶绵,几匹绸,暖时候”便自然地流淌出来。实际上,在文人处境极其恶劣的元代,文人的这个最起码的愿望也是不容易实现的。刘致父亲曾任广州怀集令,那么刘致也是出自书香之家。成宗大德二年(1298),已然步入不惑之年的刘致经翰林学士姚燧推荐,任湖南宪府吏。后历任永新州判、河南行省掾、翰林待制、江浙行省都事等职。但其生活并没有因此而得到很大的改变,竟至死后无以为葬,而由杭州道士王眉叟葬之。刘致在如此悲惨的社会现实和惨淡的人生经历面前只能退缩、随缘罢了。可生活是现实的,岂是一个“随缘”了得!此曲实为白朴〔南吕·四块玉〕《叹世》之外又一“强为旷达”(郑振铎语)之作。

这首小令所包含的深沉意识,在中国古代文人作品中多有流露,在备受压制的元代文人笔下表现得尤为强烈。如范康〔仙吕·寄生草〕《饮》:“糟腌两个功名字,醅淹千古兴亡事,麴埋万丈虹霓志。不达时皆笑屈原非,但知音尽说陶潜是。”曾瑞〔南吕·四块玉〕《叹世》:“罗网施,权豪使。石火光阴不多时,劼活若比吴蚕似。皮作锦,茧做丝,蛹烫死。”这些都是抱负难释的文人对现实不满的倾诉。这首小令所透露出来的元代文人的思想面貌和精神追求,值得我们深思。

(张勇风)

# 【南吕·四块玉】

刘　致

## 咏郑元和

风雪狂,衣衫破,冻损多情郑元和,哩哩嗹嗹嗹哩啰,学打莲花落。不甫能①逢着亚仙,肯分的②撞着李婆，怎奈何？

## 注释

① 不甫能：想不到，没料到。

② 肯分的：恰好、正好。

## 鉴赏

郑元和为元石君宝杂剧《李亚仙花酒曲江池》杂剧中的人物。该杂剧据唐白行简《李娃传》传奇改编而成。剧写郑元和为长安娼女李亚仙耗尽旅资，受其父亲谴责并遗弃，沦为乞丐。后李亚仙知郑生沦落，毅然收留了他，并帮助他获取功名，最后父子、夫妇团圆。江苏无锡还存有关于郑元和打"莲湘"唱"莲花落"的传说，可见此故事在民间影响的深远。文人创作的传奇和杂剧，既是对妓女李亚仙重情重义的赞歌，也是文人对现实生活的一种美好寄托。

刘致在感叹郑元和幸运的同时，却认为这种幸运可能只是极偶然地发生在极个别的人身上，或许只存在虚拟的文学作品中，现实并不是充满"幸运的"。那现实是什么呢？现实是郑元和又落到李婆手里，李婆即李亚仙的假母——设法将郑元和的钱财收归其囊中的妓院老鸨。那郑元和的人生遭际和命运可能会完全改写。这首小令看似写郑元和，实是刘致对自身不堪的生活遭际的感叹，很明显，悲观情绪溢于言表。

这首小令前半部分"风雪狂，衣衫破，冻损多情郑元和，哩哩嗹嗹嗹哩啰，学打莲花落"，写郑元和被其父遗弃后狼狈不堪的生活遭遇，与唐传奇和元杂剧中的情节相吻合。起笔"风雪狂"三字交代极其恶劣的自然环境，"衣衫破"三字写郑元和极其简陋的穿着，与前一句相结合，郑元和生活处境的恶劣程度可想而知。在这样恶劣的天气下，穿着如此简陋，结果可想而知，必然会"冻损多情郑元和"。"多情"二字极其传神，在风雪之中，"冻损"的是一个多情郎，这是多么残忍的社会现实。处于这种生活境遇的人经常会流落到唱"莲花落"行乞。莲花落是一种始于宋形于明而盛行于清代的曲艺形式，多为盲人乞丐行讨而唱。很明显，在本小令主人公原型郑元和生活的时代还没有这种艺术样式。这就是古代文人常用的"托古言今"的写作手法。刘致实际上是借郑元和之事对自身(或者大而言之对元代文人)生活处境的哭诉。

小令后半部分"不甫能逢着亚仙,肯分的撞着李婆,怎奈何",作者对郑元和的下场做了一个大胆的、和传奇、杂剧中结局大相径庭的假设:即身处困境的郑元和如果不是和李亚仙有幸相逢,而正好又撞着那个嗜财如命的妓院老鸨,那郑元和的结局又将如何呢?可能他和现实生活中很多人一样,只能叫天天不应,叫地地不灵,也就只得流落街头,生死难料了。现实很可能就是这样,刘致对现实的揭露,真可谓一语中的。这对那些熟知郑元和故事的民众,形成强烈的心理反差;对那些仍对现实生活心存一丝幻想的人们,这无疑是当头一棒,将冷酷无情的现实赤裸裸地呈现在读者面前。这其中既包含着作者对现实生活酸涩的体验,也是作者对现实生活无望的深深吁叹。结尾神来一笔,给读者留下无限遐想的余地。

这首"托古"小令表现了对元代文人悲苦生活的深切关注和同情,情感真挚,表达自如,起伏跌宕,酣畅淋漓,发人深省。

(张勇风)

## 【双调·殿前欢】

刘　致

醉颜酡①,太翁庄上走如梭。门前几个官人坐,有虎皮驮驮②。呼王留唤伴哥③,无一个,空叫得喉咙破。人踏了瓜果,马践了田禾。

注释

① 醉颜酡(tuó):指人喝醉脸红的样子。酡,因喝酒而脸红。《楚辞·招魂》中有"美人既醉,朱颜酡些"之句。

② 虎皮驮驮:用虎皮制作的包,游牧民族以牲畜驮东西时使用,是对蒙古民族生活习俗的细节描写。元张可久的〔普天乐〕《题昭君出塞图》中也有"羽盖峨

峨,虎皮驮驮”句。

③ 王留、伴哥:元曲中泛称农村青年的名字,类似于现在人说张三、李四。

鉴 赏

此曲展现了蒙元官吏乡间扰民,百姓遭殃的生动场景,表现了曲家关心民生疾苦的可贵精神。

曲首“醉颜酡”两句,用“酡”“走如梭”等词语生动刻画了这帮喝得醉醺醺的官吏来到太翁庄上洗劫乡民的情景。三四句描写抢劫后收获很多,虎皮做成的包袱都装得很满了,于是有几个官吏坐下来休息。细节描写如“虎皮驮驮”,一来点出游牧官吏的身份,“虎皮”是游牧民族的典型装扮,二来生动地刻画出蒙古官吏搜刮民脂民膏的贪婪之态。五六句,写官吏们抢累了,坐下来想让乡民们来招待一下,呼唤张三李四,乡民没有一个敢出来。强取豪夺之后,还敢呼喊村民的名字,这种行为比强盗还要猖獗,由此反衬出元代蒙古马背民族对中原人民的黑暗统治。最后,没人敢招待的这帮强盗非常恼怒,竟然骑马飞奔而去,还残忍地糟蹋了田里的庄稼和瓜果。

曲家生活的时代,正是中国历史上第一个由少数民族建立的全国统一的封建政权,但曲中并未直接揭露,而是通过细节描写和对比反衬的手法,将爱憎感情蕴含其中,不露声色地表现出了自己的愤慨。作者运用白话俗语,生动真实地记录下蒙元官吏抢劫乡民的一幕,更显示出散曲创作的“直白”特色。

(钱建华)

## 【越调·小桃红】

刘 致

### 辛尚书座上赠合弹琵琶何氏

纤纤香玉插重莲,犹似羞人见。斜抱琵琶半遮面,立当筵，分明微露黄金钏。鹍鸡四弦，骊珠*一串，个个一般圆。

## 注释

* 骊珠：传说中出于骊龙颔下的宝珠，也比喻珍贵的人或物。语出《庄子·列御寇》："千金之珠，必在九重之渊，而骊龙颔下。"

## 鉴赏

此曲是一首席上赠人之作，全曲如同一幅传神的美人伎乐图，通过描绘琵琶女何氏的姿容技艺，塑造了一个柔媚美丽又技艺高超的琵琶女形象。首二句"纤纤香玉插重莲，犹似羞人见"描写琵琶女的纤细玉指，不仅有着纤细美好的手指形状，更兼洁白温润如玉，又暗带馨香，手便美丽如此，人更可想而知了。"重莲"一语出自唐白居易《听曹刚琵琶兼示重莲》诗："拨拨弦弦意不同，胡啼番语两玲珑。谁能截得曹刚手，插向重莲衣袖中？"曹刚是唐代琵琶演奏名家，重莲是当时另外一位著名的演奏琵琶的乐伎，白诗意谓，重莲要是有曹刚的手法就更加完美了。此处说"纤纤香玉插重莲"，正是暗示了这位琵琶女有如重莲一样美丽，而她衣袖中的纤纤玉手，更有着可与曹刚相媲美的高超的弹奏技艺，白居易所设想的"谁能截得曹刚手，插向重莲衣袖中"的完美组合，在琵琶女何氏身上竟然实现了。"犹似羞人见"则是描写了琵琶未弹，手尚半笼袖中的带羞神态。接下来一句"斜抱琵琶半遮面"也是化用白居易的《琵琶行》诗句："千呼万唤始出来，犹抱琵琶半遮面"，状写何氏娇羞的姿态。"立当筵"一方面指出演出的场所在辛尚书的酒席上，另一方面何氏怀抱琵琶半遮面，亭亭玉立，自然与那种普通的坐于台下助兴的乐工不同，是全场目光的焦点，虽然半面羞遮，但仍有大家气度。"分明微露黄金钏"一句不仅是对何氏的华美服饰的描写，同时也写出了由最初"犹似羞人见"的袖手而立，到"斜抱琵琶半遮面"的抬手演奏，再到腕环也随之露在人前的细致变化。

在描写过琵琶女的要眇姿态后，最后三句转向对其演奏技艺的描写："鹍鸡四弦，骊珠一串，个个一般圆。"鹍鸡是形似鹤的一种鸟，古代琵琶弦常用鹍鸡筋，所以鹍弦指代琵琶，而"骊珠一串，个个一般圆"则本自白居易《琵琶行》中的"大珠小珠落玉盘"，但白诗是以声摩声，此处则是更进一步，以形摩声，以个个一般圆的骊珠，来形容何氏琵琶演奏的乐声之流畅圆润。同时"骊珠"一语，又暗用典故。《全唐诗话》卷三载："长庆中，元微之、梦得、韦楚客同会乐天舍，论南朝兴废，各赋《金陵怀古诗》。刘满引一杯，饮已，即成曰：'王濬楼船下益州，金陵王气黯然收。千寻铁锁沉江底，一片降幡出石头。人世几回伤往事，山形依旧枕寒流。而今四海为家日，故垒萧萧芦荻秋。'白公览诗曰：'四人探骊龙，子先获珠，所余鳞爪何用邪？'于是罢唱。"以骊珠形容何氏的琵琶技艺，也有称赞其技艺高超，直可令别家休弹之意。

此曲题作《辛尚书座上赠合弹琵琶何氏》，虽是一首侑樽侍宴之作，但整曲用典贴切，紧紧围绕琵琶女的艳姿丽容展开，将人之美与琵琶弹奏之妙紧密结合，构成完整的艺术形象，足以显示曲家之情感细腻与才思之敏捷。

（于杨甡　钱建华）

# 【双调·新水令】

刘　致

## 代马诉冤

【新水令】世无伯乐怨他谁？干送了挽盐车骐骥。空怀伏枥心，徒负化龙威。索甚伤悲，用之行舍之弃。

【驻马听】玉鬣银蹄，再谁想三月襄阳绿草齐。雕鞍金辔，再谁收一鞭行色夕阳低。花间不听紫骝嘶，帐前空叹乌骓逝。命乖我自知，眼见的千金骏骨无人贵。

【雁儿落】谁知我汗血功，谁想我垂缰义，谁怜我千里才，谁识我千钧力？

【得胜令】谁念我当日跳檀溪，救先主出重围？谁念我单刀会随着关羽？谁念我美良川扶持敬德？若论着今日，索输与这驴群队！果必有征敌，这驴每怎用的？

【甜水令】只为这乍富儿曹，无知小辈，一概地把人欺。一迷里快蹿轻踮，乱走胡奔，紧先行不识尊卑。

【折桂令】致令得官府闻知，验数目存留，分官品高低。准备着竹杖芒鞋，免不得奔走驱驰。再不敢鞭骏骑向街头闹起，则索扭蛮腰将足下殃及。为此辈无知，将我连累，把我埋没在蓬蒿，坑陷在污泥。

【尾】有一等逞雄心屠户贪微利，咽馋涎豪客思佳味。一地把性命亏图，百般地将刑法陵迟。唱道任意欺公，全无道理。从今去谁买谁骑？眼见得无客贩无人喂。便休说站驿难为，则怕你东讨西征那时节悔！

## 鉴赏

借动物之口来抒写人间不平的作品，也许从诗经时代就已出现，《豳风·鸱鸮》便是托为禽言的不平之鸣。但这一手法，在诗词中并没有得到发展，到元曲始发扬张大。姚守中《牛诉冤》、曾瑞《羊诉冤》及本篇，便是这样的作品，这里不但禽言更为畜言，在篇幅体制上也大大扩张了。

此套题为《代马诉冤》，其实是借马托喻。这就形成了作品在艺术上的两个显著特点：其一是慨马与悯人，处处关合；其二是不特写一马，而是借典故的运用，概括集合了所有良马的特性和马的普遍遭遇。

韩愈《马说》云："世有伯乐，然后有千里马。千里马常有，而伯乐不常有。故虽有良马，止辱于奴隶人之手，骈死于槽枥之间，不得以千里称也。"本篇首曲〔新水令〕便以"世无伯乐"，致使骐骥落了个"挽盐车"的悲惨遭遇开端，诉说了马的一重不平。继而用宽解抑郁的口气说:虽有猛志长才,却不得其用,又何苦伤悲呢,“用之则行,舍之则藏”(《论语·述而》)吧。“化龙”事见《马记》,王昌遇仙,其马化成龙;“伏枥”语出曹操诗“老骥伏枥,志在千里”(《步出夏门行》)。这几句含有马老见弃之意,诉说了又一重不平。所有这些与人间的英俊沉抑下僚,将老遂被弃置,抑郁以终的不平遭际,构成一种象喻关系。

次曲〔驻马听〕承前老马伏枥意,先写其回首“玉鬣银蹄”“雕鞍金辔”的往日荣光,通过“绿草”“夕阳”的回忆,极见良马恋栈的心理。继借项羽《垓下歌》“时不利兮骓不逝”,以切眼前的厄运。最后反用燕昭王千金买骏骨以求良马的故事,回映篇首“世无伯乐怨他谁”之叹。

〔雁儿落〕〔得胜令〕两曲一边连用七个“谁”字领起的设问句,毕数马的四德——“汗血功”“垂缰义”“千里才”“千钧力”,一边又通过三个故事,写良马的具体功劳,即以上功、义、才、力四德的具体化、具象化。本来刘备的马(的卢)不是关羽的马(赤兔),关公的马又不是尉迟恭的马,但作品却集合了这些马的勋业,即跳檀溪救主人脱危、赴单刀会共主人历险、战美良川协主人立功,由此抽出良马共同的特征,那是“与人一心成大功”(唐杜甫《高都护马行》)“真堪托死生”(唐杜甫《房兵曹胡马》)呢。然而“若论着今日”句一跌,引出好马不如群驴的慨叹。“果必有征敌,这驴每怎用的”,愤愤不平之至。马的功成见弃,驴的无功食禄等等,与世上鸟尽弓藏、小人得志等不平现象,构成又一种象喻关系。

〔甜水令〕〔折桂令〕两曲继写驴、马的不同际遇。“乍富儿曹,无知小辈”,即指上文的“驴每”,既是拟人化的手法,也可说是托物喻人本旨的显露。它们专会仗势欺人,又会投机钻营。而“官府”当局不明无知,在“验数目存留,分官品高低”中,贵驴贱马。驴充官用,马卖乡村,“把我埋没在蓬蒿,坑陷在污泥”。此节与人间“直如弦,死道边;曲如钩,反封侯”(汉顺帝末《京都童谣》)的现象相近。

〔尾〕曲写马陷逆境中,还逃不掉更为悲惨的遭遇,即有被屠户宰割,充老饕口腹的危险。英雄无用武之地,“无客贩无人喂”,无“谁买”无“谁骑”。虎落平阳,焉有不受犬欺之理呢。同样的迫害人才现象,世间又岂少有!结处作者忍不住借马口对人们警告一句,这样作践糟蹋贤才,是要自食其果的。不要说驿站少良马不得,“则怕你东讨西征那时节悔”。清黄任《彭城道中》诗云:“天子依然归故乡,大风歌罢转苍茫。当时何不怜功狗,留取韩彭守四方!”便可作一注脚。

套曲就这样借马之口,说尽了世上摧残人才的种种“任意欺公,全无道理”的不平事,是旧时代人才的一曲哀歌。历史虽然已将这一页翻了过去,但至今重温旧事,仍觉有相当的认识价值。

(周啸天)

# 【越调·斗鹌鹑】

苏彦文*

## 冬景

【斗鹌鹑】地冷天寒，阴风乱刮；岁久冬深，严霜遍撒；夜永更长，寒浸卧榻。梦不成，愁转加。杳杳冥冥，潇潇洒洒。

【紫花儿序】早是我衣服破碎，铺盖单薄，冻的我手脚酸麻。冷弯做一块，听鼓打三挝。天那，几时捱的鸡儿叫更儿尽点儿煞！晓钟打罢，巴到天明，划地波查*。

【秃厮儿】这天晴不得一时半霎，寒凛冽走石飞沙。阴云黯淡闭日华，布四野，满长空、天涯。

【圣药王】脚又滑，手又麻，乱纷纷瑞雪舞梨花。情绪杂，囊箧乏。若老天全不可怜咱，冻钦钦怎行踏？

【紫花儿序】这雪袁安难卧，蒙正回窑，买臣还家，退之不爱，浩然休夸。真佳，江上渔翁罢了钓槎。便休题晚来堪画，休强呵映雪读书，且免了这扫雪烹茶。

【尾声】最怕的是檐前头倒把冰锥挂，喜端午愁逢腊八。巧手匠雪狮儿一千般成，我盼的是泥牛儿四九里打。

## 作者

＊ 苏彦文,生卒年不详。金华(今属浙江)人,与钟嗣成同辈。以才学为江西行省掾,声誉翕然。入中书,擢引进之职,后以丁母忧去。(见元人李祁《云阳集》卷二《送苏彦文归金华序》)钟嗣成《录鬼簿》列入"已死才人不相知者"。今存套数〔越调·斗鹌鹑〕冬景1套。

## 注释

＊ 划地波查:划地,平白无故地。波查,受折磨。

## 鉴赏

此套曲题为"冬景"而实写冬天里寒士的诸般感受体验和种种艰难困苦,风格灏烂泼辣,富于生活气息。

此套共六支曲,意脉上可分四层。

第一、二支曲为一层,总写严冬寒夜无寐难挨。首曲〔斗鹌鹑〕用三个铺排的整句"地冷天寒,阴风乱刮;岁久冬深,严霜遍撒;夜永更长,寒浸卧榻",分别从"空间""季节"和"时令"的角度铺叙严冬之寒冷,为抒情主人公寒士的出场营造了一个严酷的环境;次曲〔紫花儿序〕接写寒士苦雪凄风之夜受冻无法入眠、心情愁苦的具体苦况,主要通过"手脚酸麻,冷弯做一块"的体肤感受和细数更点、巴望鸡鸣早报晓的心理活动来展现,但"天那"一声心底绝望的呼喊,等来的还是寒冷难耐的无尽折磨!

第三、四支曲为二层,写天亮后依然大雪纷飞,阴云密布,狂风大作的景况和出行之难。两曲中〔秃厮儿〕侧重绘景,〔圣药王〕主叙"情绪杂恶,囊箧空乏"之际出行之难。

第五支曲〔紫花儿序〕为三层,抒发对大雪的厌恨之情。每句都用一个关乎雪的典故:"袁安难卧"是反用因大雪天体恤人情而举孝廉的汉代"袁安高卧"之典;"蒙正回窑"用吕蒙正困窘时大雪天到寺庙赶斋饭而被赶回栖身窑洞之事;"买臣还家"用汉代朱买臣发迹前冒雪卖薪之典;"退之不爱"化用韩愈"雪拥蓝关马不前"(《左迁至蓝关示侄孙湘》)诗句;"浩然休夸"从"孟浩然诗思在灞桥风雪中"化出并反用之;

“江上渔翁罢了钓槎”从柳宗元《江雪》诗化来并反用;“便休题晚来堪画”从晚唐诗人郑谷诗句化来并反用;“休强呵映雪读书”是反用晋代孙康映雪勤读之典;“扫雪烹茶”句是反用陶穀典。这里运用典故的修辞手法,极尽铺陈之能事,为的是达到酣畅抒情的艺术效果,所谓“灏烂泼辣”是也。

〔尾声〕为四层,直抒自己所怕、所喜、所愁和所盼之胸臆——怕的是檐前头冰锥倒挂,喜的是暖意融融的端午,愁的是一年将尽的腊八。雪雕师傅、巧匠变着法儿雕塑出狮子等千般花样,我也没有丝毫的兴趣,我盼望的是有朝一日在最寒冷的四九天就开始鞭打那象征春耕开始的泥牛儿!寒士是如此渴望温暖,以至突发奇想了。

全套曲语言“文而不文,俗而不俗”,富有表现力。

(王　昊)

# 【正宫·端正好】

刘时中*

## 上高监司[1]

【端正好】众生灵，遭磨障，正值着时岁饥荒。谢恩光，拯济皆无恙，编做本词儿唱。

【滚绣球】去年时正插秧，天反常，那里取若时雨降？旱魃生四野灾伤。谷不登，麦不长，因此万民失望。一日日物价高涨。十分料钞加三倒[2]，一斗粗粮折四量。煞是凄凉！

【倘秀才】殷实户欺心不良，停塌户[3]瞒天不当。吞象心肠歹伎俩。谷中添粃屑，米内插粗糠，怎指望他儿孙久长！

【滚绣球】甑生尘老弱饥，米如珠少壮荒。有金银那里每典当，尽枵腹高卧斜阳。剥榆树餐，挑野菜尝，吃黄不老[4]胜如熊掌，蕨根粉以代糇粮[5]。鹅肠苦菜连根煮，荻笋芦莴带叶哇[6]。则留下杞柳株樟。

【倘秀才】或是捶麻柘稠调豆浆，或是煮麦麸稀和细糠，他每早合掌擎拳谢上苍。一个个黄如经纸，一个个瘦似豺狼，填街卧巷。

【滚绣球】偷宰了些阔角牛，盗斫了些大叶桑。遭时疫无棺活葬，贱卖了些家业田庄。嫡亲儿共女，等闲参与商[7]，痛分离是何情况！乳哺儿没人要撇入长江。那里取厨中剩饭杯中酒，看了些河里孩儿岸上娘，不由我不哽咽悲伤！

【倘秀才】私牙子[8]船湾外港，行过河中宵月朗。则发迹了些无徒[9]米麦行。牙钱加倍解，卖面处两般装，昏钞[10]早先除了四两。

【滚绣球】江乡相，有义仓，积年系税户掌。借贷数补答得十分停当，都侵用过将官府行唐[11]。那近日劝粜[12]到江乡，按户口给月粮。富户都用钱买放，无实惠尽是虚椿。充饥画饼诚堪笑，印信凭由却是谎，快活了些社长、知房[13]。

【伴读书】磨灭尽诸豪壮，断送了些闲浮浪。抱子携男扶筇杖，尪羸[14]伛偻如虾样。一丝好气沿途创，阁泪汪汪！

【货郎】见饿莩成行街上，乞出拦门斗抢。便财主每也怀金鹄立待其亡。感谢这监司主张，似汲黯开仓[15]。披星带月热中肠，济与粜亲临发放。见孤孀疾病无皈向，差医煮粥分厢巷。更把脏输钱、分例米多般儿区处的最优长。众饥民共仰，似枯木逢春，萌芽再长。

【叨叨令】有钱的贩米谷置田庄添生放[16]，无钱的少过活分骨肉无承望。有钱的纳宠妾买人口偏兴旺，无钱的受饥馁填沟壑遭灾障。小民好苦也么哥！小民好苦也么哥！便秋收鬻妻卖子家私丧。

【三煞】这相公爱民忧国无偏党，发政施仁有激昂。恤老怜贫，视民如子，起死回生，扶弱摧强。万万人感恩知德，刻骨铭心，恨不得展草垂缰[17]。覆盆之下[18]，同受太阳光。

【二】天生社稷真卿相，才称朝廷作栋梁。这相公主见宏深，秉心仁恕，治政公平，涖事慈祥。可与萧曹[19]比并，伊傅[20]齐肩，周召[21]班行。紫泥宣诏[22]，花衬马蹄忙。

【一】愿得早居玉笋[23]朝班上，伫看金瓯[24]姓字香。入阙朝京，攀龙附凤；和鼎调羹[25]，论道兴邦。受用取貂蝉济楚[26]，衮[27]绣峥嵘，珂珮[28]丁当。普天下万民乐业，都知是前任绣衣郎。

【尾声】相门出相前人奖，官上加官后代昌。活被生灵恩不忘，粒我烝民[29]德怎偿！父老儿童细较量，樵叟渔夫曹论讲。共说东湖[30]柳岸旁，那里清幽更舒畅。靠着云卿苏圃场[31]，与徐孺子[32]流芳挹清况。盖一座祠堂人供养，立一统碑碣字数行，将德政因由都载上，使万万代官民见时节想。

## 作者

＊刘时中，古洪（今江西南昌）人。元杨朝英在《阳春白雪》中特别对他和官至翰林学士的石州宁乡（今山西离石）人刘致（字时中，号逋斋）做了区别。学者或将二人混为一人，不妥。

## 注释

① 高监司：即高纳麟，天历二年（1329）全国大旱时任江西道廉访使。

② 料钞：一种纸币。加三倒：指钞票贬值，旧钞换新钞时，需要贴加三成。

③ 停塌户：指囤粮户。停塌：堆栈。

④ 黄不老：野菜名。

⑤ 糇粮：干粮。

⑥ 咗：同“噇”，吞咽。

⑦ 参与商：均是星名。参星居西，商星居东，此出彼入，不能相见。此处比喻骨肉

分离。

⑧ 私牙子:私商。

⑨ 无徒:无赖之徒。

⑩ 昏钞:指破烂的纸币。

⑪ 行唐:蒙蔽、搪塞之意。

⑫ 粜:卖出粮食。

⑬ 知房:旧时县衙门中公事料理划归吏、户、礼、兵、刑、工六房。此指各房管事的书办。

⑭ 尪羸:瘦弱。

⑮ 汲黯开仓:汲黯,西汉著名贤臣,武帝时为东海太守,有治绩。《史记·汲郑列传》记有汲黯因公路过河南时开仓赈济灾民之事。

⑯ 生放:放债生利。

⑰ 展草垂缰:皆家畜救主故事。展草:三国时李信纯养一爱犬黑龙,某日,李醉卧草地,值草地起火。黑龙往返水池,以其皮毛沾水浸湿草地,隔断火路,致力尽而死。垂缰:前秦苻坚被慕容冲追逐,自马上跌落水中,其马跪下前足,使得苻坚援缰绳登岸逃走。此处意为:恨不得变犬马以报答恩德。

⑱ 覆盆之下:盆如翻盖,阳光就照不进去。此处谓爱民贤臣的恩德无处不在。

⑲ 萧曹:指汉代的贤相萧何与曹参。

⑳ 伊傅:指商朝的贤相伊尹与傅说。

㉑ 周召:指周成王时的贤相周公旦与召公奭。

㉒ 紫泥宣诏:古代书缄均用泥封加印,皇帝的诏书用紫泥。

㉓ 玉笋:唐蒋凝美风标,当时称为玉笋班,此犹云班行中出类拔萃之辈。

㉔ 金瓯:喻疆土完固。此处用指强盛的国家。

㉕ 和鼎调羹:言宰相处理政事,犹如厨师在炊具中烹调食物,得心应手。

㉖ 貂蝉济楚:貂蝉,汉侍中之冠,以貂尾为装饰;济楚,整齐的样子。此处作加官晋爵解。

㉗ 衮:古天子与上公所服之绘有卷龙的礼服。

㉘ 珂珮:饰物。珂,马勒上的贝饰。珮,珮玉。

㉙ 粒我烝民:粒,动词,《尚书·益稷》:"烝民乃粒。"孔安国传:"米食曰粒。"烝民,众民。此句意为:使我人民有饭吃。

㉚ 东湖:湖名,在今江西省南昌市东南。

㉛ 云卿苏圃场:苏云卿,南宋广汉人。《宋史·苏云卿传》载:"绍兴间,来豫章东湖,结庐独居……披荆畚砾为圃。"

㉜ 徐孺子:东汉南昌人,名徐稺。家贫不应徵辟,为时所重,世称南州高士。

## 鉴赏

刘时中的〔端正好〕《上高监司》共两套,前套由十五支曲子组成,后套由三十四支曲子组成。前套写旱灾下百姓的悲惨处境与高监司赈灾的情况;后套揭露江西钞法的种种弊端,批判了官商勾结、剥削百姓的丑恶行径,提出了改革的办法。这里入选的是前套。

前七支曲子交叉写出灾荒与人祸的严重程度。第二、四、五、六支曲子写的是旱灾严重、饥饿难耐、卖儿卖女等惨相。旱灾造成颗粒无收:"旱魃生四野灾伤。""旱魃"是旱神,《神异经》载:"魃所见之国大旱,赤地千里。"本曲所写的旱灾就是这种赤地千里的景象:"谷不登,麦不长,因此万民失望。"这带来了物价飞涨,货币贬值:"一日日物价高涨,十分料钞加三倒。"因此百姓生活更加"凄凉"。作者笔下饥民的惨状是:"剥榆树餐,挑野菜尝。""一个个黄如经纸,一个个瘦似豺狼,填街卧巷。"为了活命,不得已卖儿卖女:"嫡亲儿共女,等闲参与商。痛分离是何情况!乳哺儿没人要撇入长江。"作者至此由衷表达出对饥民的同情:"看了些河里孩儿岸上娘,不由我不哽咽悲伤!"

第三、第七支曲子写的是人祸的助纣为虐,这加重了天灾的程度。当时有钱人与有粮户不仅不救灾赈济,反而为富不仁,落井下石:"谷中添粃屑,米内插粗糠";"发迹了些无徒米麦行"。作者忍不住怒斥道:"怎指望他儿孙久长。"痛斥他们这是断子绝孙的罪恶勾当。

第八支曲子至最后,写高监司赈灾的情况。八、九两支曲子是过渡,由灾害过渡到赈灾,是铺垫,为高监司的赈灾做铺垫,也是反衬,以假赈灾反衬高监司的真赈灾。本来"江乡相,有义仓",义仓的作用就是防备天灾,用于天灾时的救济灾民。而实际上却是"都侵用过将官府行唐",即蒙蔽、搪塞上面的检查,虚应故事。结果真的发生天灾需要"按户口给月粮"时,却"充饥画饼诚堪笑,印信凭由却是谎,快活了些社长知房"。饥民仍然在挨饿,痛苦万状,命如游丝:"抱子携男扶筇杖,尪羸伛偻如虾样。"饥民的苦难已经到了极点,而各级掌权者、富户、书办等却中饱私囊,自在快活。

第十支曲子中,作者歌颂的主角、真正救济灾民的清官——高监司正式出场。他在"饿莩成行街上,乞出拦门斗抢。便财主每也怀金鹄立待其亡"的情形下,似汉代开仓救灾的直臣汲黯,"披星带月热中肠,济与粜亲临发放","差医煮粥分厢巷"。这给饥民带来了生存的希望:"众饥民共仰,似枯木逢春,萌芽再长。"

第十一支曲子〔叨叨令〕中,作者又将"有钱的"与"无钱的"两类人作了鲜明的对比,而这种差别在天灾中对比尤其鲜明:前者是"贩米谷、置田庄、添生放","纳宠妾、买人口、偏兴旺";后者却"少过活、分骨肉、无承望","受饥馁、填沟壑、遭灾障"。总算盼到了秋收,却仍然难免"鬻妻卖子家私丧"的悲剧。作者至此不由得一再感叹:"小民好苦也么哥!小民好苦也么哥!"这与张养浩的感叹"兴,百姓苦;亡,百姓苦!"内涵相近,有异曲同工之妙。

最后四支曲子,作者从各种角度褒赞"爱民忧国"的高监司。一是,赞美其爱民,具体表现在"恤老怜贫,视民如子,起死回生,扶弱摧强","普天下万民乐业"等句子中。这是儒家思想核心——"仁"的施政表现,是清官的基本素质,是历代皆受褒赞的通用的评价为官掌权者的最高标准。爱民本来是当官的本分,但中国老百姓是弱势群体,是最善良的,最容易感动的,只要官爱百姓,老百姓就由衷感激,爱民救民的高监司也因此得到百姓的由衷爱戴:"万万人感恩知德,刻骨铭心,恨不得展草垂缰。""盖一座祠堂人供养,立一统碑碣字数行,将德政因由都载上,使万万代官民见时节想。"二是,赞美其爱国,具体表现在"这相公爱民忧国无偏党,发政施仁有激昂";"天生社稷真卿相,才称朝廷作栋梁";"秉心仁恕,治政公平,莅事慈祥"。对一个为官者而言,爱国与爱民本来是一体的两面,不可分割。作者在这里将高监司的"爱民"置于"忧国"之前,写其救民爱民乃是爱国的具体表现,这是值得肯定的,体现了作者的思想高度。三是,赞美其才能出众,认为他"可与萧曹比并,伊傅齐肩,周召班行",希望"紫泥宣诏,花衬马蹄忙",能够得到皇帝的重用;祝愿他"得早居玉笋朝班上,伫看金瓯姓字香"。

本篇以现实为题材,敢于直接评议当时的社会政治,由此可见作者的社会责任感与创作勇气。篇中前后两部分逻辑谨严,互为衬托,描写的天灾越严重,高监司救灾的迫切性与效果就越突出。全曲描写细腻,对比强烈,形象鲜明,语言质朴,感情真实,具有震撼人心的艺术魅力。

(关四平)

## 【双调·蟾宫曲】

阿鲁威*

烂羊头谁羡封侯？斗酒篇诗，也自风流。过隙光阴，尘埃野马，不障闲鸥。离汗漫飘蓬九有，向壶山小隐三秋。归赋登楼，白发萧萧，老我南州！

### 作者

* 阿鲁威(生卒年不详,约在1280—1350年间),蒙古族人。字叔重(一作叔仲),号东泉,人称鲁东泉。曾任南剑太守、翰林侍讲学士、经筵官、参知政事等职。晚年寓居杭州。能诗善曲,诗今不传。明朱权《太和正音谱》称其词"如鹤唳青霄"。今存小令19首,情感深沉质朴,格调旷达豪迈。

### 鉴赏

阿鲁威传世的十九首小令,大多作于挂冠南游之后。阿鲁威兼通蒙汉两种文字,曾任翰林侍讲学士,但却对仕途并无多大热情,反而因为熟知官场中事,对官场、功名产生相当强烈的反感情绪,形之于曲词,多慷慨不平之气。他虽身为蒙古族贵族,官居高位,却未能实现其理想抱负,故转而追慕汉文化中自古以来的隐逸传统,逃离官场,隐居林下,但却又壮怀难消,这首小令即表现了他内心的矛盾痛苦。此曲典故多而意味颇深,由此也可见阿鲁威汉学修养之一斑。

"烂羊头谁羡封侯",开篇即表现出对拜相封侯的轻蔑态度。"烂羊头"之典出于《后汉书·刘玄传》"灶下养,中郎将;烂羊胃,骑都尉;烂羊头,关内侯",是当时百姓讽刺卖官鬻爵的官场风气的歌谣。连卖羊头、羊胃的小商小贩都可以当官了,封侯又如何?这样的官场对阿鲁威完全失去了吸引力。“斗酒篇诗”化用杜甫诗中写李白的名句:“李白斗酒诗百篇,长安市上酒家眠。天子呼来不上船,自称臣是酒中仙。”(《饮中八仙歌》)诗人所向往的正是这种流连诗酒,笑傲权贵的风流自赏的豪情和气度。接下来的“尘埃野马”出于《庄子·逍遥游》:“野马也,尘埃也,生物之以息相吹也。”野马乃山野间如奔马的气流,尘埃乃极安静微小之物,寓意为万物无论大小,都要任天而动。与前句的“过隙光阴”并用,形容时光流逝,岁月荏苒。然而无论怎样迅驰的时光,也不能妨碍“天地一沙鸥”的闲适、自得。“离汗漫飘蓬九有”,诗人决意远离茫茫无际的世俗红尘,情愿如萍流蓬转般漂泊逍遥于九州大地。“向壶山”句又用《后汉书·樊英传》典故,该传载樊英“隐于壶山之阳”,此借以表明其归隐之志。

以上皆言向往归隐的情怀志趣,但篇末三句,感情却陡然生变。

“归赋登楼”,“登楼”指建安七子王粲的名作《登楼赋》,此赋是王粲避乱荆州而不为刘表重用时所作,赋中表现了强烈的思乡怀归之情与沦落不遇之感。令曲家没有想到的是,自己在决意归隐之后,却又难以消解浓郁的乡愁和未能实现的壮志,不得不像王粲一样,以写《登楼赋》那样的作品来排遣自己的苦闷情怀。如果说此句的表意还不是十分显豁的话,最后“白发萧萧,老我南州”两句的形象展示和沉痛感慨,就明显地表现了深挚的思乡之情与壮怀未展的迟暮之恨。

此曲所表现出的矛盾情怀,或许正是畅言归隐却又心有不甘的元代文人的真实心态,从这个意义上说,此曲是具有相当的认识价值的。曲中融合诸多典故,却又圆融浑化,自然妥帖,由此可见阿鲁威的卓越才华与高超的创作技艺。

(赵　娜)

## 【双调·蟾宫曲】

阿鲁威

动高吟楚客秋风,故国山河,水落江空。断送离愁，江南烟雨，杳杳孤鸿。依旧向邯郸道中，问居胥今有谁封？何日论文，渭北春天，日暮江东。

## 鉴赏

此曲是为友人而作。其时阿鲁威已常驻江南，与友人几经聚散，这一回的赠曲，或者是怀念，或者是送别。曲意既是写友人，又是写自己，感慨实多，情味深厚。

“楚客”最早是屈原自称，后泛指客居他乡之人。阿鲁威对屈原的作品十分熟悉，曾仿其“九歌”作曲九首。大约其内心也与屈原的身遭放逐、流落他乡有深刻共鸣。面对秋风，离乡的人最易思乡，而故国河山，一片渺茫。阿鲁威是蒙古族，故乡也在北方，友人不知是否也是北人？二人在江南的烟雨中寄托离愁别绪，各自又如孤鸿，正所谓“人生到处知何似，恰似飞鸿踏雪泥”（宋苏轼《和子由渑池怀旧》）。“邯郸道”最初出自《汉书·张释之传》，后经历代文人习用点染，渐以之比喻求取功名之路。诗人自己已经是闲云野鹤，而其友人却还在官场中执迷不悟。像霍去病那样封爵狼居胥山的时代已经过去，诗人只是为友人忧虑，求功名到何处才是归程？杜甫曾有《春日忆李白》：“渭北春天树，江东日暮云。何时一樽酒，重与细论文。”感叹二人不能再像往日那样举酒论文。阿鲁威此处化用杜甫成句，变成四字短语，以“渭北春天，日暮江东”作结全文，场景辽远，内涵悠长。

这样的小令别有一份清雅的格调，与宋词接近，丝毫没有俚俗之气。曲中的意境相当开阔，而又能以深厚的情感体验及理性观照为底蕴，显示了阿鲁威曲境的大气和深厚。

（赵　娜）

# 【双调·蟾宫曲】

阿鲁威

## 旅　况

理征衣鞍马匆匆，又在关山，鹧鸪声中。三叠阳关，一杯鲁酒，逆旅新丰。看五陵无树起风，笑长安却误英雄。云树濛濛，春水东流，有似愁浓。

### 鉴赏

此曲一派慷慨悲凉之气，描写旅途中所见所感，语言铿锵，与前两首风格不同。作者大概要远征边塞，此时或许正走到陕西新丰，当然也有可能身在他处，借“新丰”代指客居。

诗人行走在关山边塞、鹧鸪声中，他所表达的并不是建功立业的雄心壮志，反而是怀古伤别的离情。《阳关三叠》是能使人断肠的送别古曲，“鲁酒”即薄酒，《庄子·胠箧》“鲁酒薄，邯郸围”。曲虽能致兴，却是伤离恨别之曲；酒虽能壮行，却是薄酒一杯。自己又是孤身寄宿在旅舍中，更几多悲凉。“新丰”原是汉高祖为迁居关东地区的大官、富豪之家而修建的县邑，诗词中多用以代指客居之地。五陵是汉唐皇族的陵园，而今却已荒凉零落，无树起风。长安曾经的英雄也都成为历史的烟云，无可寻觅。诗人的心也蒙上了浓浓的愁雾，犹如云树、春水，绵延不止。尾句运用比喻和夸张，与李煜词“问君能有几多愁，恰似一江春水向东流”有异曲同工之妙。

（赵　娜）

# 【双调·寿阳曲】

阿鲁威

千年调，一旦空，惟有纸钱灰晚风吹送。尽蜀鹃血啼烟树中，唤不回一场春梦。

## 鉴赏

这是一首短而精的小令，写人生匆忙，死后一切成空的喟叹。“千年调”即计划了上千年的事，做了长远的打算，但是到死的时候却只落得一片空茫，只有送葬的纸钱漫天飞舞的凄凉。蜀帝杜宇死后，尽管魂化为鹃，哀鸣啼血，也不能唤回他生前的春梦一场。这个典故本来就相当凄凉，用到此处，更泛指对所有的人生梦想的呼唤和哀悼，令人断肠。小令如诗中的七绝，以精练深远见称，此曲可谓典范之作。作者以人死时的场面为描写重点，对比生之空茫；以杜鹃啼血的典故渲染烘托，深化生死两隔的惨痛，在极精练的描写陈述中蕴含着巨大的艺术张力，引人深思。此曲短小精警，意蕴遥深。

（赵　娜）

# 【正宫·醉太平】

钟嗣成*

## （三首其二）

俺是悲田院下司，俺是刘九儿宗枝。郑元和俺当日拜为师，传留下莲花落稿子。搠竹杖绕遍莺花市，提灰笔写遍鸳鸯字，打爻槌唱会鹧鸪词。穷不了俺风流敬思。

### 作者

* 钟嗣成(1275 前后—1345 后)，字继先，号丑斋。大梁(今河南开封)人，长期寓居杭州。屡试不第，故闭门读书，从事戏曲创作。作杂剧 7 种，均佚。所著《录鬼簿》记载了元代 152 位曲家小传和作品名目，是研究元曲的重要文献。隋树森《全元散曲》辑其有小令 59 首，套数 1 套。明朱权《太和正音谱》评其曲如"腾空宝气"。

### 鉴赏

钟嗣成所作〔正宫·醉太平〕三支曲子均是以乞儿口吻写就的，此为第二首。开篇两句，这个乞儿先介绍自己的身份："俺是悲田院下司，俺是刘九儿宗枝。""悲田院"又称"卑田院"，唐开元二十三年置病坊收容乞丐，武宗会昌五年改称"悲田养病坊"，赈济乞丐残疾人(见《旧唐书·武宗纪》)。"刘九儿"是元杂剧中乞丐的常用名，如武汉臣《老生儿》第二折："(净大都子领刘九儿、小都子上，云)刘九儿，开元寺里散钱哩,咱去那里请钞去来。”这种开门见山的介绍不仅没有一般乞儿的低三下四,反而有一种溢于言表的豪情。这个乞丐有什么本事呢?“郑元和俺当日拜为师,传留下莲花落稿子”。郑元和的故事始见于唐白行简《李娃传》,荥阳公子郑元和与妓女李娃相恋,财产败尽沦为乞丐,后又在李娃的鼓励下金榜题名。元代石君宝将其改编为杂剧《李亚仙花酒曲江池》,影响颇大。“莲花落”在此专指乞丐讨饭时所唱的曲子。这种带有炫耀式的自报家门,实际上是以调侃的语气告知世人他是个会唱莲花落的乞丐。第一节这四句开门见山的自报家门让人们认识了一个不同凡响的乞丐,其真实的身份应该是沦入社会底层的落魄书生。以下的自我表白就更贴近其真实身份和社会处境了。

“搠竹杖绕遍莺花市,提灰笔写遍鸳鸯字,打爻槌唱会鹧鸪词。”莺花市指妓女的集中地,即妓院。元戴善夫《风光好》第四折:“我自离了莺花市,无半星儿点污,一抹儿瑕疵。”鸳鸯字指相思爱恋之文辞,鹧鸪词亦作“鹧鸪辞”,为唐教坊曲名。唐高骈《赠歌者》:“酒满金船花满枝,双娥齐唱鹧鸪词。”这个乞儿可不寻常,他整日搊着叫花竹杖流连的不是市井,而是烟花之地;提着笔写下的不是求乞的言辞,而是相思爱恋之歌;打着爻槌玩着杂耍嘴里吆喝的不是哀哭讨饭之声,而是歌咏男欢女爱的鹧鸪词。他的日子可能会贫困,会艰辛,但骨子里却是“风流敬思”,即倜傥风流,再贫困的生活也无法改变放荡不羁、吟风弄月的浪子心性。

元代有“九儒十丐”之说,文人的地位十分低下,生活穷困悲惨。这支曲子俨然是元代沦入社会底层、生计艰难,混同乞丐,但依然自负风流、滑稽玩世的市井文人的形象写照。整支曲子用自嘲的口吻,通俗的语言,白描的手法,刻画了一位游走于莺花之地的风流放荡的落拓文士形象,表现了元代文人典型的放浪任诞的性格特征。当然,这种蕴藉风流和滑稽调侃的抗世之举,给人的感觉是含泪的苦笑,一种不得不如此的无奈和自嘲。

(张　蔚　张大新)

## 【正宫·醉太平】

钟嗣成

### （三首其三）

风流贫最好，村沙富难交。拾灰泥补砌了旧砖窑，开一个教乞儿市学。裹一顶半新不旧乌纱帽，穿一领半长不短黄麻罩，系一条半联不断皂环绦，做一个穷风月训导。

鉴赏

这支“风流贫最好”与上首一脉相承，同是一幅描写元代底层文人困窘但不失风流的生活画卷。在这支曲子中，我们会发现，自述主人公身上的乞丐成分少了很多，甚至没有，而无论是高傲不屑的心态，还是所从事的职业，都弥漫着属于困窘文人的特有气息。

开篇，这个主人公先亮出了自己的观点：“风流贫最好，村沙富难交。”“村”即蠢，“沙”即傻，作者认为，风度潇洒不拘礼法的贫困光景是蛮好的，而那满腹草莽的愚蠢阔佬是断然不可交的。寥寥几笔，一个贫而不馁、生性倔强、落拓不羁的书生形象也就呼之欲出了。而这个主人公的愿望是什么呢？“拾灰泥补砌了旧砖窑，开一个教乞儿市学。”“乞儿市学”就是为乞丐儿童办的学校。办这个学校，对于条件倒是没什么要求，无非是把破旧的砖窑修补一下。但这个学校的授业对象与一般的私塾教馆不同，不是寻常孩童，更不是富家子弟，而是一群乞儿。其气节，其志向，其追求，皆迥出于流俗之外，其特立独行更是绝无仅有的了。主人公索性将其倜傥落拓的性情用着意的装扮显现出来：“裹一顶半新不旧乌纱帽，穿一领半长不短黄麻罩，系一条半联不断皂环绦”。无论是乌纱帽、黄麻罩还是皂环绦，无论是“半新不旧”“半长不短”还是“半联不断”，无不彰显其傲世与玩世的耿介和脱俗。更为奇特的是，他不以儒雅自任，而是执意做一个“穷风月训导”，教会学生安于清贫,自得其乐。透过幽默调侃而暗含自嘲自谑的曲辞,我们看到了元代下层读书人的困窘生活情状,领略到沦落社会底层的一代文士磊落不羁的精神气质,也体验到被时代边缘化的寒士阶层的悲哀和无奈。陵谷迁变,世积乱离,“自是白衣卿相”的读书人一落千丈,混迹于市井倡丐之间,而那些曾经被自己鄙夷的“村沙富”们却小人得志,横行霸道。没有门路施展才华,没有途径实现修齐治平的理想,只好用疏落狂放来麻醉自己,用诙谐放诞来掩饰自己。这是一种流泪的戏谑,也是元代下层文士的不幸,更是整个时代的悲哀。

此曲描写真实细腻,人物形象刻画惟妙惟肖,活泼灵动,笔触幽默诙谐,语言浅俗质朴,却具有撼人心魄的表现力。尤其是后五句,连用五个排比句,构成精妙的连珠对,大有俗中求雅之趣。

（张　蔚　张大新）

## 【南吕·骂玉郎带过感皇恩采茶歌】

钟嗣成

### 恨　别

风流得遇鸾凤配,恰比翼便分飞。彩云易散琉璃脆。没揣地钗股折,厮琅地宝镜亏,扑通地银瓶坠。　香冷金猊,烛暗罗帏。子剌地搅断离肠,扑速地淹残泪眼,吃答地锁定愁眉。天高雁杳,月皎乌飞。暂别离,且宁耐,好将息。　你心知,我诚实,有情谁怕隔年期。去后须凭灯报喜,来时长听马频嘶。

鉴赏

在诸多描摹情人惜别的辞章中,钟嗣成的《恨别》是别具特色的一篇。他站在局外,采用场景描述的方式,并深入到心理层面,直接描写人物对话,将离别中男女的一腔愁绪淋漓尽致地呈现出来,生动贴切,传神入微。

“风流得遇鸾凤配,恰比翼便分飞。彩云易散琉璃脆。”一开篇,作者就告诉我们,这场别离非同寻常,一对儿刚刚成就的鸾交凤友,还未能品味相守过程中的甜蜜,便要生生割舍,劳燕分飞。此时此境,怎能不让人感慨彩云易散,琉璃易碎,好梦不长,一场甜蜜的爱恋竟是如此的短暂!别离的消息引起主人公的一系列心理反应既惊心动魄,又充满戏剧性。一对儿金灿灿的钗钏没料到砰然折断,一面亮晶晶的宝镜顷刻间哗啦啦碎裂,一把丝线牵引的银瓶扑通通坠落井中。短短数语,作者将几种与爱恋情景相关联的事物用近乎蒙太奇的手法叠加起来,通过这一系列破碎场景抒写有情人离别的千般不舍、万般怨恨。

紧接着作者将灵妙的笔触转移到了当事人身上。一霎时,金猊香炉中的香灰渐冷,芙蓉帐内的红烛无光。在离别伤感的掩映下,原本春意融融的房中突然黯淡无光,环境氛围的暗淡映衬着主人公心境的凄冷。紧接着写女主人公在得知离别的消息那一瞬间唯觉得支刺刺肝肠寸断,不由得扑簌簌泪珠断线,难免的咔嗒嗒地愁眉紧锁。心中有千言万语,脑中有千愁万绪,既不知如何诉说,亦不知如何排遣。透过泪眼,唯见“天高雁杳,月皎乌飞”。这两句以景衬情,表现情人乍然分离之凄凉:天高气清,传书递简的鸿雁杳无踪影;月色皎洁,惊起的寒鸦无枝可依。这两句纯系女主人公对别后时光的设想,以辽远之景收束悲哀之情,深得曲中三昧。此时此景,男主人公虽难抑悲伤,但还是软语安慰:“暂别离,且宁耐,好将息。你心知,我诚实,有情谁怕隔年期。”一方面款款叮嘱心上人好生调养,另一方面又坦诚表露心迹。女子也深知此番别离已不可逆转,无计可施,只得泪眼朦胧地安慰对方,亦聊以自慰:“去后须凭灯报喜,来时长听马频嘶。”天各一方,只得从爆结的灯花中来揆知彼此安好的消息,从骏马的嘶鸣声中期盼良人归来的喜讯。在男女双方哀婉缠绵的切切絮语中,这部声情并茂的离别大戏缓缓落下了帷幕。

整支曲子语言虽有凄婉之声,但不失直白浅切;感情虽有压抑之态,但不乏炽烈热情。人物描写细致入微,人物对白贴切真挚。“没揣地”数句与下文对仗工整,连用两次连珠对,使得曲子工整有序。尤其是拟声词的运用,使本曲既有整齐的镜头美,又有错落的音乐美,可谓是声色俱佳,情景相生。

(张　蔚　张大新)

# 【双调·沉醉东风】

钟嗣成

听不厌鸾笙象板，看不足凤髻蝉鬟。按不住刺史狂，学不得司空惯，常不教粉吝红悭。若不把群花恣意看，饱不了平生饿眼。

## 鉴赏

在这支曲子里，钟嗣成秉承了元代文人曲中惯有的风流放诞气息，描绘了一个性情疏荡任诞，日日游走于烟花场、风月寨的风流浪子形象，与关汉卿的名作〔南吕·一枝花〕《不伏老》有着异曲同工之妙。

一开篇，作者便告诉我们，他"听不厌鸾笙象板，看不足凤髻蝉鬟"。他是游走于风月场中的行家里手，对于悠扬的笙箫声、丝竹声、红牙拍板声，他从来没有听厌过，对于那梳着百种发式，穿着千样服装的娇艳佳人，他亦是从未看够过。元王实甫《西厢记》第二本第二折曾云："乐奏《合欢令》，有凤箫象板，锦瑟鸾声。""鸾笙象板"在此指代八音繁会的音乐，尤其是风月场所中的靡靡之音。"凤髻""蝉鬟"均为古代发式，在此指代妓院中的众多娇艳的妓女。这两句开门见山地亮出了叙述者的身份——整天混迹于风月场中永无餍足的老嫖客。他"按不住刺史狂，学不得司空惯，常不教粉吝红悭"。"刺史狂"在此暗用祢衡典故，不但说明了自己狂傲的天性难以抑制，还表现了那种如祢衡一样与世俗抗衡的精神气质。"司空惯"一语出自唐刘禹锡《赠李司空妓》："高髻云鬟新样妆，春风一曲杜韦娘。司空见惯浑闲事，断尽苏州刺史肠。"作者觉得自己不会像李司空一样，把眼前这些凤髻蝉鬟的绝代佳人当作寻常闲事。这两句与上文的"听不厌""看不足"依然是一脉相承的，活脱脱的一个色中饿鬼的形象在这反复的渲染中跃然纸上。非但如此，这位老嫖客还深得妓女们的青睐："常不教粉吝红悭。""粉""红"均是代称妓女，他从来不会让妓女们吝啬对自己的柔情蜜意，这表明这个叙述者不但是常年出入此间的老手，更是深谙风月之术的高手。为什么这个叙述者这么孜孜于风月而不知疲倦呢？因为"若不把群花恣意看，饱不了平生饿眼"。原来是天性中带来的一段风韵，生来就长了一双看遍群芳的"饿眼"，只有这样，才能够满足自己对于美色的追求，才能满足自己那双生来就是为了美色准备的"饿眼"。

在这支短小精悍的曲子里，让我们印象最为深刻的不是这个叙述者那种急切切不满足的嫖客心态，而是作者对于"群芳"的执著追求的精神和一种不达目的誓不罢休的心态，那种狂放，那种执著，那种对于风月旖旎的孜孜追逐，才是这支曲子的核心主题。此曲与关汉卿的《不伏老》套数一样，让读者看到的是元代曲家们被社会抛弃后的玩世心态，被现实所扭曲的心灵，以及在放浪外表掩饰下的愤郁情怀。曲辞语言泼辣直率，典故运用贴切自然，虽不像《不伏老》那样淋漓恣肆，但也充满了谐谑气息。

（张　蔚　张大新）

## 【双调·凌波仙】

钟嗣成

### 吊范子安

诗题雁塔写秋空，酒满觥船棹晚风，诗筹酒令闲吟咏。占文场第一功，扫千军笔阵元戎。龙蛇梦，狐兔踪，半生来弹铗声中。

鉴赏

这是钟嗣成为相知好友范子安所作的吊词。范子安，即元杂剧作家范康。范康，生卒年不详，字子安，一作子英，杭州人。钟嗣成《录鬼簿》列入"方今已亡名公才人与余相知者"一类中，称其"明性理，善讲解，能词章，通音律"。有杂剧《竹叶舟》传世。在这支曲子中，钟嗣成对好友进行了深情的追忆和极高的评价，字里行间还透露出一种深深的惋惜,使人不禁为两人之间的深厚友情而动容。

“诗题雁塔写秋空,酒满觥船棹晚风,诗筹酒令闲吟咏。”在这三句中,范康生前出众的文采,那种意气风发的豪情,与作者交游的盛况,宛如一卷长画,在我们面前渐次展开。我们看到了一个文采出众,足以诗题雁塔的范康。他不但有着超群的才华,而且有着潇洒的风姿。“酒满觥船棹晚风”,诗酒人生,月淡风清,超然而潇洒。接着,作者想起自己与范康的交往,不是止于诗筹酒令之间,更多是一种诗酒唱和的亲密交往。他们不仅是诗友,还是心照不宣的知己。作为知己,作者对范康的评价是“占文场第一功,扫千军笔阵元戎”。文才出众,在整个文场上,独占鳌头,统领文场,舍范康再无二主。“扫千军笔阵元戎”化用唐杜甫《醉歌行》:“词源倒流三峡水,笔阵独扫千人军。”文场亦如战场,而范康就是那个可以统领部下横扫千军的最高统帅。这是一个极高的评价,足见作者对范康出众才华的推崇。然而,才能卓绝的范康并没有得到重用,亦没有施展才华的机会,“龙蛇梦,狐兔踪,半生来弹铗声中”。作为龙蛇腾空而起不过是一场梦幻罢了。放眼望去,尽是弄权的狐兔宵小游走于官场。小人得志,恶霸当道,有志之士只得如冯谖般在萧瑟的弹铗声中了此残生。而且,即使他弹断了长铗,也没有人像孟尝君一样发现他的才能。这真是一种沉郁的悲哀。作者对于友人的遭遇感到惋惜,更对现实社会充满了愤懑。全曲在这低沉而深切的感叹中结束,余音袅袅,不绝如缕。

这支曲子用典贴切自然,语言典雅工整,感情真挚深切。开头爽朗豪纵,中间激昂高扬,结尾深沉低回,一唱三叹,深得曲中三昧,是一支出色的悼亡怀人曲。

(张　蔚　张大新)

## 【双调·凌波仙】

钟嗣成

### 吊曾瑞卿

江湖儒士慕高名,市井儿童诵瑞卿。衣冠济楚人钦敬，更心无宠辱惊，乐幽闲不解趋承。身如在，死若生，想音容犹见丹青。

## 鉴赏

这是钟嗣成为曾瑞卿写的吊词。瑞卿名瑞，字瑞卿。《录鬼簿》言其“大兴(今北京大兴)人，喜江浙人才之名，景物之盛，因家焉……志不屈物，故不愿仕，因号褐夫……公善丹青，能隐语。小曲有《诗酒余音》行于世”。钟嗣成的这支曲子亦是侧重于曾瑞卿“志不屈物”的特质，着重描写这个世外高人的闲逸之姿和淡泊之态。

“江湖儒士慕高名，市井儿童诵瑞卿”，一开篇，作者就告诉我们，无论是不问世事的江湖贤士还是懵懂无知的黄口小儿，提起曾瑞卿，都是赞不绝口。这样高调的开篇介绍使人不得不好奇这个乡野皆知、江湖尽闻的曾瑞卿究竟是何许人物。紧接着，作者就告诉我们，这个曾瑞卿“衣冠济楚人钦敬，更心无宠辱惊，乐幽闲不解趋承”。他衣冠楚楚，风姿绰约，使人观之即生钦敬之心。更难能可贵的是，曾瑞卿有着一颗宠辱不惊的淡泊之心，他性情高洁，如陶潜一般甘于虽然清苦但是幽雅闲适的隐逸生活，乐在其中，对于为一些功名利禄之类的蝇头微利去趋奉旁人的世间俗务，不解如何为之，亦不屑为之。这三句是对曾瑞卿品性的高度概括。寥寥数语，一个清雅恬静、淡泊怡然、风姿卓秀的人物在我们眼前浮现出来。作者忆及自己的这位知交好友，有“身如在，死若生，想音容犹见丹青”之叹。曾瑞卿虽然已经去到了另一个世界，但是却依然像是生活在人世间。想起他的音容笑貌，如在眼前，就像是看到了妙手丹青绘制的图像一般，栩栩如生，活灵活现。这句话不但写出了作者与曾瑞卿之间的深厚感情，更进一步强调了曾瑞卿高洁的品行留存世间，虽然人已经离去，但是精神不朽，声名不散，牢牢地深藏在人们心底。

纵观这支曲子，没有晦涩的典故，没有堆砌的辞藻，没有匠心独运的章法，作者只是用平淡典雅的语言娓娓地叙述着曾瑞卿的品行，看似淡然，实则情深。这样淡泊的叙述方法更与曾瑞卿高洁平和的品格完美地结合在一起，使得整支曲子浑然天成，实不失为曲中精品。

(张　蔚　张大新)

## 【双调·凌波仙】

钟嗣成

### 吊陈存父

钱塘人物尽飘零，幸有斯人尚老成。为朝元恐负虚星命，凤箫闲鹤梦惊，驾天风直上蓬瀛。芝堂静，蕙帐清，照虚梁落月空明。

**鉴赏**

此曲是钟嗣成为陈以仁写的吊词。陈以仁，字存甫，又作存父。《录鬼簿》载他："以家务雍容，不求闻达，日与南北士大夫交游。僮仆辈以茶汤酒果为厌，公未尝有难色，然其名因是而愈重。能博古，善讴歌。其乐章间出一二，俱有骈俪之句。"孙楷第考证其"字仁甫，号复斋，以福州人寓杭州，晚居婺州为道士"。可与此曲所言的陈以仁的思想相互参看。

"钱塘人物尽飘零，幸有斯人尚老成。"一开篇，作者便告诉我们，陈以仁非常出类拔萃。钱塘地区的优秀人才可谓风流云散，飘零净尽，幸有陈以仁这样的士林翘楚能够抚慰人心。"钱塘"即杭州，"老成"一语在此谓辞章功力深厚。这两句着重表现陈以仁文采出众，辞章绝佳。这样一位人物，生活道路却并不平顺，他坚持道家的养生之法，也许他属于天虚星入命之人，乐道养生之法对于他作用并不明显，依然是命途多舛，生计艰辛。"朝元"是道家的养生法，谓五脏之气汇聚于天元(脐)，在此代指一系列道家养生之法。"虚星"即紫微斗数中的天虚星，属凶星，天虚入命者，性格孤僻，落落寡合，六亲缘薄，一生劳多而功少。这位注重养生的贤士福薄命浅，早早地就抛离了安逸清幽的生活，驾鹤西去。"凤箫"在此喻指陈以仁清净养性的生活，"鹤梦"指其高寿的愿望。高寿梦想破灭，早早地便驾着天风，直达蓬瀛仙境。在这几句中，作者表达了对陈以仁命运的无限同情和惋惜，只得用他因坚持道家修身养性故而得道成仙来安慰自己，但是言语之间，还是难以抑制住满心的凄凉和悲伤。"芝堂静,蕙帐清,照虚梁落月空明。”斯人已去,他曾经住过的芝堂静室如今悄无声息,兰屋蕙帐静默无言,只有空明清冷的月光照着他孤独的坟茔。“虚梁”为古星名,属危宿,《晋书·天文志》言“其南四星曰虚梁,园陵寝庙之所也”,在此代指坟墓。这一句纯是写景,但是那一种孤单寂寥、凄清冷瑟之感透人骨髓。陈以仁的一生,于此可见一斑。

这支曲子语言典雅幽深,在行文中将陈以仁的生平性情巧妙地融合进去,内容丰赡又不显累赘。最后一句以凄冷寂寞之景与全文的惋惜深痛之情相呼应,使曲子显得更加哀婉忧伤,自始至终弥漫着一种悲凉无奈的命运之叹,是一曲情真意切的悼亡怀人曲。

(张　蔚　张大新)

## 【双调·凌波仙】

钟嗣成

### 吊周仲彬

丹墀未知玉楼宣,黄土应埋白骨冤,羊肠曲折云更变。料人生亦惘然。叹孤坟落日寒烟。竹下泉声细,梅边月影圆。因思君歌舞十全。

鉴赏

此曲是钟嗣成为中年弃世的知交好友周文质所作的吊词。周文质,字仲彬,建德人,后移居杭州。《录鬼簿》列入“方今已死名公才人与余相知者”中,称其“体貌清癯,学问该博,资性工巧,文笔新奇”,并且称自己与其“交二十年,未尝跬步离也”。由此可见钟氏与其交往之密,感情之厚。整支曲子幽咽低回,恳切淋漓,情深意长。

“丹墀未知玉楼宣,黄土应埋白骨冤,羊肠曲折云更变”,一开篇,作者就以遗憾哀婉的笔调描画了周文质坎坷曲折、怀才不遇的一生。

周文质“家世儒业，俯就路吏”，虽然出生在书香世家，但是仅仅做一个刀笔小吏；虽有位列丹墀之才，但从未得到过朝廷的重用，更不要说皇上的宣见了。所以当作者面对中年弃世的好友那座孤零零的坟墓时，觉得理应为其鸣冤。回想起周文质的一生，其间的挫折坎坷、愤懑无奈无法细说。想来竟如在曲折狭窄、泥泞不堪的羊肠小路上行进一般，不但磕磕绊绊，更重要的是面对未来的每一步，都惶惶不安，无法预料等待自己的是什么，战战兢兢，如履薄冰。现而今，斯人已逝，唯余一座衰草离离的孤坟，在寒烟暮霭中更添凄迷。此时此景，作者想起周文质的一生，再忆起自己这半生来的惨淡艰辛，怎能不感慨“料人生惘然”！“竹下泉声细，梅边月影圆”一句，词语工丽典雅，所描景色清幽静谧，诗意盎然。作者告诉我们，每当面对竹荫细溪、月影寒梅的清幽之景，总会想起那个才华横溢歌舞兼擅的挚友，生出莫名的惆怅，感慨苍茫的人生。前文中被压抑着的愤懑不平在曲子的末尾并没有爆发，而是以如此清丽的景色收束全文，一种对于挚友的深切怀念和莫名的怅惘在曲中悄悄弥漫开来，余音袅袅，不绝如缕。

这支曲子感情抑郁又不失蕴藉深厚，语言沧桑雅致但又清丽婉转。短短的一支曲子，有概括，有感慨，有纪事，有抒情，有景物，有思绪，形式短小精悍，内容丰富深厚，亦是出色的悼亡怀人曲。

（张　蔚　张大新）

## 【南吕·一枝花】

钟嗣成

### 自序丑斋

【一枝花】生居天地间，禀受阴阳气。既为男子身，须入世俗机。所事堪宜，件件可咱家意。子为评跋上惹是非，折莫旧友新知，才见了着人笑起。

【梁州】子为外貌儿不中抬举，因此内才儿不得便宜。半生未得文章力，空自胸藏锦绣，口唾珠玑。争奈灰容土貌，缺齿重颏，更兼着细眼单眉。人中短髭鬓稀稀。那里取陈平般冠玉精神，何晏般风流面皮，那里取潘安般俊俏容仪。自知，就里。清晨倦把青鸾对，恨杀爷娘不争气。有一日黄榜招收丑陋的，准拟夺魁。

【隔尾】有时节软乌纱抓扎起钻天髻，干皂靴出落着簌地衣，向晚乘闲后门立。猛可地笑起，似一个甚的？恰便似现世钟馗唬不杀鬼。

【牧羊关】冠不正相知罪，貌不扬怨恨谁？那里也尊瞻视貌重招威！枕上寻思，心头怒起，空长三十岁，暗想九千回，恰便似木上节难镑刨，胎中疾没药医。

【贺新郎】世间能走的不能飞，饶你千件千宜，百伶百俐。闲中解尽其中意，暗地里自恁解释。倦闲游出塞临池，临池鱼恐坠，出塞雁惊飞，入园林宿鸟应回避。生前难入画，死后不留题。

【隔尾】写神的要得丹青意，子怕你巧笔难传造化机。不打草两般儿可同类，法刀鞘依着格式，装鬼的添上嘴鼻，眼巧何须样子比。

【哭皇天】饶你有拿雾艺冲天计，诛龙局段打凤机，近来论世态，世态有高低。有钱的高贵，无钱的低微。那里问风流子弟？折末颜如灌口，貌赛神仙，洞宾出世，宋玉重生。没答了镘的，梦撒了寮丁，他采你也不见得。枉自论黄数黑，谈是说非。

【乌夜啼】一个斩蛟龙秀士为高第，升堂室今古谁及。一个射金钱武士为夫婿，韬略无敌，武艺深知。丑和好自有是和非，文和武便是傍州例。有鉴识，无嗔讳。自花白寸心不昧，若说谎上帝应知。

【收尾】常记得半窗夜雨灯初昧，一枕秋风梦未回。见一人，请相会。道咱家，必高贵。既通儒，又通吏。既通疏，更精细。一时间，失商议。既成形，悔不及。子教你，请俸给。子孙多，夫妇宜。货财充，仓廪实。福禄增，寿算齐。我特来，告你知。暂相别，恕情罪。叹息了几声，懊悔了一会。觉来时记得，记得他是谁？原来是不做美当年的捏胎鬼！

## 鉴赏

这套《自序丑斋》是钟嗣成的代表作。“丑斋”是作者的号。在这套曲子里，钟嗣成极力刻画了自己“不中抬举”的外貌，看似自嘲，实则讽世，在嬉笑怒骂的行文中，一腔难以抑制的愤懑之情流溢出来。全套由九支曲子组成，每三支为一个段落，三个段落层层递进，构成一个完整而严谨的套曲架构。

在第一段的三支曲子中，作者放纵笔墨，以戏谑口吻将自己的相貌描画得惊世骇俗，奇丑无比。套曲开篇，先以高调宣示自己，生长在天地间，秉受阴阳二气。堂堂一表，凛凛一躯。与世沉浮，人情练达，可谓是“所事堪宜，件件可咱家意”。照理说做什么事情都应该是得心应手的，但其貌不扬，对不起观众，无论是旧友还是新知，见我这副尊容总会哂笑不已。高高地在内在气质上起笔，却在外表上重重地落下，一种滑稽的落差使人忍俊不禁。紧接着在〔梁州〕一曲中，作者用近乎漫画式的笔触极写金玉其内、丑陋其外的反差给自己惹下的麻烦，以致才不外现，备受冷落。空有满腹锦绣，才华横溢，口吐珠玑，却没有用武之地。且看他亲笔勾勒的自画像：“灰容土貌，缺齿重颏，更兼着细眼单眉。人中短髭鬑稀稀”，不但灰头土脸，细眼单眉，还缺牙豁口，人中短再搭个重下巴，整个是一副穷酸苦命相。既没有陈平般美如冠玉的风流潇洒，亦没有何晏一样面如敷粉的白净脸庞，至于像潘安那样的俊俏容仪，更是想都不敢想。但是自己容貌丑陋能怨恨谁呢？每天早上对镜自照之时，不由地怨恨爹娘没有给自己良好的遗传基因，但是这样的怨恨显然是没道理的。故而只得聊以自慰,如果有一天朝廷张贴黄榜"选丑",自己料定夺魁。穷尽笔墨的夸张,妍媸分明的对比,加上洋溢在字里行间浓郁的自嘲意味,极具喜剧效果,使人不禁莞尔。作者并不到此为止,又接着用〔隔尾〕一曲夸张自己丑陋的相貌体征引发的一连串效应。偶尔心血来潮,戴上乌纱帽,扎起冲天髻,穿上皂靴长裙,闲立门后,要是被人瞥见,不把我当成辟邪的门神钟馗才怪呢!这样的比喻联想,不光是作者"猛可地笑起",连读者也都会心一笑。

在第二段中,作者由对自己相貌的自贬转向对世态炎凉的感叹:时人多以貌取人,全不顾及一个人内在气质的高下、才智的优劣。从字面看仍是撕破面皮的自嘲,但骨子里却是对社会不辨贤愚的讥讽和怨愤。〔牧羊关〕一曲笔锋为之一转,由对自身体态相貌的自我调侃转向对世俗以形貌论人的恶习的抨击。作者自忖自度,愤懑不已:衣冠不整可以任由相知的朋友指责,但天生的相貌不扬难道是罪过不成?可在世人眼里,似乎只有衣冠楚楚、相貌堂堂、目光凛然,令人望而生畏的人才有威严,才值得别人尊重。这是何道理?"尊瞻视貌重招威"一语出自《论语·尧曰》:"君子正其衣冠,尊其瞻视,俨然人望而畏之。"想到这些,作者不由得"心头怒起"。可世风如此,又怎能不让人纠结愤慨?作者感叹,活了这么多年,想了千万遍,但身体发肤受之父母,怎能改变?思量来思量去,作者到底还是想明白了,自己的丑陋就像是"木上结"、"胎中疾"一样与生俱来,无法改变。既然如此,又何必上心呢!紧接着的〔贺新郎〕一曲便是在描写自己这种释然或者说是故作释然的心理。"世间能走的不能飞。饶你千件千宜,百伶百俐。"这几句表明了自己这种新的认识:世间的事物总不能两全其美,尽管你这也行那也行,聪明伶俐,但总会有缺陷。作者就是这样悟透了人世道理,并聊以自慰的。然而,作者这样旷达的自我安慰是否真的有效呢?并不见得。他依旧是"倦闲游出塞临池",因为"临池鱼恐坠,出塞雁惊飞,入园林俗鸟应回避"。可见,他还是很介意自己丑陋的相貌造成的惊世骇俗的效果,故而不到塞外游览,也不去临池自照,并把这种原因解释为"倦"。在这矛盾复杂的心理斗争中,那种自嘲的戏谑精神渐渐低迷,一种压抑不住的愤郁不平之气滋滋上升。内心貌似平静,实则波涛汹涌,深深感慨"生前难入画,死后不留题"。为什么呢?〔隔尾〕一曲道出个中缘由。画画的人尽管有极其高超的技艺,但所描摹毕竟是凡人常态,符合绘画的基本范式,再妙的丹青手也难以传摹我这张鬼斧神工的面皮。其实,要画出我这般模样也不难,比照着门神钟馗,无须打草稿,驾轻就熟地乱画一通就成了。因为人们常说画鬼易、画人难嘛。比如想加上佩剑的姿态,就依着钟馗执刀的样式信笔描画;要美化我的眼神,就发挥画工眼灵手巧的绝技,想当然地随意点染几笔,再照着恶鬼的鼻子嘴巴勾勒几下,就比我的模样好看多了。这一支曲子看似自暴自弃地拿自己的形象开涮,实际上是忍着悲愤,辛辣地讥讽名利场上善恶混淆、人鬼混杂。世人多把笑面当才俊,把英才当鬼怪,致使豺狼当道,贤士蒙羞。读者试想,作者支招儿让画工用画鬼的方法来画人,其中的愤慨和怨尤该有多么尖刻、多么沉郁!作者表面上是在极力贬损自己面目丑陋,实则是借自暴自弃的愤激言辞,向人鬼不分、善恶莫辨、是非颠倒的社会发出犀利的投枪。

紧接着,第三段将第二段中稍显端倪的不平之气推向了高潮,由自身的遭遇不平转向对整个世俗社会中重钱轻才、以貌取人等恶习的无情鞭挞。〔哭皇天〕一曲中,作者对于当时的世情百态做了穷形尽相的揭露:尽管你有天大的本事、万般的才计,即便你能够屠龙捉凤,都是枉然!当今是有钱的就高贵,没钱的就贫贱,谁管你是胸藏锦绣还是风流子弟!哪怕你像灌口二郎那样潇洒飘逸,像吕洞宾那样风骨清奇,像宋玉重生一样风度翩翩,但只要缺少钱财,就没人理睬你,任凭你说长道短、谈是论非。这一曲揭示了元代物欲横流、铜臭熏天的无情现实:无论美丑,金钱才是主宰。只要你有钱,就有人追你、捧你,把你夸成一朵花。社会就是这样的冷漠,就是这样的势利。这支曲子选用〔哭皇天〕作曲牌,实在是大有深意。情绪之沉痛,笔锋之辛辣,气韵之流走跌宕,尖刻冷峻的话语中所裹挟的作者才不外现、有志难伸的愤恨无奈,不止令人鼻酸,且足以让人骨寒。以下〔乌夜啼〕一曲可说是郁闷至极之后富有理性的自我调适,表达了作者不甘沉沦、执著用世,渴望声名显达的迫切愿望。为此,他列举了两位貌丑身显的古人劝告世人,美丑是外在的,才德识见是内在的,是非公道自在人心。春秋时有个澹台灭明,年轻时因相貌丑陋曾被孔子看轻,后来发奋苦学,学问精深、勇武刚直,且重义轻利,斩蛟投玉,受人钦敬;唐朝有个薛仁贵,出身农家,人送诨号“驴哥儿”,自幼习武,能箭射金钱,率兵打仗,谋略无双,所向披靡,被唐王招为驸马,声名显赫。这一文一武都不是靠堂堂的外表,而是凭借胆识韬略成为人伦楷模的。人心似秤,人心如镜,无须信口雌黄,遮遮掩掩。自我调侃谐谑,不骄不馁,问心无愧;但花言巧语,扯谎欺骗,是瞒不过头顶三尺神明的。从这一支曲子可以看出,作者虽然心怀愤懑,还依然希望如自己般面貌鄙陋的人能得到社会的尊重，并以此告诫世人要以古鉴今，放弃偏见，重才德识见而不盲目地以貌取人。〔收尾〕一曲突发奇想，通过捏胎鬼入梦致歉，进一步表达了急于改变命运的愿望。然而，捏胎鬼在缥缈的梦境中的虚幻承诺，是不靠谱的，梦醒来依旧是冰冷的现实。作者的愿望是如此的美好，但改变命运的希望却虚无缥缈。最后一支曲子看似异想天开、诙谐幽默，但其间饱含了多少无奈和辛酸啊！

这套曲子以“丑”为题，借“丑”讽世，痛斥社会的丑恶，鞭挞人性的卑劣，语言轻松诙谐，泼辣直爽，用典鲜活灵动又贴切自然，感情看似奔放直露，实则蕴藉深沉，在表面的滑稽诙谐、嬉笑怒骂和豪迈洒脱中，不知饱含着多少难言的辛酸和愤懑？它很能代表钟嗣成的创作风格，不愧为其代表作。

（张　蔚　张大新）

# 【双调·蟾宫曲】

周 浩*

## 题《录鬼簿》

想贞元朝士无多，满目江山，日月如梭。上苑繁华，西湖富贵，总付高歌。麒麟冢衣冠坎坷，凤凰城人物蹉跎。生待如何？死待如何？纸上清名，万古难磨。

### 作者

* 周浩,或作周诰,生平不详,大致与钟嗣成同时。其散曲仅存1首,为赞钟氏《录鬼簿》所作。

### 鉴赏

《录鬼簿》(两卷)是元代文学家钟嗣成于至顺元年(1330)编成的记载元杂剧、散曲作家作品的专著,全书共记录杂剧及散曲作家152位,收录剧目400余种,是现存研究元杂剧最早且最有价值的文献之一。这首散曲是为题咏钟嗣成的《录鬼簿》而作,作品从钟嗣成编纂《录鬼簿》的用意和所录作家的坎坷命运着眼,表达了对元曲作家的热情赞颂。

开篇“想贞元朝士无多,满目江山,日月如梭”,充满了对如今物是人非的感慨伤叹:时光荏苒,江山依旧,而从前的名士才人如今已存世不多了。“贞元”为唐德宗年号,这里借指前朝。“贞元朝士”典出唐刘禹锡《听旧宫中乐人穆氏唱歌》:“休唱贞元供奉曲,当时朝士已无多。”作者在此指代那些已经去世的从事元曲创作的名公才人,既暗含对他们的赞美,也是对眼下风流云散的叹惜。“上苑繁华,西湖富贵,总付高歌”三句承接首句而来,回顾了元曲兴盛时期的情形。回想当年,繁荣华贵的大都和那“普天下锦绣乡,寰海内风流地”(关汉卿〔南吕·一枝花〕《杭州景》)的杭州,都曾经留下了他们的足迹和充满才情的曲作。“上苑”即上林苑,是汉武帝于建元二年(公元前138)扩建的皇家宫苑,这里借指元大都(今北京);“西湖”代指杭州(早期的元曲作家多数聚集在大都,杭州是后期戏曲家云集之地)。散曲开篇几句通过今昔对比和对过去繁华兴盛的追忆,寄寓了作者对那些已故名公才人的怀念和向往。紧接着,作者感叹“麒麟冢衣冠坎坷,凤凰城人物蹉跎”:生前郁郁不得志、命运坎坷的文士死后被埋进麒麟冢里,而京城中的王侯显贵还在庸庸碌碌地虚度光阴。作者把已经故去的终生命运坎坷的戏曲家和现实中终日醉生梦死的王侯贵人做对比,在赞扬文士们虽然生前终生坎坷,但死后得以留名的同时,也流露出对王侯贵族的蔑视。“麒麟冢”亦名麒麟台,古称获麟古冢,《史记·孔子世家》记载:“鲁哀公十四年(公元前481)春,西狩大野,叔孙氏之车子钼商获兽,以为不祥,仲尼视之曰:‘麟也’,取之。”麒麟冢是埋葬麒麟之地,用麒麟冢代已故杂剧作家的坟墓,可见作者对他们的赞誉。钟嗣成在其《录鬼簿》序言中说那些“酒罂饭囊,或醉或梦,块然泥土者,则其人虽生,与已死之鬼何异”,而那些“门第卑微,职位不振,高才博艺”的下层文士却是真正的“不死之鬼”。可见作者是深刻地体会了钟氏的用意的。最后四句作者谓:该如何对待生死?是做“未死之鬼”还是做“不死之鬼”?恐怕只有后者才会留下万古难磨的清名吧!再一次歌颂杂剧、散曲作家创作成就将万古流传。

这首散曲旨在赞颂元曲作家,充分表达《录鬼簿》一书的精神内涵,同时也指出那些王侯贵人生前显贵,死后湮没无闻的事实。曲词本色当行,对比鲜明,感情深沉,具有很强的感染力。

(刘　洋)

# 【正宫·塞鸿秋】

薛昂夫*

功名万里忙如燕，斯文一脉微如线，光阴寸隙流如电，风霜两鬓白如练。尽道便休官，林下何曾见？至今寂寞彭泽县。

## 作者

＊ 薛昂夫(1270 前后—1350 后),本名超吾,字昂夫,号九皋;汉姓为马,故又称马昂夫、马九皋。其先世为西域维吾尔人,内徙,居怀孟路。薛昂夫初为江西行省令史,后入京,由秘书监郎官转佥典瑞院事,出任太平路总管,元统年间(1333—1335)为衢州路总管,晚年隐居杭州。现存小令 65 首,套数 3 套。

## 鉴赏

薛昂夫现存小令〔正宫·塞鸿秋〕三首,这是第一首,无题。小令讽刺那些贪图功名利禄之辈,钻营奔波,至老不衰。

第一句说他们万里奔波,有如社燕,南来北往,忙个不停。这里的"万里",只是说官迷、政客们到处奔波,与《后汉书·班超传》所谓的"万里功名"无涉。用"燕"作喻,而不用其他的候鸟,是为了迁就韵脚;不用"雁",是以此表示这类人物其志如"燕雀",就是忙碌,也不会有大的前程。这里暗含"燕雀安知鸿鹄之志哉"(《史记·陈涉世家》)的意思。第二句的意思是说,就是因为社会上有了这样一批人,才弄得"斯文一脉微如线",斯文扫地,一塌糊涂。第三句、第四句是说,时间像白驹过隙,又如电光石火,转瞬即逝;一生忙到两鬓如霜,还是没有混出个名堂来。这些人嘴上就说:不想当官了。于是作者发问:你们也只是嘴上说说,林泉之下,谁见过你们真的辞官归隐?唐灵彻和尚《东林寺酬韦丹刺史》有句云:“相逢尽道休官去,林下何曾见一人!”五、六两句即用此意。末句“彭泽县”,即彭泽县令,指陶渊明。为迁就韵脚和句式而省“令”字。宋朱熹说:“晋宋人物,虽曰尚清高,然个个要官职,这边一面清谈,那边一面招权纳货。陶渊明真个能不要,此所以高于晋宋人物。”(《朱子语类》卷三十四)薛昂夫此语当源于朱熹的话头儿。

作者把终生汲汲于功名利禄却又装模作样要退隐的假隐士与真正的清高之士陶渊明对比,使清者更清、浊者更浊。“忙如燕”“微如线”“流如电”“白如练”等一连串比喻的妙用,为假隐士画像,极为生动传神。一连四个长句构成的“连璧对”,一气直下,形成酣畅淋漓的气势,与巧妙的比喻相得益彰,使讽刺更为有力。“尽道便休官,林下何曾见”,这种官场上的老把戏,不止元朝一代,历代皆是如此,古今皆然。这类官员还要什么斯文?嘴上说说,也只是故作清高、以退为进。这支小令真可谓讥刺有力,揭露痛彻。

(星　汉)

# 【正宫·塞鸿秋】

薛昂夫

## 凌歊台怀古

凌歊台畔黄山铺,是三千歌舞亡家处。望夫山下乌江渡,是八千子弟思乡去。江东日暮云,渭北春天树。青山太白坟如故。

### 鉴赏

“凌歊台”,又作陵歊台,位于安徽当涂县城北五里处的黄山山巅,南朝宋武帝刘裕曾于此筑离宫。黄山一名浮丘山,山形如新月,山上林木葱茏,名胜古迹甚多,今日唯有黄山塔和凌歊台遗址,但已非原貌。当涂,古称姑孰,昔日的“凌歊夕照”,为姑孰八景之一。凌歊台废于何时不详。唐李白在《姑孰十咏·陵歊台》一诗中说:“闲云入窗牖,野翠生松竹”,可见那时还有台馆存在。“黄山铺”,名叫黄山的驿站。铺,驿站。古代传递公文和投递信件的地方。《元史·兵志》载:“元制,设急递铺,以达四方文书之往来。”“望夫山”,在安徽当涂县西北。《太平寰宇记》谓:“望夫山,在县北四十七里。昔有人往楚,累岁不还,其妻登此山望夫,乃化为石。”今称枣子矶或小九华山。“乌江渡”,乌江的渡口。乌江,在今安徽省和县东北。附近原有乌江亭,相传为项羽兵败自刎处。据《史记·项羽本纪》记载,楚汉战争中项羽被刘邦打败,来到乌江江畔,乌江亭长劝他赶快渡江,以图东山再起。项羽笑了一下说:“我在会稽起兵,带领八千子弟渡江。到今天他们全部战死,只有我一个人回到江东。即使江东父老同情我,立我为王,我还有什么脸面再见他们呢。”最后在乌江边拔剑自刎。“思乡去”,思乡的去处,思乡的地方。“江东”二句,用唐杜甫《春日怀李白》“渭北春天树,江东日暮云”原句,为押韵而将上下句倒置。当时杜甫在长安,为迁就下句“江东”的对仗而言“渭北”。作者借此二句表示对李白的怀念。“青山”,在安徽当涂县南,李白坟在青山西北。

这支小令写作者登上凌歊台,追怀与此地相关的历史故事。“气吞万里如虎”的刘裕,晚年耽于嬉乐,国祚不永;力能拔山的盖世英雄项羽,刚愎自用,兵败身亡。如日月交辉的两位大诗人李白和杜甫,互相怀念,写下脍炙人口的诗篇。而今李白的坟墓与青山长存,令人崇敬。触景生情,散曲作者心中有无限感慨,但是这感慨没有直接说出,而是意在言外,显得含蓄而深沉。

这支小令把帝王和诗人做了对比,显现他们不同的结局,为当时和后世的文人一泻胸中沉郁之气。“江东”两句是杜诗的原句,对仗自是工稳。前四句是散曲所谓的“扇面对”,也就是第一句对第三句,第二句对第四句,里面有专用地名相对,有颜色词相对,有数量词相对,更是无一字不工,可见作者在对仗上下了很大工夫。

(星　汉)

## 【中吕·朝天曲】

薛昂夫

### 咏史(二十首其一)

沛公，大风，也得文章用。却教猛士叹良弓，多了游云梦。驾驭英雄，能擒能纵，无人出彀中。后宫，外宗，险把炎刘并。

**鉴赏**

元代散曲作家对待皇帝的态度不同于前代的诗人词家,有时候敢于对历史上的皇帝给予挖苦。薛昂夫的这支小令就是如此。

曲子中的沛公,指刘邦。他在秦二世元年(前209)秋,号召沛县父老杀沛令反秦,被推为沛公。据《史记·高祖本纪》记载,刘邦在称帝后的第十二年(前195)十月,平定了淮南王英布的反叛,返回时途经故乡沛县(今江苏沛县以东),在沛宫设酒宴,款待父老子弟,当酒喝得十分畅意的时候,他站起来击筑伴奏,乘兴唱了一首歌,后人称作《大风歌》。歌词是:“大风起兮云飞扬,威加海内兮归故乡,安得猛士兮守四方。”“也得文章用”,是“也得用文章”的倒文,为迁就押韵而为之,意思是也懂得用“文治”。这一句是挖苦刘邦,为下文诛戮开国武臣张本。

“却教”二句,汉高祖六年(前201),有人密告韩信谋反,刘邦采纳陈平之计,伪游云梦(今湖北东南部),想突袭韩信。韩信自忖无罪,坦然去见刘邦,为武士所缚,韩信说:“果若人言:‘狡兔死,良狗烹;高鸟尽,良弓藏;敌国破,谋臣亡。’天下已定,我固当烹。”这两句是谴责刘邦杀戮功臣。

“驾驭”三句,是说刘邦控制了英雄,既能收服又能使用,没有人能逃出他的掌握之中。彀(gòu),本指箭射出去所能达到的有效范围,此指圈套、牢笼。曲中“英雄”,当指英布、韩信、彭越,他们并称汉初三大名将。《史记·黥布列传》这样记载:高祖十一年(公元前196)皇后吕雉诛杀了淮阴侯韩信,英布内心恐惧。这年夏天,吕后和刘邦合谋诛杀了梁王彭越，并把他剁成了肉酱，又把肉酱装好分别赐给诸侯。肉酱送到淮南，英布看了更加害怕，暗中使人部署，集结军队，以备非常。也就是说，英布造反，是刘邦和吕后把他逼反的。

“后宫”三句，刘邦死后，皇后吕雉擅权称制，大肆分封吕氏子弟，压制、杀戮刘氏诸王，实际上，已经篡夺了刘家的天下。吕后死后，陈平、周勃诛杀诸吕，迎立汉文帝，才恢复了汉朝。后宫，指吕雉。外宗，吕后亲族，指吕禄、吕产等人。炎刘，汉朝皇帝姓刘，自称以火德兴邦，故称“炎刘”。

薛昂夫在这支小令中，讽刺、挖苦之意是非常明显的：武将功臣被你杀光了，你还讲什么文治？你刘邦纵然能“驾驭英雄，能擒能纵”，但是真正的危险是睡在你床边的老婆和她娘家的人，是他们差一点断送了你刘氏的江山。小令观点新颖、独到，发人深省。

（星　汉）

# 【中吕·朝天曲】

薛昂夫

## 咏史（二十首其四）

卞和，抱璞，只合荆山坐。三朝不遇待如何，两足先遭祸。传国争符，伤身行货，谁教献与他？切磋，琢磨，何似偷敲破？

### 鉴赏

小令中“璞”读如 puō，“他”，读如 tuō。这首小令评论的是“和氏献璧”的故事，故事见于《韩非子·和氏》。楚国人卞和，在楚山中获得一块含玉的石头。他把它奉献给了厉王。厉王让玉工鉴别，玉工说：“这是石头。”厉王认为卞和撒谎，就砍去了他的左脚。等到厉王驾崩，武王即位，卞和又把含玉的石头献给武王。武王又让玉工鉴别，玉工又说:“这是石头。”武王也认为卞和撒谎,就砍去了他的右脚。武王驾崩,文王即位,卞和抱住他的含玉的石头在楚山下哭了三天三夜,眼泪流尽而继之以血。文王听到后,派人问他,说:“天下被砍掉脚的人多啦,为什么偏偏你哭得这么伤心?”卞和说:“我不是因为被砍掉脚悲伤,悲伤的是宝玉被人当作石头、贞士被当作骗子。”文王接受了这块含玉的石头,命玉工剖开,果然得到宝玉,于是命名为“和氏璧”。

曲子中的“荆山”,在今湖北省南漳县西部。山有抱玉岩,传为楚人卞和得璞处。“传国争符”,相传秦始皇得蓝田玉,雕为印,上纽交五龙,正面刻李斯所写篆文“受命于天,既寿永昌”八字,称传国玺。秦亡归汉。后来封建王朝以玺有“受命于天”之文,争以得玺为符瑞。秦玺已亡,历代多自刻制,文字亦有同有异。历代政治野心家为篡夺中央政权,往往争夺传国玺。俗传多说秦王传国玺是和氏玉制成。

韩非子借这个故事宣扬的是极端的忠君思想,就是自己的才能一定要得到君王的赏识和使用,即便摧残身体,也在所不惜。薛昂夫反问:前两次献玉,被砍双脚,第三次不遇,该受何刑?对君王来说,玉玺是你争我夺的传国之宝;而对卞和来说,只会是惹祸的玩意儿。谁教你去献给楚王呢?与其让玉匠们加工成传国玉玺,还不如早早地打碎它,免得贻害千年。

这支小令用气话和反话来评价卞和献玉的故事,实际上是对元代知识分子积极入世思想的否定,认为不必再三求仕,混迹官场。既然得不到统治者的赏识,还不如来个“破罐子破摔”。这里,对君王的是非不分,荒置人才做了辛辣的讽刺。

(星　汉)

## 【中吕·朝天曲】

薛昂夫

### 咏史(二十首其五)

邵平,不平,楚汉争秦鼎。将军便去作园丁,软了英雄性。瓜苦瓜甜,秦衰秦盛,青门浪得名。此生,本轻，不是封侯命。

## 鉴赏

这支曲子所用的典故,就是人们熟知的“东陵瓜”。

《史记·萧相国世家》:“召平者,故秦东陵侯。秦破,为布衣,贫,种瓜于长安城东,瓜美,故世俗谓之‘东陵瓜’,从召平以为名也。”召平,或作“邵平”。东陵瓜又称“青门瓜”。《三辅黄图·都城十二门》:“长安城东出南头第一门曰霸城门,民见门色青,名曰青城门,或曰青门,门外旧出佳瓜,广陵人邵平……种瓜青门外。”由此延伸出来的同源典故很多。历代的诗人们用这个典故者多得数不过来,就是大诗人李白、杜甫也不例外。

薛昂夫使用这个典故游离于原典,或者说对原典作了扩充。据《史记·萧相国世家》记载,邵平是个极有政治头脑的人,“汉十一年,陈豨反,高祖自将,至邯郸……上已闻淮阴侯诛,使使拜丞相何为相国,益封五千户,令率五百人一都尉为相国卫。诸君皆贺,召平独吊……召平谓相国曰:‘祸自此始矣。上暴露于外而君守于中,非被矢石之事而益君封置卫者,以今者淮阴侯新反于中,疑君心矣。夫置卫卫君,非以宠君也。愿君让封勿受,悉以家私财佐军,则上心说。’相国从其计,高帝乃大喜”。“邵平”三句,当源于此处,邵平的“不平”,也就是对刘邦玩弄权术、猜忌功臣的不满。“争秦鼎”,楚、汉共同推翻秦王朝后而争夺天下。鼎,相传夏禹曾收九州之金铸九鼎,后世称建立新朝或是定都为定鼎。

“发思古之幽情,往往是为了现在”(鲁迅语),单纯的就“咏史”而咏史是不存在的。薛昂夫如此,薛昂夫以前的诗人如此,薛昂夫以后的诗人也是如此。他们通过这个典故,表达对世道的看法,发泄一种情绪。薛昂夫认为,邵平是个人才,而刘邦是个寡恩的君王。对待萧何尚且如此,“旧社会过来的”邵平,也只能“软了英雄性”,“去作园丁”。邵平在秦朝“盛”时是东陵侯,“衰”时种“东陵瓜”,无论“瓜苦瓜甜”,总是“浪得名”的。进入汉朝,就再“不是封侯命”了。笔者以为,这才是这支曲子的真正的含义。不妨这样说,这是薛昂夫谴责元代统治者不重视人才的曲折表达。

(星　汉)

# 【中吕·朝天曲】

薛昂夫

## 咏史(二十首其十一)

老莱,戏采,七十年将迈。堂前取水作婴孩,犹欲双亲爱。东倒西歪,佯啼颠拜,虽然称孝哉。上阶,下阶,跌杀休相赖。

### 鉴赏

这支曲子中的"老莱",即老莱子,是古代的二十四孝之一。元郭居业《二十四孝》记古今孝子二十四人事迹,由历代二十四个孝子从不同角度、不同环境、不同遭遇行孝的故事汇集而成。由于后来的印本大都配以图画,故又称《二十四孝图》,为中国古代宣扬儒家思想及孝道的通俗读物。其中有《戏彩娱亲》,记老莱子事亲故事。其原文为:"周,老莱子,姓莱,佚其名,楚人。至孝,奉二亲极其甘脆。行年七十,言不称老。尝着五彩斑斓之衣,为婴儿状,戏舞于亲侧。并在双亲前弄雏,欲亲之喜。又尝取水上堂,诈跌卧地,作婴儿啼,以娱亲意。"翻成白话就是:周朝时候,有个叫老莱子的,姓莱,史书上把他的名字给传丢了,楚国人。每天给老爹老娘吃美味佳肴。他自己快七十岁了,在父母面前从来不说个"老"字。为了爹娘开心,他又常常穿着五彩斑斓的衣服,做出小孩儿样子,在父母面前玩耍;或者在双亲面前戏耍小鸟,做出小孩顽皮的样子,博得爹娘开心。有一次他还挑了两桶水到堂上来,故意滑倒在地,水翻了,他就故意像小孩子般哇哇大哭起来,哄得年迈的爹娘高兴。

这支曲子中"跌杀休相赖"一句的意思,就是"摔死莫怨别人"。这一句,卒章显志,道出作者的爱憎。老莱子的行径不但特别矫情,而且显得滑稽可笑。所以作者以辛辣的笔调予以讽刺。

鲁迅先生在《朝花夕拾·〈二十四孝图〉》中也说:"其中最使我不解,甚至于发生反感的,是'老莱娱亲'和'郭巨埋儿'两件事。""一个躺在父母跟前的老头子……他应该扶一枝拐杖。现在这模样,简直是装佯,侮辱了孩子。”“招我反感的便是‘诈跌’。无论忤逆,无论孝顺,小孩子多不愿意‘诈’作,听故事也不喜欢是谣言,这是凡有稍稍留心儿童心理的都知道的。”讲得非常明白,可作为这支曲子的注脚。

(星　汉)

# 【中吕·朝天曲】

薛昂夫

## 咏史(二十首其十三)

杜甫,自苦,踏雪寻梅去。吟肩高耸冻来驴,迷却前村路。暖阁红炉,党家门户,玉纤捧绿醑。假如,便俗,也胜穷酸处。

### 鉴赏

这支曲子,如果翻译成白话,大意是:杜甫踏雪寻梅,是自讨苦吃。大冷天高耸着肩膀骑在毛驴上,又在前面的村子迷了路。你看看那些达官贵人家里,在暖阁里围着火红的炉子,很多美女捧着美酒围绕着主人,是何等惬意。就算你说他俗不可耐,但目前的情况,总比你这个穷书生强多了。

“党家门户”,北宋忠武节度使党进之家。这里代指达官贵人的家。《事文类聚》:“陶谷得党家姬,冬日取雪水煎茶,谓姬曰:‘党家有此风味否?’姬曰:‘彼粗人,但知销金帐下,浅斟低唱,饮羊羔美酒耳。’”“玉纤”,纤细如玉的手指,多指美人的手。“绿醑(xǔ)”,绿色美酒。“穷酸”,贫寒而迂拘,旧时用以称穷书生。

“踏雪寻梅”,形容文人雅士赏爱风景苦心作诗的情致。宋孙光宪《北梦琐言》卷七:“或曰:‘相国(指郑綮)近有新诗否?’对曰:‘诗思在灞桥风雪中驴子上,此处何以得之?’盖言平生苦心也。”这是所知最早的风雪骑驴寻诗的典故。元费唐臣《贬黄州》第二折:"为不学乘桴浮海鸥夷子,生扭做踏雪寻梅孟浩然。"说的是孟浩然踏雪寻梅。薛昂夫此处以杜甫踏雪寻梅,当是将杜甫作为知识分子的代表出现在这里。杜甫有诗写梅花,如《江梅》:"梅蕊腊前破,梅花年后多。绝知春意好,最奈客愁何?雪树元同色,江风亦自波。故园不可见,巫岫郁嵯峨。"亦当是薛昂夫所据。

这支曲子,把高雅的知识分子和卑俗的官僚做了对比。读者仔细品味后,不难发现,在"穷酸"的自嘲中,仍然把卑俗的官僚作为讽刺的对象。梅花是作为一种特定的意象出现在古代诗词中,历代诗人多有歌咏。它是玉骨冰心,圣洁高雅,不畏严寒,坚韧顽强的象征。踏雪寻梅,是知识分子对精神世界的寻求。曲子中以"党家门户"代表达官贵人,其潜台词依旧是:"但知销金帐下,浅斟低唱,饮羊羔美酒耳。"所以说,"也胜穷酸处",只能是一句愤慨的反话!

(星　汉)

## 【中吕·朝天曲】

薛昂夫

老矣,倦矣,消减尽风云气。世情嚼蜡烂如泥,不见真滋味。蜗角虚名,蝇头微利,便得来真做的。布衣,袖里,试屈指英雄辈。

**鉴赏**

首先说明,这支小令句句押韵,以《中原音韵》的"齐微"韵衡量,完全符合。由于语音的变化,今天读起来就不够和谐。

把这支小令说成今天的白话,大概是:衰老了,疲倦了,当年的高情远志已经消磨殆尽。这世态人情直如一摊烂泥,味同嚼蜡,没有一点意思。即便是蜗角虚名,蝇头微利,"世情"中的人们到方便的时候也要认真去做。今天我是个老百姓,把手缩到袖子里,掐指算算,谁还是真正的英雄？

曲中的“风云气”，犹言英雄气。“蜗角虚名，蝇头微利”，指微不足道的空名和小利。文学史上第一次使用这两个词组的是宋代的苏轼，他在《满庭芳》词中有“蜗角虚名，蝇头微利，算来着甚干忙”的句子。薛昂夫用了这两个词组，就是对执著于名利的人们的嘲笑。嘲笑他们到头恐怕是一场“干忙（空忙而无用）”。“得来”，助词，用在“便”的后面，表示达到某种程度或出现某种结果。“布衣”，指平民，古代平民不能衣锦绣，故称。“屈指”，弯着指头计数。

作者同曲牌另一支小令为：“好官，也兴阑，早勇退身无患。人生六十便宜闲，十载疏狂限。买两个丫鬟，自拈牙板，一个歌一个弹。醒时节过眼，醉时节破颜，能到此是英雄汉。”可知这两支姊妹篇小令，当是写在作者退隐杭州以后，当时他年龄在六十岁上下。小令不是简单的叹老嗟卑，是在感慨人生的无情和世味的冷淡，表现出对世事的厌倦，但是其中又有对世无英雄的感慨。最后一句中的“英雄”，今天来看，应是加引号的。既然是“世情嚼蜡烂如泥”，那就是世道一片污浊，人们连“蜗角虚名，蝇头微利”都要“真做”，还算什么英雄？由于世无英雄，世道污浊，所以作者在另一支曲子里，表现出及时行乐的思想，认为饮酒歌舞，才是“英雄汉”。可见薛昂夫对于元代的社会，愤慨至极。

（星　汉）

# 【中吕·阳春曲】

薛昂夫

胸中太华身难撼，舌底狂澜口且缄，看渠暮四与朝三。呆大胆，樽有酒且醺酣。

## 鉴赏

这支小令的大意是说：只要你自己犹如华山般的坚定，谁也把你撼摇不动;虽然自己能言善辩,但还是要把嘴闭上,且看他们怎样反复无常地折腾。我就是个傻大胆,今朝有酒今朝醉,不去招惹是非。

曲中的"太华"即太华山,就是西岳华山。"舌底狂澜",谓能言善辩,能说会道。"渠",他,他们。"暮四与朝三",即"朝三暮四"。《庄子·齐物论》上说:一个养猴子的人,每天早晨给猴子吃三个橡子,晚上给猴子吃四个,猴子们都很生气。养猴的人说:"那么这样吧,以后每天早晨吃四个,晚上吃三个。"猴子们听了都很高兴。这个寓言故事,本谓只变名目、不变实质以欺人。后以喻变化多端或反复无常。"醺酣",酣醉的样子。

这支曲子,说的是"善于辞令"的辩士,或者是"腹有良谋"的隐士,总之都是知识分子。他们表现了不和对方("渠")合作,冷眼相看的态度。这个"渠",很明显指统治者。这一类人中,当然也包括作者自己。"樽有酒且醺酣",本来是很惬意的,但是要"呆大胆"才能做到,那就说明,不和统治者合作,也有一定的危险性。联系到薛昂夫晚年归隐,出此语不为无因。

这支曲子首二句对仗极其工稳,颇为读书人称道。你看:"胸"对"舌","身"对"口",都是名词类中的"形体"小类相对;"中"对"底",又是方位词相对;"太华"对"狂澜",又是山水相对;"难"对"且"是副词相对;"撼"和"缄",是动词相对。"撼"字,有的版本作"憾",误。可以说,无一字不工。这两句中的平仄,完全相反,读起来上口、好听。由此可见,薛昂夫这位少数民族散曲作家汉文文学功底之深厚。

(星　汉)

# 【中吕·山坡羊】

薛昂夫

惊人学业,掀天势业,是英雄隽败残杯炙。鬓堪嗟,雪难遮。晚来览镜中肠热,问着老夫无话说。东,沉醉也;西,沉醉也。

## 鉴赏

这支小令大意是说：尽管你有超群出众的学业，尽管你有惊天动地的事业，尽管你是才德超卓的英雄，最后也要败在达官贵人的残杯冷炙之下。雪白的双鬓是没有办法掩盖的，人到晚年，揽镜自照，依旧是内心炽热，激情翻滚。如果别人问我，我还有什么好说的呢，你说东，我也说喝醉了；你说西，我也说喝醉了。

曲中“是英雄隽败残杯炙”一语费解，笔者以为，当读为“是英雄隽，败残杯炙”。隽，指才德超卓。“残杯炙”，“残杯冷炙”之省。此处“炙”，当读如zhè。此字在《中原音韵》属于“车遮”韵。唐杜甫《奉赠韦左丞丈二十二韵》中有“朝扣富儿门，暮随肥马尘。残杯与冷炙，到处潜悲辛”的句子。薛昂夫的用典，当源于此处，用意也相同。“中肠”，指内心。

仔细体味这支曲子，中心意思是愤世。其感情脉络是：由高而低，再由低而高，接着又由高而低。开头“惊人学业，掀天势业”两句，不由人精神一振，但就是这样的“英雄”，也要败在残杯冷炙之下，让人不得不扼腕长叹。虽然是鬓白向老，但是依旧内心激荡，意欲有所作为，精神又为之一振。最后还是落得个“凄凉感旧，慷慨生哀”（宋刘克庄《沁园春·梦孚若》）的下场，还能叫人说什么呢？“问着老夫无话说”，只好说是喝醉了。这和宋辛弃疾的《丑奴儿》词“而今识得愁滋味，欲说还休，欲说还休，却道天凉好个秋”的意思极其相近。有人说，这支曲子表现“借沉醉逃避现实的消极感伤情绪”，恐怕失之肤浅，那是没有真正体会作者心中难以排遣的痛苦。薛昂夫以英雄自许，也以英雄许人，以期有所作为，但是世道不允许，满腹经纶，又有何用？也只能发出长长的叹息。这叹息声，一直传到今天！

（星　汉）

## 【中吕·山坡羊】

薛昂夫

# 庄家不识构阑

大江东去，长安西去，为功名走遍天涯路。厌舟车，喜琴书。早星星鬓影瓜田暮，心待足时名便足。高，高处苦；低，低处苦。

鉴赏

这支小令当是作者写在退隐以后的杭州。大意是：向长江下游所在的东方去，向长安所在的西方去，当年为博取功名走遍了天南海北。现在厌恶了车马舟船的旅途劳顿，而喜欢悠闲自在地抚琴读书。我早已两鬓斑白，应当隐居种瓜了。其实心理上的满足，也就是功名上的满足。应该明白：身居高位，有高位的苦处；身份低贱，有低贱的苦处。

这支曲子，如果从上面的文字去理解，固然没有错。但是如果读者理解其中的典故，按照典故的脉络，往深层里想一想，那就别一番意味了。"大江东去"，借用宋苏轼《念奴娇·赤壁怀古》的词句，当然也含有"浪淘尽，千古风流人物"的意思在内。"喜琴书"，暗用晋陶渊明《归去来兮辞》中的"悦亲戚之情语，乐琴书以消忧"的句子，作者暗示他要效法陶渊明。"瓜田暮"，就是"邵平瓜"的典故，是薛昂夫谴责元代统治者荒置人才的曲折表达。

这支曲子是以目前的"低处苦"，去看待往日的"高处苦"的。薛昂夫曾在京城担任过佥典瑞院事，出任过太平路总管和衢州路总管；其父曾为御史中丞，谥清献，追封覃国公，也是生有爵、死有谥的人物。所以，对于"高处苦"的体会不至于虚妄。至于"苦"的内容，非亲历者不能道出，也许作者对于统治者的内部斗争有难言的苦衷。《红楼梦》里的王熙凤有句名言："大有大的难处"，也就是这个意思。隐居以后的薛昂夫的"苦"，也不是普通老百姓的苦。他能在"退休"后"喜琴书"，"买两个丫鬟"（〔中吕·朝天曲〕），可见其"苦"另有内容。鲁迅先生说："饥区的灾民，大约总不去种兰花，像阔人的老太爷一样”（《二心集·“硬译”与“文学的阶级性”》），未必不能用在薛昂夫的身上。这支曲子的中心句子是：“心待足时名便足。”它告诫人们：要知足常乐，不要去追名逐利，在那样的社会里，要想兼济天下，流芳后世，总是徒劳的。

我们再换个角度想想，作者用大实话说出了充满矛盾的自我灵魂，并且做了深刻的剖析。有悔恨，有宽慰，坦荡真诚，直抒胸臆，毫不矫揉造作。作者光明磊落的情怀令人肃然起敬。

（星　汉）

# 【中吕·山坡羊】

薛昂夫

## 西湖杂咏·春

山光如淀，湖光如练，一步一个生绡面。扣逋仙，访坡仙，拣西施好处都游遍，管甚月明归路远。船，休放转；杯，休放浅。

### 鉴赏

此曲描写了一幅西湖春游的动态画面，我们仿佛跟着作者的文字，走进了西湖如诗如画的春景中。

诗人漫步西湖，放眼望去，远处的春山浓郁如蓝靛，湖光纯净如白练。走在西湖边上，遇到的都是好像从画轴中走出来的清雅美女。这样的美景，这样的邂逅，本就令人迷醉，更何况西湖的美，不仅在现实的人与景，更在其丰富多彩的历史文化典故。北宋林逋曾隐居孤山，其梅妻鹤子的故事似乎散发着永恒的清雅；苏轼曾在西湖上筑堤赋诗，其“欲把西湖比西子，淡妆浓抹总相宜”的雅吟更为西湖赋予了无穷的魅力。作者在这里借用苏轼的比喻，直接将西湖称作西施，所谓“拣西施好处都游遍”，便是将西湖所有美好之处全部看完之意。西湖很大,如果游玩远了,归返就要戴月夜行了,那也不管它,“管甚月明归路远”,其沉迷于西湖美景的惬意情怀跃然纸上。苏轼又有诗《李钤辖坐上分题戴花》曾云:“露湿醉巾香掩冉,月明归路影婆娑。”曲中“管甚月明归路远”,当借用苏诗意境,更进一步豪言之:游兴正浓,已顾不得月明天晚了。“船,休放转;杯,休放浅”,既是作者沉溺美景,举杯不停的写照,又是当时西湖游乐盛况的全面展示。美景、美文、美人、美酒,此情此夜,只愿笙歌无休。

这是一则颇能体现散曲灵动性的作品。赵孟頫评价薛昂夫的散曲“激越慷慨,流离闲婉”,此曲实能二者兼得。从中我们能看出作者豪爽激越的性情,也能读到其闲雅无羁的情致,更能从诗人强烈的赞美情怀中间接得到西湖美景的冲击。作曲到这种境界,可称得上“曲中豪杰”了吧!

(赵　娜)

## 【中吕·山坡羊】

薛昂夫

### 西湖杂咏·夏

晴云轻漾,熏风无浪,开樽避暑争相向。映湖光,逞新妆。笙歌鼎沸南湖荡,今夜且休回画舫。风,满座凉;莲,入梦香。

鉴赏

这首曲写西湖夏景。从春到夏,西湖风光由淡远而浓烈,欣赏风景的人也由沉醉而沸腾。

江南夏季的炎热犹如蒸笼,然而杭州因为有西湖,却能独得一分水的清凉和灵性。盛夏的西湖,不仅晴云飘荡,而且还有微风拂面。江南女子们纷纷换上清新淡雅的裙装,更加惹人注目。诗人此时,依旧与友人诗酒笙歌,又是深夜,连那如梦的画舫都招引不回游人的心思。他们游荡在西湖上，直到莲香入梦，晚风清凉。此曲结尾颇有意境。必要如此收尾，才能写出夏夜西湖的独特，才能表明诗人的闲情所寄。诗人善于把握节奏，由动至静，由酷暑到清凉，写出了西湖夏夜的神韵。

（赵　娜）

## 【双调·蟾宫曲】

薛昂夫

### 雪

天仙碧玉琼瑶，点点杨花，片片鹅毛。访戴归来，寻梅懒去，独钓无聊。一个饮羊羔红炉暖阁，一个冻骑驴野店溪桥。你自评跋，那个清高，那个粗豪？

### 鉴赏

薛昂夫的散曲风格以疏宕豪放为主，思想内容以傲物叹世、归隐怀古为主。此曲为归隐怀古一类，题名虽为“雪”，实则写雪中的情趣、雪中的古人，赞美了如雪一样高洁、超脱的人格操守。

此曲从雪的外形写起，化用北宋苏轼《少年游》“余杭门外，飞雪似杨花”，唐白居易《雪晚喜李郎中见访》“可怜今夜鹅毛雪，引得高情鹤氅人”，又紧接着用三个动宾短语叙述了三个与雪有关的典故，由“形”及“神”，形象、自然地表现了雪的品格。三个典故，分别是王徽之、孟浩然、柳宗元三人雪中的雅事。王徽之雪夜访戴，至其门而返，“乘兴而来，兴尽而返”，代表着魏晋玄学思潮中重意、重情，不落形迹的美学风尚；孟浩然冒雪骑驴寻梅，曰“吾诗思在灞桥风雪中驴子背上”，诗人只有放下人间功利，走进自然，才能写出佳作；柳宗元独钓江雪，追求的是个人精神的自由、独立。能够欣赏雪之美的人，看似狂傲，实则真挚可爱。比起饮着美酒、围炉取暖的富贵人家，这些穷困但有情趣的人更有境界，因为内心的情愫才是生命得以丰富、强大的最重要的力量。雪是高洁的,是洒脱自由的,这些有着同样品格的古人,与雪有着同样的魅力。小令虽以问句结尾,答案已在文中。诗人所崇尚的都是能够欣赏雪景的性情中人,对于那些富贵人家,则持批判态度。

此曲语言简练、形象,虽为短章,但却有思接千载的意境。写雪,写雪中人,写清雅趣,可谓传神。

(赵　娜)

## 【双调·蟾宫曲】

薛昂夫

### 题烂柯石桥(二首其一)

甚神仙久占岩桥,一局楸枰,满耳松涛。引得樵夫,旁观不觉,晋换了唐朝。斧柄儿虽云烂却,裤腰儿难保坚牢。王母蟠桃,三千岁开花,总是虚谣。

**鉴赏**

薛昂夫的两首〔蟾宫曲〕《题烂柯石桥》小令,对民间传说表示了自己的另类看法。烂柯这一典故出自东晋虞喜的《志林》:“信安山有石室,王质入其室,见二童子方对棋。看之,局未终,视其所执伐薪柯已烂朽,遽归乡里,已非矣。”烂柯山在今浙江衢州,又名石桥山,这两首散曲应是薛昂夫任衢州路总管时所作。

本曲是《题烂柯石桥》小令二首中的第一首,主要表达了对神仙传说缥缈难信、遥不可及的感叹。开篇便说“甚神仙久占岩桥,一局楸枰,满耳松涛。引得樵夫,旁观不觉,晋换了唐朝”,在叙述神奇的神仙传说前面,直下一个“甚”字反问,表达了作者的怀疑态度。岩桥久坐,松涛满耳,这的确像是传说中的仙家境地,闲来对弈,引得樵夫旁观,浑然不知尘世间时光飞逝,已经改朝换代,人事俱非,也的确是传说中仙家境地中天上一日,世间千年的神奇变幻，但作者却用一个“甚”字，对这神仙传说表示了自己的怀疑，传说毕竟是传说，又有谁真的见过神仙中人呢？

接下来作者就以戏谑的笔法表示了自己不相信的原因，“斧柄儿虽云烂却，裤腰儿难保坚牢”，如果相对坚固的斧柄都已经朽烂了，那么人身上的衣服怎么会毫无变化呢？应该比斧柄更早就朽坏了才对，而如果这样的话，王质又怎么会毫无知觉地继续看棋呢？又怎么好回乡见家里人呢？可见传说虽然引人神往，但却难以取信，神仙之说，终归是传说而已。作者在这里以“裤腰儿难保坚牢”这样的戏谑之语，一方面体现了元曲特有的浅俗明快、幽默诙谐的特色，另一方面也更好地表现了对仙家传说的毫无顾忌的质疑。

于是接下来作者在结句中下了一个感叹的结论：“王母蟠桃，三千岁开花，总是虚谣。”王母蟠桃的传说最早见于魏晋前后，《汉武帝内传》中即有此说，而这里作者借用传说中能使人长生不死的蟠桃仙果来指代自在长生的神仙传说，并直下结论道，“总是虚谣”。这里面有着两层含义，一则是“虚谣”，乃是谓其不可信，二则是说“总是虚谣”，可见作者也曾相信过神仙传说，或者明知其虚幻难信，还是由于神仙传说的美好神奇，而为之向往追寻过，但最终都发现无非是谣传虚构的传说而已，故而才会说“总是虚谣”，而不是“此是虚谣”、“多是虚谣”，从中体现了神仙传说在作者心中完全破灭的失落之感，以及无计回避现实的无奈。

全曲语言浅近，不避俗语，体现了典型的元人风格，而这种借咏题史事传奇来表达自身感叹的手法，也是现存的薛昂夫作品的主要风格，很能代表其作品的特点。

（于杨甡）

## 【双调·蟾宫曲】

薛昂夫

### 题烂柯石桥（二首其二）

懒朝元石上围棋，问仙子何争？樵叟忘归。洞锁青霞，斧柯已烂，局势犹迷。恰滚滚桑田浪起，又飘飘沧海尘飞。恰待持杯，酒未沾唇，日又平西。

## 鉴赏

本曲是《题烂柯石桥》小令中的第二首，主要借神仙传说表达了对于世事变幻无常，人生短暂易逝的感叹，隐含了对于权势富贵的厌倦和超脱。

曲首开篇即云："懒朝元石上围棋。"朝元，指的是传说中众仙家均要到道家始祖之一的元始天尊座前朝拜。但在作者笔下，这两位传说中山间对弈的神仙，却是"懒朝元"，连道家始祖的元始天尊，都懒得前去朝拜，而只是在山间石上，对坐手谈，可见其对于权势的无动于衷，实在是只乐逍遥的散仙一流。而接下来则借围棋发语，却暗有所指。"问仙子何争？樵叟忘归"，不禁让人想到了据说是纪晓岚所作的题《八仙对弈图》诗中的两句："局中局外两沉吟，犹是人间胜负心。"难道连朝元都懒去的闲散仙家，也尚且有胜负争竞之心吗？又是何等的纹枰争竞，使得观棋的樵夫入迷忘归呢？作者并未直言，而是笔触一转，将这一局棋中，不觉逝去的世间时光流转以八字带过，"洞锁青霞，斧柯已烂"。一方面是霞锁雾绕的仙家洞天中未觉有何变化，一方面却是凡间时光流逝令得斧柯朽烂，不知不觉间已是人事俱非。而接下来笔触仿佛又回到棋局之上，以短短四字述出，"局势犹迷"。不由得让我们联想，这究竟仅仅说的是棋局呢？抑或是在长生久视的仙家眼中，纷争不休的人世凡尘，也如棋局一般，不论时间怎样流逝，局势始终纷扰难定呢？这里并未言明前面所问的"仙子何争"的答案，而是以未分胜负的"局势犹迷"为棋局作结，不仅暗扣了传说中，王质观棋未终，便惊觉斧柯已烂，下山而去的故事，也可以看作仙家对弈，不过游戏棋局之内，而非争终盘胜负之意。问仙子何争，其实也就是说凡人之争，终日不止，实在不必再问，对弈仙子，观棋樵夫，都是局外之人，而我们这世间碌碌众生，却都身处局内，为局势所迷，终身不悟。令人不由想到王国维先生在其《浣溪沙》一词中所写的"试上高峰窥皓月，偶开天眼觑红尘，可怜身是眼中人"。

而作者接下来也仿佛偶开天眼，看尽桑田沧海的变换。"恰滚滚桑田浪起，又飘飘沧海尘飞"，两句交互，一个"恰"字，一个"又"字，仿佛桑田沧海的更迭，在仙家眼中，不过一瞬而已。"滚滚""飘飘"两个叠声词的运用，写出了世事变换的不可阻挡。身在局中的不可解脱，世事变换的不可阻挡,这本就是人生最大的无可奈何之一。于是作者不由心生厌倦,欲借酒遣怀,然则人生短暂,韶华易逝,便是这把酒持杯的时光,也不能多有。“恰待持杯,酒未沾唇,日又平西”,仅是一举杯的时间,便已是夕阳西下,一日又过。这当然是一种夸张的写法,同时,夕阳西下,也暗示着不觉间人生迟暮,相比桑田沧海的变换,人生是如此的短暂,岂不是更加令人叹息。

全曲围绕烂柯石桥王质观棋的传说,抒发了作者的感慨,如与其同题同调的另一首曲对读,则一言人生身不由己,短暂易逝,一言神仙之说,缥缈难信,二者结合,更能令人生出无限感慨。

(于杨生)

## 【双调·殿前欢】

薛昂夫

醉归来,袖春风下马笑盈腮,笙歌接到珠帘外。夜宴重开,十年前一秀才。黄齑菜,打熬到文章伯。施展出江湖气概,抖擞出风月情怀。

### 鉴赏

此曲在《全元散曲》中没有题目;《中原音韵》题做“醉归来”,却没有注明作者;《词林摘艳》题作“醉归”,注无名氏作。

本曲描绘了经历坎坷,终于功成名就之后的一种纵酒豪放之情,洋溢着一种洒脱超逸的气韵。作者虽出身显赫家族,然仕途多舛,至三十六岁才正式出任江西行中书省令史。结合作者的生平来看,此曲也当蕴含了他对生平遭际的慨叹,隐含了压抑苦闷的意绪。

开篇“醉归来,袖春风下马笑盈腮,笙歌接到珠帘外”三句,是当时状态和环境氛围的描摹。酒醉归来,神采飞扬,喜悦之情溢于言表,一副春风得意、志满意得、喜笑颜开的样子。这样的神态,让人联想起唐孟郊《登科后》"春风得意马蹄疾"的诗句。前两句表现出一种极高的兴致和情绪,形状之中写情绪、写心情,用笔十分巧妙。"笙歌接到珠帘外"交代了酒醉归来后的所见所闻。回到家中,没想到家里也是一片欢愉的气氛,似乎正在等待作者的归来,而且用"笙歌"的方式来迎接他,足以证明作者遇到一个重要的、足以值得全府上下共同庆贺的大喜事,这也反衬了作者归来之前即"酒醉"的原因。有人据此推断,此曲乃作者接到任命,终于出仕后所作,似乎不无道理。"夜宴重开",是又一次庆祝的开始,是作者喜悦之情的延续,虽已酒醉,然兴致不减,且将喜悦之情进一步向上推,达到了一种极致。"十年前一秀才"句,是作者入宴后的一份联想,是思绪的飞扬,然而,此时的飞扬,却转化为一种对身世、经历的慨叹。兴致极高的状态下,突然想到了自己十年间苦熬的情形,内心发出了一声叹息。乐境之中,这一声叹息,更平添了一种唏嘘之感。接下来,是他十年苦熬状态的具体阐发。"黄齑菜"原意是切碎的腌菜或酱菜,比喻身世低微和文笔粗稚,这一句与"打熬到文章伯"相连,正是作者叹息的具体内容。"文章伯"是指擅写文章的人,是对文章大家的一种尊称,其引申之意是指功成名就。与"秀才""黄齑菜"相对比,实则点化出作者身份的变化和命运的转折。"打熬"一词,是作者慨叹时真实心境的写照,也是十年间生存状态的再现,这其中饱含了身世变化和转折之前的万般艰辛,寄予着作者对人生艰难、命途多舛的感慨。这几句,乐境之中叹人生,兴致里面发感慨,使得曲作的情绪基调发生了变化,增添了全曲的思想厚度。结尾"施展出江湖气概,抖擞出风月情怀"两句,是情绪的又一次转换,是慨叹之后情绪的又一次高扬。《词林摘艳》中此两句为"江湖气概,风月情浓",残元本《阳春白雪》为"抖擞出风月怀,施展出江湖概",与此无大的出入。这两句,一扫先前感慨时的那一层淡淡的苦闷,重新变得志得意满,信心十足,颇有一番施展才华,天下舍我其谁的豪迈之气。这样的结局,又对开篇时的情绪状态加以新的推升,是心志的抒发,更是一种豪放之气的宣泄,为全曲画上了一个圆满的句号。

(胡　颖)

# 【双调·庆东原】

薛昂夫

## 西皋亭适兴(四首其二)

兴为催租败，欢因送酒来，酒酣时诗兴依然在。黄花又开，朱颜未衰，正好忘怀。管甚有监州，不可无螃蟹。

### 鉴赏

这是一首寄托作者归隐遁世，追求恬淡、闲适生活志趣的散曲。

西皋亭位于浙江杭州皋亭山附近,结合作者晚年隐居杭州的生活经历,此曲当写于其时。同题曲共四首,此为第二首。

此曲开篇围绕“兴”起笔。“兴为催租败,欢因送酒来”,包含了两个典故。“兴为催租败”出自宋释惠洪《冷斋夜话》,其意大致说宋代的谢无逸写信问潘大临,可曾有新诗?潘复函答曰:“昨日得‘满城风雨近重阳’句,忽催租人至,遂败意,只一句奉寄。”是写“败兴”。“欢因送酒来”典出《宋书·陶潜传》:“(潜)尝九月九日无酒,出宅边菊丛中坐久,值弘(江州刺史王弘)送酒至,即便就酌,醉而后归。”是写“起兴”。两个典故的化用,紧扣题旨,道出了作者败兴和起兴的原因,传达出作者厌倦官场生活,钦羡陶渊明式的归隐田园、沉醉于诗酒的雅适恬淡的生活方式。“黄花又开,朱颜未衰,正好忘怀”化用李清照和李煜的词,但一扫词中满腔的愁绪,凸显出明快疏朗豪放的感情色彩,进一步借“兴”抒怀。在酒酣诗兴来时,正值菊花盛开的美好季节,而“我”尚且处在宝刀未老之际,一切的契机都使得烦恼烟消云散,此时只管及时行乐!“管甚有监州,不可无螃蟹。”管它什么监州不监州的,我只要有美味的螃蟹来下酒就行!末句源于北宋苏轼《金门寺中见李西台与二钱唱和四绝句,戏用其韵跋之》诗:“欲向君王乞符竹,但忧无蟹有监州。”宋代各州设置的通判,称监州,总是与知州争权。杭州一有钱人昆少卿,喜食蟹,求补外郡官。有人问他想要什么,他说:“但得有螃蟹无通判处足矣。”散曲以此典作结，表现出忘怀世事，摆脱忧烦的超逸、酣畅与狂放。如果说前面借用陶渊明典是在抒写旷达之意，那么此处则以苏轼作比，表达一种豪放之情。这前后的变化，表现了作者对隐逸生活的理解，既有安贫乐道的恬淡雅适，又不失酣畅淋漓的狂放不羁，结合作者的生平和经历，这应该是他人生态度和处世理想的真实再现。

从形式上说，这首散曲风格豪放，直抒胸臆，戏谑玩笑皆成文章，展现了作者心胸通达、健康快乐的情怀。典故运用了无痕迹，如同己出，丰富了作品的意蕴。

（胡　颖）

## 【双调·楚天遥过清江引】

薛昂夫

（三首其二）

屈指数春来，弹指惊春去。蛛丝网落花，也要留春住。几日喜春晴，几夜愁春雨。六曲小山屏，题满伤春句。　　春若有情应解语，问着无凭据。江东日暮云，渭北春天树，不知那答儿是春去处？

### 鉴赏

此组带过曲共三首，均为惜春伤春之作，此为第二首。

上篇几乎全部袭用宋高观国《卜算子·泛西湖坐间寅斋同赋》词，原词为：“屈指数春来，弹指惊春去。檐外蛛丝网落花，也要留春住。几日喜春晴，几夜愁春雨。十二雕窗六曲屏，题遍伤心句。”开篇用对偶句总揽全曲，“屈指”“弹指”两个动词的应用，使时间的流逝变得具象化，并立即将读者带入恍然间春去也的惊叹，引发出春日苦短、时间倏忽而逝的遗憾。“蛛丝网落花，也要留春住”，紧接着，笔锋一转，作者以一个既形象而又奇崛的意象“蛛丝网落花”来表现抒情主人公试图留住春天的迫切心情,蛛丝网落花,竟然是因为想要留住春天的脚步!“几日喜春晴,几夜愁春雨。”紧接着,抒情主人公追忆起在刚刚逝去的春景中自己的情绪状态和因景而生的心理变化,晴日喜,雨中愁,都是那么的令人难忘,但终究难挽时日,于是更大的感伤油然而生,惜春之情变成了伤春之感,而且伤得哀婉、伤得思绪百结,以致“六曲小山屏,题满伤春句”,用带有夸张色彩的描写,既作为情感程度的具象表达,也描画了主人公在伤春情绪支配下的行为状态。

接着,“春若有情应解语,问着无凭据”紧承“题满伤春句”的意绪,化用唐李贺“天若有情天亦老”之句,以反诘的手法,从“解语”的角度,点出了春光无情,难解愁肠的痛苦,使得伤春之情得以深化,由对时光易逝的感叹转入了新的境界,变成了对自身不被对象理解、接纳,知音难觅的孤独际遇的感怀。以此情感的抒发为起点,作者采取套用杜甫《春日忆李白》原作原句的办法(仅将二句顺序颠倒)展开联想:“江东日暮云,渭北春天树”,不露痕迹地阐释对李白、杜甫这对诗人彼此思念之情的钦慕。结尾句化用宋黄庭坚《清平乐》词句“春归何处?寂寞无行路。若有人知春去处,唤取归来同住”,凝练地总结了抒情主人公寻觅春天、企盼知音而不得的无奈心境。

本首散曲情感变化曲折丰富,但又转承自然,大大拓展了抒情空间,且用意婉转、含蓄,情景交融,颇具隐喻色彩,体现出文人化的“以词为曲”的散曲创作倾向。

(胡　颖)

## 【双调·楚天遥过清江引】

薛昂夫

(三首其三)

有意送春归,无计留春住。明年又着来,何似休归去?桃花也解愁,点点飘红玉。目断楚天遥,不见春归路。　　春若有情春更苦,暗里韶光度。夕阳山外山，春水渡傍渡，不知那答儿是春住处？

## 鉴赏

这是薛昂夫〔双调·楚天遥过清江引〕带过曲三首中的最后一首，是一首别具一格的伤春感怀之作。

开篇四句，化用宋僧如晦《卜算子》词"有意送春归，无计留春住。毕竟明年用着来，何似休归去"之句，是点题之语。这四句用倒装的句式，表面似乎表达一种顺其自然、无意抗争的情绪，实则表达无法留住春日的无可奈何之情，寄予着伤春的意绪。"明年又着来，何似休归去。"既然明年春天还要来，今年又何必归去呢。接下来的四句仍然化用《卜算子》"目断楚天遥，不见春归路。风急桃花也似愁，点点飞红雨"。虽是化用，但其中"桃花"的意象和"红玉"的比喻颇富情韵，"桃花也解愁，点点飘红玉。"桃花飘零，是春天即将离去的自然景观，但入曲后，作为解愁之物，化作漫天红色的玉屑，使自然景观带上了强烈的感情色彩，表达了作者对春天离去的绵绵哀怨，这哀怨恰似漫天的桃花红玉，无边无际，但又晶莹纯洁。"目断楚天遥，不见春归路。"在桃花漫无边际的飞散中，作者的视线也投向了遥远的楚天，虽然如此，却仍找不到春归的路径，迷茫之中，是无结果的寻觅，是更大的迷茫与无助。

下篇〔清江引〕"春若有情春更苦"句化用唐李贺《金铜仙人辞汉歌》之"天若有情天亦老"句，因"有情"而"更苦"，在比照与假想中，强化着作者的情感力度，同时又引发了在不知不觉中韶光逝去的哀鸣。"暗里韶光度"一句呼应第二首曲中"弹指惊春去"的意绪。"夕阳山外山，春水渡傍渡"将宋戴复古《世事》诗中的"春水渡傍渡，夕阳山外山"颠倒次序以叶韵，再次用"夕阳"的意象表现春日无可挽留的惆怅。结尾"不知那答儿是春住处"，在化用宋黄庭坚《清平乐》词句"春归何处？寂寞无行路。若有人知春去处，唤取归来同住"的基础上运用衬字，使句子更加口语化，其题旨仍是在寻觅春的足迹，承接着遥望、追思的心境情感。

此曲虽是前人词句的化用或直引，但经作者别具匠心的重新组合，超越了文字游戏的范畴，首尾贯通，真实、准确、细腻地表达了作者叹春、惜春、伤春、唤春的心志。丰富的意象应用，更增添了曲境的悠远，颇耐人回味。

（胡　颖）

# 【中吕·醉高歌过红绣鞋】

贾　固*

## 寄金莺儿

乐心儿比目连枝，肯意儿新婚燕尔。画船开抛闪的人独自，遥望关西店儿。　黄河水流不尽心事，中条山隔不断相思。当记得夜深沉人静悄自来时。来时节三两句话，去时节一篇诗，记在人心窝儿里直到死。

### 作者

*贾固，字伯坚，生卒年无考，山东沂州（今山东临沂）人。曾历官山东佥宪、西台御史、扬州路总管、中书左参政事等。谐音律，善乐府，极富才华。今查《元史》和《沂州府志》皆无其传。诗曲创作大部分散佚，今存者唯带过曲1首。

### 鉴赏

贾固散曲作品，今仅存《青楼集》"金莺儿"条所载小令《寄金莺儿》一首。

《青楼集》为元末夏庭芝所著，该书集录了一百一十多位有不同方面造诣的歌伎和艺人的事迹。据该书记录，金莺儿是山东名姝，美姿色，善谈笑，搊筝合唱，鲜有其比。贾固任山东佥宪，一见属意焉，与之甚昵。后除西台御史，不能忘情，作"醉高歌过红绣鞋"曲以寄之。由是台端知之，被劾而去。山东以为美谈。虽然此事未必属实，但是从本曲看，二人感情甚笃却是事实。

贾固身为西台御史能够对歌伎如此钟情，实属难能可贵。此曲称名于世，多是因为这段佳话。

此曲只在开头两句描写了相聚时的欢乐，更多的笔墨是写离别后的相思之情。用语直白，情感率真深挚。

前两句写一对新人刚结合时，两情相悦，难舍难分的情形。在我国古代，比目鱼是象征忠贞爱情的奇鱼。“比目”“连枝”都比喻夫妻恩爱；“乐心”“肯意”说明两人情投意合，互相爱慕。从这两句看，二人结合后的欢愉之情溢于言表。但是不知什么缘故两人要分别了。后两句写离别。分别时船儿启动，渐行渐远，岸上的人和船上的人都被抛闪开而“独自”一方，其辛酸可想而知，硬生生分开了两个相知相爱的人，惹来了无尽的相思。作者想象着痴情女子目送船儿远去，直至靠岸不忍离去，又遥望着离人要入住的“关西店儿”，不忍分离。

后半部分主要写分别后的思念。先从作者角度来写深沉的相思之情，“黄河水流不尽心事，中条山隔不断相思”。绵延万里的黄河水滔滔不绝，但是仍然流不尽作者想要给恋人述说的心事。中条山峰峦叠嶂，隔不断作者的绵绵相思情意。作者从眼前之景说起，滔滔河水和莽莽高山虽然阻断相爱的人，却不能隔断彼此对心上人坚贞的情意。接着再进一步想象着对方应该也难以忘怀往昔甜蜜的爱情生活吧。回忆往日岁月，两人深夜幽会时，夜半无人，几多私语，来时节只有三两句话，走时已凝聚成一首诗。这样的静夜相聚，对两人感情的推动作用已不言而喻。虽然作者没告诉我们这两三句话、一首诗说的是什么，但是读者可以猜想能让人记在心窝儿里直到死的话语和诗句，该是怎样惊天动地的山盟海誓，该是蕴含了多么深沉的情意呀！

元曲不同于传统诗、词的表现手法，在这首《寄金莺儿》里得到充分体现。比如语言的口语化，像“乐心儿”、“肯意儿”、“心窝儿”，反复用“儿”做词尾，更传神地描绘出两人浓厚的深情。再比如句式灵活，还可以加衬字。贾固的这首曲比同调的曲子字数要多出好些。明钞说集本此曲遥望下有“着”字，有“着”字比没有“着”字读起来更顺畅。总之，从艺术上讲，这首曲子充分体现了元曲句式灵活、以俗为尚的语言风格。

（杨　峰）

# 【正宫·塞鸿秋】

周德清*

## 浔阳即景

长江万里白如练，淮山数点青如淀，江帆几片疾如箭，山泉千尺飞如电。晚云都变露，新月初学扇，塞鸿一字来如线。

### 作者

*周德清(1277—1365)，字日湛，号挺斋，高安(今江西高安)人，著名曲家和音韵学家，却因家境贫寒而终身未仕。他工于乐府，擅长音律。明贾仲明《录鬼簿续编》谓:“德清之韵，不独中原，乃天下之正音也;德清之词，不惟江南，实天下之独步也。”所著《中原音韵》一书在古代音韵学与戏曲史上有着深远的影响。周德清推重清丽蕴藉的曲学风格，故其曲作注重音律，风格端丽，实际上代表了元代后期散曲创作的倾向。隋树森《全元散曲》辑录其小令31首，套数3套。

### 鉴赏

曲题中之“浔阳”，即浔阳江，为长江流经江西九江的一段，随着白居易《琵琶行》一诗的千古传唱，浔阳也就走进了文人骚客的诗文中来。这首小令，就是诗人秋日傍晚登上浔阳楼的即景咏赞之作。诗人站在浔阳城楼，极目远眺，锦绣山河尽收眼底，不禁逸兴飞扬，遂挥动如椽巨笔，将如诗如画的秋景，化作一连串精妙的比喻，一句一景，写出了眼前江山的千态万状，美不胜收，令人觉得韵味无穷。

“长江万里白如练，淮山数点青如淀(靛)。”开篇即从大处、远处着眼，扣紧时令，勾画出浔阳江的山水全貌，意境雄奇壮美。层楼高处，视野开阔，浩渺清澈的万里江水滚滚而来，宛如一条银光闪烁的白练；层峦叠嶂的淮南远山，苍翠得如蓝靛，落在诗人眼中，也只“数点”而已，境界何等旷远寥廓！接下来，由静转动，“江帆几片疾如箭，山泉千尺飞如电”，则从近处、细处落笔。俯瞰楼下，在浩渺壮阔的江面上，江舟轻灵快捷，一日千里，如在眼前；而远山巍峨陡峭，飞流直下的山泉，有如从天而降的银河，奔如流电，雷霆万钧，其声威气势，令人不禁吟出“飞流直下三千尺，疑是银河落九天”的千古名句。从构图色彩上看，青白相间，绚丽而多姿。静态画面与动态镜头交替出现，远近结合，动静相生，错落有致。诗人似乎早已深深地陶醉在这美好的景色中，不知不觉中天色已晚。“晚云都变露，新月初学扇”，升腾飘浮的云气，渐渐凝成霜露，笼罩在江面上空。随着晚云的消逝，一弯新月升起在天边，暗淡的天空又明亮起来。诗人巧妙地抓住了景物瞬息变化的运动美，让美丽的图画在时空流逝转换中获得了流动感。“学”字尤妙，将新月人格化。那缥缈的云雾，柔和的月光，给眼前壮丽的画面增添了一种朦胧的意态美，令人心旷神怡。“塞鸿一字来如线”，则是全篇的点睛之笔。北塞鸿雁南归，一字形的雁阵掠过烟波浩渺的江天，留下一条淡黑的细线，若隐若现，颇有“落霞与孤鹜齐飞，秋水共长天一色”的神韵。随着雁阵渐飞渐近，仿佛能听到它们的引颈高鸣。结句不仅巧妙地以“塞鸿”再点时令，而且又增添了“雁过留声”的一笔，使整个画面有了灵气和神采。

纵观全篇，诗人用主观意绪驾驭客观事物，以“有我之景”来抒写胸中之逸气，用“不羁”之笔，写豪旷之情，景与情相济相生，相得益彰，表现了诗人积极而健康的情绪、开阔而飘逸的心境。作者成功地将江南秋天特有的物象，按照远近高低和谐有序的排列，从而形成动与静、明与暗的相互映衬，其间远近高低、动静明暗、声光色态，无不具备，真是气象万千而又和谐统一，壮丽雄奇而又韵味无穷。

从艺术手法上看，这首小令辞采俊茂，音节流畅；设喻贴切，形象逼真；想象丰富，笔力雄放；语言清丽浅白，格调清新，充分体现了洒脱、清丽的艺术特色。尤为难得的是，除第五句外，句句押韵，句句设喻，六个比喻皆鲜明生动，满纸生气而又酣畅淋漓，把江水、淮山、江帆、山泉、晚云、新月、塞鸿的颜色、状态、声音等都形象地描绘出来，笔势纵横，意象壮阔，读来毫无滞涩之感，反觉音韵铿锵和谐，意象清新壮阔，纷至沓来，真“如玉笛横秋”（明朱权《太和正音谱》）。

（张焕玲　赵望秦）

# 【中吕·朝天子】

周德清

## 秋夜客怀

月光，桂香，趁着风飘荡。砧声催动一天霜，过雁声嘹亮。叫起离情，敲残愁况。梦家山身异乡。夜凉，枕凉，不许愁人强。

### 鉴赏

这首小令开篇扣题，“月光”“桂香”直接呼应“秋夜”而暗寓“客怀”。月光与桂香同时出现，让人不能不联想到中秋佳节。在首句，作者就点出了作曲的时间与心境，将整首曲的感情基调定格为：恰逢佳节，身处异地，愈发思乡。月光漫天，桂香弥空，从视觉和嗅觉两方面着眼，似乎都是静境。妙在紧接而至的“趁着风飘荡”，化静为动，不仅将秋意向空间弥散，也表现出了秋夜之中作者心旌的动荡：在这佳节之时，看着别人团圆，自己却只能像桂香一样趁着风，到处飘荡，自己那颗思乡的心，没有归宿。

这里的“风”，是一场寒比一场的秋风，就这样作者似在无意间却自然带出“砧声”。以下作品就由秋夜的色、香，转入更为触目惊心的秋“声”的描写上。从感觉的变化上看，是由视觉和嗅觉到听觉的变化。在“趁着风飘荡”，化静为动的基础上，作者着重写了两种秋声，一是砧声，一是雁声。秋日捣衣通常是妇女为外出的游子准备冬衣，砧声（捣衣声）更因李白《子夜吴歌》“长安一片月，万户捣衣声。秋风吹不尽，总是玉关情”，而成为乡思、别情的典型意象。秋雁本身属“过雁”，夜空的雁鸣最易引起游子天涯漂泊的羁旅感与悲秋感，使人念及家乡，生归乡之思。南来北往之雁，尚知南返北归，人岂能没有归心？砧声“催动一天霜”，见其声繁，更重其寒意；雁声仅用“嘹亮”二字形容，使人感觉刺耳，足见夜深人静，孤独感渐渐浓烈，偏重于离意。二者均含凄寒离别意，却错落有致，别具风味！

“叫起离情”应雁声，“敲残愁

况”应砧声,“起”字见离情之不可已,“残”字见愁况之不可耐,各为句眼。这“离情”与“愁况”就构成了“客怀”的具体内容,使作者意识到愿望(“梦家山”)与现实(“身异乡”)的巨大反差。这种心境,自然而然地带出了结尾三句的主观感受。“夜凉,枕凉”,两个“凉”字,遥扣“秋夜”之题,这与其说是生理感觉,毋宁说是心理感受;与其说是记录秋夜凉意的表象,毋宁说是寓示环境氛围与人生遭际的惨淡凄凉。而“不许愁人强”的“不许”二字,同李清照《念奴娇》“被冷香消新梦觉,不许愁人不起”、朱淑真《闺恨》“梨花细雨黄昏后,不许愁人不断肠”的用法一样,表现出秋夜客怀的沉重与无奈。“强”字,读去声,犟义。“不许愁人强”的含义是“不许离人不断肠”。作者想强压思绪,但最终却不得不思。全曲的种种情景意境便俱在其中,令人回味不已。

这首小令写秋夜,摄取了月、桂、风、霜、雁声、砧声等众多意象,但只作点染,并不铺展开来,虽繁多,却不拥挤,既能把秋夜的景象表现得充实,又能显示出一种疏朗的风致,正体现了“词密曲疏”的特点。此曲又寓情于景,先写景,后抒情,由景及情,做到情景交融,形成优美动人的艺术境界,又通过色、香、声、触等感觉的变化,将“秋夜”与“客怀”有机地结合在一起,从而增强了艺术感染力。

(张海燕　赵望秦)

## 【中吕·朝天子】

周德清

### 书所见

鬓鸦,脸霞,屈杀将陪嫁;规模全是大人家,不在红娘下。笑眼偷瞧,文谈回话,真如解语花。若咱,得他,倒了葡萄架。

## 鉴赏

这首小令首先从陪嫁侍女的外貌写起,“鬓鸦,脸霞,屈杀将陪嫁”,油黑光亮的鬓发如雏鸦,满面含春,白里透红的笑脸灿烂似云霞,如此貌美如仙的女子,只可惜命运太不好,只能作为主人的陪嫁。写侍女的容貌,抓住特点,栩栩如生,简练生动。

“规模全是大人家,不在红娘下”,作者从陪嫁侍女的举止姿态方面进一步展开描写,突出侍女的才华。红娘本是唐元稹《莺莺传》及元王实甫《西厢记》中女主人公崔莺莺的侍婢,作者在这里借红娘来强调:陪嫁侍女不仅拥有美丽的容颜,更有突出的聪明才智,是外秀内惠、表里如一的才女。以上可以视为第一层,从叙事的视角看,似是侍女的自怨自艾,自矜自夸,在慨叹自己命运的不幸。这在封建阶级社会里是一个普遍的现象,只因地位的低下,多少才貌双全的女子,不能自主命运,只能屈从陪嫁。

“笑眼偷瞧”,作者转换视角:以第一人称的身份更亲近地描写陪嫁侍女的才华。“文谈回话”赞美侍女高雅的言谈,“真如解语花”句直接转为不由自主的赞叹。“解语花”出于唐人王仁裕《开元天宝遗事》:“明皇秋八月,太液池有千叶白莲数枝开,帝与贵戚宴赏焉。左右皆叹羡,久之,帝指贵妃示左右曰:‘争如我解语花。’”作者借用这一典故进一步赞叹陪嫁侍女的聪明美貌。作者由“瞧”(视觉)到“谈”(听觉),进而直接抒发真挚的赞叹,通过感官心理变化,多层次地描写陪嫁侍女,更令人为其不幸命运慨叹惋惜。

“若咱,得他”,紧承“真如解语花”而来,进一步展示了作者内心的叹羡之情,也从侧面表现了陪嫁侍女的摄人心魂的魅力。“倒了葡萄架”恰似一声棒喝,把诗人从美妙的想象中拉回现实,一想到家中的老妻,再美的幻想也立刻烟消云散,用语诙谐幽默,极富生活情趣。

这首小令通过对陪嫁侍女美丽的外貌、优雅的举止、高雅的谈吐等的生动描写,进而写出自己的复杂而又微妙的心理活动,从侧面烘托了陪嫁侍女的才华与魅力。小令用语通俗易懂,富于生活情调,正体现出了元曲“蒜酪味”的特色。

(张海燕　赵望秦)

# 【中吕·红绣鞋】

周德清

## 郊行(三首其一)

茅店小斜挑草稕，竹篱疏半掩柴门，一犬汪汪吠行人。题诗桃叶渡，问酒杏花村，醉归来驴背稳。

### 鉴赏

周德清的〔红绣鞋〕《郊行》组曲共三首，分别描写春、秋、冬时的郊行情景。也许是夏日炎热，不宜郊游而未作；也许原有夏日郊游之作而已散佚。

这首小令，作者起笔于乡郊的小客店与村家，意在突出“郊行”题旨，想必是作者厌倦了喧嚣与烦躁的市镇生活，而想在郊野乡村中寻求一份宁静与恬淡。“茅店”是简陋的客店，“草稕(zhǔn)”是客店招示行人可在此歇马喂料的望子，相当于今天商店的招牌。茅店但表其“小”而简陋，则其冷清可知。客店本应是热闹的场所，在这里作者却反其意，突出其小而冷清的特点，意在表示作者要寻求清静的心意。写郊外人家，也只是着墨于疏篱一道，柴门半掩，目的就在于表现野朴中的安谧。这一番宁静突然为“汪汪”的犬吠声打破，但仅有“一犬”，这只守门狗无疑是阅人未多。幽静中的这点生气，恰如其分地描画出此地人烟稀少似世外桃源般清幽祥和的特点，正为下文埋下笔墨，做好铺垫。否则，何能“问酒”“醉归”？犬吠声非但没有破坏前时的恬静气氛，反而更增添了乡村环境的质朴情味。静动之间，其妙无穷。作者选择这样的环境作为游乐之所，其恬淡冲和的襟怀也就不言自明了。

以下三句表现了诗人“郊行”的自得其乐。“桃叶渡”化用晋王献之赠妾诗《桃叶歌》的故事；“杏花村”化用唐杜牧《清明》“借问酒家何处有，牧童遥指杏花村”诗句，富于诗情画意。这里它们虽非前人诗文中所指的处所，却沟通了现实与文学作品意境之间的联想，借用典故，增大了曲的文化蕴含，使读者的想象也更为丰富。桃叶之渡，杏花之村，更可作为字面上的拆解组合来理解，"桃叶""杏花"正点出"郊行"的春天背景。风光旖旎，春意盎然，游兴、诗情和酒意都得到了满足。"醉归来驴背稳"借用《晋书·山简传》中山简饮酒醉归的典故，足见诗人的自怡自得之情，若与另一曲家汪元亨《沉醉东风·归田》："村路骑驴慢慢踏，稳便似高车驷马"的描写对观，更可想见诗人的怡然与傲然。

这首小令前半篇有意渲染郊行所至客店、村落的朴野、平凡，然后才步步转出乡野本色中所包容的大自然美景，表现出诗人对田园生活质朴风味的异常热爱。正因为作品一步步走向高潮，遂使末句的"醉归来驴背稳"除了纪实的意义外，更带上了一种作者生活观的象征意味，也即是象征着诗人的脱屣富贵、甘于恬淡的生活态度。作者先利用一组对仗加意出色，引领全篇，然后再用另一组对句表现出季节特征，结语意味深长。作者写的是切身的经历感受，又自铸新语，故能不落窠臼，具有颇为鲜明的个性特色。

（张海燕　赵望秦）

## 【中吕·阳春曲】

周德清

### 秋　思

千山落叶岩岩瘦，百结柔肠寸寸愁，有人独倚晚妆楼。楼外柳，眉叶不禁秋。

**鉴赏**

秋思是古典诗歌创作的传统主题之一，长期以来，文人们因这一主题生发出无限感慨和情思，不断丰富着秋思的文学蕴涵。在元曲中，周德清的《中原音韵》将马致远〔越调·天净沙〕《秋思》评为"秋思之祖"。而其自作的《秋思》则将视线由天涯游子转向闺中思妇，是一首情景交融的抒情小令。

首句以"思妇"的眼光看秋天

傍晚的景象，着重刻画眼前具体景物，秋风萧瑟天气凉，落叶阵阵草木衰。千山落叶而说“瘦”，并以“岩岩”修饰，如闻秋风萧瑟，如见败叶纷扬。无论是描摹形态，还是形容气势，都极为生动传神，好比画家的工笔，形、声、色、态，一一毕现。选择“瘦山”“落叶”意象，着力渲染烘托萧瑟荒凉的秋天气氛，由此而引发出来的秋思之感更是动人心弦。“百结柔肠寸寸愁”，诗人笔锋一转，就塑造了一个愁肠百结、柔情万种的思妇形象。因为她的愁思很重，觉得千山因落叶而变得十分消瘦。从萧瑟的景物和深远的意境中，画面中主人公的沉重感慨和悲凉心境可想而知。“有人独倚晚妆楼”，一个“独”字用得很传神。它既无色泽，又无声响，却意味深长。“晚妆”点出时间为秋天傍晚，看似平平，语不惊人。但这两个字内容丰富，好比画家的写意，只宜传神会意，让读者用想象补充。在这幅佳人独倚楼的秋景图中，诗人把人、景、情联系起来，画面上就有了盛妆女子和凄清的秋景调和在一起的斑斓色彩，有了人物感情变化和秋风掠过的悲凉情思。佳人悲秋思人的情怀，瞬间融入了萧瑟的情境中，惟妙惟肖，跃然纸上。

“楼外柳，眉叶不禁秋”，一切景语皆情语。秋风柳树本是没有生命的无情物，但在此时此地的思妇眼里，成了多愁善感的有情者。化景为情，情从景出，勾勒出充满哀伤的思妇孤独的身影，令人寄予强烈的同情。“千山落叶”“楼外柳”两个意象并置在一起，使得整幅画面笼罩着一派萧瑟的气氛，令人感到浓浓的秋意，照应了题目“秋”，点染出一片凄凉的秋色，衬托出一缕哀愁孤寂的情思，全部景象遂笼罩上一层深深的愁云哀雾。整个画面色调暗淡，气象萧索，是思妇凄凉伤别情绪的最好的衬托。这种以自然物的拟人化来刻画人物内心世界的艺术手法是很精巧的。

综观全曲，诗人的思想感情像一座桥梁，把这些景物、人物联系了起来，而且渗透到了景物描绘和人物活动之中，成了有机的艺术整体，使冰冷的千山、杨柳等好像有了温度，有了血肉生命，变得含情脉脉，蕴含着一股无名的愁闷和难以排遣的离愁别绪。

这首小令，生动而又形象地塑造了一位愁思满怀而又无人可倾诉的思妇形象，感情深切真挚，构思新颖巧妙，语言浅近而含蓄深沉，无论是直抒愁苦之情还是细写内心的微妙变化，都很生动感人。诗人融情于景，巧妙地写出女主人公种种含蓄而又复杂曲折的心理，感情绵密细致，抒写愁思婉转曲折。本曲用语清新流畅，舒卷自如，具有感人的艺术魅力。

（张焕玲　赵望秦）

## 【双调·蟾宫曲】

周德清

### 别友(二首其一)

唾珠玑点破湖光，千变云霞，一字文章。吴楚东南，江山雄壮，诗酒疏狂。正鸡黍樽前月朗，又鲈莼江上风凉！记取他乡，落日观山，夜雨连床。

**鉴赏**

周德清的〔蟾宫曲〕《别友》二首，是酒宴上的饯别之作，此为第一首。

开篇三句"唾珠玑点破湖光，千变云霞，一字文章"，赞文章之妙。"珠玑"喻指文章词语精美，"点破"即一语道破，这里用来赞美文章之妙。作者在这里赞美友人的文章描写湖光山色，云霞千变，辞采飞扬，华章不绝，极臻精妙，无与伦比。"一字文章"化用"一字师"的典故，极力称赞友人凭借其精妙的文章，即可称师而无愧。这几句从总体上赞美友人高超的文学才华，足可为一代宗师。

"吴楚东南，江山雄壮，诗酒疏狂。"吴王、楚王的霸业，早已是过眼云烟，但江山依旧，雄壮威武，真可谓人杰地灵，英才辈出。指点江山的英雄豪气，依然在胸中激荡，千古骚人墨客，诗酒人生，狂放不羁的气质，依然是我辈书生本色。

"正鸡黍樽前月朗，又鲈莼江上风凉！""鸡黍"化用孟浩然《过故人庄》"故人具鸡黍，邀我至田家"诗句，写出友人盛情款待而暗寓离别之意。"樽前月朗"，月光明朗，好友们把盏甚欢，岂不是一派欢快气氛？实际上也暗示了时间的变化，由"云霞"到"月朗"。而"月朗"恰恰又是容易引起故乡之思的典型意象，李白的《静夜思》被称为"千古思乡第一诗"，"举头望明月，低头思故乡"早已家喻户晓，他乡之客，自是十分敏感。"鲈莼"化用晋代张翰因秋风起，思念家乡鲈鱼、莼菜之美，故辞而归隐的典故，书写诗人的故乡之思。"江上风凉"既是秋风夜起的实际感觉，更应看作是悲秋思乡凄凉心境的展露。"正""又"两句，由欢快转为凄凉,对比强烈,寄寓着对美好时光何其短暂的慨叹。

承继而来的“记取他乡,落日观山,夜雨连床”三句,其“他乡”“夜雨”岂不是唐李商隐《夜雨寄北》“君问归期未有期,巴山夜雨涨秋池。何当共剪西窗烛,却话巴山夜雨时”意境的再次展现吗?秋凉雨夜思念家人的凄苦,宛在眼前。“落日观山”与“夜雨连床”对看,即使黄昏时分,尤可观山以自遣,而绵绵夜雨,却滴滴答答地敲去羁客的睡意,点点滴滴是相思的泪水,湿透枕巾。由“落日”到“月朗”再到“夜雨”,作者是否是有意识地在选取这么一组有特色的表示时间和天气变化的意象,来突出表现对故乡的思念之情,已经不得而知,但带给读者的阅读感觉,却足以加重这种秋凉雨夜思乡的凄凉感和独在异乡为异客的孤独感!

这首小令前半篇轻快高昂,而后半篇却凄凉多愁,他乡为客,遥思亲人,对比鲜明,读之如临其境,感同身受!

(张海燕　赵望秦)

## 【双调·蟾宫曲】

周德清

### 别友(二首其二)

宰金头黑脚天鹅,客有钟期,座有韩娥。吟既能吟,听还能听,歌也能歌。和白雪新来较可,放行云飞去如何?醉睹银河,灿灿蟾孤,点点星多。

**鉴赏**

作者编著的《中原音韵》在中国音韵学与戏曲史上有着非凡影响。《中原音韵》是为北曲用韵而作,目的是纠正作曲家用韵不一的现象,其正音依据是中原语音。成书后,戏曲作曲、唱曲都有了规范,促进了戏曲用韵的统一。

这首小令就作于《中原音韵》

书成之时与友人罗宗信和西域人琐非复初相聚的宴会上。他们都有非凡的音乐造诣,相谈甚欢,使作者感到"作乐府三十年,未有如今日之遇"的欢快,于是"遂捧巨觞于二公之前,口占《折桂》词一阕,烦皓齿歌以送之,以报其能赏音也"。

起首三句是对"夜宴"的赞美。从宴会上的珍味佳肴写出宴会规格之高,"金头黑脚天鹅"是蒙古贵族最珍爱的美味。使作者更满意的是宴会上高朋满座,知音齐聚。借用高山流水的"钟期"和善歌的"韩娥"作喻,加以出色。主客融洽相得之情,形于辞色。

接下来三句,紧承"钟期""韩娥"而来。"吟""听""歌"三字,首尾重出,别有韵味。"能吟"为诗人本色,但"还能"听、"也能"歌,如同钟子期、俞伯牙那样的知音之遇,就不是一般的诗酒宴会所能同日而语的了。这三句轻松佻达,脱口而出,突出宴会上知音相得甚欢的情景。

七、八两句,从句意上看,这两句是流水对。"白雪""行云"二典翻新出奇,既赞友人曲作高雅,又称自己堪当友人知音,既推许友人,又自占身份,我们仿佛能看到诗人掀髯得意的神情。语气幽默俏皮,意趣横生,同时巧谐别离之意。

末三句以景结情,不着痕迹地将文思转向抒发因离别而生的惆怅寂寞情怀,与前文的欢乐情状形成对比。"醉睹银河"是醉眼仰望星空,令人想起东汉杨恽《报孙会宗书》中"酒后耳热,仰天拊缶而呼乌乌"的酣态。而"灿灿蟾孤"与"点点星多"的对照,又有众星拱月之意,暗示了作者在音律之学上独步一世。全曲在"夜宴"的述写中,主宾两绾,始终强调了音乐的因素与特长。所谓"予作乐府三十年,未有如今日之遇"的快意,在作品中得到了充分的体现。

此曲用典贴切、灵活,无堆砌之病,既切合宾主身份,又抒发了知音难得、依依惜别的深情。全曲和婉流畅,声情并茂,可谓曲中精品。

(张海燕　赵望秦)

## 【双调·蟾宫曲】

周德清

倚蓬窗无语嗟呀,七件儿全无,做什么人家?柴似灵芝,油如甘露,米若丹砂。酱瓮儿恰才梦撒,盐瓶儿又告消乏。茶也无多，醋也无多。七件事尚且艰难，怎生教我折柳攀花？

## 鉴赏

此曲写读书人生活的艰辛,就内容而言,可分为三层。

“倚蓬窗无语嗟呀,七件儿全无,做什么人家?”这起始三句为第一层。“蓬窗”实化用唐杜甫“蓬门今始为君开”句中的“蓬门”意。首先活画出主人公愁肠百结、无法排解的穷愁苦闷情态。“七件儿全无,做什么人家?”“七件儿”指“柴米油盐酱醋茶”七样。自宋元以来,被称为“开门七件事”,即居家不可缺的、生活中离不了的七样东西。宋人吴自牧《梦粱录》卷十六:“盖人家每日不可缺者,柴、米、油、盐、酱、醋、茶。”缺一尚且不可,现在“七件儿全无”,还“做什么人家”啊!悲切愤激之情,喷薄而出。

接下七句为第二层,连用七个排比句,对“七件儿全无”展开具体描写。

“柴似灵芝,油如甘露,米若丹砂”三句,用灵芝、甘露、丹砂来比喻家中常用的柴、油、米,可见家中柴、油、米之少乃至于无了,让人体验到米珠薪桂的含义。“酱瓮儿恰才梦撒,盐瓶儿又告消乏。茶也无多,醋也无多”,直接陈述家中没有酱、盐、茶、醋。这四句又有变化:前两句用“才”“又”二字前后相承,后两句用两个“也”字表示并列,前者给人以艰难接踵而至的紧迫感,后者给人以艰难并至的沉重感。

“七件事尚且艰难,怎生教我折柳攀花”两句,从形式上讲,是与“茶也无多,醋也无多”紧密相连,但从内容上讲,为第三层。这两句,前一句既远承第一层,又总括第二层,但主要是为了逗出末句。经济如此之拮据,生活如此之贫苦,又哪里有条件如王孙公子般去“折柳攀花”、寻欢作乐呢?曲吟至此,作者日常生活的凄苦,内心的无奈之情,溢于言表。

吴梅《顾曲麈谈》卷下第四章《谈曲》对作者生活如此困顿而犹致力于音韵研究与散曲的创作,给予了极高的评价:“挺斋家况奇窘,时有断炊之虞。戏咏开门七件事,《折桂令》(即《蟾宫曲》)云云,其贫可想见也。余尝谓天下最苦之事,莫若一‘穷’字,饥寒交迫,而犹能歌声出金石,即原思在今日,恐亦未必能为斯。”

(张海燕　赵望秦)

# 【中吕·上小楼】

吴弘道*

## 题小卿双渐

苏卿告覆，金山题句。行哭行啼，行想行思，行写行读。自应举，赴帝都，双郎何处，又随将贩茶人去。

### 作者

* 吴弘道,字仁卿,号克斋先生。金台蒲阴(今河北安国)人。曾官江西省检校掾史。元钟嗣成《录鬼簿》将其列入“方今才人相知者”,有《金缕新声》行于世,作杂剧5种,皆佚。今存小令34首,套数4套。明朱权《太和正音谱》评其曲“如山间明月”。另有《中州启札》2卷。

### 鉴赏

双渐赶苏卿是宋元时期广为流传的一个曲折而动人的爱情故事。书生双渐与合肥妓女苏小卿相恋,茶商冯魁乘双渐赴京科举应试之机,买通老鸨,将苏小卿骗上贩茶船去往江西。船泊金山寺,小卿上岸题诗于寺壁,诉恨而去。适双渐授官临川,亦泊舟金山寺,见小卿所题诗句后,一路追至江西豫章城下,遂得结为夫妇。

据史料记载,南宋初年,唱赚创始人张五牛就曾创作了诸宫调《双渐苏卿》;元曲中写双渐苏卿故事的更多,如王实甫《苏小卿月夜贩茶船》杂剧,庾吉甫《苏小卿丽春园》杂剧(《录鬼簿》等著录,今佚);散曲中吟咏到“双渐苏卿”故事的达百余首之多。

吴弘道这首小令以苏小卿金山寺题诗写苏卿双渐故事。篇首叙事，点明苏卿金山题句。“行哭行啼，行想行思，行写行读”，是描摹苏卿题诗时的情态。小卿题诗时的哭啼声，一边思一边想的神情、一边写一边读的凄楚，无不如在眼前，栩栩如生，令人同情，叫人怜爱。最后以小卿题诗时的心理活动写题诗缘由及二人爱情：自从情郎赴京应举，到如今杳无音信，他现在到底在何处？自己随贩茶人去往江西，前途茫茫，待相见，又怎能相见？有情人终不得成眷属的绝望，遥遥无期等待与思念的哀怨，呼应题诗时“行哭行啼，行想行思，行写行读”的情态，令人不忍卒读。

（叶爱欣）

## 【中吕·醉高歌】

吴弘道

### 叹　世

风尘天外飞沙，日月窗间过马。风俗扫地伤王化，谁正人伦大雅？

鉴 赏

叹世是元代散曲极其重要的题材之一。吴弘道曾做过江西省检校掾史，还做过县令，长期沉沦下僚使他对社会有着更深刻的了解，对各种社会弊端也有着清醒的认识。因元朝是少数民族蒙古族统治下的朝代，传统文化在很长一段时间里被轻视，被抛弃，文人的地位甚至远远不如商人。深受传统文化影响的吴弘道，面对传统文化的崩溃，不能不忧心如焚。这首小令正是他对有伤人伦风化、古道不存的社会现象的感叹。

诗人以“天外风沙”比喻尘世，可见在他眼中社会是怎样的黑暗，污浊是怎样的无处不在。日月如“窗间过马”似的飞快逝去，而随着日月逝去的不仅仅是时光，还有文明礼仪、淳朴古风。“风俗扫地伤王化”，“人伦大雅”不存是当时的社会现象，这是作为封建文人的吴弘道最不愿意看到的，因此字里行间流露出愤激不平之气。尤其是“谁正”二字，表现了诗人的焦灼，也表现了他作为封建文人的忧患和担当意识。

面对社会的混浊，诗人希望回归秩序；面对人伦道德的缺失，诗人希望有人力挽狂澜，匡扶正义。从这首小令中，我们看到的不仅是诗人愤世嫉俗的激烈情绪，也不仅是他对世道的悲叹，而是诗人在民族精神沦丧时的良心和责任，是封建文人的救世情怀。

（叶爱欣）

# 【南吕·金字经】

吴弘道

太平谁能见？万村桑柘烟，便是风调雨顺年。田，绿云无尽边。穷知县，日高犹自眠。

## 鉴赏

知县，品秩低，俸禄少，却是最与民生息息相关的父母官。吴弘道是一个有良心的县令，“太平”“风调雨顺”便是他做县令全部的祈愿。而天不负人，他做县令时还真是风调雨顺，一派升平。

曲子开头用“太平谁能见”，说明太平景象的不易多见。紧接着便写眼前的太平景象，炫耀、欣喜之情溢于言表：一年四季风调雨顺，千家万户桑柘茂盛，炊烟袅袅，田野间绿油油的庄稼无边无际。曲中虽只写风调雨顺年景，不见百姓生活，但田家的丰衣足食，百姓的和平安宁、和乐幸福，由此可以想见。所以，作为百姓父母官的“穷知县”的“日高犹自眠”就显得洋洋自得。“日高犹自眠”反映的虽是“穷知县”的为官状态，但同时也反映了作者无为而治、与民休息的为官之道，其字里行间流露出的自得之情，也是他与民同乐思想的体现。为民而逢太平盛世是幸运的，为民而遇爱民之官更加幸运。

这首小令，写景是“万村桑柘烟”和“田，绿云无尽边”，绿意盎然，欣欣向荣，静谧祥和，让人陡生向往之意。此景与篇末“日高犹自眠”的自得相映相衬，使作为父母官的“穷知县”的无比喜悦之情表露无遗。此曲风格清新自然、轻灵恬适，用明朱权《太和正音谱》所谓“如山间明月”来评价这首小令当是极为贴切的。

（叶爱欣）

# 【南吕·金字经】

吴弘道

晋时陶元亮，自负经济才，耻为彭泽一县宰。栽，绕篱黄菊开。传千载，赋一篇归去来。

## 鉴赏

吴弘道的思想是矛盾的：他既想凭借自己的才能有所作为，比如“正人伦大雅”、看“万村桑柘烟”；同时又时常感叹宦海风波险恶、为官不自由，故而生出“罢官归去”(〔双调·拨不断〕《闲乐》)的念头。这是元代文人在仕与隐之间非常普遍的心理，也反映了元代社会环境下文人的特殊心态。这支咏史小令，即借吟咏东晋隐士陶渊明的弃官归隐，表现自己耻为仕宦、颂赞隐逸的思想。

吴弘道和元代大多数文人一样，都经历了从入世到出世的心路历程，所以陶渊明的“归去来兮辞”便成为他效法的榜样。小令前半部分写“自负经济才”的陶渊明只不过做了一个小小的彭泽县宰。这小小的彭泽县宰，和他经国济世的理想、安邦定国的才干，形成极大的反差，这当然是莫大的嘲讽，是足以令人汗颜羞惭的。下半部分写陶渊明因“耻为彭泽一县宰”而归隐。相对于“彭泽一县宰”的耻辱，陶渊明《归去来兮辞》的“悟已往之不谏，知来者之可追”，和他“采菊东篱下”的悠然,为他赢得了千载美名。仕之耻辱,隐之适意,陶渊明在仕与隐之间的荣辱与抉择,将警醒后世徘徊在其间的痴迷人。

小令将陶渊明“自负经济才”却仅仅做了“彭泽一县宰”的耻,与其“赋一篇归去来”而“传千载”的荣进行对照,从而表明自己对仕与隐的鲜明态度。与之相对应,在感情表达方面,“耻为彭泽一县宰”的沉重,“栽,绕篱黄菊开”的轻快,也喜恶分明,明白朗畅。

(叶爱欣)

# 【双调·拨不断】

吴弘道

## 闲乐(四首其一)

泛浮槎[①],寄生涯,长江万里秋风驾。稚子和烟煮嫩茶,老妻带月炰新鲊[②],醉时闲话。

### 注释

① 泛浮槎:浮槎,古代传说中来往于海上和天河之间的木筏。后以“泛槎”指乘木筏登天。此指泛舟漫游。

② 炰新鲊:炰,蒸煮。鲊,一种用盐和红曲腌的鱼。

### 鉴赏

吴弘道的〔拨不断〕《闲乐》小令组曲共四首,皆写归隐情怀。这首小令为第一首,描绘了一幅摆脱凡尘俗事羁绊后悠然、闲适、无拘无束的生活图景。诗人选择驾秋风泛槎长江、稚子和烟煮茶、老妻带月炰鲊和酒醉时一家人拉扯家常闲话四个场景,写自己、孩子、妻子一家人平平常常、其乐融融的生活,表现了抒情主人公悠游林下,恬静适意、轻松自在的生活状态和其高洁雅致、超然尘世之外的情怀。

明月清风下,烟波浩渺处,袅袅炊烟中,泛舟、品茶、饮酒,这颇富诗情画意的图景,虽因稚子和烟煮茶、老妻带月炰鲊增添了几分田园生活气息,但却是典型的文人雅士的生活图景,也是江湖隐士的隐逸生活画面。结尾处用"醉时闲话"再次强化"闲乐"主题,一方面说明了田园生活状态的无拘无束、其乐融融,另一方面也与官场生活的不自由形成对比,进一步表现出与世无争的江湖生涯的安逸和快活。

作者善于撷取典型的生活场景进行细致的描写,同时秋风、长江、明月、炊烟,与景中人从容平和的生活态度构成一个清新静谧的意境,恰切地表情达意,使人如处其间,感同身受。另外,整首小令语言雅洁明白,同时又意在言外,令人回味无穷。

(叶爱欣)

## 【双调·拨不断】

吴弘道

### 闲乐(四首其二)

利名无,宦情疏,彭泽升半微官禄。蠹鱼食残架上书,晓霜荒尽篱边菊,罢官归去。

**鉴赏**

这首小令为吴弘道〔拨不断〕《闲乐》小令组曲四首中的第二首。如果说前一首反映了作者与世无争的江湖生涯的安逸和快活,那么,此首则主要表现之所以"罢官归去"、遁隐江湖的缘由。

在〔南吕·金字经〕(晋时陶元亮)小令中,作者便以"耻为彭泽一县宰"称道了陶渊明的"归去来"。这首小令先从陶渊明卑官微禄、饱受屈辱的仕宦生涯入手,写参破蜗角虚名、蝇头微利后的虚无感;再写因些许利名,以至于架上书被蠹鱼蛀残、篱边菊因晓霜荒尽的悔意;最后写虚无了利名、疏淡了宦情，终于舍弃功名利禄，罢官归去。全曲表现出对仕宦生活的厌倦，对田园生活的向往。

忙忙碌碌、扰扰攘攘，案牍劳神、迎来送往，争名逐利、勾心斗角，官场犹如樊笼不得自由，犹如风波急浪，险恶污浊：这是吴弘道几十年仕宦生涯的真切体验。掾史也好，府判也好，县令也罢，只要是在官场中，他都避不开尘世的纷扰、宦海的凶险，因此，这首小令是作者的由衷之言。全曲对仗工整，文意婉曲。因是自省已往之非，所以与前一首小令恬静适意、轻松自在的情调相比，这首小令感情稍显低沉压抑，但因为最终彻悟后“罢官归去”的选择，还是让人看到了希望，并因此透出一口气来。

（叶爱欣）

## 【商调·梧叶儿】

吴弘道

花前约，月下期，欢笑忽分离。相思害，憔悴死，诉与谁？只有天知地知。

### 鉴赏

描写男女恋情是吴弘道散曲的主要题材之一。此曲为描写女子相思之作，但开篇“花前约，月下期”，却直写二人相聚时花前月下的甜蜜。相聚时相亲相爱的欢乐，是分离后痛苦相思的种子。爱愈深、情愈浓，相思就愈苦，尤其是恋情正炽时始料不及的突然分离，更让人痛苦万分。“相思害，憔悴死”用最直白的语言写女子最难耐的相思痛苦，但最为痛苦的还是刻骨铭心的思念无处诉说、无人倾听、“只有天知地知”。

全曲纯用白描手法，用相聚时的欢爱反衬分离后的相思，语言直白，感情率真。

（叶爱欣）

# 【中吕·山坡羊】

赵善庆*

## 长安怀古

骊山横岫①，渭河环秀，山河百二②还如旧。狐兔悲，草木秋，秦宫隋苑徒遗臭，唐阙汉陵何处有？山，空自愁。河，空自流。

### 作者

* 赵善庆,生卒年不详,字文贤,又作文宝,名孟庆,饶州乐平(今江西乐平)人。善卜术,任阴阳学正。元钟嗣成《录鬼簿》列其名于“方今才人相知者”。足迹至长安、潭州、杭州等地。曾作杂剧8种:《七德舞》《糜竺收资》《教女兵》《村学堂》《满庭芳》《执笏谏》《姜肱共被》《负亲沉子》,皆佚。散曲今存小令29首,大多以清丽见长。

### 注释

① 岫:这里指山峰。
② 山河百二:指关中山河形势险固。

### 鉴赏

这是一首凭吊长安古迹的咏史小令,作者借历史遗迹来抒发兴亡如梦、昔盛今衰的感伤情怀。

小令首先描绘了长安所处的地理山川形势:骊山峰峦横亘,渭河环流,一片秀丽,险要的山川形势依然未改。骊山在今西安市的东北,临潼县城东南,其山形犹如毛色纯黑的骊马,山之北麓有秦始皇的寝陵;渭河是黄河最大的支流,处于长安南面。两者是长安的天然屏障。作者开篇便以高度凝练的文字概括出长安地势险要、风光壮丽。整首小令用笔刚健,气势雄浑,奠定了沉郁悲壮的抒情基调。

接下来,作者以拟人化的手法切入对历史沧桑变迁的感叹:狐兔伤心,草木悲秋,都仿佛在哀叹长安的荒凉。秦始皇的离宫、隋炀帝的上林苑,徒然遗下秽臭而已,秦汉时代的文治武功早已湮灭于历史的尘埃之中。茫然四顾,唐代的宫阙和汉代的陵墓到哪里去找呢?作者以反问形式含蓄地表达了对现实的讥讽,抒发了对元代社会的愤懑之情。言下之意,即便秦皇汉武大唐等强大的王朝也只是历史舞台上的昙花一现,元蒙异族同样也难逃"遗臭"的历史悲剧。小令最后四句以景语作结,与开篇相呼应。山在那里徒然发愁,河也在那里徒然流动,雄峻的骊山与奔腾的渭水见证了多少朝代的兴衰悲喜剧!

这首小令以写景为主,景中寓情,把山川景物的永恒与世事的易变合观共视,在"变"与"不变"的对比中表现作者吊古伤今、感怀历史的复杂情感。全曲诗情饱满,语言刚劲,是同类怀古之作中的优秀作品。

(郑绍荣)

## 【中吕·山坡羊】

赵善庆

### 燕　子

来时春社[①],去时秋社,年年来去搬寒热[②]。语喃喃,忙劫劫[③],春风堂上寻王谢,巷陌乌衣夕照斜[④]。兴,多见些;亡,都尽说。

## 注释

① 春社:“社”是土地之神。乡村祭祀土地神,祈祷或酬谢农神的节日称“社日”,一年两次。春天举行时叫“春社”,秋天举行时叫“秋社”。
② 搬寒热:寒热好像是燕子的来去搬来的。
③ 忙劫劫:匆匆忙忙的样子。
④ 春风堂上二句:刘禹锡《乌衣巷》诗云:“朱雀桥边野草花,乌衣巷口夕阳斜。旧时王谢堂前燕,飞入寻常百姓家”。此处化用其诗意,抒发兴亡之感。

## 鉴赏

此为咏物之作。小令描绘了燕子年复一年的春去秋来,忙碌辛劳,来往不断,借此感慨历史兴亡盛衰的循环交替。

中国古代文学史上有不少借吟咏燕子来抒发兴亡之感的诗词。如中唐诗人刘禹锡《乌衣巷》:“朱雀桥边野草花,乌衣巷口夕阳斜。旧时王谢堂前燕,飞入寻常百姓家。”刘诗借燕子抒沧桑之慨,今昔对照,寓情于景,含蓄深沉,体现了咏史诗的特色。北宋词人周邦彦《西河·金陵怀古》中有“想依稀、王谢邻里,燕子不知何世,向寻常、巷陌人家,相对如说兴亡,斜阳里”之句,词作化用刘诗,浑然天成。金吴激《人月圆·南朝千古伤心事》云:“南朝千古伤心事,犹唱后庭花。旧时王谢,堂前燕子,飞向谁家?恍然一梦,仙肌胜雪,宫髻堆鸦。江州司马,青衫泪湿,同是天涯。”“旧时王谢”同样是化用刘禹锡诗句“旧时王谢堂前燕,飞入寻常百姓家”。一句“飞向谁家”使人感慨世事的变迁,王朝的更替,覆巢之下,燕子何存,因此只能发出“飞向谁家”的感慨。吴词剪裁唐人诗句,借故出新,抒亡国隐痛,温婉悲凉,凸显婉约词的正宗风韵。

与上述作品比较,赵善庆此曲首先不是直接抒发怀古之幽思,而是从对燕子候鸟特征的歌咏入手,渐次流露出对世事变迁、沧海桑田的悲慨。开篇三句强调燕子寒来暑往的生活规律,使用“来”“去”“春”“秋”“寒”“热”等对比强烈的词语来说明燕子随着季节变化而迁徙的特点。如果前三句还只是对客观事物的描绘,第四句便转入对人事变迁的理性思考。燕子“语喃喃”“忙劫劫”,仿佛在寻找王谢时的繁华旧迹。然而华屋丘山,昔日王侯的住所乌衣巷已经变成普通的百姓人家了。这里作者抓住了燕子作为候鸟有栖息旧巢的特点，暗示出乌衣巷昔日的繁荣，起到了突出今昔对比的作用。诗人眼中的燕子不再是匆匆过客，而是历史的见证人，这些飞入百姓家的燕子，过去却是栖息在王谢权门高大厅堂的檐檩之上的旧燕！

小令最后以议论作结，点破兴亡，明快直露，有浓郁的散曲风味。"兴亡"两字，特别强调了今日的居民是多么不同于往昔。从中，我们可以清晰地听到作者对这一变化发出的沧海桑田的无限感慨，这种情感藏而不露，寄寓在景物描写之中，燕子仿佛成了诗人的代言人。全曲虽然景物寻常，语言浅显，却有一种蕴藉含蓄之美，使人读起来余味无穷。

（郑绍荣）

# 【中吕·普天乐】

赵善庆

## 江头秋行

稻粱[①]肥，蒹葭秀[②]。黄添篱落[③]，绿淡汀洲[④]。木叶空，山容瘦。沙鸟[⑤]翻风知潮候，望烟江万顷沉秋。半竿落日，一声过雁，几处危楼[⑥]。

注释

① 稻粱：泛指庄稼。

② 蒹葭（jiānjiā）：芦苇。秀：开花吐穗。

③ 篱落：住家的篱笆。落，人聚居之处。

④ 汀洲：水中或水边的平地。

⑤ 沙鸟：指海鸥、沙鸥。

⑥ 几处危楼：几处高耸的楼阁。危：高耸的样子。

鉴赏

这首小令描绘了一幅清朗明丽的秋景图,抒发了作者内心浓郁的羁旅乡思之愁。

作者漫步秋日的江畔,首先映入眼帘的是田间地头的景象:稻谷、高粱等庄稼长势喜人,预示丰收在望。一个"肥"字摹状出谷物沉甸甸的姿态。江边的芦苇也已秀穗,荻花飘舞。不远的地方散落着疏疏落落几户人家,但见院墙篱笆,已逐渐被收获庄稼的黄色所装饰;而江中小洲,也淡去了绿色,抹上一层秋天枯黄的色彩。走近细瞧,树叶飘零,秋意更浓了。抬头看山,山容消瘦。"瘦"谓因树叶凋零,山仿佛褪去了春夏时节的盛装,露出山体,故而显得消瘦。再观江景:沙鸥在水面翻飞,似乎在报知潮涨潮落,烟雾迷蒙,秋色更显深沉。正当作者沉浸在萧索凄清的秋景之中时,一声过路的雁鸣,打破了秋野的寂静。夕阳西下,四周的几栋楼阁,在渐次浓重的暮色衬托下,却显得更加高耸。

全曲在写景上抓住最能体现秋天季节特点的景物予以表现,田野肥实密致的庄稼、江中沙渚上随风飘舞的荻花、辽阔迷茫的江水,共同构成一幅俊雅清丽的秋日图画。同时,作者写景层次清晰,静景与动景结合,并善于从不同的距离、不同的视点来刻画景物。如第一层次为平视所见之景,即从第一句至第四句,视点在岸上与江中来回移动。"稻粱肥""黄添篱落"状江边田野之景,"蒹葭秀""绿淡汀洲"又转为对江景的展现。第二层写远景。无边落木萧萧下,显露出山体的清癯之形与怪石的嶙峋之态,这种整体感受只有远观才能获得。第三层转入仰视,沙鸟翻飞,传递着潮涨潮落的信息。第四层乃作者因情设景,以疏淡之笔将落日、飞雁、危楼等触发乡思的意象组合在一起,完成了整幅画卷的描摹。

全曲措辞凝练,对仗工稳;笔调清丽,随笔点染,皆成画境,给人恬静凄清之美。小令在明净远大的境界中流露出丝丝感伤,是乡愁?是失意?引人沉思和遐想。

(郑绍荣)

# 【双调·沉醉东风】

赵善庆

## 秋日湘阴道中①

山对面蓝堆翠岫②，草齐腰绿染沙洲。傲霜橘柚青，濯雨蒹葭秀③，隔沧波④隐隐江楼。点破潇湘⑤万顷秋，是几叶儿传黄败柳⑥。

### 注释

① 湘阴:湖南省湘阴县,在湘江下游,洞庭湖南岸。
② 蓝堆翠岫:谓青翠山峰弥漫一层蓝色烟霭。
③ 濯雨:雨水冲洗。蒹葭:芦苇。
④ 沧波:苍青色的水。此指秋水。
⑤ 潇湘:潇水和湘水。湖南的两条大江,注入洞庭湖。
⑥ 传黄败柳:枯黄凋残的柳叶飘飞。传,指到处飞飘。

### 鉴赏

这首小令属于写景的佳作,描绘作者行走在湘阴道中所见的颇富生气的秋景。

湘阴,今湖南省湘阴县,位于湘东北部,洞庭湖南岸,是著名的“鱼米之乡”。首句写山景,对面山上堆蓝聚紫,翠色浓稠。“翠岫”,指青翠山峰。次句写水景,江中的沙洲绿色葱郁,草深齐腰。“堆”“染”二字强调草木繁茂,突出初秋水乡的景物依然充满勃勃生机。“傲霜”二句,选取水乡特有的“橘柚”“蒹葭”加以刻画。初经秋霜的橘柚更显青苍,秋雨洗刷后的芦苇分外俊秀,流露出作者的欣喜之情。极目远眺,秋高气爽,视野开阔,隔着苍茫江水,隐隐可见楼台重重。此物此景,令人心胸开阔,神清气爽。诗人吟唱至此,其情感基调是喜悦的,内心充满了明净、闲雅之情,不像一般诗人的悲秋之作。最后两句才透露出秋的凋零消息，流露出些许凄凉意绪。落下三两片黄叶的几棵苍老的古柳矗立山村中，点破了潇湘万顷秋意，以“一叶知秋”的意境收束全篇。“点破”二字用得生动传神，仿佛是落叶提醒诗人，时令已至初秋。

全曲字句凝练贴切，设色浓丽，多用颜色语词摹绘秋景，笔调俊朗；情随景迁，有明丽之景而无萧飒之气，透露出诗人高洁清远之襟怀。

（郑绍荣）

## 【双调·落梅风】

赵善庆

### 江楼晚眺

枫枯叶，柳瘦丝，夕阳闲画阑十二。望晴空莹然如片纸，一行雁一行愁字。

鉴赏

这首小令属于即景抒情之作，抒发诗人在秋日夕阳中登临江楼远眺，心中所引起的悲秋之感。

首二句描绘秋天萧索衰飒之景：秋意正浓时节，日薄西山之际，登临江边高楼，举目只见枯黄的枫叶、细瘦的柳条在凄清的秋风中摇曳。“夕阳闲画阑十二”，画阑，指有图画修饰的栏杆。夕阳下面，十二曲栏杆空落落的，不见人的影子。残照无意，人而有情，正当诗人沉吟徘徊之际，仰望高天，天空如同素笺一般莹然明净，正好一行归雁翩然而至，于是那一行行归雁恰如书信上斜行的愁字。最后一句点明题意，突出一个“愁”字。至此读者终于明白，原来曲作所写之景，乃愁人之所见，无怪乎望中景物都抹上了一层浓厚的忧伤色彩，可谓“有我之境”。

全曲文字酣畅淋漓，明白晓畅；在艺术手法上善于将诗人的主观情感外射于物。尤其是晴空明朗澄澈如素纸,归雁行行写愁字的比喻,新颖贴切,十分自然地交代出小令的主旨,展现了诗人沦落天涯的愁恨。

(郑绍荣)



# 【双调·落梅风】

赵善庆

## 秋　晴

秋声定,微雨歇,透疏棂纸窗风裂。孤灯儿似知愁恨切,照离人半明半灭。

### 鉴赏

此曲为思乡怀人之作,它抒写了漂泊异乡的游子在秋雨放晴之夜孤独寂寞的情怀。

小令起首三句展现了一幅秋雨初歇的景象。凄冷的秋风渐渐平息,淅沥的秋雨终于消歇。经历了这一场秋风秋雨,窗棂上粘贴的窗纸为风雨所吹裂,一股凉意侵入室内。"定""歇"暗示恼人的秋雨已经持续了一段时间,作者的内心始终处于不平静之中。第四句起开始揭示作品的主题。秋雨初歇之时,阴冷的夜里,只有一盏孤灯与游子相伴,闪烁摇曳的灯光半明半灭,照在诗人身上。此时此刻,仿佛只有这盏青灯能读懂诗人的心事,感受客居他乡的寂寞离愁是多么之深。作者不直接诉说自己的主观感受,而是借外物来暗示此时的心情,含而不露,意味隽永。至于"愁恨"到底有多少,诗人欲言又止,给读者留下了想象的空间。

小令标题"秋晴",但重点不在于刻画秋雨过后的自然景象,而是抒发由此引发的浓浓乡思之情。全曲语言浅近明白,不事雕琢,具有平淡疏宕之美。

(郑绍荣)

# 【双调·庆东原】

赵善庆

## 泊罗阳驿[①]

砧声[②]住，蛩[③]韵切，静寥寥门掩清秋夜。秋心凤阙[④]，秋愁雁堞[⑤]，秋梦胡蝶。十载故乡心，一夜邮亭[⑥]月。

### 注释

① 罗阳驿：在今广东省郁南县西。

② 砧声：捣衣声。砧，捣衣用的砧石。

③ 蛩(qióng)：蟋蟀的别称。

④ 凤阙：汉代宫阙名。此指朝廷。

⑤ 雁堞：城堞并列如雁行。堞，城头齿状的矮墙。

⑥ 邮亭：驿馆，古时传递文书和旅客住宿之处，此处泛指客舍。

### 鉴赏

这首小令写作者宦游在外，于旅途驿舍中生发的怀乡之情。

首三句描绘由砧声蛩语而引起的浓浓乡愁。单调而沉闷的捣衣声刚刚停止，清脆的蟋蟀声接着就急促地叫了起来，驿馆的秋夜更显寂寥。作者这里以动衬静，捣衣声、蟋蟀声声声恼人，突出室内的清冷孤寂，引发诗人无限的愁情。在传统古典诗词中写到捣衣的不少。捣衣声常被诗人用作女子思念远方亲属的意象。所谓捣衣，是指古人在裁制寒衣前，要将纨素一类衣料放在砧石上，用木杵捶捣，使其平整柔软。捣衣的劳动，最易触发思妇怀远的感情，因此捣衣诗往往就是闺怨诗的异名。这里是借捣衣声来抒发思乡之情。接下来诗人运用三个排比句加深情感。“秋心凤阙”是说自己虽然身处异乡，依然心系朝廷；“秋愁雁堞”，指秋夜已深，诗人仍未入眠，遥望城墙上黑黢黢的矮墙，愁绪难消；“秋梦胡蝶”，借用庄周梦蝶的故事，是说自己含愁入梦，梦醒时分，不知身在异乡还是家乡。最后两句点明了作品的主题：离家十载，未始一刻不思念家乡，今夜驿馆的明月可证我赤子之心。李白有诗“举头望明月，低头思故乡”。明月是团圆、美好的象征。诗人在驿馆中大概一夜未睡，时而举头望月，时而徘徊沉吟，创作出这首情感真挚的思乡恋曲。

本曲语句整饬，首尾均用偶句，中间三句排比。音律谐婉，措辞工巧。尤其是最后两句词语雅饬，情景交融，富有诗情画意，并且与曲题呼应，为后人所激赏。

（郑绍荣）

# 【双调·庆东原】

赵善庆

## 晚春杂兴

烟中寺，柳外楼，乱随风雪絮[1]飘晴昼。游人陌头，残红树头，流水溪头。百六[2]楚风酸，三月吴姬瘦[3]。

注释

① 雪絮：像雪花飘舞一样的柳絮。

② 百六：指寒食节，因距冬至一百零六天或百零五天，故称百六或百五。

③ 吴姬瘦：阳春三月，天气回暖，吴地少女纷纷卸掉冬装，显得更为苗条，故称瘦。

## 鉴赏

这首小令为写景之作,叙述诗人寒食节郊游所见,以疏宕的笔墨点染出一幅春寒料峭、迷离清冷的江南晚春图。

起首描绘烟雨朦胧中的寺宇和柳荫掩映下的楼台,一下子把人们的视野带入迷离恍惚的境界中去。柳絮在晴空中纷纷飞扬,正是踏春郊游的好时节。接下来重点刻画人们踏青的情景:旷野上游人如织,树头上残花犹在,鸟雀呼晴,流水潺潺。陌头、残红、流水三个排比句式,重复流转,音韵和婉,富有曲子的风味。"残红"暗示春意阑珊,拈出曲题"晚春杂兴"。最后两句写晚春带给人的感受:寒食时节春寒料峭,春风微冷,犹使人眼睛发凉而酸;阳春三月,天气渐熏,踏青的江南少女,已褪去厚厚的冬装,显露出了苗条的身段,似乎变得瘦了。

这首小令全是写景,作者善于撷取体现时令特征的景物来刻画晚春:烟柳、飞絮、残红、流水、酸风。这些分散的景物,经过作者一番巧妙的组合,便构成了一幅凄清朦胧的江南晚春图。诗人在景物画面中突出了人物形象以及人的主观感受,又加入寒食节的风俗元素,凭空增添了一丝感伤的心绪。全曲文笔优美,造语清奇,值得反复回味。

(郑绍荣)

## 【双调·沉醉东风】

马谦斋*

### 自　悟

取富贵青蝇竞血①，进功名白蚁争穴。虎狼丛②甚日休，是非海何时彻？人我场慢③争优劣，免使傍人做话说，咫尺留华去也。

#### 作者

* 马谦斋，生平不详。延祐年间前后在世，与张可久是同时代人。曾在大都(今北京)、上都(治所位于今内蒙古自治区锡林郭勒盟正蓝旗境内)为官，后辞官归隐杭州。其散曲多愤世之作，现存小令17首。

#### 注释

① 青蝇竞血：苍蝇争夺污血。青蝇，苍蝇的一种。

② 虎狼丛：同下文的“是非海”“人我场”皆指当时官场乃至整个社会尔虞我诈、秩序混乱。

③ 慢：不要、轻忽的意思。

#### 鉴赏

本曲是元代习见的“叹世”类题材作品。这类散曲一般描绘险恶诡谲、是非颠倒的官场和人心险诈、祸福无常的社会现状，表达知识分子对现实政治的不满和愤懑。这首小令抒写作者对官场争名夺利、尔虞我诈的憎恶，深刻反思自己以前的官宦生涯，决心抛弃功名富贵，珍惜韶华，急流勇退，远离人我是非。《自悟》有两首小令，此为第二首。

起首二句揭示了官场上的种种丑态：官僚士子们如同苍蝇争啄污血一样，追逐功名利禄；又仿佛是蚂蚁为了一个小小的巢穴而大动干戈。作者用生动形象的比喻描摹官场的丑陋不堪，充分流露出诗人对官场的极端鄙视和激愤。曾几何时，作者也像其他士子一样，汲汲于名利，将荣华富贵视为人生价值的终极目标。现在，目睹浊恶的现实，幡然醒悟，觉今是而昨非。接下来两句以设问的方式对官场做进一步的描绘。“虎狼丛”“是非海”指官场黑暗、相互倾轧，官僚们一个个如狼似虎，争权夺利。如此混乱的官场世相何时才能消停！小令写到这里，诗人还没有明确言说自己的心志，从“人我场”句开始，诗人表明自己的人生态度，不再在名利场上汲汲于优劣之争，免得让旁观者当做笑话；更重要的是，不要白白浪费了短暂而珍贵的青春年华。“傍人”，即旁人；“韶华”，指美好的青春年华；“咫尺”，形容时光短暂易逝。

从小令的总体结构来看，前四句写官场的丑恶黑暗，后三句表明诗人的处世态度，前者是“自悟”的基础，后者是“自悟”的结果。全曲抨击官场龌龊，表达一种洁身自好、珍惜年华的生命意识，既是自省，也是劝人，告诫世人不要贪恋名缰利锁。在艺术上，这首小令善于设喻，巧用排比，以简练浅近的笔墨抒发了元代文人普遍的文化心态，具有较高的历史认识价值。

（郑绍荣）

# 【双调·水仙子】

马谦斋

## 雪　夜

一天云暗玉楼台，万顷光摇银世界①。卷帘初见阑干外，似梅花满树开，想幽人②冻守书斋。孙康③朱颜变，袁安④绿鬓改，看青山一夜头白。

## 注释

① 万顷光摇银世界:无边无际的大雪在夜晚映现出闪光,整个世界都披上了银妆。

② 幽人:指隐士。

③ 孙康:用晋代孙康冬夜映雪读书之典。

④ 袁安:此用东汉袁安困雪的故事。袁安未做官时,客居洛阳,很有贤名。一年冬天,洛阳令冒雪去访他,见到院子里的雪很深,袁安正冻得蜷缩在床上发抖。洛阳令问他为何不出门。袁安说:"大雪天人家都在受饿,我怎么好去打扰别人?"洛阳令佩服他的贤德,举他为孝廉。

## 鉴赏

这是一首描写冬夜雪景的曲子。

小令起句运笔大气,刻画出一幅银妆素裹、天地白茫茫的阔大景象:天空阴云低垂,笼罩住高高的楼台,无边无际的大雪在夜色中闪烁银光,整个世界如同万顷银海,令人目眩。卷帘眺望阑干外,只见雪花飞舞,好似千树万树盛开的梅花。以上数句写的是实景。接下来,诗人开始展开想象的翅膀,联想到雪夜中苦读诗书的隐士,借用孙康映雪苦读和袁安困雪的典故,进一步烘托渲染夜雪奇特景象。意思是说恐怕孙康和袁安也会被这场大雪染白了头发,变得青春不再,红颜渐老了。这里诗人特意提及了历史上的隐士高人,既点缀了雪景,又隐约能感受到诗人甘于清贫、冰清玉洁的人格操守。以上是虚写雪景,最后一句又归结到"雪夜"。一夜大雪过后,青山覆盖上了厚厚的积雪,它们和人一样,也仿佛被染白了头发。

此曲纯属写景。作者综合运用夸张、比喻等手法,生动地刻画了彤云密布、大雪弥漫、世界如同万顷银海的情形,意境萧散清远。在具体描绘中,诗人展开了丰富的联想,实景与虚景结合,巧妙地借用典故,突出了雪景之奇特,同时也隐含着诗人高雅脱俗的人格追求。

(郑绍荣)

# 【越调·柳营曲】

马谦斋

## 楚汉遗事

楚霸王，汉高皇，龙争虎斗几战场。争弱争强，天丧天亡，成败岂寻常。一个福相催先到咸阳*，一个命将衰自刎乌江。江山空寂寞，宫殿久荒凉。君试详，都一枕梦黄粱。

### 注释

* 福相催先到咸阳：刘邦、项羽共同起兵反秦，楚义帝与二人约，谁先率兵攻入咸阳就立谁为关中王。项羽虽兵力强于刘邦，但在河北遇到秦军精锐部队的抵抗，反而让刘邦先进了咸阳。

### 鉴赏

这是一首咏史之作，作者借刘邦、项羽楚汉之争的故事来表达虚无的历史观，把朝代的更替、帝王将相的兴衰成败归结为天命使然。汉元年(公元前206年)八月至汉五年(前202年)十二月，西楚霸王项羽、汉王刘邦两大集团为争夺政权而进行了一场大规模战争，最后以项羽败亡、刘邦建立西汉王朝而告终。“楚汉遗事”即指这场政治军事斗争遗留下来的历史故事。

散曲首先介绍了楚汉之争的主角，“楚霸王，汉高祖”。前者指项羽，他勇武古今无双，是中华数千年历史上最为勇猛的将领之一，“霸王”一词，专指项羽；后者指刘邦，为汉代的开国皇帝，谥号“高皇帝”，因为功最高而为汉之太祖，故后人称“汉高祖”。楚汉两大阵营在对峙的五年时间里大小战争无数，大规模的战争有彭城之战、潍水之战、成皋之战、荥阳之战、垓下之战等，可谓龙争虎斗、干戈不息。“龙争虎斗几战场”，即是对这一系列历史事件的高度概括。

“争弱争强，天丧天亡，成败岂寻常”三句，对整个楚汉战争的形势和最后结局进行了概述和议论。从双方力量对比来看，前一阶段项羽占据优势。彭城、濉水之争后汉军被歼数十万，刘邦也险些被虏，仅率数十骑突出重围，逃回荥阳。后经过成皋之战，双方强弱对比有所转化，刘邦渐处优势地位。“争弱争强”指的就是上述史实。垓下之战是楚汉敌我双方的最后决战，项羽兵败，突围至乌江，乌江亭长劝项羽过江，以图东山再起。项羽笑曰：“天之亡我，我何渡为!”之前项羽亦曾言：天亡我，非战之罪也。“天丧天亡，成败岂寻常”便指此。在作者看来，项羽失败和刘邦成功的原因是不平常的，是天意所为。这种解释其实司马迁在《史记·项羽本纪》中便予以了批评，认为项羽之败无关天命，根源在于人事，即项羽“自矜攻伐，奋其私智而不师古；谓霸王之业，欲以力征经营天下”。

“一个福相催先到咸阳，一个命将衰自刎乌江”，这两句具体叙述楚汉战争后历史人物的不同命运遭际。当初怀王与诸将约定：先破秦入咸阳者王之。刘邦福星高照，捷足先登，先入咸阳，后来终于在咸阳附近的长安登上帝王宝座；而项羽垓下之战惨败，自刎乌江。但在作者看来，成功与失败只不过是历史烟云，随着汉王朝的灭亡，当年刘邦的霸业如今也只留下了“江山空寂寞，宫殿久荒凉”，汉家当年巍峨壮丽的宫阙已变成了一堆废墟。这里表达出作者一种天命循环、兴亡无定的历史意识。

最后作者发出了“一枕梦黄粱”的感慨。“君试详”，“详”是细细推想之意。仔细一想，在今人看来，成者如刘邦、败者如项羽，只不过是一场黄粱梦。此典出自唐沈既济传奇《枕中记》。说的是卢生在邯郸旅店遇道士吕翁，卢生自叹穷困。吕翁从囊中取出青瓷枕，让卢生枕着睡觉，卢生在梦境中享尽荣华富贵。一觉醒来，旅店的小米饭还没有熟。后常用以比喻虚幻的梦境。

全曲以叙事为主，通过对历史的回顾来阐述作者对楚汉之争的理性评价，表达了对帝王霸业一种否定性的认识，流露出历史虚无主义的情绪。在艺术手法上，且叙且议，叙议结合，既有对历史事件的回顾，又有主观的评价，体现了咏史类散曲的特点。

（郑绍荣）

## 【越调·柳营曲】

马谦斋

### 叹世

手自搓，剑频磨，古来丈夫天下多。青镜摩挲[①]，白首蹉跎，失志困衡窝[②]。有声名谁识廉颇[③]？广才学不用萧何[④]。忙忙的逃海滨，急急的隐山阿[⑤]。今日个[⑥]，平地起风波。

**注释**

① 摩挲：抚摸。
② 衡窝：即衡门，指隐者所居的横木为门的简陋小屋。
③ 廉颇：战国时赵国的良将，此处泛指武将。
④ 萧何：汉高祖刘邦的开国功臣，这里泛指文臣。
⑤ 山阿：大山谷。
⑥ 今日个：今天。个：语助词。

**鉴赏**

这首小令抒发作者沉抑下僚、怀才不遇的愤懑和慨叹，表达了隐居自乐、远祸全身的生活态度。

有元一代，文人的生存环境空前恶化，仕进之途断绝，经世致用的理想无法实现，知识分子所感受的内心压抑比以前任何一个时代都要沉重而深广。因此，忧生叹世、伤老嗟卑成为了元代散曲反复表现的主题，构成了那个时代忧愤的主旋律。

这首小令一开始便气势不凡，“手自搓，剑频磨”，诗人摩拳擦掌、宝剑频磨，充满大丈夫的豪情壮志，准备大展身手，实现修身齐家治国平天下的理想。接下来，笔锋一转，“青镜摩挲，白首蹉跎，失志困衡窝”。作者的现实处境是困于“衡窝”，志不获伸、入仕无门，徒然韶华渐逝、两鬓斑白，陷入理想和现实的尖锐对立之中。古来失意无南北，即便如声名显赫的廉颇和广有才学的萧何，又有几个人去赏识、重用？这里作者既是借用古人的遭遇来自我解嘲，也是一种激愤之语。一想到“古来丈夫”具有同样的命运，诗人不禁释然了。世与我而相违，不如归去！“忙忙的逃海滨，急急的隐山阿”便是诗人选择的人生归宿。“海滨”“山阿”，这里指代隐居场所。最末一句点明了作者遁世归隐的真正原因，那就是世道险恶、荆棘满途。“平地起风波”，指贤良正直的人时时面临突如其来的排挤、猜忌和迫害。

这首小令风格苍劲豪放，气脉贯通。全篇可分三个层次，前三句抒发理想，中间五句叙写现状，最后三句表达心志，情感流转，富于变化，以沉痛激愤之语抒愤世情怀，喊出了元代下层知识分子共同的心声。

（郑绍荣）

# 【黄钟·人月圆】

张可久*

## 山中书事

兴亡千古繁华梦，诗眼倦天涯。孔林乔木，吴宫蔓草，楚庙寒鸦。数间茅舍，藏书万卷，投老村家。山中何事？松花酿酒，春水煎茶。

### 作者

＊张可久(1279—1351?)，号小山，祖籍庆元(今浙江鄞县)，后移家杭州。四十犹未仕。至治初始任绍兴路吏，泰定初转衢州路吏，至顺后调桐庐典史。后至元间退隐德清。至正二年复任徽州路税务大使监税歙县松源。九年为昆山幕僚，后归隐西湖以终。有《小山乐府》。今存小令855首，套数9套，风格雅丽。明朱权《太和正音谱》评为"如瑶天笙鹤"，"清而且丽，华而不艳"。明李开先将其与乔吉一起比做李杜。

### 鉴赏

张可久一生仕途偃蹇，延祐六年(1319)春，贯云石为小山自编的《今乐府》作序悯其"四十犹未仕"；大约至治元年(1321)始任绍兴路吏，泰定初(1324)至至顺元年(1330)均在衢州任吏；约后至元元年(1335)前后又调桐庐典史，五年(1339)退隐于浙江德清县余不溪住了四年，直到至正二年(1342)才复出徽州税务大使。其归隐余不溪当年恰六十岁，正符合此曲中"投老村家"。因此可断定此曲当作于后至元五年—至正二年退隐于余不溪这段时间。

开头两句气势磅礴而又沉郁悲壮:"千古"纵览古今,思接千载;"天涯"阅尽沧桑,视通万里。作者从历史的兴亡盛衰和现实自身的阅历体会中,总结出对社会人生的认识:无论朝代的兴衰更迭还是英杰的得失荣辱,都不过像是一场梦幻。作者足迹曾遍及湘、鄂、皖、苏、浙等江南各地,堪称浪迹天涯;用诗人敏锐的洞察力(诗眼)、判断力去扫描大千世界,万取一收,最终得出如梦幻灭的结论。一个"倦"字,隐含了多少风尘奔波之苦,潦倒不遇之叹,世态炎凉之感!难怪他常自问"为谁忙?莫非名?西风驿马,落月书灯"(〔普天乐·秋怀〕);感叹"人生底事辛苦?枉被儒冠误","半纸功名,十载功夫……谁三顾茅庐?"(〔齐天乐过红衫儿〕)如此坎坷遭遇,怎能不厌倦思归呢?"倦"字,已为下文写隐居伏根;"天涯",则先替"孔林"三句张本。

"孔林"三句承首句具体铺叙,也是"诗眼"阅尽"天涯"所得。孔林,是孔子及其后裔的墓地,在山东曲阜城北,树木花草成林。吴宫,指吴王夫差为西施扩建的宫殿,包括响屧廊、琴台、馆娃宫等,后被越国焚烧,故址在苏州灵岩山上;也可指三国吴国建业(今南京)故宫,李白《登金陵凤凰台》"吴宫花草埋幽径"即指此。楚庙,楚国的宗庙,始为丹阳(今湖北秭归),后迁郢都(今湖北江陵)。三句鼎足对,具体印证世事沧桑、繁华如梦的幻灭,即使像圣贤孔子,霸杰吴王,楚庙社稷,而今安在哉?惟余乔木、蔓草、寒鸦等荒凉景象而已。

"数间"以下六句,写归隐山村的淡泊生活和诗酒自娱的乐趣。茅舍、村家、山中,既紧扣题目"山中书事",又突出隐居环境的幽静古朴,恬淡安宁;藏书、酿酒、煎茶,则写其诗酒自娱、旷放自由的生活乐趣。万卷藏书是丰富的精神食粮,读之不尽;松木花酒是山村特有的口福,山溪春水是隐士煮茶品茗的不尽源泉,二者更是大自然赐予取之不竭的宝藏。饮酒作诗,读书品茶,足慰晚年。联系作者〔庆东原〕中"英雄不把穷通较",〔水仙子〕中"名不上琼林殿,梦不到金谷园","风月无边,海上神仙"等多次表白,则不难窥见本篇在表面恬淡的诗酒自娱中,同样隐藏着愤世嫉俗之情。

小山散曲多为典雅清丽风格,而此曲豪放沉郁;语言也较浅近质朴,未用典故,直抒胸臆,不留余蕴。结构则以时间顺序为线索,由勘破世情而生倦,倦而归山卜居,居而恬淡自适。感情由愤激渐趋于平静,内容由抒情转入叙事写景。

(熊　笃)

# 【黄钟·人月圆】

张可久

## 春晚次韵

萋萋芳草春云乱，愁在夕阳中。短亭别酒，平湖画舫，垂柳骄骢。一声啼鸟，一番夜雨，一阵东风。桃花吹尽，佳人何在？门掩残红。

**鉴 赏**

此曲是赓和何人原韵？作于何时何地？均不可考。但可以肯定是写故地重游而伊人不在的感慨。作者在暮春傍晚伫立昔日送别之地，触景生情，睹物感旧，沉浸在绵绵离恨和凄然惆怅之中不能自拔。

开头两句写景兴起离愁。萋萋，状草之茂盛，是视觉；芳草，散发芳香的春草，视觉兼嗅觉。“凄凄芳草”年年复生，“野火烧不尽，春风吹又生”，恰似离人心中“剪不断，理还乱”的离愁，故成了古今离愁的比兴象征。如汉乐府“青青河畔草，绵绵思远道”；李煜《清平乐》“离恨恰如春草，更行更远还生”；秦观《八六子》“恨如芳草，萋萋刬尽还生”等等。而此曲中萋萋芳草连天，黄昏乱云飞渡，再加一抹夕阳笼罩，构成了淡烟暮霭的凄凉境界，恰与离人纷乱愁绪契合得水乳交融，又暗合江淹《休上人怨别》“日暮碧云合，佳人殊未来”之意境，遥为结尾“佳人何在”伏根。

“短亭”三句转入回忆昔日离别情景：当年二人在短亭饯别劝酒，在平湖中比肩分袂时的画舫，系在垂柳下的骏马以及那折柳赠别、难舍难分的情景而今仍宛然在目，历历如现。短亭、平湖、垂柳依然如故，而伊人却渺无踪迹了。这几句化用秦观《八六子》词中“念柳外青骢别后，水边红袂分时，怆然暗惊”句意，而无一动词情语，比秦词更加含蓄而不露痕迹。

“一声”三句回到眼前实景，妙在又是从回忆转入现实的声响媒介，三个数词叠字构成鼎足对，不仅对仗巧妙，音律上也造成反复咏叹回肠荡气，在意境描写上尤独具匠心。多种声响的再三催促警醒，才把沉醉在回忆里的诗人拉回到现实,足见其回忆寻觅之久,沉湎眷念之深;而“夜雨”“东风”又为下文“桃花吹尽”埋下伏笔。

结尾三句才正面揭示故地重游的落空,离恨惆怅愈发不可收拾。三句化用唐崔护《题都城南庄》“去年今日此门中,人面桃花相映红。人面不知何处去,桃花依旧笑春风”诗境,比崔诗更为凝练凄绝,而又与开头首尾呼应。故清张德瀛《词征》评此三句谓“皆能丰约中度,旋复回环”,并作为“远轶梦符之上”的例证。

此曲善于借鉴熔铸诗词名句意境入曲而又脱胎换骨不露痕迹,如借鉴化用秦观词境和崔护诗境,都浑化自然。结构曲折别致,由眼前触景生愁,折入昔日离别的回忆,再由啼鸟风雨唤醒转入眼前现实,以昔日离别之柔情反衬今日离恨之沉重;时空跳跃,感情跌宕;虚实相生,疏密有致;承转伏应皆极具匠心。通篇除“愁”字和“佳人”一句外,余皆作景语,然浓情蜜意皆隐寓其中。所谓“不着一字,而尽得风流”(唐司空图《诗品》)者也。

(熊　笃)

# 【黄钟·人月圆】

张可久

## 雪中游虎丘

梅花浑似真真面，留我倚阑干。雪晴天气，松腰玉瘦，泉眼冰寒。兴亡遗恨，一丘黄土，千古青山。老僧同醉，残碑休打，宝剑羞看。

### 鉴赏

张可久可考的履历中与虎丘有关系的有两次,一是大德末他二十多岁时曾游吴中,二是他至正九年(1349)曾为昆山幕僚。从本篇所写情绪看,晚年这次似更符合。虎丘在苏州西北郊,是江南名胜之一。

相传春秋吴王阖闾葬此，三日而虎踞其上，因称之为虎丘。此曲通过写雪中虎丘胜景而抒发兴亡遗恨和文人失意、壮志难酬的羞愧悲怨之情。

开头二句用拟人手法写雪中梅花，活像画中美女真真一样多情顾盼，挽留诗人倚靠栏杆观赏。真真典出《太平广记·画工》，云唐代进士赵颜得一美女图，画工告诉他：此女叫真真，若昼夜呼其名，至百日必应声而出。颜如其言，至时果然活现，遂与成婚。越一年生一子。至二岁，友人告颜：女乃妖所化。颜疑而欲杀之。女泣诉己本南岳地仙，言讫携子回到画上，从此画上多了一孩子。此以美女拟梅花，则无情之物活化为有情之人，更显顾盼多姿；对面着笔，不说诗人眷恋梅花，偏说梅花挽留自己，更见宛转动人，堪称"凤头"。"雪晴"三句一句一景，分写雪、松、泉三种景物：雪后初晴，红妆素裹，一片洁白如银的境界；棵棵青松顶着白雪，如身披素纨亭亭玉立的美人，显露清瘦袅娜的细腰；山泉水雪凝成薄冰，仿佛冰美人的眼睛，晶莹寒冷。以上五句写景，皆紧扣题面"雪"字，雪中梅花，雪晴天气，雪中松腰，雪中泉眼，俨然一幅冰清玉洁的虎丘雪景图。

"兴亡"三句抒发人世沧桑、兴亡遗恨之感。春秋时吴王阖闾曾派专诸刺僚而自立，曾用伍子胥屡败楚兵，攻陷郢都，可谓显赫一时；"千古一帝"的秦始皇，传说他东巡时曾来虎丘寻找阖闾殉葬的宝剑，用剑劈成剑泉；南梁高僧竺道生曾坐在千人石上聚众说法；至于历代苏州的才子佳人更是不可胜数……然而，无情的历史长河，把这些风云人物都变成一丘黄土，只有青山常在，千古不朽。

结尾三句抒发作者仕途失意，壮志难酬的羞愧悲愤之情。作者四十二岁才当了绍兴路吏，后转衢州路吏、桐庐典史，约六十岁退居浙江德清县余不溪，四年后复出徽州歙县松源监酒，年近七十尚任昆山幕僚。正如李开先所云："夫以是人而居卑秩，宜其歌曲多不平之鸣。"(《张小山小令序》)既然历史上风云人物最终也不过一抔黄土，千古兴亡终是一场虚幻，那么何必去拓下残碑来读，兴亡成败与我何干？何必去看宝剑令人蒙羞，英雄根本无用武之地呀！还是与老僧同醉，借酒浇愁吧。"残碑休打"即残碑休拓。典出《冷斋夜话》，谓范仲淹想拓荐福寺千份碑文，给穷书生张镐作路费，但碑文却被雷击碎。此处拓碑文非为出售，乃是作为千古兴亡见证来读。"宝剑羞看"化用张孝祥《六州歌头》"念腰间箭，匣中剑，空埃蠹，竟何成?"和辛弃疾《破阵子》"醉里挑灯看剑"等句意，皆表现壮志难酬的悲愤之情。

此曲章法谨严，写雪中游虎丘所见、所感、所叹，分别对应触景、怀古、伤今。用典较多而恰到好处，遣词考究而清丽自然。写景中比拟尤妙，以美人拟梅，以腰、眼人体器官部位拟松、泉，皆各臻其妙，生动传神。其炼字炼意，诚如李开先《张小山乐府序》所说，达到"瘦至骨立，血肉销化俱尽，乃炼成万转金铁躯。"

（熊 笃）

## 【黄钟·人月圆】

张可久

### 客垂虹

三高祠下天如镜，山色浸空蒙。莼羹张翰，渔舟范蠡，茶灶龟蒙。故人何在？前程哪里？心事谁同？黄花庭院，青灯夜雨，白发秋风。

**鉴赏**

此首与前首写作时间大致相同，作于昆山幕僚时期。垂虹，即苏州吴江垂虹桥。高启《姑苏杂咏序》谓三高祠"在吴江垂虹桥东，祀越范蠡、晋张翰、唐陆龟蒙也。"此曲是作者凭吊古代三位高人遗迹，自伤坎坷失意、前途渺茫、知音难觅、皓首穷途的悲凉心境和孤寂情怀。

首二句分写近景远景：秋季天高云淡，彩彻区明，晴空与太湖水天相映，清如明镜；远处苍翠的群山笼罩着朦胧雨雾，一片迷茫。两句皆明写天空、山色，而隐写太湖水光，却又一近一远、一晴一雨，同一天地，境界迥异。"天如镜"，启下追怀古贤的高风亮节；"浸空蒙"，逗出后文前途渺茫的惆怅之情。只两句十二字，不仅状晴雨二景生动如在目前，而且含人我两情殊异见于言外。真是包举全篇的"凤头"。

"莼羹"以下六句用两组鼎足对写怀古而自伤。《晋书·张翰传》载：吴郡人张翰到洛阳做官，"因见秋风起，乃思吴中菰菜、莼羹、鲈鱼脍,曰:‘人生贵得适志,何能羁宦数千里,以要名爵乎!’遂命驾而归。”“渔舟范蠡”,指范蠡助越王勾践灭吴后,知勾践猜忌功臣,乃扁舟泛于江湖,变易姓名遁去。(见《史记·货殖列传》)“茶灶龟蒙”,指唐末吴县人陆龟蒙,曾任苏、湖二郡从事,后隐居松江甫里,“赍束书、茶灶、笔床、钓具往来。时谓江湖散人”。(见《新唐书·隐逸传》)后人建“三高祠”纪念三人。分用三典表达作者追慕三人淡泊名利、知机隐退的高风亮节。以下三个问句:三位高贤故人而今在哪?是转折过渡;“前程哪里”是反躬自问,前途渺茫;“心事谁同”是为生计进退矛盾,恨无知音。“三高”皆功成名就而后归隐,诚足高矣;然我功名无望,衣食困厄,白发秋风,欲“高”不能啊!此与前三句同是鼎足对而修辞变化不同,感情也由缓到急,失意至极。

结尾三句写客境的孤独凄凉:黄菊开满庭院,却独居异乡,不能与亲朋共赏,徒增悲秋之思;夜晚青灯下怅然独坐,听窗外秋雨,如无边愁绪;萧瑟秋风呼号,白发老人犹为生计天涯飘零。“黄花”以乐景衬哀,“青灯白发”以哀景写哀,声色动静对仗鲜明工巧,俨然一幅秋风夜雨游子飘零的有声画。

本篇首尾景起景结,中间怀古伤今,感情由弛渐张,由淡趋浓,结尾直令人凄绝。对偶工巧,修辞极变化之能事。首二句总领,以下九句为三组鼎足对,用三典、设三问、摹三景,跌宕生姿。于清丽华艳中兼豪辣灏烂之味,故《词林纪事》评此曲曰:“孰谓张小山不如晏小山耶!”谓其曲与晏几道词异曲同工。

(熊　笃)

## 【黄钟·人月圆】

张可久

### 吴门怀古

山藏白虎云藏寺,池上老梅枝。洞庭归兴,香柑红树,鲈脍银丝。白家池馆,吴王花草,长似坡诗。可人怜处,啼乌夜月,犹怨西施。

## 鉴赏

此首小令所写之“吴门”指苏州,春秋时代的吴国曾在此建都。这是作者切合吴门所写的缅怀古人、伤悼自身的小曲。怀古类作品在张可久的令曲中数量很多,而且多有佳作。就这首小令而言,它的内容除了怀古伤今之外,还包含着作者向往隐逸乐道的情怀。应该说,它的风格既是冷峻孤峭的,又是深厚博雅的。

曲子开头的“山藏白虎”是指苏州西北的虎丘。相传吴王阖闾死后就葬在这里,三日后,“白虎蹲踞其上,故名虎丘”。以虎丘为题材的作品,往往发思古之幽情,写兴亡之感叹。与小山齐名的乔吉就有“醉眼悠悠,千古恩仇,浪卷胥魂,山锁吴愁”(〔双调·折桂令〕《风雨登虎丘》)的吊古之作。“云藏寺”说的是虎丘山寺的风光。苏轼曾在此写过一篇《虎丘诗》“东轩有佳致,云水丽千顷”,梵宇入云、宝塔耸霄的虎丘寺被“千顷”云涛所遮掩。青山葱郁,白云缭绕,金寺若现,就在读者沉浸在阆苑仙葩的虎丘山景之中时,作者把镜头拉近,描绘“池上老梅”。这里的池是虎丘山下的剑池。池边飞岩如削的崖壁上斜伸着几株槎枒苍老的梅树,与上句结合起来,远近相辅,高低错落,虚实交映,尽显笔致的空灵。

“洞庭归兴”由景入情,引发作者联想。“洞庭归兴”借用范蠡功成隐退之典。范蠡辅佐勾践灭吴之后,看出越王只“可与共患难,而不可共与处乐”(《吴越春秋·勾践灭吴外传》)的本性,乃乘扁舟泛游太湖。后人常用此事称道鄙薄名利的品格。“香柑红树”一句,作者由四时果鲜的太湖洞庭而想到尤为出名的洞庭红橘,又由红橘追忆了三国时陆绩怀橘归遗其母的典故。“鲈脍银丝”用晋人张翰之典。《晋书·张翰传》载:“翰因见秋风起,乃思吴中菰菜、莼羹、鲈鱼脍,曰:‘人生贵得适志,何能羁宦数千里,以要名爵乎?’遂命驾而归。”作者连用三个典故,不仅切合怀古之题,也表达了一生沉抑下僚、偃蹇仕途的作者终于勘破世情的顿悟:一切功名富贵,荣辱兴亡只不过是过眼云烟,故应尽快知机隐退,远祸全身。

“白家池馆”写的是白居易任苏州刺史时来虎丘游玩的遗迹。“吴王花草”化用李白《登金陵凤凰台》中的诗句“吴宫花草埋幽径”。吴宫相传为阖闾、夫差所建,多有奇花异草,吴亡之后被焚烧。这里有吊古伤怀之意。“长似坡诗”是前面两句的归旨，说的是虎丘仍然像当年苏东坡《虎丘寺》中描写得那么美好，但已物是人非，曾在这里留下足迹的人却福祸无常，最终都流散在沧桑的历史长河之中，只剩下虎丘的美景告诫着世人历史兴亡之感和人世幻灭之伤。

作者承“吴王花草”而下，进一步感慨兴亡。西施以美色诱惑吴王，最终导致吴国灭亡。而今这冷清的月夜里，凄厉的乌啼还在诉说着荒淫误国之根。这种凄凉的意境更深化了“可人怜处”的兴亡之感。

这首小令由景入情，抒发怀古伤今之叹。作者还工于用典，几乎做到“无一字无来历”，正如明王骥德所说“曲之佳处，不在用事，亦不在不用事”，而在于是否“引得的确，用的恰好”（《曲律·论用事》）。作者虽然在曲中频繁用典，也化用了许多人的诗句，但却结合了作者的领悟和构思，创造出新的意境，堪称张小山怀古小令中的佳品。

（孙睿智）

## 【黄钟·人月圆】

张可久

### 春日湖上

小楼还被青山碍，隔断楚天遥。昨宵入梦，那人如玉，何处吹箫？门前朝暮，无情秋月，有信春潮。看看憔悴，飞花心事，残柳眉梢。

**鉴赏**

张可久一生居杭甚久，西湖是他最钟情的，也是他吟咏最多的地方。这首小令就是他在西湖旁所写的感物怀人的抒情作品。

开篇两句，写作者在春日登上西湖边的小楼远望。句中“楚天”指长江中下游一带的辽阔天空，因古属楚地，故名。能否望见心中日夜挂念的“那人”呢？山高路遥，葱郁的青山隔断了作者的视线，遮住了他心中的向往,也勾起了他绵绵的思念。一个"遥"字朦胧了作者眼前的画面,也牵引着他回到魂牵梦绕的地方。遥望的是"楚天",忘不了的自然是一段情缘。

"昨宵入梦"三句,从现实到回忆,由写景转为叙事抒情。作者向我们娓娓道出一段梦中遇佳人的情思。昨夜那如花似玉的佳人走入梦境,她依旧美目巧笑、雍容倩饰、娇艳夺目,令人倾倒销魂。梦中的时光是多么温馨旖旎!然而"来如春梦几时多,去似朝云无觅处"(唐白居易《花非花》),醒来时那玉人何在?那美好的梦境何处寻?作者化用了唐杜牧《寄扬州韩绰判官》的诗句"二十四桥明月夜,玉人何处教吹箫"来诠释自已无尽的愁绪。这种别后"分明又向华胥见"(宋姜夔〔踏莎行〕)的离怀别绪,使全曲笼罩着一种深深的惆怅和难遣的凄凉。

"门前朝暮"三句继续深化前篇的愁思,极写了与"楚天"佳人别后生涯之凄凉寂寞:岁岁年年,春去春来,唯有"秋月"和"春潮"与孤身一人相对而已。然而这"秋月"是"无情"的,而"春潮"却"有信",这更加令人伤心。宋苏轼有词云:"转朱阁,低绮户,照无眠。不应有恨,何事长向别时圆?"(《水调歌头·明月几时有》)秋月无情总团圆,鸳鸯有情终离散!这回肠寸断的离愁别恨就可想而知了。"有信春潮"借用了唐李益《江南曲》之意:"嫁与瞿塘贾,朝朝误妾期。早知潮有信,嫁与弄潮儿。"虽已有名句在先,但此句用在这里仍觉动人。潮起潮落亦有信,人去人还常无期!这种天各一方的日子恐怕要延长到未知的年月了。

结唱三句,一气呵成,辞情则更为凝重。作者顾影自怜,"看看憔悴",然而这遥遥的相思之苦又能向谁倾诉?"飞花心事,残柳眉梢",只能把一腔深情诉与飞落的花瓣,把无奈的愁闷挂在皱损的眉端。这两句乍看似疏淡任笔,实则是苦心琢炼之句。"飞花"飘零无定,这里象征作者心绪的摇曳不定;"残柳"即有亏缺,比喻因愁蹙眉而伤至眉梢;同时,"飞花""残柳",意象衰飒,还暗示情感和容颜的衰变。由此可以看出小山用字的雕琢、隽逸。

明朱权《太和正音谱》评价小山之曲"如瑶天笙鹤。其词清而且丽,华而不艳,有不吃烟火食气,真可谓不羁之材;若被太华之仙风,招蓬莱之海月,诚词林之宗匠也"。这首小令借暮春景物抒发怀人之愁思,在情感的表达上含蓄深远,正符合了朱权对他典雅蕴藉风格的评价。

(孙睿智)

# 【正宫·醉太平】

张可久

## 感　怀

人皆嫌命窘，谁不见钱亲？水晶环入面糊盆，才沾粘便滚。文章糊了盛钱囤，门庭改做迷魂阵，清廉贬入睡馄饨。葫芦提倒稳。

**鉴　赏**

此曲《全元散曲》编入“无题”，共三首，此为第二首。《中原音韵》题作《感怀》，《北词纪外集》题作《叹世》，兹以《中原音韵》为准。小令用辛辣的口吻，通俗生动的比喻，犀利的笔锋，对不择手段追逐金钱的无耻之徒做了尖锐的讽刺批判，从一个侧面揭露出元代社会的腐败风气和畸形病态。

开头就一针见血揭露世风势利浇薄，根源于全社会腐朽的价值观：人人都嫌弃厌恶命运窘困，个个都赤裸裸地见钱眼开。这样就必然形成物欲横流、寡廉鲜耻、见利忘义的社会风气。这是全篇主旨，也是讽刺揭露的“靶子”。

“水晶环”以下五句，具体讽刺腐败风气的种种丑态。原本清白无瑕、晶莹纯洁的人，一掉进社会的大染缸就沾染恶习、同流合污了，如同水晶环掉进“面糊盆”就沾染滚在一起，变得糊涂污浊一样；读书人也抛弃了礼义廉耻，把文章裱糊成“盛钱囤”，恨不得聚敛钱财像粮囤那样装满；门庭本是接待亲友宾朋，体现人伦道义的地方，可现在家家户户都改得像妓院一样，让你进得来出不去，专门迷惑坑害别人的圈套陷阱；清正廉洁、坚守道义的人，非但不受人尊敬，反而处处受贬斥打击，让你倒下站不起来，就像“睡馄饨”一样软弱、糊涂、沉默。这五句，前两奇句，后三鼎足偶句，奇句舒张荡气，偶句铿锵有力，节奏轻重缓急有致；连用四喻，妙语连珠，辛辣而幽默的讽刺可谓穷形极相，入木三分。

结尾是作者表明处世态度的愤激反语。“葫芦提”，宋元俗语，糊涂或酒醉之意。作者《道情》中“酒葫芦，醉模糊，也有安排我处”可证。

此句谓：还是权装糊涂，或长醉不醒，反倒觉得一切安稳。因为自己对这种病入膏肓、廉耻丧尽的世风，虽然痛心疾首，但个人无回天之力扭转乾坤、移风易俗，又不愿掉进染缸同流合污，无奈只能佯装糊涂，但求独善安稳罢了。这也是元代文人消极反抗的共性，如关汉卿〔四块玉〕"贤的是他，愚的是我，争什么"；马致远《秋思》套"葫芦提一向装呆"；曾瑞〔山坡羊〕"朝市得安为大隐。咱，妆作蠢"：皆如出一辙。其实这也是孔夫子的遗训，《论语·公冶长》赞扬宁武子"邦有道则知，邦无道则愚"。元代不就是属于"邦无道"的社会吗！

此曲未用一典故，全用当时的口语俗语比喻，风格尖新泼辣，而又幽默风趣，明显的"蒜酪味"，完全不同于作者多数散曲中好用诗词语的典雅清丽风格。在音律上也颇讲究，故深得周德清《中原音韵·作词十法·定格》的赞誉："'窘'字若平，数第二着。平仄好。务头在三对，末句收之。"因为首句末字"窘"为上声最妥当，如用平声就差了；全篇大体两平两仄交错，符合律句要求；务头在鼎足对三句处，恰好皆施俊语，最警策美听；末尾收束与前文七句形成对比，含不尽之意于言外。

（熊　笃）

# 【正宫·醉太平】

张可久

## 金华山中

金华洞冷，铁笛风生。寻真何处寄闲情？小桃源暮景。数枝黄菊勾诗兴，一川红叶迷仙径，四山白月共秋声。诗翁醉醒。

### 鉴赏

此曲当是作者中青年时期记游之作，描写了金华山洞的桃源仙境，表现出作者诗酒优游的闲情逸致。

开头入手擒题，写神仙洞府的

神秘。据唐代《元和郡县志》卷廿六载：浙江"金华山，在县北二十里。赤松子得道处。"又东晋葛洪《神仙传》卷二，谓黄初平曾入金华洞成仙。"铁笛"典出《宋史》卷四六二《方技传》：临安富阳人孙守荣，遇异人教以风角鸟占之术，即以音律推测万物盛衰之理，并授以铁笛而去。守荣因号富春子，吹笛市中，与人预测吉凶，无不应验。后为丞相史嵩收用。此二句借神仙异人典故，谓金华洞是神仙洞府，幽冷的风声仿佛是神仙在吹铁笛发出来的。

三四句承上启下，上句写游览的目的，是为了探寻修仙得道的真人足迹来寄托自己的闲情逸兴，承首二句；下句写小桃园暮景美如仙境，启下鼎足三句。"寻真"即寻访真人。道家称修真得道的人为真人，如《庄子·大宗师》："古之真人，不逆寡，不雄成，不谟士"；"其寐不梦，其觉无忧，其食不甘，其息深深"；"不知悦生，不知恶死"。说真人不违逆微少，不自恃成功，不谋虑事情；睡觉不做梦，醒来不忧愁，饮食不求美，呼吸颇深沉；不高兴生，不厌恶死。"小桃源"是赞美金华洞风光秀美，差可比拟武陵的桃花源，故称小桃源。

"数枝"三句承上"暮景"做具体铺叙，用工稳的鼎足对描绘金华山秋景幽美：几枝野菊花凌霜绽放，勾引起诗人的诗兴灵感；一川经霜染红的枫叶火红灿烂，迷盖了神仙的路径；四围的山峰沐浴着皎洁的月光，共听着交响的秋声。三句用数量词："数枝、一川、四山"，涵盖了地面山川天空、大小远近高低；用颜色："黄菊、红叶、白月"，不但色彩缤纷，紧扣秋景，而且含时间的光色变化，黄菊红叶是黄昏，白月则是初夜；"诗兴"是心灵感觉，"仙径"是视觉形象，"秋声"是听觉音响；三个动词："勾、迷、共"，生动传神，难以替代。不能不佩服作者炼字炼句的高超技巧，堪称"状难写之状，如在目前"（宋梅尧臣语）。

结尾"诗翁醉醒"，只四字戛然收束，而寓意多多：作者陶醉在如画的仙境之中，一边观菊花红叶，赏皓月秋声，一边陶然饮酒，漫兴吟诗，不觉深夜陶醉睡着；也许是秋声的音响，也许是次日晨曦的照耀，才使诗翁从醉中醒来吧！凡此种种猜测，皆所谓"含不尽之意见于言外"。又如仙家之一梦，令人遐思。

此曲结构安排颇具匠心，开头二句渲染神仙洞府的神秘，耸人听闻；三四句承上启下过渡连接；鼎足对三句铺叙美景，时间暗转；结尾写作者为美景陶醉，醉后复醒，犹如撞钟之清音有余。又工于锤炼字句，既含蓄蕴藉，又警策传神。如首二句八字悚闻，暗含神仙异人故事；鼎足三句精美绝伦，"勾、迷、共"安稳难替；结句字少意丰，令人浮想联翩。

（熊　笃）

# 【正宫·塞鸿秋】

张可久

## 春　情

疏星淡月秋千院，愁云恨雨芙蓉面。伤情燕足留红线，恼人鸾影闲团扇。兽炉沉水烟，翠沼残花片，一行行写入相思传。

### 鉴赏

小令写一位女子的相思之情，十分沉痛感伤。前两句奠定了全篇的情感基调："疏星淡月"勾画出庭院清冷、黯淡环境，"愁云恨雨"展现主人公愁苦心境，而以"芙蓉面"写女子之娇美，又让人倍生怜惜。随后两句着力表现主人公内心孤单、寂寞之情，前句从室外飞燕着眼，后句从室内鸾影、团扇落笔，从使用的典故来看，相爱之人已撒手尘寰，永无相见之日了。"燕足留红线"典故出自宋人曾慥《类说》所引《丽情集·燕女坟》：宋末娼家女姚玉京嫁后夫亡，玉京守志奉养公婆。常有双燕筑巢梁上。一日，其中一只被鸷鹰捉去，另一只孤飞悲鸣，到秋天飞到玉京臂上，似要与她告别。玉京以红线系燕足，嘱咐明年再来作伴，明年燕子果然来到，此后相伴六七年。到玉京病死那年，燕子飞到坟地悲鸣而死。"鸾影"指镜中孤独的鸾，也喻失偶。典见南朝梁范泰《鸾鸟诗序》："昔罽宾王结置峻卯之山，获一鸾鸟。王甚爱之，欲其鸣而不致也。乃饰以金樊，飨以珍羞。对之俞戚，三年不鸣。其夫人曰：'尝闻鸟见其类而后鸣，何不悬镜以映之？'王从其意。鸾睹形悲鸣，哀响冲霄，一奋而绝。""燕足红线"和"鸾影"都言失偶之悲，曲中喻意比较清楚。如此，主人公之相思就尤为可悲，是雾里看花、水中捞月，孤单与寂寞只怕要相伴终生。随后三句，"兽炉沉水烟"以室内香炉青烟袅袅之寂静，暗写主人公内心相思的无奈与痛苦，"翠沼残花片"以水塘残花浸水写青春消逝、红颜凋残之悲，"一行行写入相思传"，是说室内缕缕香烟，塘中片片残花，皆相思之证物，正所谓"眉间心上，无计相回避”，其情可感可怜。

在这首简短小令中，作者将相思之情写得浓郁沉厚。前六句室内与室外交错展开，相互映衬，反复渲染离别之情。然此离别，竟是生离死别，相爱之人永无相聚之时。最后一句，以议论兼抒情之笔推出，悲伤至极，既为女子之心声，亦为作者之感慨。全曲语言清丽典雅，含蓄蕴藉，值得反复品味。

（田玉琪）

# 【中吕·山坡羊】

张可久

## 春　睡

云松螺髻，香温鸳被，掩春闺一觉伤春睡。柳花飞，小琼姬。一声雪下呈祥瑞，团圆梦儿生唤起。谁，不作美？呸，却是你！

### 鉴赏

此曲表现伤春闺怨的传统主题，由于别出心裁的戏剧冲突而显得饶有趣味。

起首三句描写女主人公娇懒的睡态，渲染闺怨的气氛，点明伤春的主题。螺形的发髻在睡卧中像一团松散的云雾，浓郁的体香温润着绣着鸳鸯的合欢被。鸳鸯、双燕、双鹧鸪、凤凰等在古诗词曲中都有反衬闺中人形单影只而深受相思煎熬的符号意义，是闺怨作品中常用的意象，如“落花人独立，微雨燕双飞”（宋晏几道《临江仙》）、“新帖绣罗襦，双双金鹧鸪”（唐温庭筠《菩萨蛮》）、“手中金鹦鹉，胸前绣凤凰”（唐温庭筠《南歌子》）等等。“伤春”二字直接点题，大好的春日因空守闺房而烦闷无聊，掩上闺门，倚枕入梦，梦中喜与心上人相会。

接下来引出主仆之间一场小小的戏剧性冲突。元散曲受杂剧影响，很多散曲中都有经典的生活场景和戏剧冲突,写相思闺怨就有借助各种生活场景来表达的。有写信的,马致远〔双调·寿阳曲〕"云笼月,风弄铁,两般助人儿凄切。剔银灯欲将心事写,长吁气一声吹灭";有看信的,王和卿的〔仙吕·一半儿〕《题情》:"将来书信手拈着,灯下姿姿观觑了";有祈祷的,商挺〔双调·潘妃曲〕"闷酒将来刚刚咽,欲饮先浇奠。频祝愿,普天下心厮爱早团圆。谢神天,教俺也频频的勤相见"。如此等等,不一而足。然此曲场景中的人物是两个,"台词"中还兼有惊叹、嗔怪,所以比起来愈显得富有戏剧性和生活气息。

柳絮是典型的春天的物候特征,这里却也隐含着"今年春尽,杨花似雪,犹不见还家"(宋苏轼《少年游》)的凄凉意味。"琼姬"语出《姑苏志》:"琼姬,夫差女也"。望着满天飘飞的柳絮,不知情的小丫环惊叹此景好似大雪纷飞给人间带来祥瑞,谁料却惊散了女主人公的团圆好梦,于是便惹来埋怨:谁这么不作美,吵醒我的鸳鸯梦,原来是你这个不懂事的小丫环呀。一句嗔怨,一定把曲中的小丫环搞得满头雾水、连连喊冤,也让读者忍俊不禁。但它却也把女主人公的痴情与苦闷表现得淋漓尽致、惟妙惟肖。这一带有戏剧性的生活场景看似欢笑戏谑,实则道尽了女主人公的梦断情未断、梦回人断肠的愁怨之情。

(陆晓春　童晓峰)

## 【中吕·普天乐】

张可久

### 西湖即事

蕊珠宫,蓬莱洞。青松影里,红藕香中。千机云锦重,一片银河冻。缥缈佳人双飞凤,紫箫寒月满长空。阑干晚风,菱歌上下,渔火西东。

## 鉴赏

这是张可久夜游西湖的即兴之作。西湖在杭州市西，旧称武林水、钱塘湖、西子湖等，宋代始称西湖。唐宋诗词中，描写西湖美景的很多，张可久以散曲的形式写西湖之美，风流洒脱，别具一番韵味。

西湖之美，四季不同，昼夜不同，阴晴不同。作者笔下的西湖，展示的是夏日月夜之美。开头两句“蕊珠宫，蓬莱洞”，将西湖比作神仙幻境，表现月夜下西湖给人的惊艳之美，令人叹赏。“蕊珠宫”是道教经典所说的仙宫，“蓬莱”是古代方士传说中的三大仙山（另两座为“方丈”“瀛洲”）之一。接下两句“青松影里，红藕香中”具体描写西湖景物，但并没有将景物写实，而是用“影”“香”将“青松”“红藕”虚化，这既给人以虚幻缥缈之感，也符合夜晚观赏景物的特点，更增添了“蕊珠宫，蓬莱洞”的清新与幽远。随后四句作者展开浪漫的想象，通过一静一动来写西湖恍若仙境的美感。“千机云锦重，一片银河冻”是从静态的角度描写，它将天上斑斓的云彩喻为层层锦被，将月光洒满的西湖比做冻住的一片银河，散发着清冷的光辉。“缥缈佳人”二句则从动态角度描绘，诗人似乎看到萧史、弄玉两位仙人在云中缓缓起舞，他们的箫声传播到广袤的天宇中。汉刘向《列仙传·萧史》：“萧史善吹箫，作凤鸣。秦穆公以女弄玉妻之。作凤楼，教弄玉吹箫。感凤来集，弄玉乘凤、萧史乘龙，夫妇同仙去。”最后三句作者将浪漫的思绪拉回到现实。而让诗人回归现实的，是岸边点点渔火和采菱人悦耳的歌声，作者最后通过描写愉悦的劳动场景展现西湖的轻松闲适之美，也给人不尽的遐想。

这首小令的艺术性很高。全曲想象丰富浪漫，将西湖比做天上仙境，更借神话传说点缀。作者从多角度展现西湖之美，有总体勾勒，有细节描绘；既有静景，又有动景；有浪漫的想象，也有恬淡的写实。语言运用方面，全曲十一句，除“阑干晚风”外，其他句子皆两两相对，既贴切，又工丽典雅。如结尾两句“菱歌上下，渔火西东”，一为听觉，一为视觉，以“上下”言四周，以“西东”言两岸，自然巧妙。

（田玉琪　张雅丽）

# 【中吕·普天乐】

张可久

## 秋　怀

为谁忙，莫非命？西风驿马，落月书灯。青天蜀道难，红叶吴江冷。两字功名频看镜，不饶人白发星星。钓鱼子陵，思莼季鹰，笑我飘零。

**鉴赏**

从曲中“吴江”“白发星星”推测，当是小山晚岁当昆山幕僚时期所作。这首曲子感叹岁月无情消磨，表达自己白发苍颜犹疲于奔命地忙碌，将为天下隐士所笑的难堪心境。

起首以自问开篇，有突兀惊悚的作用，“忙”字贯穿全篇。作者回顾自己年复一年地跋山涉水、风尘仆仆地奔波劳碌，究竟在为谁忙碌呢？为自己功名吗？可年届古稀，这不可能吧；为朝廷效忠？区区幕僚，又何足挂齿。剩下的原因只能是为妻孥全家衣食了。以悬车之年，尚为衣食奔波，而屈居幕僚，莫非是命该如此？反躬自问中，包含了多少屈辱艰辛的难言苦衷，又压抑着多少悲愤不平的闷气！

中间六句具体铺叙自己坎坷不遇和白发飘零的悲愤：白天，在秋风中坐在驿马（公家驿站专供公差的坐骑）上奔波；鸡鸣，在落月的青灯下赶写文牍。外出，哪怕是“难于上青天”的蜀道，也要艰难跋涉；坐衙，即使是霜染“红叶吴江冷”的严寒，也是夙兴夜寐。为了这“功名”两个字，几十年每天对镜梳洗，从乌黑青丝看到“白发星星”，不禁感慨万千：垂垂老矣，岁月不饶人啊！“青天”“红叶”二句，是化用唐李白《蜀道难》“蜀道之难难于上青天”和唐崔信明残句“枫落吴江冷”名句；“频看镜”和“白发星星”是化用唐杜甫《江上》“勋业频看镜，行藏独倚楼”和李白《将进酒》“君不见高堂明镜悲白发，朝如青丝暮成雪”句意。以上六句，前四句铺叙描写，两组合璧对，都紧扣一个“忙”字，与首句相照应；后二句用奇句小结抒情，一个“频”字概括一生忙碌，由青丝忙到“白发”,极富于“包孕性片刻”。偶句铿锵急迫,奇句荡气悠长,轻重缓急,弛张有致。

结尾三句宕开,从他人笑我角度自嘲作结:东汉严光字子陵,与开国皇帝刘秀是同学,却放弃刘秀征召的高官厚禄,而甘愿隐居于富春江垂钓;西晋张翰字季鹰,赴洛为官途中,见秋风起而思吴中莼菜鲈鱼脍,便毅然回乡归隐。他们粪土王侯、浮云富贵的高标逸兴,看我白发苍颜,犹天涯飘零,汲汲于碌碌风尘,岂不觉得我可笑吗!这自嘲中的“笑”,是老泪纵横的无奈苦笑,其中隐含着多少羞于启齿的辛酸,留下了“不尽之意”让读者去体会。

此曲以“忙”字为全篇诗眼,开头问“为谁忙”,腹间六句无不叙写“忙”,结尾以隐士之“闲”对比而笑我之“忙”。故“忙”字成为全篇结构的线索,贯穿西风、落月、蜀道难、吴江冷、看镜、白发、飘零等诸多意象,成为有机整体。另外,此曲又善于化用或浓缩诗词名句的语典,巧妙引用事典,无不顺手拈来,珠联璧合,自然成趣,从而形成典雅清丽、沉郁蕴藉的风格。

(熊　笃)

# 【中吕·红绣鞋】

张可久

## 次　韵

剑击西风鬼啸,琴弹夜月猿号,半醉渊明可人招。南来山隐隐,东去浪淘淘,浙江归路杳。

**鉴赏**

这首小令当是作者晚年在徽州歙县监税或在昆山任幕僚时所作,抒发了仕途潦倒,背井离乡在外漂泊的艰辛和抑郁悲愤、向往归隐的情怀。

开头破空突兀而起,描写作者的悲愤不平:“剑击西风鬼啸,琴弹夜月猿号。”在萧瑟的秋风中击剑,舞剑风生,呼呼作响,连鬼魅闻之也会呼啸;在月夜弹琴,琴声悲愤荡漾,连猿猴听了也会哀号。这究竟是为什么呢?让读者感到悬念迭生。直到读完全篇,并结合作者生平知人论世,才知这是作者将一腔潦倒失意的悲愤外化到击剑和弹琴之中,犹如唐李白《行路难》中:“停杯投箸不能食,拔剑四顾心茫然”一样的情绪,妙在作者用“鬼啸、猿号”来烘托悲鸣的感染效果。

“半醉渊明可人招”,谓终日半醉的陶渊明正合我意,在向我召唤。此句曲折表现了作者不堪风尘小吏的艰辛屈辱,只有借酒醉来排遣胸中的愤懑,向往弃官隐居的心情油然而生。“可人”即可人心意,称我心意。

“南来山隐隐,东去浪淘淘。”无论作者祖籍庆元(浙江鄞县)还是杭州,对于徽州歙县或吴中昆山而言,都是“南来”;而宦游之地对于回家乡而言,又只能沿长江“东去”。“山隐隐”,表现关山迢递难越,故乡遥远望而不见;“浪淘淘”,暗示宦海风波凶险。两句透露出自己背井离乡、跋山涉水,劳碌奔波的艰难苦恨。

结句“浙江归路杳”承上两句水到渠成,表达作者迫切思归,但又无法断然归隐的矛盾苦衷,一个“杳”字,写出归隐道路的昏暗、深远、渺茫。大概为衣食生计着想,有无法归隐的难言苦衷,故思归而不能归,陷入有家难归的幽杳迷茫。此句含不尽之意见于言外,而又与“渊明”句相呼应。

此曲言浅意深,未用典故而婉曲含蓄:开头破空突兀,产生悬念;腹间微露端倪,寓情于景;结尾言尽意不尽,耐人寻味。在抒情上也是跌宕起伏,大开大合交错,只短短六句,却能一波三折,令人回肠荡气。

(熊　笃)

## 【中吕·红绣鞋】

张可久

### 天台瀑布寺

绝顶峰攒雪剑,悬崖水挂冰帘,倚树哀猿弄云尖。血华啼杜宇,阴洞吼飞廉,比人心山未险。

## 鉴赏

这是一首写景小令。天台山在浙江天台县北面,唐李白曾夸张"天台四万八千丈"(《梦游天姥吟留别》)。山中有方广寺,旁边有终年飞流直下数十丈的瀑布,宋代著名书法家米芾题为"第一奇观",被当地誉为"天台八景"之一。此曲描写了天台山及其瀑布的惊险奇观,寄托了诗人对险恶可畏的世道人心的讽喻和感慨。

开头两句写山峰、瀑布,妙喻对偶惊人,耸观耸听:摩天陡峭的华顶诸峰,顶戴着积雪,宛如一把把聚集的利剑,寒光闪闪,刺向天空;悬崖绝壁上的瀑布,像一块宽大的冰帘凌空高悬,晶莹闪亮,寒气逼人。"攒"表现聚集之状,此形容华顶诸峰如聚,把静态的山峰化静为动,写活了。瀑布本是动态的流水,但因连成一片,活像固体的冰帘,晶莹、栗冽,由视觉引起触觉,产生"通感",用"挂"字,自然更加贴切而传神。

"倚树哀猿弄云尖",倚靠着树枝攀援的猿猴,凄厉的啼声荡漾在云端高空,经久不息。一个"弄"字,动词虚化、空灵,用以形容猿声播弄、浮泛在云端的袅袅余音,不仅"避免了动作的终点"而富于神韵,而且从听觉上渲染出剑峰、冰瀑的惊险,丰富了前两句的视觉形象。

"血华啼杜宇,阴洞吼飞廉。"两句则综合视觉听觉两方面,进一步渲染天台瀑布寺的惊心动魄的凶险:杜鹃鸟似乎也为山高水险难飞而凄厉啼叫,口中啼出了血花;幽暗阴森的洞穴风声呼啸怒吼,使人胆战心惊。杜宇啼血,典出《华阳国志·蜀志》,蜀王杜宇因被迫禅让江山给功高盖主的鳖灵,忧郁而死,魂化杜鹃,啼声悲切,口中泣血。传说初闻杜鹃啼声的人,将有伤别之事。"飞廉"是神话中的风神,屈原《离骚》中有"前望舒使先驱兮,后飞廉使奔属"之句。

以上五句写雪剑峰、冰瀑帘、哀猿弄、杜鹃啼、飞廉吼,极尽渲染凶险之能事,而结句"比人心山未险"却出人意料突转他意:比起当今人心的险恶,世情的可畏,这山还不算凶险!此句典出《庄子·列御寇》:"凡人心险于山川,难于知天。"后人常化用此意,如唐刘禹锡《竹枝词》"长恨人心不如水,等闲平地起波澜",是人心险于水;唐雍陶《峡中行》"楚客莫言山势险,世人心更险于山",是人心险于山。小山此曲的妙处首先在于前面五句紧扣天台山景观的个性特色,极力渲染铺垫山的凶险,均为衬托末句蓄势,故末句实乃水到渠成,不得不发,自然贴切。二是以小山一生才华横溢而蹭蹬坎坷,久抑下僚,必有人心险恶的深刻体验,故而描写自然险境时,意与景会,灵心迸发,油然契合,如箭在弦上不得不发,必一吐而后快。

此曲结构别具一格,前五句一句一景,分别写峰、瀑、猿、鸟、风,如五扇屏风蝉联并立,暗中突出一个"险"字,直到结句突转世道人心,才明露"险"字,故全篇结构就是自然景观之险,与世道人心之险的巧妙对比,堪称珠联璧合,别开生面。此曲风骨劲峭瘦硬,冷峻犀利,也与小山多数小令的雅丽含敛有别。

(熊　笃)

# 【中吕·红绣鞋】

张可久

## 春日湖上(二首其二)

绿树当门酒肆,红妆映水鬟儿,眼底殷勤座间诗。尘埃三五字,杨柳万千丝,记年时曾到此。

**鉴赏**

是余杭吴门的佳山丽秀,丰润了小山的词笔,还是小山那蘸满了春风的吟赏,使苏堤典雅,渔唱动人,吴盐更胜雪呢。

小山曾当路吏、典史,或由路吏转首领官,都是卑职。以其文才衡量仕履际遇,人多谓小山怀才不遇。换个角度考量,正是官路崎岖,小山得浪迹江湖的机会。他走过湘赣皖闽江浙,每至一处,必有题咏。今日苏杭,小山写得最多。

其〔红绣鞋〕《春日湖上》凡二首,写的正是小山赏咏最繁的苏杭风光。

此为第二首,所写时令是春天,地点是西湖,情事是回忆昔日的诗酒之会。

首句"绿树当门酒肆",点出"酒";第三句"眼底殷勤座间诗",拨出"诗"。小山散曲,用字多有出处。此曲首三句用相如文君事，目的是为融人文感情于自然景物之中。由此我们观察到小山的审美角度，以及他如何从现实环境中勾勒出艺术趣味来。西湖上现实环境有绿树、水岸、酒肆。小山渐次把眼前（或身处）的酒肆向遥远的汉代拉近，再从古典世界里撩起文君当垆的身影。但他巧妙地用袅摇多姿的绿杨借代文君。曲意一转，回到现实落笔。因此第一句先用“绿树”起笔，接起“当门酒肆”。那么，是酒肆两旁种着婀娜多姿的杨柳树，还是当门的女子态如杨柳，意如文君，抑或当门者有杨柳也有女子，杨柳红妆相互辉映？小山巧用联想和语言修饰，丰富了曲之意蕴与内涵。第二句转写女性人物。暗用乐府《木兰诗》句“阿姊闻妹来，当户理红妆”意，转化为盛妆而且年纪较长的女子引伴着梳着双鬟的少女。她们的影子浮映湖上。第三句“眼底殷勤座间诗”用《史记·司马相如列传》中“相如使人重赐文君侍者，通殷勤”文意。如果眼底传情的是那位妆如彩霞的妇人，殷勤传诗的应是梳着两鬟的可人儿了。我们不妨这样读：在文士酒诗宴会中，红粉佳人最宜扮演送诗句的侍者角色。

第四句“尘埃三五字”写往日题在壁上的字蒙上灰尘。唐鲁收《怀素上人草书歌》诗：“观尔向来三五字，颠奇何谢张先生”，诗中“三五字”指的是壁上披着灰尘的怀素上人的字，整首诗意旨写怀才不遇。当分析无一字没来历的小山词时，“碧纱笼诗”的艺术正是连接着悠悠的古典情怀。

壁上题字，岸边柳丝，无不惹起往事追忆。追怀往事是古典诗词常写的题材内容。追忆者通过随着时间洪流从过去走到目前的事物，回想它们在过去曾经和某些人物某些历史时段的联系，这些事物，文学批评叫做断片。断片可以是私人的，书信是其中一种题例。曲中“三五字”和“杨柳”是联系今昔的断片。“尘埃”和“万千丝”突显时间的威力。最后一句确实点出追忆内容。“忆”什么呢？“年时曾到此”的事——“绿树当门酒肆，红妆映水鬟儿，眼底殷勤座间诗”。

（司徒秀英）

## 【中吕·红绣鞋】

张可久

### 西 湖 雨

删抹了东坡诗句，糊涂了西子妆梳，山色空蒙水模糊。行云神女梦，泼墨范宽图，挂黑龙天外雨。

鉴赏

此曲写雨中西湖的奇特美景。开首两句“删抹了东坡诗句,糊涂了西子妆梳”,“删抹”对“糊涂”,“东坡诗句”对“西子妆梳”,句法匀美,意象生动。苏轼于北宋神宗熙宁四年(1071)出任杭州通判,其间疏浚西湖及附近河道,裨益民生。事见《宋史》本传:“湖水多葑,自唐及钱氏,岁辄浚治。宋兴,废之,葑积为田,水无几矣。清河失利,取给江潮,舟行市中,潮又多淤,三年一淘,为民大患,六井亦几于废。轼见茅山一河专受江潮,监桥一河专受潮水。遂浚二河以通漕……为长堤以通行者……堤成,植芙蓉、杨柳其上,望之如画图,杭人名为苏公堤。”东坡喜爱杭州西湖,不但因为风景,亦为地方政绩之见证。其《六月二十七日望湖楼醉书》诗写徜徉湖上的喜悦,诗云:“放生鱼鳖逐人来,无主荷花到处开。水枕能令山俯仰,风船解与月裴回。”脍炙人口的更有《饮湖上初晴后雨》:“水光潋滟晴方好,山色空蒙雨亦奇。欲把西湖比西子,淡妆浓抹总相宜。”

小山这首〔红绣鞋〕,意象由东坡诗句转化出来。“东坡诗句”和“西子妆梳”应合“西湖”题目;“删抹”“糊涂”应合“雨”题,状写大雨对景致造成的影响。天朗气清时,无论远眺或近望,西湖尽入眼帘。审美者和审美对象的关系一如当日东坡和他眼前的西湖。但〔红绣鞋〕提供一种意境转化的微妙趣味,东坡及他所咏叹的西湖,甚至他心中的西施,均成为散曲的审美对象。值得注意的还有小山巧妙地在审美者和审美对象之间建筑一块乳白色的雨板。雨水隔断了观者和被观者。“删抹”一词呈现的主观审美色彩非常浓烈,“糊涂”亦然。正是雨无意,人有心。

“山色空蒙水模糊”进入审美的第二层次,“雨”和“西湖”不再两分,而是融为一体。“山色空蒙水模糊”从东坡诗句“山色空蒙雨亦奇”转来。紧接的两句“行云神女梦”和“泼墨范宽图”以虚辅实,将“空蒙”“模糊”之景带进古典而且艺术化的氛围之中。“神女梦”用巫山云雨意象,渲染真幻莫辨、似有还无的环境,同时也突出自然与心灵交流的强烈感受。“范宽图”,范宽,北宋画家,原名中立,因秉性宽厚,人呼范宽。工山水,初学李成,继法荆浩,后感“与其师人,不若师诸造化”。移居终南山,对景造意,不尚繁饰。以落笔雄健,起伏有势见称。小山用范宽泼墨山水状西湖雨景,暗用东坡“诗中有画,画中有诗”艺术观于“湖中有雨,雨中有湖”景中,境意遂深。由范宽“泼墨”联想到“黑龙”意象,自然得法。黑龙比喻雨云,黑状其密,龙状其变。“天外雨”活用东坡《有美堂暴雨》诗“天外黑风吹海立”句意,直接点出云团像游龙,也写出暴雨从天边直扑过来的形势。

这首小令想象丰富奇特,意境鲜明生动,将虚与实打成一片,非常成功地展示了西湖的“空蒙”“模糊”之美。

（司徒秀英）

## 【中吕·朝天子】

张可久

### 山中杂书

醉余，草书，李愿盘谷序。青山一片范宽图，怪我来何暮。鹤骨清癯，蜗壳蘧庐，得安闲心自足。蹇驴，酒壶，风雪梅花路。

**鉴赏**

小山曲“堂庑特大,写景言情,送别怀古、说理谈禅、咏物赠答,至于分韵分题,雅谑巧弄,靡所不宜”。(罗忼烈先生《元曲三百首笺》)罗忼烈先生钻研小山散曲有年,领会深切,见解独到。先生认为小山曲题材丰、内容富,用字骚雅蕴藉;元曲有小山,于是与唐诗宋词连辔并驰。此说甚是。先生尝言,作家才力兼容各样题材,题示多种风格,方是大家。张可久被称为元曲大家,当之无愧。小山下笔无一处无来历,因为他读书多,读时又能领会作者精神心灵和作品意境。他得益于文学的艺术滋养,情通古今,感受出前贤文字的精髓。另外他又能用心感受生活。小山职秩虽卑,但安于现状。人虽然在江湖营役,但是能够从"此身非我有"的现实生活中找出乐趣,并且乐在其中。这首曲咏写在逆境中保持人生高贵的心灵价值。

此曲题作"山中杂书",点出写作环境和心境。感兴偶生,一往而深乃发展成意象,写成一曲〔朝天子〕。全曲分四个重要意象段落。第一,乘酒意兴高,逐字念、逐字写韩愈《送李愿归盘谷序》。第二,山中风景如画,用移情法说出身处其间的投入感受。第三,人在征途,纵使现实耗损体魄,却无损精神价值。第四,征人再上路。

全曲主题是"安于现状,自得其乐"。韩愈《送李愿归盘谷序》:"穷居而野处,升高而望远,坐茂树以终日,濯清泉以自洁。采于山,美可茹;钓于水,鲜可食。起居无时,惟适之安。与其有誉于前,孰若无毁于其后;与其有乐于身,孰若无忧于其心。"前面大段写山居生活,适者自安。最后四句写价值观,"无忧于心"点拨归隐的心灵追求,乃中国传统退官心理的描述。这篇序,无论是韩愈引李愿之言志抑或昌黎先生的评赞,对决定急流勇退的士大夫或官途坎坷的读书人说来,一样有安慰和支持作用。"醉余,草书,李愿盘谷序",小山趁微醺疏离现实,依着文章走进前贤的思想世界,重临他们建立的精神家乡。情绪痛快淋漓地释放,此一乐也。

青山美丽而且多情,此又一乐。"青山一片范宽图,怪我来何暮"句中的范宽,是北宋画家,擅画山水,写陕西关中一带尤其精炼。写"青山"与"我"的关系最是经典的,应是辛弃疾。他一句"我见青山多妩媚,料青山见我应如是"脍炙人口。小山静观眼前青翠的山冈,尘思尽落,俗念散去。我来晚了!我来晚了!此话一说成俗,小山遂运用艺术手法说成青山怪我来晚了!青山深处听到自己的心灵呼应,复归到自由自在的生存状态体现出最高价值。

"鹤骨清癯,蜗壳蘧庐,得安闲心自足"直道心中快乐。蘧庐指旅店,传舍,《庄子·天运》:"仁义,先王之蘧庐也"注云:"蘧庐,犹传舍也。"传舍是驿站,供过客留宿的房舍。本来瘦弱的身躯一头挑着命,一头挑着运,往来传舍之间,非乐事也。眼看青春岁月就此消磨掉，理应苦不堪言。就如宋苏轼《李杞寺丞见和前篇复用元韵答之》诗云："人生何者非蘧庐，故山鹤怨秋猿孤"，道出何等深沉的哀愁。但是小山真个出尘名士，面对在理说来是痛苦的事，他却处之泰然，心安意悠。

"蹇驴，酒壶，风雪梅花路"写踏雪寻梅，又一乐事。蹇驴是"鹤骨""蜗壳"的投影。既然瘦骨嶙峋和寄住逆旅之身能够引起同情和审美感，那么"蹇驴"所发挥的正是进一步的美感联想。安贫乐道的题旨因此在环境愈低劣，心志愈高昂的对比下突显出来。踏雪寻梅是文人雅事，本事见孟浩然平生事。又用笔记小说《北梦琐言》记唐宰相郑綮自言诗在灞桥风雪中的驴子上故事。此外，苏轼脍炙人口的《和子由渑池怀旧》诗："往日崎岖还语否？路长人困蹇驴嘶。"曲中"蹇驴，酒壶"四字以物托人，成功地突出雅士形象。"风雪梅花路"，有两种解法。第一实指山隐生活中寻找诗兴的乐事。第二虚指他日再度展开行役生活时的心理状态。苏轼诗说"往日崎岖"时难免有"路长人困"的叹息。人生顺逆交替，难道因为行路难而逃避上路？"风雪梅花路"的"路"解作山中路，当可。但看成是走出山谷，通向人生新天地的路，不是更佳？"梅花"象征玉洁冰清，在中国传统文化中有深刻的象征意义。秉着清贵，随遇而安，哪怕风雪，心上有梅，则人生处处花开。

（司徒秀英）

## 【中吕·朝天子】

张可久

### 湖　上

瘿杯，玉醅，梦冷芦花被。风清月白总相宜，乐在其中矣。寿过颜回，饱似伯夷，闲如越范蠡。问谁，是非，且向西湖醉。

## 鉴赏

此曲写中夜梦回,有所思。题作"湖上",曲末"且向西湖醉",乃知浅斟低酌,在西湖;酒醒夜未央,也在西湖。

"瘿杯",用楠树根制成的杯子,唐代隐士武攸绪爱用。"玉醅",美酒。下句"芦花被"和"瘿杯"一样,也大有来历。与小山友善的元代大名士贯云石(酸斋)曾有以诗换芦花被的韵事广为流传,贯《芦花被》诗有云:"仆过梁山泊,有渔翁织芦花为被。仆尚其清,欲易之以绸者。翁曰:'君尚吾清,愿以诗输之。'遂赋,果却绸。"其诗云:"采得芦花不涴尘,绿蓑聊复藉为茵。西风刮梦秋无际,夜月生香雪满身。毛骨已随天地老,声名不让古今贫。青绫莫为鸳鸯妒,欸乃声中别有春。"此诗不仅有手迹流传,并被名手作《芦花被图》,可见时人的爱赏,贯云石也因此得到"芦花道人"的雅号,或许那位愿意将自己辛辛苦苦织就的芦花被拿来换诗的渔翁,亦是一位隐姓埋名的高人,两位清高之士因此一起成就了诗坛上的一段佳话。总之,开篇用唐代隐士武攸绪"瘿杯"和当代名士贯云石"芦花被"之典,已表现出清高脱俗。这"梦冷芦花被"之"梦",既是小山之梦,也是贯云石诗中"西风刮梦"的梦,一则以寒,一则以清,虚与实涵容浑化,因合成一"冷"字,极有意趣。

醒来看湖上"风清月白"美景,和谐静好,甚是赏心悦目,似又与酸斋诗中"夜月生香雪满身"的意境有些瓜葛,因此乐在其中,把玩不已。苏轼《后赤壁赋》:"人影在地,仰见明月。顾而乐之。行歌相答,已而叹曰:'有客无酒,有酒无肴,月白风清,如此良夜何?'"曲文"风清月白总相宜"句,巧妙地把"淡妆浓抹总相宜"描写五湖日景之玲珑多姿,嫁接在夜游赤壁的意境中。西湖月夜,因此添上一份高隐情调。

"寿过颜回,饱似伯夷,闲如越范蠡"句写生活要求。颜回字子渊,孔子学生,安贫乐道,年三十余卒。寿命赛过颜回,愿望甚低。伯夷和弟叔齐在殷亡时,不食周粟,采薇充饥,在首阳山过隐居生活。"饱似伯夷"意即每天食用,虽量若伯夷叔齐,也自觉饱足。此句与前句一气呵成,暗写不贪。"闲如越范蠡"句意浅白。范蠡是春秋时越国大夫,助勾践灭吴复国后,功成身退,隐身五湖。小山不求高寿,不求美肴,只愿心境闲适。此句暗写远离嗔痴。既然心中无怨无恨,无痴求也无妄断,因此对世间是非曲直,也没兴趣过问。

最后一句“且向西湖醉”，字面有劝酒劝游义，进一步读则知通向及时行乐的意境。“醉”不一定指醉于酒，醉于眼前一切也无不可。“且向”二字用得妥帖，具备姿势力量，而且稳扣全曲安隐湖上的大旨。精神焕发，曲终声情犹在。

此曲见小山性情，但郑骞曾论其襟抱不及马致远和张养浩，云：“(小山)高丽精工，固是以冠冕一代，而襟抱性情则似逊于马致远、张养浩之磊落深厚。”(郑骞《曲选》)。以曲艺论，小山弘扬马致远风格，所谓“宏东篱之绪，净绮罗香泽之习，极蕴藉风雅之致”。小山影响清代词客尤甚，“自朱竹垞、厉樊榭，皆极推小山，以其清空骚雅，丽则瘦劲，色色俱备，与词比邻也。”(罗忼烈《元曲三百首笺》)。

(司徒秀英)

# 【中吕·朝天子】

张可久

## 闺　情

与谁，画眉，猜破风流谜。铜驼巷里玉骢嘶，夜半归来醉。小意收拾，怪胆禁持，不识羞谁似你！自知，理亏，灯下和衣睡。

### 鉴赏

这首曲子以一个女子的口吻，叙述了其爱情生活中的一个小插曲。从曲中所写的内容和手法来看，它似从唐无名氏《醉公子》一词脱胎而来。词云：“门外狗儿吠，知是萧郎至。刬袜下香阶，冤家今夜醉。扶得入罗帏，不肯脱罗衣。醉则从他醉，还胜独睡时。”(《全唐词·附词》)这首词既无语言上的精雕细琢，也无句法章法上的刻意营构，但却构思巧妙，叙事生动，情景逼真，这些或许都给予张可久〔朝天子〕一曲不少启发。不过,与无名氏词作相比,张曲要显得更为曲折和细腻。

此曲首句写闺中少妇深夜时还在等待丈夫归来,久盼不归,便起猜疑之心,猜想他莫非有什么另结新欢的风流韵事:“与谁,画眉,猜破风流谜。”表面上突出的是女主人公的敏感与多疑,实际上强调的是她内心的哀怨与孤独。明知丈夫深夜还未归家的真正原因,却还要去“猜”,因为她不敢、也不愿相信此时此刻的丈夫也许正在眠花卧柳。作者首句用一“猜”字把女主人公缠绵幽怨、矛盾忧郁的心情刻画得细致入微。

正在女主人公忧愁烦闷之时,事情有了发展:“铜驼巷里玉骢嘶,夜半归来醉。”只听到巷中的马嘶声,知是她丈夫深更半夜醉酒归来。“铜驼巷”,古街道名,在今河南洛阳市内,以道旁曾有汉代所铸两只铜驼相对而得名,为古代著名的繁华区域,故俗语有云:“金马门外集众贤,铜驼陌上集少年。”这里用以代指繁华游乐之处。“玉骢”,即玉花骢,泛指骏马。女主人公既然早已“猜破”,按常情一进门就该给他一点颜色看看,可她却忍气吞声,“小意收拾”,小心伺候着这位“夜半归来”的醉汉,这在情节上就造成悬念:她是害怕丈夫的淫威而小心翼翼?还是因为他酒醉,出于关心而辛勤照料?抑或是故作小心而想给丈夫一个主动悔改的机会?不管是哪种心理,都可以看出她是竭力在“忍”。已经暗自“风流”的男子,此刻该倍感妻子的宽厚善待之情,然而,他却出人意外地装模作样地摆架子:“怪胆禁持”。也许,他在暗自庆幸自己的“风流谜”没有被识破;也许,他在伪装自己的“高大”。终于,忍无可忍的女主人公责备道:“不识羞谁似你!”再看男子,又再次出人意料地既不辩解,也不叫骂,“自知,理亏,灯下和衣睡”。女主人公的轻嗔、薄怒,丈夫的先硬后软,读来不禁令人哑然失笑,玩味不尽,结尾的锐意创新,与原词相比,可以说是别有洞天。

这首散曲的写法与风格在元曲中是极有特色的,本曲虽短小,却像小小说一样在情节上有开端、发展、高潮、结局,把夫妻生活中的“风流谜”写得生动传神。与前引《醉公子》词相比,语言雅俗交融,情节较曲折,人物刻画也更细腻。作者透过“清丽”的词句表现出一种婉曲的风格,同时又不失散曲所特有的幽默诙谐之趣。这也表明了张可久的创作虽以典雅清丽为主,但也有自然活脱之作,说明他的曲作风格的多样性。

(卢秀华)

# 【中吕·卖花声】

张可久

## 怀古(二首)

阿房舞殿翻罗袖，金谷名园起玉楼，隋堤古柳缆龙舟。不堪回首，东风还又，野花开暮春时候。

美人自刎乌江岸，战火曾烧赤壁山，将军空老玉门关。伤心秦汉，生民涂炭，读书人一声长叹。

### 鉴赏

在元人散曲中，令曲与传统诗词的韵味或者相近、或者相远。这两首怀古之作的《卖花声》，"阿房舞殿翻罗袖"一篇，便与诗词韵味相近。此曲首先平列三事：一是秦始皇在骊山造阿房宫以宴乐；二是西晋富豪石崇在洛阳建金谷园以行乐；三是隋炀帝"筑堤植柳"，修大运河下扬州游乐。这三个例子，不同时，但性质是一样的，都是封建统治者穷极奢靡而终不免败亡的典型。作者先点出事端，然后以"不堪回首"四字约略寓慨，没有发表任何史论，即以景语结束道："东风还又，野花开暮春时候。"这种手法，就是诗词常用的以"兴"语作结的写法。

宋沈义父谈填词道："结句须要放开，含有余不尽之意，以景结情最好。"(《乐府指迷》)以兴作结，或以景结情，已大量见于唐诗。刘禹锡《石头城》是一例："山围故国周遭在，潮打空城寂寞回。淮水东边旧时月，夜深还过女墙来。"《乌衣巷》也是一例："朱雀桥边野草花，乌衣巷口夕阳斜。旧时王谢堂前燕，飞入寻常百姓家"。此曲在写法上，和它们非常接近，此外，曲中还运用了对比的手法——结尾的春意阑珊之凄清景象，与前三句的繁华盛事一热一冷，一盛一衰，一乐一哀，形成强烈对照，造成强烈的艺术张力，可引发读者无尽的感慨。

"美人自刎乌江岸"篇则更有曲味，与诗词韵味相去较远。这用不表现在前三句,因前三句是鼎足对,先列举三事,手法似乎与前首相同——“美人自刎乌江岸”,是霸王别姬故事;“战火曾烧赤壁山”,是吴蜀破曹的故事;“将军空老玉门关”,则是班超从戎的故事,乍一看来,这三事的性质并不相类。而紧接的“伤心秦汉,生民涂炭”两句,说到了世世代代做牛做马的老百姓,读者才明白了前三句在内容的同一性——就是少年毛泽东在阅读中发现的那个事实,所有的历史记载中,没有耕田种地的老百姓;用于右任的话来说,就是“班超苏武满青史”。而普通老百姓呢,用张养浩《山坡羊》的话来说就是:“兴,百姓苦;亡,百姓苦。”一部封建社会历史就是统治阶级的相斫史,而受害者只是普通百姓而已。用本篇作者的话来说,则是“生民涂炭”。强烈的对比,直接激发了最后的一句——“读书人一声长叹”,令人感到惊心动魄。

此曲与张养浩《山坡羊》一样,在内容上是极富于人民性的,这样的作品出现在封建时代,是特别令人肃然起敬的。清代诗人袁枚《马嵬》说:“莫唱当年长恨歌,人间亦自有银河。石壕村里夫妻别,泪比长生殿上多。”与此曲亦有异曲同工之妙。我们应该为这样的作品浮一大白。在语言形式上,此曲则贴近口语,尤其是“读书人一声长叹”的大白话,安排在“伤心秦汉,生民涂炭”这一整饬的、相对文雅的短句之后,更造成一种谐趣,有一种蒜酪味、蛤蜊味,所以与诗词韵味相去较远。

(周啸天)

# 【中吕·卖花声】

张可久

## 客况(三首其二、其三)

十年落魄江滨客,几度雷轰荐福碑,男儿未遇暗伤怀。忆淮阴年少,灭楚为帅,气昂昂汉坛三拜。

登楼北望思王粲，高卧东山忆谢安，闷来长铗为谁弹？当年射虎，将军何在？冷凄凄霜凌古岸。

鉴赏

张可久此调以《客况》为题的小令共三首，这里选的是二、三两首，从“十年落魄”和曲中透露的理想来看，最有可能是中年时期所作。

前首的前三句，抒发了自己十年奔波劳碌求仕，却命途多舛，落魄不遇。“十年”，略举成数，十年左右，见其时间漫长；如果是二十年，就当说“廿年”，故谓其中年所作，大致不差。“江滨客”，说明在长江南北两岸漂泊流浪，见其空间遥远。作者青年时期就开始漫游湘、赣、苏、皖等地，均属江滨。“雷轰荐福碑”故事见于宋释惠洪《冷斋夜话》，谓范仲淹守鄱阳，为周济穷书生张镐科考路费，准备纸张拟次日拓印荐福寺欧阳询所书碑文千本变卖，不料头晚巨雷将碑击碎。后世用以说明命运倒霉。“几度”遭此厄运更是时乖命蹇，其穷途窘困之状可谓无以复加了。故作者惨然喟叹“男儿未遇暗伤怀”，自在情理之中。一个“暗”字，包含了多少无处诉说的辛酸苦恨和世态炎凉。后三句以“忆”字领起，笔锋突转宕开，遥想淮阴侯韩信当年，也曾乞食漂母，也曾受项羽冷落，也曾受胯下之辱，但他能忍辱负重，终于经张良萧何推荐，汉高祖筑坛拜将，挂帅灭楚兴汉，成为善于用兵、威名远震的开国功臣。这三句，既是作者渴望积极入世、大展宏图、建功立业理想的曲折流露，也是其从潦倒失意中自我心理调节的慰藉。

后一首开头三句用鼎足对铺叙三事：每当登楼观景，就想起建安七子之首的王粲，当年在荆州依刘表，志不得展，故登当阳城楼作《登楼赋》，表达了思乡之情和渴望建功立业的抱负；每当闲卧之时，就想起晋代高卧东山，朝廷屡征不起的谢安；每当烦闷之时，就想起冯谖客孟尝君，三次弹剑而歌，要求食鱼、派车、养家，孟尝君都答应落实，终为孟尝君建狡兔三窟，巩固了他的相位。“为谁弹”则谓我未能遇上孟尝君那样的主人，纵然弹铗高歌，去向谁弹、有谁理我呢？用三典各有侧重“思王粲”侧重于怀才不遇而思乡“忆谢安”侧重于守志待时；“长铗弹”侧重待价而沽却不售。这三句一波三折，分别表达了从失望转为希望、由希望又转为彷徨无望的曲折心态，反映了作者在进退行藏中的矛盾、自我平衡和矻矻挣扎的心路历程。“当年射虎”以下三句，则是在彷徨无望中以飞将军李广的悲剧来告诫自己:只能听天由命,命运是无法抗拒的。当年多次射杀猛虎,武艺超群,抗击匈奴威名远震的飞将军李广,最终还不是因"数奇"(实则是统治者待之不公)而饮恨自刎吗?"固一世之雄,而今安在哉?"(宋苏轼《赤壁赋》)只有"冷凄凄霜凌古岸"似乎在为他默默哀悼。言外之意,人生的穷达、得失、荣辱、寿夭,到头来不都是一抔黄土吗!自己又何必耿耿于怀呢,还是随遇而安吧。实则以庄子"齐物论"来自我宽解也是无奈。

这两首小令的相同点,都是借古伤今,前半截都是铺陈命途多舛,怀才不遇的悲愤;区别在后半截,前首是忆韩信拜将得志而以"气昂昂"作结;后首是吊李广"数奇"失意而以"冷凄凄"收尾。第一首前后哀乐对比强烈,第二首通篇起伏交错跌宕。前首相对直抒胸臆,后首几乎句句用典。前者是悲而后壮,后者是顿挫沉郁,但都有别于作者典雅清丽的主流风格。故两首对读欣赏,相得益彰。

(熊　笃)

## 【中吕·齐天乐过红衫儿】

张可久

### 道情(二首其一)

人生底事辛苦?枉被儒冠误。读书,图,驷马高车,但沾着者也之乎。区区,牢落江湖,奔走在仕途。半纸虚名,十载功夫。人传梁甫吟,自献长门赋,谁三顾茅庐?　　白鹭洲边住,黄鹤矶头去,唤奚奴,鲙鲈鱼,何必谋诸妇。酒葫芦,醉模糊,也有安排我处。

鉴赏

小山《道情》共二首，此为第一首。所谓“道情”即“道家之情”，元散曲中较多此标题。明初朱权《太和正音谱》曰：“道家所唱者，飞驭天表，游览太虚，俯视八纮，志在冲漠之上，寄傲宇宙之间，慨古感今，有乐道徜徉之情，故曰‘道情’。”此曲即然。

这首带过曲由〔齐天乐〕和〔红衫儿〕两曲构成，〔齐天乐〕着重写读书人的仕途奔竞之苦和功名不遂的满腹牢骚。作者以问句开头，答句却让人惊讶，因为中国的知识分子自古以来以读书为上品，以头上那顶儒冠作为进身仕途的光环，而作者却说自己“被儒冠误”了，其强烈而深沉的人生感慨充溢于字里行间，如果不联系元代社会现实和作者的人生经历，是很难理解的。元代科举停废达八十年之久，知识分子追求功名的出路被堵塞，失去了进身之阶，地位一落千丈，张可久一生奔波于仕途，正像他自己说的“为虚名消尽朱颜”，但“四十犹未遇”(《小山乐府》)，始终沉抑下僚。所以作者的这一感慨呼喊出了他自己也包括整个元代失意士子的辛酸与悲苦。三四五句，写读书人的抱负。“驷马高车”，指司马相如事，他当年离蜀北上宦游，经成都升仙桥时，曾发誓“不乘驷马高车，不过此桥”，意思是一定要立功扬名，衣锦还乡。世世代代的读书人也都以司马相如为学习的榜样，唐诗有“应学相如志，终须驷马回”句(许浑《将赴京师留题孙处士山居》)。六至九句，写读书人的苦况。一旦“沾着者也之乎”，走上读书应举之路，就注定了一生的悲运。“区区”通“驱驱”，谓奔走尽力。“牢落”是“孤寂无聊”。如此十年苦读，换得的只不过是“半纸”(即片纸)的虚名。后三句借用诸葛亮和司马相如的典故来表现自己的政治抱负与怀才不遇的感慨。《梁甫吟》所表现的是渴望得到君主的任用，诸葛亮隐居隆中时经常吟诵，后来果然遇到刘备这样的明主，被请出山，得以实现自己的政治抱负。司马相如为失宠的陈皇后写了一篇《长门赋》，感动了武帝，使陈皇后重新得到宠幸，也让武帝赏识到自己的文学才华。而作者却没有这样的际遇，不免喟叹“谁三顾茅庐”？以问句结尾，却没有答案，表达的是自己空有抱负却不遇明主、无人赏识的内心痛苦。作者在抒发自己内心愤懑的同时，也道出了古往今来大部分知识分子尤其是元代知识分子的真实心声。

接着〔红衫儿〕一曲回转笔头为读书人“安排”了另外一条出路那就是找个白鹭洲、黄鹤矶那样的好地方做个隐士,既可以纵情诗酒,又不必与妇道人家去商量家务,无拘无束地尽享自然之美,何其快哉!最后三句写隐士以酒为伴,整天酩酊大醉,大有"但愿长醉不复醒"的姿态与旷达。再联系上一曲,作者的感情似乎从牢骚愤懑一下子跳跃到了悠然自适的放逸情怀,实是侧写抒情,以景语反衬读书人的无奈选择与归宿,反映了作者逃避现实、消极玩世的思想,但何尝没有读书人怀才不遇的悲叹!曲至末尾更增添出一层凄切悲凉的色彩。

此曲化用典故妥帖自然,有诗的凝练亦有词的蕴藉,有杜甫的沉郁亦有陶潜的旷达,这说明他的作品风格并非一味地"清丽",也正因为他作品风格的丰富性与多样性才使得他在创作上自成一家,并与乔吉齐名,成为元代中后期曲坛的翘楚。

(卢秀华)

## 【中吕·满庭芳】

张可久

### 客中九日

乾坤俯仰,贤愚醉醒,今古兴亡。剑花寒夜坐归心壮,又是他乡。九日明朝酒香,一年好景橙黄。龙山上,西风树响,吹老鬓毛霜。

**鉴赏**

从曲中用孟嘉参军典故判断,此曲当是作者在外地作佐吏时所作。具体时间地点均不可考。曲子表现诗人沉抑下僚、壮志难酬、老大无成的悲愤之情和决心归隐之意。

开头三句用六组反义词组成鼎足对,不但工巧,尤见突兀破空而来,铿锵掷地有声,有大气包举、牢笼万象、勘破世情、悲愤填胸的气势。俯仰天地乾坤,广大无穷,竟无我立足用武之地;面对世道贤愚不分,借酒浇愁,以醉排遣,但醒来仍是悲愤难平;阅尽古今兴亡,盛衰荣辱、穷通得失,终久也是"百岁光阴如梦蝶”,一抔黄土而已。三句感情也由愤激排遣到勘破了悟,透露出作者进退行藏的心理矛盾。

“剑花”二句,才交代以上感慨原来是诗人重阳节前夕独坐室内发出的,因而有承上启下的作用。“剑花寒”化用隋明余庆《从军行》:“剑花寒不落,弓月晓逾明”句意,但此处是作者酒后拔出宝剑,看着剑如霜花,寒光闪闪,发出了以上慨叹,犹如宋辛弃疾《破阵子》中“醉里挑灯看剑”的心事,想到自己十年磨剑,却无用武之地,漂泊他乡,还不如“归去来兮”。“归心壮”表现归隐心切的坚决。“又是他乡”,说明已多次在异乡度过重阳的感慨。

“九日”以下五句,则是缘情造景,预想明天重九登高宴饮情景。虽然登高赏菊,美酒飘香,观赏遍山橙黄的斑斓秋色,不失为一种乐趣;但是萧瑟的秋风会不仅吹掉头上帽子,更会吹尽无边的萧萧落叶,也会吹老了自己鬓毛由黝黑变为白霜。“一年好景橙黄”是化用宋苏轼《赠刘景文》诗“一年好景君须记,正是橙黄橘绿时”句意;“龙山上”是反用晋孟嘉“龙山落帽”典故:孟嘉是桓温参军,重阳节群僚游龙山宴集,风吹孟嘉帽落,他毫不在意,照样欢饮如故。而这里却是“西风树响,吹老鬓毛霜”。看着秋风扫落叶,自然触景生悲秋之情,诚如宋欧阳修《秋声赋》所说:“奈何以非金石之质,欲与草木而争荣?”作者想到自己行年将老,哪里还能经受这种年年秋风白发的蹉跎岁月呢!言外之意还是及早归隐吧,恰与前面第四句遥相呼应。

此曲气势磅礴,苍凉悲壮,极为沉郁。结构富于变化,开头破空突兀而来,第四句才交代是夜间看剑而起的心潮澎湃,这是一层开合跌宕;后五句又缘情造景,想象明天景象,而先以秋色乐景反衬结尾三句悲秋之情,又是一层开合跌宕。因而文情格外摇曳生姿。

(熊　笃)

## 【南吕·金字经】

张可久

### 春　晚

惜花人何处?落红春又残。倚遍危楼十二阑。弹,泪痕罗袖斑。江南岸，夕阳山外山。



## 鉴赏

这篇小令写一位女子的伤春怀人之情,内中不无作者失意沦落情怀的寄寓。

"惜花人何处?"小令开篇便是作者对于惜花人的追寻。在这春光旖旎,百花争艳的季节,看似如此美好,却独独没有惜花人,空有春花孤独而寂寞地开着,直至,春残了,花谢了。为何没有惜花人,是他不懂欣赏这春日的美景,所以才让花儿凋零在冰冷的土地上?此处对"落红""春残"的伤悼,无疑是女主人公对自己韶华流逝、红颜暗老的悲叹。

在惜春伤春进而自怜自伤的愁闷心境中,于是独倚危楼。在古典诗词中,常见别时折柳,悲则望月,愁即凭栏的描写,无论是李后主的"独自莫凭栏,无限江山"(《浪淘沙》),还是欧阳修"十二阑干堪倚处,聊一顾,乱山衰草还家路"(《渔家傲》),无不是登高怀远、触景伤情的叙写。曲中伤心女子即便"倚遍"高楼上的十二栏杆,依旧没能望见她深情期盼的那位"惜花人",万般无奈,仍只有伤心叹息,珠泪暗弹。

"弹,泪痕罗袖斑。"当她凭栏远望,进入眼帘的是江南晚春的残景,这即将逝去的春天,犹如自己流逝的年华。忆旧游,思故人,往事历历,千愁万绪,唯有将两行珠泪,寄予昨日的悲愁与今日的残春落花。伤心女子一次次弹去眼角泪珠,罗袖上已经是泪痕斑斑了,由此,她遍倚危楼历时之久,思念之浓,伤感之深,便不难想象。

"江南岸,夕阳山外山。"山头余落日,夕阳照江南。江南岸边,在夕阳辉映之下,只见一重重山峦,横亘绵延,直到天边。落寞的夕阳映照江南,也投射到危楼的栏杆上,为伤心女子做了个孤独的剪影。暮色渐入高楼,她所思念的"惜花人"仍旧杳无踪影,也就无人会这片凭栏意。这里化用欧阳修《踏莎行》中"平芜尽处是春山,行人更在春山外"句意,但境界更有开拓。

元代散曲,以自然通俗、明快爽辣为主流,但小山作曲,却大多清新婉丽,与词为近,为曲中别派。此首小令,即是小山散曲代表作之一。曲中落花、危楼、阑干、泪痕、罗袖、夕阳、江岸、远山等意象,即为词中常见,小山巧为组合,推陈出新,虽然没有明写伤春女子以及她的相思怀人之情,但却通过晚春残景的各种意象照应勾连,创造出凄美落寞、悲凉衰飒的意境,从而表现了凭栏女子的伤春怀人之情。整首小令寓情于景，情景交融，将凭栏女子的满腹愁情，赋予给了花无人赏的无限怜惜和惜花人何处的深深幽怨中。小山一生沉抑下僚，年七十余尚为昆山幕僚，仕途极不得志，从曲中那位凭栏女子的落寞中，也不难体悟到他沦落不遇的伤感。

（徐语诗）

## 【南吕·金字经】

张可久

### 闺　怨

宝鉴残妆晕，帕罗新泪痕。又见梨花雨打门。因，玉奴心上人。无音信，倚阑看暮云。

鉴赏

古来写闺怨的诗词广而有之，例如《诗经》的《卫风·伯兮》便是闺怨诗的滥觞，唐王昌龄的《闺怨》更是闺怨诗中的翘楚，唐以后的闺怨诗词更是灿若繁星了。这种男性以女性口吻代言闺怨，如柳永、温庭筠、周邦彦等人，莫不擅长于此。在元散曲中，以张可久、乔吉、徐再思等人为代表的清丽派曲家，亦乐于这一题材。张可久的这首《闺怨》小令，虽然着墨不多，但闺中怨女的怀人深情却跃然纸上。

“宝鉴残妆晕”，我们仿佛可以看见一名女子抚镜自照，镜中的容颜已见模糊，因为美妆已残。为何是残妆？从下一句“帕罗新泪痕”可知。“帕罗”即罗帕，此处为照顾平仄而倒置。因为泪晕散乱了妆颜，罗帕上也是点点新泪痕盖旧泪痕。吟罢这两句，我们不禁在想，究竟是怎样的忧愁和伤痛，让她如此难过，竟然满面泪痕，既使化妆残乱，也湿透了罗帕。这让我们不得不往后读。

“又见梨花雨打门”，门外又是淅淅沥沥的雨打梨花。人在门内伤心，不忍面对雨打花落的伤心景象，因而深闭房门，正所谓“寂寞空庭春欲晚，梨花满地不开门”（唐刘方平

《春怨》),“欲黄昏,雨打梨花深闭门”。(宋李重元《忆王孙》)。可这雨点却不依不饶,偏偏还要打在她的门上,让她欲避不能,这让她情何以堪!而这一切的伤心难过,却都是因为“玉奴心上人”。“玉奴”指的应该就是这名伤心女子。在诗词中,玉奴多泛指美丽女子,如宋苏轼《四时词》:“起来呵手画双鸦,醉脸轻匀衬眼霞。真态香生谁画得?玉奴纤手嗅梅花。”都是因为这位女子的心上人,让她如此泪流满面,哭得如梨花春带雨。那她的心上人做了什么让她伤心了?

“无音信”,原来,心上人音信全无!狠心的人儿,难道你不知我在此为你苦苦等候吗?为什么连一点音信都没有呢!这不禁使人联想到晚唐五代顾夐的《诉衷情》“永夜抛人何处去?绝来音”,也许真的只有“换我心,为你心,始知相忆深”。在极度伤心、百无聊赖之际,这位闺中女子只有“倚阑看暮云”了。她独自一人,凭栏远眺,看暮空中云卷云舒,她的满怀闺怨愁情,也最终融入愈来愈暗的苍然暮色中了。

作者在这支小令中,从残妆和泪痕着笔,一层层撩开了闺中女子相思怀人的愁苦情怀,到最后以“无音信”的点笔,对前面泪流妆残的描写做了解答,也与后一句“倚阑看暮云”形成了呼应。整篇小令结构紧凑,情感浓郁,描写生动。“残妆晕”“新泪痕”“梨花雨”“看暮云”等组合在一起,层层烘托,将闺中女子思君君不知、不得君音信的痛苦,相思成疾、终日惶惶无奈的情绪表现得极其传神。元散曲前期创作崇尚自然真率,如关汉卿《别情》“自送别,心难舍,一点相思几时绝”等,后期如张可久等人则追求清丽雅致,曲风有了明显变化。小山融合诗、词作法于曲,形成了一种清丽而不失自然的风格,在元散曲的曲风转变中起了重要作用。

(徐语诗)

## 【南吕·金字经】

张可久

### 乐　闲

百年浑似醉,满怀都是春。高卧东山一片云。嗔,是非拂面尘。消磨尽，古今无限人。

范蠡黄金像，谪仙白玉杯，不若渊明解印归。谁，似他能见机？醺醺醉，免人谈是非。

**鉴 赏**

这两首小令都是抒发隐居乐道的悠闲，但骨子里却隐藏着愤世的潜流。张可久才华出众，贯云石说他“小山以儒家读书万卷，四十犹未遇”(《今乐府序》)；钱惟善《送小山之桐庐典史》赞美他“公干才名倾邺下，小山词赋擅江南”；大食惟寅《奉寄小山先辈》说他“词林谁出先生右？独占鳌头”；贾仲明《凌波仙》称赞其作品是“荆山玉，合浦珠，压倒群儒”；李开先更把他与乔吉比作李杜；而王骥德、刘熙载均认为张在乔之上。然而小山一生沉抑下僚，只当过路吏、典史、监酒税等小吏，七十岁还为衣食屈作昆山幕僚。故他一生虽歌颂、向往隐逸，但最终也未真正归隐，说明他充满仕隐矛盾，有很多难言苦衷，因此表面的隐居乐道并不能掩盖其内心的屈辱和愤懑不平。

第一首开头两句分别浓缩宋苏轼《满庭芳》词“百年里，浑教是醉，三万六千场”和宋陈郁《未庵为吴应祥赊赋》“生意满怀都是春”句意。用以说明在是非颠倒、贤愚不分的社会里，只有整个人生都保持醉态，才能免受气愤烦恼的干扰，醉醺醺地浑身觉得充满了春意融融的温暖。第三句说要像东晋谢安那样高卧东山，如一片白云那样自由自在、无牵无挂地悠闲。谢安在出仕之前曾经隐居会稽东山，朝廷屡征不起，事见《世说新语·排调》及《晋书》本传。第四句笔锋突转，以下三句都写愤怒生气的事：隐居就为躲避是非，可是非之风仍然拂面而来给你满脸抹上尘垢，让你蒙受许多污蔑或屈辱，这种烦恼的纠缠，不知消磨尽古今多少人的身心健康啊！作者难言的切身之感自然也隐含其中。

第二首开头举范蠡、李白二事，与陶渊明对比。据东汉赵晔《吴越春秋》卷一《勾践伐吴外传》，越王勾践灭吴之后，正要论功行赏，而功高的谋臣范蠡却飘然遁去，“越王乃使良工铸金像像范蠡之形，置之座侧，朝夕论政。”谪仙，唐贺知章读李白《蜀道难》之后，称李白为“谪仙人”。白玉杯，代指美酒，唐陆羽

《歌》云:“不羡黄金垒,不羡白玉杯。”这两句意谓范蠡走后越王才铸铜像纪念,李白在长安享受皇家美酒,都不如陶渊明解除官印归隐田园更好。第四句以下紧承陶渊明评说,没有人能像他那样洞见世道变化的迹象征兆,从而正确选择归隐道路,终日饮酒为乐,醉醺醺地避免了世人的拨弄是非。

这两首曲子都是直抒胸臆,在赞扬谢安、陶渊明的隐居生活中,含蓄地批判了世俗的搬弄是非、颠倒黑白的现象,其中隐含着自己仕隐矛盾的难言苦衷。两首的风格都是豪放而又沉郁,与小山多数清丽蕴藉的小令相比,别具一格。

(熊　笃)

## 【南吕·金字经】

张可久

### 感　兴

野唱敲牛角,大功悬虎头。一剑能成万户侯,愁,黄沙白髑髅。成名后,五湖寻钓舟。

#### 鉴赏

此曲有感于历史上建功立业、进退行藏的英雄事迹,抒发了作者渴望功名、推崇功成身退的人生理想。

开头二句合璧对,用两个典故表现风云际会、建功立业的两种类型。“野唱敲牛角”典出《史记·邹阳列传》:春秋时齐国甯戚在牛车下喂牛,叩牛角而歌,齐桓公听到后认为是贤人,拜为上卿。此乃一鸣惊人,由贱民飞黄腾达的典型。“大功悬虎头”典出《后汉书·班超传》:班超曾让卜者看相,“超问其相,相者指曰:‘生燕颔虎头,飞而食肉,此万户侯相也。’”后班超投笔从戎,出使西域,屡建奇功,果然封万户侯。这是书生以边塞战功而封侯的典型。其中也隐含作者自己渴望有甯戚、班超那样的机遇,能大展宏图、建功立业的抱负。

三四两句一笔宕开,泛说古今,从正反两面评价荣辱得失:古往今来,不少人都渴望从军立功边陲,一剑横行天下,博得万户侯。如唐王昌龄《青楼曲》“金章紫绶千余骑,夫婿朝回初拜侯”;王维《陇头吟》“身经大小百余战,麾下偏裨万户侯”;李贺《南园》“请君暂上凌烟阁,若个书生万户侯”等等。但到头来还是让人发愁:君不见,千古英雄最终不也成为黄沙掩埋的白骨骷髅吗!且不说像飞将军李广那样有多少老将最终也未能封侯,也不说唐人感叹“古来征战几人回”,“悔教夫婿觅封侯”;就算班超虽然博得万户侯,但他在西域长达三十一年,年将七十上疏乞归说:“臣不敢望到酒泉郡,但愿生入玉门关。”不也是怕老死塞外,成为“黄沙白髑髅”吗?翌年召回洛阳,三个月就病死了。这里显然流露出作者仕隐进退的矛盾心理。

结尾二句才是作者对人生理想的正确选择:要解决上述矛盾,就要效仿范蠡的功成身退。范蠡为越王勾践雪耻复国,饱尝艰辛,但灭吴之后,正要论功行赏,他却飘然遁去,泛舟五湖,隐姓埋名经商,号陶朱公。因为他知机:帝王只可共患难,不能共安乐。所谓“狡兔死,走狗烹”乃是历代帝王的共性。所以李白的最高理想也是功成身退。但历史上除了范蠡、张良、唐代李泌,元代张养浩等几人外,又有几个能真正能做到功成身退呢!

此曲寓议论于典故之中,言简意赅。开头并列两个典型,腹间做正反评议,结尾综合选择,层次井然,颇具说服力。然议论都具有形象和情韵,故并无枯燥之感。

(熊　笃)

## 【双调·水仙子】

张可久

### 次　韵

蝇头老子五千言,鹤背扬州十万钱,白云两袖吟魂健。赋庄生秋水篇,布袍宽风月无边。名不上琼林殿,梦不到金谷园,海上神仙。

## 鉴赏

此曲何时何地所作，与谁赓和次韵，皆不可考。但从这种浮云富贵、粪土王侯的气魄上和主动夸耀出世思想、不像是愤激之言来判断，似应作于前半生中青年时期更合情理。曲子表现了作者鄙夷功名富贵，追求摆脱名缰利锁，无拘无束、自由逍遥的风月神仙般的浪漫生活理想。

开头三句写人生观的选择。前两句用的是反面工对。蝇头老子，指小字排印或手抄的《老子》五千言，亦称《道德经》，是道家的经典。老子主张自然无为、与世无争、全身保真的思想。“鹤背”句典出《说郛》所载《殷芸小说》：“有客相从，各言其志……其一人曰：‘腰缠十万贯，骑鹤上扬州。’”这是追求功名富贵繁华的梦想，与老子的主张相反。通过比较，作者自然取前者而弃后者，故第三句正面表达自己的人生观：“白云两袖”即两袖清风，如白云一样自由在天地中翱翔，摆脱一切功利束缚，诗魂才能更加矫健旺盛。

中间二句是强调自己的价值观。赋，禀受之意。谓禀受《庄子·秋水篇》，就能舒展视野，开阔心胸，摆脱名利得失的羁绊，犹如身穿宽大的布袍，就能包揽无边的清风明月、万千美景。《庄子·秋水》主要探讨价值判断的无穷相对性。要认识自然规律，就要开阔眼界胸怀，认知时空的无穷与事物的变化不定，诸如大小、长短、贵贱、荣辱等都具有无常性，人只能顺应自然，不可妄为强求，必须突破主观的局限和固执，以开放的心灵去关照万物，才能获得自由潇洒。

末尾三句，从正反两面突出自己的理想目标。“名不上”“梦不到”表示否定两种理想目标：“琼林殿”是宋代汴京宴请新科进士之地，此代指功名；“金谷园”是西晋石崇的洛阳名园，此代指豪富。否定这两种目标之后，再正面表达所肯定的目标，那就是做一个自由自在、遨游天下的海上神仙。“海上”即江海之上，代指在野隐士，与代指当权的朝堂“魏阙”相反。语出《庄子·让王》：“心在江海之上，心居乎魏阙之下。”

此曲风格豪放旷达，浪漫潇洒，与其晚年那种沉郁悲凉风格很不相同。结构上首尾三句都用对比选择，中间二句正面抒发，层次井然。语言多用典故但并不晦涩，词约意丰，引人浮想联翩。

（熊　笃）

## 【双调·水仙子】

张可久

### 归　兴

淡文章不到紫薇郎，小根脚难登白玉堂，远功名却怕黄茅瘴。老来也思故乡，想途中梦感魂伤。云莽莽冯公岭，浪淘淘扬子江，水远山长。

**鉴赏**

此曲写作者宦游在外，回杭州途中的归家感兴。从"老来"句和"扬子江"顺流而下的路线来看，当作于晚年在长江下游地区。曲中表现出一生沉抑下僚、功名无望，但又不甘就此归隐的矛盾心理以及水远山长、梦魂相牵的思乡之情。

开头三句用鼎足对铺陈自己的仕隐矛盾。前两句是愤激语：说自己诗词曲之类只是清淡味薄的文章，不是安邦治国的鸿文高论，引不起朝廷的重视，到不了中书郎那里；自己寒儒的家世，没有显贵的背景，因而也不可能登上翰林院。紫薇郎，指中书省郎官，包括中书侍郎、中书舍人、左右司郎中、员外郎等。小根脚，指出身家世浅薄。《元典章·解由式》："三代后即开本官根脚，元系何出身。"白玉堂，代指翰林院。此二句都写功名无望，不能兼济天下，言外之意只有隐居独善其身了。但第三句谓，又怕山林间黄茅草丛湿热蒸发的瘴气太重，致人疾病。由此陷入进退两难而又于心不甘的矛盾之中。

以上三句写归家途中的思想矛盾，是为"老来"句以下转写思乡之情作铺垫。之所以"老来"还在天涯宦游求仕，之所以隐居又于心不甘，都只因为封建文人遵循传统道德："万般皆下品，唯有读书高"。只有做官才有俸禄，才能养家活口，光宗耀祖；而务农做工经商，都是不屑一顾的。这就是前后两段的逻辑联系。故"老来也思故乡"，不但是亲情系念，更有双亲病老赡养、妻孥嗷嗷待哺、儿女成年嫁娶等等责任，这样沉重的负担压力怎能不叫他归途中“梦感魂伤”呢！故结尾三句写归心似箭：坐在船上，云雾莽莽，看不到杭州灵隐寺西的冯公岭(俗称石人岭，即作者卜居之家)；但见波浪滔滔的扬子江(古称汉口至扬州的一段长江，但也可通称长江)。其实即使没有云雾也不可能看到杭州那么远，怨“云莽莽”写归心似箭的理想，见“浪淘淘”才知空间距离的现实。故结句感叹：离杭州的家真是水远山长啊！天涯羁旅之愁，落拓不遇之悲，恰如扬子江“一江春水向东流”，无穷无尽。

此曲前半写进退尴尬的矛盾，外表谦卑，实则骨子里充满愤激不平，如“淡文章”“小根脚”，皆语含反讽。后半思乡的负担和心切，皆淡语隐含深意，如“老来思乡”“梦感魂伤”，隐含着沉重的责任负担。“冯公岭”写幻想，“扬子江”写现实，“水远天长”写悲愁无穷，并见沉郁蕴含。而前后两半，看似各不相干，实则隐藏着紧密的内在联系。凡此都是此曲“意内言外”的匠心之处。

(熊　笃)

## 【双调・折桂令】

张可久

### 九　日

对青山强整乌纱，归雁横秋，倦客思家。翠袖殷勤，金杯错落，玉手琵琶。人老去西风白发，蝶愁来明日黄花。回首天涯，一抹斜阳，数点寒鸦。

**鉴赏**

此曲可能作于作者晚年任徽州税务大使德清松源监酒税或昆山幕僚之时，约当至正前十年间，此时作者已六七十岁了。“九日”指重阳节。写重阳宴游所见所思所感，表达了作者一生沉抑下僚，至老漂泊，仕隐两难，倦客思家的悲凉之情。

开头三句写厌倦官场的思归情

怀。首句的“青山”隐含有归隐的意象,如马致远《秋思》套中“红尘不向门前惹,绿树偏宜屋角遮,青山正补墙头缺”;“强整乌纱”已伏下文“倦”字,是反用晋代孟嘉“龙山落帽”典故:孟嘉是桓温参军,重阳节群僚游龙山宴集,风吹孟嘉帽落,他毫不在意照样欢饮如故。而此处是说,面对青山,隐居之心已飞向远方,故觉头上乌纱羞愧难堪,弃之衣食无着,留之心为形役,在仕隐矛盾中,“强整乌纱”。但看到天空一行“归雁”,又兴起“倦客思家”了。三句由隐到显,正见曲折。

“翠袖”三句写筵前歌女劝酒,音乐助兴的场面。“翠袖”代指歌女,宋晏几道《鹧鸪天》“彩袖殷勤捧玉钟”,宋辛弃疾《水龙吟》“倩何人、唤取红巾翠袖,揾英雄泪”。歌女殷勤侑酒,金杯觥筹交错,玉手琵琶助兴,俨然一片浪漫欢乐情景。这正是作者为了“以乐景衬哀”,“倍增其哀乐”而蓄意安排的跌宕章法。

“人老去”二句,又转入抒写悲情:回顾自己前半生“四十犹未仕”;后半生从四十二岁起至今二十多年才混上绍兴、衢州、桐庐、徽州几任路吏、典史、税使之类的小吏,现已白发苍苍、垂垂老矣。孔子说:“四十五十而无闻,斯亦不足畏也。”自己还有什么奔头呢?正如明日黄花的衰败,连蝴蝶也都发愁啊。此化用宋苏轼《九日次韵王巩》“相逢不用忙归去,明日黄花蝶也愁”句意。

结尾三句,将一片哀情寄寓在凄凉的写景中作结。回顾天边远处,一抹斜阳暗淡的余晖正在逐渐消失,几点寒鸦发出哀鸣向远处飞去。这景象不正像自己沦落天涯,在西风白发中犹自苦苦挣扎的凄凉晚景吗!此处化用宋秦观《满庭芳》词中“山抹微云,天粘衰草”“斜阳外,寒鸦数点,流水绕孤村”的意境,但秦词中是衬托青年男女离别时的凄凉,而此曲的“斜阳”却隐含自己的衰老如残阳余晖,“寒鸦”也比兴天涯游子的飘零凄凉。故虽化用,却更贴切。

善于化用前人故事和名句入曲,而又如盐溶水,不露痕迹,是此曲最突出的一大特色。此外篇法上,在悲情悲景中插入一段乐情乐景作为反衬,使之“倍增其哀乐”,也是本篇的巧妙之处。

(熊　笃)

# 【双调·折桂令】

张可久

## 读史有感(二首其一)

剑空弹月下高歌，说到知音，自古无多。白发萧疏，青灯寂寞，老子婆娑。故纸上前贤坎坷，醉乡中壮士磨跎。富贵由他，谩想廉颇，谁效常何？

### 鉴 赏

张可久〔折桂令·读史有感〕共二首,这是其中第一首。从曲中"白发""老子"等句看,当作于晚年。此曲写读史中与那些坎坷不遇的智能贤士的遭遇发生共鸣,抒发自己潦倒不遇无可奈何的悲愤之情。

开头三句是对冯谖、甯戚的弹歌"有感"。《战国策·齐策四》:冯谖因贫乏而寄食于孟尝君门下,三次弹铗而歌"食无鱼","出无车","无以为家",孟尝君都满足其要求。冯谖到薛地收债,当众焚烧债契而归,回报买回了"义",孟尝君不悦。后来孟尝君罢相就国,深得薛地民众欢迎,方知买"义"的效果。冯谖又为他建"狡兔三窟",帮孟尝君恢复并巩固了几十年相位。《吕氏春秋·举难》载:赶牛车的甯戚夜晚在车下弹角而歌,齐桓公以为非常人,拜为上卿。像这样的"知音"确实是"自古无多",孟尝君算知音尚且有点勉强。

"白发"三句,鼎足工对,写作者读史中知音难逢的凄凉暮景。"白发萧疏",化用唐杜甫《春望》"白头搔更短,浑欲不胜簪"。"青灯寂寞",青灯即油灯。化用宋陆游《夜雨》"幽人听尽芭蕉雨,独与青灯话古今"句意。"老子婆娑",语出《晋书·陶侃传》:"欲逊位归国,佐吏等苦留之……将出府门,顾谓(王)愆期曰:'老子婆娑,正坐诸君辈。'"意谓老夫之所以徘徊停留,正因替你们诸位着想。妙在作者顺手拈来,点铁成金,浑化无迹,将自己眼前白发稀疏的憔悴,独坐青灯的孤寂,盘旋进退的犹豫境况写得十分生动贴切。古人强调读、思结合,这三句正是读后所"思"的自我写照。“故纸”二句又回到读史：历代贤能志士大多仕途坎坷失意，多少壮士借酒浇愁，在醉乡中消磨蹉跎岁月啊！言外之意：又何止我一人呢！这既是感叹古人，又是为下文写自己“富贵由他”的过渡伏笔。

结尾三句是写“有感”，最终归于旷达，用以自慰。言功名富贵由他去吧，这都是命中注定，不可强求。“谩想廉颇”，即且莫想廉颇会推荐才略超过自己的蔺相如，当蔺相如以完璧归赵和渑池会盟之功升为丞相后，廉颇还出于嫉妒找茬中伤蔺相如。说明忌妒乃人之常情。“谁效常何”，常何，唐贞观时中郎将，太宗诏百官言得失，常何是武夫不涉学问，家客马周为条陈三十余事，皆切中时弊。太宗怪而问之，常何即推荐乃家客马周所写。太宗召对后大悦，以为常何知人，拜马周为监察御史，后官至中书令。这两句谓人情心态多数人都像廉颇，有几人愿效仿常何去举荐别人飞黄腾达呢？既然如此，自己又何必为怀才不遇而耿耿于怀呢！

此曲紧扣“读史有感”，将议论巧妙地融入抒情、写景和叙事之中，因而毫无抽象枯燥之感，反而极富情韵和理趣。篇法上前三句和七八句皆写感叹历史人物；“白发”三句则感叹自我；结尾三句则写人我合一之感：因而情感的分合厘然有序。用典明暗结合，廉颇、常何是明典，冯谖、甯戚是暗典。四典是点，“前贤”“壮士”则是面，点、面交错，个别与一般结合，则使所感具有深度和广度，从而增强了说服力。

（熊　笃）

## 【双调·折桂令】

张可久

### 鉴湖小集

写黄庭换得白鹅，旧酒犹香，小玉能歌。命友南山，怀人北海，遁世东坡。昨日春今日秋清闲在我，百年人千年调烦恼由他。乐事无多，良夜如何？去了朱颜，还再来么？

## 鉴赏

此曲题中"鉴湖"在绍兴,多半是作者至治初任绍兴路吏时(1321—1324)所作。"小集",少数几个人的聚会。该曲描写二三子聚集,畅游鉴湖,饮酒听歌的欢乐情景,表现了作者诗酒优游、浪漫逍遥、及时行乐的情趣。

开头三句写佳肴美酒、清歌助兴的宴饮乐趣。"写黄庭换得白鹅",用王羲之写经换鹅的典故,典出南朝何法盛《晋中兴书》:绍兴道士养了一群白鹅,大书法家王羲之非常喜欢吃鹅肉,道士对他说:"只要你为我书写一部《黄庭经》,我就把这群鹅赠送给你。"王羲之就为道士写完经文,然后用笼子装走了这群鹅而去。此处借以表明备办了鸡鸭鹅肉等美味,但也许他们中的某个人真的为别人撰文或书写,换来佳肴,也说不定。"旧酒犹香",绍兴盛产名酒,历史悠久,据说越王勾践伐吴之前曾以酒赏将士,成为"一壶解遣三军醉"的千古美谈,南北朝时绍兴黄酒就已列为贡品。所以陈年旧酿依然飘香。小玉,指侍婢或歌伎,有"红巾翠袖"唱歌侑酒,是文人宴游的雅兴。

"命友"三句写与会者神游八极、逸兴遄飞的精神雅趣。"命友",邀请朋友。如元好问《骤雨打新荷》:"命友邀宾玩赏。"南山,与下文"北海""东坡"相对,当指人名。《宋高僧传》有初唐道宣,丹徒人,本姓钱,曾为西明寺上座,后助玄奘翻译佛经,以其居终南山最久,故其学称"南山律宗"。"北海"指东汉孔融,因其曾任北海相,世称孔北海。他尝自谓"座上客常满,樽中酒不空,吾无忧也"。东坡即北宋大文豪苏轼之号,他贬官黄州时曾在城东东坡开荒种地,又在雪中盖起房子,取名"东坡雪堂",从此自号东坡居士,并在诗文中把东坡比作陶渊明的斜川。故曰"遁世东坡"。这三句不过是神游畅想,把聚会者比作像道宣那样邀请朋友,像孔融那样怀念酒友,像东坡那样避世逸兴而已。也许是偶然的巧合,所举三人正好又代表了儒释道三家,但都是追求自由潇洒的旷达之人。

"昨日"三句,又从未来整体着眼,谓人生苦短,应自我珍摄,抛开一切烦恼,尽情寻找快乐,须知生命有限,乐事不多。"昨日"句谓光阴似箭,要珍惜岁月;"百年"句是化用初唐诗人王梵志诗"世无百年人,拟作千年调"句意(见范摅《云溪友议》卷十一)。

结尾三句，以设问的语气表达应当夜以继日畅游，否则朱颜易老，等到老态龙钟，想来也来不成了。"良夜如何"，语出苏轼《后赤壁赋》："月白风清，如此良夜何？"谓如何度过这优美的夜晚呢？古人本有夜游乐趣，如曹丕《与吴质书》："古人思秉烛夜游，良有以也。"李白《春夜宴从弟桃李园序》也说："然浮生若梦，为欢几何？古人秉烛夜游，良有以也。"

此曲先写物质上的宴饮之乐；再写精神上的逸兴效仿古人之乐；然后写未来整个人生方面都应及时行乐，最后提议游乐应当夜以继日，次第井然，而又一气呵成。风格豪放飘逸，用典工巧不露痕迹。

（熊　笃）

# 【双调·殿前欢】

张可久

## 次酸斋韵（二首其一）

钓鱼台，十年不上野鸥猜。白云来往青山在，对酒开怀。欠伊周济世才，犯刘阮贪杯戒，还李杜吟诗债。酸斋笑我，我笑酸斋。

### 鉴赏

酸斋是贯云石的号，他于延祐元年辞官，然后南下漫游江南各地名胜，大约在延祐三年（1316）前后定居杭州南门外海鲜巷。至治元年（1321）春，曾为张可久《今乐府》作序，而小山此曲又在《今乐府》内，故当作于1316—1320这五年之间。题目"次酸斋韵"，贯云石现存散曲中的［双调·殿前欢］押皆来韵且末句用回文的只有一首："畅幽哉，春风无处不楼台。一时怀抱俱无奈，总对天开。就渊明归去来，怕鹤怨山禽怪，问甚功名在。酸斋是我，我是酸斋。"应该就是小山"次韵"

的原作。小山此题共二首，这里选的是第一首。

开头二句是针对酸斋“就渊明归去来，怕鹤怨山禽怪”两句所发的感慨。钓鱼台，借用东汉严光隐居在浙江桐庐县富春江边的钓台，说自己十年没有上过杭州西湖钓台（从第二首“唤归来，西湖山上野猿哀”可知写的是西湖），亦即没有闲暇真正隐居过。贯云石《今乐府序》说小山“四十犹未遇”并不能理解为四十以前就没有当过掾吏之类的小官，至少也谋求过，所以才“十年不上野鸥猜”。《列子·黄帝》载：海上之人与鸥鸟相伴，其父不信，明日至海边，鸥鸟舞而不下。《三国志·魏书·高柔传》注引孙盛曰：“机心内萌，则鸥鸟不下。”宋辛弃疾《水调歌头·盟鸥》：“今日既盟之后，来往莫相猜。”作者借用此典说自己机心未泯，为衣食求仕而忙碌风尘，故十年未上钓台，致使鸥鸟猜忌，自己内心也很惭愧。三四句回到现实，回应酸斋前四句的共鸣：现在重登钓台，看到悠悠白云自由自在飘浮，有葱茏茂密的青山、沟壑林泉长相陪伴，机心冰释，万虑俱消，可以和闲退的酸斋对酒开怀畅饮了！

“欠伊周”三句鼎足对，说明自己才能不足，性格放诞自由，正适合隐居：自己没有伊尹、周公那样济世安邦之才，反倒犯了竹林七贤中刘伶、阮籍好酒贪杯的酒戒，又欠了一批像李白、杜甫一类诗友酬唱赠答的诗债要偿还。三句既是自谦，也是自嘲调侃，是针对酸斋曲中“问甚功名在”而说的，言外之意是以前碌碌奔波只为生计衣食所迫，是“以心为形役”，并非本意。

结尾“酸斋笑我”是酸斋对我的处境、性格、才情都充分了解、理解；“我笑酸斋”是我对酸斋才能早已倾倒，对其高风亮节更由衷佩服。因此我们都是发自内心一种互相默契的相视而笑，是朋友相互投缘、庆贺的欢笑。

此曲通过“次韵”来袒露自己的襟怀志向和性情，表现作者向往山水林泉、诗朋酒友、自由散漫的隐居生活。篇法上采用倒叙与顺叙交错，一二、五六七句是倒叙回顾以往；三四、八九句是折回写眼前，故有跌宕开合之致。用典巧妙自然，开头两典，不露痕迹；鼎足对三典，明喻如顺手拈来，工稳贴切，巧妙而又自然。

（熊　笃）

# 【双调·殿前欢】

张可久

## 客中

望长安，前程渺渺鬓斑斑。南来北往随征雁，行路艰难。青泥小剑关，红叶湓江岸，白草连云栈。功名半纸，风雪千山。

### 鉴赏

这是一首表现仕途坎坷、功名难就、人生苦短的小令。无限的烦闷与哀叹流露在字里行间，悲苦之情宛在眼前。中国古代，一为文人便境遇两般：仕途畅达者快意，蹭蹬者失意。作者正是后者，越是失意，越不能放下对功名的牵挂。

开篇“望长安”三字，点出心系仕途功名。长安曾作为汉唐都城，声名远播，因而在古典诗词中常作为国都的代称，此处指京师大都。远望长安，实则是情系国都，心在仕途，自古多少文人想以科举荣身、才显京华、位居庙堂、名扬海内。唐李白有诗言“长安不见使人愁”（《登金陵凤凰台》），宋辛弃疾亦有词曰“西北望长安，可怜无数山”（《菩萨蛮·书江西造口壁》）。帝都京师成为无数文人的心结，挥不去、抹不掉、忘不了。

然而失意者多矣，“前程渺渺鬓斑斑”，科举不第，仕途不畅，岁月蹉跎，尚未功名显达，却已是鬓发斑白。作者虽然没有直接表达内心的苦闷，但从韶华已逝、两鬓苍然的衰老形象描写中，难道不可以感受到他因多年奔波却依旧“前程渺渺”的痛苦情怀吗？美好的愿望只能随着白发渐添而成为心中永恒的记忆，悲怆之情伴随着辗转流离的生活，“南来北往随征雁”，如同因季节变化而迁徙的大雁，漂泊无定，真可谓“行路艰难”！一声感叹中不知蕴含了多少酸楚。

“青泥小剑关，红叶湓江岸，白草连云栈”，三句排比而出，构成散曲中特有的鼎足对，集中写出了作者的奔波劳苦。“青泥”，本即青泥岭,在陕西略阳境内,为古代由秦入蜀险道,因岭高多雨、道路泥泞而得名,李白《蜀道难》"青泥何盘盘,百步九折萦岩峦"即咏此,此处"青泥"与下文"红叶""白草"相对,用来修饰"剑关",形容剑门关险隘难行,由特指变为泛指。这里把"剑门关"写作"小剑关",主要是服从平仄调整的需要,且剑门关所在之剑山,又由大剑山与小剑山组成,故亦可以"小剑""大剑"代指剑门。"湓江",即浔阳江,长江流经九江市的一段,唐代诗人白居易被贬谪于此,曾作《琵琶行》诗,有"住近湓江地低湿,黄芦苦竹绕宅生"句,这里暗用白氏诗意。"连云栈",古栈道名,在陕西凤县境内,亦为由秦入蜀险道之一。这三句中的"剑关""湓江""连云栈"皆泛指宦海飘零的艰险;"青泥""红叶""白草"组合映衬,本具有一种缤纷的诗意之美,但与诸多僻地险道地名结合,其原本具有的诗意之美也荡然无存,反倒变为落寞凄凉的反衬了。这三句即紧承上文,具体描写奔波潦倒的"客中"苦况,渲染了"南来北往"的"行路艰难",又很自然地唤出结句。

"功名半纸,风雪千山"。作者一生虽未被贬谪他乡,却也只是地方微官末吏,在政治生涯中几无建树可言。对有志于"居庙堂之高而忧其君"的文人而言,此种生涯着实不堪回首。有心"致君尧舜上,再使风俗淳",却又"可怜白发生"。想到这些,不禁追忆起自己潦倒沦落一生,奔波不断,跋山涉水,顶风冒雪,其景惨淡。结尾两句,"功名"与"风雪"、"半纸"与"千山",构成了鲜明的对比映衬,极写潦倒沦落、得不偿失。这种潦倒不遇的悲苦,庾天锡在带过曲〔双调·雁儿落过得胜令〕中也书写过:"功名纸半张,富贵十年限。行路古来难,古道近长安。"汪元亨在〔中吕·朝天子〕中也感叹过:"荣华梦一场,功名纸半张。是非海波千丈,马蹄踏碎禁街霜,听几度头鸡唱。"由此可见,张可久的感慨,并非一人的哀叹,而是一个时代不幸文人共同的悲愤心声。

此曲抒怀,情感悲凉沉郁,虽境况惨淡,却既不怒发冲冠,也不怨天尤人,这既表现了一种面对沉沦潦倒的无奈,也表现了张可久散曲"怨而不怒"的特点。曲中的鼎足对与结尾的合璧对,十分精工;再加上色调的有意组合配搭,使意境更为鲜明。凡此,都表现了张可久散曲典雅精致的一贯作风。

（梅　伟）

# 【双调·落梅风】

张可久

## 春　情

秋千院，拜扫天，柳荫中躲莺藏燕。掩霜纨递将诗半篇，怕帘外卖花人见。

### 鉴赏

此曲描写了闺中少女利用寒食节家人都出外扫墓的空隙，与情人在秋千院幽期密约的紧张情状和微妙心理，折射出作者对封建礼教叛逆行为的赞许之情。

开头三句交代了地点、时间和事件。地点在秋千院，时间是"拜扫天"，即寒食节上坟扫墓的这一天。事件则是在柳荫中少男少女如"躲莺藏燕"似的约会。清明节，据宋陈元靓《岁时广记》记载："民间以(冬至后)一百四日始禁火……谓之大寒食。北人皆以此日扫祭先茔。"又宋孟元老《东京梦华录》卷七"清明节"："凡新坟皆用此日拜扫，都城人出郊……抵暮而归。"这位少女大概事前与意中人约定：趁寒食节全家出外扫墓而自己借口留家之时，让他来秋千院幽会。此时正是阳春三月，满院姹紫嫣红，蜂蝶翩翩，莺歌燕舞，这明媚的春光正诱发着少男少女的春心摇荡。他俩虽然知道家中无人很安全，但仍然躲躲藏藏，生怕被邻居外人看见；莺燕受惊在柳荫中穿来穿去，似乎也在躲避、窥视他们。故"躲莺藏燕"一语双关，既写鸟，亦写人；似写实景，实用比兴。

末二句描写了一个典型细节：正当他们在柳荫下昵昵私语，情话绵绵，忘记了时间，突然门外卖花人的阵阵叫卖声，才使他俩意识到时间概念，扫墓的人快回家了，赶快准备分手。少女这才想起她要送给情郎的一篇诗稿，便迅速用白色的绢帕掩盖着情诗，掀动门帘递给情郎，生怕被门外的卖花人看见。这一细节，生动地展现出少女的痴情大胆，诡秘小心的紧张情态和微妙心理，也透露出她还是妙解诗词的女才子，故以诗传达难以当面启齿的情愫。

封建礼教规定，"不待父母之命，媒妁之言，钻穴隙相窥，逾墙相从，则父母国人皆贱之"。(《孟子·滕文公下》)而此曲则表现出青年男女对这种礼教的叛逆，说明基于天赋人性的爱情，靠礼教是禁锢不了的，这是一曲以情反理的颂歌。

此曲短短五句，像一幅生活气息浓郁的风俗画，更像一幕动人的袖珍小剧。因为时间(拜扫天)、地点(秋千院)、人物(少女、情郎、卖花人)、情节(幽期密约)都很集中，又善于精心选择典型细节，"躲莺藏燕"和"掩霜纨递将诗篇"两个动作，都极富戏剧性。语言精练，意象虚实相生，如"秋千院，拜扫天""躲莺藏燕""掩霜纨递诗""怕卖花人见"都有丰富的言外之意和内心动作。

(熊　笃)

# 【双调·落梅风】

张可久

## 春　晚

东风景，西子湖，湿冥冥柳烟花雾。黄莺乱啼胡蝶舞，几秋千打将春去。

**鉴赏**

这首小令描写的是西湖暮春景色，当是张可久寓居西湖时所作。作者以独特的视角对西湖春景进行描绘，一种惜春、伤春之情跃然纸上，表现了韶光易逝之感。此曲题为"春晚"，亦即晚春、暮春，暗示春天将尽，万紫千红的大好春光也即将逝去。仅从题目就不难体会到一丝淡淡的春愁，感受到作者的惜春之情、别春之意。

篇首"东风景，西子湖"六字点明季节和地点。张可久对西湖仿佛有一种难舍的情结，从《全元散曲》收录的小山作品中可以读到和西湖有关的好几十首小令，作者以其独特的人生经历和审美视角，用心诠释着西湖——这片他心灵的栖息地，无怪乎元钟嗣成《录鬼簿》说他

"水光山色爱西湖"。

跟随作者游湖的脚步,江南春景映入眼帘,"湿冥冥柳烟花雾"。江南的春天是多雨的,此刻或许春雨初歇,漫步湖滨,但见烟雨蒙蒙,水天一色,画桥烟柳,云树笼纱,正所谓"西湖美景三月天,春雨如酒柳如烟",美得令人神往。然而在作者眼中,这朦胧景致却是"湿冥冥"的,他看到的只是潮湿、阴暗,让人心生压抑。心晴时,雨亦是晴;心雨时,晴亦是雨。无论此刻是雨是晴,作者的心中也许正在下雨吧,仅仅三字,却流露出作者的惆怅情怀。联系小山的人生经历,我们也不难理解他的心境。贯云石序张小山《今乐府》云"小山以儒家读书万卷,四十犹未遇",而此后他也一直未遇,一生沉沦下僚,对于一个深受儒家思想影响,心怀"修齐治平"理想的传统文人来讲,无疑是有些悲剧性的。他的心态不免悲凉痛苦,而这些主观情绪也会很自然地流露到他的作品中。

"黄莺乱啼胡蝶舞",莺啼细柳,蝶舞花丛,是春日常见景象,此句与上句一静一动,动静结合,画面感很强。人留恋大好春光,莺蝶也不例外。春天来去匆匆,面对即将逝去的春光,莺蝶也像作者一样心怀不舍,所以一个"乱啼",一个飞"舞",既写出了莺蝶闹春争春之景,又表达了作者恋春惜春之情。北宋王安国《清平乐》曾写道"留春不住,费尽莺儿语",无论黄莺的歌声多么婉转,蝴蝶的舞姿如何动人,都不能阻挡春归夏至,春的温暖、明媚、生机与活力都将逝去。作者借莺蝶表现自己的惜春之意、伤春之情,但无论心中有多不舍,终是"无计留春住",春天的脚步并未因为作者的怜惜而稍作停歇,"怕春归又是春将半",作者心中不免会有"人生可怜,流光一瞬,华表千年"(〔中吕·满庭芳〕《山中杂兴》)的感叹。

小令的结句很是巧妙,立意新颖。正当我们沉醉于西湖春景,感慨于作者暮春愁思之时,作者沿着全曲的情绪结构,笔锋一转,以"几秋千打将春去"结束全曲。也许是作者听见了湖边谁家花园里少女们嬉戏的笑声,看到她们正在悠闲地荡着秋千,享受着大好春光。此情此景,无疑让"东风西子湖边路,白发强寻春"(〔黄钟·人月圆〕)的作者感慨万千,一方面进入暮年的他面对少女们的青春气息,感叹韶光易逝,岁月无情,另一方面则是些许的埋怨与责怪,叹息"少年不识愁滋味",不知珍惜大好春光。春天来去匆匆,伴随着少女们的嬉笑,在秋千摇摆荡漾中悄然逝去。四季更替本是自然规律,与人的活动毫无关系,但作者却将春去的责任归咎于只知游戏不知惜春的少女,真是无理而妙。

此曲借景抒情,情景交融,动静结合,作者借西湖春景表达内心感受,流露出一片惜春之情,也不无人生迟暮之感。结句"几秋千打将春去"总收全曲,叹中有怨,字字含情。全曲融合诗词作法,呈现出一种含蓄蕴藉之美,风格清丽而不失自然,体现了小山散曲清丽雅致的特点。

(郭丽萍)

## 【双调 · 落梅风】

张可久

### 秋　望

干荷叶，脆柳枝，老西风满襟秋思。盼来书玉人憔悴死，界青天雁飞一字。

鉴赏

这是一首秋日怀人的闺怨小令,作者以含蕴的笔法描写了幽居深院的少妇悲秋怀人的复杂愁绪与哀怨情怀。闺怨悲秋是古典诗词的传统题材,但作者却能出以敏锐的观察和独特的构思,不落前人窠臼,全曲雅正典丽,意境深远。

张可久的散曲以写景、言情的作品占绝大多数。按季节划分,则春、秋为最,想必是受中国古代文人伤春悲秋传统的影响。小山一生沉居下僚、怀才不遇,具有中国传统文人的气质,内心脆弱而敏感,一花一鸟一草一木都可能触发他的情思,更不消说春去秋来,四季轮回了。此曲题为"秋望",巧妙地将整曲内容浓缩于此。"秋"点明季节,整首小令描绘的即是深秋景色与物象,"望"则是作者笔下怨女的情怀表现。作者借"秋"景抒"望"情,将主观与客观,情与景高度融合在一起,巧妙含蓄地表达了闺中女子对远行丈夫的思念之苦。

"干荷叶,脆柳枝,老西风满襟秋思",题目已经点明季节是深秋,开篇描写秋景便顺理成章。原本翠绿的荷叶、柳枝,随着秋天的来临,在西风的肆虐下枯干、变脆,我们眼前不禁浮现出一幅残荷枯柳图:干枯的荷叶,苍然无光,在秋风中摇荡,塘边的垂柳也早已叶落枝枯,丧失了生机与活力。眼前残荷败柳的衰飒,不禁让人回忆起它们昔日的欣荣:“接天莲叶无穷碧,映日荷花别样红”(宋杨万里《晓出净慈寺送林子方》),“碧玉妆成一树高,万条垂下绿丝绦”(唐贺知章《咏柳》)。曾几何时,它们也是婀娜多姿、仪态万方,而如今却香消玉殒,怎不令人心生怜惜与哀怨!紧接着由眼前的残荷败柳在“西风”中“老”去,引出“满襟秋思”,作者想象苍然衰飒的“干荷”与“脆柳”就如一位多情的玉人,因经受情感的折磨,如今已容颜衰老、愁思满怀了。作者采用拟人手法,巧妙地将“干荷”“脆柳”与思妇勾连起来,人与物幻化为一,描写极生动,蕴含极丰富。

“盼来书玉人憔悴死”,至此方才点明,原来,“满襟秋思”者,正是这位“盼来书”、几乎“憔悴死”的“玉人”!作者并未对“玉人”有过多描绘,但寥寥数字,内涵丰富。首先,这位怨女是一位闺中少妇,而且是秀美端庄的美人,所以作者称之为“玉人”。也许这位美丽的女子此刻正坐在窗前的青鸾镜前,看着镜中日渐衰老、消瘦的容颜,不禁感慨万千。“落叶西风时候,人共青山都瘦”(宋辛弃疾《昭君怨》)。秋风萧瑟,满院狼藉,不仅使人有美人迟暮之感,更何况平添了一份离愁。“盼来书”道明了闺中女子的心事,她时刻盼望远方的丈夫寄来书信,聊慰相思。女子独居幽院,几乎与世隔绝,丈夫在外远行,杳无音信,内心凄苦可想而知。“何处合成愁,离人心上秋”。秋天是相思的季节,而“思君不见君”的落寞又让人情何以堪!因此,在西风中香消玉殒的又何止荷与柳呢?

登楼远望,满目凄凉,思念远方的丈夫,联想到自己的命运,不禁潸然泪下。正在此时,传来几声悲鸣,循声望去,“界青天雁飞一字”,原来是南归的大雁,整齐划一地飞过长空。至此,女子心中的痛苦达到极致,原本盼望鸿雁传书,带来丈夫的书信,但雁群空过,不仅丈夫音信全无,自己也无法捎信给远人,“征鸿过尽,万千心事难寄”(宋李清照《念奴娇》),希望再次落空。全曲至此戛然而止,以雁归反衬人不归,以雁群反衬自己的孤独,真是言有尽而意无穷。

这首小令颇有词境,写闺怨“含而不露”,以景衬情,寓情于景,浑然天成。语言雅致而不失自然,感情真挚动人。作者用短短的二十八字,生动形象地刻画出了萧瑟秋景和一位楚楚动人的闺怨少妇形象,她有恨,有怨,但更多的是盼,哪怕“憔悴死”也无怨无悔,正如宋晏几道词中所言“两鬓可怜青,只为相思老”(《生查子》)。结句雁过长天的描写,更开拓了意境。全曲凝练生动,意境深远,富有画面感,堪称佳作。

（郭丽萍）

# 【双调·清江引】

张可久

## 秋　怀

西风信来家万里，问我归期未？雁啼红叶天，人醉黄花地，芭蕉雨声秋梦里。

**鉴赏**

这是一首思乡怀亲的小令。

"西风信来家万里"，面对萧瑟的秋风，漂泊在外的异乡人是最先感受到的，在唐诗中刘禹锡有《秋风引》"何处秋风至？萧萧送雁群。朝来入庭树，孤客最先闻"的诗句来表达自己的思乡之情。他们为了功名在外奔波，仕途的曲折沉浮让他们感慨万千，每逢秋风起，思乡之情便油然而生。在这时接到了家信，更会按捺不住自己的乡愁。接下来"问我归期未"句化用李商隐的《夜雨寄北》："君问归期未有期，巴山夜雨涨秋池。何当共剪西窗烛，却话巴山夜雨时。"家信饱含着亲人的无限思念，而自己却在千里之外，想回去而又被俗务羁绊。一句"问我归期未"虽简练，却饱含了太多的牵挂。

接着诗人用三幅画面刻画了游子的乡思。"雁啼红叶天"，化用元王实甫《西厢记》中"碧云天，黄花地，北雁南飞，晓来谁染霜林醉，总是离人泪"意境，抒写了久别家乡的悲伤。北雁南飞，总会引发雁归而人不归的惆怅，那经霜而红的枫叶，映衬着雁的悲啼，似乎替离人哭泣着久别的伤痛。"人醉黄花地"，化用宋李清照《声声慢》"满地黄花堆积，如今有谁堪摘"和《醉花阴》"莫道不销魂，帘卷西风，人比黄花瘦"句意，写出了作者远游不归而借酒浇愁的苦闷。九月黄菊盛开，重阳佳节登高，是年年团聚的美好时光，在外漂泊的游子却只能独自一人，把酒东篱，借酒浇愁。"芭蕉雨声秋梦里"，写出作者深深的思念家乡以致难以入眠的孤独凄凉。雨打芭蕉大都是表达忧愁，常与离情别绪联系在一起。如宋李清照《添字采桑子》"窗前谁种芭蕉树，阴满中庭。阴满中庭，叶叶心心，舒卷有余情。

伤心枕上三更雨,点滴霖霪",宋吴文英《唐多令》"何处合成愁?离人心上秋,纵芭蕉、不雨也飕飕",皆借芭蕉写离人的伤感。这寂静的夜里,雨打芭蕉,滴滴都是那么清脆,响在诗人的心上,辗转反侧难以入眠,渴望在梦中穿越千山万水回到魂牵梦萦的家中,可无情的芭蕉不知他的苦衷,相应着雨声一唱一和,阻挠着归乡梦。

这首小令的结构有点像宋贺铸《青玉案》"试问闲愁都几许?一川烟草,满城风絮,梅子黄时雨"。以提问起头,以景语回答作结。通过张可久刻画的意境,虽然他只字未提家,但是句句都在表达深切的怀乡之情。作者善于化用前人的诗词,巧妙地表达自己的感情,自然而不露痕迹,风格清丽,婉转而隽永。

(樊利配)

## 【双调·清江引】

张可久

### 春　晚

平安信来刚半纸,几对鸳鸯字。花开望远行,玉减伤春事,东风草堂飞燕子。

**鉴 赏**

这首小令写了一位女子对远行人的思念之情。

恋人相隔山长水阔,相见时难别亦难,不得已离别,书信成了传递思念的载体。战乱中的杜甫道出了"家书抵万金",更见家书的珍贵。"平安信来刚半纸,几对鸳鸯字"写女子接到情书的欢乐情景。"刚半纸"已经是"几对鸳鸯字",信才刚开头,男子已经在热烈地表达着相思。可以想象或许信中写到了俩人在一起的美好时光,相识相知的点点滴滴,或许还有男子的思念牵挂和山盟海誓。接到信,女子或许为他心里惦着自己而欢乐,为他长久不回来而埋怨责备,为他容颜憔悴而无心梳妆,为他衣带渐宽而承受着相思的煎熬。"花开望远行,玉减伤春事"写离别及离别后女子的相思。诗词中写春天离愁别恨者甚多,如南唐李煜《清平乐》"离恨恰如春草,更行更远还生",又如北宋欧阳修《踏莎行》"草熏风暖摇征辔。离愁渐远渐无穷,迢迢不断如春水",都写了悠长的离愁别绪。"花开望远行",多少次在繁花满树的春天送你远行,每次都是恋恋不舍。刚开始或许是"闺中少妇不知愁,春日凝妆上翠楼"(唐王昌龄《闺怨》),抑或是"人面桃花相映红"(唐崔护《题都城南庄》),感觉到处都是美,感觉还有很多的时间团聚。渐渐地站在送别的地方,心中有莫名的忧愁。在无数次的送别、盼望、团聚中,韶光流逝,容颜苍老。暮春的残景,如女子等待而久经沧桑的身心。"玉减伤春事",写了女子面对暮春的惆怅,"一片飞花减却春,风飘万点正愁人"(唐杜甫《曲江》),她伤心的不仅有灿烂的春花在暮春凋零,更有那随春光流逝的青春,还有美人迟暮的深深感叹。"东风草堂飞燕子"写女子看到春燕衔泥筑就温馨的家,大有人不如燕之感。燕子自由翱翔的快乐,反衬出女子的孤独。

这首小令文字浅显易懂,在看似平静的描写中暗藏着女子波澜起伏的心事,一个忧愁满怀的思妇形象呼之欲出。全曲叙事写景,全用白描,简洁凝练,鲜明生动。

(樊利配)

## 【双调·庆东原】

张可久

### 次马致远先辈韵(九首其五)

诗情放,剑气豪,英雄不把穷通较。江中斩蛟,云间射雕,席上挥毫。他得志笑闲人,他失脚闲人笑。

**鉴赏**

现存马致远的散曲中,〔双调·庆东原〕一共只有六首,题为《叹世》,全用的是齐微韵,末句皆用"不如醉还醒,醒而醉"收结。与小山此题九首全用萧豪韵大相径庭,“次韵”必须用同一韵,说明马致远原作已经散失。小山九首“次韵”绝大多数都是写隐居乐道,又都是以“他得志笑闲人,他失脚闲人笑”结尾;唯此第五首内容例外,乃是歌颂豪情四射的英雄,从来不计较穷通得失,只是随缘顺性,得遂所愿,尽展自己文武之才,随遇而安,不管世俗如何褒贬笑谈这样一种人生态度。

开头三句直抒胸臆,歌颂英雄豪放,不计穷通的人生态度。尽情驰骋放纵一腔豪迈的诗情,让它不受任何束缚地喷薄而出;尽情挥舞手中的宝剑,让紫电青霜的剑气豪放四射直冲牛斗:这才是不计穷通得失的英雄气概。南朝梁简文帝萧纲《诫当阳公大心书》就有一句名言:“立身之道,与文章异;立身先须谨重,文章且须放荡。”作诗全靠激情灵感,如无自由想象,顾此忌彼,一定写不出好诗;舞剑亦然,如无豪气,拘泥成规套路,就不能临机应变,克敌制胜。

中间三句用鼎足对具体铺叙三种豪放事例:“江中斩蛟”是指晋代周处凶悍危害乡里,却因以暴克暴、下江斩蛟而从此悔过自新,正是先穷后通的典型,事见《世说新语·自新》。“云间射雕”是用匈奴射雕手反而被李广射杀和北齐斛律光射落大雕而号称“落雕都督”事,分见《史记·李将军列传》和《北齐书·斛律金传》附传。“席上挥毫”,历代文人即兴赋诗文者甚多,如王勃写《滕王阁序》,李白赋《清平调三首》等等,不胜枚举。这三句所写无论文武才能,都是全凭豪放方能尽情施展的。是对开头三句的展开描写,使之更加饱满浩荡。

结尾二句:“他得志笑闲人,他失脚闲人笑。”突转反面,写世上势利小人的眼光和世俗的评价标准:当他(势利小人)得志时,就飘飘然踌躇满志,觉得自己不可一世,嘲笑别人无能寒酸;当他失败或潦倒时,世俗的人们也幸灾乐祸地嘲笑他身败名裂或穷酸寒碜;而无论小人以势利看得失,还是世俗眼光的“成王败寇”,都是与上文作者所歌颂“英雄不把穷通较”相反,因而都是作者所否定、鄙夷的。

此曲开头正面揭示主旨:不以成败论英雄;中间铺叙事例证明这一主旨,例证兼有穷通;结尾突转,反面批判世俗小人,从而构成前后正反两种观点的强烈对比,对于人生价值评判,极富于启发意味。小令寓议论于抒情叙事之中,隐含理趣,而又于豪放风格中兼有活泼幽默的风趣。

(熊　笃)

# 【越调·寨儿令】

张可久

## 忆 鉴 湖

画鼓鸣，紫箫声，记年年贺家湖上景。竞渡人争，载酒船行，罗绮越王城。风风雨雨清明，莺莺燕燕关情。柳擎和泪眼，花坠断肠英。望海亭，何处越山青？

### 鉴 赏

这是一首描写鉴湖(位于浙江绍兴,又称贺家湖)今昔对比而感怀自伤的小令。诗人从“忆”着眼,围绕着“忆”描绘往昔鉴湖游玩盛况。开篇诗人笔调高扬,气势不凡:首两句“画鼓鸣,紫箫声”,其听觉描写先声夺人,“画鼓”“紫箫”本身就给人以视觉感官刺激,搭配“鸣”“声”这样的听觉动词,营造出色彩华艳、锣鼓喧天的视听效果。下句“记年年贺家湖上景”,一“记”字照应题目“忆”字,自然而然地把这种喧嚣场景放到了往昔——原来昔日鉴湖就是这般热闹！接着,作者紧扣“湖上景”三字,把“忆”从听觉转向了视觉:“竞渡人争,载酒船行”,鉴湖边挤满了观看赛龙舟的游人,还有不少文人仕女坐着小船,满载美酒,在湖上游玩。“争”“行”写出动态景象。“争”字不仅写出了赛龙舟的激烈与精彩,还传达出了游人争先恐后观赏的情态。“罗绮越王城”,“越王城”今在绍兴市,因春秋时越王勾践在此建都,因以为名。“罗绮”代指穿着华贵的游人,遍满全城,可与“市列珠玑,户盈罗绮,竞豪奢”(宋柳永《望海潮》)媲美。诗人选取几个片段,同样描写鉴湖往事,然各有侧重,从不同角度勾画“鉴湖游乐图”,又以“罗绮越王城”作小收煞,尽写游人的富贵,城市的繁华。

“写旧游,换新愁”(〔寨儿令〕《次韵怀古》),随着诗人的思绪,回忆中的繁华虚景画面突转,被切换到了眼前“风风雨雨清明,莺莺燕燕关情”的实景。作者化用了唐杜牧的诗句“清明时节雨纷纷”,用“风”“雨”“清明”这些凄冷的字眼描写春天,渲染出一种凄婉的伤春情怀。下句的“莺”“燕”本是象征春天的生机盎然与美好，可这些自然中活泼的、带着温暖的具有生命活力的意象却又反衬出诗人的孤独凄凉之情。由景及情，又由情到景，情景相生，叠字更增冷落之感。“柳擎和泪眼，花坠断肠英”，“柳”常常代表离别；“和泪”，唐韦庄《菩萨蛮》“美人和泪辞”，雨珠落在柳叶上，看起来像美人含泪的眼睛，为春天的即将逝去而饱含哀伤。“花坠断肠英”，风雨过后，残花堆积，就在这生机盎然的初春时节，却要面对着离别和落花，怎能不让人落泪？怎能不让人断肠？这些凄清的景色诉说着诗人满腹感伤之情。可是这感伤之情诗人只是轻轻一点，欲说还休。悲伤而又无奈，显得感情异常沉痛。站在望海亭（在绍兴越城区卧龙山即今府山公园山顶，为古今登览名胜）上，诗人只能深深地叹问：“何处越山青？”最后这一感叹堪称俊语，它既与昔日越王城形成对比，又暗含寄托，照应了“断肠”的难言之隐，含不尽之意于言外。

此曲前半先描写鉴湖昔日的热闹场面，后半由回忆转入眼前景象，勾画了春意阑珊之景，触景伤情，发物是人非之感。一忆一转，一转一叹，转折起伏，淋漓尽致地呈现了诗人复杂的情感变化。其文字凝练雅丽，对仗工整，融诗词技法于曲，结尾空灵蕴藉，充分体现了小山散曲的特色。

（周　辉）

## 【越调·寨儿令】

张可久

### 次　韵

你见么？我愁他，青门几年不种瓜。世味嚼蜡，尘事抟沙，聚散树头鸦。自休官清煞陶家，为调羹俗了梅花。饮一杯金谷酒①，分七碗玉川茶②。嗏！不强如坐三日县官衙？

## 注释

① 金谷酒:晋代石崇建金谷园,宴宾朋其中,饮酒作诗,诗不成则罚酒,后以金谷酒代指有风雅意味的美酒。

② 七碗玉川茶:唐代卢仝号玉川子,有《走笔谢孟谏议寄新茶》诗,诗中有云:"一碗喉吻润,两碗破孤闷。三碗搜枯肠,唯有文字五千卷。四碗发轻汗,平生不平事,尽向毛孔散。五碗肌骨清,六碗通仙灵。七碗吃不得也,唯觉两腋习习清风生。蓬莱山,在何处。玉川子,乘此清风欲归去。"

## 鉴赏

此曲乃唱和之作,但"次"谁之"韵",则待考。其内容是写对官场生活的厌弃和对田园生活的向往。张可久终生为吏,怀才不遇的抑郁与哀伤,沉居下僚的愤懑与落魄,常使得诗人多发叹世归隐之音。此首小令,诗人仿佛是在醉酒之中,看世事却越发清醒豁达,将感世之叹发诸笔端,笔墨酣畅淋漓,寄托着自己高洁的情怀。曲一开头直抒胸臆:"你见么?我愁他,青门几年不种瓜。"你看么?我替他发愁啊,还记得种瓜的邵平吗?他渐渐被人们遗忘了。汉初邵平,为故秦东陵侯,秦亡后种瓜于长安城东青门,其后被人奉为知几识退的隐逸典范。(见《史记·萧相国世家》)"我愁他","他"字也是作者自指,还指那些追求功名利禄终日凄凄惶惶的人们。表面上,诗人写得很直率,其实情意曲折,饱含深沉的叹世之感。晋陶渊明有诗曰"衰荣无定在,彼此更共之。邵生瓜田中,宁复东陵时"(《饮酒》其一),表达世态炎凉、世事变幻无常的感慨。所以曲家开篇言愁,这里何尝不是在"愁"自己?暗笑自己热衷仕途,却又壮志难酬。"世味嚼蜡,尘事抟沙",蜡怎么嚼也没有滋味,沙怎么也抟不到一块。元人常用嚼蜡抟沙比喻世态炎凉、人情冷暖。如"世事抟沙嚼蜡,等闲荣辱休惊讶"(杨立斋〔哨遍〕套数)。"聚散树头鸦"讲的是西汉翟公的故事:西汉翟公任廷尉时,宾客盈门,去官之后宾客鸦散。想到这里,诗人不由得摇头感叹:连乌鸦都这般势利世故,更况人呢!诗人连用"青门种瓜""聚散树头鸦"两个典故,表达自己对官场生活的厌弃。

"自休官"以下,写自己对逍遥自在田园生活的向往。"自休官清煞陶家"指曾做彭泽县令的陶渊明,不为五斗米折腰而辞官的故事。“清煞陶家”，辞官后的陶渊明的生活可谓清闲自在。“为调羹俗了梅花”，梅常和盐合在一起，称为盐梅。《尚书·说命》：“若作和羹，尔唯盐梅”。像梅这样的高雅之物，一旦被当成了调味品，也便成了俗物。意指一入俗世，人就很难保持高洁的品质。诗人用“陶渊明辞官”和盐梅“调羹”的典故，来表达自己对高洁品质的追求，劝告沉迷于名利者不要变得俗不可耐。最后，作者用“饮一杯金谷酒，分七碗玉川茶”的逍遥闲适与“坐三日县官衙”的羁于俗务相对比，认为前者强于后者。这里巧妙而工整地使用典故，写出了忘却名利后的自由与潇洒。远离了俗世，这样的生活比做几日窝囊的县令强多了！人生无常，自在潇洒的生活才是归宿啊。

此曲连用典故，妥帖恰当，毫无生涩之感，借古之人事，道内心情志，大大增强了思想内涵和艺术张力。作者由官场的黑暗无常，写到休官后的逍遥自得，前后形成鲜明的对比，给人以极强的感染力。其语言端谨直白，与作者清丽典雅的一贯作风相比，可谓别具一格。

（周　辉）

## 【越调·小桃红】

张可久

### 寄鉴湖诸友

一城秋雨豆花凉，闲倚平山望。不似年时鉴湖上，锦云香，采莲人语荷花荡。西风雁行，清溪渔唱，吹恨入沧浪。

**鉴　赏**

此曲已入作者《今乐府》，而《今乐府》编成请贯云石为之序，贯序末署“延祐己未春”，己未是延祐六年(1319)。故知此曲当作于延祐六年之前。“寄鉴湖诸友”，是作者重游鉴湖寄赠给当地朋友的，表现了物是人非的悲凉和愤世嫉俗的情怀。

开头二句写秋雨中鉴湖周边的清凉景象：作者闲倚平山远望，但见会稽古城笼罩在迷茫的秋雨之中，郊野田畴的豆禾，诸如胡豆、黄豆、豌豆之类，正值开花季节，秋雨洗涤了季夏的炎热，使人感觉四周一片清冷寒凉。“凉”字不仅指气温的秋凉，也双关物是人非的凄凉；“望”字开启下文，以下所写，皆“望”中所见所感。

第三句“不似年时鉴湖上”照理应写眼前所望，但作者偏转入回顾往年此时的鉴湖场景做对比，形成跌宕顿挫：那时的情景多么热闹，穿着五颜六色衣服的采莲女子划着小船，笑语欢歌在荷花丛中飘荡。“锦云香”，化用南宋词人卢祖皋《渡江云》词中“锦云香满镜，岸巾横笛，浮醉一舟轻”句意，此处用以形容采莲女的穿着与田田荷叶荷花相映成趣，如锦云般灿烂而又飘香。“锦云”，如彩缎的云片，是视觉；“香”，女子身上的香气与荷花的芳香，则是嗅觉；“人语”，采莲女的歌声笑语，则是听觉；“荡”，小舟在穿荡，荷花在摇荡，香气在飘荡，人语在荡漾。只十个字，就写尽了往日的繁华热闹、欢笑快乐的气氛。

结尾三句折回眼前，与往昔形成鲜明的对比：但见秋风中一群大雁成人字行列掠过天空，远处清溪隐约传来渔歌的袅袅余音，西风把作者的一腔悲秋和愤世的愁恨吹到了沧浪之水中洗涤。“西风”即秋风，与首句“秋雨”悲秋呼应；“雁行”兴起大雁传书，隐露思乡之情、漂泊之感；“渔唱”逗起归隐之想；“沧浪”乃超尘脱俗，操守高洁之喻，典出《孟子·离娄上》和《楚辞·渔父》：“沧浪之水清兮，可以濯我缨；沧浪之水浊兮，可以濯我足。”寄寓了作者对社会现实污浊的愤慨，对洁身自好的追求，让沧浪之水洗涤自己身心的俗气污浊和种种悲愁。

此曲篇法上用今昔交错对比形成跌宕顿挫，一二句、六七句写今，是触景生情；三四五句写昔，末句写未来，皆是缘情造景。写今是实写，写昔和未来是虚写，虚实相生，相得益彰，形成时空跳跃，有助于表现作者悲秋与愤世的复杂心情。

（熊　笃）

## 【越调·天净沙】

张可久

### 江上

嗈嗈落雁平沙，依依孤鹜残霞，隔水疏林几家。小舟如画，渔歌唱入芦花。

**鉴赏**

在把渔樵隐逸、山林闲适作为重要题材的元曲中，描写江上景色的散曲小令相当多见，张可久此曲便是其中之一。全曲围绕江上所见，以简笔白描的方式，勾勒出一幅完整的秋江晚景图。

曲子开头三句："嗈嗈落雁平沙，依依孤鹜残霞，隔水疏林几家"，并列排比，点染出整个背景画幅，构成一个富有层次的场景。首句"嗈嗈落雁平沙"，写江边沙滩，雁是"落"雁，沙是"平"沙，再经句首"嗈嗈"两字拟声词一点，江畔平缓开阔的沙滩上，雁群飞落，三五成群，嗈嗈而鸣，此呼彼应的景象立刻鲜活起来。次句"依依孤鹜残霞"从唐王勃《滕王阁序》名句"落霞与孤鹜齐飞"化出，而又经作者点化，较之原句的壮阔，本句将重心由"齐飞"转至"孤鹜残霞"的"孤""残"之上，再以"依依"两字状之，令人顿生冷清寥廓之感。三句"隔水疏林几家"则将笔触从江滩、残霞转向了岸边人家，隔水一带疏林，寥寥几户人家散落其间，可见此处远离人间烟火，"疏林几家"已是相当偏僻少人之处，尚且有水相隔，则此间的远离尘俗，可想而知。三句相连，则构成一幅完整的白描景物画布局，其中排列落雁、平沙、孤鹜、残霞、江水、疏林、人家等意象，相互搭配而成一幅秋江晚景，仅用"嗈嗈""依依"两个叠声词加以烘托，画面感十足，层次分明。而后笔锋微转，将画面重心点出。"小舟如画"四字，仿佛不经意间落墨，却如晋顾恺之所谓"传神写照，正在阿堵中"，顿生点睛之效，普通的秋江晚景之中，有这小舟一叶的加入，顿成一幅江上渔隐图，并非是"小舟如画"，而是有此小舟，方使得刚才数句渲染出的布局设景全盘皆活，从而成此一画。然而小舟和舟上之人全无成为画面焦点之意,随着作者末句“渔歌唱入芦花”六字一收,那一艘如画小舟,就这样没入江畔的芦花丛中,消失不见,所余者,嗈嗈雁鸣仍在,隔岸人家依旧,残霞映照,芦花摇曳而已。不说“渔舟摇入芦花”而说“渔歌唱入芦花”,仿佛隐隐从芦花深处传来的渔歌犹自隐约可闻,令人回味。

全曲通过中国画式的描写自然而然将江上渔舟隐逸闲适的生活烘托而出,使人对那种与世无争、自由闲散、恬淡舒适的生活状态心生向往之情,其用笔十分巧妙。作者选用了全曲均为四六字句结构的“天净沙”曲牌来创作此曲,两字一顿,节奏变化起伏平缓的句式,与内容描写的闲适疏淡良好地结合,配以音调和畅的“家麻”韵,使全曲读来宛如一首回音袅袅的渔歌,更增加了其感染力。整首小令用字清雅,描绘生动,画面简洁鲜明,典型地体现了张可久小令清丽的风格特点,不失为其具有代表特色的作品之一。

(于杨甡)

## 【越调·天净沙】

张可久

### 鲁卿庵中

青苔古木萧萧,苍云秋水迢迢,红叶山斋小小。有谁曾到?探梅人过溪桥。

**鉴赏**

鲁卿当是作者的朋友,很可能是一位隐士,具体事迹不详。庵为圆形草屋;也有指文人的书斋。文中称“山斋”,则是两义兼有,即文人在山中的圆形草屋,读书的斋房。此曲写作者探访隐居山斋的朋友,描绘了山斋幽静古朴的环境,流露出作者对隐逸生活的赞美之情。

前三句用鼎足对兼叠字对,写山斋及其周围的环境,由远到近,移步换景。首句“青苔古木萧萧”,写通往山斋的小路及两旁的景物。小路长满青苔,表明人迹罕至的幽静;两旁古木森森,秋风吹拂,不时发出萧萧的响声。这是以动衬静,风声之后复归于寂静,犹如“鸟鸣山更幽”的效果。次句“苍云秋水迢迢”,写山斋近处的环境,从大处着笔,视线开阔,山林中弥漫着苍茫的云气,澄澈的山溪蜿蜒伸向远方。“迢迢”,此处状其漫长的样子。此句突出山斋地处山清水秀、风月无边之处。第三句“红叶山斋小小”,则写小小的山斋掩映在火红的枫叶林中。“红叶”,既紧扣秋景,又与前文青苔、苍云、白水构成丰富而和谐的色彩。山庵虽然清幽寂静,人迹罕至,但并不阴冷死寂,有了红叶的点缀,画面就顿生鲜活热烈的暖意。表明主人虽然隐居,但仍有生活的热情,并非“不食人间烟火”。“山斋小小”,状其简朴而又小巧玲珑,饶有雅致。这三句虽是写环境,但也隐约透露出这山庵主人不随流俗,特立独行,雅好清静,而又富于生活热情的性情品格。

“有谁曾到?”这个问句是连接以上写鲁卿山斋和以下写作者探访两层内容的过渡,与首句“青苔”遥相呼应,言外之意是:大概无人曾到吧,不然沿路怎会长满青苔呢!同时因此问句,自然就带出末句“探梅人过溪桥”。探梅,犹言探访隐士高人。盖梅花凌雪傲寒而放,不与百花争春,与隐士颇相似。故著名的隐士林逋以“梅妻鹤子”著称,与张可久同时的隐士、诗人兼画家吴镇也号“梅花道人”,皆可证。“过溪桥”写出小桥流水,又与前文“秋水迢迢”呼应。

此曲结构用一问句过渡连接鲁庵环境和作者探访的两层意思。鼎足对明写环境,隐写庵主性情品格;末二句又两次与前三句呼应,足见针线细密。色彩淡中有浓,意境清幽淡远,颇见风神气韵。

(熊　笃)

## 【越调·凭阑人】

张可久

### 江　夜

江水澄澄江月明,江上何人挡玉筝?隔江和泪听,满江长叹声。

## 鉴赏

［凭阑人］小令是元人常用的曲牌，而张可久的这支则尤为著名。明朱权《太和正音谱》记录知音善歌者的事迹时曾说："蒋康之，金陵人也。其音属宫，如玉磬之击明堂，温润可爱。癸未春，渡南康，夜泊彭蠡之南。其夜将半，江风吞波，山月衔岫，四无人语，水声淙淙。康之扣舷而歌'江水澄澄江月明'之词，湖上之民，莫不拥衾而听，推窗出户，见听者杂遝于岸。少焉，满江如有长叹之声。自此声誉愈远矣。"这段文字也可以说明这支曲子感人的力量和流播的情况。

本曲第一句先写江景月色，着重写江水和月光的清明，时间正当夜晚，这便形成了幽静的气氛。第二句写筝的声音，这里的设问是听到筝声后自然发出的，正说明听者已为筝声打动心弦。后两句从听者的反应来写江夜筝声的哀怨，从"和泪听""长叹声"，可以想见所受感染的深沉。这样全曲就形成一种意境，虽然没有具体的事件和人物，但它传达了一种自然而充满感情的境界，从而获得更强的感染力。

这支小令有着类似诗词的意境，但它仍是曲，而不是诗词。这是因为它有着曲的艺术特色，语言明白如话，毫无朦胧的感觉，虽言浅而意深。在韵律上，这支小令前两句平仄相同，后两句平仄相同，这是诗词之忌，却正是曲之特色。末两句用"上平平去平"，"泪""叹"用去声，以加强感染力，给人留下无限联想的余地。

（李修生）

# 【商调·梧叶儿】

张可久

## 感　旧

肘后黄金印，樽前白玉卮。跃马少年时，巧手穿杨叶。新声付柳枝，信笔和梅诗。谁换却何郎鬓丝？

## 鉴赏

这首小令表达了青春易逝、功业难成的沉重感慨,题名"感旧",或有作者自己人生的影子。

全曲可分两层,前六句一层,结句一层。首二句"肘后黄金印,樽前白玉卮"写少年之理想,对功名富贵之渴望。黄金印,即用黄金制作的印章,为古时公侯将相所佩,是权力的象征。《史记·五宗世家》:"高祖时诸侯皆赋,得自除内史以下,汉独为置丞相,黄金印。"唐李白《别内赴徵》诗之二:"归时傥佩黄金印,莫学苏秦不下机。""肘后",即腰间。宋丘密《洞仙歌》:"看肘后、黄金印悬如斗。""樽"与"卮"皆为酒器,不同的是,前者多用以盛酒,后者多用以饮酒。开头两句突兀而起,写富贵荣华,颇有不可一世、视功名如唾手可得之意。随后四句写少年文武全才。"跃马少年时,巧手穿杨叶"写其武功不凡,你看他跃马纵横驰骋,可以百步穿杨。后两句写其艺术才能,"新声付柳枝"言其音乐造诣,能创新调、作新声。《杨柳枝》为中唐流行词调,白居易词云:"请君莫奏前朝曲,听唱新翻杨柳枝。"新翻,即新翻曲,作新声也。"信笔和梅诗"言其文学才能。梅花以其冰霜之姿为历代文人喜爱,六朝至元,咏梅诗及"和"作比比皆是,"信笔"一词,言其不假雕琢,自然天成。行文至此,一方面是少年的热望,一方面是杰出的才能,两相比照,少年理想之实现当非难事,功名富贵正该易如反掌。然而结果并不如此。最后一句"谁换却何郎鬓丝",笔锋陡转,将读者带回到残酷的现实中。何郎,即南朝梁何逊,有《咏早梅》诗,南宋姜夔《暗香》云:"何逊而今渐老,都忘却春风词笔。"至此,我们仿佛看到一位两鬓斑白的老人对年轻时光的回忆,对人生一事无成的怨叹。

这首令曲与宋辛弃疾《破阵子·为陈同甫赋壮词以寄之》(醉里挑灯看剑)的立意和结构颇为相似,前面都是写慷慨激昂的斗志和雄心,只是最后用一句慨叹韶华易逝、英雄迟暮,前后落差极大。此曲题名"感旧",或与作者的往日生活有关。张可久年少读书万卷,颇有用世之志,然而由于元代科举制度长期停废,以致其"四十犹未遇"(《小山乐府》贯云石序),后虽入仕途,但长期沉居下僚,才不得展。此曲最后一句"谁换却何郎鬓丝","谁换却"三字颇值得体味,其间固然有光阴易逝之叹,更有对社会不公、人才被压抑之怨愤,与唐李白"不知明镜里,何处得秋霜"(《秋浦歌》)"何处"之问颇有同工之妙。

(田玉琪)

# 【商调·梧叶儿】

张可久

## 别　怀

枕上圆孤梦，灯前赋小诗。泪脸界胭脂，脆管催银字。垂杨绾翠丝，别酒尽金卮。相思病明年那时。

### 鉴赏

小令题名“别怀”，描写一位女子与心爱之人离别后的伤心孤独之情。起两句写女子相思情态，生动细腻。“枕上圆孤梦”，写女子思念相爱之人而又不得见，于是借助梦境寻觅，期望团圆。“圆”字写出女子一片痴情，既可叹又可爱。“灯前赋小诗”写梦醒之后主人公的举动，她将浓浓相思化为清丽的诗句。随后四句为女子回想当时和心爱之人离别情景：因为泪水横流，精心化妆的胭脂不成了样子，然而耳边还在不停地吹奏让人心乱的繁响急曲；青翠的柳枝留不住即将远去的人，千言万语只能寄托在一杯别酒之中。“脆管催银字”中“银字”，指笙笛类管乐器上用银作字，以表示音调的高低。唐白居易《南园试小乐》：“高调管色吹银字，慢拽歌词唱《渭城》。”四句中，两句写离别，“泪脸”写女方，“别酒”写男方；两句写环境，“脆管”句用音乐渲染，“垂杨”句以景物烘托，皆用乐景写悲，悲愈不尽。最后一句“相思病明年那时”是女子从回忆转回现实而发出的怨叹。她感到自己的相思之情越来越浓烈，无法开解，进而联想到明年春天：当再次看到柳条飘荡，相思之病一定会发，而无法治愈了。其时相思病又何待明年？此时的主人公，“病”得已经相当不轻了。

这首小令的艺术特点在于独特的时空转换，前两句写现在的相思之情，中间四句回忆过去离别痛苦，最后一句想象明年春天更又如何度过。作者将现在、过去、将来三个时空场景依次转换，不仅增大了小令的容量，也使得相思之情愈勾勒愈浑厚。

（田玉琪）

# 【商调·梧叶儿】

张可久

## 春日郊行

长空雁，老树鸦，离思满烟沙。墨淡淡王维画，柳疏疏陶令家，春脉脉武陵花。何处游人驻马？

### 鉴赏

小令对春伤怀，从全篇看，乃为游子思乡之情。开头三句，作者先用"长空雁""老树鸦"起兴，再以"离思满烟沙"勾勒，正为传统的睹物兴悲手法。就景物而言，"雁""鸦"，乃抬头所见，"烟沙"为平视、俯视所观，而"烟沙"与"离思"相连，中嵌一"满"字，正言离思之无穷尽也。随后三句，作者并没有具体表现离思之情，而是将笔锋宕开，描绘出多幅既明快清新、又生机盎然的春景图画：周围清丽山水如同"墨淡淡王维画"，河水两岸杨柳依依，如同"柳疏疏陶令家"，江边春花烂漫更让人联想起"春脉脉武陵花"。三句连用数典。盛唐诗人王维，诗画双绝，北宋苏轼曾言："味摩诘之画，画中有诗；味摩诘之诗，诗中有画。"(《题蓝田烟雨图》)。陶令即陶渊明，宅边有五株柳树，曾作《五柳先生传》以自喻，又有《桃花源记》写武陵源桃花之美和作者的隐逸之乐。三句所写之景不可谓不美。面对如此景色，主人公或当流连忘返才是，从而开解篇头离思之怀。本篇题为"春日郊行"，原本即野游散心之作。然而作者并没有欣喜流连周围景色，最后用一句"何处游人驻马"戛然作结：景色再美再好，和我这个"游人"又有什么关系呢？作者以马儿之无处驻足，侧写自己孤独无依的漂泊情怀。

小令在结构章法上颇富"顿挫"之致。开头三句以"离思"奠定忧伤基调。随后三句景物描写，又给人明朗清新之感，结句笔锋陡然又一转。全篇短短七句，两转其意，篇幅虽小，亦见跌宕变化。在写作手法上，中间三句以乐景写哀，明朗清新的景色，反增主人公乡愁之浓烈。

(田玉琪)

# 【南吕·一枝花】

张可久

## 湖上归

【一枝花】长天落彩霞，远水涵秋镜。花如人面红，山似佛头青。生色围屏，翠冷松云径，嫣然眉黛横。但携将旖旎浓香，何必赋横斜瘦影。

【梁州】挽玉手留连锦英，据胡床指点银瓶。素娥不嫁伤孤另。想当年小小，问何处卿卿。东坡才调，西子娉婷，总相宜千古留名。吾二人此地私行，六一泉亭上诗成，三五夜花前月明，十四弦指下风生。可憎，有情，捧红牙合和伊州令。万籁寂，四山静，幽咽泉流水下声，鹤怨猿惊。

【尾声】岩阿蟾窟鸣金磬，波底龙宫漾水精。夜气清，酒力醒。宝篆销，玉漏鸣。笑归来仿佛二更，煞强似踏雪寻梅灞桥冷。

### 鉴赏

〔南吕·一枝花〕《湖上归》这套曲子在明代曾一再被人称誉。李开先《词谑》称其："当为古今绝唱，世独重马东篱《北夜行船》，人生有幸不幸耳！"沈德符《顾曲杂言》中说："若散套虽诸人皆有之，惟马东篱'百岁光阴'、张小山'长天落彩霞'为一时绝唱，其余具不及也。"明代人把散曲分为豪放派和清丽派，马致远〔夜行船〕套(《秋思》)和张可久〔一枝花〕套(《湖上归》)，即代表了那个时代文人的生活情趣和追求，又分别代表了豪放派、清丽派的艺术特色。

这套曲子由〔一枝花〕〔梁州〕〔尾声〕三个曲牌组成，是〔一枝花〕

套最常见的只曲组合形式,作品写作者携美人游西湖的过程。良夜、美景、佳人,已属不可多得,且又饮酒、赋诗、弹琴,尽赏心乐事之极,更使人醉神忘形。〔一枝花〕曲首先写傍晚西湖的自然景色。秋日晴空,天显得格外辽阔;秋色连天,使人觉得水面格外深远。彩霞垂落,色调绚烂,水面又清明如镜。接着写花、写山,尤重于写其色彩。人谓"人面红似花",但作者这里却说"花如人面红",比喻得极为活脱。"佛头青",佛陀之发被称为"绀发螺髻",绀为青中带赤的颜色,螺旋发型称做"青螺髻",三字既明写山色青苍,又暗写山形秀美。下面顺势集中写山,"围屏",说群山环绕西湖犹如碧绿的屏风;"生色"指山的颜色鲜明(有人解"生色"为设色,似不甚确。唐李贺《秦宫》诗"内屋深屏生色画",清王琦注:"生色画,谓画之鲜明色像如生者。")"翠冷",指翠色冷光相映。翠色由松树而生,冷光由云气所凝。松云径又喻隐逸的生活环境。唐李白《赠孟浩然》:"红颜弃轩冕,白首卧松云。"也是如此使用"松云"二字。山如眉黛横于前,可见这里也只是远眺山景,并非身临其中。天长、水远、花红、山青,既是实写也是虚写。"旖旎浓香",点出携美人同游。"横斜瘦影",出自宋人林逋《山园小梅》诗:"疏影横斜水清浅,暗香浮动月黄昏。"张可久所携之妓,看来似是色艺、人品俱高,所以作者将她与向来文人视为十分清高的梅花相提并论。

〔梁州〕曲写游湖的活动。诗人和美人携手赏花,是一种生活情趣的追求,不一定看做迷恋声色的堕落行为。素娥指月亮。这时月亮升上来了。诗人与美人一起坐在胡床(一种坐具)上,小酌数杯,谈论着历史上的西湖名妓苏小小和才名绝伦的文士苏东坡,他们虽已作古,但一个以其出众的容貌,一个凭其"欲把西湖比西子,淡妆浓抹总相宜"的惊人诗句,足以百世留名。其中颇有以小小和东坡比做他们自身之意。诗人在苏轼为纪念欧阳修而命名的"六一泉"亭上吟诗,在花前月下弹琴,而多情的美人,则手执红牙板伴奏唱曲。此时万籁俱寂,只有歌声、琴声悠悠,宛转悲凉,直如"幽咽泉流水下滩"(唐白居易《琵琶行》)。

尾曲写深夜萧寺钟鸣,水波荡漾。此时夜色正清,酒力已醒,熏香已尽,更漏已鸣。二更时才从湖上归来。作者认为此番游湖,胜过孟浩然踏雪寻梅觅诗,是一种更理想的避世方法。不难看出,张可久是将他愤世的感情埋藏起来,这才寄情于山水、风月、诗酒、琴曲。应该说他的这种情趣与庸俗浅薄的狎妓游湖是有着明显的区别的。

明代文人张岱写过一篇《西湖七月半》的著名小品,将游西湖的人分为五类,而自居于真正爱好自然,流连湖光山色的雅士之列,张可久正是这样一个鄙薄世俗、蕴含性灵的文人。所以,他的作品颇为明代文人所爱。

作者在这套曲中,将水、天、山、人交融在一起,创造了一种“万籁寂,四山静”的安谧氛围。也写了彩霞,写了红花,写了浓香、金磬,但这些本应产生热烈气氛的词,却和谐地融入了清幽淡远的境界中。清澄的夜色是全曲的主调,但这夜色不单纯是靠色彩描写,而是通过对月、对声、对人的描写来实现的。阅读这支套曲,我们仿佛也被带到了这样一个静静的夜晚,带到了另一个与喧嚣的尘世相对立的清静世界中。这超然世外的境界,以及对这一境界的追求,使人自然忆起元代释英的一首诗:“六月山深处,松风冷袭衣。遥知城市里,扑面火尘飞。”(《山中景》)此诗通过山居生活与城市的对比,或者说冷与热的对比,巧妙、含蓄地表达了自己的见解。同样,张可久的《湖上归》也是在对西湖夜景清静幽美的赞扬中,蕴含着自己对现实的厌恶。

这套曲子用语多有出处。比如“但携将旖旎浓香,何必赋横斜瘦影”和“煞强似踏雪寻梅灞桥冷”,就通过用典提供了一个隐者的高雅生活画面。他把携妓游湖与此相比,认为是同样高洁,于是作者的携妓游湖也就具有了新的含意,全曲主旨也隐于其中了。

(李修生)

# 【中吕·上小楼】

任　昱*

## 隐　居

荆棘满途，蓬莱闲住。诸葛茅庐，隐令松菊，张翰莼鲈。不顺俗，不妄图。清高风度，任年年落花飞絮。

### 作者

*任昱,生卒年不详,字则明,四明(今浙江宁波)人。约与张可久、徐再思同时。少年时曾流连青楼,以小乐章流布于裙钗粉黛间。晚年乃发愤读书。尤工七言诗及散曲。隋树森《全元散曲》辑录其小令59首,套数1套。其曲词清丽,多为相思、宴游、怀古及隐逸之作。

### 鉴赏

此曲是任昱抒发隐逸情怀之作。

归隐,是古代社会的一个普遍话题,更是金元时代流布于士子文人间的时代诉求。远自唐宋以来,隐士的情况就相当复杂,真假难辨。或以退为进,走终南捷径者有之;或邀名逐利,借隐逸以抬高身价者有之;或宦途多舛,回归林泉寻找慰藉心灵之精神家园者有之;抑或无意仕途,痴迷于自然的闲适隐逸之趣者有之。凡此,都难以尽释有元一代的隐逸风流。元代的隐逸,除结缘于仕宦追求外,隐逸更是文人笔下理想化的生活符号,并非一定真正归隐山林。其间或寄托着不与元蒙统治者同流,或蕴含着对汉民族传统文化的追怀,或为士子文人张扬个性，抒发独立人格精神之"隐居乐道"。梳理任昱的一生，于科场、仕宦似不尽如人意，仕路风波之多艰，催发出作者向往隐逸之心情。

曲子开篇，作者便直接抒发归隐的缘由，及对隐逸生活的神往。"荆棘满途"，道破了作者对仕路风波之险恶、人事繁复之多艰的无限感慨，人生旅途，苦恼已多，回首时路，荆棘密布，举步维艰。时有"欲渡黄河冰塞川，将登太行雪满山"(唐李白《行路难》)的痛苦与无奈。现实生活已然险恶，如履薄冰，还是回归田园山林，去到"蓬莱闲住"，寻求隐居生活的无限安静与祥和，乐得逍遥。于此，作者对比了现实与隐居生活的两种境界，既突出了现实生活的世逼事危，又彰显了园田林下生活的安闲自得，作者的生活选择已然不言自明。

由"蓬莱"一词过渡而来，作者很自然地引出"诸葛茅庐，隐令松菊，张翰莼鲈"三句。诸葛亮、陶渊明、张翰这三位历史人物的隐居事迹是享誉士林的。作者借三位隐逸名士作比，紧扣这三位历史人物的隐居生活状况，具体描述了他们的品貌风格：诸葛所居草庐，陶潜之松菊做伴，张翰家乡的土产莼羹、鲈鱼。此处描写亦虚亦实，既可视为虚写前贤往事，亦可看做作者本人安贫乐道生活情趣的实叙。且为了这份久违的自在逍遥，心灵放逐，作者又直抒胸臆："不顺俗，不妄图，清高风度"，表明心迹，决不随波逐流，追名逐利，永葆高洁清雅之隐逸风度。一任其花谢花飞，春来春去，作者誓将那份淡薄与闲适的隐逸生活进行到底。此处曲已尽，情未了。作者因现实之无情与冷漠，回归隐逸，自适安然，看似平淡，亦满含无奈与辛酸。

整首小令格调从容自然，与作者所要表达的归隐情怀相得益彰。尤其在使事用典上，妥帖自然，作者以淡雅的草堂庐舍，味美的莼菜鲈鱼，傲岸的青松，迎霜吐艳的黄菊，描述了隐士身之所居、口之所食、目之所及的生活画面。同时，小令中用典，既是一种高度浓缩的叙事方式，也是一种深情委婉的抒情方式，任昱于此可谓将用典发挥到了极致。

(杜桂萍　李淑岩)

## 【中吕·朝天子】

任　昱

### 村　居

杜门，守贫，知有归田分。春风渐入小洼樽，勤饮姜芽嫩。乡党朱陈，讴歌尧舜，向东皋植杖耘。子孙，更淳，闲把诗书训。

## 鉴赏

此曲是任昱描述田园生活情趣之作。

依《全元散曲》辑录，任昱今存五十九首小令中，抒发归隐情趣，描述田园村居生活的小令有八首。审视任昱的一生，限于文献，很难使任昱曾经丰富的人生鲜活再现。然借助其散曲创作，读者还是能透过其曲词意境，大略走进作家曾惬意自适的田园生活。

曲子开篇，作者借“杜门，守贫”直言心迹：“乐道岂忧贫。”紧承思绪，任昱以白描之手法为读者描画了一幅隐逸生活的世外桃源。杜门闲居，有薄田聊为生计，春风徐来，有村醪盈樽，有子姜下酒，酣饮固不可少，小酌也别具田园风味。偶逢乡间喜事，乡亲奔走佐欢，谈笑间，称尧颂舜，其乐融融，村风古朴，民风真淳。一年之计在于春，春耕时节，东皋水田，亲自躬耕，其乐正自无穷。归来草堂，有儿孙绕膝之天伦；闲时消遣，偶来吟诵诗书，不为功名，唯在陶情养性。好一幅宁静、恬淡的村居闲适图。

以上，任昱以淡雅清丽的画面，将田园村居生活活化为令人神往的家园乐土。事实上，任昱对隐逸生活的热爱是乐在其中，笔下的林泉生活才真切感人。综观任昱今存的隐逸闲适之作，均饱含着作者对田园生活的痴迷与热爱。曲中，或借古人隐居归逸以言志，“诸葛茅庐，隐令松菊，张翰莼鲈”(〔上小楼〕《隐居》)；或直抒对富贵红尘的无心眷恋，“结庐移石动云根，不受红尘”，“草堂时共渔樵论，笑儿曹富贵浮云”(〔小梁州〕《闲居》)；或恍然顿悟，悟得此身当在渔樵山水间，“宦情薄，归兴浓，想从前错怨天公”(〔水仙子〕《幽居》)；或言说不尽的逍遥自在闲适归隐之乐，“伴渔樵，苫茅舍，醉西风满川红叶。近日邻家酒易赊，三径黄花放也”(〔沉醉东风〕《隐居》)等等，都真切地倾泻着作者对田园生活的无限神往与钟情。惟其真情如此，读者从其曲作中体会不到闲居之苦楚，幽居之无奈，相反，更多了几分对田园林下生活的向往与憧憬。这也许是任昱隐逸闲适之作带给后人最真切最别样的审美感受吧。

此曲写作者的隐逸情趣，纯用白描手法，借助柴门、田舍、春风、樽酒、姜芽等静态意象，营造了隐居生活的自然境界；又借“乡党朱陈”

"子孙读书"这两个动态画面,展现了闲适生活的心理境界,可谓动静结合,自然浑成,余韵徐歇。

(杜桂萍　李淑岩)

## 【中吕·朝天子】

任　昱

### 信　笔

九霄,早朝,曾赴金门诏。珠玉在挥毫,胸次谁同调?谈笑枚皋,风流温峤,恣疏狂直到老。尽教,醉了,走马长安道。

鉴赏

此曲为任昱追忆往昔赴京科考得觐见天子之作。

梳理与任昱相关的现有文献,约略可知任昱晚年曾发愤读书,并曾有进京赴考,得见天子的经历。此曲就记录了作者当年赴试九霄的疏狂与豪情。

曲子开篇,作者便迫不及待地点明觐见天子时的盛况:"九霄,早朝,曾赴金门诏。"时当天子早朝,端居九重,一白衣书生得见天颜,何等的自豪与荣耀,骄傲的幸福感顿然填胸。天子面前,一试笔墨,这是多少读书人梦寐以求,又可望不可即的平生夙愿。当此际,如何不使出浑身解数,以逞才智,取悦龙颜。任昱也不例外:"珠玉在挥毫,胸次谁同调?"笔走龙蛇,泼金撒玉,笔头倾泻千字,胸中包蕴万卷,直欲致君尧舜,如此胸襟怀抱,岂是同辈所能及也!

为进一步渲染己之才华出众,如何的脱颖而出,不同流俗,作者又借古人以自况:"谈笑枚皋,风流温峤",真个是"恣疏狂直到老"。枚皋,是西汉著名汉赋家枚乘的庶子,也是汉代著名的文学家,武帝时拜为郎。作为武帝的文学侍从,相传枚皋以才思敏捷,受诏既成著称,而同时的司马相如则为文迟缓,后世流传"马迟枚速"之说。而东晋时期的温峤,从早年参加抗胡斗争、奉使劝进，到后期平定王敦、苏峻之乱，可谓“功盖宇宙，勋著八表”的东晋时代之风云人物。以上，作者以枚皋之才思敏捷，喻己之文思泉涌，谈笑间，文章一挥而就；以温峤曾经的战功卓著叱咤风云，喻己之志向丝毫不让温峤，意在“致君尧舜上，再使风俗淳”。值此，读者隐约得见任昱的风流才俊，自比枚皋之敏锐，自况温峤之丰功，俨然有技压群贤之态势，舍我其谁之疏狂！

翰苑试笔罢，“醉了，走马长安道”。刚刚天子面前，小试文采锋芒，不同流俗的胸襟怀抱，想必是赢得龙颜大悦，褒奖有加。步出九重，余兴未减，犹如饮了琼浆玉液，飘飘然，醉意朦胧，“但愿长醉不复醒”，信马由缰在繁华喧闹的长安古道。

整幅小令，犹如一幕幕电影镜头，蒙太奇式地剪接着作者的生活画面：第一个镜头，九霄早朝；第二个镜头，作者豪情殿试，挥毫泼墨；第三个镜头，“九重，赐宠”，信马由缰长安道。三个镜头组接起来，就全景式地展现了作者昔日长安赴试一展才华、占尽风流的疏狂情态。

作者迟暮之年回忆往昔赴试京都时的疏狂自恃，借助一系列特写镜头的描写，生动传神地再现了作者曾经不可一世的科场风流。使事用典的妥帖自然，既起到了替代性的叙述功能，也发挥了深婉的抒情方式，可谓一箭双雕，又浑然天成。

（杜桂萍　李淑岩）

## 【中吕·普天乐】

任　昱

### 暮春即事

被诗魔，将花探，春深渭北，绿满江南。残红鱼浪香，接叶莺巢暗。古往今来无心勘，习家池日日春酣。人生易感，青铜似月，白发盈簪。

鉴赏

这曲《暮春即事》由叙事引入写景，运用铺陈的笔法，一连数句展示春日景色，“渭北”“江南”，皆春意盎然，此乃紧扣题旨而发，与“暮春"紧相关合。"残红鱼浪香,接叶莺巢暗",将视觉意象与感觉所得巧妙融合,准确传示出曲家对暮春景物的深深陶醉。又由"鱼浪",引发出"习家池"之掌故。据《襄阳记》,"汉侍中习郁于岘山南,依范蠡养鱼法作鱼池,池边有高堤,种竹及长楸、芙蓉、菱芡覆水,是游燕名处也。山简每临此池,未尝不大醉而还,曰:'此是我高阳池也。'"时人歌曰:"山公时一醉,径造高阳池。"(《世说新语·任诞》)山简是晋时人,池在襄阳。此用其意,谓无心考究历史往事,每日以纵饮为乐。接着由摹景转为抒情,以"人生易感,青铜似月,白发盈簪"之感慨作结,旷达中似乎隐含着几分颓唐。虽然作者言"古往今来无心勘",但洒脱的背后却涌动着情感的激流,表达出作者有志不得伸的惆怅心理。勾画暮春时节图,正流露出惜春惜时、时不我待之意。

任昱的另一首〔正宫·小梁州〕《春怀》谓:"落花无数满汀洲,转眼春休。绿阴枝上杜鹃愁。空拖逗,白了少年头。"表达的也是一样的意思。"穷则独善其身,达则兼济天下",为历代儒者奉为圭臬。至于隐身江湖林泉的雅兴,包含着的更多则是无奈。在一个家国飘摇、世态萧索的时代,曲家陷入有所追求却无计追求,不欲追求又难以罢手的两难境地。乱世的文人群落里,不管是蹭蹬科场还是独擅名场,不管是酒肉常赊还是富贵尽享,他们的心灵似乎永远焦灼不安。眼见浪迹江湖,功业无成,而年华老去,白发盈簪,曲家在进取与守拙、积极用世与淡泊处世之间摇摆不定、踟蹰惆怅,力图超越人格主体在心灵歧路上的徘徊而无法逾越。这是个体的悲哀,更是那个时代的悲剧。若能像范康讲的那样,"醅淹千古兴亡事,曲埋万丈虹霓志"(〔仙吕·寄生草〕),在迷醉中消磨人生的无助与失意,在当时或许也算是一种消极的解脱方式吧!

(赵兴勤　赵　韡)

## 【中吕·红绣鞋】

任　昱

### 春　情

暗朱箔雨寒风峭,试罗衣玉减香销,落花时节怨良宵。银台灯影淡，绣枕泪痕交，团圆春梦少。

## 鉴赏

这是一首描写闺怨的曲子。离别是痛苦的。人称,"黯然销魂者,唯别而已矣","人生自古伤离别",更何况是一对恋人的别离呢?心上人不在身边,女主人公因相思而形容憔悴。房间里灯光昏暗,泪水浸透了枕头,即使想梦中团圆,也难以达到。这该是一件多么令人痛苦的事啊!

历来写春情、春怨者夥,如唐孟浩然《春怨》诗曰:"佳人能画眉,妆罢出帘帷。照水空自爱,折花将遗谁。春情多艳逸,春意倍相思。愁心极杨柳,一种乱如丝。"宋吴淑姬《祝英台近·春恨》词云:"粉痕消,芳信断,好梦总无据。病酒无聊,欹枕听残雨。断肠曲曲屏山,温温沉水,都是旧、看承人处。久离阻,应念一点芳心,闲愁知几许。偷照菱花,清瘦自羞觑。可堪梅子酸时,杨花飞絮,乱莺又、催将春去。"上两首作品,虽然写出了女子对心上人的刻骨思恋,但她们毕竟还有画眉梳妆的雅致、"偷照菱花"的清兴、把杯饮酒的兴致。而本作中的女子则不然,由于心绪烦乱、愁肠百结的缘故,周围的一切,不论是装饰精美的"朱箔",还是熠熠生辉的灯光,都染著了黯淡幽怨的色彩。由"落花时节"的表述来看,似写的是暮春之时,此时的风,本来应是"吹面不寒"的,而此处却成了"寒风峭"。春日的"良宵",也变成孤苦难熬之夜,这皆是主人公内在情感折射所致。长夜漫漫,耿耿不寐,唯有孤灯、残泪相伴,相思、痛苦之状,尽现纸上,较上述作品,更觉感人。

全篇似化用唐白居易《闺怨词》"珠箔笼寒月,纱窗背晓灯。夜来巾上泪,一半是春冰"诗意,场景设置在了一个封闭的空间——昏暗的闺房内,恰映照出女主人公空虚寂寞的心绪。"朱箔",即朱帘。作者先写外部环境,帘外"雨寒风峭",此景语亦情语,景物的描写,对女主人公的主观心理具有强烈的烘托渲染作用;然后笔触收敛,写妇人举止,"试罗衣玉减香销"。"女为悦己者容",没有心上人在身边,再华丽的衣衫也提不起兴趣,加之终日思念,茶饭不香,不知不觉中身形消瘦,以致"衣带渐宽""人比黄花瘦"。已是落花时节,本应归来的心上人,仍遥遥无期,又岂能不令她心生怨恨,视良宵为长夜呢?想去做个好梦,排解一下愁绪,可是泪水止不住地滴湿了鸳鸯绣枕,又怎能入梦?不免再度心灰意冷。作者以回环之笔势,细腻地揭示了主人公真挚细腻的情感,通篇冷寂的笔调中带着一点娇嗔幽怨,蕴含有无限伤情。

(赵兴勤　赵　韡)

## 【中吕·红绣鞋】

任　昱

### 重到吴门(二首其二)

芳草岸能言鸭睡,荻花洲供馔鲈肥,天平山翠近金杯。水多寒气早,野阔暮空低,隔秋云渔唱起。

#### 鉴赏

在本作中,曲家描绘出这样一幅画面:芳草岸,荻花洲,慵懒的水鸭,肥美的鲈鱼。夕阳映照下,湖面上闪耀着点点金色的波光。天水相接处,秋云绚烂,渔舟唱晚。其笔下景色就像一幅水墨小品,文雅、含蓄而沉静。作者重游吴地,感慨眼前的"好溪山",也许会不知不觉引发起对隐逸生活的向往。

曲中所写之天平山,宋祝穆《方舆胜览》卷二记其"在城西二十里,巍然特高,群峰拱揖,郡之镇也"。该书又引宋杨备诗"人间多少崄巇路,纵是天平还不平",宋苏舜钦诗"吴会括众山,戢戢不可数。其间号天平,突兀为之主。杰然镇西南,群岭争拱辅。吾知造物意,必以屏大府"。这吴地少有的雄奇之山,翠屏如盖,又将激荡起曲家怎样的旷朗情怀?

在作者的笔下,清丽水光与苍翠山色交错涌现于毫端,真有美不胜收之感。结语"隔秋云渔唱起",表明作者希望摆脱尘世间的扰攘纷乱,在自然情趣中为心灵寻找一方可供休憩的处所。粗粗看去,本曲纯是写景,然细细品味,意境却深远蕴藉。试想,在民族矛盾、社会矛盾异常尖锐的元代，居然还有这么一片静谧安详、诗情画意的乐土。曲家驻足于堤岸之上，眼望着与天相接的茫茫湖水，凝神沉思，默默无语，静听一曲渔歌袅袅，那平朴无奇而又辽远深邃的歌声，一下下撞击听者的耳鼓，定可以排解掉一路而来的孤独和落寞，也可以令人暂时忘却现实的忧愁和烦恼吧！

本作在写景上很有特色。开首二句，以白描的手法，写水畔近景，芳草青青，鸭憩正稳；芦荻花开，鲈鱼恰肥，这是一幅多么清雅、恬淡的画面。然后，视线悄然往稍远处挪移，将青翠的天平山移入画面，给人以"山光烟雨润欲滴，影堕江水空明间""中流水肥鱼逆上，受网应有松鲈鲜"（金党怀英《黄弥守画吴江新霁图》）之感，不能不使人浮想联翩。清澈水边，有天平山矗立，无疑给静雅的画面带来几分劲气。而且，"供馔鲈肥"，则将视角意象迅即转化为餐桌美味，唤起曲家的味觉感受，自然又使曲作情趣顿生。然而，作者并未就此止笔，而是将水面弥漫之寒气、水畔辽阔之田野、暮色低垂之天空以及隔云传来之渔歌，一并写入画面，不仅拓展了本作表现生活的艺术空间，还使静态的画面充满了流动之美，让人似乎看到渔人起网捉鱼、驾舟欲归的忙碌身影。画面的铺垫，若一味突出其静，未免给人孤寂之感，而本作却于近、远、上、下多方位景色的描摹之后，以"隔秋云渔唱起"作结，化静为动，动静相宜，洵为妙笔。

（赵兴勤　赵　韡）

## 【南吕·金字经】

任　昱

### 书所见

胜概三吴地，美人一梦云，花落黄昏空闭门。因，青鸾宝鉴分。天涯近，思君不见君。

## 鉴赏

此首小令乃任昱相思怀人之曲。

该曲起调高远，作者从大处着墨，虚处落笔，开篇以“胜概三吴地”入，化用北宋词人柳永《望海潮》“东南形胜，三吴都会”句而来，曲意高旷，将读者的阅读期待引入了三吴胜地，“钱塘自古繁华”的云蒸霞蔚之境。不料作者笔锋急转，接句“美人一梦云”，强烈的期待遇挫，读者漫游的思绪从本已高远苍茫的境界中回旋，进入了亦真亦幻的朦胧幻境。迷离中，在烟波浩渺、暮霭沉沉的湖光山色中，依稀得见有“梦云”倩影流连山水间。此刻，读者已然完全进入了作者所编织的梦境：形胜的三吴古郡，辽阔的水天，苍茫暮霭中，忽有神仙眷顾，梦中的仙女偶尔投影于波心。明知是梦不愿醒！

然梦终究是要醒的，作者在吊足了读者的胃口后，毅然从梦幻般的虚境顾盼迤逦回到现实“花落黄昏空闭门”。黄昏时分，落花憔悴，闺门长闭。实景逼出真情，美人迟暮之感油然而生。值此，作者俨然以一个长镜头聚焦的方式，牢牢地把读者的视线由远及近，景物由虚而实，从高远的三吴胜地、迷离的神仙眷侣，聚焦在黄昏紧闭的闺门院落。读者此刻的心境也由朦胧趋于现实，新的兴奋点又落到了紧闭的闺门之内，被激发着无限的遐想。

“因，青鸾宝鉴分”，女主人公终于“千呼万唤始出来”，然“犹抱琵琶半遮面”，给读者预留无限遐想空间。此时此刻，一位闺阁中的红颜美人，手持青鸾宝鉴，顾影自怜，暗自神伤，视镜中香腮玉损，空对着落蕊残英，却道萧瑟黄昏好个愁。

女主人公之闲愁万种何来？篇末点明：“天涯近，思君不见君。”“天涯近”，用宋朱淑真《生查子》“遥想楚云深，人远天涯近”意，“思君不见君”，用宋李之仪《卜算子》“我住长江头，君住长江尾，日夜思君不见君”意，寓意所思之人，似近在咫尺，却远隔天涯；感伤之怀，遂借以道出，有无限遥情。

该首小令是任昱相思怀人之曲的代表作。整首曲子短短三十一字，却境界高远，虚实结合，给读者营造了一个迷离朦胧的意境，情景交融，似真似幻。在对女主人公的生活环境进行着色时，寥寥十字，“落花、黄昏、闭门、青鸾宝鉴”，却活化出苦于相思中的女主人公百无聊赖的孤寂情态。此外，多化用前人诗词，自然得体，又工于对仗，颇见元末散曲雅化、诗化的痕迹。

（杜桂萍　李淑岩）

# 【南吕·金字经】

任昱

## 秋宵宴坐

秋夜凉如水,天河白似银,风露清清湿簟纹。论,半生名利奔。窥吟鬓,江清月近人。

### 鉴赏

此曲是任昱月夜抒怀自叹身世之作。

据杨维桢《西湖竹枝集》记任昱"少年狎游平康,以小乐府流布裙钗。晚锐志读书,为七字诗甚工"。如〔中吕·朝天子〕《信笔》云"九霄,早朝,曾赴金门诏"等可略知其曾赴京科考,得见天子。而〔双调·沉醉东风〕《信笔》中"依旧中原一布衣,再休想麒麟画里"等句,似乎又隐露任昱一生终以布衣闲游江湖。无论是"曾赴金门诏"的昨日风光,还是"依旧中原一布衣"的人生写照,任昱的一生于仕宦功名是潦倒寂寞的。因此,其身世之感、人生之叹也是油然而生的。

曲之开篇,作者借深秋、月夜、银河、风露等自然意象,为读者描绘出了一幅清辉凄冷的画面。置身其中,倍增几分凄凉与感伤:或许你是宦游在外的士子,漂泊异乡,"叹年来踪迹,何事苦淹留"(宋柳永《八声甘州》),羁旅漂泊之感唯借秋月抒怀;或许你是客居异地,深秋时节,思乡心切,"黯乡魂,追旅思,夜夜除非,好梦留人睡"(宋范仲淹《苏幕遮》),游子逢秋徒增寂寥;或许你是浪迹天涯的游子,蹉跎了半生的光阴,韶华已逝,青春不再,面对秋月当头,发出"断肠人在天涯"的感喟!凡此情形,不一而足,都诠释着"悲哉,秋之为气也"的古老命题。

值此,不消作者明示,读者已然从深秋清冷的月色中,读懂了作者的感伤与孤独,落寞与无奈。接句直切心理:"论,半生名利奔。"仅此一语,作者对自己半世人生做出了总结,也回答了读者心中的种种疑问。名利场中挣扎奔竞,浑然不觉中已度过半生,得与失、苦与乐尽在不言中。

末句,作者笔锋一转,回视镜中人,“窥吟鬓,江清月近人”。一个“窥”字,点活了整幅静谧的画面,又语带双关。或言以月为镜,人自窥,作者想看、又不敢正视自己的年华蹉跎,“鬓微霜”华发早生之纠结心理;或言月色撩人,月窥人,“明月不谙离恨苦,斜光到晓穿朱户”(宋晏殊《蝶恋花》)之不近人情。曲之妙就在这似是而非之际。结尾化用唐孟浩然《宿建德江》成句“江清月近人”。可谓胆大心细,且较原诗更进一层,在“窥吟鬓”已然高妙下,又将月人格化了,增加了亲切感。

整首小令虽为任昱感叹身世之作,却意境优美。突出表现在情景交融,景中含情,作者借深秋、月夜、银河、风露、清江等一系列自然意象,营构出静谧的意境,烘托出作者月下的缱绻情怀。可谓“一切景语皆情语”。拟人手法的运用,倍增画面的人性美。又动静结合,境界生动鲜活。同时,化用前人诗句、对仗工整,也是本曲的特色所在。

(杜桂萍　李淑岩)

## 【双调·折桂令】

任　昱

### 吴　山　秀

钱塘江上嵯峨，浓淡皆宜，态度偏多。泪雨溟濛，歌云缥缈，舞雪婆娑。胜楚岫高堆翠螺，似张郎巧画青蛾。消得吟哦，欲比西施，来问东坡。

鉴赏

苏轼《饮湖上初晴后雨》诗云:“欲把西湖比西子,淡妆浓抹总相宜。”把西湖比喻成美女西施,传神地表现出西湖的风情之美,成了广为传诵的名句。这首曲子借此发挥,描写了吴山的秀丽景色。

曲子的开头,便发挥了苏轼的诗意,“钱塘江上嵯峨,浓淡皆宜,态度偏多”。嵯峨,是山势高峻的样子。吴山,在西湖东南,靠近钱塘江。这里山势高峻,景色多彩多姿。以下八句便抓住“态度偏多”展开描写。“泪雨溟濛,歌云缥缈,舞雪婆娑”,这三句写吴山的雨、雪、云。不论下雨、多云,还是落雪,吴山各有其美姿。隐隐约约,若有若无。“泪雨”“歌云”“舞雪”,拟人化的手法,将静止的自然写得摇曳多姿,富有人情味。“歌云”出自《列子·汤问》:“抚节悲歌,声振林木,响遏行云。”这三句颇能看出任昱对语言锻炼的讲究。“胜楚岫高堆翠螺,似张郎巧画青蛾”,这两句采用了巧妙的比喻,以大化小,将高峻的吴山比喻成女子的发髻和眉毛,传达出远观吴山的微妙感受。唐人刘禹锡《望洞庭》云:“遥望洞庭山水翠,白银盘里一青螺。”将洞庭湖边的君山比喻成白银盘子里的青色田螺,为作者的构思提供了启发。据《汉书·张敞传》记载:京兆尹张敞和妻子情深,妻子化妆时,他喜欢为妻子把笔画眉,被长安士人讥笑,后来汉宣帝亲自过问这件事,张敞对曰:“臣闻闺房之内,夫妇之私,有过于画眉者。”张敞的回答既巧妙又在情理之中,成为流传千古的佳话。“消得吟哦,欲比西施,来问东坡”,末句承接前句而来,将吴山比喻成美丽的当地美女西施。

借助吴地女子的美丽,来表现吴山的秀丽,泪雨,歌云,舞雪,既写出了吴地女子的喜怒哀乐,也动态地表现出吴山的变化多姿,而发髻、画眉的比喻,传达出远观吴山的美妙感受,结句将吴山比喻成西施,为点睛之笔。整首曲子声情摇曳,给读者留下无限遐想。

(刘占召)

## 【双调·清江引】

任　昱

### 题情(二首其一)

桃源水流清似玉,长恨姻缘误。闲讴窈窕歌,总是相思句,怕随风化作春夜雨。

## 鉴赏

任昱的〔清江引〕《题情》小令凡二首，此为第一首，写男女相思之情，风情摇曳，真挚动人。“桃源水流清似玉，长恨姻缘误”，作者从美妙的追忆写起，那个女子住在遥远的世外桃源，那里桃花盛开，水清如玉，优美的景色渲染了女子美丽的容颜，他们曾经有过美丽的相逢，人面桃花，那是多么浪漫的青春往事！“姻缘误”，说明他们阴差阳错，错过机缘。为什么相爱的人不能终成眷属？是因为误会，还是因为长久的分离，还是因为身份不同而人言可畏？作者没有点明，或许也不需点明，因为此时他的心中只剩下满腔的懊悔。唐李白《古风》云：“一往桃花源，千春隔流水。”那遥不可及的桃源，象征着遥不可及的爱情，让人留恋迷狂。“闲讴窈窕歌，总是相思句”，这两句写相思之情。“窈窕歌”指《诗经》的《周南·关雎》：“关关雎鸠，在河之洲。窈窕淑女，君子好逑。”一个“总”字，说明日日沉迷于相思的痛苦而不能自拔。结句化情语为景语，“怕随风化作春夜雨”，将相思之情化作绵绵无尽的春雨，余韵悠长。

（刘占召）

# 【双调·清江引】

任　昱

## 题情（二首其二）

南山豆苗荒数亩，拂袖先归去。高官鼎内鱼，小吏罝中兔，争似闭门闲读书！

## 鉴赏

此为任昱〔清江引〕《题情》小令二首中的第二首，写隐逸闲情。任昱终生未曾出仕，这首小令表达了他鄙弃仕途、向往归隐的思想感情，是作者终生践履的人生箴言。这首曲子在艺术上最成功的地方，就是用典巧妙贴切，混化无迹。首句“南山豆苗荒数亩”，化用了晋陶渊明《归园田居》：“种豆南山下，草盛豆苗稀”；次句“拂袖先归去”，化用了陶渊明《归去来兮辞》“田园将芜胡不归”，南山田亩中的豆苗都荒芜了，需要赶快回去料理。这两句抒写了厌倦官场而欲退隐的愿望。以下两句描写宦海沉浮，风波难测。“高官鼎内鱼”一句，化用南朝梁丘迟《与陈伯之书》：“将军鱼游于沸鼎之中，燕巢于飞幕之上，不亦惑乎？”“小吏罝中兔”，化用唐杜甫《有怀台州郑十八司户》：“昔如水上鸥，今如罝中兔。性命由他人，悲辛但枉顾。”这两句是说，不论高官厚禄、平步青云，还是沉沦下僚为风尘小吏，都毫无意义，不过是鼎中的游鱼和网里的野兔，安危莫卜，危如累卵，身不由己。这两句对仗工整，造意精警，是对尔虞我诈、弱肉强食的宦海风云的高度概括。投身仕途，不仅束缚身心和个性，甚至还要以性命做赌注，不是太愚蠢了吗？末句“闭门闲读书”出自陶渊明《读山海经》：“既耕亦已种，时还读我书。”这句表达了归隐读书的自由和乐趣。通篇用典，但贴切自然，正如明王骥德在《曲律》卷三中所言：“曲之佳处，不在用事，亦不在不用事。好用事，失之堆积；无事可用，失之枯寂。要在多读书，多识故实，引得的确，用得恰好。”

（刘占召）

## 【双调·清江引】

任　昱

### 钱塘怀古

吴山越山山下水，总是凄凉意。江流今古愁，山雨兴亡泪，沙鸥笑人闲未得。

鉴赏

这首曲子借吴越的山水，怀古伤今，抒发千古兴亡的感慨。吴山，在浙江杭州的南面、钱塘江北岸。越山，指浙江绍兴以北、钱塘江南岸的山。因古时分属吴越而得名。"吴山越山山下水,总是凄凉意。"首二句展现了群山相连、山水环绕的图景。山水无情,作者却用"凄凉"为这幅山水画涂上了伤感的色彩。吴越故地,曾是吴越争霸的战场,也曾是南宋建都之所在,而南宋王朝的灭亡,让金元时期的汉族士人深受国破家亡、异族凌辱之痛,更让他们唏嘘感慨。开篇虽没有具体的人事追忆,但一个"总"字,说得感慨深沉,可见古往今来都是如此。以下两句,分承上句的"山""水"而来。"江流今古愁,山雨兴亡泪。"这两句将"凄凉"的意绪化作泪雨滂沱,不仅在比喻上一脉相承,情感上也变得更加沉重。这句化用了北宋秦观《江城子》:"便做春江都是泪,流不尽,许多愁。"末句"沙鸥笑人闲未得",沙鸥是隐士的象征,唐杜甫《奉赠韦左丞丈二十二韵》:"白鸥没浩荡,万里谁能驯?"作者以沙鸥的自由,嘲笑世人为名利所牵绊。

在艺术上,这首曲子采用了拟人手法,赋予了山水以人的性灵和情感,它们为历代的兴亡凄怨、忧愁,为改朝换代和人世的沧桑悲哀落泪。世人追名逐利是多么荒唐和愚蠢,只能换来鸥鸟的哂笑和讽刺。全曲写得委婉痛切,结尾感慨良深,语短意长。任昱鄙弃功名利禄,且终身未仕,这首小令可以说是有感而发。

(刘占召)

# 【双调·清江引】

任 昱

## 曹明善北回

文章故人天上来,相见同倾盖。两京花柳情,八景烟云态,偏宜品题七步才。

### 鉴赏

曹德,字明善,衢州人。曾任衢州路吏,山东宪吏。据元陶宗仪《南村辍耕录》卷八记载:元代宰相伯颜专权跋扈,残害忠良,大兴冤狱。至元五年(1339),"曹明善时在都下,作《岷江绿》二曲以风之,大书揭于五门之上”。曹明善因对伯颜的口诛笔伐而名声大噪,因此受到缉捕,于是南逃吴中,避祸僧舍。直到数年后伯颜事败,方再入京。这首曲子便作于此时。

“文章故人天上来,相见同倾盖。”写出作者与友人相见的意外和欢悦,并衬托出友情的高雅脱俗。“天上来”用了唐代贺知章与李白相见的典故。李白《对酒忆贺监》小序云:“太子宾客贺公,于长安紫极宫一见余,呼余为‘谪仙人’,因解金龟换酒为乐。”贺知章初次见到李白,就为其非凡的气质折服,于是金龟换酒,大醉而归。“倾盖”出自《史记·鲁仲连邹阳列传》:“谚曰:‘白头如新,倾盖如故。’”途中相遇,停车交谈,便一见如故。晋陶渊明《答庞参军》:“相知何必旧,倾盖定前言。”以下两句,追忆昔日的交往。“两京花柳情,八景烟云态”,他们往日在长安、洛阳诗酒酬唱,又曾一起在燕京游玩。花柳情,烟云态,概括出昔日游赏时所见到的美丽景色和欢愉心情。“偏宜品题七步才”,结句以曹植做比,赞颂曹明善才思敏捷,文采超群。良辰美景,他们不知道留下多少动人的诗篇!七步才,据《世说新语·文学》记载,曹丕曾经逼迫其弟曹植于七步内成诗,不成则杀,曹植于七步内赋成,故有七步才之誉。这首小令赞颂了曹明善卓然不凡的文采和朋友间的深情厚谊,流露出别后重逢的惊喜。语言优美,真挚动人。

(刘占召)

# 【双调·得胜令】

张子坚*

宴罢恰初更，摆列著玉娉婷。锦衣搭白马，纱笼照道行。齐声，唱的是阿纳忽时行令。酒且休斟，俺待银鞍马上听。

## 作者

*张子坚，生卒年不详，名风，与张可久为同时代人。做过转运判官。明朱权《太和正音谱》列其为“词林英杰”。张可久《新乐府》有〔清江引〕三首，系在张子坚席上所作。元张宪《玉笥集》卷八有《挽张子坚》诗，曰：“文仅典州郡，武徒经乱离。异书肥白蠹，雄剑吼苍螭。身冷家人散，门荒过客悲。忠魂倘为厉，犹可捍城危。”隋树森《全元散曲》收其小令1首。

## 鉴赏

此曲是张子坚唯一存世的散曲作品。这是一首记事小令，描写的是歌舞宴乐结束时纷繁艳丽、余兴未阑的场面。

全篇分为三个层次。首两句为第一层，叙述宴会刚刚结束时的情形。“宴罢恰初更”，酒宴结束正好是初更时分。“初更”，晚七点至九点之间，这里暗示宴会持续的时间较长。“摆列著玉娉婷”，宴席铺金缀玉，歌女美艳缤纷。可见宴会非常奢华，非富贵豪门人家不能有这样的场面。接下来四句描写客人纷纷离去，锦衣搭在白马上，纱笼灯照着道路作导引。“锦衣”“白马”“纱笼”说明参加宴饮的客人身份高贵，这是一场贵族的聚会。即将离去的客人依然沉浸在灯红酒绿、轻歌曼舞之中,也许在酒宴上刚欣赏了《阿纳忽》这一时行小令,于是大家趁着酒意,又齐声高唱起来。“阿纳忽”,非中原之语,又叫“阿那忽”“阿狐令”,元杂剧曲牌名。此曲传自女真或蒙古。最后两句写作者自己兴致盎然,以具体可感的行为表现欢宴后的豪放心情:酒,暂且不要斟,想坐在银鞍马上把小曲听。

全曲构思巧妙,生动地刻画了宴罢人散时的场景,在写法上充分调动了读者的视觉与听觉,间接地展现了饮宴的豪华奢侈。小令可视为元代贵族宴嬉逸乐生活的真实写照,具有一定的历史认识价值。

(郑绍荣)

# 【双调·殿前欢】

高　栻*

## 题小山苏堤渔唱

小奚奴，锦囊无日不西湖。才华压尽香奁句，字字清殊。光生照殿珠，价等连城玉，名重长门赋。好将如意，击碎珊瑚。

### 作者

*高栻，生卒年不详，燕山（今在北京市）人。其名明朱权《太和正音谱》作拭，张可久《北曲联乐府题词》《太平乐府》《词林摘艳》《尧山堂外纪》等作栻，现从后者。高栻散曲，今存有小令1首，套数1套。

### 鉴赏

本曲是作者为其好友张可久的散曲集《苏堤渔唱》所写的赞语。曲对张可久充沛的才情、充满激情的创作态度以及作品感人的艺术魅力，给予了形象生动的评价和赞扬。

曲一开始，就引唐人李贺天天携小奚奴骑驴觅诗的典故，称颂张可久卜居西湖，每日沉浸在对西湖美景的题咏以及描写隐逸生活、抒发隐逸情趣的创作之中。曲在赞扬张小山散曲作品的同时，暗喻其创作过程的呕心沥血，也展现了他放浪的生活态度和他严谨勤奋的创作活动。以下两句赞美张小山才华出众，认为其《苏堤渔唱》字字珠玑，篇篇锦绣，其才情超过善写"香奁"诗的唐代诗人韩偓。韩偓有诗集《香奁》，其诗"咀五色之灵芝香生九窍，咽三危之瑞露美动七情"，（宋胡仔《渔隐丛话后集》卷十五）

高氏称赞小山的散曲和韩偓“香奁”诗一样清丽典雅，“字字清殊”，有着动人心脾的艺术魅力。后边三句连用三个典故，高度称赞张小山《苏堤渔唱》高超的艺术价值。“光生照殿珠”句，化用宋陆游《书宛陵集后》中“赵璧连城价，隋珠照乘明”之句，比喻小山的散曲好像能照明宫殿的宝珠一样，光芒四射。这是从小山散曲对后世影响的角度赞誉其曲集的价值。“价等连城玉”，用和氏璧价值连城这一典故，比喻小山散曲的价值如同和氏之璧，是文学宝库中的瑰宝。《长门赋》是汉代司马相如所作，宋人林希逸《金买长门》诗有“谁买长门赋，闺愁不自禁。寸肠抒万恨，一字直千金”之句，此处以《长门赋》之典，比喻小山散曲价值之重，千金难买。三句排比，一气呵成，从不同角度高度评价了张小山散曲无与伦比的艺术成就。最后两句暗用《世说新语》中石崇、王恺斗宝之典故，把张小山散曲与石崇之珊瑚树作比，称道小山散曲像石崇珊瑚树那样堪称绝世，光彩溢目，其艺术成就之高超足以“击碎珊瑚”，压倒群芳，无人能与比肩，从总的方面对张可久散曲集《苏堤渔唱》做了肯定和赞扬。

该曲从各个不同的侧面评价和赞赏了张小山散曲的成就与价值，角度多变，层层递进。或明或暗，句句用典，给人以生动形象之感。语言清隽高华，简练雅正，体现出元代散曲出俗入雅的总体特征。

（王忠阁）

## 【南吕·金字经】

吴　镇*

### 梅　边

雪冷松边路，月寒湖上村。缥缈梨花入梦云。巡，小檐芳树春。江梅信，翠禽啼向人。

**作者**

*吴镇(1280—1354),字仲圭,号梅花庵主、梅花道人、梅沙弥。嘉兴(今属浙江)人。本性高介,隐居于武塘,以教读及垂帘卖卜为生。善书、画、诗。常画山水竹石并题诗其上,时人号为三绝。明人以之与黄公望、倪瓒、王蒙并称元代"画苑四大家"。终年七十五岁。遗著有《梅花道人遗墨》。隋树森《全元散曲》收其小令1首。

**鉴赏**

享有"花之魁"之誉的梅花历来为传统文人所青睐,以咏梅为题材的诗词曲作灿若繁星。梅花圣洁高雅、色香俱佳,在严寒的季节里一枝独秀,人们常常赋予梅花坚韧顽强、冰清玉洁的人格精神。吴镇一生酷爱梅花,其居所称"梅花庵",自署"梅花庵主",又号梅花道人。

小令头两句以工稳的对仗,寥寥两笔,便勾勒出一幅月夜雪中乡野风景图:白雪皑皑,覆盖着松边道路,大地一片清寒;洁白的月光透着寒意,笼罩着湖上的村庄。"雪""月""松""湖""村"共同构成了一幅清冷高洁、疏朗淡雅的图画,它也正是梅花的生活环境,衬托出了梅花的高洁。吴镇是元代有名的画家,尤喜画山水竹石,其山水画非常大气，往往云霞满纸、水墨淋漓。这里作者运用绘画的技巧来摹写景物，可谓“曲中有画”。作者选取“雪”“月”“松”等来进行描写，是为表达一种冰清玉洁的情怀，隐含了诗人隐居不仕、耿直清廉的品行。

“缥缈梨花入梦云”，“缥缈”句以梨花比喻雪，雪压枝头，如梨花怒放，如梦云漂浮。“缥缈”“梦”“云”写出了雪花飞舞给人带来的朦胧空灵之美。从开头句至此，还没有出现“梅”字，作者只是反复描绘梅花生活环境，既切合了“梅边”之曲题，又是层层铺垫，为下文写梅花做好准备。

在冰天雪地里，诗人四处巡寻着，突然间眼前一亮，终于发现了小檐下的梅树。“江梅信，翠禽啼向人”，意思是江梅送来春天的消息，碧色的鸟儿快乐地向人啼叫。一切显得富有生机和希望，暗示了作者对严冬将去、春天来临的欣喜之情。

小令意境深远，含蓄隽永。综合运用对仗、铺垫、比喻、象征等手法来写景抒怀。吴镇早年外出遍游名山大川，热爱大自然，因此对景物的观察非常仔细。这首散曲体物细腻，写景如画，应该与作者的生活经验是分不开的。同时，诗人深受道家逍遥哲学的影响，寄情山林风物，渴望清净无争的生活，其笔下的梅花也便有了行性高远的隐者意象。

（郑绍荣）

# 【双调·清江引】

钱　霖*

梦回昼长帘半卷，门掩荼蘼院。蛛丝挂柳绵，燕嘴粘花片，啼莺一声春去远。

## 作者

*钱霖,生卒年不详,字子云,元代散曲作家,世居松江(今上海)。博学,工文章,曾为道士,更名抱素,号素庵。后迁居湖州、嘉兴,号泰窝道人。著有《渔樵谱》《醉边余兴》,编有散曲集《江湖清思集》,均散佚。明朱权《太和正音谱》将其列于"词林英杰"之中。现存散曲小令4首,套数1套。

## 鉴赏

这首小令抓住了夏日午睡梦醒后的刹那间的见闻和感受,描绘出幽居山中的闲适生活和惜春爱春的情愫。元钟嗣成《录鬼簿》记载钱霖曾"弃俗为黄冠(即道士),更名抱素,号素庵"。这可能是其隐居生活的写照。"梦回昼长帘半卷",开篇从"梦回"写起,夏季日长人困,酣睡初醒,窗帘半卷,展现出隐居者饱食终日、悠闲自在的生活方式。"门掩荼蘼院,蛛丝挂柳绵,燕嘴粘花片,啼莺一声春去远。"这四句层层描摹梦醒后的见闻和感受。荼蘼,是初夏盛开的白色花朵,院门深闭,荼蘼花自开自落,显示出作者洁身自好、傲视王侯的品格;蛛网挂满柳絮,乳燕衔着落花忙碌地筑巢,幽静冷落的山居,一下子变得生机勃勃,热闹非凡;而一声黄莺的啼叫,清脆而悠远,作者朦胧的心绪也一下子飞到了山林之外。宋黄庭坚《清平乐》:"春无踪迹谁知,除非问取黄鹂。”黄莺的叫声，报告着春归的消息，诗人怜春、惜春之情显露无遗。这首小令按照梦醒后的感受和见闻来写，从屋内的帘幕转到院内的荼蘼花、蛛丝、柳绵、燕嘴，再到林间黄莺的啼叫，作者从睡眼惺忪，继而睡意全无，继而到听到黄莺叫声后情思摇荡，这种幽微的情感变化脉络可寻。另外，作者选取的景物也非常细微，而且很讲究静景、动景的结合和声音、色彩的搭配，《录鬼簿》评价其“词语极工巧”，可谓的评。

（刘占召）

## 【双调·清江引】

钱　霖

恩情已随纨扇歇，攒到愁时节。梧桐一叶秋，砧杵千家月，多的是几声儿檐外铁。

鉴赏

这是一首描写闺怨的小令，作者描写了一个被心上人冷落的女子在秋日寂寞愁苦的境况。篇首便点明她被弃置冷落的境地——“恩情已随纨扇歇，攒到愁时节”。“纨扇”这一意象，自汉班婕妤《怨歌行》“常恐秋节至，凉飙夺炎热。弃捐箧笥中，恩情中道绝”之后，就常被用来作为女子被中道抛弃的象征。然而作者这里却用一个“随”字，将这一比喻更翻进一层。随着天气渐凉，纨扇被用到的次数渐渐变少，终至弃置不顾的过程，就像是这女子被心上人逐渐冷落，最终恩爱断绝，再无音信的过程。从而自然地接到下一句——“攒到愁时节”。恩渐衰，愁渐生。失望、寂寞、冷清，种种情绪积累起来，终于攒成了这冷落清秋时节的无边愁苦。这让我们不禁联想到宋秦观《踏莎行》中的“驿寄梅花，鱼传尺素，砌成此恨无重数”一语。这种愁苦不是凭空而来，它有不断积累的过程。一个“攒”字，便不难让人想到，这

“恩情已随纨扇歇”的过程中,女子经历了多少大大小小的酸楚之事,方才积攒成如此的愁苦。

但当我们在猜想接下来作者该如何描述那一路攒来的愁苦之事时,作者却将笔锋轻轻一转,转而描写了数笔秋景——“梧桐一叶秋,砧杵千家月,多的是几声儿檐外铁”。前两句构成工稳的对仗。梧桐一叶,天下知秋,对寂寞伤怀的人来说,这只是漫长秋日的开始,秋天之后,还有更加寒冷的严冬。初秋时节,女主人公便已如此愁苦,此后漫长的日子又该如何挨过去呢?杜甫曾有诗云:“一片花飞减却春,风飘万点正愁人。”(《曲江》)而这里女主人公的境况则可说是“一叶落时已断肠,秋风满地怎堪伤”。秋日初至,正是家家捣制寒衣的时节。“砧杵千家月”从李白诗句“长安一片月,万户捣衣声,秋风吹不尽,总是玉关情”(《子夜吴歌》)化用而来,而同在秋月之下,那捣衣之人,至少还有一个可以遥寄寒衣的对象可以思念,可作品中的女子却已经被心上人弃置冷落,恩爱不再,连捣制寒衣的对象也不再有,对比之下,更添凄苦。此时此刻,与其相伴的,不过是“几声儿檐外铁”。只有秋风吹动的檐下风铃,时不时发出几下铁片撞击之声。冷冷的月色,凋落的梧桐,隐隐的砧杵,凄清的风铃,共同构成了一幅寂寞冷清的秋景图,以景衬情,更加烘托了作品中女主人公的愁苦之情。言虽已尽,余味无穷。

在巧妙的文学表现手法之外,作者选择了声调低咽、多杂入声的车遮韵部,更增一字一咽、哽咽难言之感,可称是声情俱佳之作。

(于杨甡)

# 【黄钟·人月圆】

徐再思*

## 兰　亭

茂林修竹风流地，重到古山阴。壮怀感慨，醉眸俯仰，世事浮沉。惠风归燕，团沙宿鹭，芳树幽禽。山山水水，诗诗酒酒，古古今今。

### 作者

*徐再思(约1285—1345后)，字德可，号甜斋，浙江嘉兴人。元代散曲作家，主要生活于元英宗至文宗时期，曾任嘉兴路吏。与贯云石(号酸斋)齐名，时称"酸甜乐府"。隋树森《全元散曲》辑有其小令103首。明朱权《太和正音谱》评其曲如"桂林秋月"。

### 鉴赏

此曲首句借用晋王羲之《兰亭集序》"茂林修竹"句入笔，点明登临处乃是魏晋风流名士宴集之地。东晋穆帝永和九年(353年)春，王羲之与谢安、孙绰等四十余人，雅集兰亭(在古山阴，今浙江绍兴)，"群贤毕至，少长咸集"，会上各人赋诗，王羲之并作《兰亭集序》，是当时的文坛盛事。魏晋名士多以"诗酒放诞"著称，后人至此，睹物思昨，难免追想古人风采，自然要痛饮一番。酒醉之后，"俯仰"河川，斯人已逝，山水犹存，不免对"世事浮沉"感慨万端。作者至此抒发了览胜怀古之思，但所思所想仍是历代文人常有的心态，若全曲之意仅止于此，不过是前人心绪的延展，虽然真切，却无甚新意。似乎作者也感觉到了这一点，于是感慨之余，兴犹未尽，便极目远望，四面风光尽收眼底。此时已经到了黄昏时分，飞燕开始归巢，三三两两的白鹭栖眠沙洲，树色青青，山鸟寂寂，这一派清幽的景色让人感到愉悦。诗人微醉之际，和风扑面，不觉欣然有会。收尾一句连用六个叠字，一笔振起，全曲旨归霎时升华。所谓"仁者乐山，智者乐水"，"诗酒放诞""率性而为"正是人之本真，来来往往便是古今，虽然逝者已矣，韵事不再，但是古人的文章精神却与山水同辉，播撒后世，流传千古。

（杜桂萍　安洪涛）

## 【仙吕·一半儿】

徐再思

### 春　情

眉传雨恨母先疑，眼送云情人早知，口散风声谁唤起？这别离，一半儿因咱一半儿你。

**鉴赏**

这是一曲讲叙小儿女之间私相爱慕、暗地传情，却被人喝散的故事。战国时楚国宋玉的《高唐赋》记载：楚襄王游高唐，遇到巫山神女，神女曰："妾在巫山之阳，高丘之阻。旦为朝云，暮为行雨，朝朝暮暮，阳台之下。"后世即以"云雨"指代男女欢合、缠绵之情事，本曲开篇两句中的"眉传雨恨""眼送云情"就是对这一典故的化用。一对小儿女互生好感，又正值天真烂漫的年纪，见了面自然是眼里心里都是对方的影子，可是又羞于启齿，不免这一个脉脉含情，那一个暗送秋波。这对小儿女之间的真情流露既然率性大胆、不加掩饰，也就容易被过来人看破。可能是女孩的家长，也可能是男孩的家长，发现了端倪，瞧出了二人之间的情事，而这个家长又很守旧，不能接受少男少女间没有

“父母之命、媒妁之言”的暗中恋情,因此采取了某些强制手段把二人活生生地分开了。这一拆散,相爱的人从此不能再见,心中必然烦恼异常,不免要追究造成这一后果的罪魁——到底是谁走漏了风声呢?又或者是谁行为不检点被人看出了破绽?思前想后,原来这被人喝散的责任一半在情人,一半在自己!全曲描写的是少男少女之间的春情,基本上是以少女的口吻叙述的,语言泼辣率直,又不失俏皮。尤其结尾一句似怨似嗔,实则“你侬我侬”情意绵绵,没有一丝悔意,足见用情之真、行事之直,遂使怀春少女大胆追求爱情的形象跃然纸上。此外,自古离别多苦思,可是细搜全曲字里行间既没有悔意,也没有苦思。那么这一对小儿女分开之后,是从此风流云散了呢,还是依旧暗相往来、坚贞不渝?全曲于此未有明示,却留下余音袅袅,引来读者无限遐思。

(杜桂萍　安洪涛)

# 【中吕·朝天子】

徐再思

## 西　湖

里湖,外湖,无处是无春处。真山真水真画图,一片玲珑玉。宜酒宜诗,宜晴宜雨。销金锅锦绣窟。老苏,老逋,杨柳堤梅花墓。

### 鉴 赏

徐再思一生的活动足迹似乎都没有离开过江浙一带,他有多首作品描写两省的山川风物。这首小令描绘了一幅迷人的西湖春景图,并即景抒情,表达了作者对宁静淡泊生活的向往。

“里湖,外湖”是西湖的两个子湖,西湖以苏堤为界分里湖、外湖。作者畅游西湖,放眼望去,“无处是无春处”,一个“春”字点明时令,两个"无"字,以双重否定的形式表达肯定的语意,强调了西湖的春光无限。接下来两句继续写西湖的全景。三个"真"字构成间隔反复,极言景色之美,如此秀丽的西湖,如同一片经过精雕细琢的美玉,玲珑剔透,"片"字十分传神,将西湖之山的青翠欲滴、西湖之水的晶莹明澈描绘得形象生动,让人仿佛置身其中。面对美景,人们常发"风景如画"之赞,作者却一反传统,认为眼前的风景不是"如画",而是"真画图",进一步渲染了西湖春色之美,同时也显示出作者求新求变的创新意识和不同凡响的艺术才华。

"宜酒宜诗,宜晴宜雨"是一个过渡句,高度概括了西湖山水之美。"宜"字反复叠用,突出西湖的"适宜":饮酒适宜,赋诗适宜,晴天适宜,雨天也适宜,总之是无处不美、无时不美,美不胜收。接下来的"销金锅锦绣窟"一句转入对西湖热闹繁华的描写。"销金锅"是西湖的别称,据宋周密《武林旧事》卷三记载:"西湖天下景,朝昏晴雨,四序总宜。杭人亦无时而不游,而春游特盛焉……日糜金钱,靡有纪极。故杭谚有'销金锅儿'之号。""锦绣窟",指游人都衣锦披绣,给人西湖"回望绣成堆"的视觉感受。可见春日游湖人数之众、花费之多。

描写西湖喧闹之后,作者笔锋陡转,指向了与此格格不入的人事。"老苏,老逋,杨柳堤梅花墓"一句包含两个典故,皆与西湖有关。"老苏"指的是北宋文豪苏轼,苏轼任杭州知州时,疏浚西湖,利用挖出的葑泥构筑成堤,后人将之命名"苏堤",因堤上长满杨柳,又名"杨柳堤"。"老逋"指的是北宋隐逸诗人林逋,他四十余岁后隐居西湖孤山,终生不仕,无妻无子,与梅、鹤为伴,"以梅为妻,以鹤为子",人称"梅妻鹤子",死葬孤山故庐之侧,仁宗赐谥号曰"和靖先生","梅花墓"即指其墓。作者运用这两个典故,不仅给西湖增添了浓厚的人文气息,也隐含了自己对隐逸闲适生活的礼赞和追求。

历来描写西湖美景之作甚多,此首小令不落俗套、独具特色。文中既有雅言,又有俗语,体现了散曲"雅俗并蓄"的语言特点。全文突出一个"春"字,尽言西湖之春的明丽、秀美,绿色是春天的颜色,象征着和平、宁静,也与作者的志趣相同。

(金元华)

# 【中吕·朝天子】

徐再思

## 常山江行

远山,近山,一片青无间。逆流泝上乱石滩,险似连云栈。落日昏鸦,西风归雁,叹崎岖途路难。得闲,且闲,何处无鱼羹饭?

### 鉴赏

常山位于浙江常山县南三十里。此首小令写作者舟行江中的所见所感。作者驾着一叶小舟江中行游,映入眼帘的近山和极目所见的远山皆着青绿之色,草木葱茏,连绵不断。作者本在欣赏群山之景,脚下的船却突然发生了险情,他逆流行船,遇到了布满乱石的险滩,如同行走在连云栈上一样危险,令人后怕。连云栈在悬崖绝壁上凿孔架木而成,行于其上,使人"战战兢兢,如临深渊,如履薄冰"。作者以连云栈作比,亦见其所遇乱石滩之危险。

"落日昏鸦"点明时间,此时已是傍晚时分,乌鸦在昏黄暮色中开始归巢;"西风归雁"点明季节,"西风"指秋风,北宋晏殊有"昨夜西风凋碧树"之句,"归雁"指秋天飞往南方过冬的大雁,这两个典型意象表明现在正是深秋季节。方才经历的行船之险,眼前的日暮、岁暮之景,让作者不禁感叹人生之路就如行船一样,到处充满着激流险滩,崎岖难行,自己一生蹭蹬,毫无建树,竟生出迟暮之感。作者由赏景到伤情,心情骤变,情绪跌入谷底。

然而,作者毕竟有着旷达的胸怀和乐观的人生态度,不会被这些烦心的意绪一直缠绕,"得闲,且闲",还怕找不到一碗鱼羹饭吗?小令的最后一句隐含作者归隐渔樵的志向,大有"白发渔樵江渚上"的豁达和"惯看秋月春风"的悠闲。

从全篇来看,作者的情绪经历了跌宕起伏的变化,闲适——悲伤——忘忧,而他最终能从痛苦中解脱,决意远离官场的险恶,避开政治的漩涡，回归自然，找到自己的人生归宿。此曲情景交融，将客观景物描写和作者的主观情感结合在一起，营造出淡泊宁静与凶险艰危映衬交织的奇妙意境。

（金元华）

## 【中吕·普天乐】

徐再思

### 吴江八景·西山夕照

晚云收，夕阳挂。一川枫叶，两岸芦花。鸥鹭栖，牛羊下。万顷波光天图画，水晶宫冷浸红霞。凝烟暮景，转晖老树，背影昏鸦。

鉴赏

此曲为徐再思小令《吴江八景》之一，吴江在江苏境内，位于太湖之滨。这组小令共八首，首首皆是画境。此篇精心摄取了诸多意象，有晚云有夕阳，有波光有晚霞，有枫叶有芦花，有鸥鹭有牛羊，有老树有昏鸦，作者以凝练之笔描写典型环境，将吴江傍晚宁静祥和的气氛烘托出来。

起首一句言傍晚天空的云霞渐渐消散，夕阳斜挂，映照在西山之上，“夕阳挂”一句呼应曲题。作者将视线由上转下，眼前呈现出一幅色彩绚丽的吴江秋景图。枫叶已经红透，遍野皆着火红之色，唯有吴江的两岸，柔柔地飘着白色，那是岸边的芦花开了。“枫叶”“芦花”是秋天之景，除点明时令外，还渲染了环境，一红一白，一浓一淡，相间相宜，给人一种安详恬静之感。“鸥鹭栖，牛羊下”一句化用《诗经·王风·君子于役》中的诗句“鸡栖于埘，日之夕矣，羊牛下来”，禽畜日落而息，在外漂泊之人也应当回归家园。清褚人获《坚瓠集·丁集》说徐再思“旅寄江湖，十年不归”，这里或许隐含了他的归思。

“万顷波光天图画，水晶宫冷

浸红霞”由陆地之景言及水中之景。“万顷”极言江面之广阔,“波光”指夕阳的余晖投洒江面,波光粼粼。“水晶宫”言江水的明澈,“冷”字表明已到了暮秋时节,“浸红霞”指天空中残存的云霞被反射在江面,看起来如同浸在水中一样,“浸”字极妙,将天与水的相映成趣刻画得十分传神,亦见作者的炼字之功。上句“天图画”三字,既赞美波光霞影之美,同时也关合全篇,赞叹吴江之美丽秋景,如天之画图,将此三字看作曲眼可也。最后一句的“转晖老树,背影昏鸦”系点化前辈马致远“枯藤老树昏鸦”而来,马作“断肠人在天涯”直言游子的乡愁,作者恐也不能避免。

这首小令可以按内容来分层,即“晚云收”到“牛羊下”为一层,“万顷波光”至结尾为一层。这两层都是由写秋天之明丽到写日暮之晚景,日暮之景中又蕴含着浓浓的思乡之情,“乡愁”对于常年漂泊无依的作者来说,实是人之常情、无可厚非。面对如此绚烂的秋景,作者却生发出伤感的意绪,这是不是因为乐景反而更易触发人们哀思的缘故呢?

(金元华)

## 【中吕·红绣鞋】

徐再思

### 雪

白鹭交飞溪脚,玉龙横卧山腰,满乾坤无处不琼瑶。因风吹柳絮,和月点梅梢,想孤山鹤睡了。

**鉴赏**

这是一曲描摹山中月夜雪景的小令。开篇一联对仗工整,描绘雪的颜色,突出雪色之白,运笔逸兴遄飞,颇具神韵。大雪洋洋之际,溪畔白鹭往来飞翔,山腰上万木银装,宛若“玉龙横卧”。放眼望去,仿佛整个世界到处都是皑皑白雪。作者伫立于这一片白茫茫的世界之中,望夜空如坠,大地素裹,心中一时感慨丛生。接下来的三句中,作者一连用了三个典故隐喻所思所想。南北朝时刘义庆等编著的《世说新语》记载:某日,谢玄与晚辈子侄谈论学问,忽然大雪骤降,谢玄便问道:“白雪纷纷何所似?”兄子胡儿曰:“撒盐空中差可拟。”兄女谢道韫曰:“未若柳絮因风起。”谢玄听了很高兴。后世便以“柳絮”比喻洋洋洒洒的鹅毛大雪。北宋沈括《梦溪笔谈》载:“林逋隐居杭州孤山,常畜两鹤,纵之则飞入云霄,盘旋久之,复入笼中。”林逋,字君复,赐谥和靖先生,北宋人,隐居杭州孤山,不娶无子,唯植梅放鹤,时称“梅妻鹤子”,被传为千古佳话。其《山园小梅》诗曰:“疏影横斜水清浅,暗香浮动月黄昏。”本曲中“和月点梅梢”就是从此句中化出。结尾这三句借典写景、情景交融、意蕴深远。雪花簌簌若柳絮轻飏,夜色朦胧,月挂梅梢,依稀遥想,孤山的鹤此际也当熟睡了。作者眼中所见心中所想的是一幅何等静谧祥和的图画!虽说才女风流、隐者闲逸都已经逝去,但眼前这份安谧足以让人“望峰息心”,欣欣然乐而忘返。全曲以动起以静终,无一字抒情,却无一字不含情,堪称寓情于景的上品之作。

(杜桂萍　安洪涛)

## 【中吕·红绣鞋】

徐再思

### 道　院

一榻白云竹径,半窗明月松声,红尘无处是蓬瀛。青猿藏火枣,黑虎听黄庭,山人参内景。

**鉴赏**

此曲写作者游览道院时的所见、所闻和所感,涉及一些中国古代神仙传说和道教修炼理论,解读和赏鉴都比较复杂,有一定的难度。

开篇两句描写道院的景物，白云青竹，明月苍松，环境安静清幽。人居住于此，远离尘世烦恼，倒也清静。不过清静之余不免孤寂，似乎还是不能如意，因此作者慨叹红尘之中没有仙境。“蓬瀛”是中国古代神话中神仙居住的地方，《史记·秦始皇本纪》记载，方士徐福对秦始皇说：“海中有三神山，名曰蓬莱、方丈、瀛洲，仙人居之。”这一说法历来为道教所沿用。接下来三句，作者结合道教的修炼理论描述了道院中的道士，也隐喻了自己的所感。其中涉及一些道教炼丹修仙的名词，如“火枣”指传说中的仙果，食之能羽化飞行。南朝道士陶弘景所著《真诰》记载：“玉醴金浆，交梨火枣，此则腾飞之药，不比于金丹也。”再如“黄庭”指《黄庭经》，是中国道教早期经典著作，约成书于魏晋时期，分为“内景、中景、外景”三种，结合中医理论，主要阐述“思神守一，宝精爱气”之说与修炼长生之术。这三句构成工整的鼎足对，声韵朗畅，一气呵成。作者在这里描摹了一幅院中道士修道炼丹、冀求长生的图画。乍一看，仙气融融，颇令人神往。实则作者前文已叙述明白，在这远离尘嚣的道院里，本可涤荡俗务、淡泊性情，使身心获得安宁。但居住于此的道士们却一心炼丹，企盼长生，而人世间却从来没有神仙，所谓成仙长生不过是人们心中一个遥不可及的梦想。居于世外桃源，却日日生活于妄想之中，白白辜负了这里清幽宜人的“世外仙境”。

（杜桂萍　安洪涛）

## 【中吕·普天乐】

徐再思

### 吴江八景·垂虹夜月

玉华寒，冰壶冻。云间玉兔，水面苍龙。酒一樽，琴三弄。唤起凌波仙人梦，倚阑干满面天风。楼台远近，乾坤表里，江汉西东。

鉴赏

此曲乃《吴江八景》组曲的第一首。写吴江(江苏吴江县)之垂虹桥。因其状若彩虹,故名,当时号称“江南第一桥”。桥上有一亭,名叫“垂虹亭”,惜此桥今已不存。全曲大致是咏月,所以开篇首句便直入主题。作者来到垂虹桥畔,夜幕之下首先感受到的便是月光,这也是月夜赏玩时的常态,给人以信手拈来之感。是夜月光犹如白玉的光华,但是微寒,又似盛冰的玉壶,润泽晶莹。旧时传说月中有宫殿,名曰“广寒”,其间有嫦娥和玉兔居住,所以人们常用“玉兔”指代月亮。作者伫立月色之中,仰望月栖云端,俯瞰则垂虹桥宛若苍龙横亘水面,不觉兴致勃发。恰于此时,传来游人饮酒的喧闹和抚琴的悠扬,这一俗一雅的交融又触发了作者敏感的情思。依稀仿佛之间,吴江之上,洛神乍临,“凌波微步”“罗袜生尘”“恍兮惚兮”,宛若梦境。接下来一个“天”字为全曲浓浓地抹上了一笔神秘的色彩——风自天上来,梦自水中生。作者于神思朦胧之际,临风远眺,见远近楼台错落,天地相衬互为表里,吴江浩渺,东连汉水,西通长江,横无际涯。全曲信笔而起,信笔而收,“文而不文,俗而不俗”,貌似状景,情思却无处不在。尤其是后半段,意境开阔,想象瑰丽,奇正相衬,结尾似收非收,蕴绵绵不尽之余意。

(杜桂萍　安洪涛)

## 【中吕·阳春曲】

徐再思

### 闺　怨

妾身悔作商人妇，妾命当逢薄幸夫。别时只说到东吴，三载余，却得广州书。

## 鉴赏

这是一首写闺怨的小令,虽然直白显露,却也饶有趣味。唐朝诗人白居易《琵琶行》曰:“商人重利轻别离,前月浮梁买茶去。去来江口守空船,绕船月明江水寒。”自古热心金钱的商人难免重利轻情,唐朝的茶商因外出逐利,一个多月没有回家,撇下妻子“江口守空船”。本曲中女子的丈夫也是一个逐利的商人,丢下妻子一人外出做生意去了,妻子每每想到这些不免心中后悔当初嫁错了人,以致日日独守空房。悔意渐浓,遂生怨怼,既抱怨自己命运不济,被月老牵错了红线,更怨恨丈夫无情无义,对自己冷暖不询、生死不问,真是个“薄幸”的男人。“薄幸”指薄情、负心,多用于形容对爱情不专一的男人,如唐朝杜牧《遣怀》诗曰:“十年一觉扬州梦,赢得青楼薄幸名。”按理追逐利益乃是商人本性,东奔西走也是其职业特点,似乎不必如此夸张愤懑。作者亦明晰此中道理,于是顺笔一带道出了女子悔恨、怨怼的缘由——“别时只说到东吴,三载余,却得广州书”。“东吴”泛指古代吴地,大约相当于今江苏、浙江的东部地区。原来女子的丈夫离家出行的时候曾许诺只是到东吴去做生意,大约东吴距家不远,用不了多久就可以回来。然而一去三年,如泥牛入海,音讯杳无,妻子独守家中,日日倚门遥望,情何以堪?终于盼来了丈夫的一封家书,打开一看却是从南海的广州寄来。那么这封家书中都说了些什么呢,是不是三年中发生了什么重大变故呢?曲中没有具体交代,不过可以猜测出一二。如果真是发生了什么意外,丈夫不得已转至广州,妻子着急牵挂还来不及,怎会心生悔恨、怨怼?这应该就是一封普通的平安家书,略道商旅转徙,已至广州云云。试想夫妻两地,离情三载,望眼欲穿收到一封家书,其内容不过如此,岂能不大失所望,岂能不怀疑对方的情义是否还会坚贞诚挚?全曲寥寥数字,文意只分两段,一起一收,却峰回路转,匠心独具,尤其结尾一句,语出意外,戏剧性极强,遂使前文数句习语常言顿生光彩。

(杜桂萍　安洪涛)

# 【中吕·阳春曲】

徐再思

## 赠海棠

玉环梦断风流事，银烛歌成富贵词。东风一树玉胭脂，双燕子，曾见正开时。

### 鉴赏

这首小令虽短,但用意却颇为深远。从题目看,大约是送给某个叫海棠的女子的,但也可能就是一篇咏物寓意之作。开篇两句用了两个与海棠有关的典故,其一是杨贵妃(玉环)的故事,据北宋释惠洪《冷斋夜话》载:唐明皇去见杨贵妃,正值杨贵妃酒醉未醒,侍者通报,贵妃未及理妆便来参拜,明皇见了笑道:"岂妃子醉,直海棠睡未足耳!"其二是苏轼的《海棠》诗中"只恐夜深花睡去,故烧高烛照红妆"两句。历来海棠与牡丹并称为"富贵"之花,是富贵繁华的象征。杨贵妃与唐明皇的故事为历代文人雅士赏玩的风流韵事,而"银烛"高照时的海棠也正是为人赏悦的巅峰之际,这些本都是春风得意、鲜花着锦的景况,不料却被作者一句"梦断"当头喝住,想来自应别有寓意。那么这一句"梦断"的寓意到底是什么呢?作者没有明说,而是笔锋一转,描摹了一幅春风送暖、海棠盛开、燕子双飞的图画。东风微醺,一树胭脂色的海棠花润泽如玉,正是荣华繁盛之际,令人叹羡。成双成对的燕子穿梭其间,似乎也在羡赏这份鲜浓美艳。末尾一句"曾见正开时"貌似轻描淡写,细品则韵味悠长。这些燕子成天飞栖花间,对这一树海棠自是十分了解,原来海棠"正开"之时已过,虽仍明媚鲜妍,但花谢花飞的日子已然不远了。正是这结尾的淡淡收住,一波三折,点出了"梦断"的寓意。常言道:"好花不常开,好景不常在。"杨贵妃风华绝代,"三千宠爱在一身",最终却落了个马嵬自尽的下场。海棠虽美,花季虽盛,但即使银烛高照也难免要零落尘泥。这曲小令短短三十几个字,既似咏物伤春,又似寓意怀古,浓彩起笔,淡然收尾,韵绵意远,足称佳品。

(杜桂萍　安洪涛)

# 【双调·沉醉东风】

徐再思

## 春情(二首其一)

一自多才间阔,几时盼得成合?今日个猛见他门前过,待唤着怕人瞧科。我这里高唱当时水调歌,要识得声音是我。

### 鉴赏

这首小令用一个女子的口吻,写出了怀春少女微妙的心理和情感,将这位少女与情郎阔别多日而骤然相见的情景生动传神地描绘出来,塑造了一个活泼纯真、多情娇羞、热情聪慧的民间女子形象,是一首别具一格的情歌。

"一自多才间阔,几时盼得成合?"古代称富有文才的男子为"才人""才郎",这里的"多才"是女子对情郎的昵称。"间阔"即久别,间(jiàn),离;阔,久。这两句是说自从与情人离别,时间已经很久了,何时才能盼到与情人结合?"成合"意味结合,比"重逢"意思更进一层。也许上次见面时曾经有过这样的约定,所以这位女子别后就一直盼望着。一个"盼"字,表示出这位女子期待之久、盼望之殷。

"今日个猛见他门前过",一、二两句显然是为三、四句做铺垫,如果说前两句的情还如潺潺小溪,缓缓流淌,这两句便如滔滔洪流,在她胸中掀起狂潮巨浪。这位女子与情人阔别后,无时无刻不在思念情人,反反复复品味着情郎许下的诺言,无数遍设想着与之重逢的喜悦。今日不仅忽然间看见了他,而且是从自己的门前经过,这是何等的惊喜!但可惜,情郎竟未留心到自己。"待唤着怕人瞧科。"少女的第一个冲动是想立刻把他喊住,可是又怕被旁人看出,只好又忍住。小令在这里给人留下了悬念,比如,这"门前过"是有意还是无意?情郎为何过其家门却没有任何特殊的示意?他们的恋情为何如此隐秘怕被人知道?也许是出于传统观念、家庭阻挠、害羞心理等等想法,这位少女张开嘴却喊不出来。这种细微的心理真实而生动,颇耐人寻味。

“我这里高唱当时水调歌,要识得声音是我。”等待了这么久,怎能错过机会?女子急中生智,扬声唱起曾经为情郎唱过、而情郎又最爱听的《水调歌》。《水调歌》当是流行于元代用《水调》写成的情歌。“要识得声音是我”一句充满自信,情郎定会听出自己的声音,了解自己的心意。这两句形象地表现了少女的聪慧可人,可谓情真、语新,使人感到这位女子率真、活泼、可爱,把她的情感活动、微妙心理,生动地刻画了出来。这颇具戏剧性的镜头,留给人无限的想象余地。

这首小令,格调极近民歌。曲文直率坦诚,语言质朴本色,不假辞藻典故,浅中见含蓄,俗中见机巧。细节描写生动,仿佛一个个特写镜头。尤其善写心理活动,生动传神,妙趣横生,余味无穷。

(谢真元)

# 【双调·蟾宫曲】

徐再思

## 春　情

平生不会相思,才会相思,便害相思。身似浮云,心如飞絮,气若游丝。空一缕余香在此,盼千金游子何之?症候来时,正是何时?灯半昏时,月半明时。

### 鉴赏

小令以一个女子的口吻,写出了恋人之间的相思之苦,将女子相思的情态描摹得生动逼真。这是一首写相思的曲苑佳作,历来为人所称道,如清褚人获《坚瓠集》称该小令“其得相思三昧者与”。

“平生不会相思,才会相思,便害相思。”说自己本来是不懂相思的,但刚刚学会相思,便害上了相思病。这里用三句叠韵,说明这位女子尚是初恋,平生第一次尝到爱情的滋味,春情萌动,便深深地坠入爱河,欲罢不能。极写相思之深、之切。

“身似浮云,心如飞絮,气若游

丝。”极写害相思病时的症状，身体轻得像浮云一样飘荡，心思像春风中的柳絮一样飞舞，喘气像游丝一样似断还连。此三句是用春天的景色——浮云、飞絮、游丝来比喻相思者的身、心、气三方面，形象地描绘出相思的情态，表现出相思之深，相思之苦。“身似浮云”，坐立不安，游移不定；“心如飞絮”，心烦意乱，魂不守舍；“气若游丝”，相思成疾，气息奄奄。

“空一缕余香在此，盼千金游子何之？”只剩下一缕余香，即只剩下一口气，飘浮不定的情思似袅袅香烟不绝如缕。这位女子为谁相思成疾？“盼千金游子何之”，这才点破了少女相思的原因和相思的对象。相思的原因就是希望知道远行的那个恋人如今身在何方，他何时才能回到自己身旁？相思的对象是“千金游子”，贵族公子。女子朝思暮想的心上人是一位出身高贵、离乡远游的公子，她无时无刻不在盼望着意中人的归来，可是这位贵公子却踪迹不定，音信渺然，他根本不知有位女子在为他魂牵梦绕、柔肠寸断。

“症候来时，正是何时？灯半昏时，月半明时。”这是一个设问句，自问自答。症候即症状。相思病最难耐的时刻是什么时候？那便是夜阑灯昏，月色朦胧之时。此处用了一组叠韵，进一层表现相思之苦：如果说白天还可以转移一下思念之情，夜深人静，思念的情绪便愈加浓烈，根本无法排遣，真是“才下眉头，却上心头”。这里写出了相思的环境，渲染出一种昏昏惨惨、寂寞冷清、愁肠寸断、魂牵梦绕的气氛。至此，对少女相思之情的刻画可谓情真意切，入木三分。

这支小曲的最大特色，就是浅显易懂，直白通俗，运用大量的比喻，把不可名状的相思情形描绘得栩栩如生。其重句体和重韵体的结合使用，连环叠扣，格调累累如贯珠，带有缠绵哀怨、一唱三叹的情调，使相思的情态得到了充分展示。

（谢真元）

## 【双调·蟾宫曲】

徐再思

### 西湖夏宴

卷荷筒翠袖生香，忙处投闲，静处寻凉。一片歌声，四围山色，十里湖光。只此是人间醉乡，更休提天上天堂。老子疏狂，信手新词，赠与秋娘。

## 鉴赏

西湖，历来是诗人歌咏的对象，前人描写西湖的诗词曲很多，北宋柳永的“重湖叠巘清嘉，有三秋桂子，十里荷花”（《望海潮》），苏轼的“欲把西湖比西子，淡妆浓抹总相宜”（《饮湖上初晴后雨》），杨万里的“接天莲叶无穷碧，映日荷花别样红”（《晓出净慈寺送林子方》）等，都是描绘西湖风光的名句。

徐再思写西湖的散曲有四支。这首小令写西湖夏景，以描写自然风光为主，盛暑已不是游览的最佳时节，不写游人，正是注意到了景物的季候特点。作者可能写的是“曲院风荷”一带的风光。“曲院风荷”位于西湖西侧，岳飞庙前面。南宋时，此地有一座官家酿酒的作坊，取金沙涧的溪水酿造曲酒，甚为有名。附近的池塘种有菱荷，花开时香风四起，每当夏日风起，酒香荷香沁人心脾，因名“曲院风荷”。其地现在仍为西湖十景之一。

前三句：“卷荷筒翠袖生香，忙处投闲，静处寻凉。”第一句写陪同宴饮的歌伎们穿着华贵艳丽的衣装，散发出清新淡远的香气。翠绿色的长袖像卷起的荷叶，飘散出缕缕幽香，与西湖荷花的清香一道令人陶醉。“翠袖”是美女的代称。这是一个消暑的休闲之地，人生难得一时闲，在繁忙的工作中能偷得片刻闲，在暑气蒸腾的盛夏，能寻到一处清凉幽静的地方安顿身心，是何等惬意的事情。

“一片歌声，四围山色，十里湖光。”四、五、六句形象地描绘出了在西湖消夏的情景以及西湖的山水美景。歌女在演唱时令歌曲，歌声悠扬悦耳。放眼西湖，映入眼帘的是四周绵延的青山、烟波浩渺的湖水。耳听美妙的歌声，眼观如画的景色，人的身心完全沉醉其间了。

七、八两句：“只此是人间醉乡，更休提天上天堂。”在如此美丽的西子湖畔，诗人全身心陶醉于自然景色之中，秀色可餐，美酒可口，饮酒半酣，恍恍惚惚，飘飘然似乎置身于仙境。俗话说：“上有天堂，下有苏杭。”而西湖是苏杭的点睛之笔，是苏杭的灵魂。这里真是堪称人间仙境啊，天上的天堂恐怕还不及西湖美呢！湖泊的光芒穿透了生命的意义，湖泊是精神生命的原点。湖泊是云、水、阳光孕育的骄子，诗人为水的灵魂所吸引，从喧嚣到安静，从身体到心灵，张开双臂，去拥抱自然,去聆听最质朴也最灵动的语言,去享受最真实的美。

最后三句:“老子疏狂,信手新词,赠与秋娘。”才华横溢的诗人怎能不为之讴歌呢!诗人才思敏捷,信手拈来,挥毫而就,即席写出了这首小令。“老子”,宋元人口语,泛称老人、老头,此处是诗人自称。“疏狂”,指狂放不羁。“秋娘”泛指歌女、角伎(能歌善舞的官妓)。意思是说本人的性格狂放不羁,在清歌、美酒的消夏宴会上,挥笔写成一曲小令,交付给艳妆的歌女,让她将这支曲子演唱。这三句进一步说明此小令写作的背景,是夏天在西湖的一次宴会上,这里也照应了开头第一句宴会上的歌伎。

这首小令写景抒怀,体现了我国古代艺术尊崇自然的审美观念。崇尚自然,赞美自然,是中国古代诗词曲一个永恒的主题。这类题材不仅为我们提供了诗情画意的美感享受,而且表现了中国文化的心灵境界,传达出了华夏民族共同的文化诗心。古人喜欢写水,其间描写最多的是西湖。这绝不仅仅因为西湖之美,更重要的是诗人在生命旅途中,欣然发现了一片浣濯身心、涤荡尘垢的灵魂止泊之所。因此,西湖成为诗人心底里恒久不衰的一种美感。这首小令中,诗人将山水的本质与人的生命、诗情融合于一起,借以表现忘怀物我、超然自适的人生态度,并且在那里找到了安顿心灵的精神家园。在只能看见水泥森林、钢筋湖泊的现代人眼中,这首小令定会给我们以美的享受和生命的启迪。

(谢真元)

## 【双调·清江引】

徐再思

### 春　夜

云间玉箫三四声,人倚阑干听。风生翡翠栊,露滴梧桐井,明月半帘花弄影。

## 鉴赏

此曲的主旨是借春夜小院景色以抒发诗人优雅之情。篇幅虽小，却给人以跌宕起伏之感，既有一股文人的悲春意味，又别出机杼另有遐想，虽有一种淡淡的忧愁，但基调还是较为积极的。

“云间玉箫三四声，人倚阑干听。”一个月明风清的春夜，隐约传来幽怨的洞箫声，诗人倚着阑干倾听，那呜呜咽咽、如泣如诉的乐调，撩起人淡淡的愁思。“云间玉箫”，此处暗用“弄玉萧史”的典故，典出汉刘向《列仙传》：“萧史者，秦穆公时人也。善吹箫，能致孔雀、白鹤于庭。穆公有女字弄玉，好之，公遂以女妻焉。日教弄玉作凤鸣。居数年吹似凤声，凤凰来止其屋，公为作凤台，夫妇居其上不下，数年，一旦皆随凤凰飞去。”一、二两句使人联想到这个美丽动人的故事。这里是说夜深人静之时，断断续续的洞箫声好像是从天外飘来，恐怕是弄玉、萧史在天上吹奏吧。意境清幽，耐人寻味。

“风生翡翠棂，露滴梧桐井，明月半帘花弄影。”这三句写景，先是写肌肤的感受，温暖的夜风从窗外吹来，“翡翠”指翠绿色的窗帘，“棂”是旧式房屋的窗格。夜风吹动着翠绿色的窗帘，夜是这样静谧，似乎露珠滴落在天井石板上的声音也清晰可闻。透过窗棂向外看去，小院天井里梧桐树的枝叶宽阔而稠密，皎洁的月光给小院中的梧桐、花草镀上一层银色，月光倾泻在绿色窗帘上，半明半暗，映衬着窗外婆娑的花影，何其幽静美妙的月夜！

徐再思的散曲被明人朱权评为“如桂林秋月”。这首小令亦如所评，其曲风端谨秀丽，雍容平和，婉约工巧，清新自然，属清丽派曲。此小令明显是对宋代婉约词的继承，说它是词也未尝不可。宋代婉约词多表现清新秀美的景观，尤其迷恋“清影”之美，往往通过物影来表现景物的动态美和朦胧美，如词人张先，因善写“影”而得“张三影”的美名。他的“云破月来花弄影”“无数杨花过无影”“帘压卷花影”等等，创造出一个个无限空明又无限朦胧的意境。这首小令中“明月半帘花弄影”，所营造的春夜清朗之境，透过小窗花影，优美地呈现着，给予人不受烦恼与污染的永恒清净。清与静，是由宇宙根源之地而奠立的人生基源，是由宇宙与人生根源之地而透出的艺术精神。我们从小令中深切感受到一种清净澄洁之境，清幽空翠之美，洞见到天地间一泓清气之流行。

“窗”与“影”之美,更是中国山水诗人普遍赏爱的一种通脱、透明感受。由窗、帘透过去的花枝疏影,无限幽倩,无限朦胧,犹如提纯而出的清光之魂、空明之魂。倘若没有小窗,月色、花草、林木,都只不过是一些孤立的风景元素,彼此之间缺乏一种有机的生命联系。而有了这一方窗牖,这些风景元素就被提纯为一片灵幻异常的清光,大自然的存在化为诗人掬取的一泓清气。因而从小窗透出去,犹如从晶莹透明的心灵透出去,摄取一个空明清新的世界。满窗清光,便是脱俗清纯的世界,诗人的那一份心情,尤为叫人感动。

这支小曲,表现的只不过是一个静悄悄的小小庭院,一个春天的月夜,这里没有高山大川、茂林修竹,而作者的妙笔却使它具有如此魅力。表面看起来好像作者是毫不费力,随口吟咏而出,仔细玩味,却发现作者是经过了一番煞费苦心的炼字炼句、刻意推敲。因此,全曲虽无惊人的警句,却写得自然清新,极有韵致,读者可以从中体味到闲适平静的生活情趣和不同凡响的文学意境之美。

(谢真元)

## 【双调·清江引】

徐再思

### 相　思

相思有如少债[1]的,每日相催逼。常挑着一担愁,准不了[2]三分利。这本钱见他时才算得。

注释

① 少债:欠债、负债。
② 准不了:折不了、抵不得。

## 鉴赏

乍一看此曲开头，将相思比喻为欠债，令人不禁疑问二者的可比性：相思，无论是“此情无计可消除，才下眉头，却上心头”，还是“海上生明月，天涯共此时”，种种表达遥忆、思念的相思心情，均属深厚的感情；而欠债，则是与日常经济往来有关的世俗事务，且常常不免繁琐与纠纷，与“相思”似乎是风马牛不相及。但徐再思在曲中别开生面地将二者联系在一起，极尽巧妙，形象地写出了相思者的心理状态。

“相思有如少债的，每日相催逼”，害了相思就像欠了高利贷，债主每天催着逼着，欠债者想赖赖不掉，想躲躲不开，只能硬着头皮撑着。最典型的欠债莫过于现代剧作《白毛女》中的情景，讨债者步步紧逼，欠债者坐卧不安。“常挑着一担愁，准不了三分利”，欠债者的肩头好像时时刻刻挑着一副沉重的担子，担子里面装的全都是因欠债而产生的百结愁肠，没有片刻的功夫可以卸下来松一口气。本以为这一天比一天重的一担愁可以还债了，没想到却连那高额利息的十分之三也抵不了，更不用说偿还本钱了。利上加利，债务如同滚雪球，越积越多，一如那相思之情，与时俱增。足见相思之深，愁怨之重。什么时候可以了却这笔相思债呢？“这本钱见他时才算得”，只有见到日思夜想的那个心上人，才能连本带利地将这情债彻底还清。

相思是抽象的情感，文人们常常运用比拟手法，将之具体化、形象化。徐再思的这支小令，没有用明月、流水、春草等常见的意象来比喻相思，而是将相思比拟为世俗的欠债，且一比到底，其构思之巧妙，联系之自然，描写人物心理之真实生动，实乃匠心独运，不能不让人拍案叫绝。相思真的是一笔债，只有那些真正相思过的，真正欠过债的，才能知晓二者给人带来的心理体验是如此相似。我们大胆猜想作者也许深刻地体验过欠债和相思的滋味吧，不然，怎么能极富创造性地将二者联系在一起，又说得这么真切而透彻呢？

这首曲子另一鲜明的特点是语言通俗易懂，简洁洗练，明白如话地展现了相思者的真实心态，朴素自然，生动形象，不失元曲本色。难怪任讷在《曲谐》中评价此曲“读来但觉其说话”。与徐再思其他含蓄婉约的作品相比，这首曲子风格迥然一变，足见作者丰富深厚的表达功力。

（张文利）

# 【双调·水仙子】

徐再思

## 夜　雨

一声梧叶一声秋，一点芭蕉一点愁，三更归梦三更后。落灯花棋未收，叹新丰孤馆人留。枕上十年事，江南二老忧，都到心头。

### 鉴赏

此曲标题的“夜雨”二字，点出了曲中事所发生的时间与背景。“夜雨”是古典诗词中的常见意象，如唐李商隐“何当共剪西窗烛，却话巴山夜雨时”和宋黄庭坚的“桃李春风一杯酒，江湖夜雨十年灯”句，均营造出漫漫长夜思念亲友的气氛。那么，徐再思此曲以“夜雨”为题，又是表达了什么样的情愫呢？曲子开头“一声梧叶一声秋，一点芭蕉一点愁”，运用反复的修辞手法，读来抑扬顿挫，烘托出萧瑟落寞、孤独伤感的情绪。一方面描绘出梧叶片片随风舞、雨点滴打芭蕉叶的情景，加深了旅人的寂寥；另一方面梧桐、芭蕉在古典诗词中总是与离愁、客思、悲伤联系在一起，如五代李煜《相见欢》“寂寞梧桐深院锁清秋”，唐李商隐《代赠》“芭蕉不展丁香结，同向春风各自愁”。悲秋加离愁，正是曲中之事的起因。“三更归梦三更后”，夜半三更时梦见回到故乡与亲人团聚，正无比幸福欢乐的时候，被风声雨声从梦乡拉回现实，午夜梦回，再难入眠。

然后，作者将笔锋转到梦醒后所见，“落灯花棋未收”。灯花已落，残棋未收，此句化用宋赵师秀的名句“有约不来过夜半，闲敲棋子落灯花”（《有约》），使读者联想到思乡者睡前以棋解闷却不减烦闷，于是在秋风秋雨声中百无聊赖地睡去的情景。“叹新丰孤馆人留”一作“叹新丰逆旅淹留”，化用《新唐书·马周传》中典故：“舍新丰，逆旅主人不之顾。”唐初马周未发迹时，曾旅居新丰，遭到店家冷遇，后多用旅居新丰表达羁旅客愁、备受冷落的情怀。此处一个“叹”字，一是将作者旅途中的无奈与煎熬表现得淋漓尽致;二是起到承上启下的作用,作者所叹息的,还有“枕上十年事,江南二老忧,都到心头”。据清褚人获《坚瓠集·丁集》记载,徐再思“旅居江湖,十年不归”。在这秋风夜雨中,他在枕上辗转反侧,难以成眠,十年往事历历在目,无法拂去,这其中夹杂着郁郁不得志的感慨以及羁旅奔波的酸苦。“江南二老”是指自己在江南故里的双亲。中国古代素有“父母在,不远游”的传统,徐再思籍贯浙江嘉兴,却十年北上游宦不得归去,无法在父母身边尽孝,颇有江南子弟他乡老的落魄和无奈。凡此种种,“都到心头”,作者或许有更深的思念与惆怅,曲子到此却戛然而止,留给读者的是余音袅袅,遐思无限。

这支曲子,像一幕短小精悍的情景剧,将事件的时间、地点、人物,以及起因、发展、结局诸因素交代得清清楚楚。全曲未出现一个“雨”字,却分明使读者看到,作者由梦境到现实,再由现实到浮想联翩,都是在“夜雨”这一背景下展开的,呼应了标题“夜雨”,是一篇抒写雨夜羁旅之愁的佳作。

(张文利)

## 【双调·水仙子】

徐再思

### 春　情

九分恩爱九分忧,两处相思两处愁,十年迤逗*十年受。几遍成几遍休,半点事半点惭羞。三秋恨三秋感旧,三春怨三春病酒,一世害一世风流。

**注释**

* 迤逗(tuōdòu):本指勾引,此处谓感情多波折、磨难之意。

鉴赏

此曲是徐再思的春思闺情曲之一,为一个多愁善感的女子代言,既有爱恨交织的心理感受,又兼有情人终未能成眷属的悲凉感慨。其显著的艺术特色是巧妙运用数字,不仅每句皆有数字入曲,且数字在句首和句中重复,句式活泼生动,读来朗朗上口,如珠玉落盘,乐音铿锵。曲因数字而增添趣味,数字因曲而富有情致。

"九分恩爱九分忧",古人认为"九"是数字中最大者,从"九天""九重""一言九鼎"等词语中可见一斑。"九分恩爱"极言恩爱之深,"九分忧"则言忧念之切,有一分恩爱,便要付出一分忧念,感人至深。"两处相思两处愁",正所谓人居两地,情同一心;一种相思,两处闲愁。分隔两地的人儿日夜想念,难耐相思之愁苦,诚如前人所言"忧来思君不能忘,不觉泪下沾衣裳"。"十年迤逗十年受",漫漫十年中,相互吸引,彼此牵挂,忘不了的爱,断不了的情,虽然备受煎熬,却也心甘情愿地默默承受。此三句形成鼎足对,虽对仗和平仄都不甚严格,却酣畅淋漓地传达出相爱之深切长久与无怨无悔。

然而,接下来"几遍成几遍休,半点事半点惭羞"句,笔锋忽转,爱情中渐现苦涩伤感之音。只有对爱情怀着美好憧憬与向往的人,只有真心相爱的两个人,才会屡"成"屡"休",屡"休"屡"成",剪不断,理还乱,缠绵反复,欲罢不能。尽管如此投入与执著,历经相思和磨难,但仍然改变不了一个哀伤的结局:物是人非事事休,只剩回忆与怨嗟。结句又一个鼎足对:"三秋恨三秋感旧,三春怨三春病酒,一世害一世风流。"伤春悲秋是古典诗词中的常见题材,如"每到春来,惆怅还依旧"(五代冯延巳《蝶恋花》)"万里悲秋常作客,百年多病独登台"(唐杜甫《登高》)。苦恋多年只赢得不尽的春愁秋恨,思之不免让主人公心生无尽的幽怨悱恻。回忆往事,她怨对方的无情,更怨自己的痴情,为掩心事便借杜康解忧,"日日花前常病酒,不辞镜里朱颜瘦"(五代冯延巳《蝶恋花》),谁知借酒浇愁,愁却更愁。一生的真爱或许就这一次,即便已成终生的遗憾,也是永远的回忆,刻骨铭心,拼尽一生亦难抚平爱恨情仇在心中留下的痕迹。

爱情有喜亦有悲,有爱亦有怨。此曲将一场没有结果的苦恋的当事人的心理状态描写得十分细腻感人,令读者对其遭遇感同身受,充满同情。语言通俗流畅,句句押韵,数量词的反复叠用，别致新颖，“量化”了令主人公欲说还休、欲罢不能的情意，真正做到声吻毕肖，实现语言与内容的有机结合。此外，首尾两组鼎足对的运用，亦使此曲显得错落有致，极具韵味。

（张文利）

## 【双调·水仙子】

徐再思

### 红指甲

落花飞上笋牙尖，宫叶犹将冰箸粘，抵牙关越显得樱唇艳。怕伤春不卷帘，捧菱花香印妆奁。雪藕丝霞十缕，镂枣斑血半点，掐刘郎春在纤纤。

**鉴赏**

这是一支咏物曲，所咏之物即如标题所示，为女子的红色指甲。作者用一系列联想、比喻，将女子那纤纤玉指和鲜艳跳动的红指甲描写得形象生动。尤为可贵的是，作者在咏物的同时，将该女子活泼、俏丽、多情的性格亦表现得惟妙惟肖。

首句“落花飞上笋牙尖”，以落花从枝头轻轻飞下，不偏不倚停留在笋牙尖上，比拟女子娇嫩的手指及鲜艳欲滴的红指甲。“宫叶犹将冰箸粘”，冰箸指冬季房檐上结成的冰条，形似筷子，色如白玉，晶莹剔透，“宫叶”亦以红叶比拟女子的红指甲，同时暗用唐代宫女红叶题诗的典故，二次作比，再写女子手指之白皙及红指甲之鲜艳。当女子用这样的纤纤玉指轻抵微启的朱唇间，越发映衬出樱桃小口的美艳。

以上为静态描摹。接着，作者转换角度，由静态描写转为动态描写。无论是唐白居易“夜深明月卷帘愁，日暮青山望乡泣”（《长安早春旅怀》）还是宋李清照“莫道不消魂，帘卷西风，人比黄花瘦”（《醉花阴》），“卷帘”这一语码均与伤春悲秋的感伤情绪有关。“怕伤春不卷帘”,因怕看见窗外花落春去的情景,便不卷窗帘。“捧菱花香印妆奁”,手捧菱花铜镜孤芳自赏,不经意间手指上的氤氲香气已留在梳妆镜匣上。此处的角度转换,还由单纯的物态描写兼具情态刻画。不多愁不善感者不会伤春,不爱美不自信者不会捧镜,一个既伤春多情又热爱美好生活的女子形象浮现在读者眼前。

“雪藕丝霞十缕,镂枣斑血半点”两句,继续描绘女子的手指和艳丽的红指甲。作者由玉葱般的十指联想到雪白的莲藕丝,而那指尖的红甲,恰如天边的彩霞一样绚烂多姿。红指甲又像精心雕镂出来的红色枣状斑纹,还像滴落的半点鲜血,耀人眼目。“掐刘郎春在纤纤”,可以说是全曲的点睛之句,作者前文从形、色、动态等各方面展示美丽的手指和红指甲,皆是在为这一结句做铺垫。“刘郎”在此代指情郎,趁人不备轻轻地一“掐”,此时无声胜有声,女子的调皮、挑逗及欢喜之情均隐含其中,又有日常生活的世俗之乐。如此漂亮的玉指上涂着鲜艳的红指甲,正是怀春少女春情萌动的流露,不能不谓之“春在纤纤”。

此曲从多个不同角度描写妙龄女子的红指甲,以儒家传统诗教观念来看,不免落入庸俗乃至恶俗的低级情趣中。然而曲子运用博喻手法,多个比喻连用,想象丰富,妙趣横生,在语言表达方面新颖独特,令人耳目一新。正是这种艺术表现力,确立了该曲在元代咏物类散曲中的地位与价值。

（张文利）

## 【双调·殿前欢】

徐再思

### 观音山眠松

老苍龙,避乖高卧此山中。岁寒心不肯为梁栋,翠蜿蜒俯仰相从。秦皇旧日封,靖节何年种?丁固当时梦。半溪明月,一枕清风。

## 鉴赏

徐再思号甜斋，与贯云石为同时代人，因贯号酸斋，故二人散曲合为一编，名为《酸甜乐府》。徐再思虽与贯云石齐名，风格却不尽相同，贯以豪爽俊逸为主，徐再思却以清丽工巧见长，明朱权《太和正音谱》评其如“桂林秋月”。

此曲题中之观音山，疑指南京观音门外的观音山，一说在扬州。起首的“老苍龙”，指古老的苍松，《渊鉴类函》卷四百十二引《格物总论》：“松树磥柯多节，皮极粗厚，望之如龙鳞。”“避乖”，与世连离，避离世乱。乖，离也。次二句“岁寒心”，松、竹、梅被称为岁寒三友，指其具有抵御严寒的意志，故常比喻在困顿中保持高尚的节操。“翠蜿蜒”谓青藤缠绕在松树上，沿松树而俯仰。起首用拟人手法，把观音山之老松作为一位隐士来描写。“避乖高卧”，仿佛其处世态度；“岁寒心”句，则赞高士的操守和情怀；“翠蜿蜒”句则扣住题目“眠”字，绘出老松郁郁青青、或俯或仰的姿态，隐喻隐逸之士与世逶迤、随时俯仰的处世智慧。开篇几句，其显形意象，句句不离老松，但其隐形意象，却有一位活脱脱的隐逸高士呼之欲出。

“秦皇”以后三句，使用鼎足对排列方式，夸写老松的不凡身世。“秦皇”句出自《史记·秦始皇本纪》：“二十八年……（始皇）乃遂上泰山，立石，封，祠祀，下，风雨暴至。休于树下，因封其树为五大夫。”“靖节”句出自世称靖节先生的陶渊明，其《归去来兮辞》中有“三径就荒，松菊犹存”“抚孤松而盘桓”等字句。“丁固”句中的丁固，字子贱，三国吴人。《吴录》记载：丁固为尚书时，曾梦见松树生于其腹上，语人云：“松字十八公也，后十八岁，吾其为公乎！”后果然官至大司徒。末二句“半溪明月，一枕清风”描画山中月照半溪、风生万壑的幽境，写得拔俗优美，韵味深隽。一“枕”字与题中“眠”字呼应，写出老松眠风卧月的悠闲与惬意，仍收结到隐士形象的寄寓。

松树在我国是高洁、坚贞的象征，此曲又特别咏赞“眠松”，作者以物拟人，借咏松来歌颂情操高洁的隐士。曲作开始侧重在松树的“眠”“卧”的形态，接着以三个问句概括了它饱经人世的沧桑，最后才选择了与清风、明月为伴的归隐之途。句句写松，句句拟人，善于联想，长于点染烘托，相融相洽，深得其趣。此曲既塑造完美的松树形象，也寄寓了作者自己的人生理想。

（陈定謇）

## 【越调·天净沙】

徐再思

### 探　梅

昨朝深雪前村，今宵淡月黄昏，春到南枝几分？水香冰晕，唤回逋老诗魂。

**鉴　赏**

此曲开头三句都化用了前人诗句，以诗入曲，以典故引意，情景交融，感情蕴藉，表现出超俗的追求。"昨夜深雪前村"，据《五代史补》记载，齐己携所撰诗谒见郑谷，即《早梅》诗："前村深雪里，昨夜一枝开。"原"一枝开"为"数枝开"，郑谷看后说："数枝，非早；不若一枝，则佳。"齐己当时佩服得五体投地，此句正是出于这一典故。"今宵淡月黄昏"，此句出自宋林逋《山园小梅》诗中的名句："暗香浮动月黄昏。"昨朝今宵，一明一暗，写出梅花不同背景下的绝妙风姿，意在为探梅做铺垫。"春到南枝几分？"此句由唐韩偓《早玩雪梅有怀亲属》诗"此陆候才变，南枝花已开"化来，妙用成句，使探梅之念达到了高潮。"水香冰晕"，是见到梅之后的感慨，仅仅四字就道出了梅香、梅姿、梅品，可以说活画了梅之灵魂，有林逋"疏影横斜水清浅，暗香浮动月黄昏"之境，写出了梅花超世脱俗的冰雪品格。"唤回逋老诗魂"一句，直接点出林逋这位"梅妻鹤子"的世外高人，从而表现出那种追求自由、渴望冰洁的心态。

咏梅的作品自古很多，隐逸情调也是元代文人再三咏叹的主题。徐再思的这支小令既有继承，也充满了独特的创意，为什么如此痴梅探梅？诗人所痴痴寻觅的，与其说是自然界的春意，还不如说是一种"诗魂"——也就是现今所说的"诗意的栖居"，这种境界正像梅花一样孤傲超俗，自在无累。曲词陈情直露而又精雕细刻，曲折回环而又婉转流美。

（陈定謇）

# 【越调·天净沙】

徐再思

## 渔　父

忘形雨笠烟蓑，知心牧唱樵歌，明月清风共我。闲人三个，从他今古消磨。

### 鉴赏

最早写渔父形象的可能是《楚辞·渔父》："屈原既放，游于江潭，行吟泽畔，颜色憔悴，形容枯槁。渔父见而问之曰：'子非三闾大夫与？何故至于斯？'屈原曰：'举世皆浊我独清，众人皆醉我独醒，是以见放。'渔父曰：'圣人不凝滞于物，而能与世推移。世人皆浊，何不淈其泥而扬其波？众人皆醉，何不哺其糟而歠其醨？何故深思高举，自令放为？'屈原曰：'吾闻之，新沐者必弹冠，新浴者必振衣；安能以身之察察，受物之汶汶者乎？宁赴湘流，葬于江鱼之腹中；安能以皓皓之白，而蒙世俗之尘埃乎？'渔父莞尔而笑，鼓枻而去，乃歌曰：'沧浪之水清兮，可以濯吾缨；沧浪之水浊兮，可以濯吾足。'遂去，不复与言。"渔父因见屈原憔悴困苦，劝他随波逐流，与世浮沉；而屈原则表示决不妥协，表达了两种处世哲学的不同。此后，渔樵形象就成了中国传统思想中隐逸文化的集中反映，成为文人寄情山水和精神净化的象征性符号，是他们人格精神和审美品位的外化。有关渔樵的作品标榜"隐"和"逸"的思想，具有儒道兼济的哲学基础。"明月清风"句出自《南史·谢譓传》："入我室者，但有清风；对我饮者，惟当明月。"宋欧阳修《会老堂口号》："金马玉堂三学士，清风明月两闲人。"此用其意。"从他今古消磨"，既是自乐之语，更可能是无奈之语，通篇深入浅出，一气呵成而又余音绕梁，耐人寻味。

（陈定謇）

# 【越调·天净沙】

徐再思

## 题　　情

多才惹得多愁，多情便有多忧。不重不轻证候。甘心消受，谁教你会风流！

### 鉴赏

金庸《书剑恩仇录》第十三回有一段说,红花会的十四当家余鱼同逃离险地,“正要朦胧合眼,忽然隔房‘东弄’一响,有人轻弹琵琶。他雅好音律,侧耳倾听,琵琶声轻柔宛转,荡人心魄,跟着一个女人声音低低地唱起曲来:‘多才惹得多愁,多情便有多忧,不重不轻证候,甘心消受,谁教你会风流!’他心中思量着“多情便有多忧”这一句,不由得痴了。过了一会,歌声隐约,隔房听不清楚,只听得几句:‘……美人皓如玉,转眼归黄土……’出神半晌,不由得怔怔地流下泪来,突然大叫一声,越窗而出。”

金大侠所引的曲子,正是元徐再思的〔越调·天净沙〕《题情》。自古以来,多才、多愁、多情、多忧是紧密相连的,它是许多中国诗人共同的个性特征,也是文学的永恒话题。“证候”,症状,即病状,元曲中多用以指相思。“不轻不重”拿捏恰中肯綮,说“重”么也不算正经病,说“轻”么又使人茶饭不思,寝食难安。末句以怨词反问,既是“证候”,又“甘心消受”,爱之缠绵悱恻也许正因为许多不确定因素和矛盾心理所致,才使人如醉如痴,神魂颠倒。这首小令语淡情浓,一唱三叹,是似贫实腴的一个范例。

（陈定謇）

# 【越调·柳营曲】

徐再思

## 和听雪

酒半醒，月三更，怪梅花唤回鹤梦惊。蚕叶纵横，龙甲琮琤，寒粟玉楼生。灞陵桥人有诗成，剡溪中谁驾舟行？光涵虚室明，寒扑小窗轻，柳絮冷无声。

### 鉴赏

此曲写醉观夜雪的情景，其所“和”之原作，待考。开篇“酒半醒”三句写酒后半醉半醒、似梦非梦的境地，“鹤梦”谓超凡脱俗的向往，同时代张翥词：“自湖上、爱梅仙远，鹤梦几时醒。”“蚕叶纵横”句语出晋王嘉《拾遗记·员峤山》：员峤山中产冰蚕，长七寸，黑色，有角有鳞，霜雪覆之，始成茧。“龙甲琮琤”句语出宋张元《雪》诗：“战退玉龙三百万，败鳞残甲满天飞。”“蚕叶”和“龙甲”喻指雪。外面雪下得正紧，作者或因衣单衾薄而感风寒，或因寒冷的刺激而惊醒。“灞陵桥”二句，宕开一笔，由小楼而悬想灞陵、剡溪，当然作者未必真到过这些地方，此处思绪飘移，怀古伤今，海阔天空，茫无涯际。“灞桥诗成”，用唐代诗人郑綮之典，宋朱胜非《绀珠集》卷六：“或问（郑）綮近日有诗否？对曰：‘诗思在灞桥风雪中驴子上，此处何以得之？’”“剡溪驾舟”，用东晋诗人王徽之（子猷）典故，据《世说新语·任诞》：“王子猷居山阴，夜大雪，眠觉，开室命酌酒。四望皎然，因起彷徨。咏左思《招隐诗》，忽忆戴安道。时戴在剡，即便夜乘小船就之。经宿方至，造门不前而返。人问其故，王曰：‘吾本乘兴而行，兴尽而返，何必见戴！’”用此二典，以古人雅怀高致，衬托其醉观夜雪的高雅情怀。

末三句又由远而近，把镜头拉回小楼中：雪景返照，寒气轻漾，“柳絮”喻雪，《世说新语·言语》记载，谢安一家皆能诗，一日大雪，谢安首先吟咏道：“白雪纷纷何所似？”其侄儿谢朗接着吟咏道：“撒盐空中差可拟。”其侄女谢道韫最后吟咏道：“未若柳絮因风起。”末句一个“冷”

字总括全篇,冷本无声,无声之冷却打通感观,更显酒后蓦然而醒,独处小楼的窘迫寂寥。徐再思的这首小令写景极为凄清,使人顿生寒意,所谓景语亦是情语者。

(陈定謇)

## 【越调·凭阑人】

徐再思

### 春　愁

前日春从愁里得,今日春从愁里归。避愁愁不离,问春春不知。

**鉴赏**

此曲题为"春愁",这虽然可以说是一个千百年来被无数次描写过的题目,不过徐再思仍然以他独特的笔触和自身的体验,赋予这首短曲独特的风韵,使其不失为一首颇具特色的春愁小令。

〔越调·凭阑人〕这一曲牌格式短小,在不过短短二十四字之内,作者便连用了四个"春"字和四个"愁"字,不可谓不多,这一方面体现了元曲独有的风格特色,一方面也直接给人一种春与愁交织缠绕、难遣难排的感觉。前两句"前日春从愁里得,今日春从愁里归"是从时间的角度来叙述的。"前日春从愁里得",可见未及春至,愁已先生;"今日春从愁里归",可见春虽已去,愁却依然。用"前日""今日"来形容春之来去,虽然意义上指的是"前些时候"和"如今",但却同时给人以短短几日春光已尽的感觉,不由得生出此愁何长、此春何短之感。两句相结合,便将整个春日都涵盖在长长的愁思之中了,简单重复的句式,平铺直叙的口吻,传达出一种无可奈何的意味,似乎作者已经习惯了那排遣不去的愁思。于是接下来便是承接上文而来的感叹——

“避愁愁不离，问春春不知。”两句感叹浅显明白却又有着丰富的内蕴，前一句“避愁愁不离”，不仅写出了对于愁绪“此情无计可消除”(宋李清照《一剪梅》)的无奈，也同时表达了对“匆匆春又归去”(宋辛弃疾《摸鱼儿》)的留恋，想避的避不开，想留的却留不住，于是不禁想问一句“是它春带愁来，春归何处？却不解、带将愁去”(宋辛弃疾《祝英台近》)。然则大自然的春光当然不能给出任何回答，正如宋欧阳修在《蝶恋花》一词中所写的那样：“雨横风狂三月暮，门掩黄昏，无计留春住。泪眼问花花不语，乱红飞过秋千去。”作者面对沉默逝去的春天，也只能慨叹一句“问春春不知”了，而这无人可以相问，只有向春而问的境况，也体现了作者的寂寞之感。两句感叹，既包含了对无可回避的愁思的无奈，对无可挽留的春光将逝的叹息，也表现了作者的孤单寂寞。这种丰厚的内蕴，体现了徐再思作品中清雅蕴藉、近于诗词的特点。

整曲读罢，令人不觉想起五代冯延巳的《鹊踏枝》一词，徐再思此篇散曲，恰可为冯词做一注脚，冯词上半阕“谁道闲情抛掷久？每到春来，惆怅还依旧。日日花前常病酒，不辞镜里朱颜瘦”正可谓是“前日春从愁里得，今日春从愁里归”；而后半阕“河畔青芜堤上柳。为问新愁，何事年年有？独立小桥风满袖，平林新月人归后”恰可说是“避愁愁不离，问春春不知”。二者一词一曲，冯词更为惆怅缠绵，而徐曲则看似浅近直接，实则内蕴丰厚，两者比较读之，更有韵味。

(于杨甡)

## 【越调·凭阑人】

徐再思

### 无　题

九殿春风鳷鹊楼，千里离宫龙凤舟。始为天下忧，后为天下羞。

## 鉴赏

这是一首咏史曲,曲中的描述对象是隋朝的亡国之君——隋炀帝杨广。作者以极其简洁的文字,通过前后两个片段对比来浓缩概括杨广的一生。首二句“九殿春风鳷(zhī)鹊楼,千里离宫龙凤舟”,“鳷鹊楼”为汉代宫观名,建于长安甘泉宫外,此处用来指代长安的宫阙。这两句曲词以长安宫观和离宫龙舟两个场景,分别代指杨广初登帝位和后来乘龙舟游幸江南两个不同的时期。杨广初登帝位时,也曾心忧天下,曾有诏云“每虑幽仄莫举,冤屈不申,一物失所,乃伤和气,万方有罪,责在朕躬,所以寤寐增叹,而夕惕载怀者也”(《隋史·帝纪》)。然而随着在位日久,逐渐沉湎于享乐之中,变得穷奢极欲,加之其本人好大喜功,开凿运河急于求成,又四方用兵,穷兵黩武,使得百姓负担过重,民不聊生,终于引发了天下大乱,落得身死国灭,为天下后人所耻笑的结局。长安的初登帝位和龙舟巡幸江南,可以说是杨广前后不同时期具有典型代表意义的事件,作者通过对典型的选取,以对仗的手法写出两个同样看似承平的景象。而通过末两句“始为天下忧,后为天下羞”点出其间的不同变化,由心忧天下,到为天下所笑,其根源不过是个人欲望的无限膨胀而已。通过精炼的语词,在短短四句中表达了作者的咏史警世之意。

徐再思在这首曲子里采用了他很擅长的表现手法,通过对仗和句式反复的运用,更加突出了对比效果,末两句一“始”一“后”,一“忧”一“羞”,通过相同的句式,仅仅变动了首尾两个字,却表达出了强烈的对比效果,同时句式上的回环往复,又使人更深刻地感受到历史的因果循环中所蕴含的道理。这种颇具民歌意味的重复手法在散曲中颇为常见,而徐再思则更善用此类手法,将雅与俗相结合,从而取得俗中求雅的艺术效果。

此曲虽然仅有短短四句,然则结构精巧,语言精练,在短小的篇幅内传达了深刻的含义,全曲虽然未有一字直接议论,却明确地传达了作者的态度。历来咏叹隋炀帝荒淫暴虐导致亡国的作品虽多,但本曲在艺术上自有其独到之处,非他人之作所能替代。

(于杨甡)

# 【越调·凭阑人】

徐再思

## 春怨

遥盼春来图见春，及至春来还怨春。自怜多病身，为他千里人。

### 鉴赏

这是一首描写闺中相思的小令。虽未直言，但作者已经告诉我们主人公是位闺中女子。“遥盼春来图见春”，春天是个烂漫风情的季节，也是引起少女怀春的时令。一个“盼”字，表现女子渴望春天的到来，希望在春日里见到情郎的身影，一起踏青欢歌，双立斜阳，感受爱情带来的甜蜜和愉悦。在这里，春这个意象的蕴含是丰富的，春既指自然界的春天，也寓意春情，所以是内外兼指的。“遥盼”“图见”四字，直写女性情怀，表现出散曲直爽真挚的朴素美。

当女子所盼之春真的到来之际，女子又有着怎样的心态呢？“及至春来还怨春”。按理，既然是“遥盼”和“图见”，那么，当春真的来到之时，就应当万分高兴快乐才是，结果却出乎意料，思念远人的女子不是积极投身于浪漫季节的怀抱，而是生出一种莫名的埋怨。“遥盼”是因为春天的美好、记忆和向往，埋“怨”是因为自己想见的人儿不在眼前，而是远在千里。女子在渴盼与矛盾中被相思的苦情煎熬着，竟至相思成病，使得娇柔的身子更加孱弱了。可这一切，都是为了谁呢？为了那位远在千里之外的情郎。毋庸置疑，当女子和自己的情郎在一起时必定是别样的温馨和浪漫，短暂的生活给女主人公留下了不可磨灭的回忆，以至于相思成病。

此曲短短几句，匆匆起笔，又匆匆落笔，言短而意深，语淡而情长，充分展示了散曲小令特有的艺术魅力。

（梅　伟）

# 【商调·梧叶儿】

徐再思

## 钓　台

龙虎昭阳殿，冰霜函谷关，风月富春山。不受千钟禄，重归七里滩，赢得一身闲，高似他云台将坛。

### 鉴赏

此曲通过描写严子陵不愿入朝为官，隐居垂钓于富春山的典故，表达了作者对隐居生活的向往，并以对比手法突出官场的险恶和隐居生活的可贵。

开篇"龙虎昭阳殿，冰霜函谷关，风月富春山"三句，三个地名前缀以修饰性词语形成排比，语气和情感层层递进。昭阳殿为汉代后妃所居宫殿，此处暗用吕后设计杀韩信的典故；函谷关为秦之东关，乃兵家必争的军事要塞；富春山则是东汉严子陵拒诏隐居之地。为了攫取权力，昭阳殿里龙争虎斗；为了争夺领地，函谷关前杀气如寒冰冷霜。它们怎比得上和风细雨、明月朗照的富春山呢？作者的喜恶、取舍之情，通过这个描写明确呈露出来，同时也为着重描写主人公严子陵的闲淡生活埋好伏笔。

接下来四句设想隐居于富春山的严子陵的心态、情志，从而抒发自我胸臆。"不受千钟禄，重归七里滩"，千钟禄比喻高官厚禄，钟为古代容量单位，一钟为六斛四斗，千钟极言俸禄之优厚。七里滩是严子陵隐居后垂钓的地方，至今仍有历史遗迹。严子陵不愿享受光武帝给予的优厚待遇，甘愿远离尘世，在七里滩做一名悠游自在的垂钓者。"赢得一身闲，高似他云台将坛"，一个"赢"字道出了作者的人生价值观念。在世俗眼中，严子陵抛却名誉、地位、金钱和政治前途，看似是极大的损失。但在作者看来，这场博弈中严子陵是胜者，因为他赚到了"一身闲"。"高似他云台将坛"，洛阳云台是东汉表彰功臣名将的场所,策勋云台,是战绩与功名的象征,亦是多少人孜孜以求的目标。但作者认为,严子陵的“一身闲”,是远远高于世俗功名利禄的至高境界。

古往今来,以隐居为主题的诗文词曲数不胜数。历代著名的隐士,如商代的伯夷叔齐、春秋时期的范蠡、汉代的严子陵、东晋的陶渊明、宋代“梅妻鹤子”的林逋等等,不胜枚举。中国传统的文人士大夫,信奉“达则兼济天下,穷则独善其身”的人生准则。当时事艰厄、仕途坎壈之时,隐逸就成为文人士子体现自我人生价值的又一取向,亦是他们不愿与世浊污、洁身自好的精神逋逃薮。尽管这在很大程度上只是一个理想的乌托邦,却不乏历代的文人们向往它、吟咏它、赞美它。在这支曲子里,严子陵的钓台,不啻就是徐再思向往的理想的桃花源。

这支曲子,化用典故不着痕迹,处处借古人事表自己心意,作者远避官场与向往隐居的思想倾向,借严子陵的形象道出,巧妙自然,颇耐咀嚼回味。

(张文利)

# 【商调·梧叶儿】

徐再思

## 春思(三首其一)

芳草思南浦,行云梦楚阳,流水恨潇湘。花底春莺燕,钗头金凤凰。被面绣鸳鸯,是几等儿眠思梦想。

### 鉴赏

此篇《春思》用丰富的意象、生动的语言描写了女子思念情人并盼其归来的情景。“芳草”“行云”“流水”等语使人眼前浮现出绿草茵茵、天高云淡、溪流潺潺的盎然春景。然而,独居的女子却丝毫没有赏春的闲情逸致,恰是“闺中少妇不知愁,春日凝妆上翠楼。忽见陌头杨柳色,悔教夫婿觅封侯”(唐王昌龄《闺怨》)的真实写照。何以言此?“芳草思南浦”化用南朝梁江淹《别赋》“春草碧色,春水渌波,送君南浦,伤如之何”句。看到遍地芳草,便回想起当时送别的伤感场面。“行云梦楚阳”语出战国楚宋玉《高唐赋序》“旦为朝云,暮为行雨,朝朝暮暮,阳台之下”句。楚阳台是传说中楚怀王与巫山神女幽会之地,这里运用典故,写那多情女子抬眼望见天上流云,便回想起二人在一起的欢乐景象。“流水恨潇湘”语出北宋秦观《踏莎行》中的词句“郴江幸自绕郴山,为谁流下潇湘去”。郴江啊,你本来是围绕着郴山而流的,为什么却要老远地北流向潇湘而去呢?如同女子在对情人倾诉:我们本应互相厮守,白头偕老,你却如同郴江流水一样离我远去,每思及此,我怎能不抱怨那潇湘拆散你我?三句排比,将睹物思人、触景生情的多情女子描摹得惟妙惟肖。

接下来的笔墨,由远及近,由虚及实。从芳草、行云、流水收回目光,不想又拨动了心中那根思念之弦。“花底”“钗头”“被面”这些触手可及之物,又让这位闺中女子不胜孤独。你看,百花盛开,莺歌燕舞,一副春意盎然的景色,闺中女子却在独守空房,神情落寞,此一对比也;漂亮的发簪上雕绘着精致的凤凰,作为装饰品的凤凰犹能比翼齐飞,拥有漂亮姿容的女子却只能无奈地孤芳自赏,此二对比也;“被面绣鸳鸯”,女子目光落到被褥之上,却又看见卧衾上成双成对的鸳鸯绣图,这个描写与唐温庭筠《菩萨蛮》以“双双金鹧鸪”来衬托女子的孤单同出一轨,极具联想意味,此三对比也。当及此,这位等待情人归来的女子越发思念远方的人,朦胧中进入梦乡,“几等儿眠思梦想”,那个“他”能知道我是多么地想念他吗?不但醒着时想念他,即使睡着了也时刻不忘,还在梦里更加深了重重思念。

这首《春思》是徐再思写相思的代表作品之一,有以诗词入曲的特点,语言少了俚俗,多了清新。化用典故不着痕迹,与曲中景物融合一体。通过排比与对比,将独守闺中的女子的思念、寂寞、孤独、伤心描摹得淋漓尽致。尤其是随着视线转移,转换空间角度和描写对象,给读者提供了广阔的想象余地。

(张文利)

# 【商调·梧叶儿】

徐再思

## 春思(三首其二)

鸦鬓春云亸①，象梳秋月攲②，鸾镜晓妆迟。香渍青螺黛，盒开红水犀，钗点紫玻璃。只等待风流画眉。

### 注释

① 亸(duǒ):意为下垂。
② 攲(qī):倾斜,歪斜。

### 鉴赏

王国维曾说,一代有一代之文学。宋有词,元有曲。宋词中有大量刻画人物形象特别是女性人物形象的作品,从女性的容貌、服饰到神态、心理无所不包,其中描写女子春愁闺怨的词作更是屡见不鲜。这首元曲,虽有曲之体制形式,而观其内容,与闺阁题材的宋词有异曲同工之妙,将一位美丽女子的孤独与等待巧妙地写出,力透纸背,呼之欲出。

开篇"鸦鬓春云亸,象梳秋月攲,鸾镜晓妆迟"三句,像一幕电影的慢镜头:映入眼帘的是一个女子乌黑的鬓发,恰似春天的云彩一样轻轻垂下来,精致的白色象牙梳子斜插在头上,就像弯弯的秋月一样。接下来,镜头转到一面雕有凤鸾的梳妆镜上面,出现曲子的主人公:"晓妆迟"的一个女子。"晓"点明时间,"妆"点明事件,"迟"点明情态。对着镜子,却迟迟懒得梳妆打扮,原因何在?此句与花间词派始祖温庭筠《菩萨蛮》"懒起画蛾眉,弄妆梳洗迟"一样,由"迟"字给人以深远的联想,暗示出"晓妆"者无人欣赏,不知为谁妆扮的寂寞和怅惘。

接下来的三句,将镜头从"晓妆"的女子转到了梳妆台上。"香渍青螺黛”,香气已经浸透了画眉用的青螺黛,青螺黛即古时画眉用的工具,从波斯流传过来,有点像石墨。“盒开红水犀”,用水犀皮制作的红色粉饰盒已经打开。“钗点紫玻璃”,发钗上点缀着闪亮的紫色水晶。此三者无一不精致,无一不漂亮,令读者不由联想,拥有这些美好饰物的女子必定是一位“美目盼兮、巧笑倩兮”的美丽女子。这位女子,即使如前面三句所描写的那样因无人欣赏而寂寞惆怅,但从“香渍”“盒开”“钗点”等字眼可以看出,她依然精心地梳妆打扮,不无自我欣赏之意。的确,人们对自我美好的资质应该自我欣赏,如王国维《虞美人》所云“从今不复梦承恩,且自簪花坐赏镜中人”一样,绝不因为无人欣赏而自暴自弃。

最后一句“只等待风流画眉”,运用张敞为妻画眉的典故作结。据《汉书·张敞传》记载,张敞“为妇画眉,长安中传张京兆眉怃”。如前所述,“青螺黛”已被“香渍”,独坐镜前,化妆饰物皆已准备齐整,万事俱备,只欠东风,此时这位寂寞多情的女子多么盼望情郎回来帮她画眉,以了相思之苦。

此首相思曲的独到之处在于,未着笔正面写春思,却字里行间都是春思,相思之人的容貌、情态、心理,通过对闺房事物的描写跃然纸上。且又不是单纯写相思的寂寞惆怅,而是寂寞中有自我欣赏,惆怅中有美好期待,给人一种明媚向上的感觉。

(张文利)

# 【双调·蟾宫曲】

孙周卿*

## 自乐(二首其一)

想天公自有安排，展放愁眉，开着吟怀。款击红牙①，低歌玉树②，烂醉金钗③。花谢了逢春又开，燕归时到社④重来。兰芷庭阶，花月楼台。许大乾坤，由我诙谐。

### 作者

* 孙周卿,生卒年不详。元杨朝英编《太平乐府》记其为古邠(今陕西彬县)人。孙楷第《元曲家考略》称其为古汴(今河南开封)人,曾流寓湖南,其女孙惠兰为有名女诗人。但还需考证。散曲作品仅存小令23首。明朱权《太和正音谱》将其列于“词林英杰”一百五十人中。

### 注释

① 红牙:一种乐器,用檀木制成的拍板。

② 玉树:南朝陈后主所作歌曲《玉树后庭花》的省称。

③ 金钗:这里指歌女。

④ 社:指春社。古社于立春后第五个戊日祭祀土神,以备春耕,祈求丰收,故曰春社。

## 鉴赏

这是一首表现元代文人从儒家传统人生价值观下解脱出来、放纵自我、洒脱无羁情怀的曲子。透过文字，我们好像看到了曲家那凌然飘逸、自乐在其中的形象。

此曲分四层。开篇三句为第一层。起首以“想”字总领，起笔不凡，透漏出洒脱之神。此处的“想”不是唯利是图的狗苟蝇营，不是成日虚幻的瞻前顾后，而是超乎物外的大气的精神自由。不管世间有多少令人不欢、紧锁愁眉的事情，都不要为之戚然，要想到“天公自有安排”，所以尽可“展放愁眉”，尽可“开着吟怀”。“吟怀”，即吟诗的情怀，唐杜荀鹤《近试投所知》：“白发随梳落，吟怀说向谁？”因此，吟怀就是作者吟诗作曲的情怀，以诗化的态度对待生活中的“愁眉”，但不是凄凄惨惨戚戚的婉约，而是打开羁绊的放纵。第二层“款击红牙，低唱玉树，烂醉金钗”，写出曲家放歌、醉酒、携妓的无所拘束的放纵情态。缓敲着红牙板子，低声歌唱着玉树后庭花的曲子，纵情豪饮，携歌女而坐。这同“伴的是银筝女银台前理银筝笑倚银屏，伴的是玉天仙携玉手并玉肩同登玉楼”的关汉卿和在“风月营”“列旌旗”“莺花寨”“排剑戟”“翠红乡”“施谋智”的王实甫之类书会才人有精神上的共通点，即潇洒不羁，具有真我性情。第三层“花谢”四句空间由室内移到室外，抒情由直抒胸臆到融情于景。花谢不必忧伤，因为逢春会又开，燕子归去到春社还会回来。幽兰白芷香飘庭阶，明月普照摆满鲜花的楼台。置身此间，怎能不惬意无比！世间哪里还有“愁眉”可言？顺此情感之下，水到渠成，将全曲的境界推至顶点：“许大乾坤，由我诙谐”。如此广大的世界，任由我自如谈笑。这是一个多么逍遥的形象，具有庄子哲学的睿智。世界是博大的，也充满着诸多欲望、诱惑，功名富贵，但这全不在作者的视野之内。作者所追求的是超然物外的旷达潇洒。这是作者的自乐，也是作品给予读者的审美趣味之所在。

隐逸是元散曲很重要的一个主题，这和当时的时代背景有直接的关系。孙周卿留下的作品基本是这一主题。在艺术上，这首小令给人一种与表现的主题一致的飘逸洒脱之气。尽管仅仅是首小令，但构思精巧，层次井然。看似随意而出，实则非常讲究。开篇以“想”字总领，接着分层抒写，最后上升到顶点。

（高益荣）

# 【双调·蟾宫曲】

孙周卿

## 自乐(二首其二)

草团标正对山凹。山竹炊粳，山水煎茶。山芋山薯，山葱山韭，山果山花。山溜响冰敲月牙，扫山云惊散林鸦。山色元佳，山景堪夸。山外晴霞，山下人家。

### 鉴赏

元散曲有相当一部分作品是写隐逸生活的,这与那个时代文人不受重用的现实有关。此类作品佳作颇多,孙周卿的这首《自乐》亦可算做名篇。诗人抒写隐居山林的闲适而又自得其乐之情,勾画出一幅远离红尘烦嚣的悠闲生活图画,寄托着作者的人生追求。

山间的生活多滋多味,选择哪个作为先落笔的对象,是需要一番匠心独运的。小令起首从自己的居所落笔,“草团标正对山凹”,“草团标”,即圆形草屋,它正对着山凹,说明其有一线洞天,诗人由此可极目远眺,可见住所环境的惬意。接着,描写饮食,山间的翠竹可以用来煮饭,清冽的山泉可以煎茶,尽管比不上李白笔下的“清酒”“珍馐”,但对诗人来说已是自得其乐。不仅有香甜的米饭、清茶,而且有山间众多的山味以饱口福。“山芋山薯,山葱山韭,山果山花”,既是美味佳肴,更是充满山野气息的自然美景,弥漫着一种远离城市喧嚣、红尘俗趣的自然的静谧恬淡之趣。接下来“山溜”两句更是以动衬静,以声显幽,由饮食之乐转入景致之乐。山间倾注而下的细流发出有节奏的声音犹如冰敲月牙一般清脆作响,山间掠过的白云惊动林中的乌鸦振翅四散,这一切都显示出山间空寂无人的宁静。最后四句,总写山景,收束全篇。诗人仰观晴日的彩霞,俯视山下远处的田家,山间景色如此之美,值得夸赞！至此,诗人的精神境界与这大自然的景色完全融合,自然之境具有了诗人的灵性。

这首小令,在艺术上采用曲之俳体中的“嵌字体”。全篇由十五个“山”字嵌缀但并不给人重复累赘之感,反而让读者觉得新奇别致,词语组合自然、朴素,与曲所表达的隐逸主体极为和谐,真可谓看是随意而自有其功。

(高益荣)

## 【双调·蟾宫曲】

孙周卿

### 渔　父

浪花中一叶扁舟，到处行窝，天也难留。去岁兰江，今年湘浦，后日巴丘。青箬笠白蘋渡口，绿蓑衣红蓼滩头。不解闲愁，自号无忧，两岸芦花，一觉齁齁。

鉴赏

这首小令借描写渔父的无拘无束、随意漂泊的生活,表现作者对无忧、自在生活的向往之情。

小令开篇便描画出渔父潇洒的随心漂泊的形象:在宽阔的江面,随着飞溅的浪花,一叶扁舟随处漂泊,处处为家,不受任何外在旨意的制约,即使天意也照样难以挽留。开篇三句,从大处写渔父的自得快乐生活,尤其是第二句“到处行窝”,运用宋人邵雍的典故。《宋史·邵雍传》载:邵雍自名其居为“安乐窝”,出则乘小车,一人挽之,惟意所适。好事者作屋如雍所居,以候其至,名曰“行窝”。后泛指小住或旅途住处为“行窝”。用“窝”来指代住处,是元人喜欢运用的意象,本身就有安贫乐道、怡然自得的意思。接着“去岁”三句,从时间、距离上表现出渔父自由行舟的时空跨度。去年在兰江,今年到湘浦,后日又到巴丘,一切由己兴趣,不受任何指令。“兰江”，即兰溪，在浙江兰溪县。湘江在湖南。“巴丘”，在岳阳，处湘水右岸。这几个地理词极言渔父驾舟信游的距离之远，写出其精神的自由。如果说这三句采用的是长角远镜头，大跨度描写，那么下来的“青箬笠白蘋渡口，绿蓑衣红蓼滩头”就是特写镜头。“青箬笠”“绿蓑衣”，借用唐人张志和词《渔父》“青箬笠，绿蓑衣，斜风细雨不须归”里的原句，状渔父的形象，又用互文，言渔父头戴青箬笠，身披绿蓑衣，出入于长满白蘋、红蓼的渡口、滩头，暗示出渔父即是一位隐士，风里雨里、滩头渡口，随心所欲，任意游动，自有乐趣蕴于其中。最后四句，直写渔父的内在精神的无忧，渔父没有解不开的“闲愁”，故自己号称“无忧”；正是“无忧”，正是心闲，所以才睡得安然。最后以“两岸芦花，一觉鼾齁”结束全曲，把渔父的潇洒无拘的精神表现得淋漓尽致，使读者好像看见渔父芦花边安眠的闲姿，闻到其平稳而有节奏的鼾声。

这首小令，具有孙周卿此类作品的共同特点，抓住渔父形象，状写其无拘无束、自由自在的生活，从而表达作者对隐居生活的向往之情。在艺术上，追求自然朴实，形象可感，内容和形式达到融合的完美化一的境界。

（高益荣）

## 【双调·蟾宫曲】

孙周卿

### 题琵琶亭

到浔阳夜泊星槎，送客江头，忽听琵琶。下马维舟，回灯借问，何处人家？妾本是京师馆娃，嫁商人沦落天涯。再转龙牙，细拨轻爬，声裂檀槽，月满芦花。

## 鉴赏

这首小令是作者根据唐代诗人白居易《琵琶行》的诗意改写而成的,选取《琵琶行》关键画面状摹琵琶女形象,借她的遭遇抒发一种远离家乡、沦落天涯的悲伤情怀。

小令开篇"到浔阳夜泊星槎"一句,紧扣《琵琶行》中故事发生的地点落笔,"浔阳",古地名,即今九江,此处指流经浔阳境内的长江。"星槎",指木筏,代指远行的船。此句说夜晚行船停泊在浔阳江边,送客江边,忽然听到琵琶幽怨的声音。于是主人赶快下马系舟,拨亮灯借问此优美的琵琶声是从何处飘然而来?此一问,在平淡中翻出奇意,接下来引出琵琶女的回答之语:"妾本是京师馆娃,嫁商人沦落天涯",作者从原诗琵琶女长篇述说身世的话语里截取最为关键的内容,抒写其人生的不幸遭遇,她本是京城中女子,因嫁于商人而沦落天涯。如此对句,便含有弦外之意,表现出人生的无奈与多变。接下来,小令将有限的笔墨全用在琵琶女弹奏琵琶的优美动作的描摹上,以显现其高超的技艺。但见她再转动"龙牙",即"龙牙轴",轻轻地拨弄着琵琶,忽然猛划一声,曲终收停,琵琶发出犹如裂帛的一声脆响从"檀槽"上流出。"檀槽",是用檀木制作的琵琶上架弦的横格。这句诗从《琵琶行》中"曲终收拨当心画,四弦一声如裂帛"一句化用而来。最后一句"月满芦花","芦花",即"芦荻花",四字写景,仿佛时间在此时凝固,江岸上明月普照在芦荻花上,幽静而美丽的意境仿佛都是被琵琶女优美的琵琶声所感染,以烘托琵琶女琵琶演奏技艺的高超和诱人的艺术感染力,正是《琵琶行》"东船西舫悄无言,唯见江心秋月白"意境的改写。

这首小令,可能是作者游览浔阳江头琵琶亭时的感慨的真实流露。其妙处在于它能从原作中截取最能表现人物情感与特性的画面,又是用小令的短小体式,故见其艺术的功力,也表现出孙周卿另一种风格。

(刘军华)

# 【双调·水仙子】

孙周卿

## 舟 中

孤舟夜泊洞庭边，灯火青荧对客船。朔风吹老梅花片，推开篷雪满天。诗豪与风雪争先，雪片与风鏖战，诗和雪缴缠。一笑琅然。

鉴赏

此曲在孙周卿曲作中又是一种风格,主要展示的是一种壮美。作者记述自己在舟中观雪的景象,并因而触发了对人生的感慨:做人要有抗风斗雪的傲然气度。

开篇三句为一层,起笔气势不凡,点明地点,从大的背景写起:在辽阔的洞庭湖边,孤舟夜泊,一个"孤"字,更显得舟之藐小,船上的灯火青光闪映,又是一幅兰舟夜泊的优美画面。如果顺承着写下去,就近于唐诗宋词中的类似画面而没什么新奇之处了。忽然间,作者掉转笔锋,一阵"朔风"吹来,好像吹老了梅花片片随风飘落。这一句是比喻的名句,诗人把随风飘洒的雪花比喻成梅花,使冬天的景象具有一丝春的气息,也引起诗人的好奇,江南的洞庭冬季怎么会有梅花片片飞落?于是诗人推开了船篷观看究竟,啊,原来是一场满天飘飞的大雪!接下来三句是此曲的关键所在,可谓全曲之曲眼。诗人没有被这突如其来的大雪吓倒,反而豪情万丈,凌然之气压过风雪。接着,诗人进一步运用拟人手法,形象地描写风与雪的争斗,雪片与大风互不相让,经历着一场激战,难分高下;诗人构思的诗境又与风雪进行了激战,"诗和雪缴缠","缴缠"是纠缠不清。尽管难分胜负,但反衬出诗人不畏险恶、傲然风雪的豪迈气势。最后一句"一笑琅然",好像电影的特写镜头,放大了诗人面对风雪时的乐观从容形象,"琅然",本指金石相击声,此处形容诗人清朗、响亮的笑声,将诗人的豪迈傲然的气势完全表现到极致。

雪是造物主对人类的恩赐,更是最能引发诗人诗情的物象。古人咏雪，向来不缺佳作。唐代如柳宗元的《江雪》：“千山鸟飞绝，万径人踪灭。孤舟蓑笠翁，独钓寒江雪。”陆畅的《惊雪》：“怪得北风急，前庭如月辉。天人宁许巧，剪水作花飞。”分别写出了诗人对雪的不同感受。元散曲中也不乏写雪的佳作，如关汉卿的〔双调·大德歌〕《冬》：“雪粉华，舞梨花，再不见烟村四五家。密洒堪图画，看疏林噪晚鸦。黄芦掩映清江下，斜揽着钓艖。”描绘了一幅清江雪景图：雪密洒，风舞花，一派白色的世界，加之寒鸦、黄芦和小舟的点缀，画出了江边雪景的优美。但这些诗篇曲作，都为静态的雪景。孙周卿的这首《舟中》尽管也是写江上雪景，但其最大的特点在于写动态的景象，展示的是风雪交加、作者面对如此恶劣天气更加豪迈无比的精神。在艺术上，小令运用拟人手法，形象描绘出风与雪争斗、作者又与风雪争斗的激烈画面，以情设景，又以景衬情，情景交融，从而塑造出昂扬向上、极具战斗力，又放达无拘、具有啸傲气度的曲家形象。这正是这首小令的独特之处。

(刘军华)

## 【双调·水仙子】

孙周卿

### 山居自乐(四首其一)

西风篱菊灿秋花，落日枫林噪晚鸦。数椽茅屋青山下，是山中宰相家，教儿孙自种桑麻。亲眷至煨香芋，宾朋来煮嫩茶，富贵休夸。

**鉴赏**

孙周卿的〔水仙子〕《山居自乐》组曲共四首，皆写退隐闲居之乐。这是第一首，抒写隐居山林的乐趣。诗人选择具有隐居生活的种种物象，运用通俗的语言，极写远离喧嚣、保持内心清静生活之乐，表现了诗人对山水生活的向往之情,反映了元代文人的精神追求。

开篇两句以合璧对起句描写山中令人赏心悦目的秋景图。诗人抓住具有秋色特点的“篱菊”“晚鸦”写起,第一句,借用陶渊明《饮酒》“采菊东篱下,悠然见南山”句之意,写地面风景:阵阵秋风从竹篱边轻轻吹拂,摇曳着金灿灿的菊花格外美丽,暗示出诗人有陶翁的悠然之趣。第二句写落日普照枫叶格外红艳,寂静的山林中忽然被归巢的晚鸦的噪声打破,更显出山间的寂静。接下来两句“数椽茅屋青山下,是山中宰相家”,犹似电影的近镜头,由大背景推到主人的家:坐落在青山脚下、数根椽子搭建的茅舍,这就是“山中宰相”的家。“山中宰相”典故出于《南史·陶弘景传》。陶为齐梁时名隐士,隐居在茅山,梁武帝数次礼聘,均不出山。国有大事,武帝总是派人去征求陶弘景的意见,时人称陶为“山中宰相”。这里是作者的自称,取不慕名利、自得其乐之意,以显示自己清高自许的情怀。接下来描写山居朴素劳作所蕴含的生活乐趣。教儿孙们学种桑麻,亲戚来访时我亲自烤煨香芋,朋友来了给煮上刚采的清茶。这就是山居生活的乐趣,虽然物质不丰富,但自由纯真的情意,放纵的心绪,精神的遨游,并非常人所能理解。故最后以“富贵休夸”的祈使语气句尽收全曲。我是怡情山水之人,如果不是精神上的知音,就别在我这里夸耀富贵,从而彰显了诗人的高尚情怀。

整首曲子,语言平白如话,具有散曲以俗为美的审美情趣,但又蕴含着一种脱离世俗味的纯净心境,具有中国古典诗歌的意境美,表现出隐逸生活之美、之乐,读之令人陶醉。

(刘军华)

## 【双调·水仙子】

孙周卿

### 山居自乐(四首其三)

功名场上事多般,成败如棋不待观。山林寻个好知心伴,要常教心地宽,笑平生不解眉攒。土炕上蒲席厚，砂锅里酒汤暖，妻子团圞。

## 鉴赏

孙周卿用《山居自乐》为题写了四首小令,这首是第三首,主要从看破功名、享受妻子儿女团聚的天伦之乐的角度进一步抒写山居的乐趣。

起首两句,便是作者多年奔波仕途生涯所得出的生活体验,功名场上事情复杂、变化多端难以把握,犹如一盘成败难料的棋局,你争我斗实在不值得观看。诗人用“不待观”的清醒的人生态度否定官场的功名,从而达到从理性的高度对官场追求功名生活的否定,又流露出对隐居生活的肯定,这其中必然有作者政治生活体味的总结。正是有对功名场的如此认识,才更显得接下来两句所描写的选择的可贵。到山林中找个知心伙伴,要常把心底放宽。官场里人们多戴着面具,为功名你争我夺,哪有知心之交?心地怎能放宽?“功名”二句与“山林”两句一贬一褒,形成对比,表现出诗人对人生意义的真切思考。“笑平生不解眉攒”正是思考后作者坦然人生态度的倾泻。一个“笑”字,既表达了诗人对往日不能看破功名微利的自嘲,又体现出诗人终究对纷乱尘世大彻大悟后的潇洒。这里表现出作者的大智慧,何苦心为形役,让自己难展愁眉?最后三句是作者抛开功名枷锁后发现的具有人生乐趣的生活,便是和亲人相守,享受天伦之乐,尽管土炕上铺着的是加厚的蒲草席,砂锅里暖着的是农家的浊酒,但与妻子儿女团聚在一起,这便是人间最大的乐趣!

这首小令,有孙周卿隐逸作品的共同特点,语言本色流畅,形象而富有表现力,犹如拉家常,但将诗人的内心情感传递得真切感人。特别是“土炕上蒲席厚,砂锅里酒汤暖,妻子团圞”的句子,很有生活气息,给读者身临其境之感。

(刘军华)

# 【正宫·醉太平】

王元鼎*

## 寒食(四首其二)

声声啼乳鸦,生叫破韶华。夜深微雨润堤沙,香风万家。画楼洗净鸳鸯瓦,彩绳半湿秋千架。觉来红日上窗纱,听街头卖杏花。

### 作者

*王元鼎,生卒年不详。与阿鲁威同时代人,曾官翰林学士。元夏庭芝《青楼集》载他和顺时秀关系甚密,顺时秀生病,"思得马板肠,王即杀所骑骏马以啖之"。因而顺时秀称他"嘲风弄月,惜玉怜香",足见他也是性情中人。孙楷第在《元曲家考略》中认为王元鼎当为玉元鼎,原名阿鲁丁,西域人。他是至大、皇庆年间国子学生员。今存散曲作品小令7首,套数2套。明朱权《太和正音谱》将其列于"词林英杰"一百五十人中。

### 鉴赏

王元鼎用《寒食》为题共写了四首小令,这是其二。"寒食"是古代的传统节日,即清明节的前一二日。这时春光明媚,万象更新,大自然一派清新怡人。这首小令描写寒食时节的优美春景,风格清雅明丽,细腻含蓄,生动传神,可谓描写春景的上乘之作。

起首"声声啼乳鸦,生叫破韶华"二句,借"乳鸦"的鸣叫点明时节,"乳鸦",即雏鸦,初生的小鸦。"生",硬是,活活地。"破",遍。"韶华",即美好的时光,此指春天的景色。在初生的乌鸦的声声啼叫的催促下，硬是把遍地美丽的春光唤醒。接下来，诗人用典雅明丽的笔墨对清新明净的春色做了绘声绘色的描写，从深夜的微雨到清晨的红日，从吹拂万家的香风到街头卖花人的叫喊声，从郊外的长堤到市井的画楼，从画楼上的鸳鸯瓦到院落中的秋千架，无不表现出春天的景象、透露出春的诱人气息。这里既有从声音效果展现春光特色的黎明雏鸦的脆啼，深夜润打堤沙的细雨，清晨卖花人街头的叫卖声，组成一组优美的田家的春晨曲；这里更有色彩斑斓的立体图画：城外的堤沙、画楼洗净的鸳鸯瓦、彩绳拴系的秋千架，红日普照的窗纱，构成了一幅色彩艳丽的春景的图画；这里又有春味的馨香，有雨后草木的清香、杏花的幽香，随风扑面，令人陶醉。在这幅画面中饱含了作者对春天美景无比的热爱之情，这正是这首小令内在的精神所在。

在艺术上，这首小令最大的特点是融情入景，通过雏鸦、细雨、香风、杏花等意象构成一幅生机盎然的早春图画，来抒发对春光的喜悦之情。因而画面感极强，给人以如临其境的感觉。其次，巧妙地化用前人的名句，与所写景色达到融合，自然无痕。如“声声啼乳鸦”“觉来红日上窗纱”，化用孟浩然《春晓》中“春眠不觉晓，处处闻啼鸟”之意，“夜深微雨”二句，化用杜甫《春夜喜雨》中“随风潜入夜，润物细无声”之意，“听街头卖杏花”句，化用陆游《临安春雨初霁》中“小楼一夜听春雨，深巷明朝卖杏花”之意，但不露痕迹，而与小令所写意象非常吻合，巧妙地融入这首小令的意境中。

（刘军华）

## 【正宫·醉太平】

王元鼎

### 寒食（四首其四）

花飞时雨残，帘卷处春寒。夕阳楼上望长安，洒西风泪眼。几时睚彻凄惶限？几时盼得南来雁？几番和月凭阑干？多情人未还！

## 鉴赏

这首小令是王元鼎四首《寒食》小令里的第四首,朴实的字里行间,给我们展示了这样一幅图景:雨过花残,寒气袭人,夕阳西坠,独上危楼。由景入情,抒发闺中女子盼望情人归来的哀怨情绪。

起首"花飞时雨残,帘卷处春寒"两句点明时令,写春意的萧条、冷落。正当乍暖还寒的早春时节,一场春雨刚刚掠过,落英洒满湿滑的地面:红的,白的,粉的……花飞花落、料峭春寒,营造了一种凄凉的气氛,暗示了曲中女子的伤情思绪,春将去,而情人不归,双重的失意促使她登楼远眺。"夕阳楼上望长安,洒西风泪眼"句,描写在夕阳下,西风中,女主人公独上高楼,踮起脚尖,频频眺望长安,希望看到情人的一点影子。由于目力所限,无数次地眺望,心中的他仍毫无踪影,心内一阵酸楚,那泪珠如珠帘散落似的,不断地往下滴。长安作为西汉、唐代等朝代的首都,历来被文人墨客视为求取功名的一个代名词。可以推测出女主人公留守空房、孤独寂寞是因男子的求取功名引起的,其中透露了她对功名的丝丝埋怨。接下来"几时睚彻凄惶限?几时盼得南来雁?几番和月凭阑干"三句,以铺排之势描述思妇痛苦的思念和苦楚的生活。"睚",意为捱、熬,"睚彻凄惶限",意思是什么时候才能结束这凄惶不安的日子?什么时候才能盼得南来的大雁捎来他的消息?月下凭栏眺望不知有多少次充满希望而又化为失望?三个疑问语气的鼎足对句子构成排比,强化了女子如痴如醉的浓情,增强了小令的表现力度,将女主人公的情感世界刻画得细腻入微。随着女主人公的不断发问,情感也不断深化、加强:女主人公是多么渴盼心中的那个他能立即出现在她的眼前,两人能依偎在一起,结束这绵延无期的思念与孤寂啊!可梦想与现实却恰如两条平行线,永远没有交叉点。纵使自己幻想与情人同进同出,最终也只能回到残酷的现实——"多情人未还"。一切都因为这五个字,它造成了女子的绵绵愁绪,因而这样的结句就具有很强的震撼人心的艺术效果。

王元鼎的散曲追求典雅的风格,属于清丽派。因此,这首小令尽管在用词上具有曲的以俗为美的艺术追求,语言朴实无华,但风格很典雅,善于通过意象的组合、人物形象的勾勒、意境的描画来表达情感,使小令具有语尽而意无穷的魅力。

(高益荣　李健中)

# 【南吕·骂玉郎过感皇恩采茶歌】

顾德润*

## 述怀（二首其一）

蛛丝满甑尘生釜，浩然气尚吞吴，并州每恨无亲故。三匝乌，千里驹，中原鹿。　走遍长途，反下乔木。若立朝班，乘骢马，驾高车。常怀卞玉，敢引辛裾。羞归去，休进取，任揶揄。　暗投珠，叹无鱼，十年窗下万言书。欲赋生来惊人语，必须苦下死工夫。

### 作者

* 顾德润，生卒年不详，元钟嗣成《录鬼簿》列入"方今才人相知者"，当为钟氏同时代人。字君泽，一作均泽，号九山，一作九仙，松江（今属上海）人，约元仁宗延祐末前后在世。曾任杭州路吏，迁平江。德润工作曲，明朱权《太和正音谱》评为"如雪中乔木"。尝自刊《九山乐府》《诗隐》二集。现存小令 8 首，套数 2 套。

### 鉴赏

顾德润的两首由三个曲牌组成的带过曲，内容是表现作者怀才不遇的困顿，是元代知识分子潦倒不遇的内心独白。此为第一首。

开篇一句先写其生活穷困。"甑"，蒸笼；"釜"，锅，都是烹饪用具，却已经布满蛛丝和灰尘，显然已经穷得揭不开锅了。但第二句一出,便可见作者人穷志不穷,不改大丈夫的浩然之气。唐杜甫《八阵图》:"功盖三分国,名成八阵图。江流石不转,遗恨失吞吴。"极言气势之盛。第三句用唐刘皂《旅次朔方》诗:"客舍并州已十霜,归心日夜忆咸阳。无端更渡桑干水,却望并州是故乡。"意指远离京城流落到"无亲故"的他乡。"三匝乌"化用东汉曹操《短歌行》中诗句:"月明星稀,乌鹊南飞。绕树三匝,何枝可依。""中原鹿"出自《后汉书·范冉传》:"(范冉)遭党人禁锢,遂推鹿车,载妻子,捃拾自资,或寓息客庐,或依宿树阴。如此十余年,乃结草室而居焉。所止单陋,有时粮粒尽,穷居自若,言貌无改,闾里歌之曰:'甑中生尘范史云,釜中生鱼范莱芜。'"范冉字史云,桓帝时曾任莱芜长。后以"鱼釜尘甑"谓贫穷得无粮可炊。绕树三匝的乌鸦找不到栖身之处,千里马遇不到能赏识它的伯乐,像范冉一样推着鹿车奔走四方,长途漫漫,境况愈艰。"反下乔木",语出《诗经·小雅·伐木》:"出自幽谷,迁于乔木。"意谓境况愈下,反不如前。自己也想去入朝做官,驾高车驷马,但纵然像卞和那样怀宝不渝,也有辛毗那样犯颜直谏的勇气,但最终亦无人能识。"卞玉",即和氏玉,楚人卞和曾两次献宝玉,均未被赏识,却遭受刖刑;"辛裾",三国时辛毗曾扯住文帝衣襟,犯颜直谏,事见《三国志·魏书·辛毗传》。"羞归去"三句,言其既然羞于归田,又不肯乞求功名,便只能任凭他人说长道短、揶揄嘲讽了。其后"叹无鱼"出自《战国策·齐策》,孟尝君的门客冯谖,弹剑而歌曰:"长铗归来乎!食无鱼。"作者思前想后,觉得自己有如明珠暗投,不能像冯谖那样一鸣惊人,即便十年寒窗苦读,上书万言,仍无济于事。最后表明,要想出语惊人,还得苦下工夫。其不敢沉沦的进取之志,溢于言表。诚如赵义山先生《元曲选》所言:"这种不畏挫折、奋发向上的坚定与执著,在元曲中是不多见的,也是难能可贵的。此曲用典很多,但很贴切,有助于抒发沉郁悲愤的情感。"

(陈定謇)

# 【中吕·喜春来】

曹　德*

## 和则明韵

春云巧似山翁帽，古柳横为独木桥。风微尘软落红飘，沙岸好，草色上罗袍。

### 作者

*曹德，生卒年不详，字明善，衢州(今浙江衢县)人。曾任衢州路吏、山东宪吏。后至元五年(1339)作者曹德在都下作〔清江引〕二曲讥讽权贵伯颜擅自专权，杀害郯王彻彻笃，锻炼诸狱，延及无辜。大书揭于五门之上，因此名声大噪。精散曲，与薛昂夫、任昱有唱和。元钟嗣成《录鬼簿》说他“甘于自适”，并称其乐府“华丽自然，不在小山之下”。现存小令18首。

### 鉴赏

至元五年(1339)作者因作〔清江引〕讥讽权贵，虽然名声大噪，但也惹来祸端。元陶宗仪《南村辍耕录》有记载：“伯颜怒，令左右暗察得实，肖形捕之。明善出避吴中一僧舍，居数年，伯颜事败，方再入京。”又据《元史》记载，伯颜被贬和病死事都发生在至元六年(1340)，次年即改元至正。《录鬼簿》说曹明善“今在都下”，当是至正年间，他与任昱(字则明)、薛昂夫(又名马昂夫，马是汉姓)等相交。任昱作有〔清江引〕《曹明善北回》曲。曹德则有〔喜春来〕《和则明韵》曲、〔小梁州〕《侍马昂夫相公游柯山》曲。

题中“则明”即任昱，字则明，其原作已佚。“山翁”指晋代襄樊太守山简，也就是著名文学家“竹林七贤”之一的山涛之子,山简因镇守襄阳时饮酒优游而闻名于古今,因山简常戴着白色头巾,故此处以山简之帽(头巾)喻春云之状。典故表现的是潇洒的山简的醉态,历史上也有不少文人与山公同举,常以醉酒自豪者。“落红”即坠落的花瓣。首句隐含着超然物外、一瓢自适的人生态度,然而次句则又流露出地老天荒的落寞,接下来第三句,紧承前境又以暮春落红染之。伤春虽如此,结尾则又一转,“草色上罗袍”,作者在清新而明净的大自然中得到了无限的慰藉。此曲写荒村春景,颇富生机,用白描手法,古朴清新,一任天然。曹德的散曲小令,和他的朋友任昱一样,都十分讲究音律、对仗,格调和张可久相似。

(李万堡)

# 【双调·沉醉东风】

曹　德

## 村　居

茅舍宽如钓舟,老夫闲似沙鸥。江清白发明,霜早黄花瘦,但开樽沉醉方休。江糯吹香满穗秋,又打够重阳酿酒。

### 鉴赏

这首散曲,使我们仿佛看到了一幅悠游的隐居图,在我们感受到作者内心的一种隐隐落寞的同时,也感受到这个小山村那清新而浓郁的大自然气息。曲的开篇就以“钓舟”来明喻其栖身的茅舍之逼窄,同时也暗喻了超然物外的隐者情怀。次句以沙鸥自况,暗引老杜“天地一沙鸥”之典,与上句“钓舟”之意象浑然一体,说水田辽阔,沙鸥飘零,因此自然就有了“人比黄花瘦”(李清照《醉花阴》)的感叹,然而这“霜”又为什么来得这么早呢?白发染霜花,叹老悲秋,倍添感伤,人生不过如白驹过隙,还是开樽一醉吧。早秋带给诗人的不仅只是“黄花瘦”,还有“满穗香”,诗人看到的主色调依然是累累金秋,这时诗人所想到的还是都把它酿成美酒吧。东篱把酒,霜发对菊,真是别有一番滋味在心头!

曹德这首小令,语言清新、质朴,有一种静穆之美。这首小令所表现的并不只是村居心态的平静恬适。与另一首《村居》的意境表面上好像是统一的,其实则大异其趣,这首散曲所表现出来的恰是心中的一种微澜,是恬适与落寞的交织,是平静与悸动的互制。

(李万堡)

## 【双调·折桂令】

曹　德

### 江头即事

问城南春事何如?细草如烟,小雨如酥。不驾巾车,不拖竹杖,不上篮舆。著二日将息蹇驴,索三杯分付奚奴。竹里行厨,花下提壶,共友联诗,临水观鱼。

**鉴赏**

在曹德今存的约十八首小令中,〔折桂令〕《江头即事》颇有代表性,此曲写城南游冶之乐事,起首虽以问句出之,而问的却不是柴米油盐之类的俗事,是“城南春事何如”。问得天真,问得自然,可见作者的高雅脱俗。

“巾车”即篷布小车,语出晋陶渊明《归去来兮辞》“或命巾车,或棹孤舟”句。“篮舆”即古时一种竹制的坐椅。“奚奴”,古指女奴,后泛指奴仆。作者听说城南春日正好,花事正盛,于是吩咐侍从,准备来日春游:携了奴仆,提了酒食,既不驾车,又不拄杖,也不乘轿,只骑一匹蹇驴,约二三好友,往水边观鱼、饮酒、赋诗。如此春光,如此赏心乐事,人生复需何求!

虽然作者说自己准备来日乘兴春游,不仅目的明确,即"观鱼""饮酒""赋诗"之类,而且也把一切出游计划做得十分周详,同时还预设了这一春游活动中的种种细节,比如说不要忘记也吩咐给奚奴"三杯酒"等等。但我们还是能够透过"巾车""竹杖"以及"篮舆"等一些意象看到诗人内心异样的情怀。曲中暗用陶(渊明)令之典,以表达对田园生活的向往。

(李万堡)

# 【双调·清江引】

曹　德

长门柳丝千万结,风起花如雪。离别复离别,攀折更攀折,苦无多旧时枝叶也。

长门柳丝千万缕,总是伤心树,行人折嫩条,燕子衔轻絮,都不由凤城春做主。

## 鉴　赏

据元末陶宗仪《南村辍耕录》记载,元顺帝时太师伯颜专权,剡王彻彻笃、高昌王帖木儿不花均被无辜杀害。这两首〔清江引〕乃为刺伯颜而作。从两曲的内容特别是末句看,此说大体可信。

这是一首直刺当时黑暗社会现实的小令,堪称太岁头上动土。"长门柳丝千万结,风起花如雪",作品开头即以"长门柳"花絮被风吹得漫天飘飞,暗示了皇室宗亲风雨飘摇的命运。"长门",汉宫名,汉武帝时陈皇后阿娇失宠,被囚于此。此泛指京师。紧接三句:"离别复离别,攀折更攀折,苦无多旧时枝叶也。""攀折",折柳枝。折柳送别是古代送别亲人时的习俗。汉代士大夫常在送客至长安东灞桥时,折柳枝赠别，以系离情。后世以折柳作为赠别或送别的代称。“攀折更攀折”二句化用宋周邦彦《兰陵王》“长亭路，年去岁来，应折柔条过千尺”的语意，而此处寓意更为深远。“伤心树”，有着许多创伤的树。这里是说柳枝不堪攀折之苦。唐柳氏有《杨柳枝》词曰：“杨柳枝，芳菲节，苦恨年年伤离别。”杜牧也有《送别》诗曰：“溪边杨柳色参差，攀折年年赠别离。”不断的离别，“长门柳”便一再被攀折，枝叶也就渐稀，“苦无多旧时枝叶也”，正是暗示了皇室宗亲不断地被杀戮。此处，借物喻人，以咏柳暗藏锋芒，构思机巧，语意双关，以一种独特方式表达出作者对黑暗暴政的强烈抗议。“凤城”，指京城。据传，秦穆公要弄玉在京城吹箫，引来凤鸟，因名其城为丹凤城。后人遂把凤城作为京城的别称。结句“都不由凤城春做主”即一切政令都不由皇帝做主。《元史》卷四十记载，元顺帝有诏书云：“伯颜不能安分，专权自恣，欺朕年幼……虐害天下。”

两首均采用隐喻手法，影射朝政，以物喻人，语意双关。分明是讥讽奸臣弄权，皇帝被架空，却用委婉蕴藉的手法来表现。而且写来比较工雅，这就是曹德散曲的艺术风格。这两首散曲，看似咏物之笔，实为讽刺之作，其用典设喻工于匠心尤为后人所激赏。

（李万堡）

## 【双调·庆东原】

曹　德

### 江头即事(三首其一)

低茅舍，卖酒家，客来旋把朱帘挂。长天落霞，方池睡鸭，老树昏鸦。几句杜陵诗，一幅王维画。

**鉴赏**

曹德的［庆东原］《江头即事》小令共三首，均为佳妙的写景小令，此为其中第一首。“低茅舍，卖酒家，客来旋把朱帘挂。”一间低矮的茅舍,挑着酒幌,一位孤零零的客人,走入小酒店中,店主人挂起朱帘,使得客人能够边饮酒边欣赏窗外景致。开头几句,简笔勾勒,呈现出来的是一片清静闲适的氛围,映衬着作者淡雅的情怀。

四五两句,将读者的视线从室内引向室外,从茅屋窗口望出去,但见"长天落霞,方池睡鸭,老树昏鸦"。在这幅画面中,虽有"老树昏鸦"的萧瑟,但重心却在"落霞"的绚烂与"睡鸭"的闲适,由此映衬着抒情主人公内心的恬淡闲适,但也不无孤寂与落寞的情感流露。

最后两句,又收结到室内的陈设:"几句杜陵诗,一幅王维画。"墙壁上挂着的杜甫诗的条幅,还有王维的画作,因此装点得这"酒家"甚是雅致,于是带给作者艺术的享受。

此作有如一幅白描,通过几组镜头对接,展示江头黄昏秋景,并借此折射出了作者高雅恬淡,但也孤独、寂寞的情怀。

(李万堡)

# 【越调·黄蔷薇过庆元贞】

高克礼*

燕燕别无甚孝顺，哥哥行①在意殷勤。玉纳子②藤箱儿问肯，便待要锦帐罗帏就亲。　吓得我惊急列蓦出③卧房门，他措支剌④扯住我皂腰裙，我软兀剌⑤好话倒温存："一来怕夫人情性哏，二来怕误妾百年身。"

## 作者

*高克礼，生卒年不详，约公元1331年前后在世，字敬臣，一作敬德，号秋泉，河间(今属河北)人。性淡泊。以恩荫官至庆元(今浙江)理官。为政以清净为务，不尚苛刻，以简淡自处。克礼工古今乐府，有名于时。尝和杨维桢西湖竹枝词。隋树森《全元散曲》辑有小令4首。明朱权《太和正音谱》将其列于"词林英杰"一百五十人中。

## 注释

① 哥哥行：犹言哥哥您那里。
② 玉纳子：与后面"藤箱儿"，都是男方给女方的聘礼。
③ 惊急列：神情慌张的样子。此乃宋元时口语。蓦出：大步迈出。
④ 措支剌：慌张失态的样子。
⑤ 软兀剌：亦宋元时口语，原意为困软乏力，此处有低声下气之意。

## 鉴赏

在元曲中我们看到这样一种情况:有一些群众喜爱的题材,在剧曲和散曲中被作家反复地加以咏唱和表现。如崔莺莺、张珙故事,杂剧有王实甫的《西厢记》,散曲有关汉卿的〔普天乐〕《崔张十六事》;双渐、苏小卿故事,杂剧有王实甫的《苏小卿月夜贩茶船》、庾天锡的《苏小卿丽春园》等,散曲有王晔、朱凯的《题双渐小卿问答》。由于戏剧与散曲的不同特质,所以这些相同题材的作品在表现范围、表现重点、表现手法及艺术效果方面也自然存在种种差别。

高克礼的这支带过曲是从关汉卿杂剧《诈妮子调风月》中撷取了一个片断,写婢女燕燕受夫人差遣,侍候一个前来探亲的小千户。小千户见燕燕年轻美貌、聪明伶俐,便千方百计对她进行引诱。他有意指派燕燕做这做那,目的是拖延和她待在一起的时间;又提出要到燕燕的卧房去闲坐。燕燕先是婉言拒绝,后来实在拗他不过,只好领他去了。

"燕燕别无甚孝顺,哥哥行在意殷勤。"这两句是说:你到我的卧房来,我可没有什么东西可以孝敬你,只是因为拗不过你一片殷勤之意罢了。这里燕燕和小千户的态度形成鲜明的对比:处于奴婢地位的燕燕对小千户不冷不热,若即若离,既不失奴婢身份,又对小千户保持着一定的警惕;而处于主人地位的小千户,却一反常态,甜言蜜语,大献其殷勤。这种反常的态势预示着反常的事件就要发生。果然,小千户用玉纳子和藤箱儿这两件饰物赠给燕燕,许诺要娶她做小夫人,紧接着就要对燕燕施行非礼。"问肯"是古代男家向女家求婚的一种礼节。"便待要"三字活画出小千户对燕燕垂涎三尺、迫不及待的神态。正因为如此,燕燕才被吓了一跳,赶紧扭身想逃出卧房门,而小千户也张皇失措地一下子扯住燕燕的衣裙。在这种情况下,燕燕想拒绝小千户的诱奸,有两种办法:一是硬抗,和他大吵大闹;二是软顶,婉言加以拒绝。由于燕燕的地位和当时的具体处境,也由于她内心对小千户还存在着某种好感和幻想,她采取了后一种方式,用和软的语言耐心地加以解释。燕燕所举的两条理由,"一来怕夫人情性哏","哏"同"狠",是说夫人家法极严,脾气凶狠,闹出事来,吃罪不起;"二来怕误妾百年身",是说婚姻是一辈子的大事,一旦失足,便会抱恨终身。燕燕之所以列举第一条理由,不仅因为她本人确实畏惧夫人的家法,而且可以吓一吓小千户，这可以见出燕燕性格上机灵颖慧的一面；第二条理由对燕燕来说更为重要，因为这是她从千千万万下层妇女尤其是女奴被贵族男子欺骗、玩弄、抛弃、坑害的事实中总结出来的饱含血泪的教训。这又反映出燕燕性格上深沉内向的一面。用极其简洁传神的语言，曲折尽致地表现出燕燕这位被侮辱被损害的少女的内心矛盾和痛苦，正是这篇带过曲的主要价值所在。由于篇幅限制，短小的带过曲不可能像杂剧的剧曲那样充分展示人物的内心世界，但作家凝聚笔墨，把重点放在燕燕正欲抽身又被拖住那一瞬间的心态刻画上，便以少胜多，取得了画龙点睛的极佳效果。

这篇带过曲从艺术上说还有两点值得注意：一是动作性很强，“问肯”“就亲”“蓦出”“扯住”，一连串动作，一个接一个，这说明散曲有时也是很讲动作性的，因为歌唱与表演可以结合；二是语言本色流畅，“惊急列”“措支剌”“软兀剌”等当时俗语的运用，酷肖燕燕这个年轻婢女的声口，丰富了曲词的表现力。

（赵山林）

# 【双调·殿前欢】

李伯瞻*

## 省悟(七首其二)

去来兮!黄鸡啄黍正秋肥。寻常老瓦盆边醉,不记东西。教山童替说知:权休罪,老弟兄行都申意。今朝溷扰,来日回席。

### 作者

*李伯瞻,生卒年不详,号熙怡,里居及生平亦无考。据孙楷第《元曲家考略》,他就是李屺,官翰林直学士,除中议大夫。善书画,能词曲。明朱权《太和正音谱》将其列为"词林英杰"。今存〔殿前欢〕小令7首,残曲1套。

### 鉴赏

在元杨朝英所辑散曲集《太平乐府》中,存有李伯瞻〔殿前欢〕《省悟》小令七首和残曲一套。这七首小令集中描写作者归隐时的生活状况和思想情感。本曲是其中第二首,写作者与乡邻聚会,醉酒迷途的情景。全曲纯用口语,质朴自然,感情真挚。

元代归隐题材的散曲作品数量众多,这一类作品一般包括慨叹世事和赞美归隐生活两个内容,此曲主要是赞美归隐生活。

首句"去来兮"源自晋陶渊明的《归去来兮辞》,这篇辞赋体抒情诗,是中国文学史上表现归隐思想的代表性作品。"去来兮"说明了作者的隐居状态。关于李伯瞻的生平已无考,至于作者为什么隐居,我们已无从知晓。但是从下文我们可以看出作者与乡村野夫相处欢愉,已经融入乡间生活。第二句点明此时正是秋收时节，并且又是一个丰收之年，因为“黄鸡啄黍正秋肥”，或许是大家欢庆丰收而相聚畅饮吧。抒情主人公归隐后，已经不再专注于考究的美食美器，寻常瓦盆盛酒来，亦能让他醉饮不归，不辨东西，此段写出了抒情主人公狂放旷达的形象。

虽然已经酩酊大醉，抒情主人公还没有忘记告诉跟随他的山童，让山童替他开罪，多多美言，请乡亲们莫要怪罪他的放浪行径，“老弟兄行都申意”。交往已久的乡里乡亲，老朋旧友，大家都是了解我的，酒醉人，心不醉，我没有忘了老规矩。“今朝溷扰，来日回席”，今日多多烦扰，来日我要亲自做东，邀请大家开怀畅饮。

此曲没有田园美景的描绘，也没有具体描述秋日丰收的场面，作者只是用简单明了的口语叙述了自己宴饮醉酒的情形。真正能说明此曲主旨的只有三个字“去来兮”。结合篇目“省悟”和其他六支曲子，我们不难理解此曲的真实含义。抒情主人公希望通过归隐乡野来达到心灵的宁静，但是这只是一种理想罢了，事实上他并没能真正享受到乡野风情的欢乐，哪怕是在农家最快乐的丰收时节，他也是沉醉不辨东西。归去来兮后，他仍然不能彻底省悟，安心于淡泊、平静的生活。

（杨　峰）

## 【双调·殿前欢】

李伯瞻

### 省悟（七首其四）

到闲中，闲中何必问穷通？杜鹃啼破南柯梦，往事成空。对青山酒一钟，琴三弄，此乐和谁共？清风伴我，我伴清风。

## 鉴赏

此曲是李伯瞻〔殿前欢〕《省悟》七首曲子中的第四首。纵观李伯瞻的七首小令,不难看出,虽然作者摆脱了名利羁绊,求得闲适自在的隐居生活,但仍有消极避世的色彩,透露出作者其实并未忘却世事的心情。尤其是本曲,不仅有对世事难料、纷扰如梦的感叹,更有知音难觅的孤寂之感,整篇曲子都弥漫着悲凉的气息。

"到闲中,闲中何必问穷通?"既然已经选择了罢官归隐,远离俗世的功名利禄,权利纷争,那就应该尽情享受恬淡适意的隐居生活。但是,开篇的语气里却满是矛盾和困惑,在自己向往的闲居生活中,为什么还常常思考困厄和显达的问题呢?还是不要过问红尘荣辱吧,那不过是南柯一梦。唐李公佐《南柯太守传》记载:书生淳于棼醉卧槐树下,酣睡入梦。梦为大槐安国驸马,任南柯太守三十年,后因兵败罢归,羞愤难当,大叫一声,从梦中惊醒。他按梦境寻找大槐国,原来就是大槐树下的一个蚂蚁洞,一群蚂蚁正居住在那里。连梦里功名也不过是"功名纸半张,富贵十年限"(庾天赐〔雁儿落带得胜令〕),所以参透荣辱后便明白:世间穷通皆是空。

"对青山酒一钟,琴三弄,此乐和谁共?"归隐后,主人公结庐于山水幽静处,青山绿水共为邻,饮酒抚琴,自由自在,这不正是文人士子所向往的生活状态吗?但是主人公内心难以平静,因为其抑郁感慨之怀无人知晓,离了名利场,也没找到安乐窝,不能闲快活。唯有清风吹来,给他些许安慰和快乐。"清风伴我,我伴清风",在这僻静的山野,只有自然万物是他的伙伴,是他的知音,真是"相看两不厌,唯有敬亭山"(唐李白《独坐敬亭山》)。

读此曲,并不能给人一种轻松感,这里所包含的深沉意识在元代归隐类散曲中比较有代表性。在诗人看似逍遥的背后是一种忧愁和无奈,诗人并不是一个喜欢游山玩水而不关心时事的纯隐士,他的骨子里是想有益于社会的。现实和理想之间的矛盾在他心里纠结,形成这种深沉的抑郁情怀。

(杨　峰)

# 【双调·殿前欢】

李伯瞻

## 省悟(七首其五)

驾扁舟，云帆百尺洞庭秋。黄柑万颗霜初透，绿蚁香浮。闲来饮数瓯，醉梦醒时候，月色明如昼。白蘋渡口，红蓼滩头。

鉴赏

这是李伯瞻〔殿前欢〕《省悟》七曲中的第五首。前三曲分别描写了作者归隐乡野后庆丰收宴饮、听傀儡戏等具体的生活场景，第四首描述了自己隐居生活的孤寂心情。这首曲子写作者任其自然，随心所欲，忘情物外的心志情趣，仿佛已了悟世事，醉心于自然美景。此曲用语优美，境界雅致，写出了隐居生活的高洁和诗意。

“驾扁舟，云帆百尺洞庭秋。”古典诗词中，常用江海浮沉比喻奔走凡尘和官场的动荡；常用驾扁舟、万里烟浪云帆等来比喻抛弃尘世风云，追求自由放浪的隐居生活。比如同时代张可久的“隐士”曲写得比较直白，表明对功名的厌倦和对归隐生活的向往：“叹孔子尝闻俎豆，羡严陵不事王侯。百尺云帆洞庭秋。醉呼元亮酒，懒上仲宣楼，功名不挂口。”作者以这两句引题，寓意不言而喻。下文就具体来描述自己隐居生活的惬意了。

“黄柑万颗霜初透，绿蚁香浮。”这两句用语看似无意，实则意境优美，是作者锻炼之语。作者给我们描绘了怎样的一幅场景呀：秋高气爽时节，略有秋霜，空气中弥漫着阵阵凉意，此时柑橘已成熟，一片橘黄，给人以温暖的感觉。新酿的酒还未滤清时，色微绿(即绿酒)，酒面浮起酒渣，细如蚁(即酒的泡沫)，作者用了一个“香”字来形容酒面泡沫的浮动，增添了许多诗意，同时也说明新醅酒的甘美。此时让我们不禁想起“绿蚁新醅酒，红泥小火炉”(唐白居易《问刘十九》)的诗句，新醅酒仿佛也给我们带来了暖意。

“闲来饮数瓯，醉梦醒时候，月

色明如昼。”在这样一个优美的环境里，难得的是能有闲情开怀畅饮，抒情主人公此时悠闲适意，尽情畅饮，一醉方休。不必问今夕何夕，不必问凡尘俗事，醒来时，已是明月高悬，明亮如同白昼。此时与主人公相伴的是江上之清风，与山间之明月，这样的美景是永恒存在的，正如北宋苏轼所说：“取之无禁，用之不竭，是造物者之无尽藏也，而吾与子之所共适。”（《赤壁赋》）

结尾两句“白蘋渡口，红蓼滩头”，一白一红两种颜色相对照，用语精巧。“渡口”“滩头”，同一景致，用语不同，别有韵味。这两句写出作者生活环境的幽雅，也写出作者醉心于此的惬意。看茫茫水草，湖光山色，主人公置身其间，心凝神释，物我两忘，浑然一体，表现了隐者超凡脱俗的境界和与自然万物相伴相随的乐趣。

此曲语言清丽而凝练，意境高洁而明亮，是七首曲子中语言比较优美、境界比较高雅的一支。作者的这种心绪和情怀是从亲身经历中深刻体悟出来的，“乐山乐水总相宜。君细推，今古几人知”（白朴〔中吕·阳春曲〕《知机》），读此曲，我们既醉心于作品所描绘的美景雅趣，也思考着作者襟怀的坦荡与高洁。

（杨　峰）

# 【中吕·普天乐】

王仲元*

## 赠美人

柳眉新，桃腮嫩，酥凝琼腻，花艳芳温。歌声消天下愁，舞袖散人间闷。举止温柔娇风韵，司空见也索销魂。兰姿蕙魄，瑶花玉蕊，误染风尘。

### 作者

* 王仲元，生卒年不详，杭州人。与钟嗣成交厚，为元代后期曲作家。明朱权《太和正音谱》将其列于“词林英杰”一百五十人中。其所撰杂剧有《于公高门》等三种，皆亡佚。今存小令21首，散套4套。

### 鉴赏

此曲前四句属于“静物写生”，“柳眉”“桃腮”极尽描摹之能，《诗经·卫风·硕人》：“手如柔荑，肤如凝脂，领如蝤蛴，齿如瓠犀”，即是此一笔法的开山。新、嫩、腻、温，遣字别具匠心，妙笔刻画生香。继之笔势一转，由静而动，德国美学家莱辛在名著《拉奥孔》中说：“诗还可用另外一种方法，那就是化美为媚。媚是在动态中的美。正因为是在动态中，媚由诗人写比画家写就更适宜。”这也是中国传统艺术手法中常用的，如明代散文家归有光的名篇《项脊轩志》中，有一节极富诗情画意的文字：“三五之夜，明月半墙，桂影斑驳，风移影动，珊珊可爱。”前三句是静态描写，第四句一变而为动态描写。王仲元在此亦是化美为媚，“歌声消天下愁，舞袖散人间闷”，真是一笑一颦举手投足间便具倾城倾国之妩媚动人了。接下来曲家又从客体转向主体,这又和上面所述归有光同一笔法,一个情不自禁冲口而道:“珊珊可爱。”一个由衷赞叹:“司空见也索销魂。”“司空”典出刘禹锡,有一次,李绅邀请刘禹锡喝酒,请了几名歌女唱歌陪酒,两人饮酒畅谈。几杯酒下肚后,刘禹锡有些微醉,看着歌女美丽的面容,听着她们凄美的歌声,不禁诗兴大发,他举着酒杯站起来,高声念道:“高髻云鬟宫样妆,春风一曲杜韦娘。司空见惯浑闲事,断尽苏州刺史肠。”意思是指任司空的李绅对这样的场景已经见得多了,但自己对此情此景却不由得感慨万分。人们后来用“司空见惯”来形容经常见到,不足为奇的事物。“索”是应、得的意思,“索销魂”即应销魂。连“见惯”的司空也销魂,极言美人之温柔风韵。至此,本应戛然曲终,但王仲元在赞美歌伎姿色仪态的同时,也深深流露出同情和惋惜之情:“兰姿蕙魄,瑶花玉蕊”,此花只应天上有,此姝本属天上人,如此冰雪美人“误染风尘”,可惜误坠青楼之中,令人扼腕嗟叹!

(陈定謇)

## 【中吕·普天乐】

王仲元

### 旅　况

树杈枒,藤缠挂,冲烟塞雁,接翅昏鸦。展江乡水墨图,列湖口潇湘画。过浦穿溪沿江汉,问孤航夜泊谁家?无聊倦客,伤心逆旅,恨满天涯。

**鉴赏**

这首小令写羁旅愁情,化用马致远著名的小令〔天净沙〕《秋思》:“枯藤老树昏鸦,小桥流水人家,古道西风瘦马。夕阳西下,断肠人在天涯。”同样是深秋时节,地上天空,万物肃杀,藤枯树老,雁飞鸦归。不过一骑马颠沛西域,一泛舟流落南国,还是各有千秋。过浦穿溪沿江而行,尽管像江乡水墨图、湖口潇湘画那样风光殊美,不过一个“问”字却急转直下,孤航夜泊还不知何处,漂泊的人在难眠的长夜会是一种怎样的心绪呢?相比之下,雁飞南天,鸦归晚色,鸟儿们还有个去处,连“树杈枒”还有“藤缠挂”,作者把凄婉悲切的无尽愁绪寄托在了短短的曲句里:语言极为凝练却容量巨大,寥寥数语就勾画出“旅况”的寂寞茫然。此曲由三言而四言,由六言而七言,愈说愈急。末三句“无聊倦客,伤心逆旅,恨满天涯”,又回归四言句,颇有收煞不住、欲说还休的意味。怎一个“恨”字了得,真是泣血写法了。此曲从荒野日暮时分的萧瑟秋景,衬托漂泊无着、疲惫不堪的游子心态,既写秋光秋色,又写人意人情,含蓄深挚地表达了“天涯沦落人”的凄寂、苦闷和无法排解的“断肠”之情。

(陈定謇)

## 【双调·江儿水】

王仲元

### 叹　世

红尘不来侵钓矶,别却风云会。一钓了此生,七里全身计,寻一个稳便处闲坐地。

**鉴赏**

王仲元的〔江儿水〕《叹世》小令组曲凡九首,此为第八首。作者借典讽世,表明避世归隐的人生态度。首句中“钓矶”即严子陵钓台,位于浙江桐庐城以西约15公里富春江北山上,相传是东汉高士严光(字子陵)隐居垂钓之地,故亦称严陵山。钓台高约70米,分东西两处,相距80余米,均为半山腰之磐石。西侧沿江新建严先生祠堂,祠内立有宋范仲淹所撰《严先生祠堂记》石碑,文中“云山苍苍,江水泱泱;先生之风,山高水长”之名句流传至今。山下,水流湍急,连亘七里，故名“七里滩”。严光是余姚人。少有高名，与刘秀同游学。东汉建武元年（25），刘秀即位为光武帝，请严光辅佐，严光不从，归隐富春山（今桐庐县境内）耕读垂钓。传统的知识分子非常看重自己的独立性，权力并不是人人向往和追求的目标。在汉朝群臣攀龙附势，热衷于争夺名利的世风之下，严子陵近水楼台却洁身自好的高风亮节格外出类拔萃。离群索居，却能洞察世事，仿佛超脱了红尘，“旁观者清”，他们的思想言行也能为入世者指点迷津。元代的汉族知识分子在异族统治下陷入了空前的尴尬：他们渴望功名，却仕途坎坷；他们追求自由，却备受压抑；他们向往人格平等，却在森严的等级中举步维艰。此组曲一共九篇，都以“寻一个稳便处闲坐地”为结句，不能兼济天下，独善其身也就成了普遍的诉求。

（陈定謇）

## 【中吕·粉蝶儿】

王仲元

### 集曲名题秋怨

【粉蝶儿】双雁儿声悲，景潇潇楚江秋意，胜阳关刮地风吹。满庭芳，梧桐树，金蕉叶坠。庆东原金菊香滴滴金堆，那更醉西湖干荷叶失翠。

【醉春风】我一半儿情感玉花秋，一半儿忆王孙归塞北。我这应天长久不断怨别离，对秋风怨忆，忆。折倒的风流体尪羸，红衫儿宽褪，翠裙腰难系。

【迎仙客】都不念奴娇望远行，忘了初相见在武陵溪。骂玉郎有上梢没末尾，瘦削了柳丝玉芙蓉花面皮。这翠眉儿挛剌，捱这等相思会。

【红绣鞋】上小楼凭阑人立，青山口日上平西。子听得乔木楂鹊踏枝叫声疾，莫不倘秀才余音至？夜行船阮郎归，原来是牧羊关乌夜啼。

【石榴花】常记得赏花时节看花回，上京马醉扶归，归来窗半月儿低，真个醉矣。柳青娘虞美人扶只，困腾腾上马娇无力，步步娇弄影儿行迟。似凤鸾交配答双鸳鸯对，人都道端正好夫妻。

【斗鹌鹑】不误这万年欢娱，翻做了荆湘怨忆。把一个玉翼婵娟，闪在瑶台月底。想曩日逍遥乐事迷，今日呆古朵自悔。子落得初问口长吁，哭皇天泪滴。

【普天乐】空闲了愿成双、鸳鸯儿被。搅筝琶断毁，碧玉箫尘迷。四块玉簪折，一锭银瓶坠。叹姻缘节节高天际，这淹证候越随煞愁的。想两相思病体，把红芍药枉吃，有圣药王难医。

【尾】我每夜伴穿窗月影低，好也罗你可快活三不归，空教人立苍苔红绣鞋儿湿，可怕不恋上别的赚煞你。

## 鉴赏

真是“词林中之英杰”，集曲名体之高手，开篇首曲便落墨有声，满纸秋色。将一片“秋尽江南草木凋”的凄凉景象，呈现于读者眼前，为《秋怨》的述事状情，做了有声有色的形象铺垫，而将读者引入景深情远的迷蒙境界。天上的双雁鸣声悲切，地上的楚江满目萧瑟，卷寒的西风吹来胜似阳关三叠，而满庭的芳菲与梧桐金蕉的残叶飘飘然坠落，东原的秋菊金黄，那西湖醉人的荷叶已红消绿退，枯萎失色了。

“多情自古伤离别，更那堪冷落清秋节”，〔醉春风〕以下，写秋日相思苦痛。江上秋风，无休止地触痛离人的情弦。“我一半儿情感玉花秋，一半儿忆王孙归塞北”，只能独守空房，日久天长地埋怨那心酸的别离，只能在“寂寞梧桐庭院锁清秋”的凄风悲虑中长相忆。忆悠悠，念风流，忆到归时方始休，直忆得将红颜玉体折磨得“尫羸”（瘦弱）至极,“红衫儿宽褪,翠裙腰难系”,衣带渐宽人消瘦。我已煎熬到这般光景,可郎君你呢?竟“都不念奴娇”仰首“望远行”,全忘了当初相见欢时的“武陵溪”。真个是“无情汴水自东流,只载一船离恨向西州”啊。听到了吗,我在对负心人“骂玉郎”,有头无尾地骂着,试图以骂解忧,然而那忧依旧挥之不去,忧得我“帘卷西风,人比黄花瘦”,忧得我柳丝腰细、“芙蓉”般的“面皮”都黯然憔悴了。连“翠眉儿”也扭曲得“挛刺”(抽搐刺痛)不已。如此这般的思念,全都为了“捱(熬盼)这等相思会”,如梦如痴的常相会。“天长地久有时尽,此恨绵绵无绝期”,心绪难宁中何以度日,卧而复起,“上小楼凭阑人立”,看到的竟是“青山口日上平西”,听到的又是“乔木楂鹊踏枝叫声疾”,想到的更是莫非“倘秀才余音至”“夜行船阮郎归”!谁知寂寞儿登高,痴心一场空,那喜鹊的叫声却幻作了茫茫“牧羊关”外的惨惨“乌夜啼”。乌啼不绝,惹来的是“一曲离歌两行泪,不知何地再逢君”的无奈与凄凉。

缥缈的幻觉,只能招引声声哀叹,倒不如回到“常记得”的往昔中来,享受一回实实在在甜甜蜜蜜的旧事重温:“赏花时节看花回,上京马醉扶归,归来窗半月儿低。”从日升到日落,从月儿高到月儿低,赏花相扶,景美人醉,好不开心,醉娘子“真个醉矣!”昼以继夕的春游,春不困人困,“柳青娘虞美人扶只(语助词),困腾腾上马娇无力,步步娇弄影儿行迟”,困态可掬,不失娇媚,甚至愈困愈娇,愈娇愈美。多美的一对儿啊,简直是“凤鸾交配答双鸳鸯对”,凤交鸾,鸳对鸯,美女配才郎,谁能不称道这分明是一双“端正好夫妻”呢!然而,“好景不常在,好花不常开”,笔锋乍转,“万年欢”的快娱,冷不防却化作了记忆中的“荆湘怨”,荆湘怨加上湘妃怨,其怨何及。有道是“人有悲欢离合,月有阴晴圆缺,此事古难全”,到头来只留下“谁伴月窗独坐,我共影儿两个”。而后,把一个玉蝉翼的美婵娟,“闪(抛)在瑶台月底”,广寒宫之寒只在于一个“广”字,这里的寒乃是阴森森的地窖之寒,直寒得让人难再应对。回首往日,“逍遥乐事”让人迷恋,今日却陷入呆痴痴,傻乎乎的“自悔”。谁能料到,最终“子(只)落得初问口长吁”久叹,“哭皇天泪滴”涕流。“无情江水东流去,与我泪争流”,即便是整日价“哭皇天”,也只能是哭罢不知人在否,其声凄楚也飘空。

原本是普天乐的世界,没来由变作了“空闲了愿成双、鸳鸯儿被”的“寂寞梧桐深院锁清秋”的孤独。心绪纷摇落,秋声不可闻,那筝琶之声也被秋风搅断撕毁,“碧玉箫”之音更飘零于迷蒙的尘埃中,乃至连“四块玉簪”都在头顶折损,“一锭银”古瓶从案头坠落,只有那声声"叹姻缘"的长叹"节节高天际"。多少长吁无限恨,三番短叹入秋风,"这淹(滞留)证候(病情)越随煞愁的",兀得不愁煞人也。两相思的长相思,苦得人患了病入膏肓的相思病,尽管将"红芍药"的灵丹全吃光,也全属枉然,就是把专看疑难绝症的"圣药王"请来,还是治不了这病在心头的人间怪病。真个是"自古佳人多命薄"呀!心病只需心药治,能够使我身心痊愈的只有一个,一个离去了的心上人。归来吧,归来吧!远在天涯的游子,我的唯一救命之人。我便是"纵有千种风情,更与何人说","我每夜伴穿窗月影底"眺望着,弯月如钩,挂我心头,穿透心窝。而你倒好,却在哪里"快活"得不亦乐乎,忘了回家团聚,弄了个月也无情,人也无情,人儿一去"三不归",无着落也无消息。"空教人立苍苔红绣鞋儿湿",苍苔也在流泪,绣鞋都湿了,秋怨添多少?然而,更可怨的怕是你竟又"恋上别的",将如此一世情缘抛却,作了个这般"赚煞你"怨煞我的凄凉结局。

王仲元的曲作,现存数量不多,但在读者心头却留下一片语清辞丽,景淡情浓的深深印记,更留下一种以少胜多、曲径通幽的无边余味。小令如此,散套亦然,尤其是集曲名联串成套的两篇不朽之作,更让人百读不倦,耳目一新,被历代曲家公认为是翻新出奇的传世名篇。

当散曲发展到成熟期时,熟后生巧的巧体应运而生,曲家们舞曲弄墨,使俏语连连、趣语翩翩的妙曲,步入"蓦然回首,那人却在,灯火阑珊处"的境界。此中有增韵体、集句体、集名体(集药名体、集剧名体),五花八门争奇斗俏,大大丰富了散曲创作的表现样式,提高了创新技艺的档次,增添了诙谐风趣的曲味。而王仲元的《集曲名题秋怨》则是巧体中独压群芳的精品。这篇以八支小令组成的散套,于五十七句曲辞中嵌入了七十四个曲名,超越了他的另一篇《题情》嵌五十一个曲名的纪录,酿成了曲名入曲,清香四溢的一坛美酒。其中,有一句连嵌两名者,如"上小楼凭阑人立""夜行船阮郎归,原来是牧羊关乌夜啼",二十二字中,曲名占了十九字。还有一句串三名者,如"满庭芳,梧桐树,金蕉叶坠,庆东原金菊香滴滴金帷",二十字中,曲名占了十八字。也有一句中,独存曲名,别无它词者,如"一半儿忆王孙归塞北"。曲名入曲,繁似群花,有如一夜春风吹开万树花,满纸生色。又似一条金丝线贯串起晶莹剔透的夜明珠,熠熠生辉。似乎仅有四句并无现存元曲之曲名嵌入,如"对秋风怨忆""忘了初相见在武陵溪""捱这等相思会""归来窗半月儿低"诸句。这"秋风怨""初相见""武陵溪""相思会""月儿低"虽然不见于现存元曲,但并非不是曲名,极有可能是流行于当时的曲调，不过没有被保存下来罢了。作者的创意性思维，扩散开来，营造出一种别开生面的超凡语境和诱人咀嚼的别样曲情。好像在读者书斋前“桂枝儿”般地垂下一张“拔不断”“迎仙客”的“真珠帘”，“一江风”拂过，“美中美”的“梨花儿”摇曳着，如“粉蝶儿”“醉春风”，让人于星光闪烁的“眼儿媚”夜空中，陶然寻味，醉卧在“如梦令”的遐想里。

除曲名密集，如满天星斗而外，那荧光四射、珠联璧合的排列组合，也是一片纵横交错、颇具特色的风景。曲名入曲，有置于句首者，有置于句中者，合辙押韵的则置于句尾；有单用，也有连用者；有以其形入曲者，如“梧桐树金蕉叶坠”；有以其声入曲者，如“原来是牧羊关乌夜啼”；有不仅使其“和声”，更使其“对位”者，如“初问口长吁，哭皇天泪滴”；还有以其意入曲者，如“不误这万年欢娱，翻做了荆湘怨忆”……真是形态各异，色彩纷呈，将一个自编自导的曲名联袂专场演出，调度得不仅变幻有致，生动活泼，而且，曲音袅袅，旋律纷纷，从而汇成一场大曲套小曲，小曲蕴和声，器乐配声乐，笙管复丝弦的大型协奏曲。如果用“此曲只应天上有，人间能得几回闻”来描摹其曲之扣人心弦，感人肺腑，恐怕是最恰当不过了。

王仲元创作的这支集名密度大、运筹难度高的《秋怨》大套曲，绝非如“七步诗”那样，可以信口吟来，顺手可得。也绝非一般的文字游戏，单纯去卖弄技法，显露才能。而这从“泪盈波，眉愁锁，瘦身躯怎生存活”的人生体验中，积攒下来的痛不欲生的相思债，需将无涯的秋色秋风、秋声秋思与多情的悲多欢少、易离难合的“秋怨”，延展成一部辛酸至极的绝代情史，缩写成一篇“心绪纷摇落，秋声不可闻”的悲凉故事，绝对不是一件闹着玩儿轻而易举的事。如此大间架的宏观谋篇与小曲儿的微观运作，情呼曲应，连串成一幕回肠九转、催人泪下的千古传奇，它不仅需要底蕴深厚的功力，还需要技巧非凡的智力，也需要造语天然的活力，更需要运筹帷幄的苦力。王仲元正是以这种超群能量的合力，匠心独运地完成了这篇严守曲律、曲中有曲，曲也奇绝、情也奇绝的千古绝唱；完成了这篇不露斧凿痕迹，但见行云流水的奇妙大作。

王仲元度曲，向来以清丽见长，而这篇《集曲名题秋怨》套曲，更集中地展示出了他的创作才能与个性风范。他将线型思维创造性地发展为环型思维，以情感为主线，情节如螺旋，盘绕而上，造成一种峰回路转、步步登高的曲线美，使情透纸背的《秋怨》，扩散出又一类含情脉脉、情波荡漾的清丽曲味。难怪历代曲评家将《秋怨》视作状事描情、清丽别致的代表性精品。更让人刮目相看的是《秋怨》中巧集曲名之不同凡响。曲名入曲，锦上添花的奇巧生奇趣，异彩含异香，使“集名体”的审美功能与审美价值更富有散曲美学内涵，也扩张了散曲美学的外延。《秋怨》之所以成为巧体的范本，就因为它的技巧性强，在内在美饱和的同时，再涂一层光彩照人的外在美，成为两全其美的完美佳作，成为“浓妆淡抹总相宜”、要装要抹要修饰的艺术精品。庐山之美，漓江之美，得天工之润饰；《茉莉花》之美，《维也纳》之美，得乐工之音饰；《清明上河图》《蒙娜丽莎》之美，得画工之涂饰。只有如此，观赏性、趣味性方能由表及里地真正显现出来。《秋怨》是散曲装饰美的经典范本，表是曲名、里也曲名，集名之巧、天衣无缝，集名之巧、巧中含俏，使之成为俏体散曲花园中独占花魁的亮丽景观。散曲与诗词的不同之处，在于它的通俗性，也在于它的音乐性，还在于它的趣味性。《秋怨》的悲情愁绪，通过集名的巧与俏，让女主人翁的性格由平面素描，变为一尊美丽动人的立体雕塑，永远铭刻在读者记忆的崖壁之上。

王仲元的《秋怨》，以其奇思妙想之巧，赢得历代读者，也为巧体散曲创作，开拓一座曲花独秀的园林，更为散曲创作论的探讨，提供了一项不可或缺的研究课题。王仲元的历史性丰功伟绩，正在于此。

（常箴吾）

## 【般涉调·哨遍】

高安道*

### 皮匠说谎

【哨遍】十载寒窗诚意，书生皆想登科记。奈时运未亨通，混尘嚣日日衔杯，厮伴着青云益友。谈笑忘机，出语无俗气。偶题起老成靴脚，人人道好，个个称奇。若要做四缝磕瓜头，除是南街小王皮。快做能裁，着脚中穿，在城第一。

【耍孩儿】铺中选就对新材式，嘱付咱穿的样制。裁缝时用意下工夫，一桩桩听命休违：细锥粗线禁登陟，厚底团根教壮实；线脚儿深深勒，靿子齐上下相趁，鞝口宽脱着容易。

【七煞】探头休蹴尖，衬薄怕汗湿。减刮的休显刀痕迹，剜裁的脸戏儿微分间短，扰揎得腮帮儿省可里肥。要着脚随人意，休教脑窄，莫得趺低。

【六】丁宁说了一回，分明听了半日。交付与价钞先伶俐。从前名誉休多说，今后生活便得知。限三日穿新的，您休说谎，俺不催逼。

【五】人言他有信行，谁知道不老实。许多时划地无消息。量底样九遍家掀皮尺，寻裁刀数遭家取磨石，做尽荒獐势。走的筋舒力尽，憔的眼运头低。

【四】几番煨胶锅借揎头，数遍粘主根买桦皮。喷了水埋在糠糟内。今朝取了明朝取，早又催来晚又催。怕越了靴行例，见天阴道胶水解散，恰天晴说皮糙焦黧。

【三】走的来不发心，燋的方见次第，计数儿算有三千个誓。迷奚着谎眼先陪笑，执闭着顽心更道易。巴的今日，罗街拽巷，唱叫扬疾。

【二】好一场恶一场，哭不得笑不得，软厮禁硬厮拼却不济。调脱空对众攀今古，念条款依然说是非。难回避，骷髅卦几番自说，猫狗砌数遍亲题。

【一】又不是凤麒麟钩绊着缝，又不是鹿衔花窟嵌着刺，又不是倒钩针背衬上加些功绩，又不是三垂云银线分花样，又不是一抹圈金沿宝里。每日闲淘气。子索行监坐守，谁敢东走西移。

【尾】初言定正月终，调发到十月一。新靴子投至能够完备，旧兀剌先磨了半截底。

## 作者

＊ 高安道，生卒年不详，元英宗至治初前后在世。其一生落拓，怀才不遇。元钟嗣成《录鬼簿》将其列于“方今才人闻名而不相知者”四人之中。隋树森《全元散曲》收其套数3套。

## 鉴赏

宋元时期，随着市民阶层的壮大，市场商业活动的繁荣与发展，商人形象频繁进入到作家的视野，特别是在话本小说、南戏、元杂剧创作中，都有大量的商人形象。高安道的套曲“皮匠说谎”生动诙谐带有夸张地讲述了元代一个奸商皮匠欺负书生的故事。

全曲可分两层，前四曲一层，言书生到皮匠铺定做皮靴。曲子开头首先为我们展示了一个时运不济的书生形象,“混尘嚣日日衔杯”,但生活也算安定和清闲,“厮伴着青云益友。谈笑忘机,出语无俗气。”一日想要做一双四缝磕瓜头皮靴,于是找到南街的皮匠小王皮。“四缝磕瓜头”,为靴子样式,所谓“四缝”,当指连缀皮片成靴的四条线缝,“磕瓜头”,当即尖头之意。我们看书生到皮匠铺之后,有板有眼地对鞋匠说自己靴子的样式,要求的质量,如粗线不能露出,底根要结实,线脚要勒紧,靴帮要宽松,头子不要太尖,衬子不要太薄等等,反复叮嘱,其实书生所提出的都是靴子质量的基本要求,并无过分之处。在书生交代的过程中,靴匠“分明听了半日”,满口应承,甚至说三天后就让他穿上新靴子。书生一高兴,“交付与价钞先伶俐”,并且替对方着想说:“您休说慌,俺不催逼。”依照常理,皮匠又做成一桩生意,书生很快就会有新靴子。但事情的发展大大出人意料。

后六曲为第二层,写皮匠百般拖延,书生因此尝尽折磨,受够闲气。作者用夸张戏谑的方式展示皮匠的做作、敷衍,书生的无奈,显得生动有趣。皮匠本来说三天就做好,可是很多天过去了,还没消息,于是书生来催问,皮匠慌张地又是量底样,又是取磨石。不得已又过些天,书生再来催问,而皮匠呢,又是借楦头,又是买桦皮,书生跟着走得是筋疲力尽,看得是头昏眼花。书生早催晚催,皮匠说天阴胶容易解散,天晴了说胶容易干裂,反正总是有借口。每次皮匠都让书生安心等待,实则都是说谎骗他。“骷髅卦几番自说,猫狗砌数遍亲题。”皮匠甚至还多次发誓,说做不好这靴子自己该死、猫狗也不如了。然而每次书生再来,靴子依旧没有做好。书生禁不住自问,自己的靴子“又不是凤麒麟钩绊着缝,又不是鹿衔花窟嵌着刺,又不是倒钩针背衬上加些功绩,又不是三垂云银线分花样,又不是一抹圈金沿宝里”,不过是普通的靴子,怎么会如此难做呢?“初言定正月终,调发到十月一”,从春到秋,新靴子竟然拖了八个多月的时间。

曲中的皮匠显然做得非常过分,书生显得也太好欺负,这从一侧面也反映了书生在元代备受欺凌的社会地位。而靴子初定正月完成,最后十月初才做好,中间皮匠之百般耍赖,一拖再拖,当包含了对元初科举考试多年议论不定、天下读书人饱受折磨的讽刺。《元史·选举志一》:“科举事,世祖、裕宗累尝命行,成宗、武宗寻亦有旨,今不以闻,恐或有沮其事者。”直到仁宗皇庆二年(1313),才下诏制订科试条例,次年开始开科取士。而到元顺帝至元元年(1335),因中书平章彻里帖木儿的反对,科举再度废止,七年之后才复设。曲子开头言“十载寒窗诚意，书生皆想登科记。”登科即考取进士，这是那个时代读书人的普遍追求和梦想。可以想象，在元初科举停废的几十年间，许多想仕进的书生受到了怎样的煎熬。而统治者反复议论却长期没有结果和皮匠说谎耍赖有相当的相似之处。从这个角度看，高安道的这套散曲还是有着强烈的现实批判意义的。

这套散曲在艺术上的特点主要有二：一是成功塑造了奸商皮匠小王皮形象，作者对他言行不一的举动从多角度做了反复刻画，而书生无奈无助的形象也让人印象深刻。二是语言运用方面大量使用口语，颇富生活气息，相当程度上为我们展示了元代丰富多彩的市井语言特征。另外，作者用语夸张、风趣，也让人忍俊不禁。靴子最后做好了，作者还不忘调侃一下：新靴还算完备，但旧靴底已经磨了半截子！

（田玉琪　王　义）

# 【双调·燕引雏】

大食惟寅*

## 奉寄小山先辈

气横秋，心驰八表快神游。词林谁出先生右？独占鳌头。诗成神鬼愁，笔落龙蛇走，才展山川秀。声传南国，名播中州。

### 作者

* 大食惟寅，元代后期散曲作家，古称阿拉伯为大食，或系阿拉伯人。生平不详。存世小令仅〔双调·燕引雏〕《奉寄小山先辈》一首，曲中称张可久"声传南国，名播中州"，其生活时期当略晚于张可久，二人曾有一定交往。

### 鉴赏

这是作者寄赠张可久的一首小令，词见明代天一阁抄本《小山乐府》附。曲中热情赞美张可久的才华与声望，表达了对前辈的崇敬之情。

前两句化用前人词语，赞扬张可久的气节与才华。"气横秋"三字较早见于南朝齐孔稚珪《北山移文》："风情张日，霜气横秋。"后常用来形容人的气节和品格。如宋黄庭坚《次韵德孺五丈惠贶秋字之句》云："少日才华接贵游，老来忠义气横秋。""心驰八表"，用李白《大鹏赋序》："余昔于江陵见天台司马子微，谓余有仙风道骨，可与神游八极之表……"随后两句自问自答，先以设问语气暗含对张可久的称赞，再以十分肯定的语气赞扬张可久的词林地位。关于散曲家张可久，李开先认为"乐府之有乔(吉)、张(可久),犹诗家之有李、杜。”朱权在《太和正音谱》中称张可久为“词林之宗匠”。李开先和朱权皆明代人,而大食惟寅与张可久属于同一时代,他在当时即指出张氏词林“鳌头”地位,可谓张可久在当代影响的见证人和较早评定人。

“诗成鬼神愁,笔落龙蛇走,才展山川秀”三句是一个鼎足对,进一步具体赞扬张可久的才华。“鬼神愁”言其诗作感染力,能令鬼神为之愁苦,化用了杜甫“笔落惊风雨,诗成泣鬼神”的名句。“龙蛇走”言其书法魅力,赞其笔势纵横捭阖,不拘一格,如龙蛇飞舞。“山川秀”言其辞章内容开阔壮美,大好山河尽揽笔下。有了上文的铺垫叙述,最后“声传南国,名播中州”便十分自然了。南国,即南方,中州,指中原,这里泛指中国北方。

这首小令热情洋溢,颇富才气。结构上前四句总说,后五句分论,构思严谨。曲中多处化用前人词语,用典恰到好处,表明作者有着丰富的汉语言文学修养,从一个侧面体现了当时我国人民与阿拉伯人民的友好交往。

(田玉琪　刘　栋)

# 【南吕·一枝花】

亢文苑*

## 咏　怀

【一枝花】琴声动鬼神，剑气冲牛斗。西风张翰志，落日仲宣楼。潘鬓成秋，渐觉休文瘦，卧元龙百尺楼。自扶囊拄杖挑包，醉濯足新丰换酒。

【梁州】尽是些喧晓日茅檐燕雀，故意困盐车千里骅骝，英雄肯落儿曹彀？乾坤倦客，江海扁舟，床头金尽，壮志难酬。任飘零身寄南州，恨黄尘敝尽貂裘。看别人苫眼铺眉，笑自己缄舌闭口，但则索向寒窗袖手藏头。如今，更有，那屠龙计策干生受。慢劳攘慢奔走，顾我真成丧家狗，计拙如鸠。

【尾】蛟龙须待春雷吼，雕鹗腾风万里游。大丈夫峥嵘恁时候，扶汤佐周，光前耀后，直教万古清名长不朽！

作者

* 亢文苑，生平、里籍不详。元钟嗣成《录鬼簿》未载其名。从其曲中可看出他曾飘零异乡，落拓不遇，穷愁困厄，因壮志难酬而怀着满腔悲愤。对小人得志、贤才受压的社会现实怀着强烈不满，并具有穷且益坚、经时济世的宏图和信念。明朱权《太和正音谱》将其列于“词林英杰”一百五十人之中。

## 鉴赏

这套曲抒发了作者漂泊天涯怀才不遇、穷途潦倒的悲愤之情,对贤愚颠倒的愤慨,表现出自己穷且益坚、辅国安邦的凌云壮志。

〔一枝花〕写自己流落异乡、英雄末路的悲愤。首二句化用唐李贺《李凭箜篌引》"湘娥啼竹素女愁"句意和《晋书·张华传》丰城地下剑气冲天,牛斗二星常有紫气照射的典故,比喻英雄才华被埋没的悲愤。三四两句用西晋张翰见秋风起思家乡莼菜鲈鱼脍而辞官归隐事和汉末王粲登当阳城楼作《登楼赋》事,表现作者客居异乡、寄人篱下、壮志难酬的思乡之愁。"潘鬓"三句,用西晋潘岳《秋兴赋序》自谓"余春秋三十有二,始见二毛";南朝梁沈约(字休文)《与徐勉书》云自己年老多病,身体日瘦;三国时期的陈登字元龙,鄙视许汜乱世不忧国,只顾买田置屋,故让他睡下床。刘备说:要是我,自卧百尺高楼,让你(许汜)睡地上。用此三典自喻未老先衰,徒有像陈元龙那样忧国忘家的豪气,而所遇皆如许汜那样胸无大志、只顾营私的小人,自然壮志难申。"自扶囊"二句又化用二典:《战国策·苏秦始将连横》苏秦游说秦王失败就缠着裹腿,穿着草鞋,担着行囊"去秦而归";《新唐书·马周传》马周少不得志,为地方所辱,故到长安新丰酒店,又遭店主冷眼,遂叫五斗酒,独酌三斗多,剩下的洗脚,众人无不惊异。喻己贤能落魄受辱,饱尝世态炎凉冷暖。

〔梁州〕揭露小人得志,贤愚颠倒,英雄反遭困厄的现实。"茅檐燕雀"典出《史记·陈涉世家》"燕雀焉知鸿鹄之志哉",谓所遇尽是鼠目寸光小人。"困盐车"典出《战国策·楚策四》,伯乐见千里马(骅骝)拖盐车困在山坡长鸣,喻贤才遭遇困厄。"英雄落彀"语出《唐摭言》,唐太宗见新进士而喜曰:"天下英雄入吾彀中矣!"此谓英雄岂肯落入小人掌握之中呢!"乾坤"六句叙自己四海奔波身劳力倦,盘缠用尽而壮志难酬,现漂泊南方,风尘仆仆,衣衫褴褛。"敝尽貂裘"典出《战国策》,苏秦说秦王而不被用,"黑貂之裘敝,黄金千金尽,资用乏绝,去秦而归"。"苦眼铺眉"形容装模作样;"但则索"谓只得、只好;"屠龙计"典出《庄子·列御寇》:"朱平漫学屠龙于支离益,殚千金之家,三年技成而无所用其巧。"喻己空学一身好本领却无用武之地。"干生受"犹言白辛苦。末三句一顿：且慢劳碌奔波，先看看我眼前这副窘态，真似茫茫丧家之犬，像生计笨拙得不会筑窝的斑鸠了。“拙鸠”语出《禽经》“鸠拙而安”，谓斑鸠不善营巢，取鸟巢居之。

〔尾曲〕写守志待时、大展宏图之志：头二句化用杜诗《奉赠严八阁老》：“蛟龙得云雨，雕鹗在秋天”句意，比喻自己一旦春雷响起就如蛟龙腾云破雾；只待秋风吹起就如雕鹗展翅冲天。后五句直抒胸臆：大丈夫那时得志非凡，就可以像伊尹扶助商汤、吕尚辅佐周武王那样建光耀千秋的功业，直教万古美名彪炳史册，永垂不朽。表现出作者穷且益坚的凌云壮志，这在叹世类元散曲中极为罕见。

此曲多用典故，且多兼比喻，尤其〔一枝花〕简直句句用典，故能言简意赅，典雅凝练。通篇气势豪放而又起伏跌宕：起势悲壮沉郁；中间铺叙穷极变幻，酣畅淋漓；结尾如蓬勃九霄，豪情四溢。以悲壮起，以豪壮结，首尾呼应。

（熊　笃）

# 【仙吕·后庭花】

吕止庵*

风满紫貂裘，霜合白玉楼。锦帐羊羔酒，山阴雪夜舟。党家侯，一般乘兴，亏他王子猷。

## 作者

* 吕止庵，生平不详。元代另有一散曲作家吕止轩，《阳春白雪》于所收小令《醉扶归》及套数《风入松》，《雍熙乐府》彩笔情辞于《醉扶归》，《北词广正谱》引套数《夜行船》等处，均署名止轩，可能和吕止庵为一人。隋树森《全元散曲》把二人合并为吕止庵，共收小令 33 首，套数 4 套。明朱权《太和正音谱》称他的作品“如晴霞结绮”。

## 鉴赏

这是一首描写雪景，抒发作者向往隐逸生活，追求旷达、闲适情趣的小令曲。

曲开首两句“风满紫貂裘，霜合白玉楼”，把我们引向一个辽阔无垠、白雪皑皑的冰雪世界。“貂裘”，北方人冬天穿的一种用貂皮制作的珍贵的衣服。“风满”，指风特别大，就是点明此时的北方，北风劲吹，天气寒冷。“白玉楼”，用白玉建成的楼房。李商隐作李贺小传有：“贺将死时，有绯衣人持一版书召贺曰：‘帝成白玉楼，立召为记’。”这里泛指房屋。“霜合白玉楼”，从下文可以知道，这里的霜，实际上指的是雪，房屋被大雪覆盖，雪和万物混为一体，大地银装素裹，天地冰清玉洁，好一派“山舞银蛇，原驰蜡象”的壮丽景象。

在这北风怒号、千里冰封的时

刻,祖国的北方,有多少达官贵人围坐在华丽的帐篷里,一边尽情地欣赏雪景,一边畅饮着用羊奶制作的美酒。“党家侯”指北宋忠武节度使党进之家,这里代指身居高官的权贵。《事文类聚》:“陶谷得党家姬,冬日取雪水煎茶,谓姬曰:‘党家有此风味否?’姬曰:‘彼粗人,但知销金帐下,浅斟低唱,饮羊羔美酒耳。’”元初耶律楚材有《对雪鼓琴》诗,其中有“君不见,党侯赏雪斟羊羔,蛾眉低唱白雪谣”句,所谓“锦帐羊羔酒”即化用其典。而在南部中国,在江南山阴夜晚的江面上,那隐身于大自然中的名士王子猷,则乘着兴致,驾着一叶小舟,在风雪笼罩的江上行驶。此处的“山阴雪夜舟”,引用了《世说新语》中王子猷雪夜访友的典故。王子猷居住山阴,大雪夜眠,醒来开窗饮酒,四下观望,一片洁白,因感觉到惶徨然,就咏左思《招隐诗》以解闷,忽然想起朋友戴安道,当时戴安道在剡溪,于是夜乘小船去访友,经过一夜行驶,才到戴安道门前,但此时他不敲门进去,反而又原路返回,“人问其故,王曰:‘吾本乘兴而行,兴尽而返,何必见戴?’”从意境塑造来讲,相对于前两句单纯写景的诗,这里是在写人的活动:如果说开头两句是静景描写的话,这里则是动景的展现。前后两组相互照应,动静结合,相得益彰。从曲的内容来看,同时乘兴,但两种人的赏雪却形成鲜明对照,“党家侯”的赏雪,饮酒低唱,不乏豪华之气;而后者雪夜访友,乘兴而来,兴尽而归,一切顺其自然,表现出放浪形骸、乐观旷达的隐士风度。而“亏他王子猷”一句,通过对王子猷的赞赏,点明了本曲表现作者向往隐逸生活的主题,大有画龙点睛之妙。

该曲描景写境,动静结合,在意境创造上颇有独到之处。用典有明有暗,题旨层层展出,具有感人的艺术魅力。

(王忠阁)

## 【仙吕·后庭花】

吕止庵

### 秋思(四首其二)

西风黄叶疏,一年音信无。要见除非梦,梦回总是虚。梦虽虚，犹兀自暂时节相聚，近新来和梦无。

## 鉴赏

《雍熙乐府》收有《秋思》四首，此曲和“西风黄叶稀”分别为第二、三首。其第一首有“西风黄叶阑，子规啼数番。日近长安远，见郎难上难”，可知主人公为一女子。

西风萧瑟，满目凄凉，树叶由黄而落，枝头绿叶渐渐稀疏，又是一年快要过去了。但是那远去的亲人一年中却音信全无，这使得本来就思念亲人不已的主人公更添了几分哀愁与怅惘。曲把“一年音信无”的现实置于“西风黄叶疏”的背景之下，以哀景衬托哀情，更加增添了曲的悲切气氛。与《西厢记》中“碧云天，黄花地，西风紧，北雁南飞。晓来谁染霜林醉，总是离人泪”有异曲同工之妙。

亲人杳无音信，他现在到底在什么地方？他的情况又怎么样？这一切，都让主人公是那样地牵肠挂肚。她多么想知道那远去的亲人现在的一切一切，然而不要说人影，就连人的消息都得不到了。“要见除非梦”，她想见到自己心爱的人儿，只好是在梦中了。这要见除非梦一句，活脱脱地表现出主人公思念亲人而不得的无可奈何的痛苦和悲伤。亲人远去，就已经让人苦苦思念了，而音信全无，就不免使人在思念中又多了几分担心。我们完全可以想象得出，主人公夜间辗转反侧、思切入梦、梦中与亲人会面的情景。这梦中与亲人相见，是主人公对亲人思念之极的一种必然反映，也是她聊以慰藉思念之情的方法和手段。但是，梦毕竟是梦，梦代替不了现实。梦中的相聚只是一种梦幻，一种虚妄。当人们从梦境回到现实的时候，当她再去回味梦中情景的时候，不仅不能从梦里的相会中获得幸福，反而会因梦境的虚幻而更加痛苦。所谓“梦回总是虚”，恰恰反映出主人公梦难成真时的无奈、失望与悲凉。

写到这里，主人公思念亲人的那种悲切的心理活动似乎已经展现得淋漓尽致了，但作者笔锋一转，把这一悲痛的情感推到了极致。“梦虽虚，犹兀自暂时节相聚，近新来和梦无”，梦中的相聚尽管是虚幻的，但毕竟还有那么一段短暂相会的时刻，主人公还能从梦中获得一种心灵的慰藉和幸福，然而现在这虚幻的幸福也无法实现，因为近来这种梦中相会的事情没有了。是主人公不再思念她的亲人了吗？不是，是由于每一次梦中的相聚都是虚幻，梦醒来都是一场空，久而久之，这梦中相见的幻境也就失去了吸引力。这实际上是主人公无法实现自己理想从而绝望的一种心理表现。这"近新来和梦无"一句,把主人公思念远方亲人之苦推到全曲最高点。

此曲在刻画人物心理活动方面很有特色,主人公从思念远去的亲人而不得,到万般无奈只好在梦中相见,再到因梦中相见的虚妄转而处于绝望,其心理活动经过了曲折的发展过程。散曲在展现这一心理活动时,一波三折,层层递进,曲折顿挫,起伏跌宕,具有感人的艺术魅力。

(王忠阁)

# 【仙吕·后庭花】

吕止庵

## 秋思(四首其三)

西风黄叶稀,南楼北雁飞。揾妾灯前泪,缝君身上衣。约归期,清明相会,雁还也人未归。

### 鉴赏

此曲为吕止庵《秋思》第三首,表现一个女子对丈夫未能如期归来的失望、痛苦以及她对亲人的思念和柔情。

时至深秋,黄叶凋零,天渐寒冷,南楼的秋雁也开始南归。面对萧瑟肃杀的秋景,女主人公倍感凄凉。这西风扫落叶的深秋景色,也唤起了她对远方亲人的思念:一年快到尽头,年终岁毕,应该是阖家团圆的时候了。时光流逝,她怎能不想念自己的亲人呢?特别是看到春天时飞来的大雁,这时候也开始飞归老巢,她对亲人的思念更是与日俱增:大雁尚且知道归家,你为什么还不快快归来呢?这里,"南楼北雁飞"隐含一个"归"字,和"西风黄叶稀"的秋景融合在一起,衬托了女主人公对亲人的苦苦思念之情。

女主人公触秋景而生思念之情,同时也在为远去的亲人担心:丈夫在外孤单一人,身单衣薄,寒冬即将到来,归来之时,天已变冷,是该给他准备好棉衣了。夜幕降临之后,这位女子坐在灯下,和着思念丈夫的泪水,为亲人赶缝棉衣。“揾妾灯前泪”,表现出女子对亲人思念之切、之深。这泪,既是思念之泪,也是辛酸之泪。丈夫外出,女子一人在家,其生活孤独与艰辛的程度可想而知,悲感交集,她怎能不落泪呢?“缝君身上衣”,透露的是女子对于丈夫的体贴与关怀。尽管亲人走后,女子生活是那样艰苦,但是她无时无刻不在为远去的丈夫担忧。但她坚信自己的丈夫终究是要归来的,因此,她要把亲人的棉衣缝好。这所缝的一针一线,寄托了多少对丈夫的关心之情啊!

大凡亲人外出,家人经常思念,这应是情理之中的事。但曲中的女主人公思念之切,以至流泪,这恐怕不单单是源于丈夫走后自己生活的艰辛。曲的最后三句给我们揭开了这个谜底:“约归期,清明相会,雁还也人未归”。原来,丈夫临走的时候,是说过要在清明时节回来的。但现在,清明早已过去,已到了大雁南归的秋天,而丈夫还没有归来。难怪妻子是那样的思念,那样的担心。这几句,承上而转折,大大深化了曲的主题。自此,女主人公见到风吹落叶、北雁南归的秋景时那种无法排解的愁思、难以忍受的寂寞,以及对远行亲人的埋怨,对丈夫的无限体贴,全都呈现在我们面前。

这首小令在艺术上有以下两个特点:一是结构曲折,前二句以景写情,中间二句叙事,在叙述中表现人物情感,后三句点破题旨,造成起伏之势;二是语言本色,通俗平淡,具有婉约清丽的风格。

(王忠阁)

# 【仙吕·后庭花】

吕止庵

## 怀古(八首其二)

孤身万里游,寸心千古愁。霜落吴江冷,云高楚甸秋。认归舟,风帆无数,斜阳独倚楼。

## 鉴赏

吕止庵的八首《怀古》曲，名为怀古，实是抒发伤时情感之作。此曲为其中第二首，作者在曲中抒发了四海云游、无所归依、孤寂愁苦的伤秋之情。

“孤身万里游，寸心千古愁”，曲一开始，就把人带进一个辽阔无垠的空间和悠悠漫长的时间之中。一位游子，孤身一人，万里漂泊，显得是那样的寂寞、凄凉。一个“孤”字，饱含了这位游子孤独悲凄的心境。置身于这一特定的时空，他千古愁思，凝于寸心，其忧愁之沉重，显得那样难以承受。中国文学中以往的许多怀古之作，或发思古之幽情，或借古以抒今日之感叹。那么，曲中的主人公“寸心千古愁”的原因究竟是什么呢？这里没有明说，只是下面笔锋一转，把人的思绪引入肃杀萧条的秋景。“霜落吴江冷，云高楚甸秋”，很明显这已经是深秋的季节了。吴、楚之地，均在中国南方。而此时，地处东南的吴江（在今之苏州）已是霜落遍野，处处已显冷意；辽阔楚地，天高云淡，也是一片萧瑟。整个吴楚大地，秋气降临，寒冬将至。肃杀秋景，往往让人悲伤，且一年时光，将近尾声，漂泊游子，也应该到了归家的时候了，这又怎能不引起主人公的归家之思。宋人郑刚中《送宋叔海郎中总领湖北》诗有“枫落吴江冷”句，张孝祥《送仲子弟用同之韵》诗有“凄然鸿雁影……归程楚甸秋”句，这里化用前人诗句，既表现了主人公深秋时节“梦断吴江冷，魂归蜀道难”（宋王十朋《冯员仲》）的悲凉心境，也蕴含了他思念家乡，急切归家的思乡之情。可见，曲虽始言怀古，但意不在怀古，而是借古人怀古之幽，来抒写自己感时伤事的孤独寂寞之情。

曲最后三句“认归舟，风帆无数，斜阳独倚楼”，在句式上实际是倒装，描写夕阳西下之时，残阳余晖，斜照在江边楼头。作者独自一人，倚于楼头之上。眼前江面上，风帆无数，熙熙攘攘。这无数的帆船之中，也许有许多归家之客乘于其中。那么，这中间哪一个是自己归去该乘坐的呢？这里“风帆无数”与作者独自一人相映衬，“独倚”和开头“孤身”相照应，更突出了主人公孤寂落寞的心情。

曲在艺术表现上有两点值得注意：一是以景寓情，借境传情。“霜落吴江冷，云高楚甸秋”，寄悲凉之情于哀景之中；“认归舟，风帆无数，斜阳独倚楼”，借繁闹之境衬托孤独之情。二是景物描绘与场景描写相互交替，富于变化，使情感表达灵活多样，给人以活泼动荡之感。

（王忠阁）

# 【仙吕·醉扶归】

吕止庵

频去教人讲，不去自家忙。若得相思海上方，不到得害这些闲魔障*。你笑我眠思梦想，则不打到你头直上。

## 注释

* 魔障:佛教用语,恶魔设下的障碍,泛指波折、意外。

## 鉴赏

这首曲子通过主人公的自白,抒发了难以排遣的相思之苦。

也许是主人公思念亲人日久,相思太甚,其举动越出常规,因而经常为人议论,以致成为人们茶余饭后的话题。主人公察觉之后,反而变得镇静了许多。"频去教人讲,不去自家忙",让人们随便反复去议论吧!也省得我自己亲自向别人诉说我的相思之苦了。这看似平静的叙述,实际上是主人公面对世人非议而表现出来的无可奈何的自嘲和自我排遣。

自我安慰毕竟只能暂时缓解自己内心的痛苦,相思的缠绕并不能因此而显得轻松。当对亲人的思念再次涌上心头的时候,那对于别人的议论就感到有些委屈。"若得相思海上方,不到得害这些闲魔障",这实际上是在为自己相思的举动做辩解:如果我能得到治疗相思病的灵丹妙药,我也不至于被相思的魔鬼纠缠,得这种难以摆脱的毛病。"海上方",治疗疾病的奇药秘方,这里泛指药方。东晋葛洪《肘后备急方》有:"崔元亮海上方,治发背秘法。李北海云:'此方神授,极奇秘。'"宋人蔡戡《至日书怀》诗云:"作诗拟学江西派,起疾多求海上方",这里化用其典。事实上,任何奇妙的药方都无法治愈相思之病,这一点,主人公心里是十分清楚的。

他这样说,无非是在为自己辩解的同时向人们宣告:你们不要再议论了,我这种相思是无论如何也摆脱不了的。

如果说前边几句重在主人公因自己害相思为人非议从而极力为自己辩解的话,那么,以下几句则是他对别人不理解自己而表现出来的一种嗔怪:"你笑我眠思梦想,则不打到你头直上",你们笑话我迷于相思,一天到晚沉湎于相思之中,以致于神魂颠倒。这种事要是放在你们身上,你们也会和我一样,陷于其中而难以自拔。这是不满别人议论自己,从而表现出来的一种矫情的反击,我们从中可以洞察到主人公内心那种由于相思而产生的极度痛苦。

这首曲子在情感表达上有自己的独到之处,全曲纯是以主人公自己的口吻写出,因而显得通俗而近于口语,情感的表达也因此而显得真挚亲切,同时又透出一种泼辣,体现了元代散曲通俗而又直率的主体风格。

(王忠阁)

# 【仙吕·醉扶归】

吕止庵

有意同成就,无意大家休。几度相思几度愁,风月虚遥授。你若肯时肯,不肯时罢手,休把人空拖逗。

## 鉴赏

热恋中的男女通常是幸福的,但并不是每一对爱恋中的男女都是一帆风顺的。谈情说爱无疑是对男女双方爱情真挚与否的考验。当婚姻和爱情遇到挫折的时候,男女双方往往表现出苦闷、埋怨、期待等情绪,甚至会产生恨不得马上一刀两断的态度,"有意同成就"这首小令,就表现了主人公在婚变面前所产生的极其复杂的思想情绪。

"有意同成就,无意大家休",曲一开始,就给我们带到了一个极为特殊的场景:一对青年男女或是对对方有意见,或是他们的父母不同意这门亲事,总之是他们的爱情、婚姻出现了裂痕,正处于崩溃的边缘。曲中的主人公也可能经过了多次的争取和努力,希望挽回这一局面,但是没有效果。而另一方不知是由于自己不满意,还是迫于父母的压力,优柔寡断,犹豫不决,迟迟不予表态,使得主人公又气又急,在万不得已的情况下,不得不对对方说:你要是有意和好的话,我们就成就这门婚事,你要是无意继续保持现在的关系的话,我们就干脆分手。这里既有对对方的不满,也含有对对方的期待,他(她)还希望对方能够回心转意,重归于好。当然,这里也表达了主人公面对婚姻挫折时自己的决绝态度。

如果说前两句主要是主人公在表明自己态度的话,那么,以下两句,则是主人公向对方诉说自己内心的怨愤和痛苦:回想过去,我们身虽不在一处,但心心相印,相互思念,在这种思念中相互传达着对于对方的爱情,尽管这种爱是那样的虚妄,可望而不可即。这期间,我多少次都陷于苦苦思念的痛苦之中,每一次思念,都会给自己带来无数莫名的惆怅,几度相思几度愁啊!我就是在这种思念与痛苦中生活着、挣扎着。但是,现在这一切的思念全都付诸东流,你犹豫不决,举棋不定,难道把我们之间过去的情爱全都忘记了吗?不难看出,这诉说中间把对对方的不满推到了一个最高点。也许是主人公心情过于悲伤,也许是他(她)对对方过于失望,悲愤交集,各种复杂的情绪交织在一起,在极度悲痛之时,这种情绪终于爆发出来:“你若肯时肯,不肯时罢手,休把人空拖逗。”这一通牒性的语言,实际上是告诉对方,行不行你就说个干脆话,不要这样拖泥带水,耽误了我自己的事情。

这一小令曲语言泼辣、直率,毫无含蓄之处。情感的表达也随着主人公情绪的变化由缓入急,由低到高,最终把激愤的情绪推到最高点,从而把一个性格鲜明的人物形象展现于读者面前。

(王忠阁)

# 【中吕·解三酲】

真　氏*

奴本是明珠擎掌，怎生的流落平康。对人前乔做作娇模样，背地里泪千行。三春南国怜飘荡，一事东风没主张。添悲怆，那里有珍珠十斛，来赎云娘！

## 作者

* 真氏，建宁县(今属福建)人。南宋参知政事、理学家、诗文家真德秀之后裔。元大德初，其父官朔方，因侵贷公款无力偿还，被卖入娼家。至大二三年间(1309—1310)遇翰林承旨姚燧，知为真德秀之后，为其落籍，嫁与小史。隋树森《全元散曲》仅存其小令1首。

## 鉴赏

据元陶宗仪《南村辍耕录》卷廿二“玉堂嫁妓”条载：翰林承旨姚燧一日玉堂设宴见歌伎中一人“秀丽闲雅，微操闽音。公使来前，问其履历。初不以实对。叩之再，泣而诉曰：‘妾乃建宁人氏，真西山之后也。父官朔方时，禄薄不足以给，侵贷公帑无偿，遂卖入娼家，流落至此。’公命之坐，乃遣使诣丞相三宝奴，请为落籍。丞相……即令教坊检籍除之。公得报，语一小史曰：‘我以此女为汝妻，女即以我为父也。’史忻然从命。京师之人相传以为盛事云。”考姚燧任翰林承旨在至大二至四年，三宝奴任相在至大二至三年(1309—1310)。则此曲或即她向姚燧陈述身世之作，叙其不幸沦落官妓的悲惨命运和从良无望之悲情。

开头两句概述其沦落为娼之

由:她本是官宦之女,父母的掌上明珠。因其父在朔方(今宁夏灵武一带,也可泛指北方边境)为官,俸禄微薄(史载至元以来地方官很少发甚至不发薪俸,让自己搜刮),挪用公款无力偿还,遂把她卖作官妓抵债。“平康”本唐代长安平康坊,是官妓聚居处,此代指官办妓院。三四句诉其心灵的痛苦:官妓要随时承应官府的公私宴会的歌舞侑酒,稍有失误辄遭刑罚,生命无异于牛马。《元典章》规定杀死娼妓不偿命只判刑五年,“拟决杖一百七下”,与私宰牛马略同。但在承应宴会上还得强颜欢笑供人淫乐,背后才流泪伤心。五六句写思乡之愁和青春飘零之恨。“三春”指春季三个月,此处代指慈母恩惠,用唐孟郊《游子吟》“报得三春晖”之意,谓福建老家慈母怜悯她的漂泊。“东风”句隐含李贺《南园》“可怜日暮嫣香落,嫁与东风不用媒”句意,谓自己如落花随风飘零,任人摆布,不能自主命运。

结尾三句诉其从良愿望无法实现的悲怆。“珍珠十斛”用石崇买绿珠事,如唐乔知之《绿珠篇》:“石家金谷重新声,明珠十斛买娉婷。”比喻赎身价高。“云娘”本唐代澧州官妓崔云娘,形貌瘦瘠,事见唐范摅《云溪友议》,此真氏自喻。元代官妓从良须重金赎身,若士大夫看中为赎身也只能做妾,否则法律规定只能“乐人内匹配”(《元典章》十八)。真氏幸得姚燧拯救,尚须丞相批准,足见不易。

此曲风尘女诉风尘事,情真意切,字字血泪,满纸呜咽,自非他人代言可比。全篇满心而发,肆口而成,不假雕饰,尤为本色自然,感人至深。

(熊　笃)

## 【双调·得胜令】

景元启*

### 思情娘

从他嫁了时，情怀两不知。终日病相思，如醉复如痴。鳞鸿虽有难投字。思知，今日里不如死。

#### 作者

* 景元启，生平事迹无考，今仅大约知其生活于元仁宗延祐中前后。他工于散曲，且多写男女情事及隐居生活。隋树森《全元散曲》辑录小令15首，套数1篇。明代权《太和正音谱》将其列于“词林英杰”一百五十人之中。

#### 鉴赏

爱情是文学作品中一个亘古不变的主题之一。爱情题材在元代散曲中也不乏佳作，《思情娘》表达对昔日恋人的思念之情，便是一首难得的佳作。情娘与情郎相对，是指恋爱中的女方。郭沫若《文艺论集·神话的世界》：“水在鸣，水在涨，涨在渔夫赤足旁；渔夫心吃紧，如像遇情娘。”

此曲开篇即点明相思的原因：自从情娘远嫁他人，消息阻隔，两人此刻的心境互不相知。表达了“我”这个情郎思念情娘而见不到情娘，更不知情娘近况的相思之情，同时亦可见情郎感情之真挚专一。“终日病相思，如醉复如痴”，可见情娘远嫁已非几日，而情郎却始终沉浸在对情娘的思念中，久相思，终成疾，整日如痴如醉，疯疯癫癫。其情真可谓是惊天地泣鬼神，天地可鉴，日月共明，恐明皇之思玉环也不过如此。紧接着“鳞鸿虽有难投字”一句中“鳞鸿”指鱼雁，古人云可传书信。西晋傅咸《纸赋》中就有:“鳞鸿附便,援笔飞书。”本曲中借指信使。多少有情男女,可以凭借信使传情,表达情思,传递爱意,诉尽心中无限衷肠,可是于“我”而言,信使虽有,然情娘已嫁作他人之妇,便纵有柔情万种,叫人如何表达,又怎能表达。再到最后一句“思知,今日里不如死”,说情郎思来想去,与其如此整日思念成疾,痛苦煎熬,与有情人天涯相隔,难成眷属,还不如就此告别人生,以死相殉。表达出情郎对情娘感情至深,宝贵的生命也不足惜。情郎对感情的矢志不渝于此达于极致。

全曲语言朴实直白,情深义重,短短数字,将一真情男儿、痴情男儿描绘得逼真入神,如在眼前。情郎之情至真、至纯,却又无可奈何,而只能将他带进不尽的愁苦、焦虑之中,可谓悲情中的悲情。

(王　彪　赵望秦)

## 【双调·殿前欢】

景元启

### 梅　花

月如牙，早庭前疏影印窗纱。逃禅老笔应难画，别样清佳。据胡床再看咱，山妻骂：为甚情牵挂？大都来梅花是我，我是梅花。

**鉴赏**

梅花以其高洁的形象,成为历代诗人喜爱吟咏的题材。此曲则是作者爱梅生活的一个剪影。

“月如牙,早庭前疏影印窗纱”,起笔淡淡两句,就勾勒出半轮弯月当空、庭梅映窗的画面,营造出一种景色朦胧的氛围。“疏影”透出林逋《山园小梅》诗三四句“疏影横斜水清浅,暗香浮动月黄昏”的影子。这里的特殊之处在于:观赏者与庭前的梅花之间被一道纱窗隔开,如此一来,梅花就不是实体,只是梅花在纱窗上的投影,相比月下赏梅的实际感受而言,就多了些空灵,更引人遐想无限。

“逃禅老笔应难画,别样清佳”,“逃禅”的字面意思是逃世参禅,这就与上句的虚实梅花梅影的内在意绪相连。“逃禅老笔”,一说指南宋画家杨无咎,号“逃禅老人”,以善画梅著称,时常对家中老梅写生,词集以《逃禅》为名;一说指北宋僧人华光长老(名仲仁,因住衡州华光山而称华光长老),擅画梅,常在月夜,就窗间梅花疏影用水墨晕写,称墨梅,传有《华光梅谱》。“逃禅老笔”具体何指,亦不甚紧要,要义在于作者已经陶醉于“别样清佳”的心境神态中,这自然是任何人都无法描绘的。这里的“别样清佳”,就应是印窗梅影——这种似虚似实、亦虚亦实的朦胧与空灵的境界吧!知己是梅,梅是知己,物我相融,情态毕现。

“据胡床再看咱”正是上句心理情态的展现。胡床是一种可折叠的坐具,又称交椅。这是“再”赏,与上文的初赏相照应。这时,应是寒夜已深。似乎可以做这样的理解:上四句为一节,诗人赏梅且带着“别样清佳”的审美愉悦感进入梦乡;下四句为一节,半夜梦醒,恍惚如在梦境。“再看”已经做了暗示,似有因梦被迫打断的心神交流,重新接续起来之意。担心因看梅花而惊醒妻子,就靠在交椅上“再看”,说明观赏地点的变化。但妻子还是醒来,禁不住气“骂”,大半夜不睡觉,坐在椅子上,你又“为甚情牵挂”住了?这句是神来之笔,浓郁的生活气息扑面而来,前边不食人间烟火笃情梅影的痴诚,被这包含了浓烈生活情调的骂语打破。从另外一个角度来看,这宁静冬夜里的一点生气,岂不是夫妻间温暖关爱情谊的另一种表现?这是作者化静为动的高超写作技巧的妙现。实际上作者以妻子的嗔怪,侧写自己如痴如醉般专注地欣赏梅影。“骂”字显示出妻子的醋意与关怀,境界全出,令人发噱。

“大都来梅花是我,我是梅花”,似是自言自语,陶醉在忘我赏梅的情意之中,又似在应对妻子的质问与气骂,巧妙解惑,滴水不漏。由此一笔,全曲妙情毕现,从而使小令情景交融的境界达到高潮,更使印窗梅影——这种似虚似实、亦虚亦实的朦胧与空灵的境界升华到哲理的高度,同时蕴含着以梅花高尚纯洁的品格自喻的用意。

此曲前段用语典雅,后段用语通俗,描绘中渗透着哲理,在散曲中别开生面。山妻之骂,别具风味,幽默诙谐,使全曲充满了散曲独有的那种“蒜酪”意味,令人解颐,忍俊不禁。

(张海燕　赵望秦)

# 【中吕·上小楼】

王爱山*

## 自适(四首其二)

思古来屈正则，直恁地禀性僻。受之父母，身体发肤，跳入江里。舍残生，博得个，名垂百世，没来由管他甚满朝皆醉！

### 作者

* 王爱山，生卒年不详。字敬甫，号爱山，长安（今陕西西安）人。宁希元先生认为其人即至治初（1321）任延川县令之王恪，延川任满之后，行迹不明，唯至正五年（1345）曾任河东山西道肃政廉访司照磨。（见《中国古代小说戏曲研究丛刊》第六辑）隋树森《全元散曲》辑有小令14首。明朱权《太和正音谱》将其列于“词林英杰”一百五十人之中。

### 鉴赏

王爱山的《自适》小令一共四首，此曲是其中第二首。这首散曲是根据屈原的生平事迹以及人生遭际有感而发写成的。散曲中包含着两个典故和史实。一是屈原《离骚》中的“名余曰正则兮，字余曰灵均”；二是《史记·屈原贾生列传》中所记载的屈原投江前“举世皆浊我独清，众人皆醉我独醒”的话语，以及屈原投江殉国这一流传千古的悲壮之举。

屈原作为一位名垂史册的爱国诗人，他一生的内涵极其丰富。其精神人格魅力也堪称烛照古今。屈原投江殉国之后，他作为一个抒情载体或象征符号不断地出现在后代文人的诗词曲赋中。在后世文人眼里,他不仅是一位才华横溢的大诗人,更是爱国忠君、忧国忧民精神的象征。也正因为如此,他才更容易引发人们的无限感慨。所以,在许多以屈原为描述对象的文学作品中,也大多围绕上述的形象意义来展开,对其总是礼赞、讴歌有加,对其命运结局寄予无限的感慨和同情。然而,王爱山的这首散曲却反其道而行之,摈弃了前人的固有情感立场,用一种反讽的手法表达了作者对屈原的评价,阐发了对屈原投江殉国这一行为的看法。翻空出奇,别开生面。

“思古来屈正则,直恁地禀性僻”。开篇在用典的同时,点出了屈原的性格特征,认为他性格孤僻。“受之父母,身体发肤,跳入江里”三句,是屈原投江殉国行为的描写。但这里,作者抓住“受之父母,身体发肤”这一传统观念,对屈原的行为进行了指责,这貌似一种倒退,实际上是用较为极端的方式表达了对屈原效忠行为的价值判断。“舍残生,博得个,名垂百世,没来由管他甚满朝皆醉!”这几句,虽然点出了屈原投江殉国后名垂千古的事实,但真正的落脚点却是“没来由管他甚满朝皆醉!”透过屈原之死,矛头直指昏庸的君王、炎凉的世态以及黑暗的官场。

全曲通篇都在用反讽的方式,独特的价值评判,貌似偏激,实则隐含了作者的愤世态度,寄寓了作者归隐退避,远离仕途官场的人生选择。这首散曲的描述对象是屈原,但更是作者自己情感的抒发,心志的表白,其反讽手法的运用,使得他的抒情和表白显得曲折和隐蔽,但也更为深刻,更为强烈,充满着一种挑战意味。这是作者另辟蹊径的结果,而这样的结果来自他更为深刻的思考和体验,在世俗常态观念的基础上,收获了全新的感悟,提出了新的见解,因而使这首散曲显得与众不同,颇具新意。

(胡　颖)

## 【中吕·上小楼】

王爱山

### 自适(四首其四)

开的眼便是山,那动脚便是水。绿水青山,翠壁丹崖，可做屏帏。乐心神，净耳目，抽身隐逸，养平生浩然之气。

## 鉴赏

此曲是王爱山《自适》小令四首中的第四首，主要写了作者的避世隐逸的环境以及在此环境中的人生追求。“开的眼便是山，那动脚便是水。”睁开眼看见的到处都是山，移动脚到处都是河流，这些绿水青山，翠壁丹崖，可做重重屏帏，这屏帏将我与外界隔绝，外面的官场险恶、尔虞我诈都离我很远，颇有陶渊明超世隐逸般的潇洒自适。以上是写隐逸的环境，接下来作者开始写自己的思想，“乐心神，净耳目，抽身隐逸，养平生浩然之气。”是说在这与外界隔绝的地方心情愉悦，耳目清净，这样的环境正适合养我“平生浩然之气”。“养平生浩然之气”出自《孟子·公孙丑上》“孟子曰：我善养吾浩然之气”。孟子所说的浩然之气是一种刚正不阿的精神，是与仁义道德相联系的，而作者要养的浩然之气不仅指刚正不阿、仁义道德，还包含有对当时王朝的不满，对富贵功名的鄙视，对恬淡生活的追求。

以山水自娱来消磨岁月的生活，大概是作者仕途失意后的无奈选择，但对作者而言也算是一种精神上的解脱。宁希元先生《李爱山与王爱山》(《中国古代小说戏剧研究丛刊》第六集/ 2008)一文根据《太平乐府》所注“字敬甫，长安人”的提示，推断王爱山即为至治初(1321)任延川县令之王恪。弘治《延安府志·宦迹》：“元王恪，京兆人。至正(治)间知县，有善政，民慕之，立遗爱碑。”延川任满之后，王爱山行迹不明，唯至正五年(1345)，曾任河东山西道肃政廉访司照磨。可见王爱山是做过官的，而且不善于官场逢迎，自延安县令至河东宪司照磨，二十多年来，尽管他勇于任事，多有作为，但始终得不到升迁，只能在宦海中浮沉。可以想见，作者在仕途中必然有很多不尽如人意的曲折和无奈，只好选择归隐的道路，然而作者在这种不得已中却寻找到了另一种人生意义：绿水青山，翠壁丹崖，耳目清净，在如此优美寂静的环境中虽然没有了荣华富贵，没有了热闹繁华，但是却远离尘嚣，远离是非，何尝不能进入人生的另一种境界，一种清静无为，可以养我浩然之气的境界，这样一种自得其乐的生活未尝不是一种好的人生道路的选择。

在这首曲子中，表面看来作者

似乎看破了尘世官场的险恶,其实隐约中带着一种仕途的不幸以及自我安慰的无奈之情。但作者总的精神状态是积极的,并无过多的悲观情绪,这可以从此曲活泼生动、自然流畅的语言中看出来。

(付建华)

## 【双调·水仙子】

王爱山

### 怨别离(十首其四、其九)

凤凰台上月儿低,香烬金炉空叹息。闷闷厌厌怎不添憔悴?夜迢迢更漏迟,冷清清独守香闺。急煎煎愁如醉,恨绵绵意似痴,泪眼愁眉。

凤凰台上月儿沉,一样相思两处心。今宵愁恨更比昨宵甚,对孤灯无意寝,泪和愁付与瑶琴。离恨向弦中诉,凄凉在指下吟,少一个知音。

**鉴赏**

王爱山以〔双调·水仙子〕“怨别离”为题,共创作了十首散曲,这里选的是第四首和第九首。

十首散曲,均以“凤凰台上月”作为开篇起兴之句,描写了月亮在“弯”“低”“偏”“邪”“高”“孤”“明”“昏”“沉”“圆”的不同时刻,一名思妇的离别愁绪,从思念写到团圆,细致地描绘了一段情感历程。

“凤凰台”之典故,出自《列仙传》和《列仙传拾遗》:“萧史善吹箫,作鸾凤之声,秦穆公有女弄玉,善吹箫,公以妻之,遂教弄玉作凤鸣,居十数年,凤凰来止,公为作凤台,夫妇止其上,数年,弄玉乘凤,萧史乘龙去。”后人或以“凤凰台”喻夫妻之和谐美满。

前一首曲中,“香烬金炉空叹息”一句,作者用香烬炉空来揭示时间的长度,为思念依然无尽找到了一个比照的载体。接下来,作者用一连串的句子描写了这个思妇的动作、神态、心境。“闷闷厌厌”“憔悴”“独守”“泪眼”“愁眉”,生动地勾画出了一个深埋于思念情绪之中的思妇形象。这一番遣词造句,作者不仅注意选择的准确性,更注重有所节制,以突出主人公虽然为思念所困,但还是将思念深压在心底,而不是毫无保留地倾泻而出。这样的描写既符合人物是“香闺”中人的身份,而且也增添了情感的力度。主人公努力强忍和压抑着的“泪眼愁眉”的状态,远比痛哭滂沱更易引发人们的同情。尤其难得的是,作者在描述思妇状态的同时,于她身旁和所处环境中,又选取了几个意象来衬托她的心境,如“更漏”“香闺”等,为刻画思妇的思念之情,找到了一个个准确而又颇具意味的视觉、听觉形象。此时此景中的思念,更令人心动。另外,作者一连串叠字的使用,其形象、其意境、其情感,都表现得极其鲜明,也增添了这一份思念的情感力度。

另一首曲中,作者有别于前一首,以“瑶琴”为意象,以“知音”为抒情载体,为这名思妇找到了新的抒情手段和情感寄托的方式。瑶琴轻弹,弹与何人,独自操琴,少个知音,这是何等的惆怅,何等的感伤。同时,在具体的创作过程中,作者采用了对比的方式,以“今宵愁恨更比昨宵甚”一句总括全曲。长夜难眠,孤灯相伴,睡意全无,这更说明了思念对主人公的煎熬和折磨的程度。所有的情感,只好附于琴声,可这又有谁能理会呢?如果说,前一首是以状态的描摹为主的话,这一首是选用抒情载体和行为对象,用一连串的心理活动来衬托独守凄凉的哀痛。两首曲,各有侧重,各有情境,显示出作者在把握情感描写时的深厚功力和丰富手段。

两首曲中对环境、场景的描写,虽选择的对象不同,但又有异曲同工之妙,与孤寂、悲愁的情绪相吻合,对情感状态的描写,具体词汇的选择亦颇具匠心,丰富准确而不雷同,虚实结合,有凝练的概括,也有细腻的刻画,显得十分得体和谐,令人回味悠长,同时也显示出作者对音乐美和节奏感的重视。

(胡　颖)

# 【仙吕·寄生草】

查德卿*

## 感　叹

姜太公贱卖了磻溪岸，韩元帅命博得拜将坛。羡傅说守定岩前版，叹灵辄吃了桑间饭，劝豫让吐出喉中炭。如今凌烟阁一层一个鬼门关，长安道一步一个连云栈。

### 作者

* 查德卿，生平、里籍不详。在元钟嗣成的《录鬼簿》里面没有相关记载。明朱权《太和正音谱》将其列于"词林英杰"一百五十人中。明李开先评元人散曲，首推张可久、乔吉，次则举及查德卿（见《闲居集》卷五《碎乡小稿序》），可见其曲名较高。其散曲作品内容有怀古、咏怀、闺阁伤别之类，曲风质朴典雅。

### 鉴赏

这首曲子最大的特点在于用典，最大的成功之处也在于用典。作者一开篇就连续使用五个典故，如五个咏叹号，在读者心中激起强烈的共鸣。

"姜太公"句隐含有作者对姜太公轻易罢隐做官的否定。相传姜太公八十岁还在磻溪（在今陕西宝鸡县东南）垂钓，后来在这里遇到周文王，才施展他的才华，扶周灭商，被尊之为"师尚父"。"韩元帅"句：写韩信用性命博得了拜将坛，很不值。汉高祖筑坛斋戒，拜韩信为大将，韩信在"灭项兴刘"的斗争中，建立了十大功劳,后被吕后杀害。“羡傅说”句意思是傅说要是不出仕那才是值得羡慕的。傅说,殷高宗的贤相,相传他曾隐居于傅岩(今山西平陆县),做泥木工。“叹灵辄”句大意是说灵辄用性命来报答赵宣子的一饭之恩,不值得。灵辄,春秋时晋人。《左传·宣公二年》载:晋灵公设了埋伏,打算攻杀大夫赵宣子。有一个人倒戟以御公,冒死相救,使宣子得免于难。宣子问其故,那人说:我就是你在首阳山救的那个饿人。问其姓名住址,不告而退。原来赵宣子在首阳山打猎,看到灵辄饿了,给了他饭吃,还让他带一份给他的老母。“劝豫让”句意为劝豫让吐出喉中火炭,不要为智伯卖命。豫让,原是智伯的家臣,后来智氏被韩、赵、魏三家所灭,他从“士为知己者死”的思想出发,“漆身为癞,吞炭为哑”,毁声变容,为智伯报仇,事败被杀。

以上五个典故构成了一个整体,极大地讽刺了以忠义为核心价值观的封建伦理道德。姜太公、韩信、傅说三人身居高位,为帝王事业尽忠尽职,建立了不世功勋,他们是封建伦理道德系统中“忠”的代表;灵辄、豫让二人属于战国时期的士阶层,他们是封建伦理道德系统中“义”的代表。作者在曲中一一列举他们的事例,并以“贱”“命”“羡”三个字透露了对前三人人生道路的否定,以“叹”“劝”二字表达了对后二人人生命运的同情。这不仅是对封建伦理道德的批判,也是对封建官僚体系核心价值观念的解构。

“凌烟阁”是唐太宗为表彰功臣而建的殿阁,阁里挂了二十四位功臣的画像。“长安”是唐代都城。“凌烟阁”和“长安道”都是指仕途、官场。如果唐代的仕途还有利可图的话,而“如今”却不一样了,可谓是“一层一个鬼门关”“一步一个连云栈”。联系到元朝政治的实际,揭露仕途的艰难和官场的险恶,劝诫人不必为虚名卖命。

全曲风格辛辣,感情愤激,表达了作者对进入仕途的彻底绝望和与封建统治者的彻底决裂。把官场比作“鬼门关”“连云栈”,批判尤为有力。

(杜兴武)

# 【仙吕·寄生草】

查德卿

## 间　别

姻缘簿剪做鞋样，比翼鸟搏了翅翰。火烧残连理枝成炭，针签瞎比目鱼儿眼，手揉碎并头莲花瓣。掷金钗撷断凤凰头，绕池塘摔碎鸳鸯弹。

### 鉴赏

这首曲子创作手法独特新颖，连用七个相同的句式，形成排比，感情激烈如暴风骤雨，突出表现了女主人公失望愤怒的情感。将美好的事物毁灭，从而为全曲营造了一种浓烈的悲剧氛围。

此外，这七个相同的句式里又各自出现了一个象征爱情的不同物体。“姻缘簿”是指传说中注定男女姻缘的簿册。“比翼鸟”的典故出自《尔雅·释地》：“南方有比翼鸟焉，不比不飞，其名谓之鹣鹣。”常用来比喻爱侣。“连理枝”的说法从韩凭夫妇的故事而来，传说韩凭妻为宋王所夺，夫妇以死反抗，宋王不让他们合葬，可两个坟上的树枝连在了一起。比喻夫妻恩爱，生死与共。在白居易的《长恨歌》“在天愿作比翼鸟，在地愿为连理枝”一句中就运用了这个典故。“比目鱼”，出自《韩诗外传》卷五：“东海之鱼名鲽，比目而行，不相得不能达。”后用来比喻夫妻或情人。“并头莲”，《诗识名解》卷十：“谓即华苹，俗呼‘并头莲’。”因一茎上开有两朵莲花，后用以比喻情侣。“凤凰”，《左传·庄公二十二年》杜预注：“雄曰凤，雌曰凰。雄雌俱飞，相和而鸣锵锵然，犹敬仲夫妻相随适，齐有声誉。”因以比喻夫妻。“鸳鸯”，雄雌多成对生活在水边，常用来比喻夫妻。这七种事物都象征着美好的爱情，而作者笔下的女主人公却使用一系列的暴力动作：“剪”“搏”“烧”“签”“揉”“掷”“摔”，将它们一一毁灭，全曲虽然没有对女主人公的外貌做一丝一毫的描写，却通过这些动作，将一个双目圆瞪，双唇紧咬，愤恨之极的失恋女人的形象呈现在读者面前。

这种失恋女人的形象，在中国古典文学中具有普遍意义。汉乐府民歌《有所思》中有："闻君有他心，拉杂摧烧之，摧烧之，当风扬其灰。从今以往，勿复相思，相思与君绝。"其中女主人公形象鲜明，情感炽烈，也是将代表爱情的事物毁灭。《杜十娘怒沉百宝箱》中的杜十娘站在船头当着负心人的面毁掉百宝箱中的宝物；《红楼梦》第二十八回贾宝玉与林黛玉吵架时，林黛玉一气之下剪掉自己给宝玉亲手编织的穗子等等，在对女子情感的表现方面都与此曲有异曲同工之妙。古典文学中这样的女子形象并不少见，她们有一共同的特征，即个性鲜明，有一定的反抗意识，追求真爱，对待爱情的态度真挚。

男女之间生气争吵可以说是爱情中的一个元素，大概爱之愈甚恨之愈切，男女之间的爱情往往带有一种强烈的占有欲望，一旦发现对方有背叛自己的行为，往往就会表现出极度的悲伤和失望，包括毁坏爱情信物等行为。这首曲子也就是描写了这样的一种带有普遍性的爱情心理。

（杜兴武）

## 【仙吕·一半儿】

查德卿

### 春　妆

自将杨柳品题人，笑捻花枝比较春，输与海棠三四分。再偷匀，一半儿胭脂一半儿粉。

### 春　夜

柳绵扑槛晚风轻，花影横窗淡月明，翠被麝兰薰梦醒。最关情，一半儿温温一半儿冷。

## 鉴赏

元代散曲家对“半”字比较感兴趣,不但曲中多有运用,还创造了“一半儿”的曲牌,像关汉卿、王和卿、张可久等许多著名曲作家都有创作〔一半儿〕的曲子。而查德卿的〔仙吕·一半儿〕《拟美人八咏》是其中较有特色的,这八首组曲由春梦、春困、春妆、春愁、春醉、春绣、春夜、春情组成,大致以时间的先后顺序为线索,进行串联。《春梦》写少女春日梦中被鸟声惊醒。《春困》写少女春日初醒睡眼惺忪。《春妆》写少女醒后化妆与春比美。《春愁》写少女春日的愁情。《春醉》写少女酒后的醉态。《春绣》写少女闺中绣花。《春夜》写少女春夜难眠。《春情》写少女寂夜思情。这八首曲子前后呼应,将闺中女子细腻的感情表现得淋漓尽致。

这里所选的《春妆》《春夜》两首,对闺阁少女形象的塑造尤为突出。

《春妆》一首的开头,写少女将自己与杨柳比美,用杨柳来衬托少女的苗条身姿。“品题”,本意是评论,这里是比较的意思,即用杨柳做标准来比较人物。接下来的两句用海棠来比喻少女的绝美容颜。“捻”,用手指转动。“花枝”,这里当指海棠花枝。“春”,春色,美色。少女含笑转动着手中的海棠花枝,从各个不同的角度来观赏花朵,以此来比较自己的容貌和肤色,一个“笑”字烘托出少女天真无邪的性情。经过仔仔细细的比较,发现自己输给了海棠花。怎么办?少女能服输吗?不!后两句就是写少女想要胜过海棠花所采取的措施:她背着海棠花偷偷地再往脸上涂脂抹粉。一个“偷”字生动地刻画了少女既羞涩又对自己的容貌充满自信的心态,而女子妆成时的妩媚与娇羞也就尽在眼中了。全曲最后呈现给读者的是一位天真烂漫、笑容可掬的闺阁少女的形象。

《春夜》一曲运用了情景交融的手法。开头两句是对少女所处环境的描写:一轮明月高挂空中,纸窗上花影横斜,晚风轻拂,柳絮漫天飞舞,描写了一幅唯美的景色。而柳絮与明月自古以来就是文人骚客寄托情思的景物,因此,曲中借此景物也透露出了少女心中的愁绪,为下一句的梦醒做铺垫。也可能是麝香的香气过于浓烈,以致把翠被中做美梦的少女熏醒了。最后几句,作者一语双关,“一半儿温温,一半儿冷”既是写少女醒后对“翠被”温度的感知,也是写少女此时复杂的心态:梦中独醒,思绪万千,感情尚无着落，既对未来充满希望，又对不可知的世界抱有犹豫。虽无动作描写，却将少女的辗转反侧刻画得淋漓尽致。

这两首曲子风格婉转细腻，长于刻画心理，体现了深厚的艺术修养。

（王　毅　杜兴武）

## 【双调·蟾宫曲】

查德卿

### 怀　古

问从来谁是英雄？一个农夫，一个渔翁。晦迹南阳，栖身东海，一举成功。八阵图名成卧龙①，六韬书功在非熊②。霸业成空，遗恨无穷。蜀道寒云，渭水秋风。

**注释**

① 八阵图：诸葛亮所创，指由天、地、风、云、龙、虎、鸟、蛇八种阵势所组成的兵力部署图阵。卧龙：诸葛亮早年隐居南阳，徐庶称他为“卧龙”。

② 六韬：分为文韬、武韬、龙韬、虎韬、豹韬、犬韬六部分，相传为姜太公所作。非熊：指姜太公吕望。《史记·齐太公世家》：周文王出猎占卜，卜辞曰：“所获非龙非螭，非虎非熊，所获霸王之辅。”果于渭水东岸遇姜太公，与语大悦，同载而归。

**鉴赏**

这是一首以咏史怀古为题材的小令，其语言雅俗相兼，跌宕起伏，富有感染力；意境开阔，有慷慨悲壮之感；在对古代英雄贤士的仰慕赞赏中又流露出万事皆空的虚无主义思想。

“问从来谁是英雄？一个农夫，一个渔翁。”读来质朴而简练，明白而晓畅。“问从来谁是英雄”，以设问领起全篇，先声夺人，气势不凡，以致读者以为作者所举英雄之名必定是如雷贯耳，然而出乎意料的却是，英雄竟然只是躬耕于草野的农夫、渔樵于江渚之上的老翁。正当我们嘲笑作者见识浅薄之际，接下几句又让我们后悔起初的急于评断。哦，原来农夫、渔翁指的是诸葛孔明和姜太公吕尚，一个曾隐居（“晦迹”是指不让人知道自己的踪迹，即隐居）南阳，躬耕陇亩，后作八阵图阵法，辅刘备成鼎足天下之势；一个曾栖身东海之滨，垂钓渭水，后撰《六韬》兵书，助武王灭商兴周。立下此等丰功伟绩之人当然堪称英雄。按理，英雄豪杰，宏基伟业均是值得赞赏和钦佩的，但“霸业成空，遗恨无穷”之词又使曲意来了个大转折，它显然是对英雄业绩的一种摒弃和否定。真可谓“一波未平，一波又起”，此起彼伏，跌宕生姿。与“一个农夫，一个渔翁”一类平白如话的语言形成对照的是“晦迹南阳，栖身东海”“蜀道寒云，渭水秋风”之句，它们或用典成文，或借景抒情，对仗工整，用语端庄，显得典雅工丽。全曲以写景结尾，景中含情，读来意有尽而味无穷，具有很强的艺术感染力。

雅俗结合的语言所承载的是开阔的意境、慷慨悲凉的情感基调。开篇以大开大合之笔发怀古之幽情，追思了孔明及吕尚的英雄事业，在穿越时空的思维中营造出了一种视野开阔、苍茫无际的意境。在此种意境统摄下的却又是一种慷慨悲凉的基调。姜太公辅佐周武王，成就灭商大业；诸葛亮鞠躬尽瘁，伐魏无功而返。虽是一成一败，但都是“业成空”“恨无穷”，因为“功名随身没，身死业尽空”，不管英雄们在历史上留下多少令人追慕的功绩，最后都如诸葛孔明一样“鼎足三分已成梦”。蜀道还是那弯蜀道，渭水还是那道渭水。愁云惨淡，更添悲情；秋风萧瑟，愈显寂寥。在追慕古贤人的慷慨激昂当中，唱响的却是一曲“浪花淘尽英雄，是非成败转头空”的悲歌，抒发的则是一腔“卧龙跃马终黄土，人事音书漫寂寥”的哀情。

在这种哀婉悲壮的氛围当中，作者消沉的虚无主义思想流露无疑。在怀古之时，作者或许有怀才不遇的哀怨，或许有对黑暗现实的愤懑，但作者并未想过要改变现实，而是生出自暴自弃，否定一切之念。既然一切功名都将被历史的潮水所淹没，又何必去在乎它呢？又何必去纠缠它呢？寒云凝泪，秋风未语，作者想要告诉人们一切都是虚无的。

（杨　宏）

# 【越调·柳营曲】

查德卿

## 江上

烟艇闲，雨蓑干，渔翁醉醒江上晚。啼鸟关关，流水潺潺，乐似富春山。数声柔橹江湾，一钩香饵波寒。回头贪兔魄，失意放渔竿。看，流下蓼花滩。

### 鉴赏

这首曲子融情于景，细节描写生动，通过对烟艇、渔翁、雨蓑、柔橹、蓼花滩等意象的刻画，为全曲营造了一种静谧闲适的氛围。渔翁这一形象是曲子所要描写的核心意象，是作者内心世界的化身，但是，作者并非孤立地描写渔翁，作品的意趣也不唯落在渔翁的形象之上。从整体上看，除了渔翁的形象之外，还有渔翁置身于其中的烟艇、大江、蓼花滩。渔翁与他置身的世界完全地融合在一起，形成一个不可分割的整体，作者通过对渔翁这一形象的塑造，成功地表达了心中的隐士情结。

"烟艇"句写雨后傍晚的江面上烟雾笼罩，一只小艇横在江中，艇上的渔翁酩酊大醉后渐渐苏醒。在渔翁熟睡的过程中，身上的蓑衣被雨水打湿又被江风吹干了，而这一切渔翁却浑然不觉。"雨蓑干"这一细节描写极为传神，将时间流逝的过程放慢，类似电影中的慢镜头特写。而渔翁的闲适心态也正如这被江风吹干的雨，去留无意。"渔翁醉醒江上晚"则类似电影中的快镜头，将时间的进程加速，渔翁醉醒之前在江上的大段时间被省略。在这一快一慢的变化中，渔翁的闲适心态被表现得淋漓尽致。"啼鸟"句写流水声与鸟鸣声，烘托出一个"乐"字。"富春山"一名严陵山，汉严子陵曾隐居耕钓于此，上有子陵钓台，此山景色秀美，是隐者理想的栖居之所。"数声""一钩"两句对仗工整，由表及里，意蕴深长。从远远的江湾里传来几声轻微的橹声，垂钓的香饵深入寒波，衬托出了江面的开阔、寂静及幽寒。“回头”句写渔翁因专注于天上的明月，不小心放掉了手中的鱼竿，更不能理解的是他竟然对鱼竿的流失毫不在意，反而看着它流到下游的蓼花滩上去了，可见得是“醉翁之意不在酒，在乎山水之间”，渔翁之意不在鱼而在乎闲适之乐。末一句与唐柳宗元的《渔翁》“回看天际下中流，岩上无心云相逐”句有异曲同工之妙，一以天上的云，一以水里的鱼竿，都烘托了渔翁的闲适之心。

整首曲子的艺术特色鲜明，突出表现在以下两个方面：第一，细节描写生动。如对“雨蓑干”“放鱼竿”等细节的处理。第二，动静结合。特别是对声音的描写非常细腻，“啼鸟”句写流水声与鸟鸣声，“数声”句写柔橹声均生动具体。

（杜兴武）

# 【双调·清江引】

吴西逸*

## 秋　居

白雁乱飞秋似雪，清露生凉夜。扫却石边云，醉踏松根月，星斗满天人睡也。

### 作者

＊吴西逸，生平、里籍不详，约元仁宗延祐前后在世。阿里西瑛作懒云窝成，以〔殿前欢〕曲咏之，西逸及贯云石等均有和作。隋树森《全元散曲》辑有小令47首。明朱权《太和正音谱》评为“如空谷流泉”。

### 鉴赏

这支曲题为《秋居》，使人联想到唐人诗题《山居秋暝》，而它写的正是山居秋暝。此曲开篇就有奇趣：写“白雁”倒也罢了，雁阵最是整齐，如何能说“乱”，除非雁群惊起于芦荡，一时与芦花俱飞，才能有飞雪的味道。当然，作者也可能纯由“白”字着想，而造出一个“雪”字来。这雁儿一飞，天气也就凉了——准确讲，是已凉未寒的时候。

夜露清凉宜人，山人一番小酌，睡意上来，却不回屋上床。醉醺醺踏着松根月色，来到大青石前：天地就是我屋，星月就是我灯，石头就是我床，想睡就睡。措辞仍有奇趣：“踏月”倒也罢了，作者说的是月光；至于“云”，是远看则有，近看却无的，石边哪得有云可扫？这恰恰表现出人的醉态，或者说醉醺醺的感觉。

现实没有，想象有；醒时没有，醉中有：此之谓浪漫。“星斗满天人睡也”,境界太奇妙了,使人联想到唐代诗人温如的“醉后不知天在水,满船清梦压星河”。诗人由天上的星河倒映在水中,而联想到船是在星河之上;又由自己饮而醉、醉而睡、睡而梦,联想到不是自己睡在船上,而是自己的满船清梦压在星河之上,就像是在说一个秋夜的童话。这支曲的结尾,虽然没有温诗那么多的意蕴,但在讲说一个秋夜的童话这一点上,是有异曲同工之妙的。结尾以语助词“也”字入韵,更觉开心写意。

(周啸天)

## 【双调·雁儿落带过得胜令】

吴西逸

春花闻杜鹃,秋月看归燕。人情薄似云,风景疾如箭。　　留下买花钱,趱入种桑园。茅苫三间厦,秧肥数顷田。床边,放一册冷淡渊明传;窗前,钞几联清新杜甫篇。

### 鉴赏

这是一篇写隐逸生活乐趣的带过曲,由〔雁儿落〕、〔得胜令〕两曲组成,写归隐田园的情趣。首曲〔雁儿落〕先从对市井生活的厌倦说起:暮春闻杜鹃,秋来送归燕,光阴似箭,耽误了多少的春花秋月啊。同是说世态炎凉,“人情薄如云”较“人情薄如纸”一字之差,则不但形容了薄,而且意味着多变。凡此,总见城中无可留恋。

次曲〔得胜令〕写村居生活的乐趣。城里人喜欢赏花,离开城市,就等于省下一份买花钱,到乡下可以置一份田产:一带桑园,几间茅屋,数顷秧田,衣食不愁了。农闲时读一读陶潜传,抄一抄杜甫诗,精神生活也有了。

陶潜是田园隐逸诗人,杜甫却是忧国忧民的诗人,杜甫《遣兴五首》曾写道:“陶潜避俗翁,未必能达道。观其著诗集,颇亦恨枯槁。”对陶潜有隔膜的揶揄。在元散曲家看来,陶潜都不算达道,谁还能算达道!可见陶、杜这两个诗人原是扯不到一块儿的。不过也不尽然,杜甫居成都时,也曾经营草堂,也曾留恋闲适生活,而且写过“两个黄鹂鸣翠柳,一行白鹭上青天”“泥融飞燕子,沙暖睡鸳鸯”那样的名句,作者所抄,大概就是这一类联语。总不成是“致君尧舜上,再使风俗淳”、“朱门酒肉臭,路有冻死骨”一类的名句吧。

(周啸天)

# 【越调·天净沙】

吴西逸

## 闲　题

长江万里归帆,西风几度阳关,依旧红尘满眼。夕阳新雁,此情时拍阑干。

鉴赏

这支曲题为《闲题》,不妨把它当作一首题画之作来欣赏,当然,它也可能是一首写景之作。“长江万里归帆”一句,关键词是“归帆”:远别还家,值得羡慕;“西风几度阳关”一句,关键词是“几度”:征行未息,令人感喟。两种情景,概括了两种人生状态。而作者自己属于哪一种呢?“依旧红尘满眼”,“红尘”与世外相对,关键词是“依旧”,可见作者对处境的不满。

主观上不是不想归去,客观上有不能立即归去的理由。难怪他伫立楼头,面对夕阳西下、北雁南飞的景象,无法平静。看他手拍阑干的那副样子,可知他的归去,只是一个时间问题。所谓“此情”,非此而何!

散曲本以直露尽致为本色,元曲后期作家的小令例如本曲,则相对含蓄。然而,由于用韵较密而平仄互押,故韵度仍与诗词有别。

(周啸天)

# 【越调·天净沙】

吴西逸

## 闲题(四首其二)

楚云飞满长空，湘江不断流东。何事离多恨冗？夕阳低送，小楼数点残鸿。

鉴赏

此组《闲题》小令共四首,抒写一位浪迹天涯的游子念远思归的情怀。这里所选的第二首写这位漂泊楚地的游子,在日暮江边产生了不尽的离愁别恨。

"楚云飞满长空",开篇作者就交代了游子漂泊的地域,是那辽阔的荆楚湖湘之地。在浩瀚长空,云起云落,云卷云舒,不住地飘荡聚散,来去匆匆,这不正是游子居无定所,流寓江湖的写照吗?一个"飞"字,既描摹了云的状态,也暗示了主人公的行踪不定,四处漂流。"湘江不断流东",湘水浩浩荡荡,日夜不停地向东流去,和百川一样,它也要最终汇入大海。此句暗寓一"归"字,无情之流水尚且有其归宿,何况有情之人乎?游子却欲归不得。这两句描写游子活动的环境,从天上的飞云,到地上的江水,长空渺渺,云水茫茫,给全曲涂上了一层迷离怅惘的色调,为下文抒情做了铺垫。

在渲染了游子活动的环境之后,作者就直抒胸臆,明白酣畅,"何事离多恨冗",面对长空楚云,滔滔江水,这位天涯游子非但无心欣赏这潇湘胜景,反而离情别绪,萦绕心头,新愁旧恨,充塞脏腑。这是为何呢?下面,作者紧承上文,引出了最后两句:"夕阳低送,小楼数点残鸿。"游子正在江边踽踽独行之际,红日西倾,更重要的是如血的夕阳从小楼边为他送来了数点断鸿零雁。这小楼,与游子家中思妇所居之小楼何其相似,尽管隔着千山万水,但毕竟为游子那颗孤寂的旅心带来了一丝暖意。浪游四方,离家已久,"天涯倦客,望断故园心眼"。那楼畔送来的鸿雁啊,你是否捎来了佳人的音信?这两句,作者的笔触稍微一转,把前面描写的事物都纳于夕阳西下这一大背景之中,苍茫的暮色,更能烘托出游子离愁别恨之深之重之广,思乡念亲之烈之久之长。一直到最后,作者才说破了愁多恨冗的个中缘由,并寄托了自己渴盼亲人音信,渴盼早日团聚的美好愿望。

这支小令,前两句是写远景,就像广角镜头,写出了那暮霭沉沉楚天阔的景象,不断渲染,不断深入。一直到最后,作者才描摹了近景,就像一个特写镜头,点明了愁与恨的具体所指及其原因。元曲多直白显畅,但这支小令却与诗词相似,含蓄蕴藉,千回百转,虽只有短短五句,但句句清新典雅,生动传神,且描写细致,韵味悠长,颇有唐人绝句的妙境。

(翟振华)

## 【越调·天净沙】

吴西逸

### 闲题(四首其四)

江亭远树残霞,淡烟芳草平沙,绿柳荫中系马。夕阳西下,水村山郭人家。

**鉴赏**

这支小令描写了如画的江村晚景,抒发了天涯旅人淡淡的思归情怀。"江亭远树残霞,淡烟芳草平沙。"起句作者便为我们展开了一幅清新淡雅的水墨画,江边的古朴小亭,岸边平沙上的萋萋芳草,稍远处的漠漠平林,江上笼着一层若隐若现的轻烟,天尽头则还抹着点点残霞。开篇这两句,作者连续使用六个并列的实词,把六种不同的景物巧妙地组织在一个画面里,渲染出了一派冲淡闲适的气氛,为全曲抹上了一层清新明丽的色调,与小令的题目"闲题"暗暗相合。下面,作者紧承上句,引出了画面的主人,道出了这位旅人的行踪。"绿柳荫中系马",旅人四处飘零,席不暇暖,虽也饱览了山川美景,但终是他乡作客,旅愁难消。他拖着疲惫的步子,牵着零丁的瘦马,在绿柳荫中系马驻足,以求得以小憩,拂去一路征尘。柳,留也,难道他真的为良辰美景所陶醉,意欲淹留此处?一个“系”字,把这三句贯穿了起来,既点明了主人公的游踪,又使宁静的画面动了起来,充满了生机,意趣盎然。

最后两句:“夕阳西下,水村山郭人家。”旅人正要伫立赏景,却不经意间瞥到了西下的夕阳,更触动人心的是,他还看到了水村山郭,篱落人家。一下子,赏景之心被丝丝缕缕的乡愁所缭绕,而且越来越多,越缠越紧。江山秀丽,风物美好,可终究是异地他乡,“虽信美而非吾土兮”。而看到篱落人家更是勾出了这位天涯客子的绵绵归思。可故土远在千里之外,又如何归得?只能借他乡人家来抚慰这颗漂泊的旅心了。作者选取黄昏村落人家三种景物,恰当的表现了旅人那种浓烈的思乡之情,迫切的思归之意。小令便在这温馨的画面中结束了,但袅袅乡思却驱之不去,拂之还来。

这支小令,以天涯旅人的眼光观物,运用移步换景的手法,从江亭远树,到芳草平沙,再到绿柳荫中,最后写到村落人家,有条不紊,层次清晰。作者还很注重所选景物的色彩,如残霞之红,芳草之绿,平沙之白,绿柳之青,色调鲜明,这就构成一种优美恬适的意境。另外,这支小令语言清丽,音节和谐,可与白朴的〔越调·天净沙〕《秋》相媲美而毫无愧色。

(翟振华)

## 【黄钟·刮地风】

赵显宏*

### 叹世

昨日街头唤小哥，早两鬓婆娑。云间乌兔似撺梭，老了人呵。琴堂难坐，林泉堪卧，山鸟山花，尽供吟和。清闲怎似他，功名不恋我，因此上落落魄魄。

安乐窝中且避乖，倒大优哉。寒梅不顾栋梁材，别样清怀。小庵茅盖，主人常在。缄口藏舌，坐观成败。韩元帅阵开，楚重瞳命衰，汉高皇拆了坛台。

作者

* 赵显宏，号学村，与孙周卿同时，元仁宗延祐前后在世。生平、里籍不详。从赵显宏作品中可推知其为一终身布素文人。赵长于散曲，隋树森《全元散曲》录现存套数两套，小令20首，风格清新朴实，语言通俗流畅，成就较高。明朱权《太和正音谱》将其列于"词林英杰"一百五十人之中。

鉴赏

这两首小令是赵显宏的自叹之作，也是元代大部分文人心态的写照，曲中抒发了作者看破功名成败、向往山林之乐的隐士情怀，但在字里行间也流露出作者对韶华易逝的无限感慨及社会黑暗而不得不全身避祸的无奈。

"昨日街头唤小哥，早两鬓婆娑。云间乌兔似撺梭，老了人呵。"这开篇的四句围绕一个"老"字，是作者对时光飞逝、青春不再的哀叹，仿佛就在昨天人们还称“我”为小伙子，而今天我就头发斑白，两鬓已星星也。天上的日月穿梭似的不断更替着，转眼间我就成了年迈力衰的老翁。在“小哥”和“两鬓婆娑”、“乌兔撺梭”不变和人年岁愈增的鲜明对比中，饱含了岁月无情、人生易老的悲痛之情。尤其是“老了人呵”一句，我们仿佛能听到作者深沉的叹息，虽是轻轻道来，却起到了挥之不去的作用。

但作者并非一味地沉浸在这种消沉苦恼中，而是话锋一转，描写山林隐逸的乐趣：“琴堂难坐，林泉堪卧。山鸟山花，尽供吟和。”这里的“琴堂”是出于《吕氏春秋·察贤》中宓子的典故，用来指州、府、县署（即官场），是多少文人梦寐以求的天堂，可在作者眼里，“琴堂”远不如“林泉”“山鸟山花”等大自然之物那样可爱，那样令人向往。一“堪”一“难”便将对山林、官场的爱恶态度表露无遗。“清闲怎似他，功名不恋我，因此上落落魄魄”句中，不说我不恋功名，反言功名不恋我，新颖别致，而又委婉含蓄。

后曲紧承前曲向往山林之意而来，描写身居小茅屋的主人公不论人间是非，不管兴衰成败的超脱之情。其中的“寒梅不顾栋梁材，别样清怀”一句，以芳洁、有傲霜之骨的梅花自比，委婉地表达了作者不愿得入世之用而只求保持自身高洁磊落的品质，格调高雅，比喻清新脱俗，颇有韵味。曲末三句，连用韩信得志、拜帅用兵；楚霸王项羽败于刘邦；刘邦下令废除秦的社稷三个典故，写出作者冷眼观兴衰，有“是非成败转头空”之感。不过，尽管作品整体上塑造出的是潇洒优哉的隐者形象，但我们仍可以从“避乖”“缄口藏舌”等字眼中挖掘出这只不过是元代地位低下、备受压抑的文人在重武轻文又极其黑暗的社会里不得不藏锋显拙、退隐远祸的无奈之举。

小令语言清新晓畅，多用口头语，然又能巧妙地将比喻、典故暗含其中，故通俗中尚不失典雅，清丽中不乏凝重，是一篇耐人咀嚼的佳作。

（邹添霞）

# 【黄钟·昼夜乐】

赵显宏

## 冬

风送梅花过小桥，飘飘，飘飘地乱舞琼瑶。水面上流将去了，觑绝时落英无消耗，似才郎水远山遥。怎不焦，今日明朝，今日明朝，又不见他来到。

【幺】佳人，佳人多命薄，今遭，难逃，难逃他粉悴烟憔。直恁般鱼沉雁杳，谁承望拆散了鸾凰交，空教人梦断魂劳。心痒难揉，心痒难揉，盼不得鸡儿叫。

### 鉴赏

〔黄钟·昼夜乐〕共有《春》《夏》《秋》《冬》四首小令，本篇为其中的第四首，是思妇的相思曲。

曲的上半部分描绘的是一幅送别图。“风送梅花过小桥”，作者以梅花喻女主人公的心上人，意新语工，又用“送”字点出离别的场景，语句十分精练传神。“飘飘，飘飘地乱舞琼瑶”一句，连用四个“飘”字，既写出了梅花轻盈灵动的体态，又神似情郎随风远走的背影及缥缈不定的归期，而“乱”字则是当时女主人公心境最真实的写照。“黯然销魂者，唯别而已矣”，送别自古断人肠，更何况送走的乃是自己最挚爱的人呢？望着离桥愈来愈远的心上人，这位女子心中肯定有千言万语，却无从诉说，必有千般不舍，又不能伸手挽留，情感上的冲动与理智的压抑纠结斗争，怎能不让人心乱如麻呢？一番挣扎之后，理智终究战胜了情感，也许是为了恋人的锦绣前程，功名事业，女主人公最终还是选择忍痛放手，眼睁睁地看着他“水面上流将去了，觑绝时落英无消耗”，就像随着流水飘走的梅花般，一去不回，杳无音讯。“觑绝”生动地刻画了思妇凝神远眺、望断秋水的神态，塑造了一个苦苦等候、痴情执著的女性形象，足见作者炼字之工。“怎不焦，今日明朝，今日明朝，又不见他来到”，在长久无果的等待之后,女子的心态又有了微妙的变化,分别时满满的期望渐渐被一次又一次的失望所代替,随着时间的推移,对方的音讯全无更让思妇焦忧不已:他现在过得可好?许久不见,到底是突遇变故,还是早已将我忘记,另觅新欢了呢?在这种种猜测之后,思妇更有另一层隐忧:“今日明朝,今日明朝”,盼过昨宵,又盼今朝,“我”的青春能禁得住几年的等候呢?这样细腻逼真的心理描写竟出自一位男作家之手,不得不让人叹服。

曲的下半部分则是一幅“人比黄花瘦”的思妇图。“佳人,佳人多命薄,今遭,难逃,难逃他粉悴烟憔”。看着镜中懒施脂粉、形容憔悴的自己,思妇忍不住哀叹薄命。都说“女为悦己者容”,悦己的那个人已不在身边了,打扮、美丽还有何意义呢?就像《诗经》中“自伯之东,首如飞蓬”的女子一样,恋人的离去,使思妇爱美的天性都逐渐凋零了。在思妇的自叹自怨里,我们可由此感受到她受相思苦煎熬之深以及爱人在她心中分量之重。在描写过思妇清减的容貌后,赵氏又将视角切入到思妇的心理层面:“直恁般鱼沉雁杳,谁承望拆散了鸾凰交,空教人梦断魂劳。心痒难揉,心痒难揉,盼不得鸡儿叫。”传递书信的鱼雁迟迟不见踪影,对他魂牵梦绕的思妇心中不由得备受煎熬,终夜不能成眠,只盼雄鸡早早报晓。这种直抒胸臆的手法比“优哉游哉,辗转反侧”“明月不谙离恨苦,斜光到晓穿朱户”来得坦白大胆,表达的情感也更直接热烈。

这首小令比喻新颖独特,语言清新流丽,心理描写细腻生动,感情真挚动人,使人读之不忍释卷。

(邹添霞)

# 【中吕·满庭芳】

赵显宏

## 樵

腰间斧柯,观棋曾朽,修月曾磨。不将连理枝梢锉,无缺钢多。不饶过猿枝鹤窠,惯立尽石涧泥坡。还参破,名缰利锁,云外放怀歌。

鉴 赏

作者之〔满庭芳〕小令四首，分写渔、樵、耕、牧，此乃第二首。此曲描写了一个避世而居、飘逸不凡的樵子，他有着纯洁善良又不畏艰险、知难而进的性格特点，并有鄙弃功名富贵、高洁脱俗的精神品质。

小令前三句"腰间斧柯，观棋曾朽，修月曾磨"暗含"烂柯"的典故和"修月"的故事，看似引用典故来抒发时间飞逝之感慨，实际上包含有更深层的独特意义，作者是巧妙运用"烂柯"典故中的仙界意境，来以斧喻人，写出樵夫的非同一般，具有"仙人"的神韵。紧接下来，作者浓墨重彩地渲染渔夫的与众不同。"不将连理枝梢锉，无缺钢多"写樵夫爱惜连理枝，不愿砍削，突出他第一大性格特点：纯洁善良、珍爱美好事物。不像一般的樵夫俗子，逢树便砍，而是心中有爱，善于去发现美好的东西，也懂得珍惜。

但是作者笔下的樵夫并不是一个性格单一的人，承接上文，作者将笔墨花在樵夫的第二大性格特点上，"不饶过猿枝鹤窠"写他从不放过悬崖峭壁上的猿枝鹤窠，这里看似写樵夫的残忍，实际上突出的是"猿枝鹤窠"所处环境的艰险。"猿枝鹤窠"是悬崖峭壁的代名词，与下句"惯立尽石涧泥坡"相照应，此句意思是深涧、泥潭是他习惯立足砍柴的地方。"猿枝鹤窠"、"石涧泥坡"就鲜明突出了樵夫不畏艰险、知难而进的性格特点。

虽然此时的樵夫已经彰显了他与众不同的性格，但是更难能可贵的是接下来小令所描述的樵夫那种高洁脱俗的精神境界。"还参破，名缰利锁，云外放怀歌"写樵夫看透世俗，挣脱所谓的"名缰利锁"，淡泊名利，放歌云外，显示出他鄙弃功名富贵、淡泊高雅的高尚情操。最后三句是作者的中心所在，压轴之戏。因为在此诗人是借樵夫避世而居高洁脱俗的形象，表现自己清高脱俗、豁达豪放的情怀，抒发自己鄙弃功名、蔑视权贵的思想感情。

此曲意象新颖，以樵夫自喻，抒发淡泊名利之心，带给读者独特的感受。语言简练，但生动传神，随着意思的层层递进，与众不同的樵夫形象呈现在读者面前。在赵显宏为数不多的作品中，此曲具有典型意义，是一篇佳作。

（邹添霞）

# 【双调·殿前欢】

唐毅夫*

## 大都西山

冷云间，夕阳楼外数峰闲，等闲不许俗人看。雨髻烟鬟，倚西风十二阑。休长叹，不多时暮霭风吹散。西山看我，我看西山。

### 作者

* 唐毅夫，生平、里籍不详，约元仁宗延祐前后在世。工散曲，隋树森《全元散曲》辑有小令1首，《怨雪》套数一篇。明朱权《太和正音谱》将其列于"词林英杰"一百五十人中。

### 鉴赏

这支小令描写了日暮时分大都西山风雨骤来的景象，抒发了作者悠然自适的情怀，表现了其高洁超逸的品格。"大都"是元代都城，即现在的北京。西山是北京的一大风景名胜区，其中的"西山八大处"尤为著名。

"冷云间，夕阳楼外数峰闲。"作品一开始，便写到滚滚乌云从天边涌来，冷气飕飕，直逼楼外的西山，这就为下面写骤雨张本。风起云涌，遮蔽山峰，本是极为普通的自然现象，但是作者通过一个"闲"字，把西山人格化了，使其有了人的性情与好恶。西山本来在夕阳之下悠然安坐，优哉游哉，这下乌云密布，笼罩山头，按说应该是大煞风景了，但下面一句，作者笔触一转，"等闲不许俗人看"带出了乌云蔽空、山雨欲来的原因。原来是西山自己和乌云早已约好，拒绝俗人赏玩，它在期待那种超凡拔俗、超逸旷远之士来做知音，以真正地欣赏自己。“等闲不许俗人看”一句实际上是全篇之骨，表面是写出山的好恶，实际是寄托了作者那种高雅超迈的追求。

“雨髻烟鬟，倚西风十二阑。”这两句写滚滚乌云，弥漫西山，便召来了急风骤雨。作者运用巧妙的比喻，把蒙蒙烟雨比作西山的鬟髻，奇绝妙绝，这样西山就像一位含羞少女，烟雨更为其增添了几分娇娆。然后，西山苦苦等待的知音终于出场了，一位高士在风雨之中登上高楼，而且独倚十二阑干，远眺山景，却不禁喟然长叹，为不能领略西山真面而苦恼，为这凄风苦雨而抱怨。但就在此时，戏剧性的一幕出现了，“休长叹，不多时暮霭风吹散”。西山似乎看出了高士的心思，马上对其好言抚慰，劝他莫长叹，因为稍后就会雨住，而且强劲的西风会吹散沉沉暮霭、漠漠烟云，还西山以本来面目。这两句活泼风趣，以山的口吻写出，不仅强化了前面赋予西山的人的性情，而且点明了人与山的心灵相通。

最后两句，“西山看我，我看西山。”这是作者假想在风雨过后，西山打扮得更为明净鲜丽，以全新的面貌来迎接这位难得的知音。那时，西山与高士两两相对，默默无言，却胜过千言万语，因为西山厌弃丑恶的俗人，而这位高士正好是高风跨俗，山与人心心相印，达成默契，所以才有了高士与西山“相看两不厌”。

这支小令在元曲中甚为别致，全篇运用了拟人手法，赋予西山以人的性灵情趣。处处写山，又处处写人；明写山的好恶，暗写人的品格。拟人的运用使得全曲生动活泼，充满意趣。另外，比喻奇特巧妙，传神地写出了烟雨的形貌和西山的情态。最后，这支小令语言直白酣畅，风格兼有豪迈与清雅，不愧为小令中的上乘之作。仅凭此一首，足以使作者传世扬名。

（王　毅　翟振华）

## 【南吕·一枝花】

唐毅夫

### 怨　雪

【一枝花】不呈六出祥，岂应三白瑞？易添身上冷，能使腹中饥，有甚稀奇？无主向沿街坠，不着人到处飞。暗敲窗有影无形，偷入户潜踪蹑迹。

【梁州】才苫上茅庵草舍，又钻入破壁疏篱。似杨花滚滚轻狂势。你几曾见贵公子锦裀绣褥①，你多曾伴老渔翁箬笠蓑衣？为飘风胡作胡为，怕腾云相趁相随。只着你冻的个孟浩然挣挣痴痴②，只着你逼的个林和靖钦钦历历③，只着你阻的个韩退之哭哭啼啼④。更长，漏迟，被窝中无半点儿阳和气。恼人眠，搅人睡。你那冷燥皮肤似铁石，着我怎敢相偎？

【尾】一冬酒债因他累，千里关山被你迷。似这等浪花闲蕊，也不是久长计。尽飘零数日，扫除做一堆，我将你温不热薄情化做了水。

## 注释

① 锦裀绣褥：指贵族王孙所用的豪华精美的服饰。

② 孟浩然句：唐代诗人孟浩然喜爱踏雪寻梅，曾说诗思在风雪之中灞桥的驴背上。

③ 林和靖句：北宋诗人林逋，曾在西湖中孤山上植梅养鹤，时人称为"梅妻鹤子"，死后被谥为和靖先生。

④ 韩退之句：唐代文学家韩愈曾因谏迎佛骨触怒宪宗皇帝而被贬潮阳，行到蓝关时遇侄孙韩湘，便赋诗赠之，其中有这样的句子："云横秦岭家何在，雪拥蓝关马不前。"

## 鉴赏

这套散曲生动地描写了隆冬时节的漫天风雪，及当时普通士子的贫寒境况，通过怨雪也寄寓了作者对社会黑暗势力的愤慨不平之意。

第一支曲子〔一枝花〕，首先描摹了雪的形状，六出飞花，晶莹洁白，按理说这样美好的事物应是吉祥之兆，会预示着来年的丰收。但是对一个穷苦的读书人来说，却有一种别样的滋味。“易添身上冷，能使腹中饥。”他可无心赏玩这美妙的雪景，因为大雪之中食不果腹，衣不蔽体，所以这大雪对他来说非但无甚稀奇，反而是一种煎熬，难以忍受。这士子盼望雪晴，以摆脱苦难。但是雪却毫不顾及人的感受，依然我行我素。“无主向沿街坠，不着人到处飞。暗敲窗有影无形，偷入户潜踪蹑迹。”这四句描绘了大雪降临人间的动态，沿街而落，四处乱飞，纷纷扬扬，飘飘洒洒。特别是“暗”“偷”“潜”“蹑”四个字用得精妙，写出了雪的悄无声息而无孔不入，虽无主却不避人，虽潜踪蹑迹却盖地铺天。作者极力铺排了雪势之大，暗示了社会黑暗势力的凶悍暴虐，乃至于渗透到人间每一个角落。

第二支曲子〔梁州〕写这位贫士在风雪之中虽采取了一些防范措施，但却无济于事，依然无法入眠。“才苫上茅庵草舍，又钻入破壁疏篱。似杨花滚滚轻狂势。”贫士虽然用茅草掩盖好了草屋，以求遮雪，但无奈雪乘风势，越来越猛。大雪削尖了脑袋，灌入稀稀疏疏的篱笆，透进四顾萧然的破壁，直刺肌骨。一个“钻”字极为形象，写出了大雪的峭刻锋利严酷，让人感到了它的穷凶极恶。此时雪势极为雄豪，像搅天的杨花滚滚袭来。杨花本是美好之物，历代文人均喜歌颂。但是作者在这里却用了“轻狂”一词，来形容雪的猛烈浩大，嫌恶之情溢于言表。这是为何呢？紧接着，作者解释了恶雪的缘由。原来雪也像人一样势利，它随着飘风腾云，助纣为虐，胡作非为。可是它何曾飘入朱门大户，打湿过王孙贵族的锦绣衣裳？它也只是落在箬笠蓑衣之上，偷袭寒江独钓孤苦无依的老渔翁罢了。下面，作者更是运用了一组鼎足对，道出了历来寒士都遭雪欺，如出一辙。大雪曾经把骑驴灞桥踏雪寻梅的孟浩然冻得瑟瑟缩缩，诗思全无；大雪曾经把植梅养鹤行吟孤山的林和靖逼得凄凄惶惶，风雅不再；大雪曾经把犯颜直谏被贬潮阳的韩退之挡在蓝关，有路难行。而如今又搅得这位贫士在更长漏迟的风雪之夜辗转反侧，难以成眠。“恼人眠，搅人睡。”“恼”“搅”二字用得传神，写出了贫士被褥不暖、彻夜不眠的状况，其中饱含了多少苦恼，多少抱怨，多少愤懑！最后两句，作者以活泼俏皮的口吻，说明了怨雪的原因，再次强调了怨雪之意。“你那冷燥皮肤似铁石，着我怎敢相偎？”莹洁光润的雪在贫士眼里是又寒冷又干燥，像铁石般冷酷无情，叫人如何敢亲近？怎敢依偎？这两句写得幽默风趣，在愁风苦雪的折磨之下，这位贫士还保持着一丝乐观，而这仅有的一点乐观，又反衬出了其生存条件之艰苦恶劣，更能体现对雪的厌恶抱怨之情，对恶势力的愤恨之意。

最后一支曲子〔尾〕可以看作这位饥寒交迫的贫士对大雪的一篇檄文。"一冬酒债因他累",在风雪逼迫之下,贫士万般无奈,只得靠饮酒御寒,可是家徒四壁,哪得闲钱沽酒?于是只好赊酒御寒,勉强度日。"千里关山被你迷",这大雪的淫威不仅拖累贫士欠了一身酒债,还把锦绣江山压得一片凄迷苍茫,再无绰约风韵。"累""迷"两个字用得很见功力,生动逼真地写出了贫士对大雪满腹的牢骚。于是,他暗自诅咒大雪,盼其早停。这飞雪的闲花浪蕊是注定不会长久的,且容他飘零几日,等大雪一住,就要把它铲尽扫光,积做一堆,然后把这些薄情寡义冷峻威严的雪全都化掉,彻底出一口恶气。最后三句,气势豪纵,痛快淋漓,表面上是写铲雪扫雪融雪,以抒发对雪之深怨,实际上作者是暗暗渴盼铲除天下不平,灭尽人间恶势力,以让受欺凌压迫的受苦之人扬眉吐气。

这套散曲虽也描绘了雪景,但并无吟风弄月之意,而是紧紧围绕一个"怨"字,铺张渲染雪的肆虐恣睢,及带给贫士的不尽苦难,句句带讽,字字含情,故"怨"字为全曲之眼。全曲用一连串的带有贬义的动词如"敲""偷""冻""逼""阻""恼""搅"等,再加上"潜踪蹑迹""轻狂""胡作胡为"等形容词,极为精当,摹形绘物,生动细腻。这就把无生命的雪写成了有意识地进行破坏活动的恶人、坏蛋了,使人很容易联想到官场中的贪官污吏和社会上的地痞流氓等一切恶势力。这是本套曲最大的特色。此外,曲中用典恰当贴切,自然浑融,与全曲意境浑然一体,无斧凿之痕。最后,这套散曲感情充沛,气势纵横,且对仗工整,音韵铿锵,如脱羁之马、离弦之箭,不可遏止,难以淹留,读之不禁令人起舞高歌。

(王　毅　翟振华)

# 【越调·天净沙】

朱庭玉*

## 秋

庭前落尽梧桐，水边开彻芙蓉，解与诗人意同。辞柯霜叶，飞来就我题红。

### 作者

*朱庭玉，又作朱廷玉，生平、里籍不详。其〔南吕·梁州第七〕《归隐》云："归来好向林泉下""汾水岸晋山坡"，多言三晋风物，则朱氏或曾生活于山西。现存小令4首，套数26套。明朱权《太和正音谱》评其曲"如百卉争芳"。

### 鉴赏

原作四首，将春、夏、秋、冬四时之景分别组合，以咏四季风光，令人赏心悦目。此作以红叶为题曲，极力咏绘秋景。前两句着力描绘庭前梧桐树的叶子已经落尽了，芙蓉花也完完全全开过了，这是一派深秋的破败之景。第三句写作者见到此景并未颓怀感伤，反而激起胸中的无限遐想，将所见之景与胸中之情巧妙地联系起来，从而激荡出作者胸中那呼之欲出的勃发的诗兴。接着，小令虚构了红叶飞来就我，我就红叶题诗的场景——物既有意，人亦多情，红叶的柔态与作者的心灵相通，二者遂情景交融。"辞柯"，指树叶从枝头飘落。

末句化用"红叶题诗"的爱情典故。据宋刘斧《青琐高议》卷五《流红记》载：唐僖宗时于祐晚步禁衢间，在御沟得一题有诗句的红叶。于祐得后日夜思念，亦题诗二句于红叶上，置流水中，流入禁苑。后宫中放宫女,于祐得娶宫女韩氏,不想正是红叶题诗之宫女,而于祐和诗之红叶也恰为韩氏所得。朱庭玉引用此典,但不是照搬,而是将演绎对象由男女爱情变为红叶与"我"的相恋,身与物化,巧妙地将自然与人融为一体,构成一幅别具诗情画意的场景,表现出作者对自然的热爱之情。

整支小令不单单是写秋景,更是写作者的秋日诗兴,着重表现出作者那浓浓的诗意与爽朗的心情。尤其是,末句写红叶与"我"相交融的神来笔墨,赋予小令以清新笔调、轻快节奏,使得整支小令所写秋景不含愁煞萧条之意,不同于一般的咏秋词曲,给读者以明快逸适之感,颇为难得。

此曲写法上的特点是采用拟人化的手法,用"辞""就"等带有感情色彩的词汇来写红叶,赋予红叶人的特点,把植物写活了。这当然是"移情"方法的巧妙运用。

(王　毅　温庆新)

## 【大石调·青杏子】

朱庭玉

### 送　别

【青杏子】游宦又驱驰,意徘徊执手临岐,欲留难恋应无计。昨宵好梦,今朝幽怨,何日归期?

【归塞北】肠断处,取次作别离。五里短亭人上马,一声长叹泪沾衣,回首各东西。

【初问口】万叠云山,千重烟水,音书纵有凭谁寄?恨萦牵,愁堆积,天天不管人憔悴。

【怨别离】感情风物正凄凄,晋山青汾水碧。谁返扁舟芦花外,归棹急,惊散鸳鸯相背飞。

【擂鼓体】一鞭行色苦相催,皆因些子,浮名薄利。萍梗飘流无定迹,好在阳关图画里。

【催拍子带赚煞】未饮离杯心如醉，须信道送君千里。怨怨哀哀，凄凄苦苦啼啼。唱道分破鸾钗，丁宁嘱咐好将息。不枉了男儿堕志气，消得英雄眼中泪。

## 鉴赏

此套曲写的是女子与求官外出的丈夫的辞离。〔青杏子〕一曲，作为整支套曲之“起”，着力描写妻子与丈夫执手相送的情形。在即将分离的岔口，夫妻难分难舍，浓情蜜意。丈夫有心留下，奈何为游宦谋生，不得不离。昨夜两情浓密，今朝却满怀愁情，此刻一别何时能再聚？“执手临岐”一语，奠定整支套曲之感伤情调。“何日归期”一语则写夫妻二人期待不久之后的相会之期，由此更见离情之感伤。〔归塞北〕一曲，则描绘两人离别相分的具体场景。“取次作别离”突出表现妻子埋怨为求功名的丈夫与自己相分离的心理表现。“五里短亭人上马，一声长叹泪沾衣”一语，通过细节描写，动态地描绘两人分离之时那惆怅满怀的伤感，生动形象。〔初问口〕一曲，进一步刻画妻子的离怨。丈夫渐行渐远，远隔千山万水，该怎么互通音信？“恨萦牵”三句，极力铺写描绘那种离怨情愁，它是爱与怨交织的矛盾综合体，使得整支套曲尤显悲怆凄凉。〔怨别离〕一曲，笔锋一转由绘情转入写景，景中寓情，再添离意：在蜿蜒的群山、奔流的汾水中，是谁驾驶一叶扁舟在急行，把相聚戏水的鸳鸯都给惊散了？“鸳鸯相背飞”一语，暗指自己与丈夫的分离，顾影自怜，更添哀愁。〔擂鼓体〕一曲，由写景转而写妻子思索丈夫离开的原因：远去的匆匆行走的人，大多是为求功名利禄。他们极像漂泊的萍梗那般，聚散不定却依旧要漂泊流浪。由〔归塞北〕到〔擂鼓体〕，套曲按别离之时、别后之恋、别后之思的顺序，是整支套曲之“承”与“转”，着力刻画妻子的凄情苦愁。而〔催拍子带赚煞〕一曲，则是整支套曲之“合”，将离别愁情推向高潮。主要写妻子回味与丈夫离别的情形：离别之酒未饮而心已醉！“怨怨哀哀，凄凄苦苦啼啼”一语，五组叠音词加重了妻子的愁绪，给读者以无比沉重之感。“丁宁”三句，写妻子叮嘱丈夫要注意身体，不要因儿女私情丧失志气而枉为男子汉。这三句将妻子的深情、不舍与怨意，再次全方位地、清晰地展现在读者面前，令人不忍卒读。

总的来说，整支套曲语言清丽流畅，善用细节描写，情景交融，艺术手段较为高超。同时,套曲运用起、承、转、合的结构布局,纵横捭阖,巧妙地将妻子离别时的心理变化过程描绘得淋漓尽致,使之神态并显,颇可感化读者。

(王　毅　温庆新)

## 【仙吕·点绛唇】

朱庭玉

### 中　秋　月

【点绛唇】可爱中秋，雨余天净，西风送。晚云归洞，凉露沾衣重。

【混江龙】庾楼高望，桂华初上海涯东。秋光宇宙，夜色帘栊。谁使银蟾吞暮霞，放教玉兔步晴空。人多在，管弦声里，诗酒乡中。

【六幺遍】烂银盘涌，冰轮动，辗玻璃万顷，无辙无踪。今宵最好，来夜怎同。留恋孀娥相陪奉，天公，莫教清影转梧桐。

【后庭花】直须胜赏，想人生如转蓬。此夕休虚废，幽欢不易逢。快吟胸，虹吞鲸吸，长川流不供。

【赚煞】听江楼，笛三弄，一曲悠然未终。裂石凌空声溜喨，似波心夜吼苍龙。唱道醉里诗成，谁为击金陵半夜钟，我今欲从嫦娥归去，盼青鸾飞上广寒宫。

鉴　赏

此套曲原载《太平乐府》,主要写作者于中秋夜登庾楼赏中秋月色的美好感受。〔点绛唇〕一曲,主要描绘雨过天晴的中秋之夜,在西风的吹拂下，云霞消散得无踪影，露水略略沾衣的夜景。〔混江龙〕一曲，将笔锋一转，写作者在这种略带迷人气息的美景中，夜登庾信楼，眺望月亮升起的远处，品味着那一片白净的大地。作者不禁遥想，当月色透过窗棂之时，是谁让月亮吞没了晚霞，又是谁把玉兔放出，让它在晴空中嬉戏？由此，作者不禁感叹在管弦丝竹的熏染下和诗乡酒笼的欢娱中沉醉的那些墨客骚人。此曲想象绘景如行云流水，令人不禁惊叹作者手法之高超。〔六幺遍〕一曲，则以极具诗化的笔调描绘中秋良宵那诗情画意的美景：在如冰轮转动的深蓝的夜空中，那如银盘涌出的圆月犹如辗碎万顷玻璃一般，顷刻间竟找不到车辙与踪迹。这不禁令作者感叹，今夜如此良辰美景，明晚怎能相比？此时此刻、此情此意，让人怎不迷恋着那婀娜多姿的嫦娥！但叫天公莫要让梧桐影子遮住月宫，好让作者可与多情的嫦娥尽情把酒话短长。〔后庭花〕一曲，则写作者面对如此良辰美景，心态放达、恣意旷阔，畅想尽情玩赏之意。人生犹如风中摇曳飘零的蓬草花，变幻无常。因此，千万莫要荒废此刻如此难得如此美好的时光——皎洁的皓月，与嫦娥把酒的缘分，人生实在难得几回逢！作者不禁催促自己赶快吟诗诵章，开怀畅饮——像虹一般吸，像鲸一般吞，让这迷人的酒化作源源不断连绵不绝的长川河水，以聊表作者内心那份拳拳的浓情蜜意。〔赚煞〕一曲，则写当作者幻入对此景此情的无限憧憬之时，突然听到江楼上传来悠远的横笛声。那笛声时而嘹亮高亢，犹如岩石穿裂而直上晴空；时而呜咽低沉，犹如苍龙怒吼而激荡波心。在笛声的诱发下，作者不禁高歌醉中诗，以抒胸中意。美妙的时光总是稍纵即逝，金陵城响彻了那不合时宜的午夜钟声。这让作者不禁激发随嫦娥一道飞去之愿望，期盼着青鸾能驮着他飞入月宫，再与嫦娥多情话缠绵。

可以说，整支套曲用极其轻快的笔调、极富色彩的语言，生动地描绘了中秋夜月那令人着迷的美景，诗意地再现出作者纵情饮酒的欢娱、惬意赋诗的慵闲、及时行乐的心态，令读者品读之余，不禁生发出要与作者相对饮酒、同台赋诗的豪情，不禁产生中秋夜月能与嫦娥话缠绵的遥想。此套曲语言华美，富有浪漫情调，表达出作者对美好自然的向往，但缺乏较深刻的思想内涵。

（王　毅　温庆新）

# 【双调·行香子】

朱庭玉

## 别　恨

【行香子】烟草萋萋，霜叶飞飞，落闲阶不管狼籍。雁儿才过，燕子先归。盼佳音，无佳信，误佳期。

【幺】帘幕空垂，院宇幽凄，步回廊自恨别离。鬅松鬓发，束减腰围。见人羞，惊人问，怕人知。

【乔木查】但凭高望远，谩把阑干倚。不信功名犹未已，知他何处也，歌酒狂迷。

【天仙令】相思忆，长是泪沾衣。恨满西风，情随逝水，闲恨与闲情，何日终极。伤心眼前无限景，都撮上愁眉。

【离亭带歇指煞】橹声齐和归帆急，渔歌渐远鸣榔息。尖青寸碧，遥岑叠巘连天际。暮霭生，孤烟起。掩映残霞落日，江上两三家，山前六七里。

### 鉴赏

此套曲通过五支相连曲子，层层叠进，形象地刻画思妇的离愁心绪。前两支曲子同用〔行香子〕调。前一支主要描写烟草萋萋之时，霜叶飘零的深秋景象。大雁已南飞，燕子亦归巢，怎不见外出的丈夫归来呢？“盼佳音”三句，紧接着写思妇在深秋之景的诱导下，不由流露出对久出未归的丈夫的思念。第二支曲子则转而写院宇内景。在这幽深庭院中，思妇发蓬鬓散地独步于回廊中，久久地思念着未归的丈夫，这种思念终因徒增烦恼而致腰瘦围减。“见人羞”三句，用排比句式，细腻地描绘思妇羞怕他人询问腰瘦围减之因，而内心苦闷之情却无处诉说。这两支曲子通过凄清之景，以渲染思妇苦闷孤独的思夫之情。〔乔木查〕一曲，则写思妇在登高眺望之际，不禁遥想“他”或当已功成名就了，却为何仍滞留他乡未归？是否在那歌酒狂迷的富贵温柔乡中沉沦了？难道对“她”已经忘情了？如此多情与遥想，将思妇之愁态全面铺开，令读者不禁潸然泪下。〔天仙令〕一曲，接着描绘思妇的相思愁情，令她不禁堕泪沾衣。无限愁情，希望能随吹荡的西风、漂淌的流水，带到远方的“他”面前！这支曲子将思妇那爱恨交替、恨怨难分的心理斗争刻画得淋漓尽致。〔离亭带歇指煞〕一曲，虽作景语，实为情景交融之笔，写江中的归帆、山色连成一片，楼台周围弥漫着的暮霭与孤烟，与将逝的残霞落日融为一体，构成一幅沉郁的灰色图案。在如此景色的衬托下，思妇站在楼上，不免顿感孤寂，失望之情顿然而起。这样灰暗沉重的景色不正是她迷茫的内心愁绪的外化吗？此曲借景语写情语，将思妇的离愁孤绪进一步浓笔描绘出来。

整篇套曲笔调细腻，手法高超，叙述丰富，层层递进，视角多变，深入而细致地刻画出思妇的愁绪。套曲先通过写外景以渲染思妇的孤愁，再写庭院内景，透彻地表露出思妇的孤寂心绪。之后，由写庭院内景再转向描绘外景，借助思妇登楼的视角，通过描绘思妇所见景物的暮暗与沉重，融情入景，进一步渲染思妇心中那浓烈不散的离愁孤绪。同时，该套曲语言颇为优美，诸如“江上两三家，山前六七里”一语，不失为佳对，颇为可取。

（王　毅　温庆新）

# 【中吕·迎仙客】

李致远*

## 暮　春

吹落红，楝*花风，深院垂杨轻雾中。小窗闲，停绣工。帘幕重重，不锁相思梦。

### 作者

* 李致远，约公元1354年前后在世，何梦华藏抄本《太平乐府》卷七注云江右人；据仇远在《金渊集》卷二《和李致远君深秀才》诗可知李致远名深，致远是字，为溧阳（今属江苏）人，不知何是。其生平事迹不详。工曲，现存小令26首，套数4套，还有《还牢末》杂剧一种。明朱权《太和正音谱》评其曲"如玉匣昆吾"。

### 注释

* 楝（liàn）：落叶乔木，花淡紫色，果实椭圆形，种子、树皮都可入药。

### 鉴赏

此首小令前三句以清丽、自然的语言为我们展现一幅傍晚春景。首先描写落红，此时的花不是刚刚绽放、鲜红欲滴、惹人怜爱的花，而是经过怒放的全盛时期之后，洒落满地的残花。这残花被风吹起，零零散散到处飘扬，没有着落，看着让人顿觉感伤。接着是夹杂着楝花香的风拂面吹来，春天的气息从眼前飘过。作者从视觉和触觉方面描写春天，生动细致,宛如真实的春天就在我们身边,让我们也不禁跟着作者一起欣赏,一起感伤。第三句景物描写从室外转入室内。傍晚时分,深深的庭院中,垂落的杨柳在薄雾中若隐若现。庭院深深,幽然寂静;杨柳依依,触景伤情。作者以寥寥几个字描写出一幅动态的春景图。在落红满地、深院垂杨的景物中寄寓伤春之情,以及对韶光易逝的感慨。

接下来第四、五句描写深院女子倚坐窗前,做了一天的女红之后停下小憩。她忙碌了一整天,渐渐夕阳西下,轻雾缭绕,傍晚来临。这才意识到一天又已经过去,于是停止女红,收起针线,闲坐小窗前。看着眼前落红满地,深院垂杨的萧条景色,感伤之怀涌上心头。年华易逝,一天已经过去,很快美好的春天也即将逝去,而自己的心上人此时正在哪里?是不是同自己一样,也在欣赏这傍晚春景,感叹年华易逝,心中充溢着感伤之情?我思念他的同时,他是否也在思念着我?此两句仅六个字,通俗自然,描写的情景犹如发生在眼前,让人不自觉地融入其中,体会景中绣女的心情。

最后两句写思妇的相思之情。深深庭院,就算帘幕重重,也锁不住她的相思梦。深院闺阁锁住了她的脚步,让她不能时刻伴随心上人左右,但却锁不住她的心。眼前的暮春之景,不仅引发了她对韶光易逝的感慨,还勾起了她浓郁的相思之情。这最后两句乃小令的主旨之句,作者在此不仅表现思妇浓浓的相思之情,还隐喻自己心中怀有远大志向,想跨过层层阻隔实现自己的理想。

此小令表现的是伤春相思之情。语言通俗易懂,完全符合元散曲俚俗的特点。作者以通俗的语言描绘了一幅暮春之景,却清新自然,毫不浅俗。寥寥几笔,勾勒出一幅生动的暮色春景图。曲辞从景物描写中透露出伤春情怀,从绣女倚坐窗前的情境中引发读者对于她相思之情的无数联想,可谓"玉匣昆吾",秀气内蕴。

(邓庆华)

## 【中吕·朝天子】

李致远

### 秋 夜 吟

梵宫,晚钟,落日蝉声送。半规凉月半帘风,骚客情尤重。何处楼台，笛声悲动？二毛斑，秋夜永。楚峰，几重？遮不断相思梦。

鉴赏

这大概是作者宿寺的一首纪游之作，从开篇的“梵宫，晚钟”两句，大体可以体会得到。寺院敲响了晚钟，预告着夜的降临，又引起了劳人许多的遐想。高树传来蝉声，报道着深秋的消息，催送着夕阳下山。接着月牙儿升上天空，月牙儿是凉凉的，穿透帘幕的风儿，更是凉凉的，诗人感到衣单，于是怀乡之情转浓。

夜已深了，传来笛声，笛声如怨如慕，让人疑心是月光下某个楼台上传来的。俗话说：“前三十年睡不醒，后三十年睡不着”——头发花白的人，在这个漫长的秋夜里，对个中的况味，应该是深深体会到了。向南望去，重重楚山遮住视线。让他做个好梦吧，山能遮住视线，却无法阻止梦魂飞过万水千山，回到故乡亲人的身边。注意，曲中的“楚峰”，固然可以从广义上加以理解，但作者的本义可能更加倾向于狭义，即指巫山的神女峰。战国楚人宋玉《高唐赋》，记载了楚王游高唐，梦巫山神女荐枕，行云行雨于阳台的缠绵故事，后世多用它来表现男女之情。结尾的“相思梦”，似乎也印证了这一点。

寺庙是清静之地，而“骚客情尤重”，曲中人和他所处的环境形成了强烈的反差。而反差也正是一种张力。从傍晚到深夜，有一个时间推移的过程，通过钟声、蝉声、月光、秋风、笛声层层渲染，将客中相思表达得十分深刻。由于曲的韵脚较密，“梵宫，晚钟”“楚峰，几重”，这两组二言句，均作“仄平”，它们在曲中的出现，在声调和节奏上形成对更漏的一种描摹，使得这首作品更像是一首小夜曲。

（周啸天）

## 【中吕·红绣鞋】

李致远

### 晚秋

梦断陈王罗袜①，情伤学士琵琶②。又见西风换年华。数杯添泪酒，几点送秋花。行人天一涯。

## 注释

① 陈王罗袜:陈王指曹植。其封地为陈郡,谥号为思,故称陈王或陈思王。曹植著有《洛神赋》,抒发他怀才不遇之情怀,其中形容宓妃的形态是“凌波微步,罗袜生尘”。

② 学士琵琶:学士指唐代大诗人白居易,他曾任翰林学士。著有《琵琶行》,表达对琵琶女的深切同情,也抒发了自己被贬失意的心绪。

## 鉴赏

这首小令题为“晚秋”,但却并未着力于对晚秋景物的描写,而是运用通俗的典故和明白晓畅的语言叙写了作者感时伤事的情怀。

首二句直接以典故开头,抒发作者怀才不遇、伤感凄凉的情怀。作者与想象中的美人相会的美好梦境被打断,带着无限遗憾醒来,心情犹如白居易写作《琵琶行》时那样,有天涯沦落之感。作者不仅运用典故,而且以“梦断”和“情伤”形容,奠定了整首小令伤感的感情基调。

第三句以生动形象的描写抒发了年华易逝的感慨。晚秋凛冽的西风把年华换走,暗示一年又快到了尽头。作者在此以具体写抽象,描写的是西风换年华的具体情景,却表达了抽象的时光流逝。一个“又”字,说明时光易逝已不是现在才出现,而是持续了很久。作者见到西风,发现一年又已经过去,时光还在继续流逝。时光一次又一次悄无声息地从身边溜走,可是作者远大的理想抱负却还没有实现。这让作者怎能不感叹年华易逝!

接下来这一句化用范仲淹《苏幕遮》“酒入愁肠,化作相思泪”句意,表达感伤之情。所谓“举杯消愁愁更愁”,作者心情本就悲伤,几杯酒下肚,悲伤之情更添几分。紧接着的这一句采用通俗的语言叙写秋天将逝,作者也将离去。作者写离别之情,却没有一个“离”字,可谓极其精妙!这两句在文中有着承上启下的作用,作者首先感时伤事,然后饮酒离别后,一人浪迹天涯。

最后一句是文章的主旨。整首小令的用典和作者情感的描述都是为这一句做铺垫。离别之后,作者在这晚秋的萧瑟时节,在茫茫大地上孤身一人,浪迹天涯,心中的孤独、悲伤和痛苦之情跃然纸上。

作者对晚秋这一主题的描写与常人的不同之处在于:他没有对晚秋的景色进行描述,却另辟蹊径,着力于晚秋时节作者的感伤之情和离别之情的表达。作者把典故和通俗的语言相结合,表达作者感时伤事的情怀,达到了深入浅出的效果。

(邓庆华)

## 【中吕·卖花声】

李致远

### 月 夜

云消皎月筛帘影,梦破惊乌绕树声。挑灯起诵太玄经*。竹轩风定,桂窗人静,快诗人一襟清兴。

**注 释**

* 太玄经:汉扬雄撰,也称《扬子太玄经》,简称《太玄》《玄经》。《四库全书》为避康熙皇帝玄烨之名讳,改为《太元经》。

**鉴 赏**

此首小令描写月夜之景与作者挑灯夜读的愉快心情。

首二句以通俗易懂的语言和动静结合的方法描写月夜之景。晴朗的夜晚,天空万里无云,一轮明月如玉盘一般悬挂空中。皎洁的月光洒满大地,给大地披上了一件银白色的外衣。这个夜晚是多么宁静啊!然后作者把对景物的描写转移到院内,月光照进庭院,映照在门帘上,"筛"出了一道道的影子。作者这里运用由远及近、由外到内的方法描写景物,使眼前之景顿时生动形象,极富层次感。同时"筛"字用得非常巧妙,以拟人的方法描写月光照射下的帘影,形象而又俏皮可爱,又以动写静,描写景物出奇制胜。这个夜晚疏星朗月,宁静幽然。正沉浸在美梦中的"我"被绕树飞行的乌鸦惊起。这一声鸣叫不仅打破了我的美梦，而且打破了月夜的宁静。这句由静写到动，使整首小令对月夜之景的描写不再归于平淡无奇，而是充满变化，耐人寻味。

第三句，既然美梦已做不成，作者再无心睡眠，那就怀着豁达的心情，干脆爬起来，趁着这美好的月色，挑起灯烛，专心诵读《太玄经》，也不枉费了这美好月夜的大好时光。这句不再写景，而是转向对自身活动与心境的描写。作者按照事情的自然发展叙写，顺水推舟，毫不扭捏。

接下来三句继续表现作者挑灯夜读的情境。作者在屋内读书之时，外面的竹轩中，风停止了吹动，月光照下来，桂花树的影子映照在窗户上，所有的人都停止了活动，一切都静悄悄的。这么晴朗的夜晚，这么宁静的环境，真是适合读书啊！扬雄的《太玄》模仿《易经》，对一些哲学问题和社会问题发表自己的看法，这些看法可能触动了作者的心灵，所以他越读越有劲，越读越高兴，真是大快人心！

从第三句起，都是对作者挑灯夜读的情景与心情进行描写，以景衬人，以人映景，用准确的动作描写、生动的景物描写和细致的心理描写表现了作者在宁静月夜认真读书的快意。

整首小令清新自然，以生动准确通俗的语言描述了月夜美丽的景色与作者读书的乐趣，读之使人心绪宁静、耳目一新。

（邓庆华）

## 【双调·折桂令】

李致远

### 秋　景

秋声先到梧桐，挂雨雌霓①，拂槛雄风。几点青山，一泓素月，满地丹枫。肠缕断情欺醉容，漏声迟霜满愁红。长笛声中，罨画②楼东，泪洒征鸿。

## 注释

① 雌霓:虹的一种。天空中小水珠经日光照射而形成圆弧形彩带,呈现出赤橙黄绿青蓝紫七种颜色。这种圆弧常出现两个,红色在外,紫色在内,颜色鲜红的称"虹",也称正(雄)虹;紫色在外,红色在内,颜色较淡的称"霓",也称副(雌)虹。

② 罨(yǎn)画:色彩鲜明的绘画。

## 鉴赏

这首小令描写秋天之景色。

俗语说:"一叶知秋。"梧桐叶落,自然标志着秋天的到来。作者描写秋景,首句就把人尽皆知的秋天最具标志性的梧桐这一景物描绘出来,明白晓畅,通俗易懂,又生动形象地展示了秋天的到来。

第二句描写秋日之奇景。"挂雨雌霓"是秋天特有的景象。秋天雨后初晴,天空出现彩虹,仿佛将秋雨挂住使天空晴朗了,此处一"挂"字极妙。第三句描写秋风,清凉苍劲的风吹过轩栏,带来秋天的丝丝凉意。作者观察细腻,抓住秋天的典型景物来围绕题目进行描写。二三两句,"雌霓""雄风"对举,用词非常考究。

紧接着的三句以清新的语言描写山景、月景和枫林之景,由远及近,一步步把秋天的景色展现给读者。作者把这一处处景物组合在一起,描绘了一幅典型的中国山水画。景色由远到近,数量由少到多,非常富有层次感。作者对景物的描写就如中国画一样,以少数的几种意象留给读者无限的想象空间。且"青山""素月""丹枫"都是秋天寻常之景,见之使人倍感亲切,能使读者置身于作者所描绘的秋景中,切身体会作者的所见所想。"几""一"等数字也运用巧妙,不仅通俗易懂,而且把这秋景图描绘得惟妙惟肖。

秋天的景色虽然美丽,但秋天毕竟是萧瑟、凄凉的。接下来两句是作者对自身的感慨。作者看到这肃杀的秋天,不禁悲从中来,"断肠人在天涯"的愁绪涌上心头,即使把自己灌醉了,还是抹不去那愁苦之情。秋天到来,预示着一年的一大半已经过去。时光在漏声中一点一滴流逝,秋霜姗姗来迟。时光流逝得如此之快,怎能不让作者愁肠满腹!

第九、十句对笛声与画楼的描写为肃杀的自然秋景更增添了一份萧瑟。满目的秋色中,悠扬的笛声飘来。这一切,不管是自然景色,还是人为之景,都寄寓了作者无限的愁绪。

最后一句点明主旨。作者以征鸿比喻自己,身处异乡,居无定所,触景伤情时只好把心中的愁苦化作泪水,洒满大地。

这首小令描写秋景,运用通俗的语言,抓住秋天的典型景物进行描述,以景写情,寓情于景,表达了作者的伤感愁苦之情。

(邓庆华)

## 【越调·天净沙】

李致远

### 离　愁

敲风修竹珊珊①,润花小雨斑斑,有恨心情懒懒。一声长叹,临鸾②不画眉山。

**注释**

① 珊珊:本是形容衣裾上玉佩的声音,这里是借用形容风动竹摇的响声。
② 鸾:指鸾镜。

**鉴赏**

这首小令描写的是离别愁绪。

首先第一、二句描写的是当时的景色,以景写情,寓情于景。簌簌的风吹过竹林,长长的竹子互相撞击,发出如玉般的清脆的声音。用"敲"形容风,把风的动态表现得栩栩如生,也体现出作者对词语运用的精确与独到。作者描写的风不是微风,也并非狂风,而是力道刚好能使竹子互相碰撞,发出阵阵响声的风,可以说,"敲"字用得极其精妙,巧妙地为我们展现了一幅动态的风过竹林的画面。风一吹过,雨接踵而来。这斑斑点点的小雨真是来得及时,滋润了盛开的鲜花。小雨稀稀拉拉打在花朵上,就像离别的愁绪一样点点滴滴,连绵不绝。女主人公看到这样的情景,会产生什么样的心情呢?

紧接着描写女主人公离别的愁苦心情。这风雨中的美丽景色映入眼帘,她却并没有心情去欣赏玩味。相反,她却怀着懒懒的心情,她提不起精神去赏景,更没有心情去做其他的事情。究其原因,是因为她心中有太多的愁苦。心上人的离去,她是多么的不舍!可最终他还是离开了,留给她的只剩日夜百般的思念和无穷无尽的愁绪。这如海水般的愁情涌上心头,即使再美的景色,也无心去欣赏了!一个"恨"字,贴切而又生动地表现了女主人公的无奈与愁苦。

接下来的一声长叹,把读者带入曲中,引发读者无尽的感慨与想象。这"叹"既是叹她对于这么美丽的景色,却无心欣赏,真是无福消受!为什么心中的他没有在身边,和自己一起欣赏这美丽景色呢?又是叹心上人的离去,叹自己的孤苦伶仃,叹生活的无奈,叹自身的愁苦无处诉说。

最后一句,女主人公临镜时被惊动,还是懒懒的,不再有心思去涂脂抹粉、描眉画唇了。所谓"女为悦己者容",心上人都已经离去,精心打扮又给谁看呢?所以,即使有什么来惊动了她,怀揣着这份浓浓的愁绪,她也没有任何心思去打扮了。作者的一字一句,女主人公的一举一动,都体现了深深的离别愁情。

整首小令感情基调低沉,紧扣题目来叙写,离别的愁绪通过作者的描述跃然纸上。景物的动态描写和人物的心理、动作描写都紧紧围绕一个"愁"字展开,把女主人公的离别愁绪刻画得淋漓尽致。

(邓庆华)

# 【中吕·普天乐】

张鸣善*

## 咏　世

洛阳花，梁园月。好花须买，皓月须赊。花倚栏干看烂熳开，月曾把酒问团圆夜。月有盈亏，花有开谢，想人生最苦离别。花谢了三春近也，月缺了中秋到也，人去了何日来也？

### 作者

＊张鸣善，生卒年不详，名择，自号顽老子。籍贯有多种说法。一说祖籍山西平阳，后迁居湖南。与张鸣善同时由元入明的王逢《梧溪集》卷五《俭德堂怀寄凡二十二首》之小序云："张鸣善，湖南人，以晦迹擢江浙提学，今谢病隐居吴江。"元钟嗣成《录鬼簿》列为"方今才人相知者"。明朱权《太和正音谱》称其曲"如彩凤刷羽，藻思富瞻，烂若春葩，郁郁焰焰，光彩万丈。可以为羽仪林者也！诚一代之作手"。杂剧有《烟花鬼》《瑶琴怨》《草园阁》三种，均佚。隋树森《全元散曲》收其小令13首，套数2篇。

### 鉴赏

这首以"咏世"为题的小令，将离愁别绪的描绘与对人生的感慨融为一体，表达了作者对人生的思考。

开头一组合璧对点出花月两个典型的美好形象，为后面离愁铺垫。"洛阳花"是被称为"天下第一"的牡丹花；"梁园月"即于梁园所赏之月。梁园即兔园，亦名梁苑，汉梁孝王刘武所造。孝王好客,常延请司马相如、枚乘等辞赋家聚于园中,为文人雅士所艳羡。杜甫《寄李十二白》诗:“醉舞梁园夜,行歌泗水春。”三四两句合璧对承前接后,申述对花、月的珍爱。花好月圆,千金难买。“赊”本指买物而缓偿其价,在这里表明即使囊中羞涩也志在必得之意,凸显出作者追求美好事物的心态。五六两句为倒装句,意思是“倚栏干看花开烂熳”“把酒问月团圆夜”,将“买花”“赊月”的心境形态化,营造出一种与花月团圆,其乐融融的氛围。

继下来便是更进一层的情感抒发与议论。“月有盈亏,花有开谢”,与苏东坡“月有阴晴圆缺”异曲同工,是对客观现实的冷静思考;“想人生最苦离别”是对聚散无定,好景不再的无奈叹息。离愁别恨是历代文人笔下的一个重要主题。“悲莫悲兮生别离”(屈原《九歌·少司命》),“夫黯然销魂者,惟别而已矣”(南朝江淹《别赋》),已将这种情感推向极致。而作者在此曲中的情绪不仅是愁叹,也有豁达和自慰。“花谢了三春近也,月缺了中秋到也,人去了何日来也”,这组鼎足对分别写花、月、人。第一句“花谢了三春近也”上承“花有开谢”。“三春”即孟春、仲春、季春,此处泛指春天。与雪莱诗句“冬天到了,春天还会远吗”如出一辙。第二句“月缺了中秋到也”上承“月有盈亏”,说月到中秋自然圆。第三句由花、月及人,“人去了何日来也”,深深的一声叹喟,与花、月形成了强烈的反差,将离愁别绪涂抹上浓重的感伤色彩,回旋往复,动人心魄。

此曲手法新颖,结构巧妙。前六句一句花一句月,第六七句合言花、月而后归结到人,最后三句分言花、月而及人,前呼后应,环环相扣,议论精彩而形象生动,匠心独运而自然真切。

(周成村)

## 【中吕·普天乐】

张鸣善

### 遇　美

海棠娇,梨花嫩。春妆成美脸,玉捻就精神。柳眉颦翡翠弯，香脸腻胭脂晕。款步香尘双鸳印，立东风一朵巫云。奄的转身，吸的便晒，森的销魂。

## 鉴赏

这首散曲运用彩笔情辞,对一位邂逅少女做了全方位的生动描述,表达了作者丰富而细腻的心理感受。

首先,作者以一个三言对和一个五言对,将一个青春美丽的少女形象突显在人们眼前。海棠绽蕊,梨花如雪,鲜嫩而柔弱。那绚烂如花的脸庞,像春意盎然的图画;那婀娜多姿的身影,像"玉捻就"一般的玲珑剔透。在作者眼中,美景即是美人,美人即是美景,情景交融在他的眼底心中,荡漾起无限钦羡的情意。

接下来两句写作者禁不住"美"的魅力而靠近凝视。柳叶般弯弯的眉毛,凝脂般洁白丰满的肌肤,一颦一笑,令人心旌摇动。唐白居易《长恨歌》:"芙蓉如面柳如眉。""颦"是皱眉的意思,暗喻西施之美。在这里,作者不惜调动历史上两大美女的形象来衬托眼前这位女一号的美艳,可谓极尽其巧。

在作者忘情的灼灼目光中,女主人不知是羞涩还是有意躲闪,款款移步前行,留下一双浅浅的足迹,渐渐远去,那高耸的发髻犹如云朵般在东风的吹拂下飘忽。作者在这里借用唐李群玉"裙拖六幅湘江水,鬓耸巫山一段云"的诗句和"巫山云雨"的典故,将自己对美人的赞美,与由倾慕而怅惘的心态反复曲折却又层次井然地表达得淋漓尽致了。

然而令人意外的情景发生了:作者正在怅然之际,那远去的少女悠悠地转过身来,含情脉脉地一笑,顿使作者夺魄销魂。最后一组鼎足对,用了"奄的""吸的""森的"三个拟声词,将这戏剧性的一幕无声化为有声,具有强烈的视觉冲击力和听觉感染力。

寻春遇美是元人散曲中常见的题材,与诸多作品不同的是,这首小令运用望远镜和显微镜两种手法,由远及近,由近及远,比喻精巧,绘声绘色,尽情渲染,确如"彩凤刷羽",令人耳目一新。

(周成村)

# 【双调·水仙子】

张鸣善

## 讥　时

铺眉苫眼早三公，裸袖揎拳享万钟，胡言乱语成时用。大纲来都是哄。说英雄谁是英雄？五眼鸡岐山鸣凤，两头蛇南阳卧龙，三脚猫渭水飞熊。

### 鉴赏

在散曲作家中,张鸣善是颇善讽刺艺术的一位。此曲题为"讥时",通过辛辣的笔调,对腐朽、寄生而虚伪的元代上层社会和封建王朝的用人制度做了无情的揭露,备极冷嘲热骂之致。

"铺眉苫眼"即展眉扇眼,装模作样,目空一切。这里指不学无术而惯于装腔作势的人,他们居然位至"三公"(此泛指朝廷最显赫的官职)。"裸袖揎拳"乃俗语,指捋起袖子,扬起拳头,是对那些蛮横无理之人的画像。可正是这些蛮横无理之人,竟享受着最多的俸禄。"胡言乱语"、欺世盗名者,也竟能在社会上层畅行无阻,得售其奸。开篇三句就用大笔勾勒的手法,画出了元代上层统治者的鬼脸。所谓"堂堂大元,奸佞专权"(无名氏《醉太平》)是也。换句话说便是:善良、老实、正直的人是没有立身之地的。这种泼辣的语言正是散曲本色,不同于诗词的蕴藉含蓄。这还不算,作者紧接着又总结一句:"大纲来都是哄"——总而言之都是欺骗胡闹,这就说得更直截了当。于是使人想到鲁迅说的:"自称小人的无须防,得其反是好人;自称君子的必须防,得其反是盗贼。"以下,作者便对这种奸贤不辨,是非颠倒的黑暗现实做进一步的嘲讽。

"说英雄谁是英雄?"以反诘语气提唱,那含意是:"听话听反话,不会当傻瓜。"以下三句便以答语做阐发,指斥当世所谓"英雄"的可笑可鄙。《国语》说周朝将兴时有凤鸣于岐山,故"岐山鸣凤"喻指兴世的贤才,如周公之流;"南阳卧龙"是徐庶对诸葛亮的称呼,见《三国志》;《史记》载文王出猎占卜,辞曰

“所获非熊非螭，非虎非罴，所获霸王之辅”，遂遇吕尚于渭水，故“渭水飞(“非”之谐音)熊”乃指吕尚。这些人当然都是盖世的英雄。然而元时俗话所谓“五(乌)眼鸡”“两头蛇”“三脚猫”等，都是些什么人呢？它们分别指的是好勇斗狠者，心肠毒辣者，成事不足败事有余者。末三句极有风趣，以鸡、蛇、猫对凤、龙、熊，每一对动物都是似是而非，以次充好，以假充真，真是欺世之极。而鸡称“五眼”、蛇具“两头”、猫仅“三脚”，可谓怪物，又不仅凡庸而已！可见这组鼎足对的意味实则是很幽默、很丰富的。则国之三公沐猴而冠，可知矣。这样的碌碌无为、有害无益之辈，竟被捧为当世之周公、吕尚、诸葛亮，委以高官、享以厚禄，实在可悲可叹！

漫画化的笔触，形成此曲第一个特点。一开始，作者用“铺眉苫眼”“裸袖揎拳”“胡言乱语”等形容语将对象做了丑化，进而又将他们变形，使之幻化成似凤非凤的“五眼鸡”、似龙非龙的“两头蛇”、似熊非熊的“三脚猫”，使读者对其丑恶本质一望而知，真是鱼目混珠，莫此为甚！

鼎足对的前后两用，形成此曲第二个特点。鼎足对的运用，本是元人散曲有别于诗词的新创。这种兼有对偶与排比的修辞，容易收到连珠炮似的效果，对此曲内容特别合宜。作者在运用上又有独到之处。一是妙嵌数字，工稳尖新。前三句的“三公”“万钟”“时(谐“十”音)用”运用了借对的手法；后三句的“五眼鸡”“两头蛇”“三脚猫”对仗更工，其实“五眼鸡”即“乌眼鸡”之音转，手法暗通。

全曲八句恰分两段，前段三句排比，继以“大纲来”总收一句；后段则先以“说英雄谁是英雄”一句提唱，继以三句排比。在结构上由放而收，由收而放，呈对称形式，读起来节奏感极强，兼有错综与整饬之致，饶有抑扬抗坠之音。

(周啸天)

## 【双调·水仙子】

张鸣善

东村饮罢又西村，熬尽田家老瓦盆。醉归来山寺里钟声尽，趁西风驴背稳，一任教颠倒了纶巾。稚子多应困，山妻必定盹，多管是唤不开柴门。

## 鉴赏

这首小令通过描写一个老农悠然自得的生活情状，表达作者对官场的厌倦与对自由自在田园生活的向往。

前三句以白描的手法，写主人公在平淡生活中的怡然之乐。他终日悠游于青山绿水，"东村饮罢又西村"，与村老"乐桑榆酬诗共酒"，"睁着眼，张着口，尽胡诌"（元王实甫《退隐》）。直唱到红日西沉，缸罄杯倾，才醉醺醺独自回家。此时已夜深人静，山寺的晚钟早已寂寥无声。"老瓦盆"系当时农家粗劣的陶制酒具，在元人散曲中屡屡出现。"旧酒没，新醅泼，老瓦盆边笑呵呵"（关汉卿《闲适》），"共几个田舍翁，说几句庄家话，瓦盆边浊酒生涯"（卢挚《闲居》）。他们心灵相通，旨趣无异。紧接两句具体写主人公的醉态：趁着西风驴背稳当回家去吧，管他甚么纶巾颠倒，帽歪衣斜。"纶巾"，古时配有青丝带的头巾，"羽扇纶巾，雄姿英发"（宋苏轼《赤壁怀古》），可见作者描述的这位主人公或曾有过仕宦的经历。行文到此，一个洒脱不羁、风趣可爱的形象已跃然纸上，该谢幕了。然而作者笔锋一转，另辟蹊径，对主人公的内心活动做了深入的描绘：我那幼小的儿子早已困意重重，久候的妻子也早已支撑不住打瞌睡了吧！那已闭的柴门可能唤不开了哩！至此，主人公对幼子的爱怜，对妻子的牵挂，对自己醉酒晚归的忐忑活灵活现，透露出美丽的人性亮色。

元人散曲以"闲居""闲适"抒发归隐主题的不少，"醉里乾坤大，壶中日月长"，或表达对官场生活的恐惧，或表达仕途坎坷的失意。张鸣善此曲的不同之处在于语言质朴自然，内涵更为丰富，更具有可亲可爱的人情味。

（周成村）

# 【双调·落梅风】

张鸣善

## 咏雪

漫天坠，扑地飞，白占许多田地。冻杀吴民都是你！难道是国家祥瑞？

### 鉴赏

这支小令《全元散曲》作“失宫调”，或标为〔双调·落梅风〕(即〔寿阳曲〕)，应是。关于这支小令的创作过程，明蒋一葵《尧山堂外纪》有如下记载：“张士诚据苏州，其弟士德攘夺民地，以广园囿。一日，雪大作，士德设盛宴邀明善(即鸣善)咏雪，明善倚笔题此曲，书毕，士德大愧。”可见，这支小令是借题发挥的讽喻之作。

首二句“漫天坠，扑地飞”，写大雪茫茫，铺天盖地。“白占许多田地”，农民赖以生存的田地，顷刻间被雪占了去。这个“白”字用得乖巧，一语双关。“冻杀吴民都是你”，这是代表被霸占了田地而饥寒交迫的农民向“雪”的控诉。“吴民”，苏州属吴地，故称。地为民本，民为国本，现在人民因失地而无法生存，“难道是国家祥瑞”的反诘就显得既义正词严又完全符合逻辑了。如果结合作品创作的特定环境来分析，仿佛看到作者站在张士德面前，怒目睁眉对其进行挞伐：你们打着人民起义的旗号，如狼似虎，气势汹汹，为了自己的骄奢淫逸而巧取豪夺，却口口声声说是“国家祥瑞”，实实在在是一通鬼话。在古典诗词和元明散曲中，对地主豪强进行揭露的诗篇不少，而像这样感情激愤，站在农民立场直抒胸臆的作品实属罕有，也更弥足珍贵了。

这首小令充分运用赋、比、兴的手法，十分巧妙地将“咏雪”化为“讽人”，句句直中要害而又无懈可击。自然界的雪在文人的笔下多是吉祥纯洁的象征。“雪花飞六出，先兆丰年”,是农耕时代农民的企盼。“煮雪烹茶”“踏雪寻梅”是衣食不愁的文人雅士的追求。而对上无片瓦,下无寸土的广大贫穷者来说,冰雪又是冻死人的凶手。作者在这里用通俗浅白而又犀利的语言,彻底否定了雪的正面形象,既反映了他爱憎分明的秉性,也彰显出散曲直露朴质的本色特点。

(周成村)

# 【中吕·阳春曲】

李德载*

## 赠茶肆(十首其三)

蒙山顶上春光早，扬子江心水味高，陶家学士更风骚，应笑倒，销金帐，饮羊羔。

### 作者

* 李德载,生平、里籍不详。隋树森《全元散曲》辑其小令10首。

### 鉴赏

我国的茶文化源远流长。李德载现存十首小令,都是赠茶肆。题名如此,一方面表明作者嗜茶,经常在此茶肆品茶;另一方面表明可能是应茶肆主人之请,写下了〔阳春曲〕十首做广告,为之延誉,招徕客人。这组小令生动、形象地反映了市井生活中泡茶馆之俗流行的情况。它们是元曲内容和形式独具特色的作品,也是在元代散曲中唯一用组曲的形式歌咏茶的作品,因此在茶文化史和曲史上都极为珍贵。

此曲为《赠茶肆》组曲十首中的第三首,曲子专写茶肆中所用的茶叶和烹茶所用的泉水品位极高。第一句指出茶肆提供的茶是蒙顶茶。蒙顶茶产于四川西南雅安市名山县蒙山之峰顶,香味极佳,从唐宋起就名扬海内。对于好茶来说,一要讲究产地,二要讲究采摘及时。《茶经》云:“凡采茶在二月、三月、四月之间。”曲子中的“春光早”表明茶肆提供的蒙顶茶是极品。好茶需好水,才能达到好的效果,于是第二句就写水。“扬子江心水”指的是扬子江中的金山西面的中泠泉。

此泉号称天下第一泉。由宋张世南《游宦纪闻》卷十所载可知,宋人已经争相取此泉水泡茶。当然,此二句之"蒙山顶上"茶和"扬子江心水"也可能均为泛指,不过夸赞其茶名贵,其水甘美。后之好事者,将开篇二句次序颠倒,整合为一联:"扬子江中水,蒙山顶上茶",并附会为李白所作诗句,在坊间影响甚大。

赞美了茶和水,接下来就该写客人了。陶家学士指的是陶谷。陶谷字秀实,后周时为翰林学士,入宋历礼、刑、户三部尚书。宋苏轼《赵成伯家有丽人次韵一笑》载:"陶谷学士买得党太尉故伎。遇雪,陶取雪水烹团茶,谓伎曰:'党家应不识此。'伎曰:'彼粗人安得有此景?但能于销金暖帐下浅斟低唱,吃羊羔儿酒。'"在销金帐饮羊羔是暴发户豪奢粗俗行为。因此,风雅之举的品茶远远胜过在金色帐中饮羊羔美酒的富贵生活。这里将前来茶肆饮茶的客人恭维为风流的陶学士,抬高茶客的身份。这一夸夸得高雅,夸得巧妙。

此曲风格典雅。前二句实写,后三句用典。茶叶名贵,泉水品高,饮客骚雅,三者相得益彰,使全曲洋溢着高情雅趣,读之,若品清茗。

(方新蓉)

# 【中吕·阳春曲】

李德载

## 赠茶肆(十首其十)

金芽嫩采枝头露,雪乳香浮塞上酥,我家奇品世间无。君听取,声价彻皇都。

### 鉴赏

此曲是《赠茶肆》十首中最后一首,吹捧茶肆里所卖茶之品质极好。比起前一曲,此曲更为本色,招揽客人的意味更浓。首句写茶嫩。在清晨之时,将枝头还带有露珠的茶树嫩芽采下。因为头茶叶尖还未完全变绿,像金针,所以说是金芽。虽为写实,但也巧为赞美。次句写茶香,此茶烹煎时,立即芬芳四溢,茶水面上漾起的泡沫如同塞外游牧民族制作的酪酥上洁白的乳酪,香气浓郁诱人,引起人饮茶的欲望。此句虽说是联想,但一白一绿,颜色鲜明,给人视觉的美感。最后三句转入肆无忌惮地自我吹嘘,完全以店主的语气说出:“我家奇品世间无。”你不信,就去问问大都城里的人,我的茶是无人不知无人不晓,誉满京城,誉满全国。

曲子前二句雅丽,后三句明快直白,是元人广告文学的代表作。

(方新蓉)

# 【正宫·端正好】

孙季昌*

## 集杂剧名咏情

【端正好】鸳鸯被半床闲，胡蝶梦孤帏静，常则是哭香囊两泪盈盈。若是这姻缘簿上合该定，有一日双驾车把香肩并。

【滚绣球】常记的曲江池丽日晴，正对着春风细柳营。初相逢在丽春园遣兴，便和他谒浆的崔护留情。曾和他在万花堂讲志诚，锦香亭设誓盟，谁承望下场头半星儿不应，央及杀调风月燕燕莺莺。则被这西厢待月张君瑞，送了这花月东墙董秀英，盼杀君卿。

【倘秀才】翫江楼山围着画屏，见一只采莲舟斜弯在蓼汀。待和他竹叶传情诉咱闷萦，并头莲分做两下，鸳鸯会不完成。知他是怎生？

【滚绣球】付能的潇湘夜雨晴，早闪出乌林皓月明。正孤雁汉宫秋静，知他是甚情怀月夜闻筝？那时节理残妆对玉镜台，推烧香到拜月亭，则被这㑳梅香紧将咱随定，不能够写相思红叶题情。指望似多情双渐怜苏小，到做了薄幸王魁负桂英，撇得我冷冷清清。

【倘秀才】金凤钗斜簪在鬓影，抱妆盒寒侵倦整。想踏雪寻梅路怎行？弄黄昏梅梢月，香正满酷寒亭，伤情对景。

【叨叨令】当日被破连环说啜赚得再成交颈，谁承望错立身的子弟无音信。闪得我似离魂倩女相思病，将一个魔合罗脸儿消磨尽。径不着也么哥，如今这谎郎君一个个传槽病。

【脱布衫】我便似蓝桥驿实志真诚，他便似竹林寺有影无形，受寂寞似越娘背灯，恨别离如乐昌分镜。

【小梁州】他便似柳毅传书住洞庭，千里独行，吹箫伴侣冷清清。我待学孟姜女般真诚性，我则怕啼哭倒了长城。

【幺】京娘怨杀成孤另，怨你个画眉的张敞杂情；揣着窃玉心、偷香性。我则学举案齐眉，贤孝牌上立个清名。

【尾】金钗剪烛人初静，彩扇题诗句未成。后庭花歌残玉树声，琵琶怨凄凉不忍听。比题桥的相如忒寡情，戏妻秋胡不老成。想则想关山远路程，恨则恨衣锦还乡不见影。则不如一纸刘公书谨缄定，寄与你个三负心的敲才自思省。

## 作者

＊ 孙季昌，生平、里籍不详，隋树森《全元散曲》存其套数三套。

## 鉴赏

孙季昌这篇套数，以女子口吻诉说她与情郎的离愁别绪，表达出这位女子炽热专一的爱情、凄凉怨悔的失恋痛苦，并诅咒谴责情郎的薄情负心。妙在几乎每一句都嵌入一个杂剧的剧名，属于散曲中的巧体。

〔端正好〕嵌入五个杂剧名，除

无名氏《鸳鸯被》外,其余《蝴蝶梦》《哭香囊》《姻缘簿》《双驾车》皆关汉卿所作,但后三剧均已佚。此曲是全篇的总纲,总诉她的离愁孤凄和理想希望。离愁则为下文的哀怨悔恨、诅咒谴责伏笔;希望则为后面亲切回忆、刻骨相思伏笔。爱与恨、恋与怨的交织,昔与今、欢与悲的起伏,理想与现实、希望与失望的乖违,构成了全篇感情波澜的基调。

〔滚绣球〕、〔倘秀才〕两次循环共四曲,分写四季合离相思。〔滚绣球〕写春日相逢盟誓。石君宝《曲江池》中郑元和与李亚仙游春;王廷秀、郑光祖均有《周亚夫细柳营》,此借喻春风杨柳之景;庾天锡《丽春园》写双渐与苏小卿相爱;尚仲贤《崔护谒浆》写一见钟情的人面桃花;关汉卿《万花堂》是徐氏与孙郎的寝宫;王仲文《锦香亭》是陈琏与月梅定盟处;关汉卿《调风月》写小千户与燕燕的爱情;王实甫《西厢记》张生、崔莺莺、白朴《东墙记》马文辅、董秀英,均是一见钟情故事。〔倘秀才〕写夏季离别。戴善夫《玩江楼》写柳永与周月仙;郑光祖《采莲舟》写男女蓼汀离别;无名氏《竹叶传情》写离别后以竹叶通情愫;高文秀《并头莲》写太液池儿女离情;无名氏《庆会鸳鸯》也是离别相思。第二轮〔滚绣球〕写悲秋相思。"付能"即刚刚、方才之意。此曲嵌入杨显之《临江驿潇湘夜雨》、无名氏《乌林皓月》和《红叶传情》、马致远《破幽梦孤雁汉宫秋》、郑光祖《崔怀宝月夜闻筝》和《㑇梅香翰林风月》、关汉卿《温太真玉镜台》和《拜月亭》、王实甫《苏小卿月夜泛茶船》、尚仲贤《王魁负桂英》诸剧名。前八句中有六句都是秋夜望月或听雁的相思,其余二句是对镜整妆、红叶题诗。后三句是对男方的抱怨谴责:谓指望男方如双渐多情,结果变成了像王魁般负心汉。第二轮〔倘秀才〕写严冬的孤独凄凉。郑廷玉《金凤钗》、无名氏《抱妆盒》均与此无涉,仅取其当名词用耳。斜簪、寒侵、倦整,皆突出女子空虚慵懒之态。马致远《踏雪寻梅》、无名氏《梅梢月》、杨显之《酷寒亭》,这三句写女子为消愁遣闷,月夜寻梅的清寒悲伤。以上四曲重复声情使之回环往复,词情则分写四季相思,突出其缠绵悱恻之致。

〔叨叨令〕和〔脱布衫〕写女子的无穷懊悔。借郑光祖《破连环》反喻女子破瓜失身;借李直夫《错立身》喻宦门子弟不可靠,子弟喻嫖客;郑光祖《倩女离魂》喻自己相思得灵魂出窍要去寻他;孟汉卿《魔合罗》本是用土木雕的小人,此借喻漂亮的脸蛋;李直夫《谎郎君》喻男人用情不专,说谎是通病,像同槽牛马传染病一样;庾天锡《蓝桥驿》喻自己对爱情的忠诚;无名氏《竹林寺》有名无寺院,喻男方无踪可寻;尚仲贤《越娘背灯》喻自己凄凉寂寞;沈和《乐昌分镜》喻破镜难圆。

〔小梁州〕以下三曲,是对负心郎的谴责诅咒。尚仲贤《柳毅传书》反喻男子另娶攀龙附凤;无名氏《千里独行》借喻男子独自飘荡远方;郑廷玉《吹箫女》喻已失恋冷清,《孟姜女》喻己真诚挂念;无名氏《孟姜女哭长城》喻害怕男方不幸死去;彭伯威《京娘怨》自喻凄凉幽怨;高文秀《张敞画眉》喻男方当面体贴如今一去不返,用情不专;李子中《韩寿偷香》反喻男子对己只是偷香窃玉,见异思迁;无名氏《举案齐眉》喻己对男方的尽心体贴;《贤孝碑》自喻贞洁恪守妇道。此曲用男方不专一与自己坚贞专一形成强烈对比。

〔尾〕曲是女子凄凉怨愤的感情高潮。嵌入赵天锡《金钗剪烛》写自己把玩金钗信物,面对红烛流泪;无名氏《彩扇题诗》写自己题诗寄情;用郑光祖《后庭花》和庾天锡《琵琶怨》,喻夜深歌残,不胜凄凉悲怨的烦恼;关汉卿《相如题柱》喻相如远离文君尚有归期,而伊人一去杳无音信更显寡情;石君宝《秋胡戏妻》喻男方在外拈花惹草而忘了自己;武汉臣《千里关山怨》喻已天涯之怨;张国宾《衣锦还乡》喻男子迟迟不归,贻误佳期;无名氏《刘弘嫁婢》喻女子寄封空心书让男方去反省;《三负心》乃关汉卿作,"敲才"是骂人语,该挨敲打的家伙,让你自个去思量反省吧。

此套曲共用了六十三个杂剧名,几乎每句一个,顺手拈来即成妙境。但用法各别:有的仅借剧名当一个名词或词组用,与剧情无关,如姻缘簿、丽春园、万花堂、金凤钗、抱妆盒、踏雪寻梅、千里独行;有的仅借剧名中部分词义来表情达意,仍与剧情无关,如哭香囊、细柳营、潇湘夜雨、乌林皓月之类;有的是借剧名来做比喻,如鸳鸯被、并头莲、魔合罗、竹林寺之类;有的是剧情与此处情景类似,借用可产生联想,如曲江池、崔护谒浆、倩女离魂、越娘背灯之类;也有的与剧情相反,是反用其意,如破连环、错立身、柳毅传书、张敞画眉之类。凡此皆可见嵌剧名的翻新出奇之巧妙,既不害文意,又能寓庄于谐。

其次有些剧名不见历代著录,而无名氏剧作,元明界线又不清,但此套既为杨朝英选入《太平乐府》,则可补从《录鬼簿》到《曲录》所列元杂剧剧目之不足。

(熊　笃)

# 【双调·殿前欢】

卫立中*

碧云深，碧云深处路难寻。数椽茅屋和云赁，云在松阴。挂云和八尺琴，卧苔石将云根枕，折梅蕊把云梢沁。云心无我，云我无心。

## 作者

* 卫立中,生平不详。元陶宗仪《书史会要》卷七载卫德辰字立中,华亭人(今上海松江)。孙楷第《元曲家考略》称卫立中"素以才干称"。隐居未仕,曾与阿里西瑛、贯云石交游,年辈亦相若。明朱权《太和正音谱》将其列于"词林英杰"一百五十人之中。现存小令2首,见《太平乐府》卷一。

## 鉴赏

这支曲子勾勒出一个深邃缥缈、静谧清新、闲适怡人的境界,表现了眷恋自然、闲淡悠然的高洁品格和优雅情趣。

曲子一开头作者切入正题,以"云"为中心极写隐居环境的清幽闲适:重重缭绕的碧云深似海,在云海深处山中小路缥缈难寻觅。一下子就把我们带入碧云深处,与尘世烦嚣隔绝的神秘世界。开篇"碧云深"三字被次句重叠,蝉联而下,读起来有回环的节奏感。三、四句写数间茅屋被松树的浓荫覆盖,周围白云缭绕,把茅屋和白云一起租借过来,让松树的浓荫覆盖住白云。茅屋可租,但白云无主如何能租?"赁"字用得奇妙,新鲜有趣,虚实相间。接下来五、六两句,作者为我们展示了隐士自由自在的世外桃源般的生活图画:茅屋内陈设简陋,挂着一张名贵的云和八尺琴,睡卧在长满苔藓的石条上,把白云"根"当枕头,又折下未开放的梅花骨朵把白云的梢浸透,使白云染满浓烈的梅香。这二句展开奇思妙想,把隐士追求清静无为、返璞归真、无拘无束、自在逍遥的生活方式及其精神境界形象地表现出来,令人赞叹。最后二句很有佛偈的味道,以佛家的无我、无心观念,又暗用了陶渊明《归去来兮辞》"云无心以出岫"诗意,交代出山居妙趣不尽的根源是无意为之,抒发了云我融为一体的超凡脱俗情怀:任运自在的云心中没有我,于是悠然自得。我和白云一样无我、无私、无尘俗之心,胸襟开阔,一任自然。至此,蔑视人世间功名和一切纷争,崇尚心灵世界、一尘不染的清高形象脱然而出。

全曲九句,句句有"云"。既写出了云隔绝尘世、飘逸难寻的无形,又写出它的可赁、可枕、可沁的有形。诗意从"云"出,想象奇特,却不显雕琢,风格素朴淡远,境界清幽静美,显示出摒弃富贵利禄、淡漠尘世凡俗的旷达与超脱。

(方新蓉)

# 【正宫·醉太平】

程景初*

恨绵绵深宫怨女，情默默梦断羊车。冷清清长门寂寞长青芜，日迟迟春风院宇。泪漫漫介破琅玕玉*，闷淹淹散心出户闲凝伫，昏惨惨晚烟妆点雪模糊，淅零零洒梨花暮雨。

## 作者

* 程景初，生平、里籍不详。明朱权《太和正音谱》将其列为“词林之英杰”一百五十人中，约活动于延祐前后，工曲。隋树森《全元散曲》据《太平乐府》《盛世新声》等辑小令1首，套数1篇。

## 注释

* 介破：隔断、断裂。琅玕（gān）玉：似珠玉的美石，这里喻指青翠的竹子。

## 鉴赏

此曲切入平常一日的光景，写宫女孤凄悲凉的后宫生活。首句即勾勒出一个衔悲含恨的深宫怨女形象，接着借这类题材中羊车、长门典事积郁的悲恨来蓄势。晋武帝的后宫里，宫女们梦断羊车，日日盼望临幸，以致或插竹叶在门、或洒盐汁在地，以吸引信马由缰的羊车。但纵使想尽办法盼来羊车驾幸，也只是匆促难遇、转瞬即逝的欢悦，更多的宫女面对的却是长锁深宫、经年失宠、红颜坐老，饮恨无尽的生活。陈皇后起初深得汉武帝的宠爱，失宠后长年幽居长门宫，一篇幽恨难解的《长门赋》,诉说了多少青春消磨的枯寂和黯淡。作者借典事的盘桓,铺开这个普通宫女沉痛的悲情长卷:从黎明之前的梦断羊车,到起床之后的慵懒伤情,面对森严的屋宇、迟迟的春日,面对着遍地丛生的荒草,面对着度日如年的光景,终日愁思万端,涕泪纵横。她既不可能像程一宁深夜吹玉龙怨曲有幸成为元顺帝宠妃,也没有像炀帝时因不得幸而自杀的侯夫人那样发出“此方无翼羽,何计出高墙”的反叛心声,而是自始至终一个人咀嚼着这与世隔绝、幽闭弃置的生活苦果,以至泪凝斑竹、血泣美玉。这位宫女像一个幽灵在宫院里游荡,或许是为了打发着沉闷无聊的时日,或许是为了安顿渺茫空洞的灵魂,也或许是为了在死寂的生活中寻觅几尽窒息的希望和被残蚀的生命活力,她久久地驻足户外,凝望着远方,一任冉冉聚来的暮霭和昏暗惨淡的天色将她包围。倚靠云烟缭绕,如晚风促雪一般意乱神迷;梨花飘零,伴着淅零零滴落的细雨,一阵紧似一阵地敲打着破碎的心。她就这样在曲廊徘徊、在阶下彷徨,寻寻觅觅,不但无法排遣内心的伤感,反而使她在朦胧的月色中坠入深深的悲哀、怅恨和绝望境地。

这首宫怨诗勾画了宫女“斜抱云和深见月,朦胧树色隐昭阳”的深宫一日生活缩影。全篇以“恨”贯穿首尾,不仅善于用物色凄冷来衬托心灵的惨淡,而且将“恨绵绵”“情默默”“冷清清”“日迟迟”“泪漫漫”“闷淹淹”“昏惨惨”“淅零零”一连串ABB式叠词置于句首,一句句铺排,发语凄楚;一层层跌宕,锥心刺目。整曲回旋的悲怆旋律具有了历史绵延感,而且可能还牵连着元代宫廷的时事背景。虽说历代宫女,大都少时入宫,深锁幽闺,被限制行走,失去人身自由,成为后妃制度的陪葬品和牺牲品,但元代宫女的生活又有其特殊性。在帝王的好色荒淫和后宫的森严等级压迫下,除了皇后和得宠的妃嫔可以享用金碧辉煌的殿院、奢侈华丽的妆奁,过锦衣玉食的生活,元代一般的宫女不仅住在侍女陋室里,还要遭受苦刑折磨和残害,荣辱无常、祸福旦夕。如元顺帝怠于政事,荒于游宴,不仅广娶民间十五至二十岁女子充后宫、沉湎酒色,而且借佛事活动沉迷宫中秘戏歌舞,与十六天魔诸舞女相与狎亵,以夜明珠专宠三圣奴、妙乐奴、文殊奴等,而更多的宫女则被打入冷宫,最后满含幽怨老死其中。作者未必亲睹顺帝的荒淫,但却能从一个弱女子踟蹰的身影中凝缩后宫生活泯灭青春、摧残人性的深刻历史内容。此曲以绵丽深婉的笔触,铺叙排比的章法,含而不露的时事揭橥,刻绘了后宫宫女深深的幽怨与怅恨,寄寓了作者对宫女身世不幸和命运悲剧的深切同情。

(丁淑梅)

# 【般涉调·哨遍】

杨立斋*

张五牛、商正叔编《双渐小卿》，赵真卿善歌，立斋见杨玉娥唱其曲，因作〔鹧鸪天〕及〔哨遍〕以咏之。

【鹧鸪天】烟柳风花锦作园，霜芽露叶玉装船。谁知皓齿纤腰会，只在轻衫短帽边。啼玉靥，咽冰弦，五牛身后更无传。词人老笔佳人口，再唤春风到眼前。

【哨遍】世事抟沙嚼蜡，等闲荣辱休惊讶。日月不饶咱，晓窗前拂净菱花，试觑咱。虽是闲愁无种，闲闷无芽，子敢衠种出星星发。知进退宜休罢，便今日苏秦六国，明日早贾谊长沙。不如买牛学种洛阳田，抱瓮自浇邵平瓜。向甚云栈挥鞭，沧海撑舟，斗牛泛槎。

【幺】好向名利场中一纳头，剩告取些松宽暇。且莫住山凹，清闲中不见个生涯。问甚末，南邻富贵，北里奢华，只有此身无价。幸遇明时德化，除徭役拯济贫乏。救得这困鱼腮惊急列[①]地脱了香钩，盖因那饿虎血模糊地污了烟村，方表圣德无加。

【耍孩儿】对江山满目真堪画，休把这媚景良辰作埸。清风明月不拈钱，闻未老只合欢洽。问甚往来燕子春秋社，说怎末辛苦蜂儿早晚衙。休呆发，便得征西车马，争如杜曲桑麻。

【幺】莫将愁字儿眉尖上挂，得一笑处笑一时半霎。百钱长向杖头挑，没拘束到处行踏。饥时节选着那六局全食店里添些个气[2]，渴时节拣那百尺高楼上咽数盏儿巴[3]。更那碗清茶罢，听俺几回儿把戏也不村呵。

【七煞】据小的每曒大厮八[4]，着几条坐木做陈蕃榻。谢尊官肯把荒场降，劳贵脚还将贱地来踏。棚上下，对文星乐宿，唱唱吵吵[5]。

【六】前汉又陈，后汉又乏，古尚书团搭损殷周夏。五代史止是谈些更变，三国志无过说些战伐。也不希咤[6]，终少些团香弄玉，惹草粘花。

【五】这个才子文艺高，那个佳人聪俊雅，可知道共把青鸾跨。一个是纱巾蕉扇睁睁道，一个是翠靥金毛俏鼻凹。无人坐，一个是玉堂学士，一个是金斗名娃。

【四】又有个员外村，有个商贾沙，一弄儿黑漆筋红油靶。一个向丽春园大碗里空哷了酒，一个扬子江江船中就与茶。精神儿大，著敲棍也门背后合伏地巴背[7]，中毒拳也教铛里仰卧地寻叉。

【三】而今汝阳斋掩绿苔，豫章城噪晚鸦，金山寺草长满题诗塔。唯有长天倒影随流水，孤鹜高飞送落霞。成潇洒，但见云间汀树，不闻江上琵琶。

【二】静俏俏的谁念他？冷清清的谁问他？尚有人见鞍思马。张五牛创制似选石中玉，商正叔重编如添锦上花。碎把那珠玑撒，四头儿热闹，枝节儿熟滑。

【一】俺学唱咱，学说咱，谁敢和前辈争高下？赵真真先占了头名榜，杨玉娥权充个第二家。替佛传法，锣敲月面，板撒红牙。

【尾】须不教一句儿讹，半字儿差。唱一本多愁多绪多情话，教您听一遍风流浪子煞。

## 作者

＊杨立斋，生平、里籍不详，元杨朝英编《朝野新声太平乐府》辑其套数1篇，此书成于泰定年间（1324—1328），立斋当此之前在世。明朱权《太和正音谱》评其曲“如风烟花柳”。明代亦有一曲家杨立斋，曲见明陈所闻《南宫词纪》。隋树森《全元散曲》据《太平乐府》存此套数一篇。

## 注释

① 惊急列：又作荆棘律，或荆棘列，都是“惊急里”的借音，形容惊慌、慌张的样子。

② 六局全食店里添些个气：据耐得翁《都城纪胜》，宋代官贵或京师大酒店设置四司、六局，专管排设宴席等事。四司是帐设司、厨司、茶司、台盘司。六局是果子局、蜜煎局、菜蔬局、油烛局、香药局、排办局。此六局全食店指有名的大饭店。添气：聚众饮食，宋元时市语。

③ 咽数盏儿巴：喝几杯酒。咽巴：吞食之俗语。

④ 大厮八：大模大样，粗疏不周。

⑤ 吵吵：吹奏。

⑥ 希咤：亦作希差，希吒，谓稀奇、可怪，多指不经见之事。

⑦ 合伏，即合扑，“合伏地巴背”即俯面扑地，与仰面跌交即“仰卧地寻叉”恰反。

## 鉴赏

这篇作品由一段小序、一首〔鹧鸪天〕词和一篇套数〔般涉调·哨遍〕组成。小序是杨朝英据《青楼集》“赵真真、杨玉娥善唱诸宫调，杨立斋见其讴张五牛、商正叔所编《双渐小卿》，因作《鹧鸪天》《哨遍》《耍孩儿煞》以咏之”所述为辑篇缘起而题写的。从小序中可知，南宋艺人张五牛以民间流传的书生双渐与风尘女子苏小卿及富商冯魁的爱情纠葛创制的《双渐小卿诸公调》，经元代文人商正叔精心改编，已为歌楼行院广为传唱，以赵真真、杨玉娥善讴最绝。立斋感玉娥奇才绝艺，特为其新创引辞。词和套数是杨立斋代唱者立言，据冯沅君《天宝遗事辑本题记跋》，这一词一曲，都是杨立斋为元代诸公调女艺人杨玉娥演唱《双渐苏卿》诸宫调所写的用以概述故事定场的“引辞”或致语，即开场白。词曲连缀，意在交代双渐苏卿的故事梗概，或许是以演唱之前的致词引起观众兴趣；曲选而入词，唯因此一词一曲同咏一事、浑然一体，不可分割。

〔鹧鸪天〕的上片，用丽春园云烟缭绕、花柳锦簇，贩茶船早茶高垛、晶莹清润，隐括用富贵荣华博取小卿欢心而不得的员外黄肇和富商冯魁。接着以叹赏的口吻叙写美丽多情、才华卓异的小卿金山题诗，与轻衫短帽、风流潇洒的双渐豫章相会的韵事。词的下片以靥如美玉、弦如冰丝，极尽形容双渐见诗追人、琵琶悲咽、两情相会的跌宕情趣。而艺人词客的改编，佳人玉口的演唱，可谓珠联璧合、春风拂面，将这凄婉动人的才子佳人故事，生动地呈现在世人眼前。朱权倒用首句“烟柳风花”一词评价杨立斋的散曲，可见此词风调和杨氏散曲创作风格的契合。

〔哨遍〕以下四曲从世事难料，岁月催人、进退无凭、宠辱不惊的日常絮叨起笔，引历史故事警醒众生，言人生至乐招徕观众：有一日如苏秦出将入相、位高权重，就有一日如贾谊宦路失志、贬死长沙，不如有一日学武攸绪买牛种田，有一日从东陵侯提瓮浇瓜。抽身名利场，弃置利禄途，富贵哪比生身黄金价？得幸遇贤达，金钩脱却名缰利锁，性命免遭凶险摧挫，若得个保全身，猛醒了泼浮生，得意尽欢洽，游方足自适，切不可糟蹋了良辰美景，辜负了清风明月。人生之随性，也不过应饥应渴、酒足饭饱；人生之至乐，也不过把盏清茶、听曲戏场。

〔七煞〕以下八曲转入向观众介绍演出情形、故事流传以及创编竞演的过程。作者代歌者立言，先是为撂地围场、搭棚试乐、摆放木条看席、张罗草台演出的粗率简陋表达歉意，并诚恳邀请观众入席；接着说明要演唱的故事绝不同于那些尽道旧朝更迭与征伐的历史演义。这个是才子高情、英俊洒落，那个是佳人聪隽、俏丽争春，又一个村员外偷寒送暖、费尽心机、失意退场；又一个沙商贾贪恋美色、撒慢使钱、强买回家。原是郎才女貌，终得青鸾同跨。这一桩几尽湮灭的风情韵事，多亏张五牛凿璞成玉，商正叔缀锦添花；离合因缘，字字珠玑，娓娓道来；爱恨波澜，语语生香，轰动说场。而拔头魁的赵真真，踵其后的杨玉娥,引动艺人弄声调腔、竞相传演,锣鼓拍板、唱彻风流。

这篇引辞一词一曲、前后勾连、虽体裁不同,而代言抒情、雅俗兼长,浑然一体。不仅介绍了将要演唱的双渐小卿故事的主要人物、曲折情节和动人情事,也表赞了创制者张五牛、改编者商正叔、歌唱者赵真真、杨玉娥的精湛技艺。尤其是后一篇长套,以典故铺排,感叹历史,不仅强化了开场白警醒顽俗、娱乐众生的感染力,对于我们从戏曲史和艺术史角度考察和研究宋元时诸公调作品的创制、故事本事的流传、撰改与演出情况以及伴奏乐器等还具有相当高的文献参考价值。

(丁淑梅)

# 【正宫·叨叨令】

杨朝英*

## 叹世(二首其一)

想他腰金衣紫青云路，笑俺烧丹炼药修行处。俺笑他封妻荫子叨天禄，不如我逍遥散诞茅庵住。倒大来快活也末哥，倒大来快活也末哥，那里也龙韬虎略擎天柱。

### 作者

* 杨朝英(约1265—约1351),字英甫,号淡斋,四川青城人。居龙兴(今江西南昌),曾官郡守、郎中,后来归隐。与贯云石、阿里西瑛相交唱和。编有曲集《阳春白雪》《太平乐府》,元散曲多赖以传世。隋树森《全元散曲》存其小令27首,以奇巧俊丽著称。明朱权《太和正音谱》评其曲“如碧海珊瑚”。

### 鉴赏

此篇为作者表达隐居闲逸情趣的力作。“想他”“笑俺”,添加衬字起笔,看似随口道来,却排比出两种完全不同的人生态度:青云路上高官厚禄、金印紫绶;生死途中烧药炼丹、慕道成仙。想到与身居显宦、封妻荫子的生活相联系的,是仕路风波、机诈凶险,汲汲名利、成王成侯,是多么可鄙可怕！向往归隐,祈求成仙,妄想服食丹药、长生不老,又是多么可笑可叹！在元代全真教大盛的背景下,有不少文人是经由业儒而入道修行的,但悟道而至沉迷方术、符箓、烧炼、章醮,形成了元散曲道情说理的一种创作偏向,思想上的消极逃世与表达上的情味寡淡,是这类作品共同的特点。但与张可久〔正宫·塞鸿秋〕《道情》"直钩曾下严滩钓,清风自学苏门啸,蜜蜂飞绕簪花帽,野猿坐守烧丹灶。扁舟范蠡高,五柳陶潜傲,南华梦里先惊觉"抒发的除情去欲、识心见性的思想不同,此篇作者虽然不满现实,向往超脱,也曾有过用世之心,也曾有过仙班之想,但这两种人生道路,都不是作者最终属意和追求的人生方向。只有茅庵闲住、逍遥散诞,不慕王侯,达性明命,充分领受尘俗生活的乐趣,精神上才获得绝大的快适自足,哪管他什么兵韬大计、擎天重任,一世的雄心壮志?

作者奉行闲醉高歌、守己安贫的处世准则,即是看尽了官场黑暗、世路污浊,看淡了贤愚名分、福禄衣钵,所以才意会到渔樵生涯的真趣奇乐,从而驻足红尘、安享物华。而"想他腰金衣紫青云路"与"那里也龙韬虎略擎天柱"所形成的"鸾凤和鸣对",前后呼应,首尾对仗,不仅章法奇巧,而且将弃却事功诱惑、挣脱名利枷锁的情思意绪加以绾结,使得曲意含蕴流转,可以见出杨朝英作为元后期散曲作家淡化了散曲本有的爽利透辟之味,追求清丽典雅拟词风调一路的特色。

(丁淑梅)

## 【正宫·叨叨令】

杨朝英

### 叹世(二首其二)

昨日苍鹰黄犬齐飞放,今日单鞭羸马江南丧。他待学欺君罔上曹丞相,不如俺葛巾漉酒陶元亮。倒大来快活也末哥,倒大来快活也末哥,渔翁把盏樵夫唱。

**鉴赏**

此篇承前一首抒发隐逸的情思,从具体的历史典故着笔,直接从反面立题。昔日肩擎苍鹰,手牵黄犬,围场狩猎的威武雄壮,已成为李斯临死前对儿子所表达的无限婉叹和奢望;当时苻坚征战江南,意气风发,哪想到竟致淝水大败,手握单鞭、急跨羸马、仓皇逃遁、命丧疆场。与其像曹操那样欺君罔上、称霸诸侯而遗臭万年,留得千古骂名,还不如学陶渊明葛巾漉酒、归隐田园而高名载册,赢得身后清誉。作者不仅以李斯和苻坚的故事,揭示人生的起落和成败之机,且以"昨日""今日""他""俺"强化了对比的张力:棒喝当头,讥讽贪图富贵者,与利禄相粘连的,是被别人操纵生杀予夺、战战兢兢、惶惶无终的下场;愤世嫉俗,警醒追逐权势者,与官爵伴生的,是随时可能遭受的险象环生、罢免流放和杀戮之祸。在这样一种触目惊心的排比之后,作者自然而然引出以陶潜自喻,对不慕荣利、安贫乐道、粗茶淡饭以自足自乐的隐居生活的向往。曲子的后半部分,在尽情抒发乐隐情趣的同时,点题结句,水到渠成:真正领会了那种"渔翁把盏樵夫唱"的绝大快活,才能获得心灵的安宁与性情上的返璞归真。

两篇《叹世》虽然前后相续,情连意贯,但与前首拈出一般事象抒发感慨不同,此篇坐实典事,将"叹世"的情感寄托在更为寓意明了的历史画面更迭中,用形象鲜活的历史人物、动荡不安的人生境遇变迁相映照,合于〔正宫〕音色而偏于雄壮,不但表明了作者的生活立场和价值取舍,而且在表达上比之前一首也来得显豁、豪放一些。

(丁淑梅)

## 【中吕·阳春曲】

杨朝英

浮云薄处曈胧*日,白鸟明边隐约山。妆楼倚遍泪空弹,凝望眼,君去几时还?

## 注释

* 曈(tóng)胧:日初出渐明貌。

## 鉴赏

这是一篇写闺中女子思念远游之人的小令。可以这样说,与游子思妇题材多从日暮时分女子居所近处的景色着笔不同,此曲开篇即从远处落笔,从晓盼黎明写起,将视线荡开、拉长,一直伸展到遥不可及的天际。那苍茫的朝日在飘荡的浮云间踽踽穿行,掠过的白鸟闪闪发出光亮的地方,隐约可见初阳掩映下的郁郁苍山。物色的晕染,时序的推移,由远及近,映照出一个清晓踟蹰、惊鸿一瞥、目断天涯、泪眼模糊的闺中女子的身影。"妆楼倚遍"的下意识举动,暗示出思念沉沉、痴爱萦怀之深;"泪空弹"的不能自控,表达着相思煎熬、怨恨绝望之烈;"凝望眼"的忘我姿态,镌出了从早到晚、梦想盼归之切。在一层层的侧面烘托之后,尾句从正面抒发了在苦苦的等待中冀望游子归来的一片温情和痴恋心声。这种侧面烘托的写法,言简意丰,别致有趣,不仅逼真地刻画了思亲念远的女子内心犹疑不定、惆怅难耐、失望复希望的情感起伏过程,而且自然递入下一首"沈腰易瘦衣宽褪,潘鬓新皤镜怕看。月明千里报平安,音信悭,归梦绕巫山"的意境,把对游子的关怀、挚爱延伸到迢迢去路之间,祈望抚慰游子旅途的劳顿、奔波的艰辛,用真切赤诚的爱唤回远游浪子的心。与中吕宫"高下闪赚"的意趣相合,透过女子重重遮饰的苦闷心帘,我们似乎能感觉得到她汩汩涌动的别样心潮——那是晦暗与冲破晦暗向往光明的欢朗生趣,那是痛苦与洗濯痛苦呼唤真爱的旖旎风调。

(丁淑梅)

# 【双调·清江引】

杨朝英

秋深最好是枫树叶，染透猩猩血。风酿楚天秋，霜浸吴江月，明日落红多去也。

## 鉴赏

这首写秋景的小令，由简易平实的个人感受出发，抓住最富有秋韵秋情的枫叶，以深红为背景，皴染出秋日深广浓烈的色彩。随着“猩猩血”的比喻展开的一幅绚烂耀目的画卷，在看似静态的景致中蕴涵着自然不息的生机和作者由衷的惊奇叹赏。随后，笔触由点染而至泼墨，在更为开阔浩大的背景下，描绘出南国秋日风物的澹荡与凄清。一个“酿”字，由静写动，萧飒的西风、天上的流云，隐隐地搅动了本来充满朗意的南国深秋的天空；而一个“浸”字，则饱含无形的力量，“江水澄澄江月明”的皎洁月夜，也因为清冷的霜色、扑面的浓雾重重地浸透，而在表面的凝滞中显出动荡不宁。对着这幅枫叶猩红、秋空寥落、霜冷风急、江月惨淡的吴淞秋景图，作者不禁发出“明日落红多去也”的深深叹惜。一面是秋的色调浓艳可感，大自然在争奇斗艳；一面是秋的光景清疏萧飒，韶华在冉冉而逝，这种自然时序与生命之潮的律动，与贯云石散曲“满林红叶乱翩翩，醉尽秋霜锦树残。苍苔静拂题诗看，酒微温石鼎寒”（〔双调·水仙子〕《田家》）透过红叶纷飞、锦树凋残、苍苔露冷、石鼎透寒而表达的繁华飞逝、令人心碎的生存危机感颇有同调。

元代散曲中大量出现的秋景小令，吟咏秋意、诉说秋情、点缀秋趣，往往借一曲秋歌饮人生病酒，借一叶秋怀表万叶秋心。这种异乎寻常的秋声合唱，不仅意味着散落在散曲创作中的一种时序之感，更传达着曲家在末世泥途中感发的生命悲情与命运之叹。如“雨乍晴，月笼明，秋香院落砧杵鸣。二三更，千万声，捣碎离情。不管愁人听”（张可久〔中吕·迎仙客〕《秋夜》），秋光触目、秋影入神、秋声惊心，在寂寞感伤的境界里，渲染出一种强烈而激荡的生命波澜。又如“晚来隔浦灯明灭，船阁沙斜，芦花梦西风睡彻。松茅烟夜火烧绝。秋江月，林梢半缺，潮信早来些”（乔吉〔中吕·满庭芳〕《渔父词》），秋光的澹荡，秋声的复沓，与作者最真实、最感动的一份生命玄想交缠一气。与这两篇作品书写秋情的含蓄潜转不同，杨朝英此篇以工整的笔力，开阔的视野，警拔的语气，将秋色秋光递嬗中的落红遍地、繁华过眼、霜湿秋月、韶华难在的时代忧郁与生命悲情宣泄得淋漓尽致。尤其是结句，顺着双调健捷激袅的乐调回旋，有意以口语、虚字造成语调和感觉的顿错与延宕，拂开铺染全篇的凝重氛围，带来一种轻俏灵动的韵味。

（丁淑梅）

## 【双调·水仙子】

杨朝英

（七首其一）

依山傍水盖茅斋，旋买奇花赁地栽。深耕浅种无灾害，学刘伶死便埋，促光阴晓角时牌。新酒在槽头醉，活鱼向湖上买，算天公自有安排。

### 鉴赏

杨朝英的〔水仙子〕小令共七首，主题皆为叹世归隐，此为七首中的第一首。

写隐居而不言春秋，抒雅兴而不及梅菊，赏劳作而不叙苦乐，这首散曲前三句即凸现了一个隐者清新娱目、绰约动人的风姿。畅想自己与山水比邻、处茅斋度日的闲逸生活，除了读书之趣、问学之乐外，还应该有更赏心悦目的生趣点缀。于是作者兴致突发，旋买了奇花异草，又租赁了一个园子，满心欢喜地栽下一片花君子、一垄草朋友。宁可居无所，不可处无花，而且是奇花，这已不是对一般的花花草草的喜悦,而是对视若至宝的奇花异草的珍重与赏爱。这个看上去有高雅情趣而无农事经验的隐者,居然吟出了“深耕浅种”的农家谚语,以利于农作物生长的耕种方式,奔走于田间地头,悉心经营着一方净土,投入到翻地、栽苗、植根、护蕾的种作劳动里,沉醉在与花君子、草朋友的倾心对谈中。对山对水的轻灵,花草相伴的闲逸,衬托出隐者无限的欢情和自得的真趣。作者在此有意舍弃了劳作和衣食之计的物质关联,也不管角声报晓、日夜穿梭,而是追步刘伶纵酒远游死便埋的放浪形骸,无拘无束,尽兴惬意地沉浸在一种诗意的精神享受中,以不问世事、放达身心的状态,表达他对黑暗现实的弃绝与否定。其实,对于享受田园酣饮纵乐生活所必须面对的饮食起居,作者还是有自己的打算的,起居可以简陋,饮食也只需满足最低的生存需求。有农家榨出的小酿新酒,不妨醉卧槽头,有渔家打捞的活鱼小虾,不妨湖边尝新,这也算老天对我这样的读书人的安顿吧!

看上去,这首小令以清秀俊逸的笔调,荡漾出作者对田园生活的一片热恋之情,但结句却在看似轻松的解脱中,牵出了一缕愤懑的情思。“算天公自有安排”,虽然化用了白贲〔正宫·鹦鹉曲〕“觉来时满目青山,抖擞绿蓑归去。算从前错怨天公,甚也有安排我处”的句意,却与张可久〔中吕·齐天乐过红衫儿〕《道情》“酒葫芦,醉模糊,也有安排我处”的意境更为契合。在这种醉倒花香酒趣中,埋身山野生趣中的快意沉醉背后,是厌恶市侩、愤而反语出之,偿还了酒债,了却了残生、人生长醉不宜醒的沉痛情怀。

(丁淑梅)

## 【双调·水仙子】

杨朝英

### (七首其二)

雪晴天地一冰壶,竟往西湖探老逋。骑驴踏雪溪桥路,笑王维作画图,拣梅花多处提壶。对酒看花笑,无钱当剑沽,醉倒在西湖。

## 鉴赏

此为杨朝英写叹世归隐的〔水仙子〕七首小令中的第二首。

冬日积雪初晴的时候,天地都为晶莹的雪色银装素裹,人仿佛置身在一片冰壶之中。这一比喻气象阔大,奇巧俊爽,将天地山川的澄朗皎洁和沐浴在雪世界的人心腑的清明透亮糅合一气,冰清玉洁中凝聚着大自然神奇的伟力。这一片只有西湖才有的景象,逗引作者想起了隐居西湖、梅妻鹤子的处士林逋,遂萌发了踏雪赏梅的逸兴。作者不仅亲切地呼"老逋"探知交,而且邀约了盛唐的两位奇人,孟浩然骑驴踏雪、寻梅吟诗的飘逸情致,王维雪里芭蕉、诗情画意的奇丽构思,都成为作者激情盎然、一路迤逦、忘情游弋的点缀。典故情事的自比、画里雪景的推想,远不如眼底西湖的美妙胜景令人神往,尤其是置身孤山遍野的梅花丛中,次第绽放的绚烂,不仅令人眼花缭乱,而且惹人摇荡心旌,真是花不解语人堪怜,拣取繁枝对酒看。酒不醉人人自醉,提壶吟香频把盏。"对酒看花笑,无钱当剑沽"二句,不仅招来杜甫"巡檐索共梅花笑"(《舍弟观赴蓝田取妻子到江陵喜寄三首》其二),而且唤起李白以裘马千金取美酒的豪宕之气。在酒与花、钱与剑这些显得有点怪诞的意象映照下,在看似过俗不雅的醉态中,平淡本色的曲意收放自如,透发出一种清拔出奇的力量。在花海掩映的小径上,当剑而沽酒,在春风拂面的游荡中,赏花而痛饮,以至酒不胜力,步趋参差,醉倒西湖。没有了"花间一壶酒,独酌无相亲"的寂寞,却多了几分骑驴行脚、看穿炎凉的孤傲;没有了"酒醒寒惊梦,笛凄春断肠"(乔吉〔双调·水仙子·寻梅〕)的凄凉,却平添了若许"月明江上,一枝弄影飘香"(商道〔越调·天净沙〕)的癫狂。放浪花酒,崭露出作者亲近自然、淡漠世事的游思;英气勃发,刻绘出一副兀傲不平、玩世不恭的意态。

作者选取雪梅、花酒等寻常意象,抒发的也是常见的传统文人的归隐情怀,却能取象传神,浅入深出,兴味淋漓,活脱而富有新意。与杨朝英其他散曲写隐逸多远离现实的特点不同的是,这里表现的不仅仅是高士寻梅的风雅意趣,于潇洒豪迈中亦可见作者不畏严冬清寒,更藐视现实严酷的性情棱角和抗争精神。

(丁淑梅)

# 【双调·水仙子】

杨朝英

(七首其六)

黄金散尽学风流，学得风流两鬓秋。笑煞那看钱奴枉了干生受，我觑荣华似水上沤，则不如趁中年散诞优游。斟绿酒低低的劝，殢*红妆慢慢的讴，醉时节锦被里舒头。

## 注释

* 殢(tì):迷恋、沉湎。殢云尤雨,多喻男女之缠绵欢爱。

## 鉴赏

此篇为杨朝英写叹世归隐的〔水仙子〕小令七首中的第六首,表现了曲家邀朋唤友、流连风月的典型心态。一掷千金,并不为博取功名;腰缠万贯,只为要学得风流。而学得风流时,风流云散,人生已老。如何从潜藏的句意中,解读作者复杂的心绪呢?作者欣赏的究竟是一种怎样的风流呢?是耗费心神在名利场中赢得黄金榜上的声望?还是“烂羊头谁羡封侯,斗酒诗篇,也自风流”(阿鲁威〔双调·蟾宫曲〕)?是“闲袖手,贫煞也风流”(白朴〔中吕·阳春曲〕《知几》)?还是堆金攒玉、尽情享乐的侈靡风流?是游侠少年、自诩轻狂的才子风流?还是殢尽春光花下游、走马勾栏的浪子风流?似乎都有一点,又似乎都不是。半生的追逐,半生的选择,行到中路,终于看轻了、放下了所有的人生重负。跳出红尘、置身世外,作者如梦方醒,拍手称快,笑的是可怜可憎的守财奴到头来枉费了一生的劳苦:荣华易散,不过水中泡影;高名显位,亦只瞬息流云。世事无常,蜃气难凭,不如做一个散诞逍遥的清客,当一回傻笑呵呵的愚夫。而随缘自适的闲居生活,自然缺不了绿酒觞令、推杯递盏的热闹,更缺不了花前月下、浅斟低唱的装点;而"斟绿酒低低的劝,殢红妆慢慢的讴",则写的更加柔媚俏艳、疏放自如。婆娑起舞的清客,沉湎鸳梦的浪子,用酒酽花浓、长睡不醒、锦衣绣被、玩世不恭的行乐图,表达了随缘而适的人生意趣。

这篇散曲最有特色之处,是在雅的情调中略略掺进了俗的气息,以看钱奴的卑琐嘴脸衬托闲居清客的风流意态;以"红妆"轻讴映照"绿酒"频劝。作者未借重景物堆叠意象,而是用寥寥数语排比两组人物形象,加上"学得""笑煞""干生受""舒头"等俚俗口语的使用,使曲意表达得绰约清朗,富有灵动的趣味,在杨朝英的散曲中,是别有风姿的佳作。

(丁淑梅)

# 【双调·水仙子】

杨朝英

## 自　足

杏花村里旧生涯,瘦竹疏梅处士家。深耕浅种收成罢,酒新篘鱼旋打,有鸡豚竹笋藤花。客到家常饭,僧来谷雨茶,闲时节自炼丹砂。

### 鉴赏

在杨朝英描写隐居生活的散曲中,这一首比较典型地反映了作者卜居问道、忘情物外的游优气魄和澹荡心怀。作者从居所环境、日常饮食和交游往来几方面勾勒出想象中次第展开的三种生活画面。杏花飘香的村庄,有美酒为邻,引人驻足市井;梅竹掩映的书舍,有诗书相伴,发人世外之想;而清幽恬淡的世外桃源,更多地映衬出隐者无心仕进、避世守志的孤洁形象。作者一直持守着任情适意、散诞逍遥的"旧生涯",但出世离尘的独居生活毕竟无法排遣内心的空乏,而亲身体验到农事劳动的快乐和农家风物的和美,才使得生命获得濯洗和充实。

经过一年的躬耕垄亩,满仓的粮食收获之后,为了庆祝丰收的喜悦,刚刚篘(chōu,滤)出的新酒早已备好,撒网捕捞的鲜鱼也已出水,还有鸡豚、竹笋、藤花。眼看着这些自己亲手操劳得来的果实,享用着丰美可口的鸡黍宴,回味着这种自食其力的生活和农家小院淳朴和乐的风物人情,使人真切领受到“日出而作,日入而息,凿井而饮,耕田而食,帝力于我何有哉”的舒心惬意。但这种憧憬,与卢挚“看荞麦开花,绿豆生芽。无是无非,快活煞庄家”(卢挚〔双调·蟾宫曲〕)那种在官言隐的表达一样,都不过是倦于宦事的隐者远离是非、别有寄托的幻象。在农事迢递的安适畅快之后,作者为我们描绘的是另外一派芳馥超拔的景象:茅舍中待客的,是一顿山野风味的家常饭,藤架下酬僧的,是一杯谷雨时节带露采来的嫩茶。与作者往来酬酢的朋友,除了农夫、渔樵,还有那些同作者一样修道求仙、更为志趣相投的宾客、僧道。闲来不垂钓,专意炼丹砂,在澄静中回归内心、养性长生、颐乐天年的性情流淌,透露了作者期望通过道家修炼服食的仙术,以达不为世事牵累、逍遥常乐的人生趣味。

此篇含蓄清隽的风格,以及最终皈依向道、乐在其中的余情,与他的另一首内容相近的散曲〔双调·水仙子〕《无题》“闲时高卧醉时歌,守己安贫好快活。杏花村里随缘过,胜尧夫安乐窝,任贤愚后代如何?失名利痴呆汉,得清闲谁似我?一任他门外风波”表达的不满现实、鄙弃名利、远拒宦海风波的简朗意趣不尽相同。杨朝英存世的散曲不多,内容也较为单一,不外归隐与言情之作,大多以个人生活境遇为中心,写闲适自得的隐居生活,而对社会现实的揭露和批判则若隐若现,即如此篇略欠锋芒。渔樵的安达、红尘的物享,其实只是作者精神上的一种象征性寄托,隐者的退守、闲人的清狂则成为其歌咏的主调。这是元代后期江湖名流一派曲家生活面貌共有的一个侧面。

(丁淑梅)

## 【双调·雁儿落过得胜令】

杨朝英

### 落　花

惜残红惜嫩红,如晓梦如春梦。寂寞了金谷园,冷落了桃源洞。　错怨五更风，蜂蝶去无踪。一径胭脂重，千机锦绣空。西东，魂返丹山凤。娇容，马嵬坡尘土中。

## 鉴赏

此篇题为落花，却与一般的咏物惜春散曲写法不大一样。起笔即显得俏丽而充满风情："残""嫩"相映成趣的着色，有意打破寻常节奏的"三、三"式句法，使落花带给人们的无限遐思，透过半遮半掩的帘幕浮现出了冰山的一角。清晓醒来，面对一地的落花，这位爱花人不仅怜惜枯萎衰败、即将凋谢的残红，更惺惺相惜那些含苞待放、鲜嫩欲滴的嫩红，因为生命里那些青春的欢笑、如烟的往事，就如同这鲜嫩的花朵，在短促的绽放之后，遭遇严霜的侵打，纷纷飘零坠地，如同春梦般飘逝。春花飘摇，零落成泥碾作尘，使得昔日繁花似锦的金谷名园变得如此死寂，而夭桃艳丽的世外桃源也在落英缤纷的瞬间跌入了极度的萧瑟苍凉之中。石崇斗富的俗艳典故，方外桃源的冶韵幽趣，不仅将嫩红的意象衬托得格外分明，而且暗含西晋东晋的褒贬，增加了历史的厚重感和纵深感。接着，仿佛感同身受了落花被狂风箕扬的满腹幽怨，这位爱花人竟化身花朵猜解花语、叮咛劝嘱：不要责怪五更风驱赶走了迷花的蜂蝶，而是落红纷纷，花枝荡尽，芳菲已去，蜂蝶不来。当铺满小径的胭脂残红，如同千张织锦一扫而空时，花魂默默，徘徊西东，一如凤凰回返丹山的明丽，又似贵妃遗落马嵬的娇媚。作者赋予落花以佳人、神鸟一般的灵性，写花的陨落，既渲染了为爱献身、化作春泥更护花的悲壮色彩，更闪耀着凤凰涅槃、浴火重生的圣洁灵光，给人以强烈的视觉冲击感。

此曲为带过曲，由〔雁儿落〕、〔得胜令〕两支音律相通、相互衔接的曲牌连缀而成，全曲十二句五十四字，定格为五、五、五、五、五、五、五、五、二、五、二、五，体制介于小令和套数之间。元代作此曲较有名的曲家，还有庾天锡、张养浩，以庾天锡所作及此曲与曲律为最相合，张养浩使用衬字增多，而杨朝英的作品，则前段略添衬字，后段章法较为整饬严谨，雅俗并陈、风格俊丽。全曲摭拾典故，琳琅满目，铺排意象，繁复多变，转接则跳跃性较大。题面虽咏物，题情则似断实续，若有若无，思绪飘忽，加之前段押韵多去声，后段暗转平声，顿错有声，收煞响亮，自然带出了双调本有的乐律特色。

（丁淑梅）

## 【商调·梧叶儿】

杨朝英

### 客中闻雨

檐头溜，窗外声，直响到天明。滴得人心碎，聒得人梦怎成？夜雨好无情，不道我愁人怕听。

**鉴赏**

这首小令写客中遇雨的愁恨。夜来风雨，一如常有的景象；游子愁闷，一如常见的情思，淡淡写来，出语平实，却能抓住极其细微的听觉感受拟写心理状态，营造出一种夜雨无情、愁人怕听的情境。屋檐下连绵不断的淅沥雨点，敲打着沉寂的黑夜，显得如此滞重，滴滴刺痛着旅人敏感的心灵。纱窗外聒碎不休的脆厉风声，回响在空旷的逆旅里，绞割着游子瘦弱的身躯，更使人平添烦闷和无聊。游子去家远别，或许是为生计奔波，或许是遭遇仕路坎坷，拂不去重重的幽恨，看不到希望的前路，思念萦怀而不得解，痛苦在心而无人会。人生失意处，原本就倍感时日煎熬，在这漫漫长夜里，又遭逢绵绵阴雨、阵阵冷风，不断侵袭和捶打着憔悴的身心，蜉蝣天地、无所归依的游子禁不住自怨自艾，叹诧有声。雨声哪管扰人耳，风声径自闹人心，更使人辗转反侧，彻夜难眠。作者写檐瓦上的细雨，小窗外的急风，没有直接用拟声词加以渲染，而是特意强调了细雨伴着急风一夜不停、丝缕不绝的时间绵延感和空间充塞感，接着，以"滴""聒"两字，过渡到风雨的穿透力给人带来的声音刺激和下意识动作描写，凄冷的寒夜、无助的旅人，拟物传神；萎靡的形容、低迴的倾诉，层层激发，将这个漂泊异乡、寄于客舍的旅人愁思怕听雨声的尪羸、怨叹、悲凄、惊惧的心理变化传达得真切可感。

此曲用〔梧叶儿〕曲牌，却撇开了叙写客中愁情惯常依傍的“梧桐树，三更雨”的意象，不赋物而直接抒情，通过单调持久的听觉幻化来蓄积情感，使得曲境敛放自然，情思深广而具有内旋的力度。

（丁淑梅）

# 【中吕·红绣鞋】

宋方壶*

## 阅世

短命的偏逢薄幸，老成的偏遇真成。无情的休想遇多情。懵懂的怜瞌睡，鹘伶的惜惺惺。若要轻别人还自轻。

### 作者

* 宋方壶，名子正，华亭人，生活于元末明初，至正初年曾客居钱塘，后因兵变，移居莺湖西之华亭，辟室若干楹，坐致"方壶"之胜，故自名方壶。现存散曲作品有小令12首，套数5篇。明朱权《太和正音谱》将其列于"词林英杰"一百五十人中。

### 鉴赏

其实人生最大的困难就是对现实世界的了解，人的困惑也多在此。因而能够了解这个世界，人生之路自然就好走得多了。如果能够更进一步洞察这个世界，人生就简单得多了。所以，阅世在任何一个时代对每一个人都显得非常重要。

那么在元代，在宋方壶的印象中，这个世界是什么样子呢？

"短命的偏逢薄幸，老成的偏遇真成。"真成，真挚老实。这里不需要什么典故，我们看关、郑、白、马等人的元杂剧，所反映的那个世界的人情世故就是这个样子。对于不熟谙世事的人们来说，短命是有因的，因为遇到了薄幸之人。然而，这里绝不是简单的男女之间的爱恋问题，我们看次句即能知晓，真诚与老成也是有区别的啊！显然，短命与薄幸是一对矛盾，老成与真诚也是一对矛盾。在这里，我们看到了宋方壶对短命者的哀怜，对真诚者的同情，也看到了他对薄幸之人的鄙薄，对老成之人的谴责。而事实上，短命者正是真诚之人，薄幸者正老成之人也。

这对矛盾本身就是一个悲剧，然而尚有更大的悲剧在后面，“无情的休想多情”。

曾经有这么一个典故，战国时期，孙膑与庞涓同学于鬼谷子，学成后，二人各事其主，庞涓事魏，孙膑事齐，庞涓嫉孙膑才高己上，恐日后对其构成威胁，遂诓召孙膑到魏国，刖其双足，孙膑自此为废人。而齐王知孙膑之能为，派使者接迎孙膑回齐，并授以兵权。后来，齐国与魏国爆发战争，以孙膑才能出众，魏国屡败，庞涓智穷才尽，兵败如山倒，后自杀。这正是“无情的休想多情”的真实写照。

短命与薄幸是一对矛盾，老成与真诚也是一对矛盾，无情与多情本身更是一对矛盾。这薄幸的，即使害了短命，其最后遇到的也是薄幸；老成虽然欺骗了真诚，最后也会被更老成者欺骗。那么无情人最后遇到无情的后果也是显而易见的。这第三个自然句正是对薄幸者、老成者和无情者发出的严正警告。

后三句则更为简单明了，“懵懂的伶瞌睡，鹘伶的惜惺惺”。这绝非单纯的物以类聚、人以群分的问题，同命相怜是真正的主题。而这个主题到了最后一句则得到了升华，但是这个升华不是简单的一个结果，而是从对立面得出的又一个关乎人世间人与人关系如何相处的一大结论，“若要轻别人还自轻”。这句话的断句其实很重要，可以拆分为“若要轻别人，还自轻”。那么，意思也就明显的多了，看不起他人，就等于看不起自己啊！

再回头看，不难明了，薄幸、老成、无情与自轻其实是异枝而同果的，则方壶之意，赞人之坦诚互爱，非人之相欺互害，阅世之道，尽此而已。

（薄克礼）

# 【中吕·山坡羊】

宋方壶

## 道情（二首其二）

青山相待，白云相爱，梦不到紫罗袍共黄金带。

一茅斋，野花开，管甚谁家兴废谁成败，陋巷箪瓢亦乐哉。贫，气不改；达，志不改。

## 鉴赏

这是宋方壶《道情》二首中的第二支曲子，前一首为："布袍粗袯，山间林下，功名二字皆勾罢。醉联麻，醒烹茶，竹风松月浑无价，绿绮纹楸时聚话。官，谁问他；民，谁问他。"撇却官场的山林隐逸之乐尽在其中，那么接下来的第二首"青山相待"则继续演绎这种生活的乐趣，并表达了传统儒家"达则兼济天下，贫则独善其身"的情怀。

与前一首"竹风松月浑无价"的沉醉其中相比，"青山相待，白云相爱"则是全身心地投入了。前者是趣，后者是爱；前者是醉，后者是痴。这其中的微妙区别作者是非常清楚的，因为有爱，所以相待，相待的是青山，相爱的是白云，痴迷于此，那些代表着官场达人身份与权柄的紫罗袍、黄金带又能算得了什么呢？"梦不到"肯定是必然。那么，既然"梦不到"，作者为什么还要写到呢？因为还有牵挂，牵挂着国家；还有希冀，期盼着将学成的文武艺"货与帝王家"啊！这是一般读书人皆应具有的品格。

但人生又总是事与愿违的，牵挂不得，希冀不得，便只好去爱青山、白云了，在白云下、青山里，"一茅斋，野花开"。眼前的景色是那么自然，又那么淡然，甚至很有野趣，这种人与自然的高度融洽该是多么惬意的事啊！然而就是这种自然与淡然却隐含着主人公万般的无奈。于是乎，撒手合眼吧，"管甚谁家兴废谁成败"，尽管国家兴亡，匹夫有责，可这个世界虽然有我的牵挂，却没有我施展抱负的舞台啊，还管他何来！昔者颜回一箪食，一瓢饮，在陋巷，贫也不改其乐，深为孔子嘉许，对于现在的我，经世致用已不能够，那么我就效法颜回，安贫乐道总可以了吧。当然，贫贱不能移，所以，即使再贫，"气"是不能改的。而"长风破浪会有时，直挂云帆济沧海"（唐李白《行路难》）也并非没有希望，所以，在"达（时），志（也）不（能）改"啊！

在艺术手法上，这个《山坡羊》"道情"显然是经过作者细加工的，对仗有两组，"青山相待，白云相爱"不仅对仗，还运用了鲜活的拟人手法，形象地表达出作者对隐逸生活的爱恋；"贫，气不改；达，志不改"为隔句对，一贫一达，在内容上也正好相对，阐释了传统儒家修身、治国的原则。不惟结尾，整个曲子的内容也都是处在对比状态中,一边是现实的山间林下的隐逸生活,一边是理想的兼济天下的宏伟志向,尽管梦中舍弃了紫罗袍、黄金带,尽管发誓不再“管甚谁家兴废谁家败”,但“达,志不改”所体现出的传统儒家的坚定的报效国家的信念和积极进取精神,也是山间林下的隐逸生活所不能替代的。

(薄克礼)

## 【双调·清江引】

宋方壶

### 分韵为崔月英

东山涌起玉兔穴,宇宙光相射。二八风流人,三五团圆夜。广寒宫第一枝折去也。

**鉴赏**

分韵题诗、填词、制曲在古代文人而言皆属即兴之事,更多地显露的是作者的才情。很显然,从此曲之题目看,宋方壶也是深谙此道的。尽管《太平乐府(二)》中没有为我们留下记录当时人物、场景的片语只言,我们依然能够想象得出“二八风流人,三五团圆夜”中一些才子佳人各逞才情、浅吟低唱,甚至竹肉相发的场景。

依常理而推,宋方壶是曲为崔月英而作,所分韵则肯定是“车遮”,“月”在其中,那么分韵制曲者当为三人,其他二人所分当为“崔”(齐微)与“英”(庚青)。当然,其他二人所作因资料所限,我们暂时不得而知了,我们现在只看宋方壶的曲子。

“东山涌起玉兔穴”,本来月亮之起与落是非常自然之事,那么这里为什么非要说“东山涌起玉兔穴”呢?东山在浙江上虞境内,距宋方壶所居之华亭不远。作者言东山上月亮升起,其景在月,其意则在东山,因为东晋时谢安曾经隐居东山,正如作者现在华亭莺湖一样,而谢安又东山再起，岂不蕴含作者不甘长此隐逸而愿报效国家的宏伟志向吗？身在东山或华亭，志则在国家人民也。“宇宙光相射”，宇宙间的月光，无论东山还是西山还是华亭，都是一个月亮，都是一个月光，正所谓“何处春江无月明”（唐张若虚《春江花月夜》），自然是互相照射的，而东山之月与华亭之月，更显得惺惺相惜、心心相印。这就是“宇宙光相射”的道理。

但如谢安一样东山再起，毕竟又是理想，是作者想要实现而至今未能实现的事情。那么，目前的场景又如何呢？中秋之夜，月光朗照，几位青年才俊，风流才子，上有“玉兔”相伴，下有崔月英等相随，蛮可以潇洒风流快活的。可作者想到的是团圆。中秋节本来就是团圆节，天上的月亮，人间的月饼，都预示着美满团圆。然而这不过是一种常态，年年如是。而谢安隐居东山，作者自在华亭，所期者惟圣明君主。此刻，君臣关系不在，一不得圆；主人公隐忍江湖，无心归家，二不得圆。即便再风流快活，又怎能体味中秋之蕴义呢？

由是可知，“二八风流人，三五团圆夜”，根本就是个暂时消遣世虑的方式而已。但这个消遣世虑的方式，确实又坚持到了最后，“广寒宫第一枝折去也”，很显然，以月为题之诗，不能不提到广寒宫，但谁是折桂第一人呢？用不着猜测，因为这个折桂根本就不是单纯的蟾宫折桂，而是作者自诩我第一个写完了曲子，得意地告诉其他的墨客骚人，我是第一个完成任务了啊！宋方壶之才情真的很了不得呢！

（薄克礼）

## 【双调·清江引】

宋方壶

### 托　咏

剔秃圞一轮天外月，拜了低低说。是必常团圆，休着些儿缺，愿天下有情底都似你者。

## 鉴赏

中国的节日非常多,节日讲究自然也多,譬如七夕,牛郎与织女只能在每年的这一天晚上见上一面,述说相思的痛楚,也享受相见的期盼与快乐;人间呢?女孩子则需要乞巧,盼望能有织女那样的巧手,以符合农业社会男耕女织的需要。那么八月十五中秋节女孩子依旧是要拜月的,现在广东潮汕地区还保留着这一风俗,拜月的目的很简单,一是祈求月娘帮忙找个好郎君,二是思念在外地谋生的郎君。因为这一夜月亮是团圆的、美满的,而人间却未见得圆满,那么渴望团圆正是封建社会男尊女卑现实中女孩子最大的期盼了。

关于男尊女卑的社会现实,在《诗经》的《氓》中我们就已经有了切实的体验,女主人公无论怎样的勤劳坚忍,都摆脱不了被抛弃的不幸结局,而这种状况至少在春秋时期就已经形成了。于是就有了虞姬比马还悲惨的命运,有了蔡文姬被夺去又赎回的坎坷,有了被始乱终弃的崔莺莺(唐元稹《莺莺传》),有了悲惨的李娃、霍小玉,还有怒沉百宝箱的杜十娘,而这些都是封建社会妇女悲惨命运的一面面镜子。这种状况在宋代程朱理学后又得到了进一步的恶化,妇女需要三从四德,所谓的三从,即在家从父,既嫁从夫,夫亡从子;四德指德、言、容、功。四德且不论,这三从是典型的男尊女卑理论的重要表现形式。在这种理论指导下,恋爱是要父母之命、媒妁之言的,所以郎君到底如何,女孩子是没有资格询问的,而男子可以停妻再娶,无所谓有情无情,好像是金科玉律,这是悲剧之一。不仅如此,在那个封建时代,男人是要求取功名的,或出征马上取功名,或科举考试金榜题名,这是男人的第一要务,而这都需要长时间地与家人分离,闺中的怨妇就此产生,唐王昌龄有首《闺怨》:“闺中少妇不知愁,春日凝妆上翠楼。忽见陌头杨柳色,悔教夫婿觅封侯。”在这首诗的基础上,元人大胆地进行了直白的加工改造,赵显宏《刮地风》曲是这样的:“春日凝妆上翠楼,满目离愁,悔教夫婿觅封侯,蹙损眉头。园林春到,物华依旧。并枕双欹,几时能够。团圆日是有,相思病怎休,却道我减了风流。”

什么都期盼不到,什么悲剧都可能发生,那女孩子还期盼什么呢?只有期盼着在八月十五中秋节这一天拜月,在心底里向月亮祈祷,低低地诉说相思的苦痛,“是必常团圆,休着些儿缺”。其实我们知道,月缺是常态，月圆是暂时的，这正符合封建社会妇女的真实状况，但即便如此，大家还都是盼望着团圆的日子多些啊！所以在最后一句，作者代女孩子发出了这样的哀求："愿天下有情底都似你者。"这个"你"当然专指中秋之满月了，而这个满月毕竟又是怨妇无奈的期待啊！

（薄克礼）

## 【双调·水仙子】

宋方壶

### 居庸关中秋对月

一天蟾影映婆娑，万古谁将此镜磨？年年到今宵，不缺些儿个，广寒宫好快活。碧天遥难问姮娥，我独对清光坐，闲将白雪歌。月儿你团圆我却如何？

#### 鉴赏

中秋之月是难得的自然胜景，也是难得的诗人意象，这是普遍的，又是有其特殊性的。言其普遍，是因为它是众多诗人所追逐描摹的对象；言其特殊，是因为每个诗人所描摹的景物虽相同，但感情毕竟是有区别的。宋方壶此曲既体现了其共性，更体现了其特殊性。

言其共性，是因为他也要很好地描绘中秋之月的情景，正所谓"一天蟾影映婆娑"，皓月在上高悬，诗人居庸关清赏，微风吹来，婆娑树影，所得意处，天上人间两两相知。这使得诗人难免勾起无限的联想，"万古谁将此镜磨"，这么明亮的皓月，真如铜鉴，是哪里的神功造化呢？造物主究竟是怎样的神奇呢？作者没有直白地说明，也许根本就是无法说明，或根本就不相信，因为即使再怎样地磨，恐怕也磨不出如此皓月来。作者的这种疑惑原因是很单纯的，他本身是南方人，华亭在今上海，由于地域关系他们确实是很难见到如此皎洁的月光的。但这一团皓月作者确实在居庸关看到了,而且还从诗人笔底勾勒了出来,否则焉能高悬在上并引发主人公如许之感慨呢?看来这中秋之朗月包孕着主人公无限的遐思呢!

“年年到今宵,不缺些儿个”,好了,其实圆月也该算是老朋友了,因为年年中秋它都要来的,但每次来,估计带给主人公的都是无限的伤痛,所以在这个团圆之夜,她总是要诘问嫦娥:“广寒宫(真的)好快活?”意思很明显,月圆人不圆是常态,因此在这样一个时刻中,你嫦娥又有什么可值得快活的呢!怀疑之外,必然是遗憾,只为人间不是月宫,月宫也不必如人间,是以“碧天遥难问姮娥”,距离真的太远啦!我就是有疑问她嫦娥也听不到,更无法解答。而嫦娥是否也有疑问呢?是以我的痛焉得不是你嫦娥的痛呢?

在得不到具体答案的情况下,主人公只得“独对清光坐,闲将白雪歌”了,这两句看似清闲自在,实则不然,“清光”是圆圆的月亮洒下的,那里是团圆的,我则是孤单的,两相对照,更显主人公之形只影单,无所依傍了。所以这里主人公歌白雪以故作闲态实际上是寻找一种解脱,而这种解脱当然是寻求不到的了,否则怎能生发出“月儿你团圆我却如何”的呼号呢?月亮你是你,你的团圆不仅与我无关,更反衬出我的孤独寂寞,我该怎么办啊!

自古写月圆者,无不寄托着作者对月圆人不圆的感叹,苏轼的《水调歌头·明月几时有》如是,宋方壶的《中秋对月》又何尝不是呢!

(薄克礼)

## 【双调·水仙子】

宋方壶

### 叹　世

时人个个望高官,位至三公不若闲。老妻顽子无忧患,一家儿得自安。破柴门对绿水青山。沽村酒三杯醉,理瑶琴数曲弹。都回避了胆战心寒。

## 鉴赏

中国的文明史有五千年了，自奴隶社会至今也有四千年的历史了，在这个漫长的历史长河中，我们有了辉煌灿烂的华夏文明，民族日益强大的同时，也难免产生许多恶劣的积习，换个时髦的话说，这悠久的历史也是一柄双刃剑啊！“官本位”的思想正是这种恶劣的积习之一。于是乎，“功名只向马上取”“学成文武艺，货与帝王家”就成了当然的选择，而功名最终的落脚点正是“官本位”啊！

那为什么历朝历代都有那么多人对高官趋之若鹜呢？正如杨贵妃受宠于唐明皇时，天下人“不重生男重生女”（唐白居易《长恨歌》）一样，人们生女的目的在于生个如杨贵妃这样的美女给整个家庭带来的“兄弟子孙皆列土，可怜光彩生门户”的必然结果。在封建社会，“时人个个望高官”以期达到封妻荫子的目的，也绝对是不足为奇的。这里首先需要说明的是，“时人个个望高官”，绝不是宋方壶所处时代所独有的，而是几千年历史积淀的必然结果。那么，宋方壶为什么认为“位至三公不若闲”呢？道理其实也很简单，因为做官的终日忙忙碌碌，忙碌尚且不论，做官还有做官的苦恼啊！这些苦恼到底有多少，明眼人可以从变法的商鞅、投河的屈子、英年早逝的贾谊、一贬再贬的柳宗元和苏轼那里寻找出答案的，也许“伴君如伴虎”“官场险恶”更能说明问题，况且在宋方壶那个时代是异族统治的，其凶险更是无从测度。这正是“位至三公不若闲”的道理。

而闲了又会有怎样的实际好处呢？“老妻顽子无忧患，一家儿得自安”。因为官场的凶险难免牵累家人，所以老婆、孩子平日里忧心如焚的日子是很不好过的，可一旦脱离了官场，就意味着脱离了凶险，得到了难得的安闲，老婆、孩子的心情也顿然疏朗了起来，中国有句俗语叫作“平安二字值千金”，没了忧患，得了平安，自然是其乐也融融。也正因了安闲，因了无忧无虑，所以即便是“破柴门对绿水青山”，主人公也是乐得其所、沉醉其中了。于是乎，想喝酒时，村酒三杯就可以醉；想抚琴时，瑶琴数曲即随意弹。真是优哉游哉了，这样的日子岂不较位至三公的胆战心寒的煎熬要好过得多吗？

这只小曲不长，但曲意明朗，含义甚深，“时人”与作者自己的意愿是处在矛盾对立状态中的，“不若闲”三字道出了作者与世人迥然不同的人生价值取向。在“时人”一面,因为"位至三公"必然导致"胆战心寒";在作者一面,因为崇尚安闲,寻求"无忧患""得自安",所以便视功名如粪土,也"回避了胆战心寒"。对立而外,因果关系则是顺理成章的,因是摆脱,果是安享。

(薄克礼)

## 【商调·梧叶儿】

宋方壶

### 怀　古

黄州地,赤壁矶,衰草接天涯。周公瑾,曹孟德,果何为?都打入渔樵话里。

**鉴赏**

就诗人而言,创作时所涉猎的题材是广泛的,而到了一定的年龄阶段,随着阅历的增加,尤其是坎坷的人生和艰难的处境,多少会使人产生复杂的心态,咏史怀古则是他们感慨沧桑巨变、物是人非、人生短暂的一种重要抒情方式,于是乎,有了唐代李白的《登金陵凤凰台》、杜牧的《江南春》、宋代苏轼的《念奴娇·赤壁怀古》等等,有了"凤去台空江自流""南朝四百八十寺,多少楼台烟雨中""人生如梦,一樽还酹江月"的千古佳句。当然也有了宋方壶的这首小令。

实在而言,凭吊赤壁,生发感慨,就题材来看是很普通的,难有其他新意,这首令曲也在所难免。因此,作者显然只是采用了散曲小令的形式,将苏轼《前赤壁赋》中的思想内容做一简单概括,得出"都打入渔樵话里"的结语。当然,为了得出那么一个结论,作者还是做了必要的铺垫的。

"黄州地,赤壁矶,衰草接天涯。"赤壁有二,其一在黄州,名赤鼻矶,即苏轼写"大江东去"和"清风徐来,水波不兴"的地方,但这里并非三国时赤壁之战旧址。前有车,后有辙，宋方壶所写的正是这里。在历史上，赤壁之战属于最为著名的以少胜多的战争范例，想当年曹孟德率百万大军，“破荆州，下江陵，顺流而东也，舳舻千里，旌旗蔽空，酾酒临江，横槊赋诗”（宋苏轼《前赤壁赋》），气概何等的豪迈，声威何等的雄壮，大有一举吞并东吴之势。谁料想，被“雄姿英发，羽扇纶巾”（宋苏轼《念奴娇·赤壁怀古》）的英雄少年周公瑾巧施计谋，“谈笑间樯橹灰飞烟灭”，虽说是“谈笑间”事，一个“灰飞烟灭”，使曹操百万雄师溃不成军，狼狈逃窜，其战争的惨烈程度也是可以想见的。然而，毕竟时过境迁，“吴宫花草埋幽径，晋代衣冠成古丘”（唐李白《登金陵凤凰台》），当时的英雄豪杰，而今安在哉？“衰草接天涯”，早已风光不再。既然人生不过是转瞬间的事，“周公瑾，曹孟德，果何为？”你们到底又为哪般大动干戈呢？

很显然，这时的宋方壶肯定和《前赤壁赋》中的苏子一样，“哀吾生之须臾，羡长江之无穷”，有了遗世独立的思想，饱餐清风明月是现实的追求，而那些风风光光的历史人物不过是他们“侣鱼虾而友麋鹿”时的谈资笑料罢了。

此曲简单紧凑，明白如话。所憾者《梧叶儿》第三句是用韵的，且整曲用的都是“齐微”韵，而宋氏的“衰草接天涯”之“涯”字在“家麻”韵，因此不合曲牌之格律。

（薄克礼）

# 【双调·河西六娘子】

柴野愚*

骏马双翻碧玉蹄，青丝鞚黄金羁①，入秦楼将在垂杨下系。花压帽檐低，风透绣罗衣，袅吟鞭②月下归。

## 作者

* 柴野愚，生平、里籍不详。或谓柴野愚为晋州平阳郡洪洞（今山西洪洞）人，待考。今存小令2首。

## 注释

① 青丝鞚（kòng）：青色丝绳的马络头。鞚，带嚼子的马笼头，"纵鞍则行，揽鞚则止。"南朝梁元帝《紫骝马》诗："宛转青丝鞚，照耀珊瑚鞭。"宋陆游《怀成都十韵》："竹叶村醪碧玉壶，桃花骏马青丝鞚。"黄金羁：以黄金为饰的马络头。南朝梁吴均《别夏侯故章》诗："白马黄金羁，青骊紫丝鞚。"

② 吟鞭：诗人的马鞭，多以喻指行吟的诗人。此处应解释为"鸣响马鞭"，如清龚自珍《己亥杂诗》"浩荡离愁白日斜，吟鞭东指即天涯"。

## 鉴赏

此曲抒写了与美女相会的往返过程，从中表达了主人公喜悦满足的心情。全曲共六句，前三句写往，后三句写返，比较有特点。

首句以"骏马"为主要描写对象，开篇就描写了一匹双蹄翻飞，带着华美配饰的骏马在飞奔赶路。"双翻碧玉蹄"是借用唐李白《紫骝马》中的“紫骝行且嘶，双翻碧玉蹄”之句。“双翻”写出马儿在急速奔跑时，前面两蹄和后面两蹄都在翻动的景象。“青丝鞚黄金羁”都是精致华美的骏马配饰，汉乐府《陌上桑》中罗敷在夸耀自己的丈夫时，说他“青丝系马尾，黄金络马头”，此曲中的主人公显然也是一个风度翩翩的俊美青年。这位青年急匆匆地去往何处呢？“人秦楼将在垂杨下系”，秦楼，即青楼，原来他要去青楼会美女，所以才这样急切。他轻车熟路，来到青楼，系马垂杨下，便飞奔到楼上。

后面三句写主人公离开“秦楼”后的情景，写出了主人公的形象、衣着和心态。“花压帽檐低”，是借用唐冯贽《云仙杂录》的典故“梁绫梨花时折花簪之，压损帽檐，至头不能举”。曲中压低帽檐的花朵，无疑是秦楼中的美女为主人公簪插的。“风透绣罗衣”，意谓夜风习习，凉爽透衣，锦绣的华服也再次表明主人公的身份，确实是一位“乘肥马，衣轻裘”的翩翩公子。此时此刻，清风入怀，心旷神怡，帽檐上的花朵也随风飘散着芬芳，一切都让人感到由衷的满足和舒畅。于是，他又骑上马，鸣响马鞭，踏着月光，缓缓离去。“袅”在这里形容鞭声宛转悠扬，“吟鞭”就是“响鞭”，主人公与美人相会后，心满意足地鸣响马鞭，借以表达自己轻快满足的心情。而在晚风习习，月朗星稀的夜晚，这清脆的鞭声在空中回荡，余音袅袅。

此曲虽是表现与美女相会的场景，却自始至终没有描写相会的过程，只是描绘了“往”“返”两个场景。前者是匆匆的“往”，后者是缓缓的“归”，前者是描绘了双翻的马蹄，后者是描绘了吟鞭的袅袅，这一急一缓，一张一弛，将去欢会的急切兴奋之情和欢会后心满意足的返回之情表露无遗，虽省略了欢会的场景，却能让人心领神会，可见侧笔传神之妙。

（刘　博）

# 【双调·落梅风】

陈德和*

## 雪中十事·浩然骑驴

穷东野，忒好奇，冻得来战钦钦地。待吟诗满前都是题，偏则么灞桥驴背。

### 作者

* 陈德和，生平、里籍不详，约元文宗、元顺宗前后在世。工曲，作《雪中十事》散曲，存元胡存善《类聚名贤乐府群玉》中。明朱权《太和正音谱》将其列于"词林英杰"一百五十人中。

### 鉴赏

陈德和《雪中十事》凡十首，都是咏历史上与雪有关的故事。作者不囿于传统的说法，冲破藩篱陈规，或翻其案，或别出新意，表现出很强的批判精神，给人以新颖活泼之感。

毛驴比起马来虽然又瘦又丑，但在古人看来，骑驴比骑任何坐骑更潇洒闲适。毛驴更是诗人的宠物，唐人骑驴吟诗的美谈如李白乘醉骑驴游华阴、孟浩然骑驴踏雪寻梅、贾岛骑驴赋诗、孟郊骑驴苦吟等被广为流传。毛驴成了诗人的一种特殊标志。由于在唐代，孟浩然终身不仕，远离官场，是公认的清高诗人的代表，因此后人选择孟浩然作为骑驴诗人的典范。元阴时夫《韵府群玉》中载："孟浩然尝于灞水，冒雪骑驴寻梅花，曰：'吾诗思在风雪中驴子背上。'"孟浩然头戴浩然巾，在风雪中骑驴过灞桥，踏雪寻梅。这个典故充满了诗情画意，突出表现文人士大夫阶层排斥一切世俗功利,以山水自娱寄兴的闲情逸致,展现了他们田园牧歌式的生活理想及其人与自然和谐的文化精神。

孟浩然骑驴雪中吟诗本是浪漫,本是佳话,突出的是“清雅”,但此曲却表示揶揄和嘲讽。白雪皑皑的严冬时节,西风瑟瑟,毛驴踯躅。穿着单薄的孟浩然冻得浑身发抖,可偏偏要表现一种隐逸出世、闲淡悠远的情趣,骑着驴慢慢行走酝酿诗思。“冻得来战钦钦地”句将孟浩然寒冷畏缩之状极为生动形象地显示出来,其嘲讽揶揄之意,跃然纸上。唐朝诗人皆喜言“穷”,孟浩然亦未免俗。宋董逌《广川画跋》卷二《书孟浩然骑驴图》所说:“孟夫子一世畸人,其不合于时宜……陊袖跨驴,冒风雪,陟山阪,行襄阳道上时,其得句‘自宜挟冰霜霰雪’,使人吟诵之,犹齿颊生寒,此非特奥室白雪,有味而可讽也。然诗人每病羁穷不偶,盖诗非极于清苦险绝,则怨思不深、文辞不怨思抑扬,则流荡无味,不能警发人意。要辞句清苦,搜冥贯幽,非深得江山秀气,迥绝人境,又得风劲霜寒以助其穷怨哀思,披剔奥窔,则胸中落落奇处,岂易出也?”凄寒清苦让孟浩然领略了大自然的美,从而为创作提供丰富的营养,可是在作者看来,到处都是作诗的素材,怎么一定要骑驴苦吟不可呢?诗是性情的自然流露,只有感情不可遏制,不吐不快之时,好诗才有可能产生。生活环境和生活态度上的差异对诗并不起决定作用。

此曲纯以口语白话写作,又有生动形象的描写,尤其曲意的另类别致,读来让人觉得妙趣横生。不过,作者嘲讽孟浩然的痴举,实际上表现的是元代曲家作为失意文人群体的傲岸情怀,不可简单地以戏谑逗趣之作看待。

(方新蓉)

## 【双调·落梅风】

陈德和

### 雪中十事·泛剡王猷

乘雪夜,访故人,剡溪冰短篷难进。冻归来怕人胡议论，强支吾道兴来还尽。

鉴赏

此曲歌咏子猷访戴故事，亦极风趣。王子猷是南朝名士，《世说新语》中说他夜晚醒来，开门看到大雪，于是命人上酒。喝着酒，赏着雪，吟着诗，忽然想到好朋友戴安道，于是连夜乘船冒雪访友，经过一晚上才来到朋友家，但刚到门口就转身回去了。当人们问之，他答道："吾本乘兴而来，兴尽何必见戴？"这则故事本意在于展现王子猷不讲实务效果、但凭兴之所至的名士潇洒自适的真性情，体现出当时士人所崇尚的"魏晋风度"的任诞放浪、不拘形迹。"乘兴而来，尽兴而返"也成为中国文化史上最能体现文人士大夫"雅兴"的典故。

此曲对王子猷雪夜访戴这个故事完全翻案，一本正经地说原来那个著名的典故另有内幕：因剡溪结冰，王子猷的短篷船进不了，根本就没有到达目的地，加之天寒地冻，自己也是冻得瑟瑟发抖。他失望地回来后又怕人议论嗤笑，所以才胡诌什么"兴尽"言论，以为借口。本来极有风度的子猷名士，其任情放诞、潇洒飘逸之态，在作者笔下却一下子变成了一个一时心血来潮、头脑发昏，且不计后果却又死要面子，为掩饰没有到达剡溪而故意说谎的扮酷男人。其嘲讽笔法之妙，几令人喷饭。

（方新蓉）

# 【正宫·塞鸿秋】

刘庭信*

## 悔 悟

苏卿写下金山恨，双生得个风流信。亚仙不是夫人分，元和到受十年困。冯魁到底村，双渐从来嫩，思量惟有王魁俊。

### 作 者

*刘庭信，生卒年不详，原名廷玉，辈行第五，身长而黑，人称“黑刘五”。风流蕴藉，超出伦辈，风晨月夕，惟以填词为事。今存小令39首，套数7套，收入《太平乐府》《盛世新声》《词林摘艳》《乐府群珠》等。

### 鉴 赏

这是一首咏怀之作，字里行间透露出作者的思想倾向性。从题名看，作者似乎是借助散曲作品表达自己对所做荒唐事儿的懊悔之意。刘庭信是比较擅长抒情的，此曲是作者少有的比较理性的作品。语言浅显明了，借助戏剧小说故事抒发作者的感慨和人生体悟。

“苏卿写下金山恨，双生得个风流信。”苏小卿故事最早见于宋代罗烨的《醉翁谈录》，元曲中写双渐、苏小卿事者颇多，大致是讲：庐州娼苏小卿与书生双渐交昵，渐出外，久不还。小卿守志待之，不与他狎。其母私与江右茶商冯魁定计，卖与之。小卿过金山寺题诗于壁以示渐，渐后成名，复还为夫妇。刘庭信所保存下来的散曲作品中，有四首写到苏小卿故事。史书没有刘庭信的传记，关于他的生平我们无从知晓,从他现存的作品来看,此人风流多情,似乎比较熟悉青楼生活,存有套数“戒嫖荡”,这大概也是他比较关注苏小卿等青楼女子故事的原因吧。从苏小卿故事看,此处“恨”就是怨愤的意思,小卿怨恨老鸨把她转卖,不能与双渐团聚。后文提到“双生得个风流信”就是指双渐从苏小卿所留诗篇中了解到小卿盼望与他团聚的心情。

“亚仙不是夫人分,元和到受十年困。”此处讲述的是根据唐传奇《李娃传》改编的戏曲故事。唐代官家子郑元和,热恋长安名妓李亚仙,因金钱荡尽,被其父郑北海鞭笞至死,弃尸荒郊,被叫花李四救活。一日,元和行乞市上,被亚仙遇见带归,劝其苦读,后元和中试做官。父子、夫妻、翁媳尽释前嫌,合家团圆。作者可能主观上认为李娃本就没有成为夫人的资格,倒可怜贵公子遭难十年。唐代元稹曾根据自己的亲身经历写作了唐传奇《会真记》,宣扬女人祸水论。这里作者用这样的语调评价李亚仙故事,是不是也有作者人生经历的影子呢?

“冯魁到底村,双渐从来嫩,思量惟有王魁俊。”王魁故事最早见于唐代陈翰著《异闻集·王魁传》,后被改编为戏剧作品。王魁被名妓桂英舍身相救,并勉励其勤学苦读,为父报仇。当王魁高中状元时,娶相国女儿,忘却了杀父之仇和对桂英的海誓山盟,桂英伤心之下,悬梁自尽。这是一个青楼女子的悲情故事。但是从行文看,作者对这个负情故事似乎有他自己的看法。不论青楼女子还是良家女子,她们的命运和情感等都不是作者关心的内容,作者所关注的是这些男性的命运和选择。此处“村”解读为蠢、傻。作者认为冯魁是赔了夫人又折兵,人财两空,所以说他蠢;双渐不该娶一个青楼女子为妻,怕是会影响他的前途吧,所以说他嫩;最后说只有狡猾、世俗的王魁做事漂亮。

曲中对李亚仙与郑元和的真情相恋、对双渐与苏卿的坚贞不渝的爱情,均持一种否定态度,尤其曲末对王魁的赞许,这些,或许就是曲家“悔悟”的结果。这里特别值得我们注意的是,在宋元以来的曲艺舞台上出现的王魁形象,一直表现着民众对忘恩负义行为的谴责,可是,作者反倒表示赞许,这是为什么?而且,在元代曲家中,对王魁不做批判甚至表示赞许的,还不止一二,另如马致远〔南吕·四块玉〕《海神庙》写道:“桂英你怨王魁甚?但见一个傅粉郎,早救了买笑金,知他是谁负心?”周文质〔双调·庆东原〕也写道:“人都说桂英痴,则我道王魁是。”如何理解这一现象?曲家们真的赞赏和肯定王魁这种忘恩负义行为吗?非也!如果我们联系元曲家对历史英雄的非难、对建功立业的否定等现象来看,便可知这也同样是一种故意与传统道德观念唱对台戏的泄愤行为而已。因此,“悔悟”中蕴含的实际上是一种不问是非的叛逆,是曲家心灵被扭曲的悲哀。

此曲对仗工整,概括凝练,用有限的文字表现出丰富的内容,句式整饬,平仄协调,读来朗朗上口,借助经典故事抒发自我情怀,展示了作者复杂的内心世界和人生经历。

(杨　峰)

## 【中吕·朝天子】

刘庭信

### 赴　约

夜深深静悄,明朗朗月高,小书院无人到。书生今夜且休睡着,有句话低低道:半扇儿窗棂,不须轻敲,我来时将花树儿摇。你可便记着,便休要忘了,影儿动咱来到。

#### 鉴赏

《赴约》是一首写少男少女约会偷情的小令,生动形象地写出了一位胆大心细、机灵多情的女子与其心爱的小书生暗约的经过。

开篇一句写这对恋人幽会时的时间和地点。“夜深深静悄,明朗朗月高”交代了约会的时间是深夜月高之时。静谧的夜晚,高照的明月为恋人们幽会提供了温馨而朦胧的环境。而“深深”“朗朗”两个叠词的使用,也使全曲充满了欢快之感。紧接着交代了两人约会的地点是“小书院”。正因为夜深所以才会“小书院无人到”,而正因为“无人到”,“小书院”才被选为约会的地点。因为只有无人,才能让这热恋的双方敞开心扉,两情欢悦。这对恋人约会的环境与关汉卿笔下的“碧纱窗外静无人”何其相似!

约会的时间、地点已经确定,接下来的便是女子对书生的嘱咐“书生今夜且休睡着”。可以看出这位女子对这次约会非常地执著与企盼。在这次约会中,她无疑是主动的一方。告诫完书生,女子要道出约会的暗号——“有句话低低道”。“低低”一词表明了女子的细心,或许是怕“隔墙有耳”,或许是因前面“书生今夜且休睡着”的语气过重,抑或是心中羞涩而作轻声细语。这,就只有多情的女子心中明了了。“半扇儿窗棂,不须轻敲”,敲窗棂是封建社会里常见的青年男女约会的暗号。但这位女子却“不须轻敲”,而将约会的暗号改为“将花树儿摇”。这是一个多么浪漫的女子啊!“隔墙花影动,疑是玉人来”给人留下无限的遐想。“窗棂轻敲”因其有声,而会破坏约会的静谧。“轻摇花树”只有形动,而且要求书生紧盯着花树的动静等待她的到来,这似乎又是女子对书生的耐心的考验。

因为悄无声息地前来约会,所以她要一再叮嘱他的情郎“且休睡着”了。或许是这位女子了解他的情郎是个粗心的人,所以又再三叮嘱“你可便记着”“便休要忘了,影儿动咱来到”。女子对这次约会竟如此执著,其实就是对爱情的执著,我们不禁被她那炽烈的感情所打动,被她兴奋紧张的心态所感染了。末句“影儿动咱来到”,我们看到的仿佛不仅仅是花影在动,而是一位热烈执著的女子在明朗的月光下,摇曳着倩影缓步而来。

这首小令通俗、平易。重叠词、儿化词的运用使此曲充满生动活泼的气息。曲中没有对景物进行精雕细刻,白描式的话语却让全篇生出静美和谐之趣。曲中也没有只言片字来描绘人物形象,作者运用“闻其语,知其人”的手法,展现给我们一个谨慎、勇敢,对爱情执著追求的女性形象。不事描绘、不施藻饰和付之白描而形神俱得的艺术手法,体现了作者深厚的艺术修养。

(任海滨)

## 【双调·折桂令】

刘庭信

### 忆别(十一首其一)

相离别怎捱今宵?捱过今宵,怎过明朝?忔登的[①]人在心头,没揣的[②]愁来枕上,契抽的[③]恨接眉梢。瘦怯怯相思病八场家害倒[④],闹烘烘断肠声一弄儿寻着。

响珰珰铁马儿急敲，韵悠悠玉漏难熬，疏剌剌⑤风撼梧桐，淅零零雨洒芭蕉。

## 注释

① 忔登的:突然地。
② 没揣的:无端地。
③ 契抽的:愁容满面的样子。
④ 八场家害倒:意犹一场又一场地病倒。
⑤ 疏剌剌:形容音响的紧凑急速。

## 鉴赏

明朱权《太和正音谱》评刘庭信之曲"如摩云老鹘",此评当言其文笔之老辣劲健,他的〔折桂令〕《忆别》组曲,很能体现这一特色。该组曲共十一首,分别从不同角度描述了离别之苦,其中主要是从女性角度来抒发离别带给她们的心灵伤痛。此为第一首,写初别时抒情主人公的情感体验,表现了由离别带给抒情主人公精神和肉体上的双重折磨,也透露出抒情主人公对爱情的痴心和专一。

"相离别怎捱今宵?挨过今宵,怎过明朝?"写有情人刚刚分别,主人公就已经是度日如年了,不知如何熬过今晚,就算熬过今晚,又担心明朝。为什么她的日子这样难熬呢?是因为离别后的思念之情魂牵梦绕,远行的人无时无刻不活现在抒情主人公的心灵里。紧接着"忔登的"三句,以俗语构成工整的鼎足对,形象地描绘出抒情主人公的思念之情。远行的人忽然地就会涌上心头,绵绵无尽的相思愁常常无端地来到枕上,对远行者远离的怨恨蓦地就接上眉梢,可谓相思无处不在,无时不在,"衣带渐宽终不悔,为伊消得人憔悴"(宋柳永《蝶恋花》)。日日这样深深的相思,岂可久乎?独自一人面对离别后的岁月,日日怀想,便会觉得分外孤寂,抒情主人公日渐消瘦,终因相思而一次次病倒了。此处用了夸张的手法,说抒情主人公极度悲伤,以致断肠,足见相思之切。刘庭信的散曲抒情往往纵横出入,任情宣泄。最后"响珰珰"四句构成连珠对,其中"响珰珰""韵悠悠""疏剌剌""淅零零”和前边两句的“瘦怯怯”“闹烘烘”相呼应,都是典型的“ABB”式结构,排列整齐,节奏明快,从不同角度描摹出抒情主人公的相思情态。想是夜深人静时吧,抒情主人公夜不能眠,独自怀想,此时万籁俱寂,窗外风雨交加,触发起他对往日情思的怀念和对现实孤独感的感慨。“酒醒灯昏夜,窗寒梦觉时”(乔吉〔雁儿落过得胜令〕)。抒情主人公梦中出现了幻影,仿佛听到远行人急急归来的马蹄声,声声响彻夜空。当发现是梦幻时,抒情主人公就彻底清醒了,也更伤感了。听着滴漏一声声滴下,声音悠扬,如同自己绵绵不绝的相思情。风吹梧桐,疏剌剌滑向耳畔,似乎划破了脆弱的心灵。抒情主人公此时格外清醒,听着窗外雨打芭蕉的声音,滴滴分明,辗转反侧,夜不能寐。此时抒情主人公的主观感情与自然环境融为一体,一切景语皆情语,风声雨声滴漏声都染上了忧伤的情感色彩,仿佛述说着主人公的孤寂,清冷和幽怨。

此曲用语酣畅淋漓,或用俗语入曲,或用叠字排比,淋漓尽致地抒发了抒情主人公的内心感受。此曲比较典型地表现了刘庭信散曲的创作风格,正如元杨维桢《东维子集·沈生乐府序》评刘庭信散曲所言:“纵于圆,恣情之过也。”意为其散曲抒情不求蕴藉含蓄,纵横出入,任情宣泄。

(杨 峰)

## 【双调·折桂令】

刘庭信

### 忆别(十一首其二)

想人生最苦离别,三个字细细分开,凄凄凉凉无了无歇。别字儿半晌痴呆,离字儿一时拆散,苦字儿两下里堆叠。他那里鞍儿马儿身子儿劣怯,我这里眉儿眼儿脸脑儿乜斜。侧着头叫一声行者,阁着泪说一句听者,得官时先报期程,丢丢抹抹远远的迎接。

## 鉴赏

此曲是刘庭信的套数《忆别》十一首中的第二首。这是一篇感情浓郁的抒情之作,用笔细腻,感情真挚,以一个女子的立场和语气,描摹两个相爱的人的离情别绪。

“想人生最苦离别”,曲一开篇就奠定了全曲的基调,抒情主人公是要借离别之苦来抒发两个人的恩爱之情。“苦”是由“离别”带来的,因而作者先在“别”字上着笔。“半晌痴呆”,形象地描写出两人听到“别”字后失魂落魄的神态,也表现了他们此时复杂的心情:似乎是被离别的消息惊呆了,又似乎是不敢确信,又似乎是伤到痛处的无言。“一时拆散”是对“离”字的极好注解,两人“半晌痴呆”后,意识到他们将要人分两处,将要被活生生地拆散,因而不禁悲上心头,离愁别恨之苦也就随之“堆叠”。“两下里”极好地说明了相爱的两个人感情之深,因为深爱着对方,所以这种离别的苦痛丝毫也不比对方少,两下里都是苦字儿堆叠。“堆叠”二字描绘出他们内心的忧伤之重,愁苦之多,层层叠叠无绝时。“离恨恰如春草,更行更远还生”(五代李煜《清平乐》),离别愈久,相去愈远,离愁别恨就会愈浓烈,堆叠成山,难以排遣。作者此处把“三个字细细分开”,分别释读,让读者体味出离情别苦的凄凄凉凉,无了无歇,真可谓独具匠心,把离别之苦描摹殆尽。这三句对仗工整,情感层层推进,给人以沉郁浓重之感。

后面六句具体描写夫妻分别时的情状,“苦离别”三个字又融汇到一起。“劣怯”是指因伤情而虚弱无力,步履踉跄,身体倾斜。“乜斜”是指痛苦失态的神情。这两句也是分别从两个人的角度来描写离别时的情状,以形传神,鲜明的人物神态宛然在目。由于恩情之深,难以承受离别之苦,他们更渴望早日重逢。此处又以女子的口吻来写:“得官时先报期程,丢丢抹抹远远的迎接”,音容凄婉,酸楚动人,真挚淳朴的情感流动在字里行间。

本曲语言通俗,作者不事用典,而是通过对人物的语言、行动、神态的描写,将其深挚浓烈的情感淋漓尽致地抒发出来,具有自然淳朴的艺术魅力。

(杨　峰)

# 【双调·折桂令】

刘庭信

## 忆别(十一首其三)

想人生最苦离别，唱到阳关，休唱三叠。急煎煎抹泪揉眵，意迟迟揉腮撧耳，呆答孩闭口藏舌。情儿分儿你心里记者，病儿痛儿我身上添些，家儿活儿既是抛撇，书儿信儿是必休绝，花儿草儿打听的风声，车儿马儿我亲自来也。

### 鉴赏

此曲是《忆别》十一首组曲中的第三首，可以说是上一曲的姊妹篇，但略有不同的是，此曲仅从女子角度抒写离别之情，情感更加细腻，语言泼辣爽直，比较符合女性面临离别时痛苦、矛盾、焦虑和担忧等心理特点。

首句依然是苦离别，此处借用唐王维《送元二使安西》诗篇的意境抒发女子的离情。王维此诗篇在唐代就流传甚广，反复吟唱“阳关”成为大家公认的离别意象，阳关情、阳关景成为伤离别的代名词。唐代就已有由此诗篇而创作的《阳关三叠》乐曲，人们常常演唱此曲表达对即将远行的友人无限留恋的诚挚情感。此处作者说“唱到阳关，休唱三叠”，据相关资料记载，《阳关三叠》的唱法是第一句不叠，自第二句起始叠，第三叠当是最末一句“西出阳关无故人”，离别的现实已使她苦不堪言，如果再听第三叠此句，就更让人伤痛欲绝了。接着三句详细描写女子面临离别的具体情态：泪眼婆娑，失魂落魄，意乱神伤，如痴如呆，一个因离情别绪而举措无度的女子活脱脱宛然眼前。最后六句排比直下，淋漓尽致地抒发了女子的肺腑之言，作者连用了重叠排比的“儿”化语句，手法新颖，流畅自然，明快泼辣，韵味隽永。此时抒情主人公的内心是复杂的，她先是嘱托远行人要记住自己的深情厚意，又告知他自己面临孤独寂寞的相思岁月，怕是会茶饭不思，相思成疾吧，所以请远行人要常常寄书信回家，以慰相思之苦。至此整首曲子的基调还是伤感的,缠绵的。最后两句是这首曲子的亮点,这两句写得活泼生动,曲子的格调因此也变得爽利俏皮了。最后两句抒情主人公警告远行人:不可在外寻花问柳,如果她听到一点儿风声,就会快马加鞭亲自寻来,找他算账!

此曲曲辞通俗质朴,写尽了抒情主人公与丈夫离别时伤痛欲绝的情态、心态,抒发了女子深沉的情感和缠绵的离情。曲子整体风格是悲伤的,但是作者惯用口语,写作手法独具匠心,塑造了一个质朴率真的女性形象,使整首曲子显得生动、活泼,富有生命力。

(杨　峰)

# 【双调・折桂令】

刘庭信

## 忆别(十一首其四)

想人生最苦离别,雁杳鱼沉,信断音绝。娇模样甚实曾丢抹,好时光谁曾受用,穷家活逐日绷拽。才过了一百五日上坟的日月,早来到二十四夜祭灶的时节。笃笃寞寞终岁巴结,孤孤另另彻夜咨嗟,欢欢喜喜盼的他回来,凄凄凉凉老了人也。

### 鉴　赏

此为刘庭信《忆别》组曲十一首中的第四首,曲调悲苦凄凉,从生活状况和心理感受等方面具体描绘了离别后女子的寂寥、愁苦和无奈,深沉委曲。

此曲从别后说起,口气平易,意蕴却是沉重的。自别后"雁杳鱼沉,信断音绝","杳"指远得看不见踪影,此处比喻音信断绝。此处所用两个典故都是表示书信传递的意思。汉代乐府民歌《饮马长城窟行》,辞曰:"客从远方来,遗我双鲤鱼。呼儿烹鲤鱼,中有尺素书。"因这首烹鱼得书的民歌,铺衍出了鲤鱼传书的故事。鸿雁传书的故事,典出《汉书·苏武传》:苏武出使匈奴,十九年不得归,后靠大雁传书给天子,得归故里。后来就用鱼雁传书表示书信往来的意思,此处说“雁杳鱼沉”,强调的是“信断音绝”,女子久已没有远行人的任何信息。紧接着描写女子别后的愁苦。“丢抹”指梳妆打扮,“女为悦己者容”(《战国策·赵策一》),自从丈夫远行后,抒情主人公时刻都盼望着相聚,日日妆扮整齐等待夫君归来。“好时光谁曾受用”,一语双关,一方面感叹两人分别已久,韶华逝去,美好的容颜不曾展现给相爱的人;另一方面又表明心迹:自别后,抒情主人公洁身自好,坚守爱情。“绷拽”意为支撑。丈夫远行后,生活的重担落在了妇人的肩上。“一百五日”,即寒食日,清明节前一(或二)日距上一年冬至日,刚好一百零五天。“二十四夜祭灶”,旧俗,每年农历腊月二十四(或二十三)夜间祭灶王爷。一年到头女人支撑着这个家,日子过得紧紧巴巴,但是人情往来,节日祭祀,女人都未曾耽误过。这是一位具有传统美德的女性:安分守己,吃苦耐劳,善良淳朴。此处用语平淡,但是却写出了女人生活的艰辛。后四句集中抒写出女子的心理感受,此处没有精美的语句,只有真情实感的传达。这样一个忠于爱情、坚守家室的女子,她的内心却是孤独的、寥落的。“巴结”意为努力,勤奋。“笃笃寞寞”意为周旋、徘徊。女人终年勤勤恳恳,辛苦劳作;夜晚彻夜叹息,孤单寂寞。就算是盼回了远行人,红颜已逝,人老珠黄,结果也是凄凉的。

此曲叙事看似平淡无奇,用语质朴,对仗工整,韵律和谐,工稳自然,为我们描述了一个丈夫离别后女子辛劳的生活状况和孤独寂寞的心理感受,于平淡中见真情,朴素中显风骚。

(杨　峰)

## 【双调·折桂令】

刘庭信

### 忆别(十一首其九)

想人生最苦别离,不付能喜喜欢欢,翻做了哭哭啼啼。事到今朝,休言去后,且问归期。看时节勤勤的饮食，沿路上好好的将息。娇滴滴一捻儿年纪，碜磕磕两下里分飞，急煎煎盼不见雕鞍，呆答孩软弱身已。

**鉴赏**

此曲是刘庭信《忆别》十一首组曲中的第九首，也是以女子的口吻抒发离别后的惦念之情和难胜离别的心理，此曲多用口语，情感自然显豁，真切动人。

此曲具有浓郁的生活气息，用语直白，简洁明快。开头几句，作者发挥散曲句式灵活多变、伸缩自如的特点，全用口语表达抒情主人公的情态，通俗易懂。通过这几句可以看出抒情主人公是个爽快泼辣的女性，颇有男儿气概。“既来之，则安之”（《论语·季氏》），面对分离，她也是哭泣难舍，因为“不付能”（意即刚刚）才有在一起喜喜欢欢的日子，马上就又要痛苦地分离，所以不禁哭哭啼啼起来。但是她更关心的是现实的问题：归期何日？饮食如何？怎样将息？把自己对对方的惦念，对对方的牵肠挂肚，化入实实在在的饮食男女的日常生活里。后四句连用叠词修饰增强了作品的感情色彩。“一捻”指一点点，可捻在手指间，形容小或纤细，此处指年轻。“碜磕磕”指凄惨可怕的样子。年纪轻轻的两个人却要面临凄苦的离别，怎能不令人伤感、焦虑和惊慌失措呢？当目送远行人离去，不见了踪迹时，抒情主人公痴呆呆软弱无力，不能自已。这一句短短几个字描摹出女子失魂落魄的情态，形象生动鲜明。

此曲虽然传达给我们的主要是离别时女子缠绵悱恻的惦念之情，但是此曲用语爽利，反倒有一股刚健之气，风格爽朗明快、自然酣畅。

（杨　峰）

# 【双调·折桂令】

刘庭信

## 忆别（十一首外一首）

想人生最苦离别，愁一会愁得来昏迷，哭一会哭得来痴呆。喜蛛儿休挂帘拢，灯花儿不必再结，灵鹊儿空自干踅*。茶一时饭一时喉咙里千般哽噎，风半窗月半窗梦魂儿千里跋涉。交之厚念之频旧恨重叠，感之重染之深鬼病些些，海之角天之涯盼得他来，膏之上肓之下害杀人也。

## 注释

* 干踅(xué)：平白地欺骗。

## 鉴赏

明代的三部曲选《盛世新声》《词林摘艳》《乐府群珠》收录了刘庭信的套曲《忆别》十一首后，都收录了另外四首曲子。这首"想人生最苦离别"是其中的一首，清孔广林《元明小令钞》注刘庭信作，隋树森《全元散曲》从之。以首句观之，当为刘庭信《忆别》重头小令组曲中的一首。作者将离别后女子的苦痛、忧思和伤情层层铺叙，娓娓道来，字里行间洋溢着炽烈的情感，意味浓烈，情感真挚，曲辞明白晓畅，雅俗共赏。

开头几句直抒胸臆，声泪俱下，愁到昏迷，哭到痴呆，足见离别之痛，语出惊人，耸人听闻，为此曲奠定了沉郁哀伤的基调。后边三句由人及物，借景抒情，突出思妇的哀情，这些景物在思妇眼中，都染上了忧伤的色彩。"喜蛛儿"，蜘蛛的一种，体细长，暗褐色。古时以为喜蛛儿出现有喜事。"灵鹊"，即喜鹊，民间习俗，人们以为喜鹊报喜。"灯花"，亦是民间习俗，以灯花传喜兆。结灯花时，有小爆炸声，好像有叮咛之语，要有好事来。唐韩愈有《灯花》诗："更烦将喜事，来报主人翁。"传统意义上表示喜庆的景象在这里都遭到思妇的埋怨，这些所谓喜庆的景象前几次出现时并没有心上人突然出现的欢喜，而是一次次让她满怀希望后又深深失望，所以当这些所谓喜庆景象又出现时，她便本能地埋怨起来。从"休挂""不必"这些词语中，可以窥见思妇先前期盼之烈和失望之深。以下几句又由物及人，写女子相思情态：茶饭不思，坐卧不宁，魂牵梦绕着有情人。她的魂魄已经追随远行人而去，醉里梦里与情人相聚。下边从抒情主人公的相思情态写到她的内心活动。往日的恩情历历在目,日日怀念,堆积成山,不堪重负,真是日日思君日日愁,怨恨重叠无重数,终至“身似浮云,心如飞絮,气若游丝”(徐再思〔蟾宫曲〕),女子终因思念过重而病倒了。最后两句,抒情主人公发出来自心灵的凄怆之音。“膏之上肓之下”,指药理达不到的地方。此典出自《左传·成公十年》:“在肓之上,膏之下,攻之不可,达之不及,药不至焉,不可为也。”此处指女子得了相思病,无药可医了。无论天涯海角都要等到有情人,否则自己就无药可救。这是来自女子内心的呐喊声,沉郁悲怆,感动世人。

此曲多用口语化、散文化的语言,明白如话,但却俗不伤雅。整支曲子通俗自然,颇有生活气息,抒情细腻畅达而又真挚感人。最后四句多用“之”字,层层渲染,使抒情主人公的情感抒发达到高潮,手法独特,意味深沉,尽情表达了女子难以排遣的相思苦情。

(杨　峰)

## 【双调·折桂令】

刘庭信

### 题　情

心儿疼胜似刀剜,朝也般般,暮也般般。愁在眉端,左也攒攒,右也攒攒。梦儿成良宵短短,影儿孤长夜漫漫。人儿远地阔天宽,信儿稀雨涩云悭,病儿沉月苦风酸。

鉴赏

刘庭信的《题情》一共两首,这是第一首,抒发了女子哀怨的思念之情。

曲的开端就直接叙写抒情主人公与情人长久离别的痛苦心情。“心儿疼胜似刀剜,朝也般般,暮也般般。”“般般”即一个样，就是早也心疼晚也心疼。“心儿疼”并非是一时，而是朝朝暮暮都是如此。此处运用重叠词和相似句式，反复吟咏，突出地表现了抒情女主人公的痛苦之情，形象真切。下文进一步详细地刻画了一位因为与情人长久离别而愁眉不展的思妇形象。“愁在眉端，左也攒攒，右也攒攒。”“攒攒”，积聚的样子，此处形容女子的神态，形象生动，因为积聚了太多的愁，女子的双眉时时都紧锁着，把思妇内心的痛苦展露得淋漓尽致。“梦儿成良宵短短，影儿孤长夜漫漫”两句继续描述女子的相思之情，写出了思妇独守空房的孤寂情形。如果能做上一场好梦，与情人在梦中相会，还觉得良宵短短。但是多数时候还是形只影单，孤身一人面对黑夜，更感到长夜漫漫。以上，作者刻画的都是女子的相思情态，最后三句是写妇人的哀怨之情。“雨涩云悭”即欢会稀少。楚王游高唐，梦见巫山神女荐枕席，自称：“旦为朝云，暮为行雨，朝朝暮暮，阳台之下。”（宋玉《高唐赋序》）其后称男女欢会为“云雨”。远行人与她远隔千里，山水相隔，使她倍感“地阔天宽”，“万叠云山，千重烟水，音书纵有凭谁寄？”（朱庭玉《青杏子》）长时间杳无音信，绝少相会，怎能不令她日日苦相思，终于久愁成病，相思成疾了。“病儿沉月苦风酸”一句，将其对情人由刻骨相思而引起的悲怨情感推向了高潮，至此曲子戛然而止，令读者感叹不已。

全曲语言率直通俗，感情真挚，对仗工整，具有深厚的韵味，耐人品玩。特别是儿化词语的运用，再加上重叠排比的句式，使曲子形成了一种回环往复的形式，生动形象地抒发了思妇缠绵深挚的思念之情。

（杨　峰）

## 【双调·水仙子】

刘庭信

### 相　思

恨重叠重叠恨恨绵绵恨满晚妆楼，愁积聚积聚愁愁切切愁斟碧玉瓯，懒梳妆梳妆懒懒设设懒爇黄金兽。

泪珠弹弹珠泪泪汪汪汪汪不住流，病身躯身躯病病恹恹病在我心头。花见我我见花花应憔瘦，月对咱咱对月月更害羞，与天说说与天天也还愁。

## 鉴赏

此曲写女子相思情怀，分别从"恨""愁""懒""泪""病"几个角度描写了女子的相思之苦，表达了她内心深深的伤情和哀痛。

元散曲有"俳体"，即形式上、材料上翻新出奇，逞才弄巧，或意境上的调笑讥嘲、游戏娱乐之作(任讷《散曲概论》)。意境上的俳体没有固定的标志，形式上的俳体种类很多，有短柱体、连环体、叠字体和独木桥体等。此曲通篇皆是叠字连环句，每一句每一韵表达抒情主人公的一种情感状态，回环往复，形态毕现。具体的每一句又使用了回文格、顶真格等艺术手法，反复强调、渲染、修饰，把抒情主人公的相思之痛表现得淋漓尽致，活灵活现。

首句先从"恨"的角度写女子的相思情状，女子的"恨"重重叠叠，积聚深厚，而且绵绵不绝，无止无休，怨恨之情堆积到满妆楼的程度，可见远行之人离家已久，引起女子满腹幽怨，以致想借酒浇愁。然而，这离别愁苦岂能凭饮酒消除？所以后面接写女子愁苦得无心容饰，也懒得焚香净室，终日以泪洗面，其痛苦情状，真是无以复加。时日已久，思妇怎能禁得住这浓烈的思与愁，她终于病倒了，但是身体的病痛还在其次，真正的病痛是在心里，是相思成疾。作者从外貌形态，到日常生活，再到内心深处，层层深入，表达出女子的凄清幽怨，孤单寂寞之情。"花见我"两句融情于景，情景交融，正是"千山落叶岩岩瘦，百尺危阑寸寸愁"(乔吉〔喜春来〕《秋望》)的意思，花儿、月儿见到抒情主人公用情之深、相思之重，都为她形容消瘦，不胜怜惜，不忍再看了。末一句"与天说说与天天也还愁"，此句发出了呼天抢地般的呐喊，思妇的忧思情绪浓烈到感天动地的程度，把抒情主人公的相思之情推向极致。

这首曲子情感浓烈细腻，构句奇特，作者运用重叠、对仗、顶真、回环、排比等多种修辞手法，极尽铺排渲染之能事，尽情展现了思妇不可排解的相思愁苦。其曲有奇巧流利之趣，但也不免故意逞才弄巧、几近文字游戏。

(杨　峰)

# 【双调·雁儿落过得胜令】

刘庭信

懒栽潘岳花，学种樊迟稼。心闲梦寝安，志满忧愁大。　　无福享荣华，有分受贫乏。燕度春秋社，蜂喧早晚衙。茶瓜，林下渔樵话；桑麻，山中宰相家。

## 鉴赏

这是一首带过曲。前四句是〔雁儿落〕,其后八句是〔得胜令〕。关于刘庭信的人生,因史料不备,我们不能详知。据贾仲明《录鬼簿续编》,刘庭信似未做官。所以,此首曲子不一定是作者本人的真实写照,而可能是咏怀述志之作,表现了作者所向往的生活方式。

开篇两句提到两个历史人物潘岳和樊迟的事迹。晋代潘岳热心仕途,他做河阳令时,曾命全县种植桃李花,人称之为“河阳一县花”。樊迟是孔子的学生,他曾向孔子请教种庄稼的事,遭到孔子的批评,称他为“小人”。面对这两个历史人物,作者的好恶体现在“懒”和“学”两字之中,表达了作者懒于做官而志在退隐躬耕的意愿。而下面的“心闲梦寝安,志满忧愁大”则道出了作者持这种心态的原因,这同时也道出了一种人生哲理。“心闲”则“梦寝安”,“志满”就会“忧愁大”。古代的知识分子在不能仕进之时,大部分会选择“穷则独善其身”,退隐江湖,寄身田园。“志满”是对从政者的描绘,隐者是戒“满”的,“满招损”“满则覆”,“满”则“忧愁大”。作者要做隐居田园的一员,要“学种樊迟稼”,所以自会“心闲梦寝安”。

其后〔得胜令〕曲辞继续抒写退隐的乐趣。“无福”是因为“懒栽”一句,“荣华”是指政治生活。“有分”是因为“学种”一句,“贫乏”是指退隐后的清贫生活。“无福”“有分”两句暗含讽刺意味,似乎隐约表现出作者的不平,是否作者对自己现在的处境心怀不满呢?我们不能妄自揣测。

接着极写隐退之乐,将心中不平之气一冲而散。“燕度”“蜂喧”“茶瓜”“林下渔樵”“桑麻”都是隐居生活中常见的内容。“燕度春秋社”描写的是燕子随季节迁移的习性。春秋社是古人所立的节日。春秋两社,取春祈秋报之意,春日立社祈求丰年,秋后立社庆祝收获。春秋社表明季节的变动。燕子在春秋的变化中飞来飞去,年复一年,无所变化,给人平静安宁的温暖。“蜂喧早晚衙”与“燕度春秋社”对仗,是田园生活中的另一景致。蜂房排列齐整,所以被称为“蜂衙”。另外,在蜜蜂的世界里,众蜂簇拥蜂王,如同严整的朝拜,亦可以称之为“蜂衙”。而“喧”字的运用,将群蜂聚集于蜂房的景象一语道出。这些小生灵逍遥自在,不禁让人艳羡。

与“燕度”和“蜂喧”的“动”形成对比,“茶瓜”“林下渔樵”和“桑麻”是写“静”,进一步展现隐居生活的内容。寥寥数笔,描摹出了田园生活的淳朴、平静和恬淡,充满了山林泥土气息。“山中宰相家”一句表达了作者对理想生活状态的向往。“山中宰相”典出《南史·陶弘景传》。南朝梁陶弘景不仕,隐居句曲山。武帝再三请之而不出,于是武帝经常入山“咨其以当世之事”。陶弘景因此被称为“山中宰相”。此句表明作者想学陶弘景,既要隐居田园,不被官场腐败沾染,又不想把国家、人民置诸脑后。这似乎比“居庙堂之高则忧其民,处江湖之远则忧其君”更适合于古代清高的知识分子。

此曲注重对仗,表现出一种整饬的对仗美。用语平仄协调,音韵铿锵。每一言、每一句似乎都是细声碎语,却蕴含着丰富的内容。另外,作者对意象的选择非常贴切,燕、蜂、茶瓜、桑麻等具体而微的事物,正是清幽生活的体现,有力地突显了作者的隐居心态。

(任海滨)

## 【双调·雁儿落过得胜令】

刘庭信

(二首其二)

下一局不死棋，论一着长生计。服一丸延寿丹，养一口元阳气。　看一片岭云飞，听一会野猿啼。化一钵千家饭，穿一领百衲衣。枕一块顽石，落一觉安然睡。对一派清溪，悟一生玄妙理。

此组带过曲共二首，此为第二首，言消闲养生以求长生之事。

全文紧扣“下一局不死棋”这一妙喻一气贯通到底，铺开一连串的行为。本来“不死棋”是一个含糊的概念，“不死棋”是胜局呢，还是和局？但正因其含糊，却突出其中的“不死”二字。“不死”二字不仅是对付生老病死残酷的自然规律的法宝，也是在那个民族矛盾极其尖锐的时代的一种顽强的生活态度。本曲虽主要指前者，但也与后者不无关系。因为要求得“不死”，就必须“论一着长生计”。求得长生的方法不外两个途径，一是服仙丹，二是养元气。养元服药是魏晋以来知识分子的时髦风尚，并且越是政治黑暗的时期，这种风气就越是流行。“看一片岭云飞，听一会野猿啼”是说置身山野，远离政治，将身心完全融入大自然之中。“化一钵千家饭，穿一领百衲衣。枕一块顽石，落一觉安然睡。”本来是出家人的生活方式，这里指无欲无求，甘于过清苦贫淡的日子，这也是求长生的重要方面。曲终用“对一派清溪，悟一生玄妙理”作结，青山永在，绿水长流。“清溪”的特点是一“清”二“长”，生命的“玄妙”是否也在以“清”求“长”呢？大自然处处给人以启示，留心推求，自能“悟”得。

此曲的最大特点，是每一句中都嵌入一个“一”字，造成句意之间的贯通，形成排比铺列一气呵成的气势。尽管刻意求同，类同文字游戏，使人感到滑稽幽默，但却恰到好处地暗示了作者蔑视权贵、玩世不恭的态度，不可与一般的文字游戏之作等同视之。

（王　甫）

# 【越调·寨儿令】

刘庭信

## 戒嫖荡（十五首其二、三、五）

没算当，不斟量①，舒着乐心钻套项②。今日东墙，明日西厢，着你当不过连珠箭急三枪。鼻凹里抹上些砂糖，舌尖上送与些丁香。假若你便铜脊梁，者莫你是铁肩膀。也擦磨成风月担儿疮。

双蝳[3]蝎，两头蛇，比虔婆狠毒犹较[4]些。若论蛇蝎，尚有潜蛰，不似你娘风火性不曾绝。一觅的乱棒胡茄，只办的架搹[5]拦截。着你打罗的脚趔趄，推磨的不宁贴，生压的风月担儿折。

搭扶定推磨杆，寻思了两三番，把郎君几曾是人也似看。只争不背上驮鞍，口内衔环，脖项上把套头拴。尽尺的月缺花残，滴溜[6]着枕剩衾寒。早回头寻个破绽，没忽的[7]得些空闲，荒撇[8]下风月担儿趄。

## 注释

① 算当、斟量：均为计算的意思。
② 套项：圈套。
③ 双蝳：在此指双尾。
④ 较：在此作差、不如的意思。
⑤ 搹：è，同“扼”。
⑥ 滴溜：急速旋转之态，喻时间短促。
⑦ 没忽的：说不准的一会儿，犹言找机会。
⑧ 荒撇：抛弃。

## 鉴赏

刘庭信的《戒嫖荡》组曲十五首，前十首尾句均以“风月担儿”四字串通，以上三支依次分列第二、第三、第五。目的是劝诫良家子弟不可嫖妓宿娼。

“没算当”一首言妓家诱骗良

家子弟花样之多、手段之刁,而浮浪子弟总是轻易上套、受害良深。妓家拉客手段是“连珠箭急三枪”,一环紧扣一环。诱骗的方式是“鼻凹里抹上些砂糖”,让你闻着尝不着;“舌尖上送与些丁香”让你尝着吃不着。一步一步诱人入彀。浮浪子弟却总是因涉世尚浅缺少斟酌而甘心上当,“舒着乐心钻套项。今日东墙,明日西厢”。“东墙”用白朴杂剧《东墙记》典故,剧中书生马文辅曾越东墙与董秀英私会。“西厢”一词首见于唐代诗人元稹的《莺莺传》,其中有“待月西厢下”的句子。“东墙”“西厢”泛指男女偷情私会的场所。本曲特指浮浪子弟嫖妓。高高兴兴地钻入别人设计好的套圈,不仅可笑,而且后果极其严重,即使你有“铜脊梁”“铁肩膀”,也会被折磨出一身脏病来(“风月担儿疮”指梅毒等花柳病)。

“双蝎蝎”一首刻画“虔婆”形象,重在表现其狠毒、泼皮耍赖的性格和作风。“虔婆”是妓院的管理人员(老板),特殊的职业造就了其阴诡多变、动辄使泼耍赖的共性。本曲一开始就将“虔婆”与两头蛇、两尾蝎相比较,最毒的蛇蝎的“毒”也比不过虔婆的“狠毒”,因为蛇蝎尚有蛰伏的时候,而虔婆使泼耍赖就从来没有停止过。“风风火火”“乱棒胡茄”,乱打浑闹的虔婆,使“客人”只有招架的份,没有还手的力。“打罗”“推磨”在此都是折磨的意思,不停的折磨使本来意在寻欢作乐的“客人”“脚趔趄”“不宁贴”,最后是“风月担儿折”,寻开心倒招来无尽的烦恼。

“搭扶定推磨杆”一首用驴推磨的比喻,形象地揭示了妓女与所谓的“郎君”的关系。“把郎君儿曾是人也似看”,在妓女的眼中,“客人”只是没有驮上鞍鞯拴上套头的牲畜,与替她们推磨的驴子没有本质的差别。她们招徕客人只是“搭扶定推磨杆”,让驴子来上套罢了。“咫尺的月缺花残,滴溜着枕剩衾寒。”“咫尺”在这里是时间短的意思,与“滴溜”互文同义,这里没有真正的爱情,即使是爱情游戏也是一忽儿的事,顷刻之间,“月缺花残”“枕剩衾寒”欢情完全破灭了。此曲后三句回到劝诫的主题上,“荒撇下风月担儿尪”,劝诫浮浪子弟还是趁早离开风月场所为是。

以上三支曲子从不同角度表现了“嫖荡”的危害和荒唐,这种劝诫性的文字的立意没有特别之处。这组曲子的最大价值在于语言的运用,这组曲子用市井之语,叙市井之事。“市井”之语其实就是当时的浮浪子弟“混世界”所习用的俗语和套话。虽然是“油腔滑调”而且不大规范，但泼辣、诙谐、极其形象生动。如《双蝽蝎》中用“风火性”“乱棒胡茄”等语，活画出一个泼辣刁恶、装疯卖癫的“虔婆”，一个乱打浑闹、精于榨钱的现世活宝。而“客人”对应表现则是“架搞拦截”“脚趔趄”，狼狈之态可掬。二者相合，正是当时妓馆生活的活生生的画面。本组曲子大量运用的比喻也是市井式的，其喻妓家的手段如“连珠箭急三枪”“鼻凹里抹上些砂糖，舌尖上送与些丁香”；喻虔婆之狠毒用“双蝽蝎”“两头蛇”。而且这些比喻往往夹带着“让一步”或“透一层”的修辞方式，如“假若你便铜脊梁，者么你是铁肩膀”，即使是铜的铁的也架不住“擦磨”，人的身体不可能是铜或铁的，当然就更不行了。后面的“若论蛇蝎，尚有潜蛰”“只争不背上驮鞍，口内衔环”都是用了同一修辞方式。这一些尽管都是市井之中习见之语或市井语言中常用的套式，但用之入文入曲却是最新鲜最“革命”(胡适语)的因素。这正是元曲中所说的“当行本色”语，应该是元曲中最闪光的部分。

(王　甫)

# 【南吕·一枝花】

刘庭信

## 春日送别

【一枝花】丝丝杨柳风，点点梨花雨。雨随花瓣落，风逐柳条疏。春事成虚，无奈春归去。春归何太速？试问东君[①]，谁肯与莺花做主？

【梁州第七】锦机摇残红扑簌，翠屏开嫩绿模糊。茸茸芳草长亭路。乱纷纷花旷园圃，冷清清春老郊墟，恨绵绵伤春感叹，泪涟涟对景踌躇。不由人不感叹嗟吁，三般儿巧笔难图：你看那蜂与蝶趁趁逐逐，花共柳攒攒簇簇，燕和莺唤唤呼呼。鹧鸪、杜宇，替离人细把柔肠诉："行不得，归不去"②。鸟语由来岂是虚？感叹嗟吁！

【骂玉郎】叫一声才郎身去心休去，不由我愁似织，泪如珠。樽前无计留君住，魂飞在离恨天③，身落在寂寞所，情递在相思铺④。

【感皇恩】呀！则愁你途路崎岖，鞍马劳碌。柳呵都做了断肠枝，酒呵难道是忘忧物，人呵怎减的护身符。早知你抛撇咱应举，我不合惯纵的你读书。伤情处，我命薄，你心毒。

【采茶歌】觑不的献勤的仆，势情⑤的奴，声声催道误了程途。一个大厮把⑥的忙牵金勒马，一个悄声儿回转画轮车。

【尾声】江湖中须要寻一个新船儿渡，宿卧处多将些厚褥子儿铺，起时节迟些儿起，住时节早些儿住，茶饭上无人将你顾觑，睡卧处无人将你盖覆，你是必早寻一个着实店房儿宿。

### 注释

① 东君：此处指春神。

② "行不得"二句：借鹧鸪的啼声像"行不得也哥哥"，杜鹃的啼声像"不如归去"，暗示不愿丈夫离家远行。

③ 离恨天：元人杂剧中有"三十三天、离恨天最高"的话。离恨天，形容恋人长期被隔绝的怨恨。

④ 铺：指旅途上过宿的地方。

⑤ 势情：势利义。

⑥ 大厮把：大模大样地。

## 鉴赏

《春日送别》为刘庭信名作，曾传唱一时。

套曲以描写春景开篇，首曲〔一枝花〕，是“凄美”一词的注脚。作者以花柳风雨罗织画面，一幅“杏花春雨江南”的动人图景，不仅为以下恋人送别的故事展现了时空背景，而且融情入景，以花落柳疏暗示人物心中的留恋与悲伤。以“春”“东君”暗喻恋人，以“莺花”暗喻女主人公自己，委婉地道尽了心中的幽曲，并暗暗涵盖了以下即将发生的故事。

〔梁州第七〕写别离场面，情景交融。用“残红扑簌”“嫩绿模糊”花草的情态来暗写女主人公泪眼迷离的样子。“残红扑簌”本指落花纷乱，坠地有声，用在这里却让人想到女主人公泪流满面、脂粉阑干的可怜模样。“离恨恰如春草，更行更远更生”，古代文人常以草色写别离后的思念，这里的送别之路正是这样一条“芳草路”，而远山也因草色成为“翠屏”。但在女主人公的迷离泪眼之中，一切景物都走了形，变了色：草绿得模糊，花也同女主人公的泪水一样凌乱垂落，送别的郊墟之春竟是这样一个不如人意的苍老的春天，这使女主人公第一次“感叹嗟吁”。然而春天毕竟是春天：“蜂与蝶趁趁逐逐”“花共柳攒攒簇簇”“燕和莺唤换呼呼”，这正是春天繁荣热闹和谐美满的所在，这一组扇面对显示出的热闹反衬出离别场面的凄冷。热热闹闹的是他，凄凄切切的是我，怎不教人更加悲伤！女主人公不由要第二次“感叹嗟吁”了。算起来热闹之中，能懂得女主人公心理并能替她说出心里话的只有鹧鸪与杜鹃，可鸟儿“行不得”和“不如归去”的鸣叫也只是徒劳，恋人还是要离她而去了。

〔骂玉郎〕及后面的三支曲子是女主人公直接抒发离别之情，送别的故事也在抒情中继续展开。〔骂玉郎〕抒发离别愁绪：“愁似织”“泪如珠”。离愁之深，使女主人公身心分离：“魂飞在离恨天，身落在寂寞所，情递在相思铺。”身、魂、情分归三处，人何以堪！〔感皇恩〕一曲写愁之外，更写出了悔和怨，按理读书出仕本是正途，可女主人公却“我不合惯纵的你读书”！悔之深只因爱之切。后面的“我命薄，你心毒”，怨你怨我也是出于爱的原因。这里的“悔”“怨”是表象，是假的，那么〔采茶歌〕对奴仆之恨却是真的，好像他们被硬生生分离开来，全是奴仆的过错。本来小心翼翼的仆人今天在她的眼睛里变得大大咧咧的了。〔尾声〕的声声叮嘱，处处关切，其细心周到更是爱的直接见证。

整套曲子写景写情，写悔写怨写恨，一切都是围绕着一个“爱”字展开的，作者安排了一个典型环境——长亭季春，一个典型事件——送别，把男女之间纯洁的爱情表现到极致，是一曲古典的爱情颂歌。曲中有离情别绪、真挚爱情的直接抒发，也有借景物环境的映衬烘托，境境有我，“物皆着我之色彩”，成功地营造了情景交融的艺术境界。作者很注重叠字和对仗的运用，曲中合璧对、鼎足对、连珠对等皆用得很工整。所以尽管其语言整体上偏于俚俗，但叠字和对仗修辞技巧的使用则增添了几分雅致，表现出刘庭信散曲创作于俗中求雅的一贯追求。

（王　甫）

# 【商调·金络索挂梧桐】

高　明*

## 咏别(二首其一)

羞看镜里花，憔悴难禁架，耽阁眉儿淡了教谁画？最苦魂梦飞绕天涯，须信流年鬓有华。红颜自古多薄命，莫怨东风当自嗟。无人处，盈盈珠泪偷弹洒琵琶。恨那时错认冤家，说尽了痴心话。

### 作者

* 高明(约1307—约1371)，字则诚，号东嘉，自号菜根道人，温州瑞安人。早年乡举读书，元至正五年(1345)进士及第，授处州录事，“学道爱人，治教具修”。方国珍率众反元，高明参与其事。后归隐，以词曲自娱。明初，朱元璋“闻其名，使使征之”，则诚佯狂不出，后卒于海宁。南戏《琵琶记》为其代表作，另有诗文集《柔克斋集》二十卷。

### 鉴赏

“金络索”，本菊花名。明史鉴《菊花记》有谓：“有花大无心而黄色披拂者，曰金络索。”(《西村集》卷七)因“金黄千瓣，瓣卷如玲珑”，是花又名“金玲珑”“锦玲珑”。此用作曲牌名。高明的《咏别》小令共二首，此为第一首。

此曲写主人公终于又熬过一个独眠的夜晚，懒起梳妆，憔悴的样子连自己都不忍看了。好久没有与心中的那个他厮守在一起了，回想起以前的闺房之乐，真令人向往。而今,心上人远去,谁还为自己黛墨画眉？在梦里,魂魄不知周游天涯多少遍,渴盼寻觅到他的身影,然而梦醒之后,幸福总是迅即化作痛苦。流年无情人自老,星星白发已悄然爬上了鬓角,可是朝思暮想的有情人仍没有露面,以致让人心都要碎了。真是红颜薄命,想不自怨自嗟都难了。情感无法遏制时,只有躲在无人之处,一曲琵琶诉衷肠。珠泪盈盈,如线而出,依然不能消减相思的苦痛。要恨只恨自己有眼无珠,错认了那个冤家,白说了如许痴心缠绵的情话。

爱情是文学作品亘古的主题。以词曲而论,如唐刘禹锡《纥那曲》"杨柳郁青青,竹枝无限情",金元好问《摸鱼儿》"问世间情是何物,直教生死相许",明汤显祖《牡丹亭》"世间只有情难诉"等等,均为写情之佳构。此曲则写别离之情,以女性口吻出之,明白如话。成功的描写,得益于作者深切的生活感悟和敏锐的洞察力。

首句实写,从女子闺房生活细事着笔。以"羞"字领起,包蕴进主人公许多复杂难言的心理。因相离而憔悴,以憔悴而见衰,故言"羞见"。女子一般是很珍视自己的容颜之美的,顾影自怜者大有人在。这里却"羞看镜里花",既流露出女主人公对自身美貌容颜渐老的无助感,又有心上人远出、百事无趣的慵懒,还裹挟着那么一点娇憨的怨恨。言下之意是说,往日的画眉人,你究竟身在何处,是山水阻隔、鸿雁难传,还是根本就忘了"我"这个多情人。次句一笔荡开,以"最"字当头,诉说对目下生活境况的感喟,艰辛也罢,孤单也罢,其实都算不得什么,最让人难以承受的,是连梦中都见不到爱人的影子。一个如花似玉的女子,只能日日空老,不可回溯的青春岁月,究竟有什么能够补偿呢?接着,作者以深婉的笔触,直接剖示主人公痛苦、幽怨的内在心理,红颜薄命也许就是宿命,怨天尤人不如自嗟,哽咽的琵琶声正是心曲的写照,真是后悔没有看清"冤家"的真面目,以致错托终身。本作就是经过这样的层层渲染,使情感的流露越来越得到凸显,自我意识逐渐增强,一个性鲜明的女性形象跃然纸上。

（赵兴勤　赵　韡）

# 【商调·金络索挂梧桐】

高　明

## 咏别(二首其二)

一杯别酒阑，三唱阳关罢，万里云山两下相牵挂。念奴半点情与伊家，分付些儿莫记差：不如收拾闲风月，再休惹朱雀桥边野草花。无人把，萋萋芳草随君到天涯。准备着夜雨梧桐，和泪点常飘洒。

**鉴赏**

此曲为高明《咏别》小令二首中的第二首,作者极其细致地表现了女主人公对离别的感受,富有感染力。

大意是说,送君千里,终有一别。喝下这一杯,就请踏上远行之路吧。纵然江山万里,我们也要彼此牵挂。如果还记得山盟海誓,就不要厌烦"我"一遍又一遍的嘱咐:孤身在外,请不要偎红倚翠,拈花惹草。萋萋芳草,会带着"我"柔弱的心,伴君到天涯。你走了,我免不了"闺房寂寞",与梧桐夜雨相伴,相思之泪,一定会像秋雨一样常常飘洒吧。

历代送别的诗歌很多。如唐姚合《惜别》:"似把剪刀裁别恨,两人分得一般愁"、宋林逋《长相思·惜别》:"君泪盈,妾泪盈,罗带同心结未成。江头潮已平"等。这支曲子以女性的口吻来描写与爱人离别之际的依依不舍,情致委婉。

首句"一杯"与"三唱"对举,耐人寻味。既言"酒阑",所饮酒当非止一杯。此处所谓"一杯",当是即将分手时的最后一杯。"三唱",既有关合"阳关三叠"之意,也是在强调,这一送别曲,整个席间反复在唱,因离别在即,双方均有说不完的话儿。然而,送君千里,终有一别,剩下的则是"万里云山两下相牵挂"。下文的"念奴半点"几句,则由离筵情景的描绘,转入对女主人公内在心理的揭示。临别之际的殷切"分付",透现出女子对心上人刻骨铭心的爱恋真情。"休惹"句,镶嵌进唐刘禹锡《乌衣巷》诗句,委婉地表达了女子希求对方爱情专一的复杂思绪。后数句,给爱人以慰藉,是对离别之后生活境况的设想。“无人把”,是叙写女子对男方情感的眷恋不舍,喻己欲像芳草那样伴随左右,“随君到天涯”。愈见“我”情之真挚。末句则化用宋李清照《声声慢》“梧桐更兼细雨,到黄昏、点点滴滴,这次第,怎一个愁字了得”句意。细雨点点,只有“守着窗儿”的孤身独处者,才体味到它对心灵敲击的分量,正像隐秘而婉曲的心事,不是个中人,怎么能体会到离别之苦呢?而这样的夜雨,淅淅沥沥,似乎没有完结之时,漫长得就像时间静止一样。“我”已经准备好忍受这种相思的折磨,任雨水伴随着泪水,在无休止地飘洒,这冰冷的感觉,或许能冲淡一点彼此想念的哀愁吧。这一句,是全篇的升华,既是向爱人表明心迹,“我”会耐着性儿等你归来;又是绝妙的情怀倾诉,启发离去之人生爱怜之心,早日回家团聚。

整首曲子用浅俗之语,发清新之思,其用典使事,自然浑融,妙合无垠,抒发情感,婉转别致,意态酣然,是一首闺情绝调。

（赵兴勤　赵　韡）

# 【南吕·四块玉】

兰楚芳*

## 风情(四首其二)

我事事村，他般般丑。丑则丑村则村意相投，则为他丑心儿真博得我村情儿厚。似这般丑眷属、村配偶，只除天上有。

### 作者

* 兰楚芳,也作蓝楚芳。元末明初西域人(生卒年不详)。曾为江西元帅。丰神英秀,才思敏捷(《录鬼簿续编》),与刘庭信在武昌(今属湖北)赓和乐章,人多以元、白拟之。明朱权《太和正音谱》评其曲"如秋风桂子"。今存小令9首,散套3套。

### 鉴赏

兰楚芳以〔四块玉〕同一曲牌,着意写了四首视角不同、神采各异的爱情曲,优化组合成一组富有独创价值的四扇屏生活画卷。此首为其中第二首。

"我事事村(蠢),他般般丑。丑则丑村则村意相投"。开门见山,落笔超群。放着"郎才女貌"的题材不写,偏将视线投向一对"蠢"人"丑"人,而且是"事事村""般般丑",几乎丑到极限的一对。劈头就给读者一个带着巨大惊叹号的意外。然而细细品味,在女主人公看来,这"蠢"又何妨,"丑"又何妨,只要俺俩"意相投"就心安理得了。原来,"丑"并不碍其事,"意"才是"相投"的关键词。但是,那"意"为何意,"意"从何来,还需做深入浅出的探究。"则为他丑心儿真博得我村情儿厚"。两颗"心"一"真"一"厚",先因后果,心心相印,自然就不会不合二而一地"意相投"了。只需几笔,"意"的所有内涵与外延就诠释了个淋漓尽致,结论当然就不言而喻了。然而,作者却以其神来之笔,画龙点睛,又来一个"语不惊人誓不休"的奇峰突起:"似这般丑眷属,村配偶,只除天上有。"简直可以说这分明是另一种人世间的"天仙配"了。"只除天上有"的一语夸张,给读者带来一缕逗人惊喜的谐趣味,也吹来一股让人清爽的"快哉风"。

(常箴吾)

# 【南吕·四块玉】

兰楚芳

## 风情(四首其三)

意思儿真,心肠儿顺。只争个口角头不囫囵。怕人知羞人说嗔人问。不见后又嗔,得见后又忖,多敢死后肯。

### 鉴赏

"意思儿真,心肠儿顺","意真""心顺",两全齐美的意中人,绝对是非他莫属的最佳选择。然而,对着这般称心如意郎君,她居然意隐心头,欲语还羞,难于启口,好像是嘴巴子出了毛病,不健全"不囫囵"一样,竟不能将一个"爱"字说出口来。直言表白爱意,何其难也!对于心上人尚且如此守口如瓶,若是面对他人,那就更是"羞答答羞煞人也"无地自容了。"怕人知,羞人说",已经忍耐不得,如果再越此雷池一步,有人问及,那就会"嗔(怒)人问",发起忍无可忍的脾气来。连本人都话到嘴边,欲言又止,焉能容得别人说三问四?但愿能与念中人多幽会几次,倒是求之难得的梦中美事。如果真的难得一见,"不见后"一定是"又嗔"又气又恨的;如果居然喜得一见,"得见后"则会留下分手后"又忖"( 思量)的无限惆怅。真是"见时不易别还难""东风无力百花残”呀！缘分相牵，思绪绵绵，设若不将如此这般的爱意，向对方“时不我待”地和盘倾吐而出，更待何时！是“多敢（莫非）死后肯”吗？是要待到下辈子才“终成眷属”吗？曲终人不散，语结意难收，留给读者的是一片“绕梁三日”的余音。至于尾声婉转的旋律深处，还隐藏着哪些故事，那就靠聪明的读者去浮想联翩了。

两支〔四块玉〕小令，与历代文人所作相较，兰楚芳全然系别出心裁，另起炉灶。作者大胆地打破“才子佳人鸳鸯配”的传统藩篱，将镜头聚焦于现实的写生，写出了人所司空见惯，却又人所未云的妙曲。

“我事事村”，以发自天然的俚语、俏语、快人快语，塑造了一位俗中生美，丑中见美，乃至愈俗愈美，愈丑愈美，大俗大美，大丑大美的女性人物。大约这正是美学家黑格尔所说的“这一个”中的典型代表了。看来，定向思维，凝固思维，是创作的一条“死胡同”；逆向思维，扩散思维，才是创新的“柳暗花明又一村”的广阔天地。只有返璞归真，另觅他路，方能写出如此出类拔萃、独秀曲坛的千古绝唱。

“意思儿真”与“我事事村”，同一个曲牌，同样的本色当行，同样写爱情中人，却塑造了一个“欲语还羞、羞得出众”的另样女性，唱一支“单纯而复杂”“柔弱而坚定”的爱情咏叹调。波折起伏的永恒相思，千丝万缕的内心独白，汇成了浪花翻卷的意识流。“意识流”的创作方法，国内外小说有之，中国词曲也有之，而且运用得更早，更随心所欲，更小中见大、玲珑剔透，更思绪万千、意趣无涯。

另外，散曲非常重视尾句的创意性处理。乔吉就提出过“豹尾”的创作理念。兰楚芳这两支小令，两处结尾，都好像是突发奇想，信手抓来，却又创造了全在情理之中的别有洞天的妙思境界。尾句需要神来之笔。兰楚芳的结尾，结得出奇，结得传神，结得曲味十足，韵味横生。

（常箴吾）

## 【南吕·骂玉郎过感皇恩采茶歌】

兰楚芳

### 闺　情

兰堂失却风流伴，倦刺绣懒描鸾，金钗不整乌云乱。情深似刀刃剜，愁来似乱箭攒，人去似风筝断。　口则说应举求官，多因是买笑追欢。从今后鸳梦儿休完，鱼书儿都休寄，龟卦儿也休钻。离愁万般，心绪多端。芳草迷烟树，落花催雨点，香絮滚风团。　阳台上路盘桓，蓝桥下水弥漫。傍楼一傍一心酸，空忆当时花烂熳，可怜今夜月团圞。

## 鉴赏

"兰堂"虽然秀丽宜人，但蓦然"失却"了热恋中的"风流伴"，独守空房，物是人非，何以度日？"倦刺绣懒描鸾，金钗不整乌云乱"，连习以为常、日所必为的事都无心关注了。懒画眉，散梳妆，"刺绣"就更心灰意倦得懒于沾手。"一寸相思一寸灰"的失意形态，跃然纸上。心似"刀刃剜"，愁如"乱箭攒"，心上的人儿就像是"风筝断"线一般，飘然无影，难以寻觅。然而，形断意连，思念的隐线似乎更勾得人牵肠挂肚。何日君归，情人何往，难道真的是"应举求官"去了？恐怕更会是"买笑追欢"罢了。疑虑重重，心乱纷纷，举目四望，依然是一片"烟水茫茫"。既然无望若此，那就不如干脆不了了之，"从今后鸳梦儿休完，鱼书儿都休寄，龟卦儿也休钻"。"三休"良策既定，那"思郎恨郎郎不知""相思树底说相思"的麻烦，不就一笔勾销了吗？适得其反，仍旧是"剪不断，理还乱"，仍旧是"离愁万般，心绪多端"，眼前呈现的仍旧是"抽刀断水水更流"的断肠景象。"芳草迷烟树、落花催雨点"，连飘香的飞絮都化作一缕缕"滚风"的圆"团"了。何以解脱，无所适从，只好走到阳台上"盘桓"(徘徊)，"蓝桥下"的"水"居然又是那样茫然"弥漫"，依楼凭栏远眺，更让人"一傍一心酸"。"心酸"叠起，怎一个"愁"字了得。"柔情似水，佳期如梦"，往事不堪回首。然而，不由自主的"空忆"还是将其勾回到"当时花烂熳"的甜蜜时光，"今夜"的月儿又"团圞(圆)"了。那"今夜"应在身边的人儿呢？无边的"闺情"，笼罩在月色的无边中。

这支曲子，与作者〔四块玉〕所述写的四种爱恋"风情"不同，不再是那样的惜墨如金了。而采用三支小令组合成一篇的带过曲，泼墨如水地铺陈一种缠绵不休的"闺情"。

无论写景状物,还是说事述怀,洋洋洒洒,都紧扣着一个挥之不去的"情"字。相思三叠,又一唱三叹,回环往复,表万般"离愁"。人去楼空,只留下"思悠悠恨悠悠"的无以自拔的"闺情"。

值得一提的是,作者在营造"闺情"的心境时,充分发挥了散曲讲究对仗的修辞优势,匠心独运地通过对仗此起彼伏的波澜,渲染出一片"闺情"的大海。全曲共有二十一个单句,竟然有十九句构建成对仗格式,占到全篇单句总量的百分之九十。其间有双句对,隔句对(如第一句对第三句),三连对,诸多样式。连不能对仗的单句(如第二句"倦刺绣懒描鸾")都巧妙地配制成前半句对后半句的"本句对"。至于另一单句("傍楼一傍一心酸")七个字中,用了两个"傍",两个"一",两两相应,组成"本句对"。如是观之,这《闺情》全曲,就在"刻意中的随意"中成为句句对仗,完整无缺的"对仗体"散曲佳构了。对仗连篇,花样翻新,参差交错,蔚为大观。这种宏大的对仗阵势,展现在三环套的带过长曲中,曲坛罕见,在古今数以万计的诗词作品中更是难以看到。

(常箴吾)

## 【双调·折桂令】

兰楚芳

### 相　思

可怜人病里残春,花又纷纷,雨又纷纷。罗帕啼痕,泪又新新,恨又新新。宝髻松风残楚云,玉肌消香褪湘裙。人又昏昏,天又昏昏,灯又昏昏,月又昏昏。

## 鉴赏

可怜人因相思而害“病”，又逢让人春困的“残春”时节，真是“福不双至，祸不单行”。卷入爱河浪花深处的女主人公，急于见到心上人，却“屋漏偏逢连夜雨，行船又遇打头风”，相思之情，越发不可收拾。而帘外“花又纷纷，雨又纷纷”的“残春”景象，更平添几分“惜春”“伤春”的情调，引来多少“叹春”“怨春”的相思。情人何在，近在咫尺？远在天涯？“千呼万唤不出来”“冷冷清清，凄凄惨惨戚戚”之后，就只有在“罗帕”上涂一片斑斑的“啼痕”，写一片无语有痕的“相思”。然而，以泪解忧忧更忧，泪水长流，旧泪未罢，新泪还流。似乎这“新啼痕压旧啼痕”还未能将“相思”写尽，于是随着“泪又新新”，紧跟着的便是“恨又新新”了。“泪”流眼底，“恨”入心间，一个“恨”字把一个“思”字升华到“长相思”的无限境界。

大约上片的“泪”与“恨”尚未尽其相思，下片则“更上层楼”，用另一个角度，描一个相思的叠影，使相思的无限长度，再涂一层朦胧浓度。

落笔两句，便是一幅“不曾迟暮，胜似迟暮”的美人图。珠宝点缀的发“髻”，不再光彩照人，发型“松”乱得像被一阵无情的风吹“残”了的“楚天乌云”。寥寥七字，亮一个“宝髻松风残楚云”的特写。镜头摇过，扫描出其“香”尽“消”的柔滑如玉的肌肤，与秀色已“褪”的潇湘榴裙。一个特写镜头，连着一个摇镜头，一幅画简意深的“美人相思”画卷，跃然纸上。锦上添花的是一片“淡出淡入”的人物背景：“天又昏昏，灯又昏昏，月又昏昏。”“怕黄昏不觉又黄昏”的一串“昏昏”烘托之下，“人又昏昏”的形象，呼之欲出。如此“蒙太奇”的连接，让读者替代女主人公洒一片“泪满青衫袖”的“啼痕”。

〔折桂令〕的变体甚多，增字、增句的比比皆是，甚至还有“百字折桂令”问世。如此十二句的体式当是其中最简约的正格体。简则简矣，然而在兰楚芳笔下，内蕴丰富，形象描写虽简，那一对“纷纷”，两个“新新”，四个“昏昏”的叠词铺开，却将相思的情境，写出繁而又繁的万千气象来。

兰楚芳的曲作，今存甚少，只有12首；取材范围甚窄，12首中，首首都是“情曲”。但是，他的“情曲”通俗而不低俗，浅俗而不粗俗，风流潇洒,纯真无邪,是其作品的显明特征。俗的雅一点,雅的俗一点,雅俗共赏是他创作的基本理念。本色为主,兼及清丽,俗语如流兼及留有余味,是他的别样风格。因而他的“情曲”,俗味、趣味、韵味,曲之三味俱有,成为“情曲”花园中的一道亮丽风景。从以上所谈的四首小令中,不难看出,兰楚芳既是“本色派”,也是“清丽派”,还是中国式的“意识流派”。当然,他只是一个用心良苦的探索者,并非重量级人物。但凭着他博采众长的勤奋,与具有创造性思维的天分,使他的“情曲”创作,充满了返朴归真的生机与创意新颖的活力,这便是他对散曲创作的最大贡献。难怪明代朱权在《太和正音谱》中,将其列入明初“国朝一十六人”之中,且评其曲风“如秋风桂子”。

（常箴吾）

# 【仙吕·一半儿】

王举之*

## 手　　帕

藕丝纤腻织春愁，粉线轻盈惹暮秋。银叶拭残香脸羞。玉温柔，一半儿啼痕一半儿酒。

### 作者

* 王举之，生平不详，长期生活于杭州一带。曾一度离杭入京，友人钱惟善在《江月松风集》中有《送王举之入京就简樵谷》诗，诗云："短衣匹马佩吴钩，欲写关河万里愁。"可知王举之曾北上大都（北京），欲有所作为。明朱权《太和正音谱》将其列于"词林英杰"一百五十人中。隋树森《全元散曲》收取小令23支。

### 鉴赏

这是一首描写闺情的小令，曲中作者对女主人公的情态做了细腻刻画，将其愁怨与情思生动地呈现在读者面前。

开头两句总写愁情，把闺中女儿的愁闷写得缠缠绵绵，无穷无止，手法上隐约含蓄，若隐若现。"藕丝""粉线"虽皆指手帕，又以其亮洁意象暗喻主人公之高洁，"纤腻""轻盈"亦语意双关，既言手帕做工之精致，亦含对主人公之赞美。而"愁"字，作为全篇之主，言手帕，自春至秋，无时无刻不"织"愁、"惹"愁，更暗写主人公浓烈无法排遣的愁情。"银叶拭残香脸羞"一句写主人公的行为情态。女子用手帕擦拭竟让脸上生出了娇羞的浅红。"拭残"，拭去的是什么呢？又为什么会害羞呢？下文很快给出了答案："玉温柔，一半儿啼痕一半儿酒。”“玉温柔”指女子“香脸”如美玉一样,她用手帕拭去的既有相思泪痕,也有借酒浇愁的残酒。这里,一个“羞”字,不应轻易放过,它展示了女主人公细腻的心理活动,她为什么脸红而羞,恐怕是情不自禁地在回忆起和恋人相处的恩爱时光呢。

整首小令无一处直写手帕,但又语语不离手帕。手帕作为一个道具,贯穿于全篇之中。作者没有为主人公设一句情语,却又句句皆情。全曲明丽香艳,是曲中柳七郎风味。

(田玉琪)

# 【中吕·满庭芳】

王举之

## 春　夜

梨花月明,秋千露冷,杨柳烟澄。海棠病酒风吹醒,不用银灯。阑干外闲花有影,柳梢头宿鸟无声。罗帏静,香销玉鼎,禁鼓报初更。

### 鉴赏

这是一首写春夜之景的小令,虽为傍晚初更时节,院中、室内却是格外静寂。全曲主要通过景物的烘托写春夜之静,暗含主人公百无聊赖之情。

开头三句写景明媚中略带寒意。傍晚月明,说明正是满月时节,此时梨花与明月辉映,而杨柳在月光的笼罩下,更为秀丽多姿。美中不足的是院中秋千显得孤单落寞,又染早春寒夜之气而有冷意。随后两句说海棠花瓣初绽,浅红微露,就好像醉酒的美人,被春风唤醒一样。两句暗用宋苏轼《海棠》诗:“东风袅袅泛崇光,香雾霏霏月转廊。只恐夜深花睡去,故烧高烛照红妆。”苏诗言人对海棠之关爱,曲中则说自然春风对海棠之关怀,“不用银灯”中“不用”二字,正显作者之别有用心。“阑干外闲花有影,柳梢头宿鸟无声”更极力描写春夜之寂静，前句用花“影”暗写，后句以“宿鸟”无声直写。“罗帏静，香销玉鼎”这两句从院中写到室内。“罗帏”，即罗帐，诗词中通常指女子所居之物，如唐李白《春思》：“春风不相识，何事入罗帏。”宋欧阳修《蝶恋花》：“绣被五更春睡好，罗帏不觉纱窗晓。”曲中以“香销玉鼎”暗写女主人公已经入睡，室内十分清静。

结句“禁鼓报初更”和上文内容相比显得十分突兀。依常理，春夜如此静寂，应当夜深才是，然而不然，时间是刚刚入夜，也就是晚上七点左右。我们再回看全篇，原来作者反复写春夜之静之美，正是为写女主人公之无聊。因为心情不佳，刚刚入夜便困困而睡，哪管院中美好的月色、洁白的梨花、醉人的海棠，还有迷离的烟柳。由此，作者所以将花称为“闲”花，正为无人欣赏之意，而将“秋千”带上“露冷”，固有时序之寒，更有人事冷清之感，而“海棠”之开，“不用银灯”，本意也就很明显了。

作者用一种唯美的笔调为我们勾画了一幅初春夜月图。但非常可惜，如此美丽的图画，女主人并不愿欣赏，而是早早地进入梦乡，或许在梦中，她希望和心上人一起来欣赏呢！

（田玉琪）

## 【中吕·红绣鞋】

王举之

### 秋日湖上

红叶荒林酒兴，黄花老圃诗情。柳塘新雁两三声。湖光扶不定，山色画难成，六桥风露冷。

**鉴赏**

这首小令为作者秋日游玩西湖所作。全曲六句，前三句一层，主要写作者游湖时酒兴勃然，豪情飞扬，后三句一层，写美景易逝、世情多变之感。

起二句中“红叶荒林”“黄花老圃”于凋零中见生机，在萧瑟中寓烂漫。面对红叶、黄花，诗人酒兴大发,兴趣盎然。诗人之所以如此,源于传统文人对秋天的独特感受,对红叶、黄花的特殊情感,其中既包含对生命的挚爱,更有对人生高尚品格的追求。秋天固然荒凉,充满肃杀之气,但以欣赏的眼光来看,依然有很多美好的事物,而菊花临寒开放的品格更让历代文人吟咏不尽。如果说前两句写景从视觉着眼,“柳塘”句则从听觉落笔,大雁春来秋回,本为常态,此“雁”即为南归之雁,而称之为“新雁”,实与诗人兴致相关。新雁之鸣,又为诗人豪兴增添了几许旷放和高远,让人心旷神怡。

“湖光扶不定,山色画难成,六桥风露冷。”后面三句笔锋有所转变。前句说湖水波光潋滟,在阳光照耀下闪烁迷离。“扶”字显出诗人匠心,它由扶栏望远而联想出,湖光虽然美丽,实在变化多端,让人难以把握。次句固然有对周围美丽山色的赞叹,更有美景难留之意,意思是说:画再好也留不住真正的自然之美。两句在对湖光山色的赞美中暗寓淡淡的伤感。而“六桥风露冷”用一“冷”字,将前两句的伤感直接流露出来。六桥是苏堤上的六座拱桥,自南向北依次名为映波、锁澜、望山、压堤、东浦和跨虹,为苏轼在杭时修建,相连西湖之里湖与外湖。诗人没有写六桥如何的美丽,对于好景无常的感叹最终转化为一句对冷风冷露的描绘,其中自有对人生无奈的伤感。

全曲在内容上由豪壮而感伤,分外沉重。在表现手法上,前三句显豁,后三句隐约,“六桥露冷”之句,含蓄蕴藉,颇具言外之意、韵外之旨。

（田玉琪）

## 【中吕·红绣鞋】

王举之

### 栖云吊贯酸斋

芦花被西风香梦，玉楼才夜月云空。栖云山上小崆峒。蟠桃仙露种，诗句古苔封。教清名天地中。

## 鉴赏

此曲为王举之在杭州栖云寺悼念贯云石所作。贯云石(1286—1324),元代维吾尔族散曲作家,原名小云石海涯,号酸斋,又号芦花道人。贯云石短促的一生奇行甚多,他以胄子袭位,仕途原本颇为顺利,却毅然辞官,归隐于杭,一方面靠卖药生活,一方面潜心研究散曲、诗词、书法等。栖云寺在杭州栖云山上,贯云石在杭时常到此与僧人谈禅论诗。

全曲共六句,前三句从描写贯云石隐逸的生活环境写起,从侧面赞叹他清新高逸的不凡品格。"芦花""玉楼"两句景物明秀,语句清丽,化用贯云石以诗换芦花被故事,其中"芦花""西风""夜月"等词皆出自贯云石《芦花被》诗,而又浑化自然。元延祐元年(1314)秋天,贯云石偶过山东梁山泊,见渔父织芦花为被,十分喜爱,想以绸子换芦花被。渔父要他写一首诗来交换,贯云石援笔立成,诗云:"采得芦花不涴尘,翠蓑聊复藉为茵。西风刮梦秋无际,夜月生香雪满身。毛骨已随天地老,声名不让古今贫。青绫莫为鸳鸯妒,欸乃声中别有春。"(此诗前有小序,交代了作诗背景)这首《芦花被》诗广为流传,贯云石用它换取芦花被的故事也被传为佳话。"栖云山上小崆峒"句点出贯云石隐逸之地。崆峒为道教名山,在今甘肃平凉市西,相传是黄帝问道于广成子之所,将栖云山和崆峒相比,亦含对贯云石的景仰之情。

后三句从正面赞美贯云石超凡脱俗的品格和才能。"蟠桃"二句先喻其尝过仙露滋养的蟠桃,秉性不凡,再言其诗句以"古苔"为"封",不与世俗之人争利争名。最后一句"教清名天地中"中"清名",指清美的声誉,与世俗、官场之声名相对。宋苏轼《次韵王滁州见寄》诗:"笑捐浮利一鸡肋,多取清名几熊掌。"据《元史·小云石海涯传》,贯云石承袭父亲爵位,却让爵于弟,后混迹官场,又及时看清官场之险恶,急流勇退,甘心过隐居贫苦生活而乐此不疲,确是十分难得。贯云石好友张可久曾写一首《为酸斋解嘲》的小令,亦可为此"清名"作注:"君王曾赐琼林宴,三斗始朝天。文章懒入编修院。红锦笺,白苎篇,黄柑传。学会神仙,参透诗禅。厌尘嚣,绝名利,近林泉。天台洞口,地肺山前,学炼丹。同货墨,共谈玄。兴飘然,酒家眠。洞花溪鸟结姻缘,被我瞒他四十年,海天秋月一般圆。"

贯云石一生在诗文、戏曲方面成就极高,此曲侧重表现其隐逸生活,以颂赞其“清名”为宗旨,或能从侧面见出作者对官场名利的厌恶之情。

（田玉琪）

## 【双调·折桂令】

王举之

### 赠胡存善

问蛤蜊风致何如?秀出乾坤,功在诗书。云叶轻盈,灵华纤腻,人物清癯。采燕赵天然丽语,拾姚卢肘后明珠。绝妙功夫,家住西湖,名播东都。

**鉴赏**

这首小令为交游酬赠之作,对胡存善的学识、风度和散曲创作成就做了高度评价。胡存善,据钟嗣成《录鬼簿》,杭州人,胡正臣之子,曾编《小山乐府》,为当时著名词曲家。

起句“蛤蜊风致”,喻指元曲的文体风貌。元钟嗣成《录鬼簿序》云:“若夫高尚之士,性理之学,以为得罪于圣门者。吾党且啖蛤蜊,别与知味者道。”蛤蜊是浅海的一种软体动物,壳卵圆形,肉味鲜美。钟嗣成将杂剧、散曲创作,比喻为别有风味的蛤蜊,显示出对元曲创作风格的独立意识。王举之显然也十分同意这种看法。起句先用设问,第二句再正面回答:味虽同蛤蜊,但一样能“秀”出天地。第三句交代学养渊源,表明要在如同“蛤蜊”的戏剧、散曲上取得杰出成就,同样离不开传统文化的滋养熏陶。

“云叶轻盈,灵华纤腻,人物清癯。”三句中前二句写胡存善笔下景物特点,后一句写他个人形象特征。“云叶”通常有两义,一指云片、云朵,二指浓密的叶子,这里应为前者。“灵华”即“灵花”,本为佛教语,指天上妙花,唐宋之问《游法华寺》诗:“晨行踏忍草,夜诵得灵花。”两句说胡存善笔下景物如云片一样轻盈，如天花一般绚丽丰润。而作者用"清癯"形容胡存善，"清癯"是清瘦而带有一点病态的，这就和他笔下的景物形成一个鲜明对比，带有善意调侃的味道，而"清癯"也本是我国传统不得志文人群体一个较为普遍的形象特征，其中亦不乏作者对胡存善的同情与关怀。

后五句先总结胡存善创作所以成功之处，在于能博采众家之长，再指出其地位和影响。前两句指出胡存善散曲艺术的源头在北方。"采燕赵天然丽语"，是说他善于学习北曲风格。"燕赵"指战国时燕国、赵国，包括现在的京、津、河北以及山西、河南等部分地区，这里也是元代杂剧、散曲的发源地，元代很多著名戏曲家如关汉卿、王实甫、郑光祖、白朴等都是这一带人。"拾姚卢肘后明珠"是说他善于学习姚燧和卢挚。姚燧和卢挚二人为元初颇负盛名的散曲作家。姚燧(1238—1313)，字端甫，号牧庵，洛西(今河南洛阳)人，今存散曲小令二十九首，套曲一套，内容主要写男女风情，格调风流蕴藉。卢挚(1242—1314)，字处道，号疏斋，涿郡(今河北省涿县)人，今存散曲一百二十首，题材有隐逸、咏史怀古等方面，格调明丽自然。姚卢皆北方中原人。前句"燕赵"为泛指，此句"姚卢"为实指，两句内容相互补充。最后三句指出胡存善辞章绝妙，名满中原。"东都"本指洛阳，这里泛指中原地区，胡存善作为一个南方士子，而名满散曲发源地的北方中原，实属难得。

这首散曲在颂扬胡存善的创作中，蕴含了不少精彩的散曲创作见解，如对散曲风格的认识、对传统文化的接受及对中原作家的肯定等方面，都非常可贵，一定意义上可补创作曲论。不过，颇负盛名的胡存善在今天竟然一首曲子也没有流传下来，却是十分遗憾。

(田玉琪　赵李娜)

## 【双调·折桂令】

王举之

### 读史有感

北邙山多少英雄，青史南柯，白骨西风。八阵图成,《六韬》书在,百战尘空。辅汉室功成卧龙,钓磻溪兆入飞熊。世事秋蓬,惟有渔樵,跳出樊笼。

## 鉴赏

这首小令抒发了对建功立业的否定和对归隐山林的赞美,人生价值取向虽有消极,亦为元代文人一种较普遍心态。

开头三句,写历史上的英雄豪杰,虽青史留名,但都不过是南柯一梦,生前虽然荣耀,死后依然化为西风下的白骨。三句用语惊耸,笔调沉重,含无穷感慨。北邙山在今河南洛阳市东北,这里水深土厚,伊、洛之水自西而东贯洛阳城而过,汉魏以来,王侯公卿死后,多葬此处,俗语有"生在苏杭,葬在北邙"之说。"青史"指朝廷正史,"南柯"即"南柯一梦",语出唐李公佐《南柯太守传》,为诗文中常用典。四句至九句,从"英雄""青史"着笔,写历史上两位名声赫赫的人物:诸葛亮和姜子牙。二人均有杰出谋略,都建立了丰功伟业。"八阵图"是诸葛亮创设的一种阵法。《三国志·蜀书·诸葛亮传》说他"推演兵法,作八阵图"。杜甫《八阵图》诗:"功盖三分国,名成八阵图。"《六韬》,相传为姜太公所著兵书,即《文韬》《武韬》《龙韬》《虎韬》《豹韬》《犬韬》,合称《六韬》。"辅汉室"句指诸葛亮辅助刘备建立蜀汉政权,"钓磻溪"句言姜子牙帮助文王、武王灭商,建立西周。相传周文王梦飞熊,而于磻溪遇到姜子牙。磻溪,一名璜河,在今陕西宝鸡市东南,溪水北流注入渭水,传说姜太公年老未遇,曾隐居磻溪岸边垂钓。最后三句以渔樵跟英雄作比,回应开头的"白骨""南柯",认为世事如蓬,只有隐逸的渔樵才逍遥自在,不受尘世功名的牵累。

全曲流露出对事业功名的强烈幻灭感。开头单刀直入,以白骨西风、南柯一梦和历史上的英雄人物相提并论。接着以诸葛亮和姜子牙为例,纵有千秋功勋,最终也不过是一抔黄土掩白骨,哪有渔樵之安逸自在。

不过,需要特别指出的是,诸葛亮和姜子牙他们的本来身份皆渔樵隐居之士,他们为什么没有选择一直隐居,而是最终选择了建功立业?这是作者没有回答的,也是有意回避的。而历史上英雄人物很多,作者为什么偏偏选择两个本来隐居之士,应是别有用意的:历史上姜子牙、诸葛亮那样的隐逸之士可以成为英雄豪杰,今天却正好相反,英雄豪杰只能变身为渔樵。这首小令曲折地反映了作者在当时特定环境中进退两难的矛盾心态，愤激语中包含着对现实的强烈批判，对功业的否定本身表现的是对社会现状的否定。全曲音节铿锵，感情跳荡激越，令人扼腕叹息。

（田玉琪）

# 【南吕·一枝花】

班惟志*

## 秋夜闻筝

【一枝花】透疏帘风摇杨柳阴，泻长空月转梧桐影。冷雕盘香销金兽①火，咽铜龙漏滴玉壶②冰。何处银筝？声嘹呖云霄应，逐轻风过短棂。耳才闻天上仙韶③，身疑在人间胜境。

【梁州】恰便以溅石窟寒泉乱涌，集瑶台鸾凤和鸣，走金盘乱撒骊珠④迸。嘶风骏偃，潜沼鱼惊，天边雁落，树梢云停。早则是字样分明，更那堪音律关情？凄凉比汉昭君塞上琵琶，清韵如王子乔⑤风前玉笙，悠扬似张君瑞月下琴声。再听，愈惊。叮咛一曲阳关令⑥，感离愁，动别兴。万事萦怀百样增，一洗尘清。

【尾】他那里轻笼纤指冰弦应，俺这里谩写花笺锦字迎，越感起文园⑦少年病。是谁家玉卿？只恁般可憎！唤的人一枕蝴蝶梦儿醒。

作者

* 班惟志，(约1330前后在世)，字彦功(一作彦恭)，号恕斋，大梁(今河南开封)人，或以为松江(今上海松江)人，寓居杭州。官至集贤待制、江浙儒学提举。班惟志博学多能，兼擅书法，袁中道谓其行书清健出尘，不在赵孟頫下。其

词曲亦负盛名。钟嗣成《录鬼簿》将其列于曲家“方今名公才人”之中,明朱权《太和正音谱》将其列于“词林英杰”一百五十人中。所作散曲今存套数1套。

## 注释

① 金兽:指金色的兽形香炉。

② 玉壶:玉制的漏壶,古代的计时器。

③ 韶:虞舜时的乐曲名。《尚书·益稷》:“箫韶九成,凤皇来仪。”后指极其美妙的乐曲。

④ 骊(lí)珠:珍贵的珠子。

⑤ 王子乔:春秋时周灵王太子,名晋,善吹笙,作凤凰鸣。

⑥ 阳关令:即王维的《渭城曲》,又题作《送元二使安西》,有“劝君更进一杯酒,西出阳关无故人”句。后编入乐府,广为传唱,又称《阳关曲》或《阳关三叠》。

⑦ 文园:西汉司马相如,曾做过孝文园令,此处借指司马相如。

## 鉴赏

班惟志的散曲作品,今仅存这套《秋夜闻筝》,但只这一套,便可使读者领略其深厚的创作功底,丰富的想象力,多样的表现力和强烈的艺术感染力。此曲围绕“秋夜闻筝”这一题目,通过想象、比喻、通感等手法,将筝声的美妙动人表现得淋漓尽致。

此套散曲由三支曲子组成,〔一枝花〕主要描写了当时的情景,点明时间——“秋夜”,并引出筝声。在一个秋天的夜晚,主人公透过稀疏的帘子向外望,室外风摇树影,月泻长空,随着时光的流逝,照在树上的影子便随月亮的移动而转变着方向。室内,金兽炉中的香料渐渐燃尽,雕花盘盏也渐渐变凉,铜龙滴漏滴滴答答,从何处传来银筝的声音?这声音清脆而悠扬,直响云霄。它随风穿过窗棂,传到主人公的耳朵里。听到这美妙的乐曲,一种置身仙境的感觉油然而生。

〔梁州〕一曲主要描写了银筝曲的美妙,作者运用比喻、通感等手法,把读者的各个感官调动起来。整支曲子极尽铺排之能事,是全套的重点。筝声时而像寒泉溅石的汹涌激荡,时而像鸾凤齐集瑶台共舞和鸣的悦耳,时而又像是骊珠撒落金盘的清脆。这样美妙的筝声可以让骏马停止嘶鸣,可以让潜入泥沼的鱼儿浮出水面,可以让天边的大雁飞落,可以让树梢的云朵停留。这样的乐曲本就让人听得清晰明了,更何况曲调动情。凄凉处仿佛昭君出塞时弹奏的琵琶曲,清韵处好比王子乔在风前吹奏的玉笙,悠扬处又如张君瑞月下动听的琴声。再听下去,是一曲《阳关令》,它弹出了无尽的离愁,触动了主人公的心弦,让人闻之心惊。一时间,离愁别绪,万感萦怀,徒增不减。

〔尾〕曲跳出对筝声的描写,开始写人。听着这悦耳的筝声,联想到这样的画面:弹筝之人用纤纤玉指拨弄着冰冷的琴弦,听筝之人落笔写下花笺遥寄深情。啊!我也像"文园"一样相思成疾了,这到底是谁家的女郎,这般"可憎"(可爱),害得人深夜难以入梦。"文园"即司马相如,在这里,作者自喻是以一曲《凤求凰》赢得卓文君爱慕的司马相如,此典的运用,不仅给这首"秋夜闻筝"注入了浪漫的色彩,还暗示自己也会得到弹筝之人的眷顾。

这篇套数从正面侧面对筝曲进行描绘,运用比喻、通感的手法,从视觉、听觉、感觉等多方面对筝曲进行描摹,让读者也同听筝人一般触动心弦,从而产生强烈的共鸣。而〔尾〕曲中用典和联想的手法,给这篇套数增添了浪漫的色彩。整套曲子辞采华茂,典丽工致,虚实相生,声情并茂。

(刘　博)

# 【正宫·醉太平】

汪元亨*

## 警世(二十首其一)

辞龙楼凤阙，纳象简乌靴。栋梁材取次尽摧折，况竹头木屑。结知心朋友着疼热，遇忘怀诗酒追欢悦，见伤情光景放痴呆。老先生醉也。

### 作者

*汪元亨，生卒年不详，字协贞，号云林，别号临川佚老，饶州(今江西鄱阳)人。曾任浙江省掾，后徙居常熟。汪元亨作品所涉曲牌不多，题材较为单一，警世、归田各20首，归隐60首，即《录鬼簿续篇》所云《归田录》百篇，另有套数1套，杂剧3种(亡佚)。

### 鉴赏

汪元亨《醉太平》令曲凡二十首，题材皆为警世，此为第一首“辞龙楼凤阙”。

从汪元亨现存作品看，不过警世、归田、归隐三种题材，其中归隐占主要的成分，而此处名为“警世”，实际上从首句“辞龙楼凤阙，纳象简乌靴”看，实质上也包含有归隐的成分。

一般而言，在封建社会，“龙楼凤阙”与“象简乌靴”是权势的象征，也是世人所追逐的，可这里作者开篇便阐明立场：龙楼凤阙我是要告辞了，而且是主动地辞去；象简乌靴我也要交还了，当然也是主动地交还。难道汪元亨也如屈子一样

"众人皆醉而我独醒"(《离骚》)吗?我们是不敢贸然下这样的结论的,但原因作者也确实交代得十分明确,"栋梁材取次尽摧折",这就是元代社会的实际情况。由于是异族统治,元代的社会等级是非常明显的,蒙古、色目、汉人、南人四个档次,一层压一层,这是不能逾越的。汪元亨身为汉人,地位的低下是很自然的。不仅如此,元代的统治者长期不开科举,汉人知识分子失去了晋身之阶,一身的才干无用武之地,这是对人才的极大浪费。更让人气愤的是,汉人是不得做高官的,即使多么有才干,即使在多么关键的部门,也很难做到正职。在这种情形下,出现"栋梁材取次尽摧折"的情况是很正常的。就汪元亨来讲,虽曾做过浙江省掾,但为属官,位卑职小,栋梁材尚且不得施展抱负而被任意摧折,何况他这么个只配称为"竹头木屑"的人物罢了。

然而,这只不过是当时总体社会背景下的一种现象而已,如果进一步探讨这种现象背后的深层含义,恐怕不止这些。在作者眼里,官场之黑暗还在于人与人之间关系的冷漠和知人知面不知心的困惑,没有了知心的朋友,自然没有了真心的眷顾、体贴与热情的关爱,人情味就淡了许多。更由于读书人没有了晋身之阶,官场中则少见唐宋时常见的吟诗唱和、互相酬答,文人味又逊色不少,而这正是读书人所追逐的怡情悦性的欢乐,更别提遇到什么"忘怀诗酒"了。

自己所钟爱的都已经不复存在,满眼所见的自然是无限的"伤情光景",主人公怎能不慨叹理想与现实的巨大反差呢?那么,为了实现这样的理想,"辞龙楼凤阙,纳象简乌靴"便成了唯一的选择,因为只有在这样的条件下,才能结识知疼着热的"知心朋友",才能遇到共追欢悦的"忘怀诗酒"。

"老先生醉也"是全曲的收束句,也是主人公在做了最终选择后的一种颇为得意的解脱。

就艺术手法上看,开头的两句对非常工整,三、四句的对比顺理成章,五、六、七句的鼎足对在整饬中更显得充沛、有力,颇显气势。而借代与比喻的巧妙使用则使此曲的语言显得非常生动、形象。

(薄克礼)

# 【正宫· 醉太平】

汪元亨

## 警世(二十首其二)

憎苍蝇竞血，恶黑蚁争穴。急流中勇退是豪杰，不因循苟且。叹乌衣一旦非王谢，怕青山两岸分吴越，厌红尘万丈混龙蛇。老先生去也。

### 鉴赏

元代的散曲大多直白可爱，多深刻的内容也要表现得非常容易理解，其表现手段也是如此，虽然丰富多彩，但绝不用多么含蓄。汪元亨的这首散曲正充分体现了这样的特点。

“憎苍蝇竞血，恶黑蚁争穴。”首先我们能够轻易地从这个对句看出，汪元亨的心中有恨。那么他憎恶的是什么？答案非常清楚，一个是苍蝇竞血，一个是黑蚁争穴。苍蝇本身就是肮脏的，肮脏的东西所竞争的当然主要是利了，就苍蝇而言主要是“血”；黑蚁本身就龌龊小气，龌龊小气所竞争的当然也是利了，就黑蚁而言主要是“穴”。当然我们非常清楚地知道，汪元亨所留意的绝非这两种讨厌的小东西，而是借以比喻那些官场上的争名逐利之辈。官者，民之父母，以民为本、为民排忧解难方是正务。而如苍蝇、黑蚁类只能使官场显得污浊不堪。这种情况下，主人公何去何从呢？同流合污显然不是读书人的喜好，因循苟且也不是读书人的准则，“出淤泥而不染”（宋周敦颐《爱莲说》）才是读书人应有的品性，于是主人公选择了“急流勇退”，这就与当时沉醉于黑暗污浊官场的“苍蝇”“黑蚁”形成了强烈的对比。

憎恶而外，先是慨叹：“叹乌衣一旦非王谢。”沧桑巨变是一个不可逆转的规律，人生不过转瞬间事；即使交上泰运也只是暂时，那么在如此短暂的人生中如何为自己定位，选择适合自己的人生道路，就显得非常关键。与苍蝇、黑蚁一样追名逐利是一种，很好地施展自己的才能抱负、为国家和人民服务又是一种。其实这种选择无论在哪一个朝代,无论哪一个士子,都是要直接面对的,因选择不同,其结局也往往相反,这已经是人类历史中的一个带有规律性的普遍认识了。说到乌衣与王谢,唐人刘禹锡有诗曰:“朱雀桥边野草花,乌衣巷口夕阳斜。旧时王谢堂前燕,飞入寻常百姓家。”遥想当初,东晋时期王导、谢安两家望族在乌衣巷一带是何等的威风气派,而今燕子虽然还是年年飞来,飞入的却是普通百姓的家中,与王谢时期是多么的不同啊!既如此,依然还要追逐什么名与利,岂不可叹!

与慨叹相接的是“怕”,表明了作者的担心:“怕青山两岸分吴越。”这显然体现了作者对国家命运的关注,而这也恰恰是读书为官者理所应当的分内之事。心系国家与心系名利是一对矛盾,是辨别忠奸的一个根本尺度,作者的爱国情怀与苍蝇、黑蚁般腐败官僚的见利忘义正是鲜明的对照呢!

最后一个是“厌”,是厌恶,“厌红尘万丈混龙蛇”,以辩证的观点看,“有无相生,难易相成,长短相形,高下相倾”(《老子》),因此红尘中、官场上的鱼龙混杂似乎是一种正常现象,因为作者是爱国的,在他眼里,尽忠报国才是文人士子的当然选择。在这种为官思想的指导下,作者的“厌”与前面所及的“憎”“恶”“叹”“怕”几个字就组成了作者思想核心的一个重要方面,那么在那种污浊的情况下,“老先生去也”的选择也是必然的了。

作者善用领字,“憎”“恶”“叹”“怕”“厌”虽非正格之内,却气韵相连,直接引导了前面的两句对和后面的鼎足对,辅以恰当的比喻和典故,使整支曲子显得生动而深刻,很好地体现了“警世”的主题。

(薄克礼)

## 【正宫·醉太平】

汪元亨

### 警世(二十首其十八)

结诗仙酒豪,伴柳怪花妖。白云边盖座草团瓢,是平生事了。曾闭门不受征贤诏,自休官懒上长安道,但探梅常过灞陵桥。老先生俊倒。

## 鉴赏

在汪元亨的二十首《警世》曲中,经常要提到作者归隐田园的乐趣,以与世间的烦恼形成鲜明的对比。“结诗仙酒豪”就是其中的一个代表。

汪元亨是一个传统的文人,“会谈经览史,惯作赋吟诗……展嘲风咏月长才思,吐敲金击玉款言词”(《警世》之十七)。也嗜好喝酒,经常“饮千钟玉液身颓趄,看两行红袖眼乜斜”(《警世》之十一),醉酒便是常事。更爱葱茏花木,甚至在睡觉时还要“欹菊花香枕……拥芦花絮被……入梅花纸帐”(《警世》之十二)。有了这几种雅好,平日结交的自然是“诗仙酒豪”,换盏推杯,往来唱和,好不得意;素来相伴的自然是“柳怪花妖”,五柳庄前,花枝插帽,好不惬意。而平生得意之极,便是“白云边盖座草团瓢”,汪元亨号云林,白云边的茅帘草舍自是他一生最向往的所在,他晚年徙居常熟,那里的虞山虽然不高,但能与言子(孔子在南方的唯一弟子,后归虞山,其墓也在虞山东麓)相伴,与白云相近,一个简陋的草屋也许能让汪元亨心情疏朗,欢快至极。而这正是他在浙江省掾的位子上所享受不得的。“羁鸟恋旧林,池鱼思故渊”(陶渊明《归园田居》)道出了“少无世俗韵,性本爱丘山”(同上)的诗人本色,陶潜如此,汪元亨何尝不是如此呢?

有了这个因,就有了“曾闭门不受征贤诏”的经历。实在而言,作者这种谢绝征贤诏令的做法与自己的理想是多少有些矛盾的。这个矛盾的纠结点之一便是自己酷爱大自然,因此舍不得离开,谢绝征召也就有了理由。纠结点之二是身为文人士子,也想将自己的才干奉献给国家人民,干出属于自己的一番事业,所以“不受征贤诏”也不过是曾经,文人士子最终还是要以报效国家为主的。可是报效国家,也是有一定难处的,难处也纠结于两点:一是元朝人分四等,汉人多得不到重用的;二是位卑职微,有才能也不可能完全施展。于是在这种状态下,作者依然处在矛盾之中,本来主人公是想干一番事业的,“上长安道”的想法便是很好的证明。可现实又是残酷的,为官的经历不仅打消了作者“上长安道”的想法,最终还选择了辞官而去的道路。

有失便有得,“长安道”虽然去不得了,正好去“灞陵桥”,尽管二者的方向一致,但到“灞陵桥”的目的是与去“长安道”截然不同的,前者为更好地施展才干,后者则是为探访作者喜爱的梅花。一为官,奔波;一为闲,自在。境界迥然殊异。再深入探究,作者是非常满足现在怡然自得的状态的,否则老先生何以“俊倒”呢!

(薄克礼)

# 【正宫·醉太平】

汪元亨

## 警世(二十首其二十)

耳闻时做聋,眼见处推盲。且达时知务暗包笼,权妆个懵懂。听人着冷话来调弄,由人着死句相讥讽,任人着假意厮过送。老先生不懂。

### 鉴赏

孔老夫子于人生之各个阶段的研究有这么几句话:“吾十有五而志于学,三十而立,四十而不惑,五十而知天命,六十而耳顺,七十而随心所欲不逾矩。”如果我没有理解错的话,汪元亨作此曲时当在耳顺之年。如何理解这个耳顺呢?世间的大风大浪都经受过了,宠辱皆身外之事,懂与不懂又有何区别?或许还是不懂为妙吧!

先看该曲的前两句:“耳闻时做聋,眼见处推盲。”用不着太多的解释,“装聋作哑”四字就足够了。而这四字的背后是什么呢?其一,作者不聋不哑也不瞎,啥都清楚,所有的感觉器官都是可靠的,好得很;其二,故意装聋作哑,啥都装作不知道,这最初可能是无奈之举,极度的失望在其中,可对于耳顺之年的人来讲,他们惯经世间的风风雨雨,这一切早已不用雾里看花,可谁又能通过自己的一己之力排除迷雾呢?也许,也许帝王也不见得就能扭转乾坤呢!明乎此,作为臣子,尤其是退居二线的臣民,“装聋作哑”自然是可以理解的了。

实在而言,我们从此曲中可以看出,作者在为官时就已经非常洞察世事了,“且达时知务暗包笼,权妆(装)个懵懂。”汪元亨有是非观念,为什么却装懵懂呢?俗语曰“揣着明白装糊涂”,很显然,他早就是个官场的达人了。但作者似乎对这个达人状况很不满意,他最不满意的就是这个“妆”字,尽管他还不得不装。

而“妆”的结果确实很不理想,只好“听人着冷话来调弄,由人着死句相讥讽,任人着假意厮过送”。可冷嘲热讽作者是听不惯的,曲意奉承作者是做不来的,“听人”一无主见,二少能为;“由人”一无办法,二显窝囊;“任人”则唯受宰割而已,可悲的是自己却又不能不曲意逢迎。汪元亨虽非人中龙凤,但他饱读诗书,从其创作曲牌不多但内容丰厚、驾驭曲子能力殊强来看,他的才情绝非一般。如此才情难道是“听人”“由人”“任人”之辈吗?答案肯定不是,其“自休官”(《警世》之二十)的理由也就显得非常充分了。

“老先生不懂”,老先生究竟不懂的是什么呢?不懂得官场如何就成为这样,不懂得如此官场如何能为国家的社稷安危和百姓的福祉安康着想呢。所以,老先生这“不懂”二字显得矛盾重重,气愤、无奈兼而有之。但毕竟是老先生了,“谈经览史”的学问总是会让老先生有所“开悟”的,那么孔老夫子“六十而耳顺”的无奈之举也许老先生会接受。

(薄克礼)

## 【中吕·朝天子】

汪元亨

### 归隐(二十首其二)

长歌咏楚词,细赓和杜诗,闲临写羲之字。乱云堆里结茅茨,无意居朝市。珠履三千,金钗十二,朝承恩暮赐死。采商山紫芝,理桐江钓丝,毕罢了功名事。

鉴赏

“警世”而外,“归隐”是汪元亨散曲的主要题材,大多描写归隐的生活乐趣和心理感受。他以《归隐》为题的〔朝天子〕小令一共二十首,此篇为其中第二首。

“长歌咏楚词,细赓和杜诗,闲临写羲之字。”文人毕竟是文人,在其归隐的日子里,读书、吟诗、写字依然是生活中不可或缺的重要组成部分。然而,我们细品其读书、吟诗的内容,不免又使人沉重许多。一是楚辞,屈原是主要作者,代表作是《离骚》,文中反复述说作者远大的政治理想、所受的政治迫害,来批判黑暗的现实,并藉幻想境界的描绘,对美人香草的向往,表达自己对祖国的热爱、对理想的积极追求和对反动腐朽势力毫不妥协的斗争精神。屈原的理想是破灭了,先被放逐,最终魂归汨罗。二是杜诗,杜甫早有济世之心,“致君尧舜上,再使风俗淳”是他的政治理想,描写“安史之乱”社会现实的“三吏”“三别”,则显现了他忧国忧民的情怀,可老杜一生落魄潦倒,颠沛流离。试想,汪元亨在归隐时依然读如此幽愤之诗,和如此悲伤之韵,其心情是可想而知的,他根本没有从官场的失意中解脱出来。

但由于现实的残酷,即便如曾任楚国重臣的屈原和满怀济世之心的杜甫也无能为力,“乱云堆里结茅茨,无意居朝市”,也就自然而然地成了位卑职小的主人公的无奈选择,这里的“无意”其实是无奈后的抉择,而“乱云堆里结茅茨”只不过是这种无奈抉择后的一个结果而已。

需要明了的是,笔者并非刻意强调汪元亨的无奈,因为在元代,现实的残酷可能是历朝历代都无法相比的,“珠履三千,金钗十二,朝承恩暮赐死”绝不是作者的想象,也不是作者随意用典故来搪塞的敷衍之词。“珠履三千”,典出《史记·春申君列传》,豪言春申君门客的众多和良好的待遇,以此衬托春申君在楚国的地位和权势是无与伦比的。“金钗十二”,典出《山堂肆考·角集》,以牛思黯自夸服钟乳三千两,歌舞伎甚多,白乐天遂答诗云:“钟乳三千两,金钗十二行。”极言牛家姬妾众多。然而,即便是如此的权势与富贵,在封建帝王那里,尤其是元代统治者那里,也是朝不保夕,“朝承恩暮赐死”自是寻常之事。

“君言不得意,归卧南山陲”(王维《送别》)。既然官场不能如意,积极进取之心也就随之泯灭,虽然还思念着屈原、杜甫,但忧国忧民尤其是报效国家已经成为不可能,那么效法秦代的四皓归隐山林采商山紫芝,效法汉代的严子陵垂钓于桐江,不再着意于功名,与统治者不合作便成了主人公唯一的选择,这正是作者"归隐"的根由所在。

就艺术表现而言,此曲不仅注重对仗,大量典故成功运用于一支五十八字的小令也使该曲显得深厚而沉重,很好地体现了"归隐"的主题。

(薄克礼)

## 【中吕·朝天子】

汪元亨

### 归隐(二十首其五)

荣华梦一场,功名纸半张,是非海波千丈。马蹄踏碎禁街霜,听几度头鸡唱。尘土衣冠,江湖心量,出皇家麟凤网。慕夷齐首阳,叹韩彭未央,早纳纸风魔状。

**鉴赏**

此曲为汪元亨同题小令二十首中的第五篇。以"荣华梦一场"开端,起笔即点明欲弃世俗而去的心志。古有"黄粱美梦""南柯一梦"等典故,认为短暂人生中对于荣华富贵的追求不啻为虚幻而了无意义的梦境罢了。"功名纸半张,是非海波千丈",苦苦追求功名利禄而获得成功,身后有可能被载入史册,光耀后世,而那不过占据半页纸的所谓"功名",却要付出在"是非海"中颠簸沉浮许久的代价。"马蹄踏碎禁街霜,听几度头鸡唱。"主人公应是位必须早早上朝的京官,骑马前往宫廷的路上尚有寒霜,留下了细碎的马蹄印,"头鸡唱"见其早,"几度"见其频繁。

到"尘土衣冠"一句,曲意转入豁达与超脱。长期早出晚归、兢兢业业的朝官生涯,作者不过将其视为

“尘土”而已。“江湖心量”化用范蠡助勾践灭吴后，携西施泛舟江河湖海，从而免遭兔死狗烹、鸟尽弓藏命运的典故，表明自己志在归隐。“出皇家麟凤网”一句颇为警醒，唐代曾改秘书省为麟台，改中书省为凤阁，“麟凤”合称代指朝廷行政机构。陶渊明有诗曰：“误入尘网中，一去三十年”，将出仕生涯喻为“入网”。在汪元亨眼中，踏上仕途就是入了“皇家麟凤网”，失去自我，于是想方设法“出网”，好做个自由快活的人。

“慕夷齐首阳，叹韩彭未央”，连用两个典故，形成对比。“夷齐首阳”，周灭商纣时，伯夷、叔齐耻食周粟，隐居在首阳山中采薇为食，最后饿死。这一典故在历代文学作品中被多次吟咏，赞颂隐士的高洁之志。“韩彭未央”，汉代韩信、彭越辅佐刘邦夺得天下后，功高震主，引起汉高祖的怀疑，最终被骗至未央宫杀害。两相比较，对于前者，作者的态度是“慕”，对于后者，则是“叹”，褒贬之意，现于言中。“早纳纸风魔状”，看到前人奔竞官场的惨痛结局，有了前车之鉴，作者便想好了脱身之法，那就是佯装疯魔，然后自会有人将此情形书呈上级，自己正好借此实现去官归隐的愿望。

汪元亨的散曲多为警世叹时之作，喜吟咏归田隐逸生活。此曲即是描写他对官场入世生活的厌倦憎恶及对归隐生活的喜爱向往。

曲子分三个层次来表现其归隐的心态与缘由。第一层三句，写觉醒之意；第二层五句，厌世中透出归隐志向；第三层三句，写作者看透世事，终于下定决心付诸行动。三层意思一线贯穿，层层递进，颇耐回味。

（张文利）

## 【中吕·朝天子】

汪元亨

### 归隐（二十首其九）

身不出敝庐，脚不登仕途，名不上功劳簿。窗前流水枕边书，深参透其中趣。大泽诛蛇，中原逐鹿，任江山谁做主。孟浩然跨驴，严子陵钓鱼，快快煞闲人物。

## 鉴赏

这是汪元亨二十首同题小令《归隐》之九,着重表现归隐生活的快乐与惬意。

“身不出敝庐,脚不登仕途,名不上功劳簿”,三句形成排比,每句中都有一个“不”字,读来铿锵有力,极富韵律节奏的美感,也可以看出作者对归隐这一选择的坚定决心。三个排比句在语意上层层递进,一气而下。既然“不出敝庐”,便无法“登仕途”;既然“不登仕途”,便无法“上功劳簿”,三者形成因果关系。“仕途”“功劳簿”本是士人极为看重的,作者却用几个“不”字来否定它们,显示出对功名利禄的淡然与洒脱。

接下来的“窗前流水枕边书,深参透其中趣”,是对远离官场后享受隐居生活的写照。隐逸之地山清水秀,没有官场的纷纷扰扰,没有都市的喧嚣嘈杂,正好放纵心情,享受生活。于是或听窗前流水潺潺,或闲翻枕边好书。不为仕途经济而读书,更易参透其中的真意与趣味,这是古往今来多少读书人的向往。

“大泽诛蛇,中原逐鹿,任江山谁作主”,在静享归隐生活后,便对世间荣辱更加超脱淡泊。“大泽诛蛇”用刘邦典故,刘邦自陈胜、吴广大泽乡起义后,路遇大蛇,拔剑而诛之,后来夺得汉位;“中原逐鹿”出自《汉书·蒯通传》:“秦失其鹿,天下共逐之。”喻群雄并起,争夺天下。这两个典故均指江山易主、朝代更迭的大事,然而“任江山谁作主”中一“任”字,表现出作者不再牵系世事的隐逸决心,决绝而超然。

“孟浩然跨驴,严子陵钓鱼,快快煞闲人物”,再次连用典故。唐代诗人孟浩然一生未仕,传说他曾在雪天骑驴赏梅。东汉隐士严子陵与汉光武帝为同窗,光武帝即位后他不愿受诏入朝,隐姓埋名垂钓于富春山。这两人都是作者眼中既“快活”又有“闲”的人物,令人向往。然而,这只是作者以主观想象揣度孟浩然、严子陵二人隐居的“快活”,实际中的孟浩然并非总是一个“快快煞闲人物”,他也有欲仕而不能的惆怅,从其《临洞庭湖赠张丞相》“欲济无舟楫,端居耻圣明。坐观垂钓者,徒有羡鱼情”中即可看出。作者借用孟浩然和严子陵的典故,并且有意渲染隐逸生活的理想和美好,意在肯定自己所选择的归隐之路。

曲子将归隐生活描写得近乎完美,融快乐与轻松于一体。运用排比,增强了语言的韵律和节奏感,起承转合衔接自然,首尾照应,读来朗朗上口,易记易诵。

(张文利)

# 【中吕·朝天子】

汪元亨

## 归隐(二十首其十一)

云林远市朝，烟村绝吏曹，风景隔长安道。淋漓醉墨湿宫袍，诗酒把王侯傲。南亩躬耕，东皋舒啸，看青山终日饱。携一琴一鹤，做半渔半樵，人不识予心乐。

### 鉴赏

此曲是汪元亨同题作品的第十一篇，用诗意的笔调叙写自己归隐后的恬淡生活，不汲汲于功利，不碌碌于官场，只求一份内心的平静与快乐。

开篇“云林”二字，既可理解为汪元亨自号云林，此处是他的自称，也可理解为隐居之所的代称，如唐代王维《桃源行》“当时只记入山深，青溪几度到云林”和金张斛《还家》“云林无俗恣，相对可终老”中，均以“云林”代指桃花源般的隐居地。“远市朝”，远离尘世和庙堂这些争名逐利之所，表明其平静；“烟村绝吏曹”，青霭氤氲、炊烟袅袅的村落，大小官吏从不造访，表明其安宁；“风景隔长安道”，长安道喻指名利场所，如五代无名氏《贺圣朝》词中就有“长安道上行客，依旧利深名切”。而作者隐居之处，与长安道上熙熙攘攘皆为利禄往来的风景迥异，表明其淡泊。

接下来，笔触从外部景象转向主人公的日常生活情形。“淋漓醉墨湿宫袍，诗酒把王侯傲”，“宫袍”，古代官员的礼服。此句意为乘着酒兴挥毫泼墨，行文作画挥洒自如，笔意酣畅，哪怕墨汁溅湿了官服也在所不惜；“诗酒把王侯傲”，把酒吟诗，好不快活，直可傲视王侯。“南亩躬耕，东皋舒啸，看青山终日饱”三句，连用典故。“南亩躬耕”用诸葛亮典。诸葛亮出山辅佐刘备打天下之前，躬耕于南亩，过着避世隐逸的生活。"东皋舒啸"语出东晋陶渊明《归去来兮辞》"登东皋以舒啸"句,意为像陶潜一样回归田园,登上水边高地放声长啸。"看青山终日饱"化用宋辛弃疾《贺新郎》中"我见青山多妩媚,料青山见我亦如是"句,写青山入眼给作者带来极大的精神享受和满足。

"携一琴一鹤,做半渔半樵,人不识予心乐",是作者为自己勾画出的理想生活图景。"携一琴一鹤"语出北宋沈括《梦溪笔谈》:"赵阅道为成都转运史,出行部内,唯携一琴一鹤,坐则看鹤鼓琴。"古人多以"琴鹤"形容生活的雅致从容。"做半渔半樵",作者完全融入乡野生活,深知入山问樵,入水问渔,与樵夫、渔民近距离接触,感受自然界的水色山光。"人不识予心乐",作者说:旁观者或许对我的选择有千万种猜测,可他们怎能知道我内心的愉悦和快乐呢?

这支曲子,语言清雅,用典自如。描写田园生活多用动词,传达洒脱畅快的意绪,将自己归隐园田的喜悦与满足表现得淋漓尽致。

(张文利)

## 【双调·沉醉东风】

汪元亨

### 归田(二十首其二)

远城市人稠物穰*,近村居水色山光。熏陶成野叟情,铲削去时官样,演习会牧歌樵唱。老瓦盆边醉几场,不撞入天罗地网。

注释

* 穰(rǎng):意为众多、繁盛。

## 鉴赏

汪元亨共作有二十首同曲牌的《归田》,内容多为对污浊社会的厌弃,对美好自然的眷恋,描写淳朴恬静的田园生活和抒发高洁旷达的情怀。这是其中的第二首,字里行间表现出一种逃脱樊笼重获自由的满足与欢畅。

首句"远城市人稠物穰,近村居水色山光","远"和"近","城市"和"村居","人稠物穰"和"水色山光"字面上两两对仗工整,意义又形成鲜明对比:城市人口稠密、物质丰富,但作者执意要远离;村居山水如画,风景优美,是作者理想的去处。这两句语言生动形象,令人联想到城市车水马龙、行人摩肩接踵的嘈杂,农村山明水秀、鸟语花香的静谧,作者的喜恶之情溢于言表。

接下来"熏陶成野叟情,铲削去时官样,演习会牧歌樵唱",写村居生活中的收获与感悟。"熏陶成野叟情",与忠厚淳朴的山野村夫生活在一起,不免潜移默化地受他们的影响和熏陶,身上有了他们的性格特点和生活作风。这是作者愿意看到的自己回归真实、自然的样子。村居生活中有所得就有所失,那么所失就是"铲削去时官样",即清除了做官时沾染的一些诸如虚伪、阿谀的官僚架子和不良习气,这是作者乐意去除的。令他感到自豪的还有"演习会牧歌樵唱",跟牧民、樵夫学会了唱民歌。牧歌樵唱,是平民百姓抒发内心自然真实情感的音乐,毫不矫揉造作。学会这类歌曲,说明作者已由一个在官场混迹多年的"时官",演变成淳朴、本真的村居之人。

"老瓦盆边醉几场,不撞入天罗地网"二句用作结尾,延续上句的语意,继续抒写自己不与世俗同流合污,情愿在平淡的村居生活中尽享天伦的态度。"老瓦盆"是一种粗糙的陶制酒器,以此对应前面的"熏陶成野叟情",对酒器不挑剔,只求畅快淋漓地"醉几场",只希望"不撞入天罗地网"。此处用"天罗地网"象征危机四伏、变幻莫测的官场,这正是作者想方设法要远离的。汪元亨以归隐、归田为主题的小令有数十首,虽然作品的主题相同,但作者在语言艺术上力避重复,不断创新,篇篇新颖独特。如对于险恶官场,他或喻为"虎狼丛",或喻为"风波海",或喻为"虎窟龙潭",本曲又有"天罗地网"之喻。仅此一例,足见其散曲语言艺术的高超丰富。然而,这个"老瓦盆边醉几场"的"醉",是由于愿望实现、心满意足呢,还是由于理想破灭、借酒浇愁、逃避现实呢？恐怕答案只有作者自己知晓。但曲子描绘的理想生活图景和高度的艺术表现力，使它得以代代流传，成为元散曲中的经典之作。

（张文利）

## 【双调·沉醉东风】

汪元亨

### 归田（二十首其十五）

二十载江湖落魄，三千程途路奔波。虎狼丛辨是非，风波海分人我。到如今做哑妆矬，着意来寻安乐窝，摆脱了名缰利锁。

鉴赏

此曲是汪元亨二十首同题小令中的第十五首。通过回忆归隐前在官场所经历的是非浮沉，与如今安定平稳的归隐生活形成对比，慨叹隐逸生活的可贵与来之不易。

“二十载江湖落魄，三千程途路奔波”，以数字起头，两句形成工稳对仗。“二十载”言时间之久，“三千程”言路途之远，时间与空间纵横交错，叙说作者美好的青春年华就消耗于宦海的奔波浮沉，年复一年，日复一日，没有安定下来的时候，足见其生存之不易。“江湖落魄”“途路奔波”两词，摹画出作者奔走官场的劳苦和辛酸。元代社会，知识分子，尤其是汉族文人的社会地位极为低下，仕宦之途更加厌迫艰难，基本的物质生活也常常陷于困厄。汪元亨描绘的失意潦倒的自我形象，实际是元代广大下层知识分子和低级官吏生存状态的真实缩影和写照。

“虎狼丛辨是非，风波海分人我”，作者以犀利的笔锋，将他眼中尔虞我诈、阳奉阴违的官场比作“虎狼丛”和“风波海”，揭露当时官场以及社会的黑暗与矛盾，真是入骨三分。稍前于汪元亨的散曲家马谦斋在其［沉醉东风·自悟］中亦有过同样的比喻："虎狼丛甚日休？是非海何时彻？"可知当时文人对于黑暗现实的普遍感受。"辨是非""分人我"，即明辨是非，保持自我，这本是做人的基本原则，但在危机重重、风波四起的官场及社会现实中，想要做一名洁身自好的好人、好官，何其难哉！行文至此，读者或许明白：作者宦途失意、沉沦下僚的原因，是由于他高贵的品质和杰出的才华与污浊黑暗的现实格格不入。那么，面对肮脏险恶的社会现实，作者应该如何自处呢？

"到如今做哑妆矬，着意来寻安乐窝，摆脱了名缰利锁。"结尾三句是汪元亨对自己人生去取的抉择。作者已经将这个"苍蝇竞血、黑蚁争穴"的官场和社会看得分外清楚，不再抱有美好的希望和幻想，他要全身而退，远离这个风波海、是非场。"到如今做哑妆矬"，"矬"原意为身材矮小、容貌丑陋，在此引申为能力低下。既然已经看透世事，就对世间的宠辱纷争遵循"沉默是金"的原则，并且假装能力低下愚钝，不与人争短长，目的在于"寻安乐窝"，修身养性，以求"摆脱了名缰利锁"。"安乐窝"一词出自北宋邵雍。邵雍名其居所曰"安乐窝"，多次作诗赞咏。这里以"安乐窝"借指理想的隐居之地。作者把名利比喻为"缰锁"，因为在作者眼中，所谓名利，就是羁绊人的心灵、束缚人的天性的枷锁，他自然要极力摆脱了。

此篇可看作汪元亨对世俗名利幡然醒悟后的自白曲。语言形象凝练，带有强烈的感情色彩，将作者宦海沉浮的辛酸痛苦及厌恶之情刻画得生动真实，表达了急于挣脱的迫切心情，读来十分感人。

（张文利）

## 【双调·沉醉东风】

汪元亨

### 归田（二十首其十九）

进步去天高地险，退身来浪静风恬。买四蹄车下牛，卖三尺匣中剑，免区区附势趋炎。尽日看山独卷帘，飞不到红尘半点。

## 鉴赏

这是汪元亨二十首同题小令中的第十九首,仍是写归田生活的恬淡与自在。“进步去天高地险,退身来浪静风恬”二句,以形象的对比开篇:“进步”与“退身”形成对比,表选择之不同;“去”与“来”形成对比,表人生方向之不同;“天高地险”与“浪静风恬”形成对比,表官场险恶,与田园安宁之不同。受“达则兼济天下,穷则独善其身”的儒家古训影响,择时出处,成为中国古代文人的立身处世原则。然而世事叵测难料,宦海险象环生,一旦踏入世俗之境,陷于官场纷争,则前程未卜,吉凶难测。作者对此显然有充分认识,故在出世与入世的两两相形之下,他宁愿选择“退身”,过与世无争、浪静风恬的散淡生活。

接下来三句,作者叙写归田之后所做的一系列事情。他买来耕田牛车,卖掉匣中三尺宝剑。牛车是躬耕田亩之必需,宝剑是用世建功之必需,一“买”一“卖”,表明作者于两者之间的去取抉择。而之所以选择像陶渊明一样的归隐田园,淡泊自守,放弃建功立业的千古文人侠客梦,是为了“免区区附势趋炎”。“区区”乃自称的谦词。原来在这个社会,如果想建立功业,有所作为,“我”不仅要有剑吼西风、佩剑走天涯的本领和气概,还要学会阿谀奉承,趋炎附势,巴结有权有势的人。这显然是“我”难以接受、无法做到的。为了保持自我刚直守正的人格和节操,在做官与归田之间,“我”毅然选择后者,保全自我。

“尽日看山独卷帘,飞不到红尘半点”,回归田园之后,最大的乐趣莫过于融入大自然。联想王安石的“终日看山不厌山,买山终待老山间”的情怀,以及作者本人“看青山终日饱”的自述,便可领悟他“尽日看山”的喜悦。北宋杜衍有“好山多只卷帘看”的名句,汪元亨“看山独卷帘”由此化出,却多了一份宁静的韵味。“飞不到红尘半点”,尘世间处处有红尘,没有“红尘半点”的地方,就是净土或者仙境了,而作者所隐居的处所,就是这样一处连半点世俗红尘都“飞不到”的理想之地。

这支曲子,作者首先采用对比的手法,表明“归田”的选择,然后用一系列实际行动证实其归田的决心。而归隐后的生活如此“浪静风恬”,又验证了作者人生选择的正确性。全曲意脉连贯,语言平易浅近,通俗畅达,是元散曲中的上乘之作。

(张文利)

# 【双调·折桂令】

汪元亨

## 归隐(二十首其十三)

想英雄四海为家，楚尾吴头，海角天涯。叹釜里游鱼，羡林中归鸟，厌井底鸣蛙。荣与辱翻腾不暇，废和兴更变多差。尘事如麻，吾岂匏瓜，辞去张良，谏退蚳鼃。

### 鉴赏

此篇是汪元亨二十首同题小令中的第十三首。作者感慨古今兴废更迭、荣辱参差的普遍规律,以及沉浮于其间想要成就功名之人的劳顿与悲哀,进而联想到自身处境,不愿参与到追逐功利的俗务当中,看透尘事,全身隐退。

“想英雄四海为家,楚尾吴头,海角天涯”,曲子以“英雄”之事开篇,“四海为家”示其居无定所。“楚尾吴头”指长江中下游一带,历来为兵家必争之地,衍生出无数英雄人物。然而纵观历代英雄,为君主、领地、功名而南征北战,透过他们的成就功业、名垂青史,作者看到了“英雄”“四海为家、海角天涯”的漂泊、辛劳与无奈。

“叹釜里游鱼,羡林中归鸟,厌井底鸣蛙”三句形成工整的鼎足对。以“叹、羡、厌”三个字,表达作者鲜明的感情色彩。“叹釜里游鱼”,感叹本来应在河海中畅游的鱼却游在锅里,处于绝境,即将灭亡,寓指那些为当时黑暗的官场和朝廷卖命的人;“羡林中归鸟”,林中归鸟“久在樊笼里,复得返自然”的自由自在,让作者充满羡慕之情。“厌井底鸣蛙”,“井底鸣蛙”,指汲汲于功名利禄、四处聒噪以求任用的利欲之徒,作者对他们的态度是“厌”。这三句明确表达了作者的喜恶倾向。“荣与辱翻腾不暇,废和兴更变多差”,是对朝代兴亡盛衰、个人荣辱变迁的清醒认识,王权政柄如翻云覆雨,反复更迭,个人的命运如同历史风涛中的一叶扁舟,荣辱浮沉,亘测难料。这种体悟,与张养浩《山坡羊·潼关怀古》中的"伤心秦汉经行处,宫阙万间都做了土"可谓异曲而同工。

"尘世如麻,吾岂匏瓜",宋释文珦有诗云:"岂知人世上,尘事乱如麻",意谓世间琐事纷乱如麻。"吾岂匏瓜"语出《论语·阳货》:"吾岂匏瓜也哉?焉能系而不食。"是说自己怎能像匏瓜那样系悬着而不让人食用?应该出仕为官,有所作为才是。"辞去张良,谏退蚳鼃",虽然不愿做那匏瓜空悬,然而世道艰辛,变幻莫测,有所作为难上加难。那么,最好的选择就是向汉代的张良和战国的蚳鼃(chíwā,战国时齐人)学习"辞去"和"谏退"。张良深知兔死狗烹、鸟尽弓藏的道理,在刘邦立汉后以病请退,得以安享天年;蚳鼃向齐王进谏,齐王不听,蚳鼃就请求辞职而退(事见《孟子·公孙丑下》)。作者在这里以张良和蚳鼃为例,表明自己要像这两位前贤一样,审时度势,全身而退。

此曲表达了作者对现实政治动荡不安、社会世事风云翻覆冷静清醒的认识。语言形象直白,用典简洁明了,感性的抒情与理性的议论相结合,使这首小令的思想内容和艺术成就都独具一格,十分突出。

(张文利)

## 【双调·折桂令】

汪元亨

### 归隐(二十首其二十)

二十年尘土征衫,铁马金戈,火鼠冰蚕。心不狂谋,言无妄发,事已多谙。黑似漆前程黯黯,白如霜衰鬓斑斑。气化相参,谗诈难甘,笑取琴书,去访图南。

## 鉴赏

这是汪元亨二十首同题小令的最后一首。此篇通过记叙二十多年来南征北战、戎马生涯的感慨和体悟,表达他不会再于尔虞我诈的官场里苟且偷生,决意隐逸的愿望。

"二十年尘土征衫,铁马金戈,火鼠冰蚕",二十年来辛苦作战,征尘仆仆,铁甲战马、金戈铜戟长年伴随身边。"火鼠冰蚕",古代传说中的两种珍奇动物,一极寒,一极热,宋苏轼《徐大正闲轩》云:"冰蚕不知寒,火鼠不知暑。"此处谓戎马生涯数十载,早已不惧夏暑冬寒,习以为常。作者言简意赅地将二十载的辛苦坎坷一笔带过,表面的平淡中掩藏着无尽的辛酸。"心不狂谋,言无妄发,事已多谙",心中不再狂妄地谋划任何事情,口中不再狂妄地发表任何言论,为官处世之道已全都熟谙。二十年的戎马生涯,征程万里,阅人无数,该通晓的人情世故已了然于胸。

可是,"黑似漆前程黯黯,白如霜衰鬓斑斑",前程黯淡,看不到一丝出路,而且自己也已经鬓发斑白,如霜似雪,大好青春年华不复存在。"气化相参,谗诈难甘",尽管"事已多谙",但作为一个正直的知识分子,在经历了战场的生死考验后,还是对动荡不平的政治气候的阴晴变化难以掌握,更难以忍受官场中屡见不鲜的奸诈欺骗。"笑取琴书,去访图南","图南"是五代北宋年间道教高人陈抟的字,他精通易学,隐居于武当山,修炼神仙道术,后世称为"陈抟老祖""睡仙"。马致远《陈抟高卧》中说他"以天为幕,以地为席",足见其胸襟开阔,行为洒脱。作者参透世事,意欲归隐,想含笑携着心爱的古琴和书籍,去拜访隐者陈图南。

此曲充分表达了作者对社会与官场的厌烦憎恶,反映出他全身远祸、逃避现实的悲观情绪和消极思想。在艺术上,这首小令风格沉郁,语言质朴,结尾典雅,耐人寻味。

隐与仕,即出世与入世的矛盾,是古代知识分子的诗文词曲中常见的主题。儒家学说主张修身齐家治国平天下,而道家则提倡追求自由、独善其身。古代文人士子常常儒道并举。当仕途平坦、前途光明时,起主导作用的是儒家思想;当遭遇挫折、用世无门时,道家思想则会抬头。汪元亨的这些写归隐、归田的小令,表达的正是作者避世隐逸、独善自足的思想情怀。

(张文利)

# 【双调·沉醉东风】

一分儿*

红叶落火龙褪甲，青松枯怪莽张牙。可咏题，堪描画，喜觥筹席上交杂。答剌苏频斟入礼厮麻，不醉呵休扶上马。

## 作 者

* 一分儿，元末人，生平不详。据元夏庭芝《青楼集》载，一分儿姓王，大都(今北京)角妓(出类拔萃的名妓)。其歌舞绝伦，聪慧无比。一次有官员丁指挥邀才子刘士昌、程继善聚会小饮，招一分儿侑酒，席上有一小歌伎献曲："红叶落火龙褪甲，青松枯怪莽张牙。"丁指挥曰此乃《沉醉东风》之首句，命一分儿续完全曲。一分儿应声而成，一座皆叹赏，遂有此小令存世。

## 鉴 赏

"一分儿"是元末京城一位艺妓，其人聪慧无比，以歌舞擅长当时，所作散曲仅存此一首。

这是一首在酒宴上即席而作的劝酒小令。元夏庭芝《青楼集》记其本事说："一日，丁指挥会才人刘士昌、程继善等于江乡园小饮，王氏佐樽，时有小姬歌菊花会南吕曲云：'红叶落火龙褪甲，青松枯怪莽张牙。'丁曰：'此沉醉东风首句也，王氏可足成之。'王应声而成，一座叹赏。"一位艺妓，能即席应声而成，可见其才思之敏捷，而且得到在座才人的赞赏，足见此曲之不落凡响。

全曲共六句，每两句描写一层意思，分别写饮酒时的自然景物、热烈场面和饮酒者的心理状态。

"红叶落火龙褪甲，青松枯怪

莽张牙。”这两句描写宴饮的时间、周围的景物。这次宴饮是在大都（今北京）秋高气爽的时节，秋景绚丽得撩人眼目。一片片红叶在秋风中飞舞，就像传说中的火龙蜕下的鳞甲一样；古老苍劲的松树，伸出奇形怪状的枝干，宛如张牙舞爪的蟒蛇。小令对景物的描写，形象生动，色彩鲜明，比喻新颖，将北国秋天的景象表现得极富生气，为后面的饮酒场面营造出热烈的气氛，很巧妙地点出宴饮的时令、环境。

“可咏题，堪描画，喜觥筹席上交杂。”赞美绚丽的秋景和热烈的酒席场面。“觥”即酒杯，“筹”是古代酒席上赌酒时用来投壶的竹箭，“觥筹交杂”是指酒席上热烈的气氛。这两句的意思是：这生机勃发的绚丽的秋景，足以激发在座文士的才情，可供诗人吟咏出优美的诗句，画家描绘出美妙的图画。更令人可喜的是酒席上觥筹交错，猜拳行令，笑语喧哗，主客开怀畅饮，其乐融融。作者将抒情和叙事结合一起，感情饱满，形象生动。

“答剌苏频斟入礼厮麻，不醉呵休扶上马。”这是两句劝酒令。“答剌苏”和“礼厮麻”本是蒙语，后成为元代俗语，意即酒和酒杯。意思是：斟满酒，莫停杯，须一醉方休，各位不喝得大醉不放你们上马回家。这里让人联想到唐代李白《将进酒》的豪情：“烹羊宰牛且为乐，会须一饮三百杯。岑夫子，丹丘生，将进酒，杯莫停。与君歌一曲，请君为我倾耳听，钟鼓馔玉不足贵，但愿长醉不愿醒。”另外，此处妙用俗语，涉及元曲的用韵问题。元曲韵密，而且一韵到底。此曲的韵脚是《中原音韵》中的“家麻”韵，韵部颇窄，属于窄韵。这里如果用“酒”和“酒杯”，就不符合用韵要求，改用俗语“礼厮麻”来代称，就顺利地解决了此问题，而且使曲子更生动活泼，进一步起到了侑酒助兴的作用，真是一箭双雕。

作为一首劝酒小令，而且是即席吟咏，它不仅需要作者具有出口成章之敏捷才思，而且还要精通熟悉曲律。此小令结构严整，层次分明，比喻新颖，色彩鲜明，俗语运用巧妙，表现出浓郁的生活气息和豪放不羁的风格，它出自一位艺妓之手，实属难能可贵。

（谢真元）

# 【双调·清江引】

刘婆惜*

青青子儿枝上结，引惹人攀折，其中全子仁，就里滋味别，只为你酸留意儿难弃舍。

## 作者

* 刘婆惜，歌伎。乐人李四之妻。江右（江西省的别称）人。颇通文墨，滑稽歌舞，迥出其流，时贵多重之。其事见元夏庭芝《青楼集》。

## 鉴赏

元代，歌伎们常在达官文人的宴会上运用民间文学中嵌字、顶真、续麻、比喻、反复等表现手法来逞才献艺。据元夏庭芝《青楼集》载，刘婆惜是乐人李四的妻子，是一位歌伎。她道经赣州时，拜谒了时任赣州监郡的全普庵拨里（字子仁）。这个全普庵拨里喜诗酒，每日公事完毕，都要召集城中士大夫在一起饮酒、欢歌、赋诗。他的帽子上还总愿插带一些花枝、花果或花叶。在全普庵拨里的酒席上，宾朋满座，他帽上簪青梅一枝行酒。全口占〔清江引〕曲云："青青子儿枝上结"，并令宾朋续之，众未有对者。此时，刘婆惜应声对出了上面的曲子，全大大称赞，并纳为侧室。

"青青子儿枝上结"，枝头上，青青的梅子一个个圆溜可爱。全子仁的起句就眼前景道来，虽然平淡无奇，却也清新可喜。刘婆惜续接上去的"引惹人攀折"一句，已经暗暗地流露出对全子仁的爱意。如果说此句只是情意初露，而接下去两句就表现得既巧妙且又很大胆了："其中全子仁，就里滋味别"。这里一语双关，“其中全子仁”，既将主人姓名点出，但又似乎紧扣着梅子；“就里滋味别”，表面上是说梅子的滋味很特别，但实际上是说全子仁这个人很有情趣，讨人喜欢。这就非常巧妙地表达了自己对全子仁的深深爱恋之情，而且还不露任何痕迹。末句“只为你酸留意儿难弃舍”，仍然一语双关，表面上说梅子“青青”，还非常酸涩，但其实是照应着“就里滋味别”，再次赞扬全子仁与众不同的风度，并表明自己的倾慕和难以割舍。

在这里，刘婆惜不仅续完了全曲，表现出自己敏捷的才思，赢得了爱情，而且还在曲坛留下一段佳话，在曲史上留下一篇妙作。此曲妙在比喻双关，把全子仁的姓、字巧妙地镶嵌其中，切合主人心思，借咏物以传情，使二者妙合无垠，故耐人玩味。

（刘　博）

# 【清江引】

杨维桢*

铁笛一声天上响，名在黄金榜。金钗十二行，豪气三千丈，先生醉眠七宝床。

## 作者

＊杨维桢(1296—1370)，字廉夫，号铁崖，铁笛道人，晚号东维子，山阴(今浙江绍兴)人。泰定四年(1327)进士，任天台县尹，改钱清盐场司令，狷直忤上，十年不调。后转任江浙行省四务提举、建德路推官等职。擢江西等处儒学提举，未及上任，适逢兵乱，遂避居富春江。张士诚据吴，招之不赴。后徙居钱塘，晚寓松江，浪迹山水间，以声乐自随。与陆居仁、钱惟善被称为元末三高士。《明史》卷二八五有传。杨维桢是元末“文章巨公”，诗、文兼擅，著有《东维子集》《铁崖古乐府》《复古诗集》《铁崖文集》等。其散曲，隋树森《全元散曲》仅辑有小令1首，套数1套。今人黄仁生新发现28首，这样，杨维桢存世散曲作品共30首(见赵义山《元散曲通论》)。

## 鉴赏

杨维桢〔清江引〕共二十四首，这二十四首重头小令，从内容分析来看，当作于晚年，是作者对自己一生中重要人生经历的回顾和艺术表现。小令叙写自己的人生经历与感慨，可谓是“老铁一生年谱”。“铁笛一声”的意向反复出现在每首小令的开头，并随内容的不同而有抑扬起伏的变化，恰似作者的人生进行曲，它自然有序而又丰富多彩地展示出作者的心灵律动。从那“穿云裂石”的铁笛声中，读者可以清楚地看到作者从出仕到归隐的整个生活历程,也可以感受到他横放杰出的豪侠气概和放荡不羁的人格精神。杨维桢散曲的风格就主体倾向而论当属豪放一派,曲词神奇壮阔,雄浑豪辣,遒劲阳刚,极富想象,有的作品,在豪放中又揉进了清丽一派的雅洁修整之美,可谓豪放、清丽熔为一炉,情韵深长。

这首小令是作者回忆当年金榜题名之时的喜悦,踌躇满志的心态,对前程充满希望的豪情。

杨维桢于元泰定四年(1327)以《春秋》考取进士,是年作者三十一岁。杨维桢的父亲杨宏对儿子期望值很高,曾在铁崖山筑楼,楼中聚书千卷,绕楼植梅百株,聚书数万卷,去梯,日以辘轳传食,令其与从兄杨维翰(1294—1351,字子固,号方塘,元末画家)专心攻读,如是者五年。这种封闭式教育果然见了成效,杨维桢没有辜负父亲的苦心,考中了进士。元代曾经停止科考七十八年之久,到元末(1314)才得以恢复,读书人可以说是重见天日。据史书记载,开考时考生有三代同堂者,时年杨维桢十八岁,算得上是生逢其时,而杨维桢自幼颖悟,从小酷爱读书,能"日记文章千言",为增见识,少时又游学甬东。杨父望子成龙的心情可想而知,而杨维桢本人,也对科考充满热情和渴望。"黄金榜",殿试后朝廷发布的榜文。他奋斗了二十余年,终于金榜题名,他怎能按捺住兴奋、喜悦之情!作者仰天吹奏铁笛,正是"十年寒窗无人问,一朝题名天下知"。前朝唐宋儒生"朝为田舍郎,暮登天子堂"的际遇,让作者此时对前程充满期待。

古代读书人的人生价值追求,一是功名富贵,二是婚姻美满,"金钗十二行""醉眠七宝床",正是这种心态愿望的体现。"金钗十二行",典出自《山堂肆考·角集》二十三:"白乐天尚言牛思黯自夸前后服钟乳三千两,而歌舞之妓甚多,故答思黯诗云:'钟乳三千两,金钗十二行。'""十二"为虚指,古人好用十二地支数目来组词,如"十二楼""十二门""十二客""十二阑干"等,这里是比喻家中姬妾之众。"七宝床",七宝,佛教名词。佛经中说法不一。《法华经》以金、银、琉璃、砗磲、玛瑙、珍珠、玫瑰为七宝。《无量寿经》以金、银、琉璃、珊瑚、玛瑙、琥珀、砗磲为七宝。总之是泛指多种宝物。后来,凡用多种宝物装饰的器物,多以"七宝"为名。作者此时对未来满怀憧憬,"豪气三千丈",激情喷涌,儒家"达则兼济天下"的理想抱负指日可待,个人荣华富贵、美满婚姻也可随之而来。小令是作者晚年回顾当初在得知金榜题名之时真实的心态。其功名富贵、红粉佳丽,并非作者生活的真实,而是年轻人对未来生活的梦想。读到后面的小令,可以看到这些梦想最终被现实所粉碎。

(谢真元)

# 【清江引】

杨维桢

铁笛一声秋满天，归自金銮殿。曾脱力士靴，也捧杨妃砚。先生醉书龙凤笺。

铁笛一声天作纸，笔削春秋旨。千年鬼董狐，五代欧阳子，这的是斩妖雄杨铁史。

## 鉴赏

这两首小令，是作者记叙自己在元末曾参与修撰辽、金、宋三史的工作。

“铁笛一声秋满天”，推算起来，杨维桢当时应该有四十多岁了，“秋满天”指自己进入了人生的秋天。金銮殿指皇帝之宫殿。唐代皇宫有殿名金銮殿，与翰林院相接，皇帝召见学士常在此殿。唐李白诗《赠从弟南平太守之遥》：“承恩初入银台门，著书独在金銮殿。”这里杨维桢以此借指自己曾在宫廷参与史书的编撰，他曾作“正统辩”千言，总纂官欧阳玄赞叹：“百年后，公论定于此矣。”

“曾脱力士靴，也捧杨妃砚。先生醉书龙凤笺。”“杨妃捧砚”，传说唐玄宗曾宣李白作诗，李白醉，因命高力士为他脱靴，杨贵妃为他捧砚。作者一方面自比李白狂放不羁、不畏权贵的性格，另一方面也自比李白的才气。我们从中可以看到当年杨维桢虽然人到中年，官场偃蹇，但依然血气方刚，豪气不减。

“铁笛一声天作纸，笔削春秋旨。千年鬼董狐，五代欧阳子，这的是斩妖雄杨铁史。”这首小令与上首写的是同一段人生经历。

一、二两句是说作者奉命参与史书的编撰。“天作纸”，作者把撰写史书看得很神圣，认为这是一件天大的事。《春秋》，儒家经典之一，后来成为古代史书的通称。奉命写史，这是一件十分严肃、神圣的使命，作者表明自己要用春秋笔法，秉笔直书，对历史进行褒贬。

后三句用了三个典故,进一步表明自己写史的立场,是以古代良史董狐为范。董狐,春秋时晋国史官,能秉笔直书,记载史实,铁面无私,不隐恶,不虚美,孔子称为古之"良史",后世因此以董狐为直书不讳的良史的代称。在诗歌创作方面,作者表明自己则应该效法欧阳炯,一定要表现自己独特的才情和个性。欧阳炯(896—971),五代后蜀词人,益州华阳(今四川成都)人。善吹长笛,工词,曾任翰林学士,其词多写艳情,曾为《花间集》作序。末句,作者斩钉截铁地表示,自己就是斩妖除怪正直无私的铁面御史。铁面御史,比喻不畏权势,不徇私情,铁面无私。典出《宋史·赵抃传》,赵抃被"荐为殿中侍御史,弹劾不避权幸,声称凛然。京师目为铁面御史。"

这两支小令与"铁笛一声天上响"一样,都是境界阔大、豪情万丈之作。作者早年曾踌躇满志欲有所作为的高远怀抱,至今仍灿然可见。

(谢真元)

## 【清江引】

杨维桢

铁笛一声江月上,濯足银河浪。山公白接篱,太乙青藜杖。先生醉骑金凤凰。

铁笛一声吹落霞,酒醉频频把。玉山不用推,翠黛重新画。不记得小凌波扶上马。

鉴赏

这两首小令从内容看当是抒写作者晚年的生活,是在元政权即将瓦解的乱世之中,浪迹江湖时的作品。元末天下大乱,作者调任江西儒学提举,因交通受阻,未成行,于是浪迹浙西。张士诚据浙西,屡召不赴,戏答:“江南处处烽烟起,海上年年御酒来。如此烽烟如此酒,老夫怀抱几时开?”后张士诚令其弟张士德上门求教,杨维桢站在元政府立场修书一封,臧否张士诚。为避祸,杨维桢徙隐松江(今属上海市),筑园圃蓬台。门上写着榜文:“客至不下楼,恕老懒;见客不答礼,恕老病;客问事不对,恕老默;发言无所避,恕老迂;饮酒不辍车,恕老狂。”在松江时与诗人杨谦、陆居仁、吕良佐等交往甚深,吟咏唱和,诗赋相乐,一时天下学士慕名前来赴会者,不可胜计。他也常常周游山水,头戴华阳巾,身披羽衣,坐于船上吹笛,或呼侍儿唱歌,酒酣以后,婆娑起舞,以为神仙中人。

第一首小令前两句:“铁笛一声江月上,濯足银河浪。”作者泛舟江中,清风明月,飘飘然如同置身银河。“濯足银河浪”,暗用屈原《渔父》之典故。《渔父》中引用有《孺子歌》:“沧浪之水清兮,可以濯我缨,沧浪之水浊兮,可以濯我足。”本意是表明屈原不愿接受渔父的劝告而随波逐流。作者此处表明自己身处乱世,既不愿与世沉浮,又希望清白自保,独善其身,因而选择远离政治,悠游山水的生存方式。

“山公白接篱,太乙青藜杖,先生醉骑金凤凰。”后三句用了三个典故,叙写自己的隐居生活,或者像晋代山简那样,以醉酒来麻醉自己;或者像汉代刘向那样,终日闭门读书;或像萧史那样,有佳人相伴。“山公白接篱”,山公即山翁,指晋代山简。“白接篱”是帽子。《晋书》卷四十三《山简传》载,山简为征南将军,因见天下大乱,乃不理军事,优游足岁,唯酒是耽。山简最喜在高阳池畔游玩,饮酒至酩酊大醉。当时有童谣歌曰:“山公出何许,往至高阳池。日夕倒载归,酩酊无所知。时时能骑马,倒著白接离。”后来诗人在写游宴、饮酒题材的作品时,喜用山翁烂醉如泥的典故比喻自己的放浪不羁。“太乙青藜杖”,《三辅黄图·阁》:“刘向于成帝之末,校书天禄阁,专精覃思。夜有老人著黄衣,植青藜杖,扣阁而进见。向暗中独坐诵书,老父乃吹杖端烟然。因以见向,授五行洪范之文……请问姓名,云:‘我是太乙之精,天帝闻卯金之子有博学者,下而观焉。’”此指自负高才的闭门苦读。“醉骑金凤凰”,用萧史教秦穆公女儿弄玉吹箫作凤鸣,并双双骑凤仙去之典(事见《列仙传·萧史》),暗指有佳人相伴。

此曲连用多个典故,集中写其放浪潇洒。

第二首小令前两句“铁笛一声吹落霞,酒醉频频把”,作者写自己晚年放浪形骸的生活。“落霞”,晚霞也,意寓人生的晚年,作者把自己彻底解脱,以酒浇愁,不问世事,乐于与山水为伴。

“玉山不用推,翠黛重新画。

不记得小凌波扶上马。”玉山喻人仪容如玉之美，专指男子。《世说新语·容止》载，山涛曰：“嵇叔夜（康）之为人也，岩岩若孤松之独立；其醉也，傀俄若玉山之将崩。”“凌波”指歌伎。宋代乐史《杨太真外传》载，唐玄宗曾梦见凌波池龙女，美貌异常，向玄宗求取均天乐，玄宗为其作《凌波曲》。这里凌波指美女，歌伎。这三句表现作者放浪江湖的情状。这期间杨维桢交往的主要是两类人，一是性情相投的诗人，一是歌伎舞女。

杨生活于元明之间，在新旧政权交替的乱世，他选择了远离政治、隐身江湖的生存方式，他由对外部功名事业的追求，转向对个体自身的关注，反映到文学创作中则是对个人性情的表现。这两支小曲，正是作者这种人生转折心路历程的真实反映。与表现早年拼搏进取时“铁笛一声天上响”的万丈豪情相比，晚年退隐时“铁笛一声江月上”的歌吟已转为适意悠闲，其情绪已明显低落。铁崖心路历程的变化，在〔清江引〕重头小令中是历历可见的。

（谢真元）

## 【清江引】

杨维桢

铁笛一声星散彩，夜宴重新摆。金莲款款挨，玉盏深深拜。消受得小娇娇红绣鞋。

铁笛一声吹破秋，海底鱼龙斗。月涌大江流，河泻清天溜。先生醉眠看北斗。

铁笛一声云气飘，人生三山表。濯足洞庭波，翻身蓬莱岛。先生眼空天地小。

铁笛一声翻海涛，海上麻姑到。龙公送酒船，山鬼烧丹灶，先生不知天地老。

## 鉴赏

杨维桢的重头小令在元末曲坛上别具一格。"铁笛一声"成为一时绝唱。铁笛道人的诗、曲，语意刚健，气势雄浑，其遣词造语往往有神来之笔、天籁之音。"铁笛一声"之所以撼动人心，即因其蕴涵在曲中狂放的生命呐喊，张扬的个性冲决。因此，杨铁崖一直被奉为诗坛怪杰，元诗枭雄，"横绝一世之才"。玉山草堂也正因有了风流倜傥的杨铁笛，才会有觞咏赋唱的玉山雅集。太仓新州，正因有了诗雄铁笛道人，才招引凝聚一群名士胜流，不辞千里，奔赴而来。

对于杨维桢的〔清江引〕重头小令，赵义山先生在其所著《元散曲通论》中说："此组小令当作于晚年，是自己一生的回顾。'铁笛一声'的意象反复出现在每首的开头，并随内容的不同而又抑扬起伏，恰似作者的人生进行曲，它自然有序而又丰富多彩地展示出作者的心灵律动。从那'穿云裂石'的铁笛声中，读者可以清楚地看到作者从出仕到归隐的整个人生历程，也可以感受到他横放杰出的豪侠气概和放荡不羁的人格精神。不过，他之所以能在元末的曲坛上引人注目，主要还在于别具一格的艺术风格。"

延祐元年(1314)，昆山州治初迁太仓，在知州王安贞的庆贺宴席上，已有杨铁崖的"醉归"身影。他作《王左辖席上夜宴》诗说："醉归不怕金吾禁，门外一声吹篥罗。"《弘治太仓州志》载录说："殷伯堂为其孙奎筑沧江风月楼，招致四方名士。楼甫成，适维桢至，置酒高会。奎即于席间，执弟子礼。"殷奎砺志攻读，特建一艘"春水船"，日夜蛰居船舱木楼中。杨铁崖乃名船舱木楼为"木斋"。之所以名"木斋"，一是因殷奎五行属木，二是殷奎木讷，不善交际。铁崖却截然相反，遍交友朋，不离酒色，这是最让铁崖痛饮酣醉的处所。

〔清江引〕"铁笛一声星散彩"所表现的是杨铁笛寄情于诗酒声色中的放荡不羁。"夜宴重新摆"暗喻自己日日游冶，夜夜笙歌。"金莲款款挨"喻歌女步履轻盈、款款挨近、香风扑面，继之就是深深一躬把美酒敬至君前了。然而作者此时"受用"的则不仅仅是酒，而是"小娇娇红绣鞋"，以象征着女性美的标志之一的"红绣鞋"来代指眼前的美人儿，辞采脂粉，馥郁芬芳，令人遐思无穷。所谓

"诗酒声色",表面上是放纵自己,实际上是其早年仕途坎坷、内心凄苦之极的写照。此曲写来非常旷放、狂诞,诗人如此大胆袒露自己的"薄幸"情怀,正如高呼自己是"普天下郎君领袖,盖世界浪子班头"的关汉卿一样,是在发泄对社会的不满,抒发自己满腔的忧愤之情。

其后"铁笛一声吹破秋""铁笛一声云气飘""铁笛一声翻海涛",这三首最能体现铁崖之想象奇特、境界阔大、气势雄豪的风格。其曲中"月涌大江流",为唐杜甫《旅夜书怀》中成句。"三山",即普陀山、五台山、峨眉山三大佛教名山。"濯足",典出《孟子·离娄上》:"有孺子歌曰:沧浪之水清兮,可以濯我缨;沧浪之水浊兮,可以濯我足。""濯足洞庭",实为以临流辨浊的屈子和宣室谈鬼的贾生自诩。"蓬莱",是传说中的"蓬莱、方丈、瀛洲"三仙山之一。曲中"翻身仙岛"和"眼空天地小"正是写其睥睨天下的豪情,正所谓"举世皆浊我独清,众人皆醉我独醒"!曲中所写"麻姑",为道教所尊奉的女仙。据《神仙传》记载,麻姑修道于牟州东南姑馀山,东汉时应仙人王方平之招降于蔡经家,年十八九,貌美,自谓"已见东海三变为桑田"。故古时以麻姑喻高寿。又流传有三月三日西王母寿辰,麻姑于绛珠河边以灵芝酿酒祝寿的故事。过去民间为女性祝寿多赠麻姑像,取名麻姑献寿。"丹灶",即神仙炼丹炉。麻姑为之"献寿",龙公为之"送酒",山鬼为之"烧丹灶",其不知天地之老,而与天地同在的潇洒风神遂跃然纸上。作者"以高度夸张之笔表现了'铁笛一声'惊天动地、翻江倒海的巨大威力,并驰骋天上人间的奇思妙想而展示出一个个神奇壮阔的境界,贯穿着一种充塞天地、役使鬼神的豪情,从而展现了一位超越时空的抒情主人公形象。从其阔大的境界、豪放的情怀方面着眼,我们明显可以看到他受王和卿、贯云石等人的影响;但从其词语的修炼、句式的精整、对仗的工巧等方面看,他又显然借鉴了乔吉、张可久等清丽派作家的优长。他的散曲作品既有豪放一派的豪辣遒劲之风,又有清丽一派的雅洁修整之美。"(赵义山《元散曲通论》)

杨铁崖在评鉴杜诗时说:"观杜者不唯见其律,而有见其骚者焉;不唯见其骚,而有见其雅者焉;不唯见其骚雅也,而有见其史者焉。此杜诗之全页。"(《李仲虞诗序》)"律"指的是杜诗的艺术性,"骚"是文人士大夫的哀怨之情,"雅"是自觉干政的意识,"史"则是现实人文关怀精神。老杜一生向以"奉儒守官"见称,而杨铁崖则更见重老杜之"骚雅",此足见"铁笛一声"的真正情怀。

(李万堡)

# 【回波引】

杨维桢

小江秋，大江秋，美人不来生远愁，吹笛海西流。

东飞乌，西飞乌，美人手弄双明珠，九见乌生雏。

## 鉴赏

杨维桢泰定间曾为赤城令，弃官后带妻子游天目山。遇江上老渔相狎，时时唱《清江》《欸乃》之曲，杨维桢为作《回波引》和之，乃自歌曰："小江秋，大江秋，美人不来生远愁，吹笛海西流。"又歌曰："东飞乌，西飞乌，美人手弄双明珠，九见乌生雏。"（见《文章辨体汇选·铁笛道人自传》）曲中"九见乌生雏"之句，典出汉乐府古辞《乌生》（一名《乌生八九子》），《乐府诗集》收入《相和歌辞·相和曲》。有"乌生八九子，端坐秦氏桂树间"句，大意为：生养了八九个雏鸦的老乌，当初，它的窠巢筑在"南山"，日子过得大约颇艰辛；而今，"乌子"们长大了，便放心地迁居到了这"秦氏"家的大桂树上，其情哀感深切。

这两首〔回波引〕，表面看写恋情相思，但其中的"美人"意象，是否别有寓意，殊难判断。但从以"吹笛海西流"映衬"远愁"的深广来看，则似乎伤心人别有怀抱。"九见乌生雏"，言历时之久，而"手弄双明珠"的"美人"，却最终"不来"，故令人心生遗恨，其怨艾之情，隐含于字里行间。此曲语短情长，意远境阔，颇有南北朝乐府风味。

（李万堡）

# 【双调·夜行船】

杨维桢

## 吊　古

【夜行船】霸业艰危，叹吴王端为。苎罗西子，倾城处，妆出捧心娇媚。奢侈，玉液金茎[1]，宝凤雕龙，银鱼丝鲙。游戏，沉溺在翠红乡，忘却卧薪滋味。

【前腔】乘机，勾践雄图。聚干戈，要雪会稽羞耻。怀奸计，越赂私通伯嚭。谁知，忠谏不听，剑赐属镂[2]，灵胥空死。狼狈，不想道请行成，北面称臣不许。

【斗蛤蟆】堪悲，身国俱亡。把烟花山水，等闲无主。叹高台百尺，顿遭烈炬。休觑，珠翠总劫灰，繁华只废基。恼人意，叵耐范蠡扁舟，一片太湖烟水。

【前腔】听启，槜李[3]亭荒，更夫椒[4]树老，浣花池废。问铜沟明月，美人何处？春去，杨柳水殿攲，芙蓉池馆摧。动情的，只见绿树黄鹂，寂寂怨谁无语。

【锦衣香】馆娃宫[5]，荆榛蔽。响屧廊[6]，莓苔翳。可惜剩水残山，断崖高寺，百花深处一僧归。空遗旧迹，走狗斗鸡。想当年僭祭[7]，望郊台凄凉云树。香水[8]鸳鸯去，酒城倾坠，茫茫练渎，无边秋水。

【浆水令】采莲泾红芳尽死，越来溪[9]吴歌惨凄。宫中鹿走草萋萋，黍离故墟，过客伤悲。离宫废，谁避暑？琼姬墓[10]冷苍烟蔽。空园滴，空园滴，梧桐秋雨。台城上，台城上，夜乌啼。

【尾声】越王百计吞吴地，归去层台高起，只今亦是鹧鸪飞处。

## 注释

① 金茎：本为汉武帝宫中金人承露盘铜柱，此代指名贵饮料。
② 属镂：吴王所佩宝剑名。
③ 檇（zuì）李：地名，在浙江嘉兴西南，吴王阖闾伐越而兵败于此。
④ 夫椒：山名，在江苏吴县太湖中，夫差曾于此击败勾践。
⑤ 馆娃宫：夫差专门为西施建造的宫殿，在苏州西南灵岩山上。
⑥ 响屧（xiè）廊：馆娃宫中廊名，其地面用梓木铺成，因西施穿木底鞋行走发出响声而得名。
⑦ 僭祭：越分越位的祭奠。
⑧ 香水：溪名，在吴宫中，传说是西施洗浴的地方。
⑨ 越来溪：在灵岩山西南太湖边，传说勾践曾率兵由此攻入吴国。
⑩ 琼姬墓：琼姬，吴王夫差之女，吴县阳山有其墓。

## 鉴赏

这篇套数是反映春秋时期吴越争霸的怀古咏史佳作，又名《吴宫怀古》，由〔夜行船〕等六支曲子及〔尾声〕组成。文中简洁勾勒出吴越兴亡的历史事实，以吴宫曾经的繁华与如今的破败比较，突出骄奢亡国的主题，充满怀古伤今的沉痛感慨与黍离悲情。

〔夜行船〕记叙吴王夫差打败越国后不再励精图治，而是开始享受骄奢淫逸的生活。他早已忘记"霸业艰危"仍需努力，为暂时的胜利所陶醉，终日耽于酒色诱惑，与美貌且娇媚的西施"沉溺在翠红乡"，尽享天下美食，豪饮玉液琼浆，游戏人生，流连忘返。而此时，越王勾践正在卧薪尝胆，发奋图强，伺机雪耻。

〔前腔〕承接前段，就在吴王沉溺酒色时，勾践"雄图"，一边操练兵马，一边贿赂笼络吴臣伯嚭，志在报仇复国。忠心耿耿的伍子胥进谏对越国斩草除根，却被夫差赐死并悬首城门。忠臣良将一去，吴国的命运如风中飘絮，危在旦夕。果然不久越国大败吴国，夫差"狼狈"，被围困在姑苏山上,请求对越北面称臣。勾践深知"卧榻之侧岂容他人酣睡"之理,遂不许,夫差无望自刎。寥寥几句,将一段惊心动魄的历史勾勒出来,读来顿觉可悲可叹。

接下来的四支曲子将吴宫当年的豪奢繁华与如今的荒凉寂寥做对比,抒发作者对世事兴衰变幻的哀愁与反思。〔斗蛤蟆〕记叙夫差"身国俱亡"后的悲凉情景:"烟花山水"瞬间易主,"高台百尺"付之一炬,往日的锦绣珠翠都已灰飞烟灭——越王勾践终于实现了最初心愿。然而"恼人意"的是,助越王复国立下汗马功劳的范蠡却看透世事,请辞泛舟太湖而去。

〔前腔〕一曲以作者的口吻示意读者"听启"他所目睹的悲凉景象:当年越国击败吴王阖闾的槜李亭,如今荒草丛生;吴王夫差大败越国的夫椒山上,树木皆枝枯叶败;吴宫中奢侈的浣花池与铜沟,早已废弃多年;妩媚风情的美人也已经形消香殒。一切都成了历史,一切都成了遗迹,吴越两国孰胜孰负都成为遥远的过去,江山不复姓吴越。怀古思今,令作者"寂寂无语"。只见暮春时节绿树上的黄鹂鸟,似乎还在询问探究着那段远去的历史。

〔锦衣香〕曲中,夫差专为西施建造的馆娃宫已经为荆榛所遮蔽;因西施穿屧过廊时发出声响而得名的响屧廊亦已长满莓苔;豪华的宫殿历经千载成了"剩水残山"。后人在吴宫旧址上建起了断崖高寺,即灵岩寺,平日只有"百花深处一僧归",无比的寂静与寥落。昔时"走狗斗鸡"的奢靡享乐,如今"空遗旧迹"。作者想到吴王"当年僭祭",诸侯会盟时手执牛耳是何等的踌躇满志,再看现在,只有"郊台凄凉云树",结局令人扼腕叹息。西施洗浴的香水溪再没有成双成对的鸳鸯,酒城倾坠,令人心生戚戚。然而眼前的茫茫练渎、无尽秋水又与当时无异,使人不禁兴起生涯苦短、物是人非的感慨。

〔浆水令〕以黍离之悲叹吴国灭亡之事,悲凉慷慨。看红芳尽殒,听吴歌凄惨,又睹离宫已废,琼姬墓冷,想起伍子胥忠谏吴王不被采纳时曾说的:"臣今见麋鹿游姑苏之台也。"一语成谶,眼前的"宫中鹿走草萋萋"正好验证此语,让"过客伤悲"。秋雨梧桐一任滴,更兼寒鸦一夜不住啼,无限感伤,尽在故墟衰草、寒鸦秋雨之中。

〔尾声〕化用李白《越中览古》诗:"越王勾践破吴归,义士还家尽锦衣。宫女如花满春殿,只今惟有鹧鸪飞。"说明越王勾践重蹈覆辙,也走上了骄奢亡国的道路,点出历代统治者骄奢必亡这一具有普遍意义的历史教训,引人深思回味。

杨维桢的这篇套数将眼前景物描绘与吊古伤怀的抒情、议论有机地融为一体,发人深省,引人共鸣。曲中多处运用典故,却了然无痕。笔力苍劲挺拔,格调悲凉慷慨,具有强烈的艺术感染力。明王骥德《曲律》称此曲"脍炙人口",诚然。

(张文利)

# 【中吕·普天乐】

鲜于必仁*

## 洞庭秋月

水无痕，秋无迹。光涵赑屃，影浸玻璃。龙嘶贝阙珠，兔走蟾宫桂。万顷沧波浮天地，烂银盘寒褪云衣。洞箫谩吹，篷窗静倚，良夜何其。

### 作者

* 鲜于必仁(1298? —1360后),字去矜,号苦斋,渔阳(今天津蓟县)人。太常寺典簿鲜于枢之子,虽出身官宦之家,却一生布衣,才气天成,通乐府,晓音律,显当行本色,且以其交游广泛,对海盐腔的形成产生重大影响。明朱权《太和正音谱》评其词"如奎壁腾辉"。

### 鉴赏

据宋沈括《梦溪笔谈》所载,潇湘有八景,时人宋迪画之,比及元代,鲜于必仁以《普天乐》之曲调创作了八支令曲,"洞庭秋月"乃其中之首。

说起八百里洞庭,浩渺无垠,气象雄伟,无风无浪的日子肯定是不多见的,而曲破题之句为"水无痕,秋无迹",一下子就把我们带进了一个风平浪静的世界,而且这个世界中没有秋的萧索,唯有高悬皓月印在水中,则"光涵赑屃,影浸玻璃",于是我们知道,波光粼粼的湖面已经是洞庭湖中鲜见的景致了。而粼粼波光中的皓月则把我们带入了秋与月与湖三位一体的境界。难怪晚唐诗人刘禹锡赞曰:"湖光秋月两相和,潭面无风镜未磨。遥望洞庭山水翠,白云盘里一青螺。"

刘禹锡的描绘是客观的，因为这样的美景恐怕只有在八百里洞庭才能见到，更让人心驰神往的是，湖水澄澈，天光上下，蟾光月影，相映相衬，"龙嘶贝阙珠"，水底印月，潜龙误以为明珠而惊嘶，恰如蜀犬吠日，惊其久不至矣。"兔走蟾宫桂"，见湖上朗月高悬，月中兔影与桂树婆娑成趣。这一"嘶"一"走"，生意盎然，洞庭为主，朗月为宾，动静相随，端的万分和谐。

于是乎，"万顷沧波浮天地，烂银盘寒褪云衣"便成了洞庭秋月之核心景致。自地面而视，天地间万顷沧波，时起时浮，天光水色，浑然一体，蔚为壮观。蓦然间抬头仰望，四面褪尽云衣，皓月当空，璀璨银光，一泻千里。这八百里洞庭更见"浩浩汤汤，横无际涯"（宋范仲淹《岳阳楼记》）。

景致绝佳乃客观使然，若无声无人，则见戚戚寥寥，冷若冰蟾。但洞庭秋月，未见凉意，未得寒浸。"洞箫谩吹"，虽不见人影，却先闻箫韵，静谧深邃而悠远；"篷窗静倚"，则见了安详神态，自得怡然。如斯良夜，哪里寻去？

记得古琴中有"良宵引"曲，良夜美景，安然静谧，庭中美人，月下述怀，一颦一蹙，一屈一躬，虔诚无比。曲虽小，意趣足。而此曲在总体上境界阔大，无边光景，无所敛藏，尽收眼底，于细微处则有声有色，动静相宜。

元代著名曲学家周德清在《中原音韵·作词十法》中说："逢双必对，自然之理。"是曲除第七、八两句句法不同，末句为单句外，其余四组字数相同、句法一致的句子，谨守"逢双必对"的原则，尤其是前三个两句对的使用，三字、四字、五字，一步一个台阶，联如贯珠，使此曲前半段的节奏与步伐铿铿锵锵，整饬有力。而结尾处的两句对，则安然自得，颇有雨歇云收后的无穷趣味。

（薄克礼）

## 【双调·折桂令】

鲜于必仁

### 诸葛武侯

草庐当日楼桑，任虎战中原，龙卧南阳。八阵图成，三分国峙，万古鹰扬。出师表谋谟庙堂，梁父吟感叹岩廊。成败难量，五丈秋风，落日苍茫。

## 鉴赏

鲜于必仁为当世知音，但散曲不多，所涉及的曲牌也很少，不过四种，且主要集中在《普天乐》与《折桂令》上，题材也较窄，唯写景与写人而已，《折桂令》系列兼而有之。但即为知音，他的散曲自然律畅音谐，当行本色。

在鲜于必仁眼里，堪夸的不过严子陵、诸葛亮、杜甫、李白、韩愈、陶渊明、苏轼七人而已，这七人均以才华著称，但大多命乖运舛。七人中诸葛亮位居第二，实在而言，诸葛亮是七人中仕途最值得称道的一位，从南阳的躬耕陇亩，到三顾茅庐、三分天下、相蜀汉、出祁山都属于志得意满的一类，然而作为蜀汉丞相，最终未能平定天下却病死疆场，也成了他最大的遗憾。

"草庐当日楼桑，任虎战中原，龙卧南阳。"草庐是诸葛亮南阳所居，楼桑乃刘备故里，这后来蜀汉的臣与主，以"当日"二字勾连，明里遥遥相对，暗中殷殷相期，然时不我与，刘备既不知有诸葛，孔明又未得见皇叔。运蹇时乖，本为人中龙凤的刘玄德，只好如虎狼般在中原鏖战，而诸葛亮虽一介布衣，却高枕南阳，如卧龙般等待时机。

最让人难忘的比"周公吐哺"(曹操《短歌行》)还令人感动并慨叹的三顾茅庐，在这里被作者省略了，因为这里的主角不是人主刘备，而是人臣诸葛亮。"八阵图成，三分国峙，万古鹰扬"，直接道出了诸葛亮卓越的军事才能和对后世的影响。《三国志·蜀书·诸葛亮传》有这样的记载："亮性长于巧思，损益连弩，木牛流马，皆出其意。推演兵法，作八阵图，咸得其要云。"正因为有这样的巧思，诸葛亮的智慧才得以完全地展现。"功盖三分国，名成八阵图"，杜甫的诗歌也恰好是对诸葛亮"万古鹰扬"的超凡智慧的中肯评价。

作为人臣，功高还需要劳苦，要赤胆忠心、鞠躬尽瘁、死而后已，诸葛亮又真正是这样的典范。蜀汉建兴五年(227)，诸葛亮出师北伐，行前，他给后主刘禅上呈一份奏章，即后世所谓的《出师表》，对国家大事小情进行了细致的交代，体现出诸葛亮矢志报效先主、兴复汉室的情怀，"出师表谋谟庙堂，梁父吟感叹岩廊"，其意也正在于此。

然而，"成败难量"，精忠报国之心与呕心沥血之志，乃至六出祁山北伐的艰苦操劳,换来的也许是成,也许是败,在最初都是很难预料的。而事实上,诸葛亮的政治抱负也没能实现,"出师未捷身先死,长使英雄泪满襟"(唐杜甫《蜀相》),病死五丈原,光复未果,所终结的不仅是他的性命,还有他的良苦用心啊!

"五丈秋风,落日苍茫。"瑟瑟秋风,苍茫落日,无限悲凉,这其中包孕着多少诸葛亮壮志未酬的遗憾啊!

(薄克礼)

## 【双调·折桂令】

鲜于必仁

### 李 翰 林

醉吟诗误入平康,百代风流,一饷徜徉。玉雪丰姿,珠玑咳唾,锦绣心肠。五花马三春帝乡,千金裘万丈文光。才压班扬,草诏归来,两袖天香。

**鉴 赏**

唐代诗人中,文采风流、豪放飘逸者以李白为最,其"诗仙"之美誉正得其所。以是,自唐杜甫以来,写诗撰文赞美李白者无以数计,鲜于必仁则是元代曲家的一个代表。

"醉吟诗误入平康,百代风流,一饷徜徉。"旧称妓院为"平康",在唐代,士人入妓院本为常事,家中养有艺伎也很平常。很显然,作者这里言李白"误入平康",而且是在酒醉的情况下去的,显然认为李白原本是不该去那般场所的,而一个"误入"和"一饷徜徉"又明明在为李白解脱,认为其酒醉而失足,且不过片刻之事,是可以理解的。实在而言,作者大可不必为古人如斯行状而惋惜。好在还有"醉吟诗"与"百代风流"几字,让我们不至于对李白仅有片面的理解和认识。

"玉雪丰姿,珠玑咳唾,锦绣心肠。"这是作者对李白的正面描述,其一是美丰仪,面白如玉,神态俊逸;其二是俊言语,字字珠玑,自然流露;其三是好文采,胸藏锦绣,笔吐华章。这一美、一俊、一好,使我们对李白超凡的神采与卓越的诗才有了根源上的认识。

非但如此,李白是诗仙,也是酒仙,诗酒融为一体、处处洋溢着豪迈飘逸则是非常自然的事了,他的《将进酒》正是这种风格的典范。“君不见黄河之水天上来,奔流到海不复回。君不见高堂明镜悲白发,朝如青丝暮成雪。人生得意须尽欢,莫使金樽空对月。天生我材必有用,千金散尽还复来。烹羊宰牛且为乐,会须一饮三百杯。岑夫子,丹丘生,将进酒,杯莫停。与君歌一曲,请君为我倾耳听。钟鼓馔玉不足贵,但愿长醉不愿醒。古来圣贤皆寂寞,惟有饮者留其名。陈王昔时宴平乐,斗酒十千恣欢谑。主人何为言少钱,径须沽酒对君酌。五花马,千金裘,呼儿将出换美酒,与尔同销万古愁。”写这首诗时,他正与好友岑勋在嵩山另一好友元丹丘的山庄作客,但看此诗的架势,作者分明反客为主,豪言壮语,狂放恣肆,直至最后要以“五花马”和“千金裘”来换取美酒,以图一醉方休,这种胆识与气魄,跌宕奔涌,震古烁今,李白而外,谁人敢当?“五花马三春帝乡,千金裘万丈文光”,这一简单明了的对句,恰是对李白的最高评价。故在作者眼里,李白之才力压班固、扬雄这两位汉代文豪。

但即如李白如此高材,却因没有功名,始终未得朝廷重用,所谓的“翰林”也不过是个闲差,不仅他“直挂云帆济沧海”(李白《行路难》其一)的青云之志不可能实现,就是他恣意纵情于诗酒之中也不能够。所以当“草诏归来”,也就是长安放还之后,他的才情方充分化于诗酒之中,“两袖天香”的谪仙人才回归自然,展现他的“万丈文光”。

李白的诗歌豪放飘逸,鲜于必仁的这支小曲也同样豪迈无比呢!

(薄克礼)

## 【双调·折桂令】

鲜于必仁

### 苏学士

叹坡仙奎宿煌煌,俊赏苏杭,谈笑琼黄。月冷乌台，风清赤壁，荣辱俱忘。侍玉皇金莲夜光，醉朝云翠袖春香。半世疏狂，一笔龙蛇，千古文章。

## 鉴赏

有宋一代,苏轼的文学与艺术成就无疑是最高的,就文学而言,诗、词、文、赋俱佳绝非溢美之词;就艺术而言,书法、绘画与古琴也是当然的高手。此外,作为官员,他颇有政绩;作为文人,还精通岐黄之术。所以,他的荣誉称号颇多,"唐宋八大家"是言其散文成就,"宋四家(苏黄米蔡)"是言其书法造诣,"苏黄"言其诗文影响,"苏辛"指其词开豪放一脉,"苏堤"则是专指其为官杭州疏浚西湖的荣耀。人无完人,而作为文人苏轼却如此全面,非仙人何能至此?

于是,鲜于必仁破题便是"叹坡仙奎宿煌煌",呀！这苏轼真是天上光辉灿烂的奎宿啊！"奎"主文章,既然是天上的奎宿,其文学上的成就自无须置疑了。至于谓苏轼为"坡仙",还在于《东坡志林》所载"异仙"的故事。但无论如何,苏轼总是"仙"了。

即为仙,人间的酸甜苦辣及种种波折便没有什么不得了的,"俊赏苏杭,谈笑琼黄",都在他官场不得意之时,然而显现出的是一种泰然、豁达与清雅的状态。而"月冷乌台,风清赤壁,荣辱俱忘",也是这种状态的延伸。在这种状态中,他疏浚了西湖,筑起了苏堤,深受百姓爱戴;他沉醉于西湖,所以有了"欲把西湖比西子,淡妆浓抹总相宜"的千古名句;因为放逐于黄州,因而写下了前、后《赤壁赋》,高唱了《念奴娇·赤壁怀古》。尤其在黄州为官时,他写下了描摹这种状态和心态的《定风波》:"莫听穿林打叶声,何妨吟啸且徐行。竹杖芒鞋轻胜马,谁怕,一蓑烟雨任平生。料峭春风吹酒醒,微冷,山头斜照却相迎。回首向来萧瑟处,归去,也无风雨也无晴。"受累于"乌台诗案"这个宋代最大的文字狱,一贬再贬,黄州、惠州、儋州,到处留下了苏轼的足迹,也是他仕途坎坷的最好证明,而他毕竟是"坡仙",能够做到荣辱俱忘,"举世誉之而不加劝,举世非之而不加沮"(庄子《逍遥游》),显然就是一种旷达而超凡的境界了。

苏轼的文章初得英宗皇帝的认可,后又深得哲宗皇帝的赏识,被称为后代的太平宰相,因此得到宠幸的机会是比较多的。"侍玉皇金莲夜光",在元祐二年,作为翰林学士,苏轼成为宋哲宗的御前侍读,伴君到深夜是经常的事体,据《宋史·苏轼传》载:“召入对便殿……已而命坐赐茶,撤御前金莲烛送归院。”这是何等的恩宠啊!面对恩宠,苏轼是尽其能为的,却不沾沾自喜;而贬谪落魄之时,“醉朝云翠袖春香”,生活虽未得如意,仕途也愈发坎坷,但有侍妾朝云与之相伴,东坡亦能心满意足。宠辱不惊只有在如斯对比状态中才显得分明啊!

“半世疏狂”,是就性格与气度而言的,“坡仙”是仙人啊,疏狂放浪、无所拘牵是当然的本性。而“一笔龙蛇,千古文章”则是就其才气而言的,其书法为宋四家之首,文章与诗词皆为宋之文人冠冕,“奎宿煌煌”真的不是虚言呢!

鲜于必仁写人的曲子都有高度的概括力,而且善于抓住所写对象最主要的成就、性格乃至细节,辅以散曲特有的奔放笔调,使人物显得更加光彩夺目。

(薄克礼)

## 【双调·折桂令】

鲜于必仁

### 卢沟晓月

出都门鞭影摇红,山色空濛,林景玲珑。桥俯危波,车通远塞,栏倚长空。起宿霭千寻卧龙,掣流云万丈垂虹。路杳疏钟,似蚁行人,如步蟾宫。

**鉴赏**

从鲜于必仁的作品看,绝大多数侧重于人物与景致,人物不过七人,严子陵、诸葛亮、杜甫、李白、韩愈、陶渊明、苏轼而已,景物则先有潇湘八景,后有燕山八景,卢沟晓月则为燕山八景之一。作为蓟州人,长期居住在大都,他对燕山八景的认识显然更加充分,因此写“卢沟晓月”之景即见出得心应手,毫无挂碍。

在老北京西南的永定河上,有桥名“卢沟”,建于金朝,桥栏杆柱头上皆有狮子,且神采各异,此桥系金元时进京的必由之路,故其繁忙与景色均名重当时。

"出都门鞭影摇红",红缨摇动,鞭影空中,显然,作者是坐着马车专门去赴景致之约的。由于京城距离"卢沟桥"还有很长的一段路程,所以,作者应该是在夕阳西下之时出发的,否则也见不得"鞭影摇红"。那么一路的景致如何呢?"山色空濛,林景玲珑",由于出发的时间是傍晚,夜色渐渐地笼罩下来,虽然有月儿初上,但夜幕中的山色是模模糊糊、迷迷茫茫的,似隐约可见,而一片一片的树林则显得空明而寂静。在如斯景致的陪伴下,主人公终于来到了卢沟桥,而卢沟晓月到底是怎么一种样子呢?

先看桥吧!"桥俯危波,车通远塞,栏倚长空。"此桥横跨永定河两岸,俯瞰桥下,波涛汹涌,水深浪急;顺桥而望,车马迤逦,远通边关;再观两侧,长栏斜倚,与月空相接。于是乎,桥的气势、作用及壮观景致一览无余地展现在我们面前。

再看晓月中的桥。"起宿霭千寻卧龙,掣流云万丈垂虹",前面的一个鼎足对使桥有了气势,现在这个两句对则既增添了桥的气势,更增添了桥的情态。唐代人杜牧的《阿房宫赋》有语曰:"长桥卧波,未云何龙?复道行空,不霁何虹?"时间如桥下的流水般飞逝,此时晨雾渐起,朦胧中长桥似卧波之蛟龙,又似流云突然被当空一扯,洒下万丈长虹。显然,作者采用了比拟和夸张的笔法巧妙地化用了杜牧的文意,使晓月中的卢沟桥在朦胧中彰显出非凡的气派,也有了十足的跃跃欲试的神态。

既然是晓月,眨眼便该是黎明了,由于起了薄雾的缘故,前面的道路看得不很清楚,显得非常的杳渺,但偶尔传来的钟声,显示出破晓的时刻即将来临。再回首,凌晨的桥上已经密密麻麻地布满了行人,远处看就像蚂蚁一样,而月光好像突然穿透了薄雾,洒落在桥上,一片皎洁,人在桥上走,恍如步入月宫,清华满地,神清气朗。

多角度多侧面的描绘使我们对卢沟晓月之美景有了立体的影像,而清雅中所见出的豪迈,正是鲜于必仁散曲本色当行特征的重要表现。

(薄克礼)

# 【越调·寨儿令】

鲜于必仁

汉子陵，晋渊明，二人到今香汗青。钓叟谁称，农父谁名，去就一般轻。五柳庄月朗风清，七里滩浪稳潮平。折腰时心已愧，伸脚处梦先惊。听，千万古圣贤评。

## 鉴赏

鲜于必仁隐居题材的作品不过三首,这是其中之一。

在作者的心目中,历代人物值得颂扬的不过严子陵、诸葛亮、杜甫、李白、韩愈、陶渊明、苏轼七人而已,他为这些人每人写了一首〔折桂令〕,称颂他们的美德与功德。而此首小令则主要是综合颂扬严光与陶潜隐居之意的。在分析这首作品之前,我们有必要看一看他写严光与陶潜的那两首〔折桂令〕:

傲中兴百二山河,拂袖归来,税驾岩阿。物外闲身,云边老树,烟际沧波。犯帝座星明凤阁,钓桐江月冷渔蓑。富贵如何?万古清风,岂易消磨。(《严客星》)

羡柴桑处士高哉,绿柳新栽,黄菊初开。稚子牵衣,山妻举案,喜动蒿莱。审容膝清幽故宅,倍怡颜潇洒书斋。隔断尘埃。五斗微官,一笑归来。(《晋处士》)

显然,对严光与陶潜二人,作者是倍加喜爱的,既羡慕他们的隐居生活,也赞叹他们的清风傲骨。

"汉子陵,晋渊明,二人到今香汗青。"实在而言,就为官看,二人不算是优秀的,严子陵是不愿意借光武帝刘秀的光,辞谏议大夫而不受;陶渊明虽为彭泽令,却不愿意为五斗米之俸禄折腰,也是辞官不做。虽然皆不属于官运亨通之辈,但他们有一个共同点,就是不与统治者同流合污,过着安逸闲适的隐居生活,并为世人所称羡,青史留名也正在于此。

应该说,严子陵与陶渊明辞官时是非常坦然而无丝毫留恋的,而作者的描述更显得无比之洒脱:"钓叟谁称,农父谁名,去就一般轻。”钓叟与农父,其实都是世人对隐逸者的美称,而一旦真的成为隐逸者,撇却了官场的污浊与黑暗,真是浑身的轻松啊!这种轻松充分体现在“五柳庄月朗风清,七里滩浪稳潮平”二句上,“月朗”与“风清”均是自然的景色,是人们所向往的,而心情疏朗与爽快才是陶潜真正的理想目标;同样,“浪稳潮平”也是自然界的景象,是人们所期待的,而心绪安宁、自在稳妥才是严光辞官的目的所在。

官场与隐逸是两个完全对立的概念,恰如孔子所言:入世为方内,出世为方外。内与外的区别到哪里都是明显的。那么在这里,官场多是低俗的、恶浊的,隐逸多是高尚的、清朗的,这似乎都已经成了定论。于是在这种情况下,“物外闲身”是他们所期许的,“五斗微官”是他们所不齿的。由是,为五斗米折腰显然是少了气节,想从官场落得好处显然是少了风骨,美梦惊破后怎能不内自愧疚呢?

“听,千万古圣贤评。”人之言行,流播后世,自然少不了许多议论,尤其少不了一代又一代圣贤的评价。俗语曰:人过留名,雁过留声。究竟要留下哪种名声?结尾这一句振聋发聩之警策,也许会让我们更加认真审慎地从严子陵和陶渊明的行为中得到有益的启示。

这首小令就艺术特色而言,最主要的还是对仗的运用,所有的句式相同的句子都能结成工整的对子,可以见出作者高超的语言技巧。

(薄克礼)

# 【黄钟·人月圆】

倪 瓒*

(二首其一)

伤心莫问前朝事，重上越王台。鹧鸪啼处，东风草绿，残照花开。怅然孤啸，青山故国，乔木苍苔。当时明月，依依素影，何处飞来？

## 作者

* 倪瓒(1301—1374),初名珽,字元镇,自号风月主人,又号云林子、沧浪漫士、净名庵主等,无锡(今属江苏)人。自幼读书,过目不忘。所居清閟阁,多藏法书名画秘籍。至正初,散家赀给亲故,泛舟五湖三泖间,自称懒瓒、倪迂。著有《清閟阁集》。

## 鉴赏

这是一首吊古感怀之作。曲中所写之越王台,乃会稽(今绍兴)名胜,“旧在种山东北,越王勾践登眺之所,宋汪纲复建在山之西麓”(《明一统志》卷四十五)。在曲家笔下,它却成了引发伤心悲慨之情的依托。在倪瓒看来,曾几何时,越王勾践修筑此台,星移斗转,物是人非,而今重新登上越王台,未免触动思古之情怀,还是不要再提及前朝旧事了吧。残阳如血,流年如掷,这高台之上,早已英雄不再,只剩下鹧鸪凄切的啼叫以及风中抖动的野花野草。曲家目睹此情此景,纵然口称“莫问前朝事”,但仍不免惆怅满怀,不能自已。一声长啸,吐出一腔愤懑、几多叹息。时光流转,青山依旧,那耸立的乔木与满地的苍苔,似乎在记录着岁月的沧桑、世事的翻覆。而只有明月千古不变,照耀人寰,那朦胧的月影,不知能否唤回往昔的记忆与星散的友故。

本曲妙于剪裁,作者多处化用前人诗作意境,而感情不隔,自然天成。清许昂霄《词综偶评》即指出:前段全用窦巩《南游感兴》诗语,后段则用刘禹锡《石头城》诗句意。

唐窦巩《南游感兴》诗曰:"伤心欲问前朝事,惟见江流去不回。日暮东风春草绿,鹧鸪飞上越王台。"(《全唐诗》卷二七一)论者以为"此诗四句无限意思,非巧心妙手不能摹写"(明高棅编《唐诗品汇》卷五二)。然而,窦氏所作亦有所本。宋吴曾《能改斋漫录》卷八谓:"唐窦巩有《南游感兴》诗……盖用李太白《览古》诗意也。李云:'越王句践破吴归,义士还家尽锦衣。宫女如花满春殿,只今唯有鹧鸪飞。'"其实,许昂霄所论并不完全准确。本作之首句,除化用窦巩诗意外,主要是借鉴了金吴激的〔人月圆〕一词中"南朝千古伤心事,莫唱后庭花"之表达方式,后面的"青山故国,乔木苍苔",又似由唐刘禹锡《石头城》诗以及宋姜夔《扬州慢》词化出。倪瓒身处乱世,又远离故土,登上越王台,耳闻鹧鸪悲鸣,目睹苍苔掩阶,自然引发出人世兴废、朝代陵替之感叹,孤独怅然之情也杂糅其间,故使得词意顿挫,含意深婉。

此曲在景物渲染和情感变化上,富有特色。上阕言"东风草绿""花开",显系春景,但以夕阳残照笼罩之,则给抒情主体抹上一层凄凉的色彩,彰显出往事不堪闻问却无法回避的窘境;下阕以"怅然孤啸"领起,心情似乎略为舒缓,却转而又感慨盛衰无常。青山、乔木、苍苔、明月,共同编织成这一寄寓有深沉吊古伤今之情的画面,启人深思。清陈廷焯《白雨斋词话》卷三谓此曲"风流悲壮,南宋诸巨手为之亦无以过",实无过誉。〔人月圆〕是词曲两属的牌调,元人所作此调,曲家多以曲目之,而词家又往往以词论之,故清人之词论著作,如前引《词综偶评》《白雨斋词话》等曾论及此曲。

(赵兴勤　赵　韡)

# 【黄钟·人月圆】

倪 瓒

惊回一枕当年梦，渔唱起南津。画屏云嶂，池塘春草，无限销魂。　旧家应在，梧桐覆井，杨柳藏门。闲身空老，孤篷听雨，灯火江村。

## 鉴赏

这是一首怀旧伤逝之作。“惊回一枕当年梦”——用倒折的手法，一起即写惊梦。“渔唱起南津”，补叙出惊梦的原因，也交代出作者的现实处境——身在江湖。“渔唱”即渔歌，“南津”即渡口，古时渔民出海较早，宋陈与义《临江仙》即有“古今多少事，渔唱起三更”之句，可作注脚。然后倒折回来，叙梦境，即梦中当年的情事：“画屏云嶂，池塘春草，无限销魂。”这里用了南朝宋时谢灵运“池塘生春草，园柳变鸣禽”的名句，明明是写春天美景，与“画屏云嶂”一样，不属于现实，而属于梦境，所以“销魂”——令人感伤。这是一首感伤的令曲。

如次句所表明，打断梦境的，是从渡口传来的声声渔歌。歌声提醒痴人：你已身在江湖，快别做梦了。于是画屏、云嶂、池塘、春草，皆化乌有。于是伤感地想：故园就是还在，由于无主，也应是梧桐叶落满天井，杨柳树遮掩家门了呵。“旧家应在”三句，遥接首句，是惊梦后的思绪。结尾“闲身空老”三句写现实处境，“江村”“孤篷”与开篇的“渔唱”取得呼应。

元末农民起义风起云涌，倪瓒疏散无锡家财，浪迹江湖。中夜梦回，自有不胜今昔之感，如李后主然。

（周啸天）

# 【双调·折桂令】

倪　瓒

## 拟张鸣善

草茫茫秦汉陵阙，世代兴亡，却便似月影圆缺。山人家堆案图书，当窗松桂，满地薇蕨。侯门深何须刺谒，白云闲自可怡悦。到如今世事难说，天地间不见一个英雄，不见一个豪杰。

### 鉴赏

题为《拟张鸣善》，今人隋树森《全元散曲》辑张鸣善小令十三首，无〔折桂令〕。而张氏杰作〔水仙子〕《讥时》有"说英雄谁是英雄"之慨，与此曲结尾的"天地间不见一个英雄，不见一个豪杰"的感慨如出一辙。作者所拟，或即此曲。开篇"草茫茫秦汉陵阙"三句，以怀古起兴。旧王朝没落，新王朝兴起，其间有多少污秽和血！作者学会看淡，既不为"秦汉陵阙"长满衰草而悲哀，也不为新朝的即将诞生而称庆，只觉得正在发生的一切，如同月圆月缺一般，不以人的意志为转移罢了。

"山人家堆案图书"五句，写隐居的环境和心态。身处乱世，士大夫能做的最好的事情，就是洁身自好，保持人格的独立。与图书为伴，与松桂为伴，与薇蕨为食。说到薇蕨，使人联想到伯夷、叔齐不食周粟的气节。自甘清贫，管他"侯门深似海"，与我都不相干。

"到如今世事难说"三句，是现实感慨。大势已去的元朝已不值一论，正在逐鹿的群雄也很难说。"不见一个英雄，不见一个豪杰"两句，将其一概抹倒，大有"时无英雄，遂使竖子成名"之慨。作者似乎感到，新朝与旧朝，不可能有本质的差别。他的结论虽然悲观，却也是出于无奈。

（周啸天）

# 【越调·凭阑人】

倪　瓒

## 赠吴国良

客有吴郎吹洞箫，明月沉江春雾晓。湘灵不可招，水云中环佩摇。

### 鉴赏

此曲乃赠友之作。倪瓒《题荆溪清远图》曾谓:"荆溪吴国良,工制墨,善吹箫,好与贤士大夫游。张贞居每馆寓其家,舣舟篱傍,兴尽便返,故国良得贞居翰墨为多。今年夏,予以事至郡中,泊舟文忠祠后,国良便从溪上具小舟相就语,为援箫,作三五弄,慰予寂寞,并以新制桐花烟墨为赠。予嘉其思致近古,遂写《荆溪清远图》以遗之,时至正十年四月廿一日也。"(《清闷阁全集》卷九)倪瓒与吴国良过从较密,《清闷阁全集》中尚有《义兴吴国良用桐烟制墨,将游吴中求售,赋诗以速其行》《因吴国良过玉山草堂赋诗奉寄》等诗,可资佐证。

本作虽说只有短短四句,但曲家却以清丽的语言,为读者创造出妙趣横生的艺术境界。在作者笔下,吴国良技艺高超,箫音低回清婉。倪瓒泛舟江上,听其吹奏。箫声空灵辽远,如幻如真。那江中晃动之月影,朦胧缭绕之春雾,均为吴郎精妙绝伦的洞箫演奏布置了浓重的令人神往的艺术欣赏氛围。这美妙的箫音,能否招致娥皇与女英前来鼓瑟呢?哦,云水之间,声音由远而近,似乎是神女的环佩在轻摇、碰撞,是那么玲珑动听,莫非女神真的肯眷顾,闻箫声而来了?

当然,这样的想象终归只能是想象。作者的意图,一是对友人技艺由衷的赞美,一是对美好生活的向往。元代无休无止的动荡,带给曲家的是性灵的遮蔽感和人生的幻灭感。所以,脱迹尘氛之外,扁舟一叶,吹箫度曲,成为其理想的生活方式。"晚益务恬退,弃散无所积,屏虑释累,黄冠野服,浮游湖山间以遂肥遯,丰采愈高,不为谄曲以事上官,足迹不涉贵人之门,与世浮沉,耻于衒暴,清而不污,将依隐焉"

(元周南老《元处士云林先生墓志铭》)。倪云林人格高标,文骨清逸,隐于五湖三泖之间,这本身就是一幅大写意。

总之,此曲短小精悍,神韵超逸,正如倪瓒画作中的小品,冲淡醇雅,不为俗染。

(赵兴勤　赵　韡)

## 【越调·小桃红】

倪　瓒

一江秋水澹寒烟,水影明如练。眼底离愁数行雁。雪晴天,绿蘋红蓼参差见。吴歌荡桨,一声哀怨,惊起白鸥眠。

### 鉴赏

这是一首写景的曲子,可取首句二字为题——《秋江》。"一江秋水澹寒烟"三句,写深秋的江景:一江秋水,上下天光。江上弥漫着寒烟,江水透明如白练。天上数行新雁在飞,水边绿蘋、红蓼高低不齐。忽有渔家姑娘乘舟而来,桨声,歌声,惊起滩头白鸥,扑腾着飞向远方。

这是不折不扣的空间显现,当得起"曲中有画"之誉。然而令人不解的,是其中的"雪晴天"三字。什么是"雪晴天"呢?可以是指雪后的晴天,也可以指太阳雪——即东边日头西边雪,不过,这种情景不可能出现在江南一带。既说"雪晴",就不该是秋景,而应该是冬景。还有,既出现"雪",就不该同时出现红蓼、绿蘋。理智的读者不免振振有词。

不过,"诗有别趣,非关理也。"(宋严羽《沧浪诗话》)沈括《梦溪笔谈》说,王维画物,就不问四时,往往以桃杏、芙蓉、莲花同画一景;袁安卧雪图,竟有雪中芭蕉。此乃兴到笔随,得心应手。画可以,诗也可以;王维可以,倪瓒就不可以?所以曲中"雪晴天"绝非误笔,而是增补造化之笔。

(周啸天)

# 【中吕·朝天子】

夏庭芝*

## 赠王玉英

玉英，玉英，樵树西风净。蓝田日暖巧妆成，如琢如磨性。异种奇葩，精神光莹，价高如十座城。试听，几声，白雪阳春令。

### 作者

* 夏庭芝(约1300—约1375),字伯和,号雪蓑,别号雪蓑钓隐、雪蓑渔隐。松江(今上海)人。元代词曲作家,与当时的曲家张明善、朱凯、朱经、钟嗣成等交往甚密。《录鬼簿续编》中说他:"乔木故家,一生黄金买笑,风流蕴藉。文章妍丽,乐府、隐语极多",惜其作品大多佚失,今仅存小令2首。另有《青楼集》一书,摆脱了世俗轻视歌伎的观念,记载了110位歌伎的事迹,其中亦涉及许多戏曲方面的介绍,对今人研究古代戏曲理论有着很大的贡献。

### 鉴赏

由于元代有不少文人都混迹于社会底层,与歌伎交往甚密,其中固不乏赠曲的佳作,然而大多还是在于描绘她们的妆色,或流于调笑戏弄,仅是游戏之作。夏庭芝这首小令却一反常态,着重表现王玉英卓越的风姿与才情,赞扬她如玉般高贵的品格。《青楼集》记载:"王玉英,妆旦色。人品艺业惊人。宪司老汉经历侧室也。予曾有〔朝天曲〕赠之。"

此处的〔朝天曲〕即这首赠王玉英的小令。此曲别出心裁,从玉英的名字着眼,首句连唤两声"玉英，玉英”，以示亲切，紧接着便向我们呈现出一幅“樵树西风净”的意境。“樵树西风”本是一片萧瑟之感，作者却用一个“净”字，使整个意境呈现出一种肃穆超脱之意。在这西风凛冽、残叶遍地的画面中，渐渐出现了那巧妙妆点的美玉，这里作者连续化用了两个典故来表现美玉的高洁，“蓝田日暖巧妆成”来自唐李商隐《锦瑟》诗：“沧海月明珠有泪，蓝田日暖玉生烟。”蓝田，山名，在今天的陕西省蓝田县，以盛产美玉而闻名于世，此句则用“蓝田日暖”来指代美玉；“如琢如磨性”出自《诗经·卫风·淇奥》：“瞻彼淇奥，绿竹猗猗。有匪君子，如切如磋，如琢如磨。”指出这样的美玉不只产自名地，还经过了精心的打磨，有着很高的品性；“异种风范，精神光莹”，说明精雕细琢后的美玉还有着独特的样式，晶莹剔透，闪耀着动人的光彩，自然“价高如十座城”。这几句一语双关，表面上是说产自蓝田的美玉光洁丰盈，价值连城，实际上却是赞美玉英的品性之美：她就像最名贵的美玉那样，有着精心雕琢的品格，透露出超凡脱俗的风范，如无价之宝一般。

其后，曲子末句笔锋一转，以夸赞玉英高超的才艺作结，显示出作者独特的艺术构思。“阳春白雪”与“下里巴人”相对，指高雅的乐曲，虽然宛转悠扬，却是曲高和寡。用“阳春白雪”来形容玉英的歌声，更凸显了她不流于俚俗的高尚品味与高超的歌艺，让人动容不已。“试听，几声，白雪阳春令。”作者通篇写玉，却于此处添入袅袅的歌声，及时将读者从美玉更深层次地引入一个仙乐飘飘的世界中，令人回味无穷。

（冯晶晶）

# 【双调·水仙子】

夏庭芝

## 赠李奴婢

丽春园先使棘针屯，烟月牌荒将烈焰焚，实心儿辞却莺花阵。谁想香车不甚稳，柳花亭进退无门。夫人是夫人分，奴婢是奴婢身，怎做夫人！

## 鉴赏

这首小令是夏庭芝赠给李奴婢的。关于李奴婢的情况,《青楼集》里有所记载:“李奴婢,妆旦色,貌艺为最,仗义施仁。嫁与杰里哥儿佥事,伯家闾监司动言章,休还。名公士夫,多与乐府长篇歌曲词章。予亦有《水仙子》与之。”李奴婢是青楼歌伎,擅长旦角,是一个出色的杂剧演员。她面容娇美,技艺超群,心地善良,为人十分仗义。她与蒙古族的一个小官吏杰里哥儿相爱并成亲,希望能过着幸福、快乐的日子。但元代等级制度森严,法律规定“承应乐人呵,一般休成亲,匹配乐人者”(《元典章》卷十八),乐人一般不能成亲,即使想成亲,也只能与乐人结婚。所以,作为乐人的李奴婢根本不能自主地选择婚姻。后来,杰里哥儿的哥哥将此事告到官府,李奴婢最终被判休还。她的遭遇引起很多名公士大夫的同情,纷纷为她写下词曲。夏庭芝即写下这首小令,赠给李奴婢。

小令前三句即点明了李奴婢的生活环境。“丽春园”指妓院,“烟月牌”是妓院里写着妓女名字供客人挑选的花牌,“莺花阵”则是指妓女们。她就生活在这样的风月场所里,过着卖笑的生活。但李奴婢不甘心,她要把妓院周围堆满荆棘,拒不接客,坚决洁身自守;一把烈火将写有自己和姐妹们名字的烟月牌烧为灰烬,把自己过去的耻辱也烧得干干净净。她实心实意地辞别姐妹们,离开妓院,准备开始新的生活。这一系列勇敢的行动,体现出李奴婢从良的决心。她厌恶了风尘中的强颜欢笑,厌恶了违背自己良心和意愿的耻辱生活,以这些行动来划清自己与妓院的界限,去向往和追求普通人的爱情。

接下来,“谁想”二字却引出使人难以预料的事情,迎亲的香车一路颠簸不稳,李奴婢的婚姻之路充满坎坷。柳花亭内的婚姻生活成为了泡影,但她又不愿意回到丽春园重操旧业,真是进退无门。一个柔弱的风尘女子只是渴望能过普通人的生活,但就是这么一点小小的愿望也无法得到满足。面对如此的境况,李奴婢只能哀叹,夫人本来就有夫人的身份,奴婢则只有一辈子做奴婢的命,奴婢怎么可能做夫人呢!她只能将此归为命运使然。但这一切看似命运的安排,实际上却是这个不公平的社会和不合理的等级制度在作祟。在元代社会,汉族人本身就处于被压迫被歧视的地位,很难有机会改变命运,更何况是一个处于风月场所的歌伎呢。处在这样的现实社会中,李奴婢不可能追求到自己所向往的爱情和婚姻。

小令通过将李奴婢之前誓与妓院诀别的行动和后来进退无门的遭遇形成鲜明的对比,反映出了希望与现实的强烈反差。作者既对李奴婢寄予深切的同情,又愤怒地控诉了元代社会的不公平、不合理。

(赵亚明)

# 【仙吕·后庭花】

邵亨贞*

## 拟　古

铜壶更漏残，红妆春梦阑。江上花无语，天涯人未还。倚楼闲，月明千里，隔江何处山？

### 作者

* 邵亨贞(1309—1401)，字复儒，号清溪，云间(今上海松江)人。曾任松江训导。足迹未出乡里。勤奋博学。所著有《野处集》《蚁术诗选》《蚁术词选》等。其所作散曲，隋树森《全元散曲》辑有小令3篇。

### 鉴赏

题作《拟古》，前人多写闺怨，也可以题作《古意》或《闺意》。“铜壶更漏残”二句，写思妇的失眠。更漏将残，拂晓时分，少妇之梦就醒了。她做什么梦？思念远人的梦。“江上花无语”二句，以倒叙之法，折回白天，她白天干什么？独倚江楼，看花看船。花本无语，专为揭出，则意味少妇移情于物，见花落泪。“天涯人未还”，则包含有“过尽千帆皆不是”的失望。

“倚楼闲”以下，折回夜景，月夜之景。意思却紧承上文，经过一整天的倚楼凝眸，没有结果。夜晚又到来了，月亮又上来了，她望着江那边的山影，还在盼，还在等，还在苦苦思索：那人准在归途之中，谁能告诉我今夜他歇宿在哪座山间、哪所驿站？

此曲的基本手法就是翻

折——从拂晓春梦写到日间,是日以继夜的相思;从日间望江写到月夜,是夜以继日的相思。这种写法有着丰富的暗示性:少妇今夜还会做梦,等到明天还会再等。

(周啸天)

# 【仙吕·太常引】

刘燕歌*

## 饯齐参议回山东

故人别我出阳关，无计锁雕鞍。今古别离难，兀谁画蛾眉远山？一尊别酒，一声杜宇，寂寞又春残。明月小楼间，第一夜相思泪弹。

### 作者

* 刘燕歌，大都歌伎，善歌舞，与齐参议相好，其余生平事迹不详。元夏庭芝《青楼集》录存其小令1首，明赵世杰《古今女史》录存其绝句1首。

### 鉴赏

元夏庭芝《青楼集》载："刘燕歌，善歌舞。齐参议还山东，刘赋〔太常引〕以饯云……至今脍炙人口。"参议，即参议中书省事，正四品官。知齐参议是从大都（北京）中书省卸任回山东的，则刘燕歌是大都歌伎无疑。此曲写饯别时对情侣依依难舍的眷恋之情，悲痛欲绝的离愁别怨。元代妓女善歌舞者多，能写词曲者较宋代歌伎尤少，故属难能可贵。

开头即紧扣题面写饯别。"故人"见两人交情之深之久；"阳关"非指西北玉门之阳关，亦非山东宁阳之阳关，乃泛说空间之遥远而已，尤在化用王维"西出阳关无故人"的名句，以为下文张本。"无计"是客观情势，"锁雕鞍"是主观幻想，五字写主客矛盾，则凄然欲绝之情已力透纸背。

大合之后，第三句即大开，宕开泛说古今之人同感离别之难，屈原首叹“悲莫悲兮生别离”(《九歌·少司命》),江淹《别赋》继称“黯然而销魂者,唯别而已矣”;李商隐《无题》更说“相见时难别亦难”;柳永《雨霖铃》总结“多情自古伤离别”,当为此曲所本。第四句又挽合到自己,但却不写当前而虚写未来,问今后谁再像张敞那样为我画远山眉呢?用典不露痕迹,而齐参议往时为她画眉之体贴入微,亦可窥见,此正虚处传神之笔。

“一尊”三句,又挽合到当前实写。“一尊别酒”,对行者而言是“劝君更尽一杯酒,西出阳关无故人”;对己而言,也许是“未饮心先醉”了,蕴含了多少无声的千言万语!偏偏此时又“一声杜宇”啼叫“不如归去”,似乎在催促分手,更加情何以堪?“寂寞”回应“谁画蛾眉”,“春残”呼应“杜宇”,且双关爱情的春天也将“残”了。叠用“一”字,视听力重千钧;双关“残”字,情景双重销魂。

收尾二句,复又大开,虚写遥想未来:到今夜将是独守空楼,仰望明月,月圆人不再圆,只能形影相吊了;第一夜尚且如此难熬,那今后漫长的日日夜夜又该怎么难熬啊!不尽之意见于言外。

明赵世杰辑《古今女史》卷六尚录存刘燕歌《有感》绝句一首:“忆昔欢娱不下床,盟齐山海莫相忘。那堪忽尔成抛弃,千古生憎李十郎。”不知是否指齐参政,若然,那她的“相思泪”岂非白流了?

此曲言浅意深,情景交融。篇法的大开大合、虚实交错,曲尽婉约缠绵之情致,是本篇的一大特色。

(熊　笃)

# 【黄钟·红衲袄】

无名氏

那老子彭泽县懒坐衙，倦将文卷押。数十日不上马，柴门掩上咱。篱下看黄花。爱的是绿水青山，见一个白衣人来报，来报五柳庄幽静煞。

## 鉴赏

这首无名氏小令，写的是晋代大文豪陶渊明。陶渊明当上彭泽县令，不肯“为五斗米折腰”，当了八十天就辞了官。当县令就得坐衙押文卷，小令着一“懒”字，又着一“倦”字，凸显陶渊明的与众不同：在“官本位”的社会里，谁人不是有衙坐就浑身抖擞？谁人不是手中有权就两眼放光？可是陶渊明却主动辞官，躬耕自足，在田园生活得如鱼得水。历史上，渊明归田后，朝廷又邀他去当“著作郎”，他辞疾不去。元代有一部无名氏作的杂剧《陶渊明东篱赏菊》，剧中人檀道济就是原保举陶氏当彭泽令者，陶辞官后，檀道济不甘心，又跑来“做思想工作”，准备再度保举，但是以失败告终。史料与艺术作品，都反映了陶渊明确实是“懒坐衙”的。

马匹是古代男人主要的交通工具，爱交际的男人可谓不可一日无此君，所以，表达立即、快速之意的词汇叫“马上”——马不停蹄、快马加鞭。可是，陶渊明却可以“数十日不上马”，把柴门掩上，安然度日。“咱”，语助词，此处无义。

陶渊明爱菊。他的关于菊的诗歌，最负盛名的是《饮酒》诗里的“采菊东篱下，悠然见南山”。故散曲里有“篱下看黄花”句。因为菊花多为黄色，所以人们每每以“黄花”代指菊花。陶氏还非常喜欢重阳节。他的《九日闲居》诗序云：“余闲居爱重九之名，秋菊盈园，而持醪靡由，空服九华，寄怀于言。”九华，重九之华，即菊花。只要秋菊满园,哪怕没有酒,渊明"空服九华",也能有诗,把个节日过得诗情画意。

自此,陶渊明与菊、与酒、与重阳连在了一起,菊花甚至获得了"篱菊""篱花"之名。唐刘长卿《九日题蔡国公主楼》有:"篱菊仍吐新,庭槐尚旧荫"句。清曹寅则有"九日篱花犹寂寞,六朝粉本渐模糊"句(《寄姜绮季客江右》)。日本的古典小说《源氏物语》里亦有诗曰:"哀此东篱菊,当年共护持。今秋花上露,只湿一人衣。"

"白衣人"用的是另一个关于陶渊明与重阳节的典故。南朝檀道鸾笔记《续晋阳秋》有一段记载,续了上述正史的记载:"陶潜尝九月九日无酒,宅边菊丛中,摘菊盈把,坐其侧,久,望见白衣(官府中给役小吏)至,乃王弘送酒也。即便就酌,醉而后归。""白衣送酒"后来成了典故。唐崔国辅《九日》诗云:"九日陶家虽载酒,三年楚客已沾裳。"用的就是陶渊明"白衣载酒相送"的典故。孟浩然《卢明府九日岘山宴袁使君张郎中崔员外》也有近似的表达:"共羡重阳节,俱怀落帽欢。酒邀彭泽载,琴辍武城弹。"日本也流传陶渊明得"白衣送酒"的故事。《古今和歌集》纪友则有首《人在菊花处待人来》的和歌,其汉译是:"在此赏花人,待人人落后。篱边白菊花,误作白衣袖。"

陶渊明曾作《五柳先生传》,"宅边有五柳树,因以为号焉",其实是他的自况。故而后世以"陶公柳""彭泽柳"等名指称隐居,以"五柳先生"指称隐士。本小令以"五柳庄"代指陶渊明的住处。只有隐士的住处,才会如此的"幽静煞"。"白衣人"一来,这样的幽静就被打破了。曲子亦到此戛然而止。

本小令像是从一则说唱中截下来的片段,说唱对象是赫赫有名的陶渊明,故无须出现名字也能人人皆知。从他做官、辞官、赏菊、过节一路写下来,亦庄亦谐,看似调侃,实蕴敬重,是一首宣传陶氏人生观的流行歌曲。

(翁敏华)

## 【黄钟·贺圣朝】

无名氏

春夏间,遍郊原桃杏繁,用尽丹青图画难。道童将驴鞴上鞍，忍不住只恁般顽，将一个酒葫芦杨柳上拴。

鉴赏

短短一首小令，画面感极强。区区四十字，春夏之景，便跃然眼前。这大自然，怎一个"美"字了得？

春夏间，桃红杏白，杨柳如烟。小令正描写了这个时节的景色——"绿叶成荫子满枝"（唐杜牧《叹花》）。三月、五月，暖意浓浓，漫山的桃花、杏花争相怒放着。有的果子则等不及了，还未脱掉花瓣，便打上了枝头，跳跃着和花儿们争宠。作者在此用一个"繁"字，描画出大自然的勃勃生机。这样的"繁"华美景，又怎能用画笔描绘呢？留给读者的，应是无尽的联想。这里充满希望和活力，一种快乐的心情随着阅读展开了。前三句是一幅定格的春夏图景，它是那么独特，而又似曾相识。是啊！这不正是我们每个人都经历过的春夏之交吗？原来它被我们忽略了，从未用心品赏。作者描画出这样的图景，竟一下子抓牢了我们的心。我们不免要慢下来，看一看，想一想，慢慢走，看风景。

如果头三句是一幅静物油画，那么后三句则是律动着的影像。一幅画面，一段文字，能够活起来，就要有人物、动物在其中。道童、驴儿，在此就具有点睛功效。画卷随着笔墨的书写而展开，随着道童和驴儿的出现，则鲜活了起来。道童将鞍子鞴在驴背上，人又顽皮地站到驴背上去，把个酒葫芦高高地挂在杨柳枝上。他为什么要费劲地把酒葫芦挂上去？小令作者没有说，他只说是"顽"，他也不说这孩子何以要这样玩，或者这有什么好玩的。他的曲子结束在一个不了了之上。这就得靠我们读者自己揣摩了。

古代中国有一项市商习俗，商业经营者每每挂"望子"用作广告，其望子，又叫"幌子"，有用布制的，有用草编的，有的以文字表达，有的以实物表示，据《中国风俗辞典》"望子"条介绍，江苏农村"用物高悬于树梢"作广告，卖酒的叫"酒望子"，卖烟、卖豆腐的叫"烟望子""豆腐望子"，至于挂上去的东西，有卖什么挂什么的"实物幌"，有能够让人联想到商品的"形象幌"。本曲里的这位"道童"，给驴"鞴上鞍"后，站上驴背，并不是为了"顽（玩）"，而是将一个酒望子——酒葫芦挂到杨柳树上去，那是在给酒店老板做事吧！

这里就有必要讲讲"道童"了。

在宋元时代,“道”在很宽泛的意义上运用,并非特指道家。元人管职业叫“道业”,管路边小店叫“道店”。更有“道人”一词,可以用来指伎艺人。如南宋诗人杨万里就曾作《赠剪字吴道》,这首诗是送给吴姓剪纸艺人的,因为尊重他的高超技艺,故称他为“道”,是有道之人的意思。在这个意义上的“道”,与日语里的“茶道”“花道”用法一致。元代的“黄道婆”,也是同样意义上的一种尊称。这就让人明白为什么戏剧舞台上的用具会叫“道具”,一种说唱会叫“道情”。曲子里的“道童”,或可看作路边“道店”雇佣的童工,或可理解为靠伎艺吃饭的孩童,不太会是“道教童儿”的意思。

道童挂葫芦还可以有另一种解释。这要涉及春夏之交的一个重要节日——端午节了。中国古代的端午节活动,南方多水地区主要是划龙船,北方少水地区主要是“射柳”。射柳,又名斫柳、剪柳、走骠骑等,是传统中国仅次于竞渡的端午行事。原为契丹、女真等少数民族男人的游戏,源于辽代,元明清三代沿袭。北方男子尚武,“射柳”是很能表现一个人武功的节日竞技。射柳活动也随着时代变迁有所变化,宋代是军中活动,元代每每在宫中行之。据史料,明代射柳用葫芦,“修射柳故事,其名曰走骠骑,盖沿金元之俗。”(明沈德符《万历野获编》)并又衍生出“剪柳”游戏:葫芦里藏鸽子,射裂葫芦令鸽子飞翔者赢,如果两个人都射破葫芦飞出鸽子,那么就比谁的鸽子飞得高。(明陈继儒《偃曝谈余》下)在这首元散曲中,我们看到道童挂酒葫芦的一幕。我们说,这很有可能是在做端午节的射柳准备。如果我们的揣测能够成立,那么我们可以说:射柳用葫芦,看样子元代已经有了,只是元代用葫芦,尚未在葫芦里藏鸽子,葫芦里装的还是酒,谁射中、射断系葫芦的杨柳枝,那么,葫芦和里面的美酒就归谁享用了。酒葫芦,是作为射柳竞技的奖品被挂上杨柳枝条的。

曲家没有说明道童挂酒葫芦的目的,或许他真的不知道,或许他知道却不说破,他只是如实地记下他在这春夏之际眼目所及的景致,关于自然的,关于人的。这就够了。小令寥寥数语,明白如话,却因为没把意思说透而显得意味深长。

(翁敏华　王奕祯)

# 【正宫·叨叨令】

无名氏

黄尘万古长安路，折碑三尺邙山墓。西风一叶乌江渡，夕阳十里邯郸树。老了人也么哥，老了人也么哥，英雄尽是伤心处。

## 鉴赏

常言道“伤春悲秋”，季节流转轮回，人生却不能从头再来。人伤悲的不仅是世事无常，更是时光飞逝。

小令前四句，似在写景，实为感怀。“黄尘”“折碑”“西风”“夕阳”四个意象组合，较之马致远《秋思》中“古道”“西风”“夕阳”所构造出的意境，更显历史的厚重积淀。莘莘学子，在黄尘万古长安路上为碌碌功名奔波；王公贵族，声名显赫，仅存留下三尺荒冢残碑；西楚霸王，盖世英雄，不过是世间缥缈的一叶而已。一切恍然如梦，似黄粱南柯，终有梦醒之时。这里作者既是怀古，也是对一般士子人生的回眸。王侯将相、贤才英豪，都化作了历史尘埃；人生百年，行至暮秋，又怎能不感叹、伤心呢？老了啊！真的是老了啊！这两句“叨叨”，恰似岁月的飞刀，夺走了作者的风华。

人老了易怀旧，怀旧又催促人老。其实，人有时“老”的不止是年岁，心理上更容易老去。作者一定经历了世事沧桑，才会拖着内心的疲惫，怅然回首自己的往事，不由得心伤。感慨之余，放眼望去，历史长河中，那些无数的过往英雄豪杰，辉煌一生，虽留不住时间的脚步，但却彪炳千秋，不枉在这世上走了一遭，正所谓“古人日以远，青史字不泯”(唐杜甫《赠郑十八贲》)。“英雄尽是伤心处”，作者正站立在英雄伤心、伤心英雄之处。这不是小忧伤，不是儿女在歧路的悲切，作品的基调显得积极、旷达，与曲子所展现的苍茫、悲壮意境相一致。

作者将曲子写得大气，用词上也颇为讲究。古人作文，喜用数词，用以表现程度，多用作夸张手法，如“白发三千丈，缘愁似个长”(唐李白《秋浦歌》)。此曲前四句，用了

"万""三""一""十"四个数词，增加了作者感怀的张力，也开阔了曲子的意境范围。"也么哥"相当于叹词"啊"，强烈感叹，更显情感浓烈。此外，作者采用了画面重叠的展现手法，将一幅幅图景，一个个地播放出来，再令其一片片地幻化而去。叠影渐渐在读者脑中生成、又缓缓拂去，最终以末句点题，来揭示画中之谜。这样也使得曲子的写法、意象的表达和主题的揭示，达到了统一。

（王奕祯）

## 【正宫·叨叨令】

无名氏

绿杨堤畔长亭路，一樽酒罢青山暮。马儿离了车儿去，低头哭罢抬头觑。一步步远了也么哥，一步步远了也么哥，梦回酒醒人何处？

### 鉴赏

这是一首饯别之曲，可以看作"散曲版的《长亭送别》"，描写了一幅长亭惜别的感伤画面，表达了一个女子送别心上人时的难舍之情。

作品开头运用冷色调词汇来渲染一对恋人离别时的清冷氛围。虽然有"绿"有"青"，但在作者眼中，却凄凄切切，景色的明媚和离别的悲凉构成了强烈的反差。即便是绿杨、河堤、长亭、青山，这美景在此时都让人无心流连，只顾望着这眼前人，心里多盼望时间永远停在这一刻。出来时尚早，而一杯酒饮过，青山已经笼罩在暮色之中了。人生路漫漫，终有尽头，长亭送别路，也同样留不住心爱的人。"送君千里，终须一别"，分手总是要到来的。泪眼婆娑中，女子望着远去的爱人，一步步地走远了啊，走远了啊！离去的影子在天际中模糊了，而心中的惆怅却涌起了，感伤被无限地拉长。凄切的情感在这时候迸发出撕心裂肺的呼喊,一梦酒醒后,心上人却不知身处何处;满心的眷恋无法释怀,愁苦无处排解。主人公情绪的波动也最终带动了曲子的高潮回转,个中滋味留给读者品味,整首曲子的情绪线起伏不平,节奏感很强。

“亭”是古时官道上,以供赶路人休整的场所。一般五里一短亭,十里一长亭,离城邑最近的长亭,便成为了送别之所。故而文学作品中多有此类描写,也都被冠以“长亭送别”之名。其中最著名的,莫过于元王实甫的杂剧《西厢记·长亭送别》。此折是全剧中最为精彩的一场戏,也是最富情感的一折,描写了莺莺长亭送别张生的凄凉场面。我们鉴赏的这首曲子,与此何其相似,特别是在意象的运用上。“长亭”自不必说,“酒”“马儿”“车儿”也都代表了主人公的情感,渲染出离别的悲凉。酒作为一个文化符号,无论忧愁烦闷的心绪还是欢闹庆贺的场合,都是催化剂。离别的场面令人感伤,也少不了“一樽酒”,以酒饯行,既浇灌愁苦,也倾注祝福。而车、马是出行赶路必要的代步工具,在饯别类文艺作品中,却寄托了作者最为复杂的情感:一面是平安顺风的祝福,一面是难以割舍的挽留。莺莺“见安排着车儿、马儿,不由人熬熬煎煎的气”,只希望“马儿迍迍的行”。可是车马即便行驶再缓,也是挡不住地朝前走,分别终究会到来,这让人又怎么能不纠结、不惆怅呢?“兀的不闷杀人也么哥?兀的不闷杀人也么哥?”莺莺郁闷的感叹,正和小令女子的感伤如出一辙。

〔叨叨令〕属于快板,即垛子板,其节奏鲜明,布局紧凑。因此,这首作品读来让人感觉朗朗上口。

(王奕祯)

## 【正宫·叨叨令】

无名氏

溪边小径舟横渡,门前流水清如玉。青山隔断红尘路,白云满地无寻处。说与你寻不得也么哥,寻不得也么哥,却原来侬家鹦鹉洲边住。

## 鉴赏

小令开篇即以清新爽朗的画面，引领读者进入了一个远离尘嚣的世外桃源：清澈的溪水，旁边是蜿蜒小路，乘一叶扁舟横渡小溪，再沿着小径九曲回转，出现在眼前的便是一处院落，门前流水清澈见底，像一块流动的晶莹碧玉。这居室何人居住？何以在这静谧的山林深处？读到这里，让人不由地感觉到一丝神秘，敦促着读者好奇地探寻，去揭开面纱，期待着谜底。接下来的两句，读者欲知其详，却又不得其解：青山白云，幽邃缥缈，有一种找寻不到的迷惑感，正所谓"只在此山中，云深不知处"(唐贾岛《访隐者不遇》)。这四句运用了一系列意象来表现高洁、洒脱的意境——溪水、小舟、青山、白云，用在其中兼有比兴的作用和意味。这样的世外仙境到底在哪里？"说与你寻不得也么哥，寻不得也么哥"，调皮而可爱的样子："告诉你寻不到的，找不着的。"主人公似说非说，欲说还掩似的和读者捉迷藏，让人觉得忍俊不禁，一缕诙谐风趣的感受迎面而来。最后一句作者揭开谜底——"却原来侬家鹦鹉洲边住"，这一句不仅点明主题，而且也道出了藏在曲子背后的主人公是住在鹦鹉洲边的渔父。

何以得知这住在鹦鹉洲边的主人公就是渔父呢？原来在此曲之前，白贲有一首〔鹦鹉曲〕小令被传颂一时，其中有"侬家鹦鹉洲边住，是个不识字渔父"等句，自此"鹦鹉洲"便与"渔父"结下了不解之缘，引得当时文人用同样曲牌度曲百余首与之唱和，"渔父"也成了隐者的代名词，是元朝一代文人在特殊境遇下的偶像。另外，在这些酬唱的作品中，也出现了一系列与"渔父"相似的隐者形象，如冯子振百首〔鹦鹉曲〕中就有"樵父""农父""野叟田父""园父""梁父"等人物形象与之相互呼应。白贲一句"侬家鹦鹉洲边住"，使得这首原本曲牌为"黑漆弩"的小令，改称为"鹦鹉曲"，可见其作品的影响程度。"鹦鹉洲"传说是得名于东汉末年祢衡"锵锵振金玉，句句欲飞鸣"(唐李白《望鹦鹉洲怀祢衡》)的《鹦鹉赋》。历代不少名人"藏船鹦鹉之洲"，留下许多名篇，唐崔颢《黄鹤楼》之"晴川历历汉阳树，芳草萋萋鹦鹉洲"乃是脍炙人口的佳句，另有孟浩然"昔登江上黄鹤楼，遥看江中鹦鹉洲"等等，都盛传一时。祢衡借赞美鹦鹉乃是神鸟，却无人真正赏识，只视其为玩物，寄托了自己怀才不遇的苦闷心理，正和元代大多数知识分子面临的处境相似。而文人傲骨又岂是可以为了区区功名利禄而折断的呢？当年性情刚傲的祢衡，击鼓骂曹、痛斥权贵，好一个酣畅淋漓！而当世之文人，选择了另一种傲然，即于浑浑浊世中抽身而退，"道不同不相为谋"，不如放达超脱，寄情山水，反倒不违背自己做人的原则。

这首曲，移步易景，步步相随，层层深入，让人有一种探求未知的欲望，可谓别具一格；意境清新淡雅，又给人以扑朔迷离之感，可谓天然一派。作品展现了元代文人一种轻松愉快、乐观积极的人生追求。恐怕这正是其在相同主题作品中得以保留至今的原因吧！

（王奕祯）

## 【正宫·塞鸿秋】

无名氏

爱他时似爱初生月，喜他时似喜看梅梢月，想他时道几首西江月，盼他时似盼辰钩月。当初意儿别，今日相抛撇，要相逢似水底捞明月。

### 鉴赏

一般认为这首小令写"别后相思"，依我看，把它读作第三人之旁观、旁议更为贴切。以西厢故事喻，此曲不应该是"莺莺"自语，而是"红娘"的局外点评。

生月，最是个"生"字下得令人惊艳。不用"升"，用"生"，好！"升"还是原本就有的，只不过原来"低调"，此刻高调升腾而已；而"生"，便似无中生有的一般，而爱情、初恋，怎不像初生月似的不知其所由来、嫩生生、鲜艳明媚？曲句承袭"海上明月共潮生"（张若虚《春江花月夜》）的诗意又有所突破：共不共"潮"，新月都是老天新"生"的。恋爱如同初生月，含在嘴里怕化，捧在手里怕摔，令人心里充满怜惜。

"喜他时似喜看梅梢月"。月上梅梢，与月上柳梢一样，是一幅美景。人在看“梅梢月”时,眸子里满是喜色,于是,她在看“景”,她自己也成了人家眼中的“景”。她与她的爱人眉来眼去,她喜上眉梢、星目横飞——“梅”与“眉”与“媒”谐,令此曲更像是局外点评式的了:“红娘”窥视到小姐喜滋滋贪看“张生”的眼神,就明白她是“喜他”的。

别后思念,想他时想得柔肠寸断,百无聊赖,幸好还有几首〔西江月〕伴在左右。看小姐“道”此不疲,颠来倒去不害心烦,是“中秋谁与共孤光,把盏凄然北望”(宋苏轼《西江月》)么,还是“相见争如不见,有情何似无情”(宋司马光《西江月》)?抑或是自己新填的?这都无关紧要,要紧的是将此日复一日的相思病寄托了去,别损耗了小姐的玉精神、花模样。

盼他望他,盼望他还像过去一样重新登门,盼望爱情还能像初起时一样令人陶醉,盼望两人还能和好如初再尝甜蜜。可依我“红娘”看来,这一心愿,就如“辰钩月”一样的难得。辰钩月,清晨的天边尚斜挂的一钩晓月。月儿尚未落,天色已及晨,眼看就要“日月同辉”,怎不难得?这里,“红娘”不无残忍地告诉“莺莺”:当初他用在你身上的“意儿”,自与用在他处的不同,不可谓不“别”,可今天,两个人已经相互“抛撇”,撩开了手,还这等想着他念着他,要相逢,怎不如“水中捞月”一样没有希望?小姐,你还是死了这条心吧!

真所谓“旁观者清”啊。

曲子里句句有“月”,押韵一“月”到底。因为月与日不同,月有阴晴圆缺,所以用月来形容和比喻人的情感心境更合适。故此,在国人的心目中,文艺作品中,似乎更青睐月亮,与西方人把爱人比作“我的太阳”不一样。从“明月几时有”到“月亮代表我的心”,包括这首无名氏的美丽小曲,都是这样。

(翁敏华)

## 【正宫·塞鸿秋】

无名氏

### 山 行 警

东边路西边路南边路，五里铺七里铺十里铺，行一步盼一步懒一步，霎时间天也暮日也暮云也暮。斜阳满地铺，回首生烟雾，兀的不山无数水无数情无数。

## 鉴赏

东边有路朝东走，朝西朝南随路走，小令通过叠字与反复，音声朗畅地为我们活画出的，是一个人"在路上"的形象，一幅"人在旅途"的图景：原来元代也有"驴友"(按：现代人对于"旅友"的戏称)，也有"背包一族"！

解下背包，投宿，下榻，管它"五里铺""七里铺"还是"十里铺"，只要有二两酒一碗肉，有滚水烫脚，完了倒头便睡。但是今天有点不对头啊，今天的"十里铺"想想也该到了，怎么还不见踪影？行一步，抬头望一眼，心上一懒，双脚顿软，要不，坐下歇歇？——不行，现在怎能休息？瞧四下的暮色已经渐渐上来了，不但不能歇，腿脚得紧着倒腾，三步并作两步走才行。"山行警"，一个"警"字，既是脚下的紧凑，又是心上的警惕。毕竟天色晚了，独自行走山间，要提高警惕才好。

人就是这样奇怪的动物。在家待久了，便觉闷气，静极思动，要出门去走走，或游山玩水，或闯荡江湖。一旦出门，又每每想家，羁愁、乡思，叹一声"在家千日好，出门一时难"。可回家后时间一长心又渐痒，再出门，再归来，在背井离乡与归心似箭间周而复始，循环往复。人生的趣味，恐怕正在于此，故文学史上独多羁愁之作。这些作品，与其说表现惧怕羁旅，不如说其中还有享受甚或炫耀阅历的成分。不是么？小令中的这位"驴友"，在夕阳余晖中惊回首，猛见得"山无数水无数"，逗惹起他的"情无数"，他还是要将这无数的"情"，寄托于这无数的山水之间。

散曲"驴友"并非前不见古人后不见来者。在他之前，有"李白乘舟将欲行"的诗人，有"杨柳岸，晓风残月"的词人柳永，在他之后，则有"天趣旁流，自然奇警"的《徐霞客游记》，有"一日得闲便山水"的黄遵宪。他们是用脚写作的一族。他们的这些用脚写就的文字，我们给它一个名字叫"旅游文学"。这首〔塞鸿秋〕，为中国的旅游文学史平添了一抹异彩。可惜，没能留下作者的名号。

元散曲在当时都是可歌的。无名氏的曲子更绝对是当时的流行歌曲。我们仿佛看到元代的"驴友"们吼着这支〔塞鸿秋〕出门远足、哼着同一曲调返回家门。当然，回家后跟亲友们吹嘘历险种种时，也少不了要唱上两句的。

(翁敏华)

# 【正宫·塞鸿秋】

无名氏

## 村夫饮

宾也醉主也醉仆也醉，唱一会舞一会笑一会，管什么三十岁五十岁八十岁，你也跪他也跪恁也跪。无甚繁弦急管催，吃到红轮日西坠，打的那盘也碎碟也碎碗也碎。

### 鉴赏

《村夫饮》一曲描写了乡野村夫欢乐聚会、开怀畅饮的热闹场面。此曲选自《雍熙乐府》,另一版本收在《北宫词纪外集》里,题为《村中饮》,意思大致相同,但无疑"村夫饮"更"以人为本"。《北宫词纪外集》版本第四句的"恁"作"客","红轮日西"作"碧汉红轮",两者各有千秋。

这首小令的结构特点与修辞手法和《山行警》如出一辙,"醉""会""岁""跪""碎"是曲子的韵脚,运用了叠字和反复的修辞方式,每句的三字词组排比式的铺叙与罗列,皴染出一幅村中老少乡亲们聚会欢饮的热闹场面。

作者在这首曲子中表达了一种返璞归真的人生价值观。乡村野地,村民不分老幼尽情狂欢,主人、宾客,连同仆人,没大没小,没里没外,一齐欢饮。也不要什么管弦器乐的伴奏,只由自己任意歌舞,齐声欢笑。不拘礼节,不论尊卑,跪的跪坐的坐,直到日落西山,还觉得不过瘾,好!那就把碟儿、盘儿、碗儿都摔碎了吧,让那破坏的音响用作今天狂欢的最强音!就像《红楼梦》里的晴雯撕扇,千金难买一笑。

追求自然天成的快乐生活,是此曲之主旨。"无甚繁弦急管催",若是又"繁"又"催",那就是矫揉造作的文人聚会而不是"村夫饮"了。正所谓:"声音之道,丝不如竹,竹不如肉,为其渐近自然。"(清李渔《闲情偶记》)

纵观整体,这首曲子显得通俗

浅显却不平庸，三言两语，就将无拘无束、自娱自乐的人情物态挥洒得淋漓尽致。作者深厚的功底，可见一斑。通常来讲，场面描写较有难度。由何处着眼？因何逻辑顺序？表达何种态度？都是要考虑的因素。而这一首曲子从场面中抽离出数个中心词，反复点染，最终将一个整体的画面和盘托出，浑然一体，没有零碎感。用今天的感受来看，这个画面倒不像是一笔一描地画出来的，却是一个镜头或一个快门捕捉到的，每一角度都是那么清晰动感。

这首曲没有传统诗词通常的乡愁、离情和人生喟叹，只有"人生得意须尽欢，莫使金樽空对月"（李白《将进酒》）的畅快感受！快乐是无须理由的，是不是迎神赛社无所谓，不必每次都打出"娱神"的冠冕堂皇旗号，想开心就开心。他们不是皇帝老儿，也不是官宦贵族，就是一介草民，自然之子。这种摒弃了世俗的烦扰，回归本性的欢闹，真是让人羡慕。现代社会中忙碌的白领、困顿的"蚁族"，真应该都来读读这首小令。

（王奕祯）

# 【正宫·塞鸿秋】

无名氏

## 春　怨

腕冰消松却黄金钏，粉脂残淡了芙蓉面，紫霜毫蘸湿端溪砚，断肠词写在桃花扇。风轻柳絮天，月冷梨花院，恨鸳鸯不锁黄金殿。

### 鉴赏

这是一首春夜闺怨之作，表达了女子的苦闷和怨愁。该曲辞藻华丽、对仗工整，与《香奁集》中同类作品风格相近。

前四句两两偶对，对仗工稳，意象丰富，写出了一位女子孤独憔悴的形容与百无聊赖的心态。丰腴柔嫩的手腕消瘦了,显得套在手腕上的黄金镯子也松弛了;泪水弄花了面庞上的脂粉,美丽的面容显得惨淡憔悴。“可怜桃花面,日日见消瘦。玉肤不禁衣,冰肌寒风透”(琴曲《长门怨》)。“芙蓉面”出自唐白居易《长恨歌》中“芙蓉如面柳如眉”句,形容女子像芙蓉花一样的艳丽美貌。美人的消瘦憔悴是何故?正所谓“衣带渐宽终不悔,为伊消得人憔悴”(宋柳永《蝶恋花·凤栖梧》)。这样的孤独感如何才能得以驱散呢?本想要写些什么,但是运笔之下,相思情起,扇面上抒尽了点点滴滴令人断肠的相思情。扇作为古代男女的定情信物,每每于文学作品中出现。最为出名的,要数宋晏几道的“歌尽桃花扇底风”(《鹧鸪天》)了。清孔尚任的传奇剧《桃花扇》,不仅剧中用扇贯穿,就连剧名都冠以“扇”字。这首小令中也有“桃花扇”,写满着女主人公的断肠词,她是要把这柄扇,寄给她的“他”吧!

这四句表面描述了女子的神态、面容、动作、行为,其实透露着她寂寞的心情和孤单的生活。

“风轻柳絮天,月冷梨花院”句,与宋晏殊《寓意》诗中“梨花院落溶溶月,柳絮池塘淡淡风”有异曲同工之妙。梨花、柳絮,沐浴在如水的月光中。阵阵微风,梨花摇曳,柳条轻拂,飞絮萦回,是一个意境清幽、情致缠绵的境界。柳絮漂泊无依,犹如爱情的飘忽不定,而“柳絮天”又是暮春之象,在这里指代春天流逝,隐喻自己的爱情也将随着季节流走。梨花,原多用于形容女子清丽脱俗的容颜,此处于冷月的映照之下,清丽不再,枉添清愁。“梨”也可谐“离”之音,预示爱情的逝去,爱人的分离。末句一个“恨”字,点明题旨,包含了无尽的幽怨与哀愁。“鸳鸯”本是恋人成双的象征,其实这只是人类的美好愿望而已,大自然中的它们却是“爱情的骗子”,生性风流,并不从一而终。这里作者表面恨鸳鸯不成双,实则恨“他”用情不专。“黄金殿”取自“金屋藏娇”的典故,不禁感叹“当年金屋在,已成空悠悠”(琴曲《长门怨》)。女子恨相爱不成,孤零零一人,受尽清冷、孤寂之苦。

全曲艳丽形象与清冷情怀形成鲜明对比,“黄金钏”“芙蓉面”“紫霜毫”“端溪砚”“桃花扇”极度渲染了“黄金殿”中的奢华,而“柳絮天”“梨花院”则蕴含了感伤情愫。这样的反差,更突出了女子的闺怨情愁。

(王奕祯)

# 【正宫·醉太平】

无名氏

堂堂大元，奸佞专权。开河变钞祸根源，惹红巾万千。官法滥刑法重黎民怨，人吃人钞买钞何曾见？贼做官官做贼混愚贤。哀哉可怜！

## 鉴赏

这首小令,据元陶宗仪《南村辍耕录》卷二十三:“自京师以至江南,人人能道之。古人多取里巷之歌谣者,以其有关于世教,今此数语,切中时弊,故录之以俟采民风者焉。”可见这篇作品是在元末传唱极广的歌谣,是元末社会的真实写照。

“堂堂大元”,大元帝国疆域辽阔,国力强盛,是当时世界的超级大国,当得起“堂堂”二字,但如今却是“奸佞专权”。紧接着作者用事实讲述了人世灾难。“开河”原本指疏通河道,这里特指至正十一年(1351)的史实:朝廷命工部尚书贾鲁,征召民伕二十余万,疏通黄河故道,修筑堤坝。但后来官吏趁机搜刮民脂民膏,大发国难财,使得人民在深受天灾之苦的同时,又饱受了不堪重负的“人祸”。“变钞”,指元末的金融危机,元世祖至元二十四年(1287)政府发行纸币——“至元钞”,强迫人民使用,到至正十年(1350)朝廷更定钞法,发行了“至正钞”。原本这些货币政策旨在弥补国库的亏空,到后来则演变成当权者狂揽民财的手段,他们用劣质粗滥的纸币和不公平的兑现手段,将已经混乱不堪的货币流通与经济市场,败坏到不可救药的地步,致使“物价腾涌,价逾十倍”(《元史·食货志》),民不聊生。“红巾”指爆发于元末的农民起义——“红巾起义”,这场农民起义沉重地打击了元朝的统治,同时也是开启明王朝的重要一环。这一句集合了元末种种危机——洪水灾害、徭役沉重、剥削升级、物价飞升等等,作者用一个动词“惹”,形象地说明官逼民反的实质:正是这一系列的因素,导致了人民的反抗斗争。

接下来的三句,作者采用了三字词组连缀的形式,一步步展开了元末社会动荡、民生疾苦的画面。元代社会民族矛盾十分尖锐,蒙古族统治者将人民分为蒙古、色目、汉人、南人四个等级,采取高压统治。对于特权阶层,法律形同虚设,正所谓"官法滥""刑法重",底层百姓面对如此生活,何来不怨?此外元代天灾不断,致使饥民遍野,甚至出现了"人相食"的惨剧,为人间罕有。官吏贪赃枉法,与盗贼沆瀣一气,民谚《官贼歌》这样唱道:"解贼一金并一鼓,迎官两鼓一声锣。金鼓看来都一样,官人与贼不争多。"(《草木子》)官贼一家,正义公理全无,且想人民又有何活路?

最后一句仅四个字——"哀哉可怜!"这是面对上述种种社会灾难,面对水深火热中的人民的一声叹息,饱含着痛恨与无奈。这声叹息具有极其普遍的意义,在阶级社会中,无论兴亡,老百姓都是最为直接的受害者——正所谓"兴,百姓苦;亡,百姓苦。"(张养浩〔山坡羊〕《潼关怀古》)

这首小令采取纪实的手法,痛斥当局,批判现实,不由地让人感受到世道之乱、百姓之苦。

(王奕祯)

## 【正宫·醉太平】

无名氏

### 讥贪小利者

夺泥燕口,削铁针头,刮金佛面细搜求,无中觅有。鹌鹑嗉里寻豌豆,鹭鸶腿上劈精肉,蚊子腹内刳脂油。亏老先生下手。

**鉴赏**

《讥贪小利者》是一首讽刺性作品,作者在其中用了一个个生动的比喻,以极度夸张的手法,嘲笑了锱铢必较的小人嘴脸。

全曲八句,运用六组比喻,前三句强调了贪者之"贪":夺走燕口中的衔泥、削下针尖上的余铁、削刮金佛面上的金粉。后三句则显露了贪污手段的残酷:挖出鹌鹑嗉子中的豌豆、撕扯鹭鸶双腿上的精肉、搜刮蚊子腹中的脂油。这样极度夸张的描写,十分形象地勾勒出贪婪者的欲求和不择手段。如果说"夺泥燕口""削铁针头""鹌鹑嗉里寻豌豆""鹭鸶腿上劈精肉"虽然闻所未闻,但都还算贪有可贪,而"刮金佛面"、刳蚊腹油,就不仅是见所未见、闻所未闻,而且是贪无所贪却仍要贪。末句"亏老先生下手"之"老先生"是元代对朝官的称呼,"亏"用于此,则具反讽意味,有"亏你下得了手"的厌恶之感。足见此曲不是简单针对市井小民中的贪婪者,而是暗讽贪官。而这些贪官的贪欲,已经不仅仅像《一文钱》中卢至那样吝啬可笑,而是强占更多弱者的利益。当他们无法直接达到目的时,就会使出一些残忍的手段,不惜牺牲一切,来换取自己的利益。这样的行为不仅是可笑、可耻的,更是可恶的。

官员在通俗文艺中成为被嘲谑、讽刺的对象,不足为奇。如参军戏,即起源于嘲弄贪官。元代讥贪官的作品,并不鲜见,《窦娥冤》中的桃杌太守上场诗云:"我做官人胜别人,告状来的要金银;若是上司当刷卷,在家推病不出门。"遇到告状的上门,他竟然还要下跪,称其"衣食父母"。剧曲中用这种反常态的手法来讽刺人物形象,产生出一种喜剧效果。正如此曲,作者极尽夸张之能,漫画般地将贪官讥讽,比之正面批判,更为有力。小令的另一特色,就是动词的丰富运用,"夺""削""刮""寻""劈""刳",丰富了比喻的效果。六个动词,程度渐进,用以突出贪婪者的不择手段。

这首作品与历代优秀的讽喻诗、悯农诗所体现的精神境界一脉相通,而在艺术手法上,作为一首散曲则更体现出灵活多变的优势。该作品对后世产生了一定的影响,清代著名文学家朱彝尊就曾模仿本篇作了一首讥讽欺世盗名者的〔醉太平〕:"瞎儿放马,纸虎张牙。寒号虫时到口吱喳。尽由他自夸。假辞章赚得长门价,老面皮写入瀛洲画,秃头发簪了上林花。被旁人笑杀。"虽也"嬉笑怒骂",但似未尽得该散曲之精髓。

(王奕祯)

# 【仙吕·寄生草】

无名氏

## 闲　评

问什么虚名利，管什么闲是非。想着他击珊瑚列锦帐石崇势，则不如卸罗襕纳象简张良退，学取他枕清风铺明月陈抟睡。看了那吴山青似越山青，不如今朝醉了明朝醉。

### 鉴　赏

昔有扬雄面对他人嘲讽，委婉辩解，作成《解嘲》；今有"吃不到葡萄说葡萄酸"之俗语。人生不如意事十之八九，自我解嘲是做人的一种艺术，元代也多这种风格的散曲。

"蜗角虚名，蝇头微利"（元王实甫《西厢记》）般的虚名小利岂是我会在乎的，不要拿如此低俗的问题来问我，以免玷污了我的高风亮节，人前事后的那些闲言碎语、是是非非我也不屑过问。"燕雀安知鸿鹄之志哉"（司马迁《史记·陈涉世家》），汝等浑浑噩噩，在是非名利场中摸爬滚打一世，哪里会懂得"清风明月本无价，近水遥山皆有情"（清梁章钜《沧浪亭志》）的逍遥自在。中国知识分子历来主张"达则兼济天下，穷则独善其身"，作者这里喊出类似"淡泊明志，宁静致远"的口号，实属万般无奈之举，乃是自我解嘲，慰藉心灵之语。

石崇斗富和张良退隐的典故，分别出自《世说新语》和《史记》。石崇，晋代巨富，时人无人能及；张良辅助汉高祖刘邦成就霸业，不以此自居，归隐山林。罗襕，古代丝制公服，按官品的高下，有紫襕、绯襕、绿襕等区别；象简即象笏，象牙制的手板，古代品位较高的官员朝见君主时所执，供指画和记事之用。"想着他""则不如"二句，隐隐透露出作者渴望财力上比肩石崇，仕途上功盖张良的强烈愿望。然而现实犹如一把利铲，无情地铲除了作者心中刚刚滋生的念头。理想很丰满，现实太骨感，当理想遭遇现实，倒不如糊涂一点的好，"睡吧！合上双眼，世界就与我无关"（顾城《生命幻想曲》)。“枕清风铺明月”源出五代宋初著名道教学者陈抟的典故。据说他“能辟谷,或一睡三年”,后人称其为“陈抟老祖”“睡仙”等。作者匠心独运,用“想着”“则不如”“学取”三组动词,步步深入,最后落实到“学取”上,而又以“势,退,睡”表明自己所追求的不是荣华富贵,不是归隐山林,而是看破红尘,不问世事,一“睡”解千愁的旷达与洒脱。

吴山越山都在如今的杭州,宋林和靖有词云:“吴山青,越山青,两岸青山相对迎。”(《相思令》)这里化用林词。眼前纵有无尽美景,倒也不如“今朝有酒今朝醉,明日愁来明日愁”。此曲无论写景写物写人写事,都力求营造一种戏谑、喜剧的气氛,好比戏剧舞台上的小花脸,进攻时不妨耍个花枪,博得满堂喝彩;败退时还扮个鬼脸,又博赏者一笑。全曲明写自己淡泊名利,不问是非,随心随性,放歌纵酒,实为自我解嘲,是对自己真实意图的掩饰与自得。纵使心中有再多的怨愤或不满,似乎也就此消融在这开怀一笑之中,真可谓苦中作乐啊!

(殷军领)

## 【中吕·朝天子】

无名氏

### 志　感

不读书有权,不识字有钱,不晓事倒有人夸荐。老天只恁忒心偏,贤和愚无分辨。折挫英雄,消磨良善,越聪明越运蹇。志高如鲁连,德过如闵骞,依本分只落的人轻贱。

鉴赏

不读书最高,不识字最好,不晓得事倒有人夸俏。老天不肯辨清浊,好和歹没条道。善的人欺,贫的人笑,读书人都累倒。立身则《小学》,修身则《大学》,智和能都不及鸭青钞。

《志感》二首,是讽刺之作,是知识分子面对社会的不平和怪状所发出的正义呼喊。题为“志感”,实为士阶层胸怀理想和抱负,面对社会的不完美,所“志”的愤懑之感,表达了追求公平世界的愿望。

两首小令,起首三句均是正话反说,用三个“不……有……”的排比句式,反讽社会上的“流行病”,直切主题。不读书、不识字的人,却有权、有钱、有地位;不明世事、不懂国计民生之人,却被肯定了能力,做上了高官。这样的怪现象,势必引发知识分子的怨愤:怪只怪老天爷不开眼,心太偏,贤才与蠢才不分辨,还将两者搞错、颠倒。怪就怪老天爷也会“天妒”,专门让英雄受挫折。此二句恰似窦娥对天地不平的呼喊:“地也,你不分好歹何为地?天也,你错勘贤愚枉做天!”(元关汉卿《窦娥冤》)英雄遭受挫折,善良之士也被消磨了意志,知识分子慨叹世事不公,时运不济。人善被人欺,人穷被人笑,好人做不得。聪明的、有能力的人,只得叹自己命运不顺。即便是“功成耻受赏,高洁卓不群”(晋左思《咏史》八首其三)的鲁仲连,抑或是拥有懿行美德的闵子骞,在这样的社会中,也是被轻贱的对象。即使再有抱负和理想,也只得无奈地面对残酷的现实。博览圣贤书、修身志高远,智慧和能力再高,还不及那一张张鸭青色的钞票更有用。

然而面对这样的扭曲与不平,知识分子的正义感却是高涨的,这正是中国传统儒士的风骨。曲中引用士人们所崇拜的人物——鲁仲连、闵子骞这样的志士、先贤,来反观当时这种“流行病”的严重状况。当时社会所崇拜的,已经不是一种文明、健康的文化。权力欲和金钱欲在每个角落都极度膨胀,每个人都将会被“传染”,这样的社会情势,岌岌可危,亟需挽救。

知识分子是具有社会和民族责任感的中流砥柱,无论任何社会、任何时代,都能感受到他们的存在。他们是一座桥梁,知晓大义事理,也懂得柴米油盐。不仅国家的建设发展需要他们,而且文化的传承、民族的振兴,也是他们肩头的重任。在此曲中,知识分子面对当时流行的拜金主义和读书无用论,进行了辛辣的讽刺。这不仅仅是揭露社会伤疤,更是表达对社会病态的隐忧。

作者用一种严肃的态度、怀有危机感的心理,抒发其所郁积的情感。这里没有嬉笑怒骂、玩世不恭,而是一种愤世嫉俗。面对社会中荒谬不经的病症,作品直抒胸臆,直捣社会软肋,令人深省。

(王奕祯)

# 【中吕·朝天子】

无名氏

## 嘲妓家匾食

白生生面皮，软溶溶肚皮，抄手儿得人意。当初只说假虚皮，就里多葱脍。水面上鸳鸯，行行来对对，空团圆不到底。生时节手儿上捏你，熟时节口儿里嚼你，美甘甘肚儿内知滋味。

鉴赏

这一首无名氏散曲〔朝天子〕，写得形象生动，俏皮幽默。题目《嘲妓家匾食》。嘲，嘲弄戏谑之意。匾食，即今北方饺子、南方馄饨一类的面食，名称当来自盛此食物的家什竹匾，裹包好的饺子馄饨，为防相粘，须整齐地排放在匾上。这种面食古称"馉饳儿"，起于何时已不可考，两宋时代已很流行。《东京梦华录》"饮食果子"条有"细料馉饳儿"，《武林旧事》"市食"条有"鹌鹑馉饳儿"，其区别在馅，故名称上亦以馅广告天下，就像现今的"菜肉饺子""虾肉馄饨"一类。

元散曲中名"嘲"字者不少，如《嘲人穿破靴》《嘲女人身长》《嘲人桌上睡》《嘲贪汉》等等。被嘲的都是罕见的人物和事件。那么"妓家匾食"有什么好"嘲"的呢？

全曲生动详尽地交代了做"匾食"的材料、形状、制作过程及滋味，简直是点心史上的一则形象资料。"面皮""葱脍"，是匾食的主要原料：以面粉为皮，以葱和切细的鱼或肉为馅；"软溶溶肚皮"是形状，"生时节手儿上捏你"，"面皮"想要包住"葱脍"，必须一个一个地"捏"。"水面上"数句，说的是匾食的烧煮。一锅沸水，饺子们一个个浮在水面上，滴溜溜地打着旋，但无论怎么转也不会沉入锅底。用"行行对对"的"水面上鸳鸯"作比，真是再形象不过。全曲在赞美匾食的美味中结束——"美甘甘"的滋味，全得之于"软溶溶肚皮"之内。于此，从点心史的角度我们可以得出如下结论:一、宋元时代的“馉饳儿”,是一种以面做外皮,内包葱脍的点心,又名“匾食”“抄手儿”(抄手之名,至今仍流行于四川、云南、贵州等地,北京甚至有前后“抄手胡同”);二、其制作与烧煮之法,已与今天大致相同;三、小曲所介绍的是“水饺”,而非蒸饺或锅贴。

小令句句讲匾食,却又句句道着妓女。“白生生面皮”指其白皙肌肤的脸,“就里多葱脍”道其聪明伶俐的内涵——“葱脍”与“聪慧”谐音。而“抄手”,恐怕又是这位女子常有的举止:娴静地抄手而立,自然得体,不卑不亢,难怪“得人意”,讨人喜欢。作者面对着的是一个颇具灵性的妓女,故一说起她的身世、现状和前途,便透露出些许同情和哀伤:虽说这里常有成行成对的“鸳鸯”,但所悲的是,这“水面上鸳鸯”,只能“空团圆”而“不到底”。陌生时即拿手来捏,相熟后更用口来“嚼”,这几句是嫖客行径的客观描写,由于它紧接着“水面上鸳鸯”“空团圆不到底”,读后令人油然而生不平之气。

正因为曲子有两个层次的含义,故像它所吟咏的“匾食”那样脍炙人口。

中国古代的“咏物诗”,往往并非纯客观的咏物,而是咏物以拟人,如咏雪、咏梅而吟颂人的清白纯洁,咏松、咏竹而咏叹人的高风亮节,等等。这首小令应当说是继承了这一传统,但它又有十足的作为散曲的独特韵味:嘲谑、戏弄而并不带恶趣。在大量的把妓女比作花草,比作鸟雀的题材作品之中,把妓女比作“匾食”,真是又新奇又贴切。

(翁敏华)

## 【中吕·红绣鞋】

无名氏

一两句别人闲话,三四日不把门踏。五六日不来呵在谁家?七八遍买龟儿卦,久以后见他么,十分的憔悴煞。

## 鉴赏

“闺怨”题材，于“一代之文学”的唐诗宋词中不乏佳作，元曲中亦比比皆是，由于着眼于一个“怨”字，风格多显得哀婉凄楚。这首小令却一脱以往“闺怨”作品的创作窠臼，出语自然，情感表达酣畅爽利，显得别具一格。作品描写的是一个恋爱中的女子因心上人多日不登门而胡思乱想、坐立不安的情景。寥寥数语，却将少女细腻敏感的性格心理以及于恋爱中失神的形象刻画得丝丝入扣，可谓神工意匠。

也不知你是听了些什么“一两句别人闲话”，可是说“我”与别人纠缠不清，引得你怀疑了么？敢是有人议论我们两家不般配么？可不管是什么原因，总该告诉“我”，把话说个清楚啊，怎么能就这样“三四日不把门踏”，把以前的恩情都忘记了呢？这“五六日不来呵在谁家”？你到底是去了什么地方？难道几天不见是有新欢了吗？“我”“七八遍买龟儿卦”，占你到底是去了哪里、卜你究竟哪天会再来找“我”。看“我”每日介胡思乱想，吃不下睡不着，这“久以后见他么”，必然是“十分的憔悴煞”！

若说唐诗中的“闺怨”风格犹如大家闺秀，情感表达含蓄端庄；宋词中的“闺怨”宛如小家碧玉，清丽柔婉；那么这一首元曲“闺怨”则是地地道道的民间女子之风，不假修饰，可爱皆因纯粹天然。若不是民间女子，恐怕也没有如此便宜地和情人接触的机会，又何来“三四日不把门踏”的抱怨呢？

这首小令清新伶俐之感，还得益于对数字的运用。“数数歌”是民间文艺的通俗形式，每每受民间小调与地方戏曲的青睐。本首小令也运用数数的方式，从一数至十(其中的“久”是采用了谐音“九”)，朗朗上口，一气呵成，极具节奏感。作者落笔爽快，正似民间女子心直口快，毫无扭捏做作之嫌。这首小令既可看作是不见心上人时的独自沉吟，也可看作是再见心上人时对他的抱怨。满腹委屈的女子，抱怨时自然是张口就来，对于积压已久的情感的宣泄又岂会扭扭捏捏？少女娇嗔之状于此时已呼之欲出。而用数数成文表达情感的做法也是古已有之，当初的卓文君就是以一篇从一数至万，又从万数至一的诗文挽回了司马相如的心，才终遂“愿得一心人，白首不相离”之愿。

作品语言简单通俗，如脱口而出，却丝毫不影响对于主人公的细致刻画。女子本身就比男子更为敏感多疑，尤其是恋爱中的女子，更是

"草木皆兵",只要是与心上人有关的事情,总能牵制她的心情,一旦感情遇到问题,便会不知所措,胡思乱想,即便平时并不丰富的想象力也会在此时极度膨胀,甚至有些神神叨叨。作品中的女主人公不就是如此么?会怀疑男子是否变心,会忧虑感情是否终结。因此才会"七八遍买龟儿卦"(龟壳占卜乃古老的占卜术)。也不知这女子是否一直都信占卜之术,若是一直都信,此举倒也是意料之中;若是她原本并不依赖求神问卦,这一举动倒是平添了几分喜剧色彩,好一个"病急乱投医",为了心上人,连平日不信的东西也尽要试上一试,女子对心上人的痴情一片也可见一斑了。

整首小令虽是少了意象、意境的渲染,却质朴清新,情感的流露自然真实,使人耳目一新,能于"闺怨"作品中独树一帜。

(戴培毅)

## 【中吕·红绣鞋】

无名氏

又不是天魔鬼祟,又不是触犯神祇。又不曾坐筵席伤酒共伤食。师婆每医的鬼祟,大夫每治的沉疾。可教我羞答答说甚的?

### 鉴赏

元曲胜在本色天然,不假雕饰。王国维认为:"元曲之佳处何在?一言以蔽之,曰:自然而已矣。"所谓"曲尽人情,字字本色"是也。这首小令,正是符合了"曲尽人情,字字本色"之说,作为一首相思之作,构思新颖,语言通俗,情感真挚,作品中的主人公有"病患相思"的羞涩不安之状,却无矫揉造作之态,确实自然天成。

小令中的女主人公"一病相思",恐怕是失魂落魄、茶饭不思,因此引得家人心急不安,又是请巫师驱邪,又是请大夫问诊。可是只有女子自己知道这病症既不是撞着鬼祟,失了心神;亦不是得罪神灵,遭了惩戒;更不是胡乱饮食,伤了脾胃。即便请“医的鬼祟”的巫师驱鬼除魔,难除这撞着的“五百年前风流业冤”,纵然寻“治的沉疾”的大夫请医问药,可惜“心病还需心药医”。最难驱的是情魔,最难治的是相思。用遍了千万方法也不见好转,其实不过“解铃还需系铃人”,可是这话又叫她羞羞答答如何说得出口,不怕惹人笑话么。

其实解这整日心神不宁、寝食难安的一味良药就是那心中思念的人儿,这人儿或许是只有一面之缘却红丝牵定,或许是属意已久却迟迟未能表白。家人问候殷勤却始终不明就里,心上人儿又不解温柔,未能明白心意,矜持的女孩儿只能心中暗自着急,又碍于面子难以对父母和心上人表明心意。于父母明说,不妥;对爱人明言,不敢。整首小令极富画面感,除了一处“羞答答”是对人物的神态描写之外,几乎不见其他对人物、情景的描述,却可以使读者联想其中的人物情节,就像是一幕短剧已跃然而出。看着剧中女子的父母忙进忙出,请了巫师医生来来去去,无所不用其极地关心女儿,却毕竟不解女儿心绪,只惹得女儿心中抱怨这也不是那也不是,大家都是一团没头没脑地干着急,这画面不禁使人失笑。

小令直白如话,可以看作是女主人公自己内心焦急的告白,亦可以看作是“旁观者清”的善意取笑调侃,或许是女主人公的闺中密友看透了她的心思,见她羞羞答答不知说甚的,因此才有这一通取笑。

整首作品的风格是轻松自然的,毫无造作之感,情感流露自然。作品构思奇巧,不同于一般相思之作所惯用的寓情于景或借景抒情的方法,而是另辟蹊径。独特之处在于全用口语,通过主人公的抱怨,或是旁观者的调侃,使读者想象出了主人公患了“相思病”,同时通过他人不明就里的焦急关心,反衬出主人公的情感所归。如果说前五句使读者们摸不着头脑,不知道在表达些什么内容,那么最后一句可谓是使人豁然开朗,顿时明白了此作的主旨。虽然主人公不知“羞答答说甚的”,而你我的心里却已然明了,女儿心绪自然是为情所困,至此大家都心照不宣,会心一笑了。

这首小令口语化的特点,使其更“曲尽人情、字字本色”,平添了几分生活的情趣。人物的真实,更容易引起人们的共鸣,这正是小令的独到之处。

(戴培毅)

# 【中吕·红绣鞋】

无名氏

孤雁叫教人怎睡，一声声叫的孤凄，向月明中和影一双飞。你云中声嘹亮，我枕上泪双垂，雁儿我你争个甚的。

## 鉴赏

这首小令是典型的“怀人”作品，风格清冷，由雁之孤飞至人之孤枕，由彼情至己情，颇有“凄凄惨惨戚戚”之感。

怪谁呢？你这彻夜无眠，总得有谁可怪，那就怪罪大雁吧，“孤雁叫教人怎睡”，扰人清梦的真是孤凄的雁叫声吗？显然不是。明明是自己心绪不宁，辗转难眠，却归罪于孤雁声声叫得悲切使自己夜不成寐。这是文学上惯用的一种手法。从唐朝诗人金昌绪《春怨》之“打起黄莺儿，莫教枝上啼。啼时惊妾梦，不得到辽西”，至宋代晏殊《蝶恋花》之“明月不谙离恨苦，斜光到晓穿朱户”。在这些作品中，无论是明月，或是黄莺儿、孤雁儿，无辜成为人们难以成眠的“替罪羔羊”，罪魁祸首皆因一个“情”字，这样的无理取闹式的怪责，比起直抒胸臆显得更为有力。主人公在“离恨”的煎熬中，各种外界事物都极易触动愁肠，容易落为其埋怨的对象，情之真挚，思之迫切可见一斑。

既然无法入睡，披衣走至窗边，看到的只是清冷的月光，以及月光下与影儿孤身为伴的雁儿，不禁触景生情，自己又何尝不是呢？雁儿你只身，我又何尝有伴儿？深秋清明的月色本是值得欣赏的，却因少了一个并肩赏月的人儿而平添凄冷。突然间，不再嫌雁声嘹呖，反生出一种“同是天涯沦落人”的理解。“你云中声嘹亮，我枕上泪双垂”，此句运用对举的手法，表明“孤雁”与“我”皆是一般心绪。悲切的叫声传递你的情思，腮边泪痕诉说我的哀愁。由一开始“耳”听之声，到之后“目”见之景，情思一触即发，至“心”之所思，主人公的情感也在这一“听”、一“看”、“一想”中层层递进。直至结尾的问句“雁儿我你争个甚的”,看似已达情感宣泄之最高点,实则于这一问中透出了深深的无奈,是一种急转直下的落寞。雁儿你何苦用这声声哀叫与我争什么谁更忧伤呢?我苦,你也苦,大家皆是一般。你我这般苦、这般为难自己又到底是争个什么,图个什么呢?一切无非皆因情而起,可这样为情所苦又是为了什么呢?便似这首小令以疑问起,又以疑问终,无尽的疑问,却没有最终的答案,只是妄自烦恼罢了。

文学作品中雁与情痴、情愁始终有着割舍不断的关联。前者如极负盛名的元好问的《摸鱼儿·雁丘词》“问世间,情是何物,直教生死相许”,荡气回肠,感人肺腑,讴歌的正是雁儿之痴情,古往今来感动过多少世间儿女。后者有元杂剧《破幽梦孤雁汉宫秋》结尾处以孤雁之哀鸣衬托出汉元帝失去王昭君的愁肠百转。这首小令也正是以“孤雁”作为贯穿始终的意象,以雁之悲叫嘹嘹呖呖,动人心魄,牵人情思,体现主人公情之不断,愁之不绝。

整首小令语言通俗,明白如话,颇能体现元曲本色自然之宗旨。

(戴培毅)

## 【中吕·红绣鞋】

无名氏

搬兴废东生玉兔,识荣枯西坠金乌,富贵荣华待何如!斩白蛇高祖胜,举鼎霸王输,都做了北邙山下土。

### 鉴赏

这首小令感慨世事无常,富贵荣华最终都会随着时光流逝而不复存在;胜负成败最终都逃不过死亡而化为虚有。

小令第一、二句运用对偶的手法,“玉兔”指代月亮,“金乌”则是太阳的代名词,“东生玉兔”“西坠金乌”无疑是指时间于每日不变的日落月升中悄然逝去。将其与“搬兴废”“识荣枯”联系在一起,感叹的是王朝兴替、人生荣辱,都无法违背世事无常的定理,最后随着时间的消亡,有如过眼烟云般消逝散尽。“人生代代无穷已,江月年年只相似”(唐张若虚《春江花月夜》);“今人不见古时月,今月曾经照古人”(唐李白《把酒问月》),在无穷尽的自然力面前,自己的生命都是微不足道的,又何况是富贵荣华等身外之物。亘古不变的只是东生的玉兔与西坠的金乌,以及在这东生西坠中人们无法阻挡的时间的脚步。变与不变的哲学命题,使曲情哲理并茂,引出“富贵荣华待何如”的一叹。第四、五句用典,“斩白蛇高祖胜”采用了汉高祖刘邦在做亭长时醉斩白蛇,后来被附会成“赤帝子”(即刘邦)斩杀“白帝子”的传说。“举鼎霸王输”,霸王指西楚霸王项羽,《项羽本纪》记载“籍(项羽)长八尺余,力能扛鼎”。这里将刘邦项羽的典故作为对比,引出之后一叹,胜败无常,况且即便成则为王败则寇,结局都不过是“做了北邙山下土”。北邙山在今河南省洛阳市北,东汉以及北魏的王侯公卿多葬于此,后泛称北邙山为墓地。所谓“纵有千年铁门槛,终须一个土馒头”(宋范成大《重九日行营寿藏之地》),任你是帝王将相,生前丰功伟业,最终的下场也不过一人一个“土馒头”。既然这样,与其争名逐利,不如看淡一切,参悟这人生哲理。

整首小令结构工整,前后照应。刘邦项羽之典对应之前的“搬兴废”“识荣枯”。“富贵荣华待何如”一叹对应之后的“都做了北邙山下土”,正点明一切的兴衰荣枯都逃不过时间的终结——死亡的宿命,黄土垅中眠是所有人都逃脱不了的必然结局。

无可否认,由于科举制度的一度废除,元代文人进仕之路难于前朝,致使当时大批文人处于相对尴尬的地位。而异邦统治下的中原也绝非是清明盛世。面对这样一种处境,文人也并非是一蹶不振,消极无为,相反,他们中的许多人采取了一种较为豁达的处世方式:与其为现实所羁绊,不如参悟人生,看透尘世。元人中多有笑屈原而赞渊明的作品,正是这样一种思想的体现,试看:“楚大夫行吟泽畔……怎如俺五柳庄逍遥散诞。”(张养浩〔双调·沽美酒兼太平令〕)“试问屈原醒,争似渊明醉”(钟嗣成〔双调·清江引〕),都是“笑你个三闾强,为甚不身心放?沧浪污你,你污沧浪”(贯云石〔双调·殿前欢〕)的不羁情怀。既然朝政兴替,人生荣辱都是过眼云烟,又何必耿耿于怀,即便盛极一时,也难以永葆不衰,更何况这盛衰最终都会随着时间流逝而烟消云散,走向终结。既如此,何妨风轻云淡,超脱尘世,抛下这追名逐利的躁动之心,去寻求真正的安宁呢?

(戴培毅)

# 【中吕·喜春来】

无名氏

## 四节

海棠过雨红初淡，杨柳无风睡正酣。杏烧红桃剪锦草揉蓝。三月三，和气盛东南。

垂门艾挂狰狰虎，竞水舟飞两两凫。浴兰汤斟绿醑泛香蒲。五月五，谁吊楚三闾？

天孙一夜停机暇，人世千家乞巧忙。想双星心事密话头长。七月七，回首笑三郎。

香橙肥蟹家家酒，红叶黄花处处秋。极追寻高眺望绝风流。九月九，莫负少年游。

### 鉴赏

中国的岁时节令，有以月日数字相重即“奇数复叠”者为节的一个系列，这组小曲就是描写这一节日系统的三月三、五月五、七月七、九月九四个节日。中国岁时习俗、节日活动丰富多彩、饶有情趣。这四首小令，正是以曲的形式记载了“四节”的民间习俗，写得清新活泼而富有生活气息。

第一首写三月初三上巳节。上巳节起源很早。春秋时代的郑国，就有于此日在溱水、洧水上举行“招魂续魄”之礼；汉蔡邕《月令章句》有所谓“浴乎沂”“祓于水滨”，即指节日沐浴和在水滨祓禊的仪式。后来渐次增强娱乐成分。王羲之的

《兰亭序》,即作于永和九年三月初三,记载他们在兰亭曲水之滨"修禊""流觞"等种种雅举。至唐代,上巳日游水嬉戏之风更盛,杜甫的《丽人行》里即有"三月三日天气新,长安水边多丽人"句。直至南宋,尚有皇帝"赐宴曲江"、民众到水边"禊饮"踏青的记载(宋吴自牧《梦粱录》)。但到了元代,这一节日已趋消沉,我们从《四节》可以看出这一趋向来:海棠、杨柳、杏桃、青草地,曲家描写的尽是自然春景,而不复有修禊、流觞活动。联系后三支曲子对民俗活动的详尽描写看,当不会是一种疏忽。我们知道,至现代,端午、七夕、重阳等节日都还尚在,唯有上巳节,连名称也不复见。元代,正是这一节令民俗流变总过程之中"名存实亡"的一环。

第二首,五月五,端午节。中国古代有"值五日午",把逢五之日称作"午"的习俗,故五月五又称"重五""重午""午日"等。悬艾蒿于门,挂彩绸缝制的小老虎于身,龙舟竞渡,以菖蒲、艾叶煮水沐浴。端午酒或由菖蒲泡制,或加雄黄,故"斟绿醑"亦即"泛香蒲"。小曲是当时端午民俗风情的生动写真。作者有条理地记载了这些端午节俗后,却归结为这样一个问题:"五月五,谁吊楚三闾?"楚三闾即屈原。相传端午节的起因与纪念屈原有关,赛龙舟是为了抢先去救护屈原,丢粽子于水中是为了让龙吃了不要去危害屈原。这一传说与消灾避难的民俗信仰糅合在一起,端午成了兼有避疫与纪念双重含义的节日。但是,至元而"吊楚三闾"的意味淡薄,游乐的兴致一浓,有人便把凭吊三闾大夫给忘了。曲子以此作结,可说感慨良多。

第三首,七月七,乞巧节。乞巧节之名,当主要是因"乞""七"谐音而来。这一节日因牛郎织女故事而美丽,这首小令亦从这一美丽的神话故事开始写起。"天孙"指织女,织女星又名"天孙星",织女唯有七夕才得以停机歇息,与牛郎相会。与此相反,人间却忙于摆香案、设瓜果,穿针引线,乞求巧智。这一节日最富诗情的是"想双星心事密话头长"。遥想双星,积蓄了一整年的心事当然稠密,他们的话头自然冗长,而人间的少男少女,乐于谈论双星的心事,话语亦复绵长。七月七,实是恋爱中的青年男女表白心迹、对星空盟誓的大好时机。当年李隆基与杨玉环就曾"七月七日长生殿,夜半无人私语时。在天愿作比翼鸟,在地愿为连理枝"(唐白居易《长恨歌》)。这首曲子的最后一句,似正是暗用了李、杨爱情中的这一典故,因为李隆基向有"三郎"的雅号。"回首笑三郎",谁在笑三郎?是暗蓝色的天际熠熠闪光的双星么?是正在看案旁倾听情郎甜言蜜语的少女么?笑三郎,笑什么?是笑话李三郎的空有情誓么?是笑话人间竟有那么多的"三郎"代代相传地效仿对星盟誓之举么?曲子为我们留有颇为广阔的想象余地。每一幅想象中的画面都是那样美好、空灵。

第四首，九月九，重阳节。因《易经》将“九”定为阳数，而九月九又是两九相重，故曰“重阳”，或称“重九”。重阳之节日传统亦很久远，屈原《远游》中已有“集重阳入帝宫兮”之句。由于传承与积淀，重阳节俗十分丰富：出游登高、赏菊、插茱萸、饮菊花酒、吃重阳糕等等。这首小令正再现了这一些节日风尚。重阳不可无酒，否则便有负于“香橙”与“肥蟹”了。但重阳饮酒每每在野外，与登高、赏菊、插茱萸等活动结合，又有“辞青”之名，“红叶黄花处处秋”，正是野餐郊饮之际扑入眼帘的秋景。登高极目处，景色与人物皆风流。重阳登高的习俗，据南朝梁吴均的《续齐谐记》记载，汝南桓景听从道士费长房的劝告，于此日举家登山，避免了一场大祸，自此沿袭成俗。重阳登高实为一项很好的体育锻炼。如果说上巳、清明“踏青”是一种春游的话，那么重阳之远足、登山、“辞青”便是秋游。因而有“莫负少年游”之结句。这是少年人最喜爱的出游，也令人少年永驻、永葆青春。历来的文人重阳诗词总有那么一种悲秋之感伤，这几乎成了这一传统题材的传统情调。但这首小令不然，写得开朗、明快，情绪高昂，颇具特色。

在元人散曲中，四首一组的篇章很多。有春夏秋冬的四季之歌，有风花雪月的四景之叹，有酒色财气的四贪之讥等。我们赏析的这一组曲子，则是“四节”之歌，是它们之中写得很出色的篇章。观察细腻的“海棠过雨红初淡”、形神兼备的“杨柳无风睡正酣”以及下句“烧”“剪”“揉”寻常然而生动的三个动词，足见作者写景功力之不凡。四支曲子首二句皆为对偶句，四联对偶皆十分工整。而“谁吊楚三闾”之叹息、“回首笑三郎”之意味，又使曲子结束得出人意表。

这一“四节”组歌告诉我们，在元代，有这样的专唱节日的流行歌曲。用歌唱的形式来复兴、传承、推广传统节日文化，甚至值得我们今人学习仿效。

（翁敏华）

# 【中吕·喜春来】

无名氏

不能够欢会空能够看，没乱煞心肠受用煞眼，一番相见一番难。几步间，如隔万重山。

## 鉴赏

“世界上最遥远的距离,不是我不能说我想你,而是彼此相爱,却不能够在一起。”(泰戈尔《飞鸟与鱼》),世界上最痛苦的事,恐怕也莫过于此。男女成悦,最难煎熬“盈盈一水间,脉脉不得语”(《迢迢牵牛星》)般的相思之苦。

开篇直奔主题,分别从感官和心理两个方面,用直白真切的语言描写作者渴望与心上人相见未能如愿的矛盾心情。二人“相看泪眼,无语凝噎”,不能够与心爱之人共度美好时光,享受心灵的愉悦,只能猜想凝望,饱受心理煎熬。此种滋味,若非亲身经历,又怎能体会。此时,主人公与心上人产生了心理距离感,虽然近在眼前,心理上却感觉如真似幻,远在天边。这两句毫无隐晦,直抒胸臆,表达对心爱人的想念之情。“求之不得,寤寐思服,悠哉悠哉,辗转反侧。”想念和想见是一对矛盾。“忍把千金酬一笑?毕竟相思,不似相逢好”(邵瑞彭〔蝶恋花〕)。愈思愈念,“一番相见一番难”,本想望梅止渴,不料成了饮鸩止渴,思念之情愈加浓烈,思念之苦愈加酸楚。主人公矛盾复杂的心态暴露无遗。

“几步间,如隔万重山”是整首散曲的精华之处,简洁凝练却意义丰厚,几步之遥,却仿佛被千万重高山阻隔。两组对比,表现对心爱人的思念、无法相见之痛,增强了全曲的艺术效果和感染力。一是数字的夸张对比,以“几步”对“万重”,差距之大更显思念之深、之切。二是虚与实的对比,俗话说:女追男隔层纱,男追女隔重山,明明只有“几步间”的距离,这是实写,心理上却感觉隔着万重高山,这是虚写。此时此刻,实际距离感在心理上被无限拉大,空间意识开始虚化,真可谓“一叶轻舟去,人隔万重山”。当空间意识虚化到一定程度,于是便出现了心理临界点,作者此时仿佛进入了一个迷狂的状态,空间感频繁在主客体之间相互转换，恍如隔世，分不清到底是在此还是在彼。于是，幻想便旋即出现：心爱之人时隐时现，嫣然一笑，却又去了自己去不了的地方。这种若即若离的心理虚化境界，给人以神秘感，虚实结合，激发读者的无限想象力。棱角分明的绮丽山峰，一目了然的宽阔江海，固然有其透明之美，但不耐人寻味，而云霞飘绕的峰影，曲溪掩映的水色，却更能激起人们的无限遐想。

整首散曲读来直白真切，细细品味，却又含蓄隽永，意味深长，给读者提供了极大的想象空间和审美诱发力，也许这就是汤显祖所说的"以若有若无为美"吧。

(殷军领)

## 【中吕·喜春来】

无名氏

江山不老天如醉，桃李无言春又归，人生七十古来稀。图甚的，樽有酒且舒眉。

### 鉴赏

君子藏器于身，待时而动，"时则动，不时则静"，功过是非，自待后人评定。

江山世代更迭，永远不老，陶醉于夕阳的晚霞余晖中，老天仿佛也像喝醉酒一般，一抹酡红，浮现天边。"桃李不言，下自成蹊"(《史记·李将军列传》)，桃和李不说话，也用不着自我吹嘘，只要花香果美，惹人喜爱，别人自会寻芳而至，不觉在它下面走来走去，自成一条小路。龙飞九天，终非池中之物，马行千里，定当中原逐鹿，德才兼备之人，不用张扬，自会声名远扬，指点江山。

机会是给准备好的人的，但并不是每个准备好的人都有机会。等待机会，等于耗费生命，慢性自杀。

“人生七十古来稀”,语出唐杜甫《曲江二首》。正所谓“盛年不重来,一日难再晨”,大自然可以生生不息,永恒轮回,可是人生却不能像草木回春一样重生,“浩浩阴阳移,年命如朝露。人生忽如寄,寿无金石固”。以古代人的生活及医疗水平,能活到七十岁的可谓凤毛麟角,寥寥无几。作者这里目睹大自然的永恒循环,反观人生短暂,碌碌无为,无奈喟叹由感而发,由心而生。

“时则动,不时则静”,不能成就一番事业之时,我们又“图甚的”呢?是李贺的“男儿何不带吴钩,收取关山五十州”的远大理想,还是李白的“人生得意须尽欢,莫使金樽空对月”的洒脱出尘?既然不能乘风破浪,“则不如放怀遣兴,悦性怡情,展眼舒眉”(吕止庵〔商调·集贤宾〕《叹世》)。只要“樽有酒”,就“且舒眉”吧,“钟鼓馔玉不足贵,但愿长醉不复醒”(唐李白《将进酒》),与天同醉,与地同欢,喝他个天昏地暗,喝他个碟碎酒干。

元代文人尽管社会地位不高,但却很旷达,十分仰慕苏东坡“竹杖芒鞋轻胜马,谁怕?一蓑烟雨任平生”的出尘生活。笑傲睨世而不废啸歌,似乎看透一切,实则是郁郁不得志的牢骚与不满。不能仕途通达,倒不如心情豁达,“守己安贫好快活”(杨朝英〔水仙子〕),得过且过,“今朝有酒今朝醉,且尽生前有限杯”(白朴〔喜春来〕《知几》)。失望之极而致狂放,痛苦之极而致嬉笑,表面上作者豪放不羁,深层心理乃是失去了追求目标之后的徘徊与不安,狂放是做作的,嬉笑更是苦涩的。

整首小令语言看似直白,却字字珠玑,句句尽显无奈与豁达交织的矛盾复杂之情。然而我们,则更喜欢曹孟德《龟虽寿》喊出的豪言壮语:“烈士暮年,壮心不已。”和苏东坡在〔浣溪沙〕中的人生信条:“谁道人生无再少?门前流水尚能西!休将白发唱黄鸡。”

(殷军领)

# 【中吕·四换头】

无名氏

两叶眉头，怎锁相思万种愁？从他别后，无心挑绣。这般症候，天知道和天瘦！

## 鉴赏

不知道从什么时候开始，“愁”便与“眉”结下了不解之缘。眉可以用来状人之美，《诗经》有云：“手如柔荑，肤如凝脂，领如蝤蛴，齿如瓠犀，螓首蛾眉。”当然更多的还是用来绘人之愁，正所谓“深情在睫，孤意在眉”（明张岱《陶庵梦忆》）。古人写愁，多喜以眉写之，“愁眉蹙损愁肠碎”（宋陈袭善《渔家傲》），“常有孤愁来两眉”（宋李复《和李教授摅游溪阻风》），眉俨然成了愁的载体。

小令以“两叶眉头”入题，开篇便定下了“忧愁”的情感基调。首句巧妙地运用两个相差极大的数量词，形成鲜明对比，以“两叶”对“万种”，突出愁之多，情之乱，心之苦。正所谓“愁聚眉常敛”（元卫宗武《过新丰村偶成》），一个“锁”字，给人以坚固冰冷的质感，形象地写出了眉头紧皱之态。“只恐双溪舴艋舟，载不动，许多愁”（宋李清照《武陵春》），就像小小的蚱蜢舟载不动李易安的许多愁苦一样，小小的两叶蹙眉，又怎么能锁住主人公相思的“万种”愁苦呢？只能任其流淌，任其漫延。反问句式的运用，让读者不觉想追问如此万般愁苦的原因。

接下来第三句“自他别后”，承上启下，既交代了愁的原因，又为下文思念之苦做了铺垫。刺绣，是一种“妇功”，是封建社会女子四德之一，是衡量女子是否有教养的标志之一，也是古代妇女打发时光的重要方式，常常和“相思”联系在一起：本来每天都要进行的刺绣，自你去后，再无心做。中间两句，既点明相思之因，又进一步刻画忧愁之态。读来，一幅“秋水伊人倚门望君踏归程”的画面浮现眼前，凄凉悲悯之感油然而生。

“这般症候，天知道和天瘦”，是整篇的点睛升华之笔。“症候”，症状,此处代指对“他”的相思病。“和天瘦”,拟人手法的运用,使语言生动鲜明,更添亲切感。如果老天知道我的忧愁,连老天也会一起憔悴消瘦的。中国人大多是“以己观物,以己体物”的思维方式,人们都更愿意相信万物和人一样,是具有生命和灵魂的,作者这里就赋予天以人格属性,认为这个高高在上、不食人间烟火的“天”,也是难逃一个“情”字的,“天若有情天亦老”(唐李贺《金铜仙人辞汉歌》),人若有情人亦瘦。作者不直言思念之苦如何强烈,而是出其不意地说出“天知道和天瘦”,以惊人的夸张和反衬,表现自己思念之情何等之深,给人留下极大的想象空间,较柳永“衣带渐宽终不悔,为伊消得人憔悴”有过之而无不及。

整首小令语言平实、质朴,犹如邻家大姐低沉的倾诉,却又极具穿透力,读来让人顿生同情怜悯之心。

(殷军领)

## 【中吕·普天乐】

无名氏

木樨风,梧桐月。珠帘鹦鹉,绣枕胡蝶。玉人娇一晌欢,碧酝酿十分悦。断角疏钟淮南夜,撼西风唤起离别。知他是团圆也梦也,欢娱也醉也,烦恼也醒也。

### 鉴赏

此曲受文人诗词的影响较深,起首便以女性的口吻落墨。“木樨”乃桂花之雅称,宋人杨万里就有一首吟咏桂花的《木樨》诗:“不是人间种,移从月里来。广寒香一点,吹得满山开。”飒飒夜风中,沁人心脾的桂花香拂面而来,是能够叫人迎风落泪的。“梧桐月”,一直都高悬在寂寥孤独的文人心头。南唐后主李煜有千古名句:“无言独上西楼,月如钩,寂寞梧桐深院锁清秋。”(《相见欢》)北宋苏轼月下以性灵而咏："缺月挂疏桐，漏断人初静。"(《卜算子》)南宋女词人朱淑真守空闺而叹："铺床凉满梧桐月，月在梧桐缺处明。"(《秋夜》)梧桐之月或"缺"或"如钩"，与满月的和谐温润绝不相同。新月如眉，清辉朦朦，这般景致下，淡淡的忧伤怎能不洒满心田？借着月光环顾四周，只见锁在珠帘间的鹦鹉和困在绣枕上的蝴蝶，与她"对影成三人"。古代女性深受封建礼教禁锢，玉步不离香闺，无人来聆听心底的万缕情思，只有同样爱倾诉的鹦鹉做她的知音，正是"愁无限，消瘦尽，有谁知？闲教玉笼鹦鹉念郎诗"(清纳兰性德《相见欢》)。

"胡蝶"即蝴蝶，素来是中国古典文学作品中十分唯美的意象。东晋干宝的《搜神记》中，就有韩凭夫妇化蝶的传说，唐李商隐也在《青陵台》中写道："莫许韩凭为蛱蝶，等闲飞上别枝花。"而民间爱情故事《梁祝》，以化蝶来歌颂男女超越生死之爱，蝶与情已然合而为一，变成了纯爱的象征。看到成对彩蝶在花间飞舞，自己偏偏是一只落单的"绣枕胡蝶"，真令人羡煞妒煞。作者在前四句中，对女子的闺房进行了工笔细描，寥寥数字间，已绘出景、谱出音、露出情。

"玉人娇一晌欢，碧酝酿十分悦。"此二句颇得香奁体"裙裾脂粉"(明朱权《太和正音谱》)的特点。这里化用了李煜《浪淘沙》中的句子："梦里不知身是客，一晌贪欢。"手托香腮、含情凝睇的佳人，遥想当初与爱侣相伴的时光，牙床鸳帐，合卺交杯，缠绵的誓言仿佛还回荡在耳畔。"一晌欢""十分悦"不过是与有情人短暂的温存，但这也成了乱世中痴情女子最大的奢望。霎时，号角满天，疏钟催晓，打破了"淮南夜"的寂静，也惊醒了闺中残梦。"西风"一词，不由让人想起宋晏殊的《蝶恋花》："昨夜西风凋碧树，独上高楼，望尽天涯路。"西风凛冽，暗喻着战事将起，一个"撼"字，勾出扑人眉宇的肃杀之气。可以想象当时的情景：一位新婚不久的闺中少妇，又或是李亚仙、玉堂春那样才貌双全的艺妓，而她的情郎正值青春少艾，符合参军的年龄，两人被迫分离……作者没有言明，但个中缘故，于留白处给人以回味。什么时候能与情人再相逢聚首呢？"知他是团圆也梦也，欢娱也醉也，烦恼也醒也。"在政治动荡、烽火连年的岁月里，团圆只是梦中之事，醉酒当歌也不过片刻欢娱，梦醒后的心理落差，才是人生烦恼的开始。想这离恨相思之苦，"怎一个'愁'字了得"(宋李清照《声声慢》)！

从曲式上看，此曲的前六句均为合璧对，一组组意象对举成文，工整简练，充满了和谐的美感。而末三句，则用重句体铺排，遣词造句更趋向口语，具有民歌的风味。女性之爱与怨世之情，构成了这首曲子的双重主题。作者替女性立言，款诉心声，低吟苦楚，着实为她们谱写了一曲哀婉动人的乐章。只是“脂粉”过于浓厚，未免花巧浮艳，显然是元代中后期的作品。

（周思杨）

## 【南吕·玉交枝】

无名氏

休争闲气，都只是南柯梦里。想功名到底成何济？总虚脾，几人知？百般乖不如一就痴，十分醒争似三分醉。则这的是人生落得，不受用图个甚的！

### 鉴赏

明人杨慎说得好：“古今多少事，都付笑谈中。”（《临江仙》）人生苦短，当豁达时且豁达，就像这首散曲，正是作者为劝诫自己摆脱官场斗争、淡薄功名利禄而写就的“笑谈”之作。

开篇“休争闲气”四字别具一格，这无疑是对自己的劝说。谋生官场，难免会有些傲气、怨气、怒气郁结于胸，而在作者眼中都是“闲气”，既然闲极无聊，何必苦苦相争，只当梦中之事。“南柯梦”典出唐李公佐的《南柯太守传》，淳于棼醉梦中受邀至大槐国，官拜南柯郡太守，梦里享乐极甚，醒后才发现大槐国只是个蚂蚁洞。作者借“南柯一梦”，自嘲入仕为官只是空欢喜一场，梦里食客三千也不过是蝼蚁之辈，根本难以与之为伍。作者的心态仍然是矛盾的，元代科举制度时废时立，知识分子“万般皆下品，唯有读书高”（宋汪洙《神童诗》）的思想受到挫折，而“门第卑微，职位不振”（元钟嗣成《录鬼簿》）的残酷现实就摆在眼前。

做了官，得了功名，原本是无数文人牵肠挂肚的魂乡梦境。然而，在外族当权的时代，文人对待政治的复杂心理，就像清王夫之所说的：“清风有意难留我，明月无心自照人。”作者不禁要慨叹一句：“想功名到底成何济？”在这里，“济”指的是帮助、补益，而它本身也有渡水的意思。国非旧国,家非自家,试问功名之船可渡何人?显然,作者是驾了一叶"由吏升官"的扁舟,选择了一条崎岖艰难的仕路。"虚脾"者,虚情假意也。文人与生俱来的清高傲骨,使他们不屑束缚于名缰利锁,沉浮于宦海风波,但往往是迫于生存压力,表面上还要阿谀奉承。又有几个知心的人儿明白,那是作者的苦恼之笑呢?真是"拟把疏狂图一醉,对酒当歌,强乐还无味"(宋柳永《蝶恋花》)。

难能可贵的是,作者并没有像同时代的一些文人,揽镜自顾:"白首蹉跎,失志困衡窝"(马谦斋〔越调·寨儿令〕《叹世》),也没有选择消极躲避,隐居叹世:"林泉高攀,齑盐贫过,官囚身虑皆参破"(陈草庵〔中吕·山坡羊〕《叹世》)。他感悟到:"百般乖不如一就痴,十分醒争似三分醉。"煞费苦心地去扮演聪明人的角色,还不如做个"葫芦提"来得逍遥自在。十足的清醒,还比不上透过一双醉眼看世界来得畅快。正是"江山不老天如醉"(无名氏〔中吕·喜春来〕),连天也半梦半醒、如痴如醉了,何况人?这种以醉当醒、装傻充愣的存在状况,反映了当时一部分文人的心态:既对入世有所向往,又不愿意放弃自我的独立人格。末尾道出作者心声:"则这的是人生落得,不受用图个甚的!"此二句,措词直白、通俗、干净利落,口吻爽辣、急迫、掷地有声,颇具一气呵成之感。落得个官吏之名,自己却从中毫无所获,白白浪费光阴,这顶虚无的帽子压得人喘不过气,还是尽早放下心头大石,好好地享受余生。

读罢掩卷,一个酒醉三分、泼墨挥毫的文人形象跃然眼前,他挥洒在纸上的墨点、酒渍,甚至泪痕化成了这首〔玉交枝〕。综观全曲,作者绝非酒后吐狂言,而是酒后吐真言,句句如话,尽抒胸臆,仿佛烈酒入喉冲鼻,更有余香萦绕。

(周思杨)

## 【双调·清江引】

无名氏

### 咏所见

后园中姐儿十六七,见一双胡蝶戏。香肩靠粉墙,玉指弹珠泪，唤丫鬟赶开他别处飞。

## 鉴赏

这首〔清江引〕小令写一位女子游园时的所见所思，就像戏剧舞台上的一个小片断，读来不仅余香满口，还有如临其境之感。

“姐儿”，是对青年女子的称呼，《红楼梦》里就有凤姐儿、巧姐儿。芳龄“十六七”的少女，正值碧玉年华，这个年纪的青年男女，最容易萌动春心。或许也是在一个姹紫嫣红的春天，身边也有一位知情识趣的丫鬟，女子偷偷步出深闺，到“园中”游春，原本只为图个消遣，举目却见一双蝴蝶，自由自在地流连嬉戏。

中国的蝴蝶向来都是成双成对的，梁山伯与祝英台的故事流传千古。现存最早的表现爱情的蝴蝶诗，是南朝梁萧纲的《咏蛱蝶》：“复此从凤蝶，双双花上飞。寄语相知者，同心终莫违。”比翼双飞的蝴蝶，象征着美满团圆的爱情，刚好撩拨起女子怀春的芳心。唐李白《长干行》有云：“八月蝴蝶来，双飞西园草。感此伤妾心，坐愁红颜老。”而这首小令所刻画的，却是另一派娇憨羞涩的女儿之态：“香肩靠粉墙，玉指弹珠泪。”只见女子孱弱的肩膀，慵懒地倚靠在洁白的墙上。是春日昼长、相思难解的缘故吗？她用纤纤十指拭去腮边的泪水，再轻轻地把泪珠弹走，仿佛如花的容颜也在这弹指间老去了。明汤显祖在《牡丹亭·惊梦》中写道：“古之女子，因春感情，遇秋成恨。”曹雪芹笔下的黛玉葬花泣残红，这首小令描写了少女赶蝶伤春情。在戏曲舞台上，丫鬟永远是小姐最知心的“姐妹淘”，也是她们内心世界的外化。看见一双蝴蝶缠缠绵绵翩翩飞，反观自己的形单影只，真是又羡、又妒、又哀、又愁，才会“唤丫鬟赶开他别处飞”。

在末三句中，“靠”“弹”“赶”三字用得极好，有静态，有动态，有举止，有神情，所谓“以少总多，情貌无遗”（南朝梁刘勰《文心雕龙·物色》），少女复杂的心事就在这一“靠”、一“弹”、一“赶”之中，微妙地传递出来。“则为你如花美眷，似水流年。是答儿闲寻遍，在幽闺自怜。”（明汤显祖《牡丹亭·惊梦》〔山桃红〕）这一幕，不禁惹人遐想：她为何无法自持，为何伤心落泪？是对自身的怜惜？对才子佳人的倾慕？对似水年华的追忆？还是绵绵无尽的说不清道不明的情思？这种患得患失、若即若离的感觉，恐怕也是所有青春期少女，所共同走过的一段心路历程吧。

这首小令写闺情而有新意，全篇不着一“情”字，却一字化一情，一句成一叹。《金瓶梅》第六十回郑春所唱的〔清江引〕，就是对此曲的改写：“一个姐儿十六七，见一对蝴蝶戏。香肩靠粉墙，春笋弹珠泪。唤梅香赶他去别处飞。”相比之下，这首改写的曲子更口语化、带有浓厚的市井文学的特点。

（陈茜苑）

## 【双调·清江引】

无名氏

### 讥士人

皂罗辫儿紧扎梢，头戴方檐帽。穿领阔袖衫，坐个四人轿。又是张吴王米虫儿来到了。

**鉴赏**

“讥士人”一题，大抵为《全元散曲》编者所拟。“讥”，意思是讥讽、嘲弄，以此为题的散曲，如张鸣善《讥时》、无名氏《讥贪小利者》等，往往穷嬉笑怒骂之能事，“其称文小而其旨极大，举类迩而见义远”，尽显元代散曲的讽刺艺术。

关于元代末年的起义领袖，向来有“友谅最桀，士诚最富”之说，“士诚”就是这支小令中所提到的“张吴王”。至正十三年，张士诚在高邮建都，国号大周，十七年，败于明太祖朱元璋手下。明瞿佑《归田诗话》“哀姑苏”条记载：“盖张氏据有浙西富饶地，而好养士。凡不得志于前元者，争趋附之，美官丰禄，富贵赫然。”张氏兄弟虽然倒戈反元，却只建立起了一个病态的政权，统治者过着“攘夺民地”“侈肆宴乐”（明蒋一葵《尧三堂外纪》卷七十六）的荒淫生活，连张门之士也惯于狐假虎威、鱼肉百姓，此曲正是讥讽这样一群人。

“皂罗辫儿紧扎梢，头戴方檐

帽。穿领阔袖衫,坐个四人轿。”前四句全然使用白描的手法,大笔勾勒出张士诚属下官员的生动形象,颇似一幅幽默俏皮的四格漫画,从中,也可将元代官服制度管窥一二。“方檐帽”,又唤“幞头”,据《元史·舆服志》记载,元代男子公服之冠,一般为展角幞头,用漆纱制成。“皂罗辫儿”是系幞头的黑纱罗带,“扎捎”意为扎起、束起。士人临行之际,也不忘紧束帽带,整顿头服,一派沐猴而冠的惺惺之态。“阔袖衫”是元代男子的公服,其材质样式多从汉俗,“制以罗,大袖,盘领,俱右衽”(《元史·舆服志》)。元仁宗于延祐元年对官民服色做了统一规定,冠从属于服制,穿什么样的衣服,戴什么样的帽子,是官阶职位、社会角色、地位等级的象征。“方檐帽”“阔袖衫”“四人轿”既是统治阶级的名片,也是阶级对立、贫富分化的标志。正所谓“贵贱之别,望而知之”(清叶梦珠《阅世编》卷八),坐轿者是谁,是何身份,已经呼之欲出。

末句乃是点睛之笔:“又是张吴王米虫儿来到了。”谜底揭晓,来者原是张吴王的得意门生,但作者的口吻并非顶礼膜拜,而是极度的冷蔑轻视。元张鸣善曾作《咏雪》,将张氏兄弟比作“白占田地”“冻杀吴民”的飞雪,而此句以“米虫儿”喻之,读来更通俗、更有谐趣。明田汝成《西湖游览志余》有南宋无名氏所作的《临安十七字诗》:“驾幸景灵宫,诸生尽鞠躬。乌头身上白,米虫。”百姓食五谷疗饥,米粮是救命的根源,是治国安邦的头等大事。然而,腐朽的统治者对人民财富无情掠夺、横征暴敛,活命粮到了百姓手中,就只剩下填不饱肚子的谷壳,乃至欲耕无田、饥寒交迫。再看看那些官员们,个个酒池肉林、尸位素餐,活脱脱一群混饭吃的大米虫。一个“又”字,足以令人想象百姓不堪其扰、退避三舍的慌乱场面。

此曲虽直写张门士人,却折射了元末统治阶级贪婪虚伪的“群丑相”,漫画式的笔触堪称其一大特色。只是,再活泼戏谑的语言,再鞭辟入里的刻画,也掩不住民生凋零的悲凉。这悲凉的底色,是整幅漫画的背景。值得一提的是,在抗战时期的国统区,也出现过类似的作品,如舒模所写的《你这个坏东西》,是当时非常流行的讽刺性歌曲:“你你你!你这个坏东西!市面上日常用品不够用,你一大批一大批囤积在家里。只管你发财肥自己,政府的法令你是全不理……”这首歌谣充分吸收了民歌的营养,反映社会现象的同时,又生动有趣,因而能广泛传唱,堪称我国歌曲花园中的一朵奇葩。

(陈茜苑)

# 【双调·水仙子】

无名氏

退毛鸾凤不如鸡，虎离岩前被兔欺，龙居浅水虾蟆戏。一时间遭困厄，有一日起一阵风雷。虎一扑十硕力，凤凰展翅飞。那其间别辨高低。

## 鉴赏

唐韩愈《送孟东野序》有云："大凡物不得其平则鸣。其歌也有思，其哭也有怀。"元散曲中，诸如此类的"不平之鸣"甚多，这首〔水仙子〕不失为元代文人抒发愤世情怀的佳作。

"退毛鸾凤不如鸡，虎离岩前被兔欺，龙居浅水虾蟆戏。"开篇三句，就体现了散曲小令文字精悍、词意俚俗、明白如话的特点。中国传统民间信仰，素来将龙、凤、虎等图腾尊为神灵加以崇拜，视其为神兽、瑞兽，或雕梁画栋，或纹绣织锦，而"龙腾虎跃""凤舞九天""鸾凤和鸣"等吉祥语，也是民间逢年过节、新婚贺寿时的口彩。唯有才能优异的人中之杰，方能以龙凤自居，惨遭"退毛""兔欺""虾蟆戏"，本是乾坤混沌、大煞风景的事。神兽落难，比凡俗动物更可怜、更可悲，然而，以其讽时喻世，取类至深，寄托至广。

元代社会激烈动荡，科举废除，吏治腐朽，诸多贤愚不择、妍媸莫辨的时代闹剧争相上演。鸾凤、虎、龙所指的正是那些被打压、被抛弃、被遗忘的贤士、志士、名士，而鸡、兔、虾蟆则暗比窃居高位、仗势横行的庸人、愚人、奸人。屈原《卜居》就曾假借占卜之名，针砭了这种荒唐现象："蝉翼为重，千钧为轻；黄钟毁弃，瓦釜雷鸣；谗人高张，贤士无名。"《谇范叔》《举案齐眉》《秋胡戏妻》等元杂剧中皆有"儒人不如人"的兴叹，这是对现实社会的辛辣嘲讽，也是元代知识分子的真实写照。生于乱世，即使鲲鹏龙凤，也难逃"贬值"的命运。

作者的笔锋随即一转，表示"一时间遭困厄"，并非意味着永远的低迷。目下虽然身处横逆之境，但终究会有峰回路转的一天。《道德经》有云:“曲则全,枉则直,洼则盈,敝则新。”身陷囹圄,身居低位,立足于柔弱屈辱的一面,反而容易保全自身、激发斗志。最关键的是守得住苍凉,耐得住寂寞,等待“有一日起一阵风雷”,将颠倒黑白的现状好好震撼一下、荡涤一番。《举案齐眉》杂剧第一折中有句唱:“一朝若遂风雷志,敢折蟾宫第一枝。”当充满自由意志的个体从桎梏中解脱出来,“虎一扑十硕力,凤凰展翅飞”,其威力之迅猛,天地之广阔,自然不言而喻。作者以前后尖锐的对比、巨大的落差不断提醒自己,若能闻得急风惊雷,那些蛰凤、卧虎、潜龙,必将腾跃而起。在清明世界中,试问鼠辈奸佞要以何等姿态来“别辨高低”呢?读到这里,不得不让人把桌子一拍,大呼一声“痛快”。

元代文人因心志难展、理想破灭而遭受了巨大的精神压力和灵魂创伤,他们或隐逸于山野泉林,或流连于市井勾栏,避世、玩世、怨世、骂世的作品不胜枚举。该篇的巧妙处正在于它的动静皆宜——动则饱含了对社会变革的迫切渴望,静则蕴藏了道家欲扬先抑、先弛后张的处世哲学。恍如咀嚼一颗青橄榄,入口爽脆,但细品之下,亦有甘苦的余味。

(陈茜苑)

## 【双调·水仙子】

无名氏

### 遣　怀

百年三万六千场,风雨忧愁一半妨。眼里儿觑,心儿上想。教我鬓边丝怎地当?把流年子细推详:一日一个浅酌低唱,一夜一个花烛洞房,能有得多少时光?

## 鉴赏

〔水仙子〕是北曲双调常用的曲牌,全曲八句七韵。作者以《遣怀》为题,仿佛是一位鸡皮鹤发的老人,在岁月沉淀下来之后,细数前尘旧事,感而思,思而悲,悲而叹,故捌管写就了这首回忆曲。

佛家经典有“百年三万六千日,不在愁中即病中”之说,人生不过百年,算起来三万六千天,而这里却用了一个意味隽永的“场”字。不禁令人深思,这三万六千场到底为何物？是官场、情场、风月场,还是生死场？自宋以来,习文举业一直是读书人的必由之路,读书做官的志向已经融入了士人的血液。到了元代,科举制度废除,读书人一时间竟失魂落魄、不知所处。一些迷失自我的落魄文人继而转战情场,渴望上演一出“有情人终成眷属”的才子佳人戏,但元代士子的地位败落,致使他们在情场上也败下阵来。鸿鹄之志已消散殆尽,期盼爱情的心愿又不能顺遂,唯有寄情于风月场:“十年一觉扬州梦,赢得青楼薄幸名。”(唐杜牧《遣怀》)沉湎于声色犬马,流连于秦楼楚馆,烟花一梦,也仅仅在青楼女子心中留下个薄情之名。真是颠倒儒人,苦煞寒士！两手空空的读书人,只得被困囿在名副其实的生死场中。蓦然回首,唯见人生路已走过了大半程,却说“风雨忧愁一半妨”,把一切辛酸痛苦都归罪于“风雨忧愁”,无疑是对苦涩一生的凄凉回顾。

“眼里儿觑,心儿上想。”这一句写得极其传神。眼里看什么？心里又想什么？如果把人生比作一卷长轴,当忆者的目光停伫在画卷上的时候,看到的是此生积攒的失意和愤懑,想到的是风烛残年的迟暮和追思。南宋辛弃疾的〔水龙吟〕中有同样的感叹:“可惜流年,忧愁风雨,树犹如此。”清人毛秀惠也说:“重阳风雨滞幽斋,失意人难作遣怀。”(《乙卯秋外赴金陵省试不售诗以慰之》)风雨、失意人、遣怀,这三者的关系简直就是盘根错节、浑然一体。“把流年子细端详”后,只找到这样重复的答案:“一日一个浅酌低唱,一夜一个花烛洞房。”的确,把自己裹挟在偎红倚翠、觥筹交错的气氛之中,是可以暂时躲避外面的凄风苦雨,但一时之快过后呢？放浪形骸,自我麻痹,不过是弹指一挥间的片刻享受。温柔乡好住,沧桑奈何？忆者不禁要问:“能有得多少时光？”这一问,既是梦想破灭后的自伤自省,也是对天下文人的当头棒喝。

“是故愁苦可以遣怀,欢娱亦

可以致感。”(清恽敬《坚白石斋诗集》序)此曲以回忆的基调贯穿始终,借回忆抒发人生感慨,也不知是老年人对既往的缅怀,还是怀旧真的催人老。全曲虽无富丽的辞藻,但内蕴波澜,有叹,有怨,亦有悔,有恨,可谓“满纸性情语,一把心酸泪”,不失为遣怀中的佳作。

(周思杨)

## 【双调·水仙子】

无名氏

### 喻双陆

风流局面实堪夸,有色教人心爱煞,间深里谁肯轻抛下?等闲时须下马,试将门儿开咱。分付孩儿话,迟疾早到家,休想我半步那差。

鉴赏

在古代,双陆是一种十分流行的游艺。相传于南北朝时由天竺传入,先入皇宫,后流入民间,略有变化。唐明皇与杨贵妃玩双陆的逸事就十分有名。关汉卿也曾自豪地宣称:“会歌舞会吹弹会咽作,会吟诗会双陆。”(〔南吕·一枝花〕《不伏老》)双陆局如棋盘,马作椎形,两人各用十五枚相博,掷骰子见色点行马,先出完者为胜。左右各有六路,故名“双陆”。

元代写双陆的散曲不止这首〔水仙子〕,还有周德清的更为详尽的同题套曲〔斗鹌鹑〕,可以参看。周曲详尽地介绍了这一博戏的种种知识。在双陆这一游戏失传的今天,周曲在中国民俗游艺史上是很宝贵的资料。而本曲的意趣则在于比喻,在于明讲双陆而暗指人事,一语双关。总之,它是在双层走向上完成艺术构想的。

首句提到“风流局面”,双陆博戏是对局,开局之后,自然于四角盘中形成这样那样的“局面”,既有局面,便又有佳与不佳、风流与否之区别。周德清曲〔紫花儿〕中“月儿对”“夕儿花”“点儿疏”种种,当皆是“风流局面”。“有色”,亦是双陆术语。双陆对局所掷骰子,又名“色子”,一个六面体,各面刻有点子,从一到六,色点越多越有利,(周曲中有“会拈色的便宜”句)故“有色”当然会“教人心爱煞”。“间深里谁肯轻抛下”,“间深里”是宋元俗语,意谓关键时刻,也指长时间,这里当指前者。关键时刻谁肯轻易抛子?当然不肯。“等闲时须下马”的“马”,指双陆的马形子儿。下句的“门儿”,也是双陆对局术语,周曲〔含笑花〕、〔小拜门〕中有“撞门如拒水张飞”“把门似临潼会里”句。“分付孩儿话”那是在与对手说话,把对方称为“孩儿”,充大辈;“迟疾”,早晚,反正的意思。全句的意思是:我告诉你这小子,反正肯定是我早到“家”,你别指望我有半步那(挪)差。双陆以先出完子儿者为胜,且有“家”这一术语,周曲中就有“失家如误了吴元济”句。这也是在棋类对局之中常能听到的口吻,先声夺人,意欲在心理气势上压倒对方。

这里所谓“喻双陆”,实际是“以双陆作喻”之意,以双陆之对局,比喻一种男女关系,而全曲又是以男子对女子的口吻写成。头三句言及女子的容貌以及对她的爱。“风流局面”,这里的“局面”指人的格调、模样,因风流而堪夸;“有色”,指这一女子颇有几分姿色,故能“教人心爱煞”。在这层意义上“间深里”作“长时间”解,似更妥当。说长时间地宠爱这一女子,不肯轻易抛下,这就有点像嫖客的口吻了。他等闲时下马,叫人开门,吩咐那女子,说自己很快就会回来的,“休想我半步那差”,别指望我别投他门。

这支曲子的特点在比喻贴切,声口毕肖,亦此亦彼,毫不牵强。当然,整曲的格调不那么高,暴露了些许市民文艺的低级趣味。

(翁敏华)

## 【双调·水仙子】

无名氏

### 喻　纸　鹞

丝纶长线寄天涯,纵放由咱手内把。纸糊披就里没牵挂，被狂风一任刮。线断在海角天涯。收又收不下，见又不见他，知他流落在谁家？

## 鉴赏

在《全元散曲》中，这一首〔水仙子〕《喻纸鹞》，与《喻双陆》等同曲牌小令排在一处，很可能同出一个作家之手。这是一首咏物曲，继承了咏物文学咏物态以喻人事之传统，表层讲纸鹞，深层述相思，双层结构。

中国很早就有放纸鹞的游艺。相传春秋时即有，当时是用木片制作，称作"木鹞"，后改用纸糊在细竹或木制的骨架上，故名"纸鹞"。后又于鹞首系竹笛，风入如筝鸣，因而俗呼"风筝"。纸鹞以鹞、蝴蝶、蜈蚣、燕及戏曲人物等作形象。放风筝是兼有体育锻炼、比赛技艺（制作技艺与放飞技巧）双重意义的竞技活动。其关键，正如本曲所写，靠的是"手内把"的功夫。

前三句全然是一个放鹞行家的自我夸耀，道他的"丝纶长线"堪达天涯，无论怎样纵放，纸鹞都摆脱不了自己的掌握。话音未落，情势突然急转直下：一阵狂风刮来，刮断了丝纶长线，由于放得过高，故而"收又收不下""见又不见他"，最后"知他流落在谁家？"只落得一声长叹。

这首小令的巧妙，在于以放纸鹞比喻姻缘、比喻相思，比得贴切。"纸鹞"之所以可用来比喻姻缘、相思，关键在"线"上，本曲的主要笔墨，正花在这"线"字上。线的一头缚在纸鹞的骨架上，另一头握在放飞者手中，迎风随放手中的线，使之天外高飞。线是能放飞的纸鹞的重要组成部分。也有为了牢靠起见，以两三股线绳系在鹞子身上的。"纸糊披就里没牵挂"，放鹞者掉以轻心了，结果失败、痛悔。

中国古代有所谓月下老人系红线于男女脚上之说，还有"千里姻缘一线牵"的谚语。这与西方丘比特的爱箭异趋而同趣。中国民间还有这样的罢亲习俗：若女方意欲罢亲，则做一双"罢亲鞋"送给男方，待磨断了鞋底之线，便意味着断了姻缘（参见关汉卿《四春园》杂剧）。本曲首句之"寄"，二句之"放"之"把"，三句之"牵挂"，皆是对应着"线"的一系列动词。上半曲的自夸自信，来自于线连；而后半曲之所以收不得见不得，之所以望空兴叹，亦全在于"线断"，线连姻缘在，线断姻缘绝，这正是一种富有民俗意味的比喻，一种流行于民间的婚姻信仰。这首小令表层记录一种民俗游艺，深层又蕴含一种民俗信仰，洋溢着丰富充沛的民俗趣味。

（翁敏华）

# 【双调·水仙子过折桂令】

无名氏

## 行　乐

一春长费买花钱，每日花边一醉眠。喜春来百花都开遍，任簪花压帽偏。花间士女秋千，红相映桃花面。人更比花少年，来寻陌上花钿。　　来寻陌上花钿，正是那玉楼人醉杏花天。常言道惜花早起，爱月夜眠。花底相逢少年，赴佳期梨花深院，约定在花架傍边。柳影花阴，兀的是月下星前。

### 鉴赏

中国古代诗歌中,吟咏花草的篇章很多。这里赏析的《行乐》,正是这样一首咏花之曲。曲子几乎句句带有“花”字,且所用的两支曲牌亦以花名:〔水仙子〕与〔折桂令〕。这位作家写花意在写人,写各种各样爱花的人,有少女、少男,在花边醉眠的上了点年纪的好酒之人。各种人以不同方式参与与鲜花和春天有关的活动,他们买花、赏花、簪花,少女荡起花间的秋千,少年寻觅陌上花钿——目标当然是那簪着花钿在陌上寻春的人儿。他们“行乐”,乐在花中。

中间“来寻陌上花钿”句的重复,是〔水仙子〕与〔折桂令〕的衔接处,内容上音乐上都承上启下。紧接着写玉楼闺秀,她们也被杏花绚烂的春色迷醉。“惜花早起,爱月夜眠”。还有一桩与春天和鲜花有着密切而微妙关系的赏心乐事——恋爱。春季是爱情开花的季节,花前月下,正是与恋爱氛围最为相谐的环境。相逢于朝露莹莹的花丛之中,相会在梨花斑驳的月影之下。青年人的恋情,正像朝花一样鲜艳,又像星月下的花阴一样朦胧!曲辞写得颇具情致,堪读堪赏。

人们生性爱花。爱花是爱美心性的表现,惜花是爱惜青春的情绪的自然流露。本曲还具有资料价值:它描写了古人与花有关的种种风俗习惯。

首先,是买花赏花之习。这一习惯并非始于元。唐人白居易、吴融,就有《买花》《卖花翁》诗传世。到了商品经济发达的两宋,鲜花的沿街叫卖,则更蔚然成风。宋陆游《临安春雨初霁》诗有云:“小楼一夜听春雨,深巷明朝卖杏花。”堪与《东京梦华录》中的一段话互证:“是月季春,万花烂漫,牡丹芍药,棣棠木香,种种上市,卖花者以马头竹篮铺排,歌叫之声,清奇可听,晴帘静院,晓幕高楼,宿酒未醒,好梦初觉,闻之莫不新愁易感,幽恨悬生,最一时之佳况。”这一风气到元代更加流行。元散曲中写到卖花的特多。王和卿十分有名的《咏大蝴蝶》,“把卖花人搧过桥东”。卖花人清奇可听的叫卖之声,则进一步被之管弦,配以宫调,进入戏曲歌唱。北曲曲牌之中特有〔卖花声〕一目,其余的如〔小桃红〕、〔水仙子〕之类,更是不计其数。

其次,是帽上簪花之习。古代中国不仅女子喜欢戴花缀朵,连男子也常常借助花束为自己添美。不仅少年,有“花少年”或“花花公子”之谓,连老人在鲜艳的花朵面前也每每忘却年龄。宋苏轼有“人老簪花不自羞,花应羞上老人头”(《吉祥寺赏牡丹》)之诗,卢挚亦有“醉了山童不劝咱,白发上黄花乱插”(〔沉醉东风〕)之曲。这一风气,当与最高统治者的爱好亦不无关系。《东京梦华录》卷七“驾回仪卫”条,有涉及皇帝帽饰的内容:“驾回则御裹小帽,簪花乘马,前后从驾臣寮,百司仪卫,悉赐花。”上行下效,宫廷民间,蔚为风气。《武林旧事》卷六“诸色伎艺人”条,记有一位专“装秀才”的艺人,艺号“花花帽孙秀”。晋南稷山出土的金代戏曲砖雕中,许多艺人都戴有簪花之帽,包括伴奏者。本曲“任簪花压帽偏”,透露了曲中人物帽上所簪并非一枝半朵。在元曲中描写簪花习俗的篇章还有不少,其中柴野愚的“花压帽檐低,风透绣罗衣”(〔西河六娘子〕)、吴西逸的“貂帽簪花重”(〔梧叶儿〕《京城访友》),均与本曲异曲同工,并且提供了这样一个事实:簪花之习不受季节限制,无论是单衫风透之夏,还是貂帽裘装之冬。

再次,是赏花饮酒之习。这可算一桩文人雅事了。本曲两处写到“醉”。有花有酒,这才是赏心“乐”事、名副其实的“行乐”呢。而且,本曲作者还写有同牌同调曲子《饮兴》,其中有“常想着花间酒一壶”“敢参不透这野花村务”等句,直是花中有酒,酒中有花了。

(翁敏华)

# 【双调·殿前欢】

无名氏

谪仙醉眼何曾开，春眠花市侧。伯伦笑口寻常开，荷锸埋。妨何碍，糟丘高垒葬残骸。先生也快哉！

## 鉴赏

自古以来,酒总是与文人墨客有着不解的情缘,他们爱酒、好酒、咏酒、颂酒,借酒催才情,煮酒论英雄。由于特殊的社会原因,魏晋和元代是历史上文人饮酒最甚的两朝,因而有王羲之兰亭修禊、曲水流觞的人间佳话。而这首〔殿前欢〕小令,正表现了元代文人以酒为伴的醉态人生。

唐朝诗人李白,曾被贺知章誉为“谪仙”,此曲首二句说的,当是李白醉卧沉香亭畔,作三首《清平调》,咏牡丹,刺杨妃的故事。杜甫有诗云:“李白斗酒诗百篇,长安市上酒家眠。”(《饮中八仙歌》)比起仕途经济和功名利禄,李白更愿意享受他的诗酒生涯:“五花马,千金裘,呼儿将出换美酒,与尔同销万古愁。”(《将进酒》)他爱饮酒,也爱酒后吐真言,得意之时“一日须倾三百杯”(《襄阳歌》),失意之际“愁来饮酒二千石”(《江夏赠韦南陵冰》)。且问“醉眼何曾开”,殊不知人间万象,早就被这双“醉眼”望穿了,于是乎“春眠花市侧”,枕的是醇醪佳酿,邀的是青天明月,诗酒相映,其乐无穷。

紧接着一句,作者又把晋代的“酒鬼才子”刘伶寻了出来。“伯伦”是刘伶的字,他与阮籍、嵇康等人并称“竹林七贤”。刘伶一生贪杯,在酒中寄托自己的生命,曾作《酒德颂》,自称“惟酒是务,焉知其余”。“荷锸埋”即用铁锹挖土埋葬,说的是刘伶“荷锸随行”的故事:“常乘鹿车,携一壶酒,使人荷锸而随之,谓曰:‘死便埋我。’”(《晋书·刘伶传》)民间还有一段“杜康造酒醉刘伶”的趣闻,说刘伶喝了杜康三盅酒,大醉三年,三年后于坟墓里起死回生。浑浊的乱世,也造就了超然绝俗的名士风度,惟其生忘形、死忘名,故而可以“笑口寻常开”,直把人生参悟个透。

"妨何碍，糟丘高垒葬残骸。"到了这里，作者的笔意也越发疏狂起来。"糟丘"指的是积糟成丘，极言酿酒之多，沉湎之甚。酒是天河水，一醉解千愁。纵然长卧糟丘、与酒同葬，又有何妨？由此引出最后一句："先生也快哉！"人生苦短，不如开怀畅饮，管他身后唾骂滚滚来，是真名士自风流。综观元代社会，异族入主，政治动荡，又科举被废，仕进无门，文人的内心是极其矛盾的。无奈现实逼迫，折挫煞英雄，消磨尽良善，只好吞饮一半是酒、一半是泪的酸苦之杯，所谓"糟丘是蓬莱"（李白《月下独酌》第四首），但求一醉方休，还我生命本色。

此曲之妙，在于借李白、刘伶的典故，把酒从杯中之物转化成了一种精神符号。表面写理想泯灭的"醉"，实则写认清现实的"醒"，正是"借他人酒杯，浇自家块垒"。但其纵酒避世的消极思想也十分浓重，未免降低了整首曲子的格调。

（陈茜苑）

## 【双调·驻马听】

无名氏

月小潮平，红蓼滩头秋水冷。天空云净，夕阳江上乱峰青。一蓑全却子陵名，五湖救了鸱夷命。尘劳事不听，龙蛇一任相吞并。

### 鉴赏

元代知识分子由于仕途坎坷、政治压制，离尘绝俗成了文人普遍的心灵归宿。在《全元散曲》中，有相当一部分以"叹世归隐"作为主题的作品，这曲〔驻马听〕小令就是其中之一。

起笔点明时节、地点、环境。"月小"指的是旧历二十九天的月份，"潮平"即潮水涨至最高位，又叫满潮。"红蓼滩头秋水冷"，岸边的蓼花红了，秋风萧萧潮水寒。作者运笔如画，先拈一"冷"字，描摹出了“数枝红蓼醉清秋”(宋陆游《蓼花》)的诗情画意。在古代,红蓼花非常受文人的宠爱。唐白居易《曲江早秋》中写道:“秋波红蓼水,夕照青芜岸。”元白朴〔沉醉东风·渔父〕中也有:“黄芦岸,白蘋渡口;绿杨堤,红蓼滩头。”红蓼大多生于水岸,因其枝叶放纵,还得一别名,唤“游龙”。到了秋天,水边粉红一片,尽显妩媚,有“江南江北蓼花红,都是离人眼中血”之说,故“红蓼”在诗、词、曲中,常常是离愁的代名词。

那么,作者又是在与何人、何物依依惜别呢?是挚友亲朋,仕途功名,还是一切人间浮华?到此,还不得而知。“天空云净,夕阳江上乱峰青。”一碧如洗的天空,云淡风清的江面,斜照醉染的夕阳,参差蜿蜒的青山,这些都是秋天江南水乡富有特征性的景色。作者将它们描绘得具体可感,直如一幅色彩斑斓的水墨画。在意象组织方面,不管是“红蓼”“秋水”,还是“夕阳”“乱峰”,都萦绕着一种悲秋的伤感,给全曲涂上了无奈和忧患的底色,这正是元代社会环境的象征与文人心灵的写照。

紧接着,作者用了两个典故,表明自己有避世归隐之意。“一蓑全却子陵名”,唐李白《古风》云:“昭昭严子陵,垂钓沧波间。”子陵是东汉隐士严光的字,他曾与光武帝刘秀一同游学,刘秀即位后思贤念旧,将他召至京师洛阳,授谏议大夫,严光辞官不受,隐居于汝州富春山,过着渔樵耕读的生活。“一蓑烟雨任平生”(宋苏轼《定风波》)抒发的正是这种悲喜不惊、宠辱偕忘的人生哲学和处世态度。“五湖救了鸱夷命”,说的是春秋时期西施和范蠡的故事。据东汉《越绝书》记载,西施的结局并非沉江殉伍员,而是与范蠡驾一叶扁舟,同泛五湖而隐。唐杜牧《杜娘诗》中写道:“西子下姑苏,一舸逐鸱夷。”“鸱夷”即装尸体的革囊,借指春秋末期的吴国大夫伍子胥,而“鸱夷”又是范蠡之号,用在这里,可谓一语双关。关于西施、范蠡归隐五湖之说,是人们的遐想也好,臆测也罢,有一点可以肯定:为了在乱世中避祸保全,在进退维谷间找到一个出口,名士们不得不淡忘于江湖,高隐于山林,把白云深处作为灵魂的居所。“尘劳”谓世俗事务的烦恼。“尘劳事不听”,是将痛苦和烦恼都拒之门外,化用了宋秦观〔满庭芳〕中的名句:“饮罢不妨醉卧,尘劳事,有谁听。”末了“龙蛇一任相吞并”,气势豪迈奔放,表现出面对成败得失的洒脱,传达了决心归隐的坚定立场,与清郑燮的“任尔东西南北风”(《竹石》)有异曲同工之处。

在诗词中,还有很多同类题材的作品,如晋陶渊明《饮酒》:“采菊东篱下,悠然见南山。”宋林逋《小隐自题》:“竹树绕吾庐,清深趣有余。”相比之下,这首小令的境界和风味似乎都要逊色一些。但综观全曲,作者将写景、用典、抒情共冶一炉,真实反映了元代文人在夹缝中自我挣扎的失落和矛盾、积郁和愤慨,具有鲜明的时代特色。“寻得桃源好避秦,桃红又是一年春。”(宋谢枋得《庆全庵桃花》)但是,在政治风雨和人生险途中,要找到一片避世的乐土谈何容易!不如也学武陵人那样,暂去桃源里游一遭吧。

(陈茜苑)

## 【双调·雁儿落带过得胜令】

无名氏

### 指　甲

宜将斗草寻,宜把花枝浸,宜将绣线挦,宜把金针纫。　宜操七弦琴,宜结两同心,宜托腮边玉,宜圈鞋上金。难禁,得一掐通身沁。知音,治相思十个针。

鉴赏

所谓“诗庄、词媚、曲俗”,元曲的俗,除了形式上的自由性和语言上的笑谑性,很大程度在于它的包罗万象,一切与市民生活相关的内容都可以写入曲中,雅俗共赏,毫不避讳。如题所示,这首小令就在女子的指甲上做起了文章,而诸如此类的题材,在唐诗宋词中是很难见到的。

此曲名为〔雁儿落带过得胜令〕,前四句是“雁儿落”,后八句是“得胜令”,两调音律衔接,作者填完前调意犹未尽,故而又填后调,是谓“带过”。这样的体制将曲的内容也自然分成了两层。

前四句为第一层。“宜将斗草寻,宜把花枝浸”,说的是女子的消闲娱乐。“斗草”,也叫“斗百草”,是一种常见于妇女间的“文斗”游戏,《红楼梦》第六十二回,就有香菱等人以对仗形式互报花草名的情节。先寻“斗草”，再浸“花枝”，真是女子才有的雅致心性。“宜将绣线挦，宜把金针纫。”说的是古代女子必修的女红活计。“挦”是扯线的意思，“纫”即将线穿过针眼，这两个动作写得细致入微，引线穿针好像都在诉说女儿家的心事。这样寻常的生活片断，在有心人笔下，是多么富有诗情画意。

指甲的实用功能在前四句中得到了充分的展示，而后八句，则表现了它在两性交流时的传情作用。“七弦琴”即古琴、瑶琴，《诗经·关雎》里有：“窈窕淑女，琴瑟友之。”“琴”也是“情”的双关语，司马相如用一曲《凤求凰》打动卓文君的故事，流传至今。“同心结”是女子亲手编织、用来传递情意的信物，它也是古代男子迎娶新娘时的重要道具，牵巾、合髻、喝交杯酒时都要用到它，取“永结同心”之意。“腮边玉”，指女子两腮边的玉耳坠，“鞋上金”，鞋子制作完毕，还要在鞋面上圈盘金丝，何等精致。“鞋”与“携”“协”“谐”等字双关，就像男女摆渡爱情的小船，民间也有“养女看鞋边”之说，在广西、湘西等地，还有三月三上巳节，女子送鞋和鞋垫给男子定情的风俗。这一桩桩、一件件，都出自女子的巧手，都是情的化身。而最惹人遐想的，就是那极具女儿娇态的“一掐”。有了之前的铺垫，想必女子不舍得用力，手是轻的、软的，是虚张声势的“假动作”。但男子却说，她的指甲像“十个针”，一下子扎到了身上，把他的相思病也治好了。至此，一位心灵手巧、知情识趣的“织女”形象，整个儿活了起来。

此曲连用八个“宜”字打头，是一种别出心裁的巧体，读来朗朗上口，带有浓厚的民歌色彩。清李调元曾在《雨村曲话》中称此曲为“咏物俊词也”，全曲虽然从未出现“指甲”二字，却句句不离所咏之物。显然，它是以男子的视角写成的，仿佛作者就在心爱的女子身边，看着她摘花斗草、飞针走线，不知如何表达爱慕之情，于是，借指甲比喻相思。最后，指甲就在那“一掐”之间成了两人爱情的符号，这层意蕴，特别值得玩味。

在这首曲中，还可以看到中国民间的女红习俗。女红是中国女性的传统技艺，也是女性生命情感的标识。以元代为例，就有著名的女纺织革新家黄道婆，龙辅还写过《女红余志》。刺绣（“绣线挦”）、缝纫（“金针纫”）、编结（“两同心”）、纳鞋（“鞋上金”），都是充满民俗趣味的艺术活动，饱含着女性的才华和情感，就连治疗男子相思病的十根手指，也幻化成十根灵巧的缝衣针，足见“女红”这门闺房艺术对古代女子的重要性。相比之下，元后期散曲家徐再思的〔水仙子〕《红指甲》，虽咏同物，但一味渲染女性指甲的纤细娇嫩，格调远不及这首。

（陈茜苑）

# 【越调·天净沙】

无名氏

平沙细草斑斑，曲溪流水潺潺，塞上清秋早寒。一声新雁，黄云红叶青山。

## 鉴赏

以曲牌〔天净沙〕写景，在元代似乎成了一种风气，马致远、白朴、张可久等人皆有佳作，其中马致远的〔天净沙〕《秋思》更被誉为“秋思之祖”(元周德清《中原音韵》)。这首无名氏的小令，与前几位相比，未免略逊一筹，但其写边塞秋景，切入的角度较新，不失为匠心独运之作。

陆机《文赋》有云：“悲落叶于劲秋。”秋季，古来最能触发人的幽思。作者抓住了塞上秋的典型环境，先从眼前的近景下笔。“平沙”是一望无际的黄沙，时逢秋季，万物凋零，惟有“细草斑斑”散在沙漠之中，显得格外孤凄，但又暗留生机一线。这与唐岑参《走马川行》中的诗句“平沙莽莽黄入天”相比，一个微观，一个宏观，意境截然不同。“曲溪”是蜿蜒的溪水，水声潺潺，在一片苍茫大漠的映衬下，如悲悲戚戚的呜咽，似千回百转的思绪。“塞上”是边境地区，亦指北方长城内外。“北风卷地白草折，胡天八月即飞雪”(唐岑参《白雪歌送武判官归京》)，八月正当秋季，而北地已大雪满天，故言“塞上清秋早寒”，也因此句，〔天净沙〕又得名〔塞上秋〕。寥寥十八字，作者用绘画的技法，对秋天的边塞风光进行了静态勾勒，挥就了一幅有景无人、浓墨不施的塞上秋色图。

“一声新雁，黄云红叶青山。”随着一声雁鸣划破长空，作者笔下的景色也由静态转为动态，空旷疏阔的北方大漠一下子明朗鲜活起来，萧条悲凉的情绪顿然改观。“新雁”即刚从北方南飞的大雁，点明季节已是深秋。而“雁南飞”又有离人思归之意，元王实甫就在《西厢记·长亭送别》中写道：“碧云天，黄花地，西风紧，北雁南飞。晓来谁染霜林醉？总是离人泪。”循着雁鸣声极目而望,“黄云”“红叶”“青山”,作者把这些色彩浓郁的意象一层层叠加上去,将画面渲染得浓墨重彩,一处奇景立现眼前。视觉和听觉的双管齐下,给人以一种生命的欢悦。这与白朴〔天净沙〕《秋》的最后一句“青山绿水,白草红叶黄花”颇有几分相似之处。

这是一首纯由自然意象构成的小令,通过巧妙的意象设置,营造出一种乐观旷达、心物同意的境界。虽然没有“断肠人在天涯”(马致远〔天净沙〕《秋思》)之类直言其情的句子,但曲中的景物写得有声有色,动静皆宜,可谓景与境相生、情与意交融。而“一声新雁”,无疑是全曲的点睛之笔。

相较之下,唐宋文人写边塞风光,多从大处落笔,描摹奇情壮景,抒发羁旅之愁、平戎之志、亡国之痛。如:“青海长云暗雪山,孤城遥望玉门关。”(唐王昌龄《从军行》)“千嶂里,长烟落日孤城闭。”(范仲淹〔渔家傲〕)王国维在《人间词话》中说“以我观物,物皆着我之色”,即是如此。

(陈茜苑)

## 【越调·小桃红】

无名氏

### 情

断肠人寄断肠词,词写心间事。事到头来不由自,自寻思,思量往日真诚志。志诚是有,有情谁似?似俺那人儿。

**鉴赏**

女性爱情是文人骚客笔下永远吟颂不尽的主题。明冯梦龙作《情史》,慨叹:“天地若无情,不生一切物。”凡尘世间,无数红颜“生生死死为情多”(明汤显祖《牡丹亭》),如题所示,这首〔小桃红〕正描绘了一位痴情女子微妙的心理活动。

“断肠人寄断肠词，词写心间事。”此时，画面中仿佛出现了一位纤细敏感的佳人，伴灯而坐，慵懒地斜倚窗棂，娴静似娇花照水，行动如弱柳拂风。唐传奇有张实《流红记》，韩夫人在红叶上题词：“此情谁会得？断肠一联诗。”佳人欲托书信以寄“心间事”，希望她的意中人能默然会意，用的或许也是杜丽娘的螺子黛、薛涛笺、鸳鸯砚，举笔却揉碎了寸寸肝肠，“碧云冉冉蘅皋暮，彩笔新题断肠句”（宋贺铸〔青玉案〕）。为什么断肠？是灵魂深处爱慕而不可得之痛？是思君不见一水隔天涯之苦？还是剪不断理还乱、才下眉头又上心头之愁？作者没有明言，想必每位读者都会有一个自己的剧本。“事到头来不由自”，情，恐怕是这个世界上最无从稽考、最不可理喻的东西吧！它说来就来，说走就走，完全不由自主、不受控制。佳人研磨待书，又拈来愁绪，最后任性地伏在案上，什么也不做，就只是“自寻思，思量往日真诚志”。“思量”，意为忖度、想念，尤指女儿相思之态。“诚志”，是情之根本，没有“诚志”的爱情，就像流不动的死水。念及以往的“真诚志”，对情如此执著，对爱如此坚贞，而今事过境迁，不免令人惆怅，一丝悲凉也袭上心头。“志诚是有，有情谁似？似俺那人儿。”问有谁曾真心相对？想来想去，只有我的那个他。“俺”是平民化、口语化的措词，是一个闺怨女子的口吻，她将“那人儿”放在心里来回嘀咕，怀着些羞涩的憧憬，也带着几分娇嗔的怨气。真是“行也思量，坐也思量”，“千断人肠，万断人肠”（宋辛弃疾〔一剪梅〕）。

值得一提的是，此曲通篇运用了“顶真（针）”手法。杂剧《救风尘》第一折中，卜儿李奶奶曾夸宋引章：“拆白道字，顶真续麻，无般不晓，无般不会。”《金线池》第二折也有“续麻道字针针顶”之说。所谓“顶真续麻”，是宋元时代一种游戏性的文字体制，也是民歌中常见的修辞格，即上句末一字为下句第一字，如此连续不断，此体最古者大致可以追溯到《诗经·大雅·既醉》。这种循环往复、迤逦曲折的体制，使整首小令流露出浓厚的民歌气质，展现出温文可亲的世俗灵魂。而且，它与女子情思萦逗、缠绵悱恻的心性非常贴合，娓娓读来，似有工笔画的意境。

可以看到，作者的创作视角自始至终都是女性的，女性幻成了情的符号、爱的化身，而隐藏在幕后的那位意中人，仅仅是一个虚淡的影子，是女子真性情的陪衬。这样的安排，无形中就触及到了读者心底的某个情结，惹人遐思，令人落泪。

（陈茜苑）

# 【越调·寨儿令】

无名氏

鸳帐里，梦初回。见狞神几尊恶像仪，手执金锤，鬼使跟随，打着面独脚皂纛旗。犯由牌写得精细，疋先里拿下王魁，省会了陈殿直，李勉那厮也听者：奉帝敕来斩你伙负心贼。

## 鉴赏

谴责"负心汉"是中国古代文学的一个熟题，《全元散曲》中，也有不少关于痴情女与薄情汉的优秀作品，这首〔寨儿令〕就是其中之一。

"鸳帐里，梦初回。"鸳帐即鸳鸯帐，是女子闺房的床帏，也是与情人同眠共宿之所。〔千岁令〕《想风流态》中有："鸳鸯帐里鸳鸯被，鸳鸯枕上鸳鸯睡。"鸳鸯是美好爱情的象征，绣有鸳纹的寝具寄托了伴侣间绵绵无尽的爱意。可是，那个负心的人儿已经离去，午夜从梦中醒转，往日温暖的爱巢，已成冰冷的空巢，"鸳帐"化作了一肚子"怨怅"。

哀婉缠绵的起首之后，作者笔锋一转，上演了一幕凶神恶煞的"铡美案"。女子的香闺里，突然出现了几尊面目狰狞的"恶像仪"，手里舞着金色大锤，后面还跟着肩扛黑色纛旗的"鬼使"，这场面，真是惊心动魄。"犯由牌"是公布犯人姓名、记载案由的牌子。鬼神要索谁的命？"犯由牌写得精细"，且看作者安排。"疋先里"即劈头、首先，第一个要拿下的就是王魁。"省会"即晓谕、吩咐，第二个要知会的正是陈殿直。再者，李勉也榜上有名，"那厮"是那家伙、那小子的意思，是一种轻蔑的称呼。在宋元南戏中，有大量作品将男女情变作为轴心，演绎负心忘情、另娶权门的悲剧。在这里，作者引入了三个戏文典故：王魁负桂英、陈叔文杀兰英、李勉鞭韩妻。这三个人物，也同样出现在明代沈璟的《书生负心》散套中："书生负心，叔文玩月，谋害兰英。""无情，李勉把韩妻鞭死，王魁负倡女亡身。”可以说,作者已经把他们变成了天下负心人的代名。

小令的最后一句,如洪水决堤,冲口而出:“奉帝敕来斩你伙负心贼。”这句话说得大胆、急迫、爽辣,一个“斩”字,把对男性霸权的控诉推到了最高潮。比起张可久〔寨儿令〕《闺怨》里的那句:“呸!骂你个负心贼”更加有过之而无不及。传统社会关于鬼神的种种信仰和禁忌,在一定程度上承担了惩戒性的社会功能。鬼神不仅掌管着阴间的司法体系,还可以为人间平反申冤。弗洛伊德说:“梦是愿望的达成。”鬼神向负心人索命,这在现实生活中是绝不可能的。作者以梦为纽带,将审判从人间搬到了地府,用超现实的声音问罪天下“负心贼”,唯恐其情不烈,不能尽兴,俨然是一位女性主义急先锋的形象。

整首小令充斥着一位烈性女子的口吻,但作者不一定就是女性。由于元代特殊的社会环境,描写情伤、情逝、情恨之作,往往与揭露社会的黑暗面结合在一起的。男子负心薄情、攀附权贵的现象,与元代士人的生存境遇密切相关,因而普遍受到市民阶层的关注。作者将其对情感的态度和是非观念,投射于带有神秘色彩的艺术境界,借鬼神之口为女性抒发不平之声,符合群众共同的审美心理,具有进步的社会意义。作者虽未留下其名,但此曲仍能传世,也许就是因为这样吧。

(陈茜苑)

## 【商调·梧叶儿】

无名氏

### 嘲谎人

东村里鸡生凤,南庄上马变牛。六月里裹皮裘,瓦垄上宜栽树,阳沟里好驾舟。瓮来大肉馒头,俺家的茄子大如斗。

鉴赏

在《全元散曲》“无名氏”单元，除了这一首〔商调·梧叶儿〕《嘲谎人》，还有《嘲贪汉》，可能出自同一作家之手，因而收录一处。作者对元代社会的某些弊端与不合理现象进行了幽默小品式的嘲讽，虽白描直陈、不评一字，却刺时骂世、穷形尽相，流露出元代散曲笑谑性的民间趣味。

此曲开篇就具有鲜明的农业文化特色：“东村里鸡生凤。”凤，在民间信仰中与龙、麒麟、龟合称“四瑞兽”，它头似锦鸡、身如鸳鸯，常用来象征祥瑞。而鸡是最为普通的家禽，“鸡生凤”本就怪诞不经，正应了那句俗语：“鸡窝里飞出金凤凰。”“南庄上马变牛。”农业社会重视牲畜动力，耕牛，是古代农业生产的主要役畜。农民惜牛、爱牛胜过饲养昂贵的马匹，但要说亲眼看见“马变牛”，恐怕还真有点儿“风马牛不相及”。说谎人先是“闭着眼睛说梦话”，紧接着，又“睁着眼睛说瞎话”，“六月里裹皮袭”与“三九天种小麦”一样，不是时候。炎炎盛夏还要大汗淋漓地捂痱子，如此荒唐悖理，味道自然是不好受的。“瓦垄上宜栽树，阳沟里好驾舟。”谎言世界无奇不有，房顶上的瓦楞适合植树造林，房檐下的浅沟能够乘风破浪，这些无稽之谈，被说谎人包装得言之凿凿。“瓮来大肉馒头，俺家的茄子大如斗。”馒头像瓮一般大，地里长的茄子也大得像盛米的斗。说谎人特别强调“俺家”二字，显得傲气十足，让人听了笑破肚皮。

这首曲子的妙处有三：

其一，农业文化的折光反射。农业耕作与饮食烹调，在人民的物质生活与精神生活中占有非常重要的地位。“鸡”“牛”“瓦垄”“阳沟”“馒头”“茄子”，这些意象大都源自老百姓日常的衣食住行，从侧面反映出了农业社会的物质生活与生产习俗，包涵着人民群众丰富的智慧和经验。

其二，新颖巧妙的艺术构思，夸张幽默的修辞手法。与严肃矜持的唐诗宋词相比，幽默艺术构成了元散曲独特的精神风貌。作者刻意将说谎人的谎言夸大到违背常理的程度，张冠李戴，构成一种错落的不和谐，因而产生幽默。正是这种不和谐的幽默，达到了“嘲”的效果，引诱读者发笑，用笑的力量直击说谎人的本质。

最后，从语言风格来看，此曲还具有物质化、鄙俗化的表现，所谓“放得极宽，取得极俗，写得极粗”（任中敏《散曲概论》）。作者通篇采用谣谚之人的口吻，加入俗语、俚语、方言等元素，让说谎者自我独白,完全不事藻绘,又迫切,又坦率,村言村语,直来直去。这样不仅有利于扩大它的传唱度,还能增加切身的感受性,使读者如临其境、如见其人。

诸如此类的“扯谎歌”“颠倒歌”在民间广泛流传,其特点是把不可能发生的或有悖常理的事用夸张调侃的口吻表现出来,多见于儿歌童谣,是一种寓教于乐的传统形式。例如:“倒唱歌,顺唱歌,河里石头滚上坡。先养我,后生哥,爹讨妈,我打锣,家公抓周我挥盒,我从舅舅门前过,看见舅舅摇外婆。”这样的歌谣,读来看似荒唐,却将亲戚之间的辈分、称谓嵌入其中,率真而蕴巧思,具有传播民俗文化的效果。

(陈茜苑)

# 【商调·梧叶儿】

无名氏

## 嘲贪汉

一粒米针穿着吃,一文钱剪截充,但开口昧神灵。看儿女如衔泥燕,爱钱财似竞血蝇,无明夜攒金银,都做充饥画饼。

### 鉴赏

贪汉是中国文学中不朽的系列艺术形象,其中,最出名的要算是《儒林外史》里的严监生,他与《庄子·外物》里的监河侯、徐复祚《一文钱》里的卢至、钱钟书《围城》里的李梅亭,并称为“四大吝啬鬼”。而元散曲的趋俗性和笑谑性,对于塑造这一形象来说,显然是一种非常适宜的文学形式。

小令开头三句,就直刺贪汉的“吝啬”:“一粒米针穿着吃,一文钱剪截充,但开口昧神灵。”贪汉积累财富的第一步,往往是生活方式上的自虐,对自己极端苛刻、过分节俭,“一粒米”要像晾菜似地穿起来吃,“一文钱”要掰开来当两文钱花。但光是节俭还不够,要从别人身上搜刮财富,还必须有“开口昧神灵”的能耐,道义放两旁,利字摆中间。“看儿女如衔泥燕,爱钱财似竞血蝇。”对待子女就像衔泥筑巢的燕子,殷勤备至,对待钱财则如嗜血的苍蝇,玩命吮吸,这般蝇营狗苟,为的是钱不进他人口袋,财只入自己家门。此二句,以“衔泥燕”和“竞血蝇”喻人,极其贴切生动,对贪汉的自私虚伪、贪得无厌做出了进一步的讽刺。最后,又点破其可悲的命运:“无明夜攒金银,都做充饥画饼。”就像张养浩在他的〔折桂令〕曲中所写的:“暗室亏心,纵然致富,天意何如。”贪者的一生都充斥着金钱,也被金钱腐蚀着,到头来镜花水月一场空,为他人作了嫁衣裳。作者牢牢抓住贪汉的两个特征——吝啬和贪婪,勾勒出一幅爱财如命、奸诈钻营、遗祸后世的人物肖像。他们的吝啬和贪婪又是相辅相成的,在守财、用财时吝啬,在敛财、聚财时贪婪,如此恶性循环,才会酿成悲剧。

《全元散曲》“无名氏”散曲中还有不少“嘲”,如《嘲谎人》《嘲女人身长》《嘲妓家匾食》等,评论时事之余,还加入幽默的调侃意味和谐谑情趣。在这首《嘲贪者》中,作者运用贴近民间的漫画式笔触来涂抹贪汉的形象,一方面,造成一种直观的荒唐可笑的乐趣,另一方面,让读者在笑中去谴责和反省当时贪念横行的社会环境。玩世、嘲世,继而警世、醒世,读来又泼辣又诙谐,令人又捧腹又扼腕。

诸如此类的手法在元曲中运用甚广。例如:“鹌鹑嗉里寻豌豆,鹭鸶腿上劈精肉,蚊子腹内刳脂油。”(〔醉太平〕《讥贪小利者》)“如青蝇之嗜血,似群蚁之慕膻。”(范子安《竹叶舟》第二折)同样是讥讽贪婪之人,与这首小令有异曲同工之妙。

(陈茜苑)

## 【商调·梧叶儿】

无名氏

秋来到,渐渐凉,塞雁儿往南翔。梧桐树,叶又黄,好凄凉。绣被儿空闲了半张。

## 鉴赏

〔梧叶儿〕是北曲商调的常用格式,元周德清在《中原音韵》中写道:“大凡声音各应于律吕……商调凄怆怨慕。”这首小令乍看之下是在写秋色秋景,其实是一首缠绵悱恻的深闺怨曲,或者说一首秋日恋歌。

所谓“荷叶生时春恨生,荷叶枯时秋恨成”(唐李商隐《暮秋独游曲江》),“秋天”在文学作品中已非季节时令的风向标,而化身成为分离与思念的符号。“塞雁儿”是指北方的雁,北雁南飞本是寻常之事,怎奈“雁过也,正伤心,却是旧相识”(宋李清照〔声声慢〕),凄楚的雁鸣声唤起了心头的离愁别绪。“梧桐树”的叶子也枯黄了,真乃秋风秋雨愁煞人,可怜一个女子独守空闺、秋思满腹。“绣被儿”里只有一人孤枕独偎,等待着与心上人的重聚,也许今晚又会是一个不眠之夜吧!全曲至此戛然而止,虽精致简短,却用一支妙笔勾勒成独具匠心的秋思闺怨图,至收尾处留下一抹空白,更让人回味无穷。

此曲最大的亮点,在于三个意象的设置。

首先是“塞雁”。大雁是候鸟,顺时气而合阴阳,且丧偶不另配,人们将其视作坚贞爱情的象征,因而在中国民间婚礼中,有男方送女方大雁的习俗,曰“奠雁”。散曲作家元好问,还为亲眼目睹大雁殉情,而写下了千古名句:“问世间情是何物,直教生死相许”(《雁丘词》)。“塞雁儿往南翔”,正是爱人离去之兆,女子好像是在问自己的心上人:雁儿双飞不离不弃,而你何时才能回到我的身边?

其次是“梧桐”。梧桐树又被称为“相思树”,古代有“梧”是雄树,“桐”是雌树的说法,“梧桐”又与“吾同”谐音,有“执子之手、与子偕老”之意。“梧桐树,三更雨,不道离情正苦。”(唐温庭筠〔更漏子〕)冷雨打梧桐,声声凄凉,滴滴钻心,喻示着圆满的感情遭到挫折。因此,作者援“梧桐”入曲,除了可以衬托哀伤的秋景之外,还与男女间的离情别恨联系在了一起。

再者是“绣被”。它和“鸳帐”“凤衾”一样,都是文人笔下表达男女情感的重要道具。相爱的人总是渴望在一起厮守,同榻而卧,同衾共眠。而分别后的时光,却是“一春绣被闲,尽日香闺掩”(无名氏〔双调·沉醉东风〕)。“绣被儿空闲了半张”,花开并蒂,如今只剩一枝独秀,怎么能不叫人触景伤情、长夜难眠?此处“闲”字用得极妙,“闲”是万种闲愁,既点出了女子与情人分别后,为时光虚度而感伤,也渲染了女儿家的相思之态。

这首小令表现了元代“俗谣俚曲”的特点,文字简洁凝练、通俗易懂,七句中有五句押同一韵,读来节奏跳跃、画面生动,恍如“大珠小珠落玉盘”之感。这样的形式和内容,很像民间情歌中的一些片断,如脍炙人口的《四季歌》:“秋季到来荷花香,大姑娘夜夜梦家乡。醒来不见爹娘面,只见窗前明月光……”所以,此曲作者虽佚名而能传唱,也不足为奇了。

(陈茜苑)

## 【失宫调牌名】

无名氏

### 大 雨

城中黑潦,村中黄潦,人都道天瓢翻了。出门溅我一身泥,这污秽如何可扫?

东家壁倒,西家壁倒,窥见室家之好。问天公还有几时晴?天也道阴晴难保。

**鉴 赏**

这支曲子既失宫调牌名,又佚作者之名,却不失为本色当行之佳作。从内容看,可以题作《苦雨》。大雨形成涝灾,一样的“天瓢翻了”,曲中人却就城中马路、村庄田野分出“黑潦”“黄潦”之别,就很诙谐。涝灾为祸多矣,却只写出门归来,满身泥点的狼狈样儿和抱怨口气,也很好笑。

大户人家没事,贫居进水才糟糕:东家壁倒,西家壁倒。到这份儿上,还有什么“室家之好”可言?可作者偏说壁倒了,会“窥见室家之好”,叫人可恼。可恼处正多,只说隐私不保,就很俏皮。

最要命的是,看天气丝毫没有放晴的征兆。曲中也不直说,却虚设问答:“问天公还有几时晴?天也道阴晴难保。”这一阴阳怪气的回答,虽然是天老爷的语气,却酷似官老爷的口吻。曲中通过涝灾,反映民生多艰,内容是严肃的。作者却出以插科打诨的笔调,旁敲侧击,寓哭于笑,体现了散曲风趣幽默的特色。

(周啸天)

# 戏　曲

# 曲致

# 关大王独赴单刀会（第四折摘选）

关汉卿

## 【双调·新水令】

【新水令】大江东去浪千叠，引着这数十人驾着这小舟一叶。又不比九重龙凤阙，可正是千丈虎狼穴。大丈夫心烈，我觑这单刀会似赛村社。

（云：好一派江景也呵！）①

【驻马听】水涌山叠，年少周郎何处也？不觉的灰飞烟灭，可怜黄盖转伤嗟。破曹的樯橹一时绝，鏖兵的江水犹然热，好教我情惨切！（云：这也不是江水。）二十年流不尽的英雄血！

【胡十八】想古今立勋业，那里也舜五人、汉三杰②？两朝相隔数年别，不付能见者，却又早老也。开怀的饮数杯，尽心儿待醉一夜。

【庆东原】你把我真心儿待，将筵宴设，你这般攀今揽古，分甚枝叶？我根前使不着你“之乎者也”“诗云子曰”，早该豁口截舌③！有意说孙刘，你休目下番成吴越！

【沉醉东风】想着俺汉高皇图王霸业，汉光武秉正除邪，汉王允将董卓诛，汉皇叔把温侯灭，俺哥哥合承受汉家基业。则你这东吴国的孙权，和俺刘家却是甚枝叶？请你个不克己先生自说！

【雁儿落】则为你三寸不烂舌，恼犯我三尺无情铁。这剑饥餐上将头，渴饮仇人血。

【得胜令】则是条龙向鞘中蛰，唬得人向坐间呆，今日故友每才相见，休着俺弟兄每相间别。鲁子敬听者，你心内休乔怯，畅好是随邪④，休怪我十分酒醉也。

【搅筝琶】却怎生闹炒炒军兵列，上来的休遮当，莫拦截！（云：当着我的，呵呵！）我着他剑下身亡，目前流血。便有那张仪口、蒯通舌，休那里躲闪藏遮。好生的送我到船上者，我和你慢慢的相别。

【离亭宴带歇指煞】我则见紫袍银带公人列，晚天凉风冷芦花谢，我心中喜悦。昏惨惨晚霞收，冷飕飕江风起，急飐飐云帆扯⑤。承管待、承管待，多承谢、多承谢。唤梢公慢者，缆解开岸边龙，船分开波中浪，棹搅碎江心月。正欢娱有甚进退，且谈笑不分明夜。说与你两件事先生记者：百忙里称不了老兄心，急切里倒不了俺汉家节！

注释

① 云：说。括号内文字为舞台独白。下同。
② 舜五人、汉三杰：舜五人，指舜的五个贤臣：禹、弃、契、皋陶、垂。汉三杰，指辅助汉高祖刘邦取得天下的张良、韩信、萧何。
③ 豁口截舌：豁开口，割掉舌，意思是怪他多嘴。
④ 随邪：歪邪，不正经。
⑤ 急飐飐（zhǎn）云帆扯：风吹船帆急速抖动的样子。

## 鉴赏

《关大王独赴单刀会》是关汉卿以他的盖世才华和诗人的激情所谱写的一支强者的颂歌。

关于关羽单刀赴会事，史书上只有一句简略的记载：“肃邀羽相见，各驻兵马百步上，但请将军单刀俱会。”(《三国志·吴书·鲁肃传》)而戏中绝大部分情节和人物之间的关系则几乎都是虚构的，即使作者根据的那一点史实，也被大胆地改造成为关羽一人的单刀会。从全剧的调子来看，作者的美学追求并不在于这一历史事件构成的故事情节，而是要写出一种个性，一种激情，这就是响彻在全剧的主旋律——对英雄人物的伟大历史业绩的向往和对英勇豪迈精神的礼赞。它具有典型的历史英雄颂剧的格调。

《单刀会》作者的旨趣所在是调动一切艺术手段来着意渲染关羽的大无畏的英雄气概和坚贞不屈的精神。为此，关汉卿把戏剧冲突设置在鲁肃图谋设宴拿住关羽，而关羽要击破鲁肃，图谋保住荆州的关键时刻。为要使关羽一亮相就光彩照人，不同凡响，作者打破杂剧体式上的一些通例，精心安排了整整两折戏，为关羽登场反复蓄势，刻意渲染，从而使人物未登场已具有无比声势。从这两折戏看，正末乔玄和司马徽两个人物，实际上是作者手里的两支彩笔，专门用来为关羽立传造像、添姿增色。其直接笔墨，就是经由乔玄、司马徽作褒扬之辞，其间接笔墨，就是以乔玄、司马徽和鲁肃作关羽的陪衬，明写前者，暗托后者，从而突出关羽的超群不俗和盖世威风。既有正写，又有映衬，还有烘托，然而无论是乔玄、司马徽，还是鲁肃，都不过是关羽的垫角，因此，直接反映在观众心理上的已经是如见其人，如闻其声了。

关羽未出场前，便有气势；既出场后，更有分量。第三折关羽一上场就从各个角度映照出他的性格特征。在接受“请书”的一刹那间，关羽态度表现得雍容镇定，而且一下子就看穿了鲁肃的阴谋。他明明知道对方为他安排下的是“杀人的战场”，而非“待客的筵席”，却敢于慨然接受他的邀请；明明知道摆在面前的是“天罗地网”“打凤的牢笼”，但是“大丈夫心烈”，他偏要单刀赴会；明明对方给他预备下了“巴豆”“砒霜”，他却以看赛会的轻松心情坦然对之，这一切，都因为在他身上有着出生入死的磊落精神和气贯长虹的浩然正气。请听这支名曲：

【剔银灯】折莫他雄赳赳排着战场，威凛凛兵屯虎帐，大将军智在孙、吴上，马如龙，人似金刚；不是我十分强，硬主张，但题起厮杀呵摩拳擦掌，排戈甲，列旗枪，各分战场。我是三国英雄汉云长，端的是豪气有三千丈。

（第三折）

面对强敌，却有一种压倒敌人的气势。而那富于动作性的曲文把这位有智谋、有勇略、有胆识的大将军关云长的光辉形象径直地推向了舞台的最前沿。

第四折是从正面具体描写关云长和鲁肃的冲突。但是，在关羽会见鲁肃之前，剧作者却采取了剧本结构技巧中的延宕法，有意地让强烈的矛盾冲突即将揭开时，先来一个回旋，出现一个暂时的停滞，抽出时间，再次展示主人公的内心活动，让关羽在赴会途中，面对大江，抒发历史的感慨，从而使矛盾顿宕前进。【新水令】和【驻马听】这两支凭今吊古、慷慨苍劲的曲子当是从苏东坡的"大江东去，浪淘尽、千古风流人物"这首《念奴娇·赤壁怀古》蜕化出来的。但它的激情却绝不亚于原词，其中奥妙就在于关汉卿把人物性格的刻画完全交融在环境的描写里，形成了一个情景相生的独特的艺术境界。关羽的唱段一开头，气派就很大，"大江东去浪千叠"就是一幅十分壮美的画卷，那种波涛万顷，吞天浴日的大江景色，浩浩渺渺，流向东方，它气势磅礴，大笔勾勒，先声夺人，使人们精神为之一振。接着是"水涌山叠，年少周郎何处也"，从不同角度、方位，以纵横自如的笔意勾勒出赤壁遗迹：仰视是重峦叠嶂，俯视则惊涛拍岸，犹如一组蒙太奇的镜头，冲击着我们的感官。而在这千古的历史长河里，该有多少可歌可泣的业绩？古往今来的风流人物又有多少？在无限广袤的时间、空间的背景里，在绚烂多姿的历史人物画廊里，凸现了剧中人所缅怀的主体——周瑜、黄盖等。这种怀古之情正是寄寓在一定的历史人物和历史事件之中的，作者把语言形象的诗和视觉形象的画同活动着的人事融合为一体，并借助于这一总体形象，抒写中华民族不屈不挠、英勇悲壮的历史，创造出一个情景交融、诗情蓊郁的艺术境界。值得注意的是，剧作家不仅运用诗的语言，创造了丰富的诗的意境，而且把剧中的主人公也"诗化"了。关羽魄力雄强、精神飞动的英雄气概是同环抱的万山、汹涌的大江相辉映，自然的雄奇之美又映衬着人物内心豪壮之美。“大江东去浪千叠”不仅介绍了戏剧环境，更重要的是把关羽“出龙潭，入虎穴”的英雄行为以及他那压倒敌人的气势刻画了出来。因此，在规定情境里，作为剧诗的主人公的关羽本身就是一首英雄豪迈的诗，一首强者的诗。单刀赴会，一路之上，不以面前的“千丈虎狼穴”为意，而以诗人般的情怀去欣赏江景，去缅怀叱咤风云的英雄岁月，去追忆二十年前的威武雄壮的战斗场面，去寄托自己的情思，这是何等豪迈英武的怀抱！面对滔滔江水，不是发出“人生如梦”的感叹或抒怀古之幽情，一句“二十年流不尽的英雄血”，以铿锵有力的诗的语言，把关羽的强大意志力活脱脱地展现出来了。关汉卿以他清新、独到的写意之笔，把关羽对蜀汉的一片赤胆忠心和那光明磊落、坦荡无畏的胸怀，知难而进、百折不回的精神表现得酣畅淋漓。这种对“境”与“人”的高度概括性描写，达到了生动地具现环境和突出人物性格的艺术效果。由此可看出，《单刀会》的美感力就在于，它是剧，也是诗。作者以诗笔写剧，是诗与剧的融合，而且融合得极自然极美。

经过这个过场再次渲染关羽的气冲霄汉的英雄气概，然后才转入惊险的单刀会，可见关汉卿是把戏剧冲突最尖锐部分摆在最后一折的一个正场上。关羽弃舟登陆，会见鲁肃，戏剧进入正面冲突并形成高潮。关羽一眼就看透了鲁肃的心思，立即戳穿他设宴的阴谋，指出他的“攀古揽今”无非是为索取荆州，并且斩钉截铁警告鲁肃休要使孙、刘“唇齿”“和谐”的关系“番成吴、越”的敌对关系。鲁肃不肯轻易罢休，反而指责关羽“傲物轻信”。到此时，关羽以先声夺人的气势指出：“俺哥哥合承受汉家基业。则你这东吴国的孙权，和俺刘家却是甚枝叶?”汉家基业决不准他人觊觎，匡扶汉室是自己的神圣职责。这段〔沉醉东风〕的曲文唱得大义凛然，气势非凡。

关羽威震东吴，脱险返棹。〔离亭宴带歇指煞〕一曲特写关羽胜利的喜悦，字里行间，跳荡着轻松之感：芦花、晚霞、江风、急帆，在急切里竟欣赏着棹点船行、搅碎的江月。第四折的曲词，一头一尾，表现了关羽的两种心境，衬托了两种景色，都恰到好处。尾声最后两句：“说与你两件事，先生记者：百忙里趁不了老兄心，急切里倒不了俺汉家节”，明显的是剧作家关汉卿通过对历史英雄关羽维护汉家事业的歌颂，流露了自己强烈的恋念故国江山、追慕前朝旧事的感情。关汉卿在《单刀会》中对关羽形象的创造，可以说达到了传神境界。他极善于从特定情势和人物的精神境界里深刻地揭示关羽英雄形象的内在威力。他更善于从他的神情气势中描绘其英武的形象和内在威力，传其神，写其心。这就是关汉卿艺术腕力高超之处，因为这种反映人物的内心于毫端，不独摹写他的外形于纸上，正是他不以“神化”“猎奇”为其追求的目标，而是从人的精神状态里，发掘和把握人物的性格特点，并把他的精神气质的特征融合在情节提炼、细节描写、氛围烘托里，从而达到“气旺神完”的艺术化境。由于此剧（特别是第四折）的非凡之笔，故而在舞台上常演不衰，至今在昆剧、京剧等剧种中均仍有流行，唱词也为元杂剧原用唱词。

（宁宗一）

# 山神庙裴度还带（第二折摘选）

关汉卿

## 【南吕·一枝花】

【一枝花】恰便似梅花遍地开，柳絮因风起。有山皆岭瘦，无处不花飞。凛冽风吹，风缠雪银鹅戏，雪缠风玉马垂。采樵人荷担空回，更和那钓鱼叟披蓑卷起。

【梁州】看路径行人绝迹，我可便听园林冻鸟时啼。这其间袁安①高卧将门闭。这其间寻梅②的意懒，访戴③的心灰，烹茶④的得趣，映雪⑤的伤悲。冰雪堂冻苏秦懒谒张仪⑥，蓝关下孝韩湘喜遇昌黎⑦。我、我、我，飘得这眼眩曜，认不的个来往回归；是、是、是，我可便心恍惚，辨不的个东西南北；呀、呀、呀，屯得这路弥漫，分不的个远近高低。琼姬素衣，纷纷巧剪鹅毛细；战八百万玉龙退败，鳞甲纵横上下飞[⑧]。可端的羡杀冯夷[⑨]！

【隔尾】这其间正乱飘僧舍茶烟湿，密洒歌楼酒力微。青山也白头老了尘世，都不到一时半刻。可又早周围四壁，添我在冰壶画图里。

## 注释

① 袁安：字邵公，东汉汝阳人。为人端直威严，初，家贫，一年洛阳大雪，人多外出乞食，安独僵卧不起。洛阳令举荐为孝廉。官职一再升迁，终至司徒。和帝时窦太后擅政，安刚正不阿，弹劾不避权贵，为时人与后人所称颂。《后汉书》有传。

② 寻梅：传说唐代诗人孟浩然曾于大雪中寻找梅花，后成为"踏雪寻梅"的美谈。元马致远有《孟浩然踏雪寻梅》杂剧。

③ 访戴：据南朝宋刘义庆《世说新语·任诞》："王子猷居山阴，夜大雪……忽忆戴安道，时戴在剡，即便夜乘小船就之。"后称访友为"访戴"。

④ 烹茶：指宋初学士陶谷买得太尉党进家妓，曾以雪水烹团茶待之，自以为风雅趣事。事见宋代皇都风月主人《绿窗新话》卷下。

⑤ 映雪：晋人孙康家贫，不能置油灯，曾于冬夜映雪苦读。事见唐代徐坚《初学记》卷二。

⑥ "冰雪"句：元无名氏杂剧《冻苏秦衣锦还乡》，演战国时纵横家苏秦与张仪原为同窗好友，张仪后来做了秦国丞相，为了激励苏秦，张仪故意在冰雪堂冷遇他。

⑦ "蓝关"句：唐韩愈因上《谏迎佛骨表》而被贬潮州，途中作《左迁至蓝关示侄孙湘》，有句云："云横秦岭家何在，雪拥蓝关马不前。知汝远来应有意，好收吾骨瘴江边。"后人据以传说韩愈至蓝关，为风雪所阻，其侄孙韩湘特前来扫雪，故此处称其为"孝韩湘"。蓝关：又名蓝田关，在陕西蓝田。

⑧ "战八百"二句：形容大雪飘洒翻飞之状。宋张元《雪》有句云："战退玉龙三百万，败鳞残甲满天飞。"当为此二句所本。

⑨ 冯夷：传说中的水神名，即河伯。《庄子·大宗师》："冯夷得之，以游大川。"

## 鉴赏

《山神庙裴度还带》,简称《裴度还带》,元杂剧末本戏。全剧四折一楔子。正末扮裴度。剧情如下:裴度学通儒术,但一贫如洗,住在洛阳城外山神庙,每日到白马寺赶斋。一日,白马寺一相士赵野鹤断言他次日午前要在砖石下丧身,裴度愤而离去。时有洛阳太守女韩琼英卖诗救父,遇使臣李文俊,李赏其才华,赠玉带两条,琼英持玉带而归,途中因到山神庙避雪,离开时遗忘玉带。后裴度拾得,忙寻找失主,救了韩家上下。值山神庙倒塌,而裴度因送韩氏母女而幸免于难,且从此时来运转。韩夫人把琼英许配裴度,裴度又得白马寺长老和赵野鹤资助,得以上京赶考,高中状元。第二折叙裴度自姨父家回白马寺途中的情景,漫天雪花飞舞,裴度心里也如飞舞的雪花一样思绪万端。

此处所选三曲写裴度从姨父家回白马寺途中驻足雪地,百感交集,既感天地之悲怆,又怜自身之不遇。〔一枝花〕曲写风雪交加的壮景。开篇两句充满诗意的比喻,表现出困顿中的主人公仍不失文人风致。末句写采樵人和钓鱼叟,容易让人联想到大器晚成的朱买臣和姜太公,似暗示裴度执著功名而有所期待的心志。〔梁州〕一曲进一步渲染风雪的猛烈。作者会集不少与雪有关的前代高人韵士,借他们不同的身世遭际,在对比映衬中渲染裴度为风雪所阻的落魄与困顿。其字声的重叠和句式的排比,使悲情的抒发更显得酣畅淋漓。〔隔尾〕一曲写裴度从对自己的悲叹中回过神来,抬眼望去,僧舍歌台都是胡乱飞舞的雪花,但因为有了人的气息而不失融融暖意,只有自己寂寞孤独,无家可归。这几只曲子将写景与心理描写紧密结合,并融汇诸多典故描写雪景,自然通俗中又不乏雅趣。随主人公视觉及行动的转换,读者仿佛看到了裴度那超凡的志趣、无助的神情以及落寞的窘态。

(赵义山)

# 黑旋风双献功(第一折摘选)

高文秀*

## 【正宫·端正好】

【㖃遍】可便道恭敬不如从命，今日里奉着哥哥令。若有人将哥哥厮欺负，我和他将两白日便见那簸箕星①。则我这两条臂拦关扶碑②，则我两只手可敢便直钩缺丁③。理会的山儿④性，我从来个路见不平，爱与人当到撅坑⑤。我喝一喝骨都都⑥海波腾，撼一撼赤力力⑦山岳崩。但恼着我黑脸的爹爹，和他做场的歹斗⑧，翻过来落可便吊盘的煎饼⑨。

### 作者

＊高文秀，生卒不详，东平(今属山东省)人。元钟嗣成《录鬼簿》“前辈名公才人有所编传奇行世者”一栏中载之，称其为“东平府学生员，早卒。都下人号小汉卿”。杂剧、散曲兼擅。其所做杂剧32种，今存5种，代表作为《双献功》《渑池会》。散曲作品，今存套数2套。明朱权《太和正音谱》称“高文秀之词如金瓶牡丹”。

### 注释

① 簸箕星：即扫帚星，迷信认为此星出现是不祥之兆。此句指李逵将使对方遭受一顿厮打。

② 拦关扶碑：言两臂力气很大，能拦关，能扶碑。

③ 直钩缺丁:此亦形容力气大,言两手能使钩变直,使钉折断。
④ 山儿:李逵自称。
⑤ 当到撅坑:指当撅坑相助。文中意指拔刀相助。
⑥ 骨都都:拟声词,此处描摹海水翻涌时声音。
⑦ 赤力力:拟声词,描摹山崩石裂之声。
⑧ 做场的歹斗:意为激烈地打斗一场。
⑨ "翻过"句:形容把对方打翻落地的样子,像吊盘的煎饼翻过来,很干脆地落下。

## 鉴赏

《黑旋风双献功》又称《双献功》,元杂剧末本戏,正末扮黑旋风李逵。全剧四折一楔子。剧演李逵奉宋江之命下山,护送宋江结义兄弟孙孔目到泰安州进香还愿。权豪后生白衙内与孙孔目的妻子郭念儿有私情,趁李逵与孙孔目出店之际,白衙内拐走郭念儿,并用权势将前来告状的孙孔目打入死牢。李逵设计探监,救出孙孔目,并杀了白衙内、郭念儿,提二人的脑袋回梁山向宋江献功。第一折主要写李逵奉宋江之命护送孙孔目,在下山之前,宋江对李逵的百般嘱托。

在自宋以来的有关李逵的传说故事中,这位黑脸绿林将领一直是一位鲁莽刚直、爱打抱不平的正面英雄。这里所选《双献功》第一折中的一支曲子,正表现的是李逵仗义豪勇的形象。在这支曲子中,李逵的前四句唱词,表现出了他对宋江的忠肝义胆,他听命于宋江,奉宋江之命而行,一心维护着宋江,愿为宋江拼命。在这几句唱词中,充分展示了梁山好汉的忠勇与豪侠。紧接着,他再设想万一发生争斗时,自己该是怎样的表现:他先夸耀自己"两条臂""两只手"的力大无穷,再坦言自己有"路见不平"拔刀相助的义勇之气,最后"喝一喝""喊一喊"便"海波腾""山岳崩"数句,则进一步渲染其不可一世的威猛气势。整首曲子表现了李逵作为梁山好汉的忠勇豪侠,也充分展示了他粗豪勇猛的性格,使传说中草莽英雄黑旋风的形象活脱如生地展现在读者面前。其语言粗犷豪泼,生动形象,富有动感,与人物性格相得益彰。

(赵义山)

# 黑旋风双献功(第二折摘选)

高文秀

## 【仙吕·点绛唇】

【赚煞尾】我也不用一条枪，也不用三尺铁，则俺这壮士怒目前见血！东岳庙磕塔的[①]相逢无话说，把那厮滴溜扑[②]马上活挟。他若是与时节[③]，万事无些；不与呵，山儿待放些劣懒[④]。恼起我这草坡前倒拖牛的性格，强逞我这敌官军勇烈，我把那厮脊梁骨，各支支[⑤]生撧做两三截。

### 注释

① 磕塔的:指突然,一下子,形容动作非常迅速。

② 滴溜扑:此指迅速旋转之状。

③ 时节:此为句尾双音节语气助词,相当于现代口语中的“啊”。

④ 劣懒(biē):宋元时口语,有恣纵粗暴之意。

⑤ 各支支:拟声词,模拟断裂声音。撧(juē):用手折断。

### 鉴赏

《黑旋风双献功》全剧剧情见前。该剧第二折主要写郭念儿被拐,李逵与孙孔目由店小二之口得知是白衙内所为,李逵便去追赶,孙孔目前去告状。此处选摘的是第二折唱词〔仙吕·点绛唇〕一套曲子的尾曲。

当李逵得知郭念儿被拐走,要去追打白衙内,孙孔目怕他单枪匹马打斗不过,李逵于是唱了这只曲子,表示自己绝无畏惧。与前篇所选第一折〔正宫·端正好〕中的〔哨遍〕一样,作者以粗豪之语表现李逵的强悍刚勇,但与前曲稍显不同的是，李逵虽然疾恶如仇、性格火暴，但从他对“与时节”和“不与”时的两种不同态度中表现出了几分理性，并非只具悍勇刚烈的血气之勇，由此，李逵的形象也就显得更为可爱。

(赵义山)

# 好酒赵元遇上皇(第二折摘选)

高文秀

## 【南吕·一枝花】

【一枝花】汤着风把柳絮迎①，冒着雪把梨花拂②。雪遮得千树老，风剪得万枝枯。这般风雪程途，雪迷了天涯路。风又紧，雪又扑，恰便似杴瀽筛扬③，恰便似挦④绵扯絮。

【梁州】假若韩退之蓝关外不前骏马，孟浩然灞陵桥不肯骑驴⑤，冻的我战兢兢手脚难停住。更那堪天寒日短，旷野消疏，关山寂寞，风雪交杂。浑身上单夹衣服，舞东风乱糁⑥珍珠。抬起头似出窟顽蛇，缩着肩似水淹老鼠，躬着腰人样虾蛆。几时到帝都？刮天刮地狂风鼓，谁曾受这番苦？见三匹金鞍拴在老桑树，多敢是国戚皇族。

【牧羊关】见酒后忙参拜，饮酒后再取覆⑦。共这酒故人今日完聚。酒呵则道永不相逢，不想今番重聚。为酒上遭风雪，为酒上践程途。这酒浸头⑧和你重相遇，酒爹爹安乐否？

注释

① 汤着风：迎着风。柳絮：形容雪大如絮。典出南朝宋刘义庆《世说新语·言

语》:“谢太傅(安)寒雪日内集,与儿女讲论文义。俄而雪骤,公欣然曰‘白雪纷纷何所似?’兄子胡儿曰:‘撒盐空中差可拟。’兄女(谢道韫)曰:‘未若柳絮因风起。’公大笑乐。”

② 梨花拂:形容雪花飘飞。语出于唐代岑参《白雪歌送武判官归京》:“忽如一夜春风来,千树万树梨花开。”

③ 杴(qiǎn)瀽(jiǎn)筛扬:形容风吹雪舞,满空纷纷扬扬好像筛子簸扬一般。杴:挖土用的农具。瀽:泼洒。

④ 挦(xián):摘取。

⑤ “韩退之”二句:形容雪下得很大,令人难以前行。唐韩愈《左迁至蓝关示侄孙湘》:“云横秦岭家何在?雪拥蓝关马不前。”宋孙光宪《北梦锁言》七:“唐相国郑棨,善诗。……或问‘相国近有新诗否?’对曰:‘诗思在灞桥风雪中驴子背上,此处何以得之。’”元人多认为是孟浩然故事。

⑥ 糁(sǎn):撒,布散。

⑦ 取覆:文中指答复,回答。

⑧ 酒浸头:骂人的话,指酒鬼,酒糟头儿。

## 鉴 赏

《好酒赵元遇上皇》,简称《遇上皇》,元杂剧末本戏,正末扮赵元。全剧共四折。剧情是从宋太祖、宋高宗等人的传说中衍化出来的。其剧情如下:一落魄书生赵元,其妻子甚有姿色,与府尹有私情,府尹欲夺其妻,强令赵元写休书,并设计差他前往西京递送公文,欲以误期当斩,想致赵元于死地。在前往西京途中,早已误期的赵元在西京外一酒店巧遇微行的赵上皇,并结为兄弟。因此,赵元不但死罪被免,而且连连发迹,好事不断,官拜东京府尹,赵元却辞官不就,最终让恶人受到应有惩罚。本剧第二折主要叙述酒店中赵元巧遇化装为秀士的赵上皇,并因帮付酒钱互相倾慕而结为兄弟。

此处所选三曲写赵元往西京递送公文,一路颠簸,风雪中来到酒店时的狼狈之相。〔一枝花〕先用夸张之笔描写狂风暴雪的威猛之势,以衬托赵元风雪中行走的艰难,为下文赵元进店喝酒埋下伏笔。〔梁州〕一曲继写在如此凛冽的风雪中,“浑身上单夹衣服”,冻得战战兢兢手脚“难停住”的赵元出场,曲中连用三个形象的比喻:“抬起头似出窟顽蛇,缩着肩似水淹老鼠,躬着腰人样虾蛆”,既生动又诙谐地描绘出可怜的落魄书生形象。〔牧羊关〕一曲是赵元在酒店见到酒后,欣喜难耐的狂歌。酒是他的知己,见到酒就像见故友,喝酒前痴情地参拜,喝酒后美滋滋地回味,喝酒时絮叨叨地倾诉,内心的狂喜无与伦比,甚至直呼酒为"爹爹"。十足酒鬼,落魄至极,可怜至极,舞台效果亦谐趣至极。

(赵义山)

# 唐明皇秋夜梧桐雨(第四折摘选)

白 朴

## 【正宫·端正好】

【双鸳鸯】斜亸翠鸾翘①，浑一似出浴的旧风标②，映着云屏一半儿娇。好梦将成还惊觉，半襟情泪湿鲛绡③。

【蛮姑儿】懊恼，窨约④。惊我来的又不是楼头过雁，砌下寒蛩，檐前玉马，架上金鸡，是兀那窗儿外梧桐上雨潇潇。一声声洒残叶，一点点滴寒梢⑤，会把愁人定虐⑥。

【滚绣球】这雨呵，又不是救旱苗，润枯草，洒开花萼，谁望道秋雨如膏。向青翠条，碧玉梢，碎声儿毕剥，增百十倍歇和⑦芭蕉。子管里⑧珠连玉散飘千颗，平白地瀽瓮翻盆⑨下一宵。惹的人心焦！

【叨叨令】一会价紧呵，似玉盘中万颗珍珠落；一会价响呵，似玳筵前几簇笙歌闹；一会价清呵，似翠岩头一派寒泉瀑；一会价猛呵，似绣旗下数面征鼙操。兀的不恼杀人也么哥⑩！则被他诸般儿雨声相聒噪。

【倘秀才】这雨一阵阵打梧桐叶凋，一点点滴人心碎了。枉着金井银床紧围绕，只好把泼枝叶做柴烧，锯倒。

【滚绣球】长生殿那一宵，转回廊，说誓约，不合对梧桐并肩斜靠，尽言词絮絮叨叨[11]。沉香亭那一朝，按〔霓裳〕舞〔六幺〕[12]，红牙筋击成腔调，乱宫商闹闹吵吵。是兀那当时欢会栽排下[13]，今日凄凉厮凑着，暗地量度。

【三煞】润蒙蒙杨柳雨，凄凄院宇侵帘幕。细丝丝梅子雨，妆点江干满楼阁。杏花雨红湿阑干，梨花雨玉容寂寞[14]；荷花雨翠盖翩翻，豆花雨绿叶萧条。都不似你惊魂破梦，助恨添愁，彻夜连宵。莫不是水仙弄娇，蘸杨柳洒风飘[15]？

【二煞】啉啉[16]似喷泉瑞兽临双沼，刷刷似食叶春蚕散满箔。乱洒琼阶，水传宫漏[17]；飞上雕檐，酒滴新槽。直下的更残漏断，枕冷衾寒，烛灭香消。可知道夏天不觉，把高凤麦来漂[18]。

【黄钟煞】顺西风低把纱窗哨，送寒气频将绣户敲。莫不是天故将人愁闷搅？度铃声响栈道[19]，似花奴羯鼓调[20]，如伯牙〔水仙操〕[21]。洗黄花润篱落，渍苍苔倒墙角。渲湖山漱石窍，浸枯荷溢池沼。沾残蝶粉渐消，洒流萤焰不着。绿窗前促织叫，声相近雁影高。催邻砧处处捣，助新凉分外早。斟量来这一宵，雨和人紧厮熬[22]。伴铜壶[23]点点敲，雨更多泪不少。雨湿寒梢，泪染龙袍，不肯相饶，共隔着一树梧桐直滴到晓。

注释

① 亸(duǒ)：下垂。翠鸾翘：古代妇女珍贵的首饰。

② "浑一"句：言风姿如昔。用唐白居易《长恨歌》诗意："春寒赐浴华清池，温泉水滑洗凝脂，侍儿扶起娇无力，始是新承恩泽时。"

③ 鲛绡:鲛人(神话传说中的人鱼)所织之绡,泛指薄纱。

④ 窨(yīn)约:思量,忖度的意思。

⑤ "一声声"二句:连同上句,借用唐温庭筠《更漏子》"梧桐树,三更雨,不道离恨更苦。一叶叶,一声声,空阶滴到明"几句意境。

⑥ 定虐:打搅、扰乱。

⑦ 歇和:指雨点阵阵打和。犹宋欧阳修《生查子》"阵阵芭蕉雨"。

⑧ 子管里:意即只管。

⑨ 瀽瓫翻盆:意即倒瓫翻盆。

⑩ 兀的不:怎么不。也么哥:复音叹词,相当于现代汉语"啊"。

⑪ "长生殿"五句:本唐白居易《长恨歌》:"临别殷勤重寄词,词中有誓两心知。七月七日长生殿,夜半无人私语时。"

⑫〔霓裳〕:即唐代舞曲〔霓裳羽衣曲〕。宋王灼《碧鸡漫志》卷三考证此曲为"西凉创作,明皇润色,又为易美名。其他饰以神怪者,皆不足信也"。因杨贵妃曾舞此曲,故后世写杨妃事者多喜涉及。〔六幺〕:又作〔绿腰〕,唐大曲名,详见《碧鸡漫志》卷三。

⑬ 栽排下:即种下。

⑭ "梨花"句:本唐白居易《长恨歌》:"玉容寂寞泪阑干,梨花一枝春带雨。"

⑮ "莫不"二句:唐代韩偓《咏柳》:"袅雨拖风不自持……便似观音手里时。"俗传观音持杨柳洒露。

⑯ 咮咮(chuáng):拟声词,形容水喷溅的声音。

⑰ 宫漏:古时宫廷中计时用的漏壶。

⑱ "可知"二句:后汉高凤少年时,妻下田劳作,晒麦于庭,叫他吆鸡。适天暴雨,凤持竿诵读,不觉潦水流麦。事见《后汉书·逸民列传》。本折取潦水满庭之意。

⑲ "度铃声"句:本唐白居易《长恨歌》:"行宫见月伤心色,夜雨闻铃肠断声。"又宋王灼《碧鸡漫志》卷五云:"《明皇杂录》及《杨妃外传》云:'帝幸蜀,初入斜谷,霖雨弥旬。栈道中闻铃声,帝方悼念贵妃,采其声为〔雨淋铃〕曲以寄恨。'"

⑳ "似花奴"句:唐汝南王李琎小字花奴,善击羯鼓,为玄宗赏爱。事见唐南卓《羯鼓录》。

㉑ 伯牙:传说为春秋时人,善弹琴。〔水仙操〕:琴曲名,相传为伯牙创制。

㉒ 厮熬:相互煎熬。

㉓ 铜壶:古代计时用的铜制漏壶。

## 鉴赏

《唐明皇秋夜梧桐雨》,简称《梧桐雨》,元杂剧末本戏。正末扮唐明皇,全剧四折一楔子。其剧情如下:唐明皇晚年昏庸,荒废朝政。安禄山贻误军机罪该问斩,反被封为渔阳节度使。不久,安禄山反,攻至潼关,唐明皇仓皇奔蜀。在马嵬坡,护驾军队哗变,杀死杨国忠,并迫使唐明皇赐杨贵妃死。后安史之乱平,唐明皇返回长安,退位为太上皇居住西宫,时值秋夜雨打梧桐,唐明皇倍思杨妃及昔日繁华盛景,命画工图写太真,明皇睹画思人,十分哀伤。第四折叙唐明皇在秋雨之夜,独在西宫,面对贵妃画像,烦恼苦闷齐涌心头,秋雨绵绵,明皇益发哀伤幽怨,愁思万端。

此处所选八曲写唐明皇的寝殿惊梦,作者用"秋夜梧桐雨"的凄景,衬托唐明皇孤凄、愁苦、烦乱的心境。〔双鸳鸯〕一曲写唐明皇与杨贵妃梦会的情景,杨贵妃生前的娇态浮现眼前,可转瞬间梦被惊醒,徒增内心的伤感。〔蛮姑儿〕一曲由追寻惊醒好梦的响声,引出对秋夜梧桐雨的描写。自此以下,即从不同角度摹写雨打梧桐的凄凉境况。〔滚绣球〕写因被秋雨惊了好梦,惹得唐明皇对这不识时务的梧桐雨充满怨恨。〔叨叨令〕用一组排比句模拟雨声,衬托出玄宗烦乱的心情。〔倘秀才〕一曲写唐明皇已无法承受这秋雨的肆意洒落,"这雨一阵阵打梧桐叶凋,一点点滴人心碎了"!于是想把梧桐树"锯倒"当作"柴烧"。这对梧桐夜雨的深深怨恨,实际上反映了唐明皇权力与爱情双重失意的无边痛苦而又万般无奈。其后〔滚绣球〕一曲写唐明皇追昔忆旧,想起昔日长生殿里、沉香亭中的朝欢暮乐,或许是今日生离死别、凄凉苦痛的祸根。〔三煞〕排比多种雨态与这秋夜梧桐雨作对比,更显出梧桐雨的无情无意,惊魂破梦,助恨添愁。实则表明唐明皇有哀怨凄凉而无可告语的孤独与无奈。〔二煞〕进一步写梧桐雨下个不停,而唐明皇的烦闷情绪也随之有增无减。〔黄钟煞〕一曲再以一连串排比铺陈,令人眼花缭乱,目不暇接。结尾不忘把主人公的思想情感作为景物描写的归宿,将"雨"和"泪"、情与景巧妙挽合,收结得含哀无限。这几支曲子通过对"秋夜梧桐雨"的极力铺排,造成一种凄怆冷落的意境,抒写了主人公烦乱、孤凄的心境,使景物描写与人物感情的抒发水乳交融,充满浓郁的抒情色彩。其想象的丰富,描写的细腻,排比铺陈的巧妙,都显示出作者非凡的艺术才华。

(赵义山)

# 崔莺莺待月西厢记(第一本第三折摘选)

王实甫

## 【越调·斗鹌鹑】

【越调·斗鹌鹑】玉宇无尘[①]，银河泻影。月色横空，花阴满庭。罗袂[②]生寒，芳心自警[③]。侧着耳朵儿听，蹑着脚步儿行。悄悄冥冥[④]，潜潜等等[⑤]。

……

【拙鲁速】对着盏碧荧荧短檠灯[⑥]，倚着扇冷清清旧帏屏[⑦]。灯儿又不明，梦儿又不成。窗儿外淅零零的风儿透疏棂，忒楞楞[⑧]的纸条儿鸣。枕头儿上孤另，被窝儿里寂静。你便是铁石人，铁石人也动情。

注释

① 玉宇:明静的天空。

② 罗袂(mèi):丝绸衣袖。

③ 芳心:指年轻女子之心。警:机警,敏悟。

④ 悄悄冥冥:悄悄地、暗暗地。

⑤ 潜潜等等:暗中静静地等待。

⑥ 短檠(qíng)灯:灯架短的灯。檠:灯架。

⑦ 帏(wéi)屏:挂着帐帘的屏风。

⑧ 忒楞楞:拟声词,在此形容窗纸被风吹动发出的声音。

## 鉴赏

《崔莺莺待月西厢记》，简称《西厢记》，共五本二十一折，是一部连台本大戏。由正旦扮莺莺，正末扮张生，旦扮红娘，三人分别主唱。其剧情大致如下：唐已故崔相国之女莺莺与赴京赶考的张生在普救寺一见钟情，私相恋爱，在侍女红娘的热情帮助下，崔张二人终于冲破阻挠，私下结合。崔母发现后，三番五次设置障碍，迫使张生赴京求取功名。张生及第荣归，有情人终成眷属。

此处摘曲的第一本第三折演崔张在僧房偶遇之后，张生以攻书为名而借住寺中，是夜隔墙吟诗，互诉衷肠。该折所用〔越调·斗鹌鹑〕套为张生所唱，这里所选两曲是本套的首曲和后面的一支过曲。首曲〔斗鹌鹑〕写张生得知莺莺烧夜香，遂悄悄在园中等待，以期一见。起首四句先描绘夜空、银河、月光和花阴的明媚动人，由此构成优美而寂静的环境氛围，反衬出张生惊喜与兴奋的情怀。其后写张生的诚惶诚恐、小心翼翼和急不可待，生动逼真地表现了张生又喜又急又怯的内心世界。〔拙鲁速〕一曲写莺莺走后，张生回到室内后的孤寂凄凉之感。通过室内摆设的孤陋、室外的清寒，反衬其处境的凄苦、内心的孤独寂寞，给人以凄凉哀切之感。这两曲一前一后，情景交融，以景写情，生动真切地表现了张生内心活动的变化。

（赵义山）

# 崔莺莺待月西厢记(第二本第三折摘选)

王实甫

## 【双调·五供养】

【得胜令】谁承望这即即世世①老婆婆，着莺莺做妹妹拜哥哥。白茫茫溢起蓝桥水②，不邓邓点着祆庙火③。碧澄澄清波，扑剌剌将比目鱼分破④。急攘攘因何？扢搭地把双眉锁纳合[5]。

……

【折桂令】他其实咽不下玉液金波[6]。谁承望月底西厢，变做了梦里南柯[7]。泪眼偷淹，酩子里[8]揾湿香罗。他那里眼倦开软瘫做一垛[9]，我这里手难抬称不起肩窝。病染沉疴[10]，断然难活。则被你送了人呵，当甚么喽啰[11]。

……

【离亭宴带歇指煞】从今后玉容寂寞梨花朵[12]，胭脂淡淡樱桃颗[13]，这相思何时是可？昏邓邓[14]黑海来深，白茫茫陆地来厚，碧悠悠青天来阔。太行山般高仰望，东洋海般深思渴。毒害的㤘么[15]！俺娘呵，将颤巍巍双头花蕊搓[16]，香馥馥同心缕带割[17]，长挽挽连理琼枝挫[18]。白头娘不负荷[19]，青春女成担搁，将俺那锦片也似前程蹬脱[20]。俺娘把甜句儿落空了他，虚名儿误赚[21]了我。

## 注释

① 即即世世：老于世故，处事圆滑。

② "白茫茫"句：《庄子·盗跖》载，尾声与一少女相爱，约定在蓝桥相会。尾声先至，遇河水暴涨，他守信不肯离开，结果被淹死。

③ 不邓邓：形容火势凶猛的样子。祆(xiān)庙火：即火烧祆庙的传说故事。相传蜀帝公主与乳母陈氏之子相爱，约定在祆庙相会。公主入庙，见陈生熟睡，遂解玉环附生怀中而去。生醒见环，知恋人已去，怨气化火，其身与庙俱焚(见清张英等《渊鉴类函》卷五八引《蜀志》)。元曲中用为姻缘不遂之典。

④ 扑剌剌：形容事情突如其来。比目鱼：古代传说中的鱼。汉韩婴《韩诗外传》卷五："东海致比目之鱼，名曰'鲽'，比目而行，不相得不能达。"人们常用以比喻感情很好的夫妻或情人。

⑤ 扢(gē)搭:忽地,一下子。双眉锁纳合:指皱眉。

⑥ 玉液金波:比喻美酒。

⑦ 梦里南柯:即南柯一梦。唐李公佐传奇小说《南柯太守传》叙淳于棼梦至槐安国,国王以女妻之,任南柯太守,富贵荣华,显赫一时。后与敌战败,被遣回。随即梦醒,寻梦中旧迹,见槐树南枝下有蚁穴,即梦中所历之境。后人因称梦境、美梦为南柯。

⑧ 酩(míng)子里:暗地里。亦作瞑子里、闵子里。

⑨ 一垛:一堆。

⑩ 病染沉疴(kē):身患重病。

⑪ 喽啰:这里有英雄、能干之意。

⑫ 玉容寂寞梨花朵:化用唐白居易《长恨歌》中"玉容寂寞泪阑干,梨花一枝春带雨"句,形容莺莺日后因寂寞痛苦,洁白如玉的脸上泪痕斑斑。

⑬ 樱桃颗:形容莺莺之美丽小嘴如樱桃一颗。

⑭ 昏邓邓:黑暗貌。亦作昏澄澄、昏腾腾。

⑮ 恁么:这么,这样。

⑯ 双头花蕊:即并蒂花,比喻夫妻或恋人。搓:揉搓,弄碎。

⑰ 馥馥(fù):香气浓烈。同心缕带:即同心结,古时用锦带打成的连环回文样式的结子,用作男女相爱的象征。

⑱ 长搀搀:犹言长长的。搀搀:形容很长的样子。连理琼枝:即连理枝的美称。

⑲ 负荷:担负,负责。

⑳ 蹬(dēng)脱:踢开。

㉑ 赚(zhuàn):诓骗。

## 鉴赏

《西厢记》第二本写叛军张飞虎兵围普救寺,欲掠莺莺为妻,危难时刻,夫人为解燃眉之急,宣布有能退兵者,便许莺莺为妻。张生挺身而出,修书请友人白马将军杜确解围,不料崔母却食言赖婚。其后红娘设计相助,崔张二人得以通情。此本第三折写因夫人赖婚给崔张二人带来的痛苦。

这三曲系莺莺得知老夫人变卦后所唱。〔得胜令〕一曲是莺莺为老夫人突如其来的变卦行为震惊后所唱的第一曲。作者用叠字领起的对偶句,或用典,或设喻,或白描,表现出莺莺此时怒火中烧,无比悲痛和怨愤的感情。〔折桂令〕一笔两用，既写莺莺的悲痛，又写莺莺眼中张生的哀怨和精神不振，两相映衬，悲痛之情愈甚。〔离亭宴带歇指煞〕一曲系莺莺下场时所唱。写美梦成空的满腔怨愤与万般无奈。作者用一连串的比喻和叠字构成排比句式，表达了内心极大的痛苦，反映出老夫人棒打鸳鸯散的无情。此三曲妙在口语叠字的运用所形成的淋漓气势，由此将莺莺内心的痛苦和怨愤之情作了酣畅淋漓的抒发。其口语叠字和对偶的运用，工巧而不失自然，有生动圆熟和婉转流利之美，既显示出曲的当行本色，也展示了作者的艺术才华。

（赵义山）

## 崔莺莺待月西厢记（第二本第四折摘选）

王实甫

### 【越调·斗鹌鹑】

【小桃红】人间看波①，玉容深锁绣帏中，怕有人搬弄。想嫦娥，西没东生有谁共？怨天公，裴航②不作游仙梦。这云似我罗帏数重，只恐怕嫦娥心动，因此上围住广寒宫。

【天净沙】莫不是步摇得宝髻玲珑③？莫不是裙拖得环佩④玎玾？莫不是铁马⑤儿檐前骤风？莫不是金钩双控⑥，吉丁当敲响帘栊？

【调笑令】莫不是梵王宫⑦，夜撞钟？莫不是疏竹潇潇曲槛中？莫不是牙尺⑧剪刀声相送？莫不是漏声长滴响壶铜⑨？潜声再听在墙角东，元来是近西厢理结丝桐⑩。

【秃厮儿】其声壮，似铁骑刀枪冗冗⑪；其声幽，似落花流水溶溶⑫；其声高，似风清月朗鹤唳⑬空；其声低，似听儿女语，小窗中，喁喁⑭。

## 注释

① 人间看波:即看人间。波:语气助词,无意。

② 裴航:唐裴铏《传奇·裴航》所叙人物,为唐代秀才。小说叙述他经仙人指点,曾与云英结为伉俪,并双双修炼成仙。此处是崔莺莺感叹她与张生不能像云英与裴航那样幸福结合。

③ 步摇:古代女子首饰名,上有垂珠,随步行而摇动。玲珑:形容玉声。

④ 环佩:古人衣带上所系的佩玉,行走时因互相撞击而发出声响。

⑤ 铁马:檐马,悬于檐间的铁片,风吹则相击而发声。

⑥ 金钩:卷挂帘子的铜钩。控:投,引申为碰击。此句连同下句意为:是不是两个挂钩与帘子相碰而发出叮当的响声?

⑦ 梵王宫:本指大梵天王的宫殿,亦泛指佛寺。

⑧ 牙尺:镶嵌着象牙或兽骨的尺子,此为尺之美称。

⑨ 漏声:铜壶滴漏的声音,古时用以计时。壶铜:即铜壶,古人计时所用的漏壶。

⑩ 理结丝桐:弹琴的雅称。理结:整理琴弦,作好弹奏准备。丝桐:代指琴。因琴多用桐木制成,且以丝为弦,故云。

⑪ 冗冗:拟声词,形容刀枪撞击发出的声音。全句形容琴声雄壮激烈,其状如无数骑兵奔驰的马蹄声和刀枪搏杀的金属声。

⑫ 溶溶:拟声词,形容水流动的声音。

⑬ 唳(lì):鹤、雁等高亢的鸣叫。

⑭ 喁喁(yóng):低声细语。

## 鉴赏

整个第二本的剧情,上文亦有介绍。此处摘曲的第二本中的第四折,叙张生依红娘琴挑之计,在月下弹琴并歌〔凤求凰〕一曲,其哀怨的琴声歌声深深打动了莺莺,二人心心相印,幽情暗通。

这里从第四折中所选四曲,写莺莺在花园中烧夜香时,眼望明月,耳听琴声,不禁浮想联翩。〔小桃红〕一曲把满腹哀怨"忽然借月明替换题目,翻洗笔墨"(金圣叹语),借怜悯嫦娥的月宫孤独,感叹自己的春闺寂寞,是悲哀、忧愁交织的叹息。〔天净沙〕和〔调笑令〕两曲,连用八个"莫不是"领起各句,从不同角度比喻琴声的悦耳动听,结构相同的句式排比直下，一气呵成，既有酣畅淋漓之美，又有变化多端之妙。〔秃厮儿〕继续用排比句式、比喻手法写琴声的高低疾徐、抑扬顿挫，美妙的琴声所构成的不同意境，表现了崔、张二人心灵和情感的相通，给人赏心悦目的视听效果。总之，这四只曲子优美和谐，比喻巧妙，刻画细腻，极具音乐美感。就其描写音响效果而言，与白朴《梧桐雨》第四折有异曲同工之妙。

（赵义山）

# 崔莺莺待月西厢记（第四本第三折摘选）

王实甫

## 【正宫·端正好】

【端正好】碧云天，黄花地[①]，西风紧，北雁南飞。晓来谁染霜林醉？总是离人泪[②]。

【滚绣球】恨相见得迟，怨归去得疾。柳丝长玉骢难系[③]，恨不倩[④]疏林挂住斜晖。马儿迍迍[⑤]的行，车儿快快的随，却告了相思回避，破题儿[⑥]又早别离。听得道一声“去也”，松了金钏[⑦]；遥望见十里长亭，减了玉肌[⑧]。此恨[⑨]谁知！

【叨叨令】见安排着车儿、马儿，不由人熬熬煎煎的气；有甚么心情花儿、靥[⑩]儿，打扮的娇娇滴滴的媚；准备着被儿、枕儿，则索[⑪]昏昏沉沉的睡；从今后衫儿、袖儿，都揾[⑫]做重重叠叠的泪。兀的不闷杀人也么哥[⑬]！兀的不闷杀人也么哥！久以后书儿、信儿，索与我凄凄惶惶的寄[⑭]。

……

【四边静】霎时间杯盘狼藉，车儿投东，马儿向西，两意徘徊，落日山横翠。知他今宵宿在那里？有梦也难寻觅。

【耍孩儿】淋漓襟袖啼红泪[15]，比司马青衫更湿[16]。伯劳东去燕西飞[17]，未登程先问归期。虽然眼底人千里，且尽生前酒一杯。未饮心先醉[18]，眼中流血，心内成灰[19]。

【五煞】到京师服[20]水土，趁[21]程途节饮食，顺时自保揣身体[22]。荒村雨露宜眠早，野店风霜要起迟！鞍马秋风里，最难调护，最要扶持。

【四煞】这忧愁诉与谁？相思只自知，老天不管人憔悴。泪添九曲黄河溢，恨压三峰华岳低[23]。到晚来闷把西楼倚，见了些夕阳古道，衰柳长堤。

【三煞】笑吟吟一处来，哭啼啼独自归。归家若到罗帏里，昨宵个绣衾香暖留春住，今夜个翠被生寒有梦知。留恋你别无意，见据鞍上马，阁不住泪眼愁眉。

【二煞】你休优文齐福不齐[24]，我则怕你停妻再娶妻[25]。你休要一春鱼雁无消息[26]！我这里青鸾[27]有信频须寄，你却休金榜无名誓不归。此一节君须记：若见了那异乡花草，再休似此处栖迟[28]。

【一煞】青山隔送行，疏林不做美，淡烟暮霭相遮蔽。夕阳古道无人语，禾黍秋风听马嘶。我为甚么懒上车儿内，来时甚急，去后何迟？

【收尾】四围山色中，一鞭残照里。遍人间烦恼填胸臆，量这些大小车儿如何载得起！

注释

① "碧云天"二句：语本宋范仲淹〔苏幕遮〕词中"碧云天，黄叶地"数句。

② “晓来”两句：其意本元董解元《西厢记诸宫调》：“君不见满川红叶，尽是离人眼中血。”
③ “柳丝长”句：意为柳丝虽长却系不住玉骢马，比喻情虽长却留不住张生。玉骢（cōng）：一种毛色青白相杂的马。
④ 倩：请。
⑤ 迍迍（túntún 或 zhūnzhūn 两读，义同）：行动迟缓的样子。
⑥ 破题儿：旧时试帖诗及八股文开头的形式，即须用一两句话说破题目的要义。这里比喻事情的开始。
⑦ 松了金钏（chuàn）：意为因相思、别离之苦而人瘦了许多，手上带的金钏子显得松了。钏：古之臂环，今称为镯子。
⑧ 减了玉肌：言相思折磨得人瘦削了。
⑨ 恨：遗憾，惆怅。
⑩ 靥（yè）：原指嘴角的酒窝，这里指妇女贴在两颊上的花饰。
⑪ 则索：只好。
⑫ 揾（wèn）：抹，擦。
⑬ 兀的不：怎么不。也么哥：表示感叹的语词，多用在句末，以加强语气。
⑭ 索：应当。凄凄惶惶：这里有急急忙忙的意思。
⑮ 红泪：古代诗词中多指美人之泪或血泪。典出晋王嘉《拾遗记》。
⑯ “比司马”句：唐白居易被贬为江州司马时，曾于浔阳江头闻琵琶女的精彩弹奏并听其述说悲凉身世，因感而作《琵琶行》诗叙其事，其中有“座中泣下谁最多，江州司马青衫湿”句。
⑰ “伯劳”句：比喻人的离别。劳燕分飞是表示人离散的成语。伯劳：一种小鸟。
⑱ 未饮心先醉：语出唐刘禹锡《酬令狐相公杏园花下饮有怀见寄》诗：“未饮心先醉，临风思倍多。”
⑲ “眼中”两句：形容极度悲伤。据《烟花录》，昔有一商人泊舟西河下，岸上楼中一美女，相视月余，两情相悦，但未遂所愿。商货尽而去，女思疾而亡。女父遂焚之，独心中一物如铁不化，磨出，隐隐照见舟中楼头二人对视情景。其父以为奇，藏之。后商复来，访其女，得观此物，不觉泪下成血，滴其上，即成灰。
⑳ 服：适应，习惯。
㉑ 趁：赶。
㉒ “顺时”句：言顺应气候变化，估量健康状况，保重自己的身体。揣：估量。
㉓ “泪添”两句：比喻忧愁之多使黄河水溢，忧愁之重可将华岳之三峰压低。华岳三峰，即华山之莲花峰、玉女峰、松桧峰；一说即莲花峰（中峰）、仙人峰（东峰）、落雁峰（南峰）。

㉔ 文齐福不齐:宋元时常用语,指文才已备,福分却欠缺。

㉕ 停妻再娶妻:遗弃原配妻子而另娶新妻。

㉖ "一春"句:语本宋无名氏〔鹧鸪天〕:"一春鱼雁无消息,千里关山劳梦魂。"鱼雁:古代有鱼腹藏信、雁足传书的传说,后人常用以指代书信。

㉗ 青鸾:古代传说中一种能报信的鸟。据说汉武帝时西王母降临,青鸾先来报信。

㉘ 栖迟:游息。

## 鉴赏

第四本叙崔张二人自由结合一月后,被老夫人察觉,因拷问红娘,红娘道破实情,据理力争。老夫人无奈之下,只得允婚,但却要张生考中以后才能婚娶,张生只好与莺莺相别而上京赴试。第三折叙张生赴考,莺莺、红娘、老夫人等人于长亭送别的情景。

此折前三曲是莺莺在赴长亭路上所唱。〔端正好〕曲化用宋范仲淹〔苏幕遮〕词意境,用蓝天白云、红叶黄花、西风北雁等最具秋令特征的景物,构成空旷辽远、萧瑟凄清的境界,从而衬托出莺莺内心凄凉而又深重的离别悲愁。〔滚绣球〕一曲紧扣一"恨"字,写莺莺的痴情痴想痴感,正面表现了莺莺难以与张生分别的复杂心情。以上两曲都是莺莺的内心独白,其后〔叨叨令〕一曲直抒胸臆,从眼前叙及别后,是莺莺面对红娘哭诉自己满腹的别恨离愁。一连串叠字排比句式和字声的儿化,造成了一种回环往复、泣不成声的艺术效果。

从〔四边静〕到〔收尾〕是长亭送别中崔、张依依惜别的怨恨愁情,激荡着汹涌澎湃的感情波澜。〔四边静〕写夕阳落日中"车儿投东,马儿向西"的"两意徘徊",其两情相依、难以割舍之状,如在目前。〔耍孩儿〕一曲融化典故,巧用比兴,抒断肠情怀。"未登程先问归期",人未别,心先痛!"东去西飞""眼底生前""眼中心内",句句是血泪之语,字字是断肠之言。尽管不胜离别悲痛,在〔五煞〕中莺莺仍不忘对张生的百般叮咛,反复嘱托,由此也表现出对张生的万般眷恋。其后〔四煞〕和〔三煞〕两曲再次想象别后凄凉,不禁再涌悲涛恨浪!"泪添九曲黄河溢,恨压三峰华岳低",虽是夸张之语,却是至诚至深之情。至〔二煞〕,莺莺终于道出内心的隐忧:怕张生"停妻再娶妻",坦露了内心的矛盾。〔一煞〕和〔收尾〕两曲是莺莺在张生启程后,目送张生远去,久久伫立而不忍离去的情景。“淡烟暮霭”“夕阳古道”“禾黍秋风”“四围山色”“一鞭残照”等萧瑟凄凉的深秋暮景,正是其悲凉心情的生动写照。“四围”两句,淡远之景,融无限情思,它使“长亭送别”留下意味无穷的余韵。本折各曲,可谓句句别愁,曲曲离恨,细读深味,莺莺之愁容可见,哀怨可知,深情可感。王实甫高超的语言艺术、抒情手段,亦不得不令人叹为观止。他巧用叠字排比、比喻夸张,把书卷典语、口头俗语熔为一炉,锻炼得如此精纯,如此圆熟,又如此自然,如此流利!诚如朱权所评,“王实甫之词,如花间美人,铺叙委婉,深得骚人之趣”;又诚如曹雪芹借林黛玉之感所言,“但觉词句警人,余香满口”。只要天下有情人代代皆有,此等文字便会世世不灭!

(赵义山)

# 救孝子贤母不认尸(第三折摘选)

王仲文*

## 【中吕·粉蝶儿】

【满庭芳】似这等含冤负屈，拼着个割舍了三文钱的泼命①，更和这半百岁的微躯。你要我数说您大小诸官府，一刬的木笏司糊突②，并无聪明正直的心腹。尽都是那绷扒吊拷的招伏③，把囚人百般拴住，打的来登时④命卒。哎哟！这便是您做下的个死工夫。

……

【五煞】人死者不复生，那断弦者怎再续？从来个罪疑便索从轻恕。磨勘成的文状才难动⑤，罗织⑥就的词因到底虚！官人每枉请着皇家禄，都只是捉生替死，屈陷无辜。

【四煞】则你那捆麻绳用竹签，批头棍下脑箍⑦。可不道父娘一样皮和骨，便做那石镌成骨节也槌敲的碎，铁铸就的皮肤也锻炼的枯。打得来没半点儿容针处。方信道人心似铁，您也忒官法如炉。

【二煞】我明明的眼觑着，暗暗的心自苦。那一面沉枷脖项难回顾。透枷拴⑧深使钉来钉，侵井口窄将印缝铺⑨。恰便似刀搅着你这娘肠肚。望后来怎禁推抢⑩，待向前去又被揪捽⑪。

## 作者

*王仲文,生卒年及生平事迹不详。大都(今北京)人。元代杂剧作家。元钟嗣成《录鬼簿》列之于“前辈已死名公才人有所编传奇行于世者”一栏中。明代贾仲明为其所作吊词称“仲文踵迹住金华”,孙楷第《元曲家考略》认为“金华”乃京华之误,并考证王仲文乃大学士史惟良之师,金末进士。《录鬼簿》载其所著杂剧10种,今存《救孝子》1种。贾仲明吊词谓其“才思相兼关、郑、马”;明朱权《太和正音谱》评其曲“如剑气横空”。

## 注释

① “割舍”句:即豁出去那不值钱的性命。三文钱的泼命:喻指极不值钱的性命。
② 一划的:一概的。木笏司:意即古板的官府。木笏:或言即元曲中“慕古”(亦作墓古、暮古,意即古板)二字之近音借字,金元人读古、胡同音。糊突:即糊涂。
③ “绷扒”句:指用绳索捆绑、悬吊拷打,使人屈招认罪。
④ 登时:即顿时。
⑤ 磨勘:折磨勘问。难动:难以上报。动:传送,上报。
⑥ 罗织:编造(罪名)。
⑦ 脑箍:旧时酷刑之一。行刑时紧扎人头使之痛苦不已。《宋史·刑法志》载:“缠绳于首,加以木楔,名为脑箍。”
⑧ 透枷拴:古代木制枷锁分为两半,用木栓穿插其中连接成一体,透枷拴当指此。拴:同栓,即插销。
⑨ 侵井口:指木枷套锁犯人脖子的洞口。印缝铺:指在枷锁上贴上盖有官印的封条。
⑩ 推抢:推推攘攘。
⑪ 揪捽(zuó):揪住、抓住。

## 鉴赏

王仲文的《救孝子贤母不认尸》,简称《不认尸》《救孝子》,是四折一楔子的旦本戏,正旦扮李氏。其剧情如下:大兴府尹王翛然到开封府西军庄征兵，杨门李氏有二子兴祖、谢祖，李氏力争让习武的亲生子兴祖从军赴险，留下亡夫小妾所生的谢祖在家习文。后来兴祖之妻王春香被娘家唤回拆洗衣服，谢祖奉母命送嫂，至半途而返。独行的春香道遇歹徒赛卢医，遂被强行劫走。赛卢医强迫春香脱下自己的衣服穿在被其害死的梅香身上，又将梅香面部毁容以造成春香被害的假象。梅香尸体被发现后，春香的母亲便认为死者就是春香且系谢祖所为，于是两家打起官司。糊涂官吏把谢祖屈打成招，母亲李氏痛斥官吏却又无可奈何。此时兴祖在立军功后归家探亲，途遇被歹徒劫走并被虐待做苦役的妻子春香，夫妻二人说明经过，兴祖拿住赛卢医去开封府，杨家的冤情方才得以昭雪，凶手和糊涂官吏各自得到了应有的惩处。第三折写杨谢祖被官府用酷刑屈打成招，李氏心疼不已，当堂怒斥官府草菅人命。

这里所选四曲，是李氏面对官府断案昏庸、屈打成招的愤恨和痛斥，是在眼睁睁看着儿子无辜受罪时的痛心陈诉。〔满庭芳〕写李氏大胆控诉大小官员心术不正、办案糊涂、屈打成招甚至草菅人命的行径。在她眼中官府无异于以折磨人为事的阎王殿。〔五煞〕进一步指责官吏们的不仁不道，只能靠编造事实、罗织罪名以糊涂结案，不惜草菅人命，屈陷无辜。〔四煞〕以悲愤之语指责官吏们刑讯逼供，滥用刑罚，心狠如铁。〔二煞〕是母亲看到儿子无辜受刑时心痛万分，却又无力回天的愤恨和悲苦。这几首曲子直抒胸臆，酣畅淋漓，以本色之语写悲愤之情，把李氏爱子的深情和疾恶的刚强表现得真切感人。

（赵义山）

# 破幽梦孤雁汉宫秋(第三折摘选)

马致远

## 【双调·新水令】

【步步娇】您将那一曲阳关休轻放，俺咫尺如天样，慢慢的捧玉觞，朕本意待尊前挨些时光，且休问劣了宫商[①]，您则与我半句儿俄延着唱。

【殿前欢】则甚么留下舞衣裳，被西风吹散旧时香。我委实怕宫车再过青苔巷，猛到椒房[②]，那一会想菱花镜里妆，风流相，兜的[③]又横心上。看今日昭君出塞，几时似苏武还乡？

【七弟兄】说甚么大王、不当、恋王嫱，兀良，怎禁他临去也回头望！那堪这散风雪旌节影悠扬，动关山鼓角声悲壮。

【梅花酒】呀！俺向着这迥野悲凉，草已添黄，兔早迎霜。犬褪得毛苍，人搠起缨枪，马负着行装，车运着糇粮[④]，打猎起围场。他他他，伤心辞汉主；我我我，携手上河梁[⑤]。他部从入穷荒，我銮舆返咸阳。返咸阳，过宫墙；过宫墙，绕回廊；绕回廊，近椒房；近椒房，月昏黄；月昏黄，夜生凉；夜生凉，泣寒螀；泣寒螀，绿纱窗；绿纱窗，不思量！

【收江南】呀！不思量除是铁心肠！铁心肠也愁泪滴千行。美人图今夜挂昭阳，我那里供养，便是我高烧银烛照红妆。

【鸳鸯煞】我煞大臣行说一个推辞谎，又则怕笔尖儿那火编修讲。不见他花朵儿精神，怎趁那草地里风光？唱道伫立多时，徘徊半晌，猛听的塞雁南翔，呀呀的声嘹亮，却原来满目牛羊，是兀那载离恨的毡车半坡里响。

## 注释

① 劣了宫商：音调不协的意思。
② 椒房：皇后居住的地方，据说用香椒涂墙，故称。
③ 兜的：即陡的，突然之意。
④ 糇（hóu 喉）粮：干粮。
⑤ 携手上河梁：表示惜别之意。

## 鉴赏

《汉宫秋》没有那种紧锣密鼓式的情节，没有那种扣人心弦的对白，它甚至也未让王昭君和她的对头毛延寿当场"撞击"，然而，人们还是被它那抒情诗般的魅力所征服，他写的一段段唱词，实际上是一首首韵味深长的诗。这种魅力主要来自于作者重视戏剧意境的创造，是意境抓住了人。其中第三折元帝在灞桥上送别昭君的几支曲子尤为出色，历来为人们击节赞赏。它所创造的辽阔、深远、幽邈、苍凉而又粗犷的塞北风光以及在这画面中所渗透的怀念、忧伤之情，构成了唱词意境的独特美学风格。

马致远以诗笔写剧。他准确、细腻地揭示了汉元帝灞桥送别时的心理流程。剧作家集中用了〔步步娇〕〔落梅风〕〔殿前欢〕〔雁儿落〕〔得胜令〕〔川拨棹〕六支曲子让汉元帝直抒胸臆，尽情倾吐相思的痛苦，离别的哀伤，追忆往日的欢娱，嗟叹自己的无能。就在这黯然神伤之际，昭君要上路了，一句"怎禁他临去也回头望"，写出了汉元帝被撕裂了的心灵。此时此刻，眼泪已模糊了他的视线。紧接着，作者用〔七弟兄〕〔梅花酒〕〔收江南〕三支曲子为我们展现出一幅元帝返咸阳的场景：昭君的车队已经越走越远，送行的汉元帝想到她在塞外旅途中的艰辛，他仿佛看到了旌旗的影子在漫天风雪中摇动，仿佛听到了那凄厉而悲壮的号角在荒漠的太空中回荡。那空旷的深秋原野在他想象中是如此悲凉，那褪了毛的狗儿，那扛着缨枪的猎户，还有那慢腾腾的负载着行装的车马，点缀着一望无际的衰草……当他回眸自视时，他面对的将是更加孤独寂寥的情景。宫墙之内那昏黄的月色，那令人伤怀的像哭泣一样的寒蝉的鸣叫……王国维赞赏这两支曲子是“写景之工者”，其实，这里写的景，并非实景，而是幻景，是剧作家采用幻觉的形式作间接抒情。汉元帝的幻觉恰恰出现在同王昭君分手诀别的刹那间，这时元帝内心中翻腾的是离恨未已，相思又继的思绪，将要面临的是人去楼空的凄凉景象。而睹物必然伤情，故而作者不以写实手法写景言情，而是深入描绘元帝心灵世界中的幻景：咸阳宫殿的宫墙、回廊、椒房以及黄色的月、凉夜、寒螿、纱窗、美人图、孤灯……这是一幅即将出现而又令人惊惧的景象，而透过这些景物所创造的凄清、阴冷的朦胧氛围，深一层地展示了元帝与昭君诀别之际的相思之痛。在这里，人的意识、情愫与物象、环境互相渗透转化，心灵外化为物象，物象流溢着思绪，来回往复，延伸拓展，臻至浑然无迹之化境，达到了人和自然的和谐统一，从而完成了对爱而不得其所爱但又不能忘却所爱的痛苦的悲剧心灵历程的描绘。

昭君走远了，幻景也逐渐消失，作者在一段写实性的抒情独白之后，又进一步通过元帝的错觉展示其悲剧心理和情感波澜。〔鸳鸯煞〕一曲写出形神凄怆的元帝对昭君思念之切，在凝神痴想中，错把北去的毡车的声音，当作了大雁南归，传来昭君的音信，透过这一错觉造成的心理意象，人们又深一层地透视了由对昭君的依依不舍的惜别之情而引发出的汉元帝心灵的震颤，宣叙了难以言状的情愫。

《汉宫秋》意境美是和唱词的旋律美结合在一起的。它的音乐感突出表现在对仗手法的出色运用。如“那堪这散风雪旌节影悠扬，动关山鼓角声悲壮”。“散风雪”对“动关山”；“旌节影”对“鼓角声”；“悠扬”对“悲壮”，对仗工整且极熨帖。这是八字句三个音步的对仗，两句结尾都是双音节词，节奏感强，韵脚响亮。再看，“犬褪得毛苍，人搠起缨枪，马负着行装，车运着糇粮”。这四个五言句，也是对仗，每句都是三个音步，每个音步都是对应的：“犬”“人”“马”“车”都是名词作主语，“褪得”“搠起”“负着”“运着”都是动词作谓语，除“毛苍”是词组作补语外，“缨枪”“行装”“糇粮”都是名词作宾语。这对仗工整的四句，虽然只有二十个字,却描绘出了一幅完整的图画。可见对仗句运用得巧妙,对于意境的创造能起很好的作用。

《汉宫秋》唱词的音乐感还和它运用短句顶真重复的手段有密切关系。比如:“返咸阳,过宫墙;过宫墙,绕回廊;绕回廊,近椒房;近椒房,月昏黄;月昏黄,夜生凉;夜生凉,泣寒蛩;泣寒蛩,绿纱窗;绿纱窗,不思量!”这些短句,以顶真法,将后一个分句的第一个短句重复前一分句的第二短句,回肠荡气,又有鲜明的节奏感。动词“返”“过”“绕”“近”的使用,又十分生动形象地表现了人物行动和心理的细致区别和不同环境不同建筑物的特点,急急地返回咸阳,穿过宫墙,绕过回廊,才接近那人去房空的椒房,这时才感觉到月亮是昏黄的,夜是清凉的,寒蝉在哭泣,而纱窗却仍然那样绿。可见,马致远不是单纯地追求词句的音乐感,而是让这种灵活的、跳荡的句式服务于意境的创造。清代梁廷枏《藤花亭曲话》评《汉宫秋》曲词说:“写景写情,当行出色,元曲中第一义也。”这个评价对于马致远来说是十分恰当的。

(宁宗一)

## 江州司马青衫泪(第二折摘选)

马致远

### 【正宫·端正好】

【叨叨令】我这两日上西楼盼望三十遍,空存得故人书,不见离人面。听的行雁来也我立尽吹箫院,闻得马嘶也目断垂杨线。相公呵,你元来死了也么哥[①],你元来死了也么哥,从今后越思量越想的冤魂儿现。

……

【二煞】少不的听那惊回客梦黄昏犬,聒碎人心落日蝉。止不过[②]临万顷苍波,落几双白鹭,对千里青山,闻两岸啼猿[③]。愁的是三秋雁字,一夏蚊雷[④],二月芦烟。不见他青灯黄卷[⑤],却索共渔火对愁眠[⑥]。

## 注释

① 元来:即原来。也么哥:元曲中语尾复音叹词,相当于现代汉语"啊"。
② 止不过:只不过。
③ "对千里"二句:化用唐李白《朝发白帝城》中"两岸猿声啼不住,轻舟已过万重山"句。
④ 蚊雷:蚊多其声聚如雷。
⑤ 青灯黄卷:这里是刻苦读书的意思。古时读书点油灯,上冒青烟,故称为"青灯"。其抄书之纸日久发黄,故称"黄卷"。
⑥ 索:须,应。共渔火对愁眠:形容生活孤凄愁苦。唐张继《枫桥夜泊》:"月落乌啼霜满天,江枫渔火对愁眠。"

## 鉴赏

马致远的《江州司马青衫泪》,简称《青衫泪》,杂剧旦本戏,正旦扮裴兴奴。大致由白居易《琵琶行》敷衍而成。全剧四折一楔子。其剧情如下:吏部侍郎白居易一日上街游玩,结识了教坊司歌妓裴兴奴,二人互相赏识,情投意合,遂私订终身。后白居易被贬江州司马离京,江西茶客刘一郎和裴母趁此设计强娶裴兴奴。最后,在白居易挚友元稹的帮助下,二人又终于永结同好。第二折写白居易被贬江州司马,而裴兴奴被其母和刘一郎设计,诡言白居易已死,因而骗娶兴奴,也远赴江州。

此处所选〔叨叨令〕一曲写裴兴奴得知白居易"病死"之后的痛苦心情。作者多以兴奴的痴情举动,写其盼望之急切与热烈,以及她的失望与痛苦。此曲直抒胸臆,情深意挚,兴奴翘首期盼、泣血哀号的形象感人至深。〔二煞〕一曲写裴兴奴被迫随刘一郎前往江西而临行时的痛苦心情。此曲以衰煞凄凉之景衬落寞悲苦之情,情景交融,意味更加隽永深长。对偶和铺排的结合运用是此曲一大特色。对偶增加了曲词的雅炼之美,但诸多领字的引带逗转,又使其不失曲体风致,读来铿锵悦耳,朗朗上口。而人物的"愁"情也正是靠铺排众多的景物构成鲜明的意境来加以表现的,这或许是最有蕴涵的抒情方式吧!

(赵义山)

# 半夜雷轰荐福碑(第一折摘选)

马致远

## 【仙吕·点绛唇】

【寄生草】想前贤语，总是虚。可不道书中车马多如簇，可不道书中自有千钟粟，可不道书中有女颜如玉，则见他白衣①便得一个状元郎，那里是绿袍儿②赚了书生处？

【幺篇】这壁拦住贤路，那壁又挡住仕途。如今这越聪明越受聪明苦，越痴呆越享了痴呆福，越糊突③越有了糊突富。则这有银的陶令④不休官，无钱的子张学干禄⑤。

### 注释

① 白衣：素民之衣，指没有身份地位的平民。
② 绿袍儿：古时八品、九品官所穿之衣，此处指下层官吏。
③ 糊突：同糊涂。
④ 陶令：晋时陶渊明，以其曾做彭泽县令，后人遂称为陶令。这里喻指各级官员，含讥讽之意。
⑤ 子张学干禄：语出《论语·为政》。子张：孔子学生。干：求也。学干禄：即请教求取功名利禄之事，子张曾问此事于孔子。此处用此典故，是说贫穷的读书人希望求取功名利禄，却难以办到。

### 鉴赏

《半夜雷轰荐福碑》，简称《荐福碑》，元杂剧末本戏，正末扮张镐。全剧四折一楔子。其剧情如下：落魄书生张镐时运不济，一再倒霉，满腹才华却流落他乡，以教蒙童度日。他也曾得到八拜之交的哥哥范仲淹的三封荐书，可是两次投书都遭到失败。后又流落到饶州荐福寺。荐福寺长老见他可怜,让他拓印碑文卖钱作进京赶考的盘缠,却不料半夜里碑文被雷电击毁。后来终于时来运转,在范仲淹的帮助下,考取状元,飞黄腾达。第一折叙张镐流落他乡,巧遇范仲淹,得到了三封荐书的帮助,求取功名之心再起。

此处所选二曲写张镐穷困、失志之时愤懑不平的内心感受。〔寄生草〕一曲写张镐对前贤圣语的怀疑与反讥。首句中一"虚"字统领该曲,写出了张镐对社会现状的不满和内心的绝望。"可不道"三字的重复领用,一贯而下,抒情极为酣畅淋漓。〔幺篇〕一曲运用对比手法,写尽了张镐内心的不平和愤慨,有力地揭示了社会的荒谬。特别是中间的鼎足对,连用六个"越"字,意饱气足,抒情极为痛快淋漓。这两支曲子全是直接的叙述和抒情,白描直叙,毫不掩饰,非常真实地表现了剧中人物的心情。

(赵义山)

# 月明和尚度柳翠(第二折摘选)

李寿卿*

## 【南吕·一枝花】

【黄钟尾】你道是“这回和月常相守”，才赚的春风可便树点头。聚莺朋，会燕友，蜂衙①喧，蝶梦②幽。啭黄鹂，鸣锦鸠，噪昏鸦，覆野鸥。袅金丝，春水沟；拂红裙，夜月楼。酒旗前，望竿③后。风又狂，雨又骤；霜正严，雪正厚；霜来欺，月来救。我救的这月里桫椤④永长寿，我着你访灵山⑤会首，也不索别章台的这故友⑥，我则怕你又折入情郎画眉⑦手。

### 作者

＊李寿卿,生卒年不详。太原人。元杂剧作家。元钟嗣成《录鬼簿》列入“前辈名已死公才人有所编传奇行于世者”一类中,载其为“将仕郎,除县丞”。其活动年代约与纪君祥、郑廷玉等同时。其所作杂剧,《录鬼簿》载有10种,存世者有《伍员吹箫》《度柳翠》两种。明朱权《太和正音谱》评其曲“如洞天春晓”,又谓“其词雍容典雅,变化幽玄,造语不凡”。

### 注释

① 蜂衙:众蜂簇拥蜂王,如朝拜护卫,故称蜂衙。

② 蝶梦:语出《庄子》,指梦幻。《庄子·齐物论》:“昔者庄周梦为蝴蝶,栩栩然蝴蝶也……俄然觉,则蘧蘧然周也。不知周之梦为蝴蝶与?蝴蝶之梦为周与?”

后常以此典言人生虚幻。

③ 望竿:酒店前悬挂招帘的竹竿。

④ 桫椤(suō luó):即桫椤(亦作娑罗)树。旧时人们把月中的阴影想象成是月中长生不衰的桫椤树。参见宋洪迈《容斋四笔》卷六"娑罗树"条。

⑤ 灵山:即灵鹫山,乃释迦牟尼讲道之所,为佛家圣地。

⑥ 不索:不须。章台故友:指风月场中的旧相好。章台:代指冶游场所。唐许尧佐传奇小说《柳氏传》叙天宝年间韩翃与柳氏相恋,后韩翃离京,柳氏留居都下,三年后,韩题《章台柳》词寄赠柳氏,有云:"章台柳,章台柳,昔日青青今在否?纵使长条似旧垂,亦应攀折他人手。"后因以章台指冶游之处,而以章台柳指妓女。

⑦ 画眉:暗用张敞画眉的典故。《汉书·张敞传》载张敞为妇画眉而受到同僚的非议,面对皇帝询问,他回答说:"闺房之内,夫妇之私,有过于画眉者。"后人多以"张敞画眉"作为夫妇相爱的典故。这里借喻情场。

## 鉴 赏

李寿卿的《月明和尚度柳翠》,又名《度柳翠》《临歧柳》,是四折一楔子的末本戏,正末扮月明尊者。其剧情如下:观音菩萨净瓶内的杨柳枝因偶染风尘被罚到下界投生倡门,艺名柳翠。柳翠精通伎艺,作了上厅行首。月明和尚借柳翠母亲请僧众为柳翠亡父诵经之机到了柳翠家,想方设法给她讲授禅机,让她了悟尘缘而出家。起初柳翠非常抗拒,几番周折后终于随月明出家,最后月明带她到南海复本还原。第二折写月明以幻术使柳翠经历生死,柳翠终于感悟生死幻情,决定随月明出家。

此处所选〔黄钟尾〕一曲是月明度化柳翠的唱词。月明苦口婆心,锲而不舍,力图让柳翠皈依佛门,达到参破色相的彼岸。此曲开首两句,月明感叹为度柳翠出家,自己费尽心思,终于让柳翠答应,犹如春风使树点头,实为不易。其后连用二十个三字句,均围绕柳树而极尽排比铺陈之能事,以树喻人,人树两写,喻意柳翠的风尘生涯以及得到月明拯救度脱。其字句华丽,音韵和美,且颇具转折变化的匠心。最后几个长句,表现出月明对度脱柳翠的决心,并一心帮助她割断尘缘。全曲充分表现了月明度化柳翠锲而不舍的耐心,以及静观万象、了悟幻缘的心境。

(赵义山)

# 月明和尚度柳翠(第三折摘选)

李寿卿

## 【中吕·粉蝶儿】

【三煞】来了你呵，黄莺也懒更啼，金蝉也无处栖；来了你呵，再不见那绿荫深处把青骢系；来了你呵，再不见那舞春风楚宫别院纤腰细①；来了你呵，再不见那缀晓露汉殿长门翠黛低②；来了你呵，再不见那影蹁跹比张绪③多娇媚；来了你呵，再不见那助清凉陶令宅两行斜映④，增杀气亚夫营⑤万缕低垂。

注释

① 楚宫腰细:《墨子·兼爱中》:"昔者,楚灵王好士细腰,故灵王之臣皆以一饭为节,胁息然后带,扶墙然后起。比期年,朝有黧黑之色。"后却常用以比喻女人的细腰,这里用以喻柳。

② 汉殿长门:即汉代皇宫中之长门宫。汉武帝之陈皇后失宠后曾居此。翠黛低:此写长门柳叶姿态,又暗喻陈皇后愁眉。

③ 张绪:南齐吴郡人,美姿仪,"吐纳风流"。齐武帝欣赏宫殿前"枝条甚长,状若丝缕"的蜀柳时说:"此杨柳风流可爱,似张绪当年时。"参见《南史·张裕列传附张绪》。

④ 陶令:东晋诗人陶渊明,曾作彭泽令,故名。两行斜映:犹言斜阳映照着陶渊明宅边的两行柳树。陶渊明有自况之文《五柳先生传》云:"宅边有五柳树,因以为号焉。"

⑤ 亚夫营:西汉名将周亚夫领军所驻扎的营地,名细柳营。此处暗取"细柳"二字。

## 鉴 赏

本剧剧情见前。第三折写月明三度柳翠。柳翠尽管对自己的相好牛员外和母亲尚存眷顾之情,但在月明师父的敦促下,终于下定决心出家,月明以船载柳翠到达"彼岸"。

这里所选〔三煞〕一曲,写月明告诉柳翠,度至彼岸后将对喜怒哀乐、七情六欲无动于衷。无论是黄莺鸣蝉的热闹,还是陶渊明怡然自得的恬静,无论是杨柳岸的生别离还是深闺中的长相思,又即便是动人的美色和情感,这些都不能牵动淡然禅定的心。此曲用了许多典故,虽不免"掉书袋"之嫌,但却都紧密关合着"柳",可见想象之奇妙,组织之工巧。这种文人化的案头剧虽难以作场上演出,但在剧本的阅读中,却能给人典雅华丽、妙趣横生的艺术享受。作为宣扬佛教思想的案头剧,它无疑是优秀而成功的。

(赵义山)

# 汉高皇濯足气英布(第四折摘选)

尚仲贤*

## 【黄钟·醉花阴】

【醉花阴】俺则见楚汉争锋竞寰土①，那楚霸王甘心伏输？此一阵不寻俗，这汉英布武勇谁如？据慷慨堪称许，善韬略晓兵书，没半霎儿早熬翻了楚项羽！

【喜迁莺】骨剌剌②旗门开处，那楚重瞳③在阵面上高呼："无徒④杀人可恕，情理难容！"这匹夫两下里厮耻辱⑤，那一个道"待你非轻"，这一个道"负你何辜"？

【出队子】俺这里先锋前部，会支分能对付。咮咮咮⑥，响飕飕阵上发个金镞⑦。火火火，齐臻臻⑧军前列着士卒。呀呀呀，俺则见垓心里骤战驹。

【刮地风】咚咚咚，不待的三声凯⑨战鼓，忽剌剌两面旗舒。扑腾腾二马相交处，则听的闹垓垓喊震天隅。俺则见一来一去不见赢输，两匹马两员将有如星注。那一个使火尖枪，正是他楚项羽，忽的呵早刺着胸脯。

【四门子】俺英布正是他的英雄处，见枪来早轻轻的放过去，两员将各自寻门路⑩。整彪躯轮巨毒⑪，虚里着实，实里着虚，厮过瞒⑫各自依法度。虚里着实，实里着虚，则听的连天喊举！

【古水仙子】纷纷纷溅土雨⑬，霭霭霭黑气黄云遮了太虚⑭，刷刷刷马荡动征尘，隐隐隐人蟠在杀雾，吁吁吁马和人都气促。吉当当枪和斧笼罩着身躯，扢挣挣⑮斧迎枪几番烟焰举，可擦擦枪迎斧万道霞光出，厮琅琅断铠甲落兜鍪⑯。

【尾声】嗔忿忿将一匹跨下征驹紧缠住⑰，杀的那楚项羽促律律向北忙逋⑱，兀的不生搭损明晃晃这柄簸箕般金蘸斧⑲。

## 作者

* 尚仲贤，生卒年不详。真定（今河北正定）人。元前期著名杂剧作家。元钟嗣成《录鬼簿》列入“前辈名公才人有所编传奇行世者”一栏中。他的戏曲，《录鬼簿》载有杂剧剧目10种，其全本尚存者有《柳毅传书》《气英布》《三夺槊》等3种。明朱权《太和正音谱》评其曲“如山花献笑”。

## 注释

① 寰土：指疆域。

② 骨剌剌：拟声词，形容声音的响亮。亦作古剌剌、忽喇喇。

③ 楚重瞳：此指项羽。传说舜和项羽眼睛中均有两个瞳人，所以古籍中以重瞳称舜或项羽。参见《史记·项羽本纪》。

④ 无徒：犹无赖，即无赖之徒的省称。元剧多骂无赖汉为泼无徒。

⑤ 厮耻辱：相互羞辱。厮：相。

⑥ 咮（chuáng）咮咮：拟声词，模拟箭离弦之声。

⑦ 金镞（zú）：金属箭头。镞：箭头。

⑧ 齐臻（zhēn）臻：犹言齐整整。

⑨ 凯：击也。

⑩ 门路：此指破绽。

⑪ 巨毒：古兵器名。

⑫ 厮过瞒：相互隐瞒。

⑬土雨：指尘土。谓空中落下的尘土如下雨一般。

⑭ 太虚：天空。

⑮ 扢（gǔ）挣挣：与后文“可擦擦”，皆模仿双方交战时枪斧撞击之声。

⑯ 兜鍪（móu）：古代战士的头盔。

⑰ 嗔忿忿：指十分恼怒。騕（wǎn）：良马名。

⑱ 促律律：形容急速的样子。逋（bū）：逃亡。

⑲ 兀的不：怎不。生搦（nuò）损：硬捏坏。

## 鉴赏

《汉高祖濯足气英布》，简称《气英布》。元杂剧末本戏，正末扮英布、探子。全剧四折。剧情如下：楚汉交战，刘邦兵败，屯住荥阳，随萧何前往说服儿时好友英布归汉，并剑斩楚王使臣，迫使英布率部投汉。刘邦为挫其锐气，在洗脚时接见英布，英布自觉受辱，决意离汉落草为寇。后刘邦亲自出来迎接，并封英布为九江侯、破楚大元帅，英布感戴不已，战败项羽而归。第四折先由正末扮探子，向汉王、张良等人报告英布与项王交战的情况；其后正末再改扮英布由战阵归来，被刘邦封为淮南王。

这里所选七曲借探子之口描述了英布与项羽的激烈战斗。〔醉花阴〕先总体介绍英布与项羽龙虎相争，各不服输，一场恶战，必不可免。〔喜迁莺〕写两人在阵前相互叫骂，相互指责。〔出队子〕运用声音和景物描写，表现出英布调兵遣将指挥有方，士卒气势逼人。〔刮地风〕尤注重音响效果的描摹，展现出英布与项羽两人厮杀恶战的激烈场面。〔四门子〕写两人各施本领，酣战尤烈。〔古水仙子〕绘声绘形，淋漓酣畅地渲染了英、项两人龙争虎斗的激烈场面。〔尾声〕写项羽败北，英布大获全胜。这几支曲子通过探子绘声绘色地描述，非常成功地展示出英布与项羽激烈的战斗场面，从侧面完成了艺术形象的塑造，表现了英布的英勇善战。其叠字排比的运用，造成一种酣畅淋漓的气势，显示出豪辣粗犷的曲风，这对激烈场景的展示和英雄形象的塑造起到了重要作用。（赵义山）

# 洞庭湖柳毅传书(第二折摘选)

尚仲贤

## 【越调·斗鹌鹑】

【斗鹌鹑】他两个天北天南，海西海东，云闭云开，水淹水冲，烟罩烟飞，火烧火烘！卒律律电影重①，古突突②雾气浓。起几个骨碌碌③的轰雷，更一阵扑簌簌④的怪风。

【紫花儿序】险惊杀了负薪的樵子，慌杀了采药的仙童，唬杀了撒网的渔翁。全不见红莲映日，翠盖⑤迎风。遮笼⑥，都是那鬼卒神兵四下攻。则俺这两只脚争些儿踏空，可擦擦⑦坠落红尘，兀的不跌破了我青铜⑧。

【小桃红】那小龙大开水殿饮金钟⑨，厮琅琅几部笙歌送⑩，不觉的天边黑云重。昏邓邓敢包笼⑪，忽刺刺⑫半空霹雳声惊动，古都都揭了瓦陇⑬，吸哩哩提了斗栱⑭，滴溜溜早翻过水晶宫。

【紫花儿序】忽的呵阴云伏地，淹的呵洪水滔天，腾的呵烈火飞空⑮。泾河龙逃归碧落，钱塘龙赶上苍穹⑯。两条龙的威风，怕不喊杀了鳖大夫、龟将军、鼍相公。这其间各赌神通，早翻过那海岛十洲，只待要拔倒了华岳三峰⑰！

【鬼三台】两条龙身躯纵，震的那乾坤动。恶哏哏健勇⑱，竞赤焰焰满天红，一撞一冲，则教我心如铁石地怕恐，便有那铜山铁壁都没用。钱塘龙逆水忙截，泾河龙淤泥便窨⑲。

## 注释

① 卒律律:形容风、火急烈的样子和声音。电影重(chóng):闪电迭发不停的意思。

② 古突突:形容物体翻滚、上冒的样子和声音。今口语中仍习用此词,亦作骨突突、古都都、骨都都。

③ 骨碌碌:形容物体转动的声音和样子。今口语中仍习用此词。亦作骨鲁鲁、古鲁鲁、骨辘辘、骨噜噜、古鹿鹿。

④ 扑簌簌:拟声词,形容风声。

⑤ 翠盖:指荷叶。

⑥ 遮笼:遮盖笼罩。

⑦ 可擦擦:拟声词,形容相互摩擦发出的声音。亦作可察察、磕擦擦。

⑧ 青铜:"青铜镜"的省文。此指电母手中拿的青铜镜。

⑨ 金钟:有金饰的酒杯。此指酒。

⑩ 厮琅琅:拟声词,这里形容歌声。部:指乐队的分部。笙歌:指演奏乐器和歌唱。谓送来几对乐人奏乐唱歌之声。

⑪ 昏邓邓:昏暗的样子。亦作昏瞪瞪、昏腾腾、昏澄澄。包笼:囊括。

⑫ 忽剌剌:拟声词,形容声音的响亮。亦作古剌剌、古都都、骨剌剌。

⑬ 揭了瓦陇:掀了屋顶之意。陇:同"垄",屋顶所盖之瓦,凸起的一行叫瓦垄,凹下的一行叫瓦沟。

⑭ 吸哩哩:形容物体飘动的样子和声音。亦作吸力力、吸淋淋、赤力力、赤律律、赤历历。斗(dǒu)栱:亦作斗拱,为我国建筑特有的一种结构,屋子的柱子和横梁交接处安置的如弓形的承重结构就是栱,垫在栱与栱之间的斗形木块叫斗。

⑮ 淹的:意为突然。亦作奄的、俺的、厌的,音近义并同。腾的:忽然的意思,亦作腾地。

⑯ 碧落、苍穹:皆指天空。

⑰ 海岛十洲:古代传说中的域外仙岛。海岛:即传说海上神仙所居的蓬莱、方丈、瀛洲三岛。十洲:语出六朝人伪托汉东方朔撰的《十洲记》,称巨海中有祖、瀛、玄、炎、长、元、流、生、凤麟、聚窟十洲。华岳三峰:指华山的莲花峰、毛女峰、松桧峰。一说为莲花峰、仙人峰、落雁峰。

⑱ 恶哏哏:极端的凶恶貌。健勇:雄健武勇者。指钱塘君和泾河小龙。

⑲ 㧬(gǒng):胡乱耸动。

鉴 赏

《洞庭湖柳毅传书》,简称《柳毅传书》,元杂剧旦本戏,正旦分别扮龙女三娘和电母。全剧四折一楔子。剧情如下:洞庭龙君的女儿嫁给泾河小龙后受虐待,被罚去牧羊。秀才柳毅上京考试落榜,回家路经泾河,龙女求他带一封家书求救,柳毅应允。洞庭君的弟弟钱塘君闻信后,救出龙女,洞庭君想把龙女嫁给柳毅,柳毅不肯,回家后,其母已替他订下范阳卢家女儿为妻,迎娶之日,发现正是洞庭龙女。第二折演洞庭龙君之弟钱塘龙君闻侄女三娘遭受虐待,因赶去与泾河小龙打斗,并战败泾河小龙,将其吞于腹中。电母向泾河老龙禀报钱塘君与小龙恶战的经过。

此处所选五曲描写钱塘君与泾河小龙交战的激烈场面。〔斗鹌鹑〕写钱塘君与泾河小龙在天空中追逐,风云为之变色。〔紫花儿序〕借描写樵子、仙童、渔翁的惊恐展现出两龙战斗的惨烈。同时也写出了满天神兵鬼卒摇旗呐喊的声势。〔小桃红〕用大量的拟声词描摹出了黑云翻滚、风雷激荡、揭瓦毁屋的场面,展现了泾河小龙腾空而过的惊天动地之势。后〔紫花儿序〕与〔鬼三台〕进一步写两龙在一追一逃的过程中黑云压地、洪水滔天、烈烟弥空、乾坤震动的激烈场景。这几曲层层递进,场面描写与声音的模拟相结合,非常成功地表现出两龙相争的激烈场面。这种场面要在舞台上搬演是比较困难的,作者借电母之口的描述从侧面加以表现,取得了很好效果,这与前选《气英布》第四折的手法可谓同一机杼。

(赵义山)

# 陶渊明归去来兮(第四折摘选)

尚仲贤

## 【正宫·端正好】

【倘秀才】面对着青山故友,眼不见白衣送酒①,

我则怕明日黄花蝶也愁[2]。好教我情绪懒，意难酬，无言低首。

【灵寿杖】西风落叶山容瘦，呀呀的雁过南楼，霜满汀洲，水痕渐收。山泼黛层层崄[3]，水泛碧粼粼皱。记的是清明三月三，不觉又重阳九月九。

## 注释

① 白衣送酒：事见南朝宋檀道鸾《续晋阳秋》："陶渊明九月九日无酒，于宅边菊丛中摘盈把，坐其侧，望见白衣人，乃王弘送酒，即便就酌而后归。"白衣：此指王弘送酒的使者。

② "我则"句：此句引宋苏轼《九日次韵王巩》："相逢不用忙归去，明日黄花蝶也愁。"

③ 崄(xiǎn)：同"险"，险要高峻的样子。

## 鉴赏

《陶渊明归去来兮》，简称《归去来兮》。据《宋书·陶渊明传》，陶渊明少有高趣，尝著《五柳先生传》以自况。因家贫亲老，起为州祭酒。不堪吏职，少日，自解归。后为彭泽令，郡遣督邮至，县吏曰：应束带见之。陶渊明曰：我不能为五斗米，折腰向乡里小人。即日解印绶去职归。赋《归去来辞》以见志。本剧当据此敷衍而成，未有全本传世，仅第四折存此二曲。

此二曲写陶渊明追昔忆旧，隐隐透出了对时光流逝的惆怅和宦情无聊的感慨。〔倘秀才〕一曲先写陶渊明面对青山如故，想起往日白衣小吏送酒来后欣然一醉，心中有一种淡淡的伤感。〔灵寿杖〕一曲通过自然景物的变换衬托出了陶渊明心中的凄凉。"西风"数句先感叹眼下衰煞秋容，"山泼黛"一个对句则追怀昔日之盎然春意；最后一个对句挽合，在盛衰对比中流露出人生易逝的伤感。这两支曲子意蕴深远，音韵浏亮，非常成功地表现出陶渊明忧郁而感伤的心态。

（赵义山）

# 李亚仙花酒曲江池(第一折摘选)

石君宝*

## 【仙吕·点绛唇】

【寄生草】他将那花阴串，我将这柳径穿。少年人乍识春风面①，春风面半掩桃花扇。桃花扇轻拂垂杨线，垂杨线怎系锦鸳鸯，锦鸳鸯不锁黄金殿②。

### 作者

* 石君宝(？—1276)，平阳(今山西临汾)人，生平事迹不详。孙楷第《元曲家考略》则考石君宝本女真族，为辽东盖州(今辽宁盖县)人，复姓石盏，名德玉，晚号洪岩老人。元前期杂剧作家。元钟嗣成在《录鬼簿》列入"前辈名公才人有所编传奇行世者"中。他的戏曲，《录鬼簿》载有杂剧剧目10种，现存《曲江池》《秋胡戏妻》《紫云亭》等3种。明朱权《太和正音谱》评其曲"如罗浮梅雪"。

### 注释

① 春风面：指李亚仙充满青春活力的娇媚面容。
② "锦鸳鸯"句：出自唐李白《宫中行乐词》："玉楼巢翡翠，珠殿锁鸳鸯。"

### 鉴赏

《李亚仙花酒曲江池》，简称《曲江池》，元杂剧旦本戏，正旦扮李亚仙。全剧四折一楔子。其剧情如下：书生郑元和奉父命上京应考，在曲江池与游春的李亚仙相遇,一见钟情。后银钱花光,被鸨母逐走,流落街头,靠为丧家唱挽歌为生。郑父知此事后,认为有辱家门,将郑元和打得昏死过去。李亚仙闻讯赶来,救醒元和,并用自己的积蓄赎身,与元和相依为命,并劝他读书进取。元和终于高中状元,在亚仙劝解下,郑父也与儿子相认。这一故事唐代早已流行,唐人白行简的传奇小说《李娃传》即写此事。搬演这一故事的元人杂剧,还有高文秀的《郑元和风雪打瓦罐》(佚)。此剧第一折演李亚仙、郑元和在长安曲江池游春,二人一见钟情,郑元和因随李亚仙而去。

此曲为李亚仙遇郑元和时所唱,描写了爱情碰撞出火花那一刹那的美妙。两人在如诗如画的优美环境中邂逅相遇,郑元和初见李亚仙时惊喜万分,李亚仙娇容半掩,表现出娇羞无邪、脉脉含情的神态。这支曲子环境呈现与情感抒发交相融会,由柳丝而思系鸳鸯,极其婉曲,其顶针句格的巧妙运用有往复回环、一唱三叹之妙。全曲非常成功地写出了郑、李二人的一见钟情,咏叹了少男少女的纯情之恋。

(赵义山)

# 临江驿潇湘秋夜雨(第二折摘选)

杨显之*

## 【南吕·一枝花】

【梁州】我则见舞旋旋飘空的这败叶，恰便似红溜溜血染胭脂，冷嗖嗖西风了却黄花事。看了些林梢掩映，山势参差。走的我口干舌苦眼晕头疵①。我可也把不住抹泪揉眵②，行不上软弱腰肢③。我、我、我款款的④兜定这鞋儿，是、是、是慢慢的按下这笠儿，呀、呀、呀我可便轻轻的拽起这裙儿。我想起亏心的那厮，你为官消不得⑤人伏侍？你忙杀呵，写不得那半张纸？我也须有个日头儿⑥见你时，好着我仔细寻思。

【牧羊关】兀的⑦是闲言语，甚意思！他怎肯道节外生枝。我和他离别了三年，我怎肯半星儿失志？我则道他不肯弃糟糠妇⑧，他原来别寻了个女娇姿。只待要打灭⑨了这穷妻子。呀、呀、呀！你畅好是⑩负心的崔甸士。

……

【哭皇天】则我这脊梁上如刀刺，打得来青间紫，飕飕的雨点下，烘烘的疼半时。怎当他无情无情的棍子，打得来连皮彻骨，夹脑通心，肉飞筋断，血溅魂消，直着我⑪一疼来、一疼来一个死。我只问你个亏心甸士，怎揣与⑫我这无名的罪儿？

……

【黄钟煞】休、休、休，劝君莫把机谋使，现、现、现，东岳新添一个速报司⑬。你、你、你，负心人信有之，咱、咱、咱，薄命妾自不是。快、快、快，就今日逐离此，行、行、行，可怜见只独自。细、细、细，心儿里暗忖思，苦、苦、苦，业身躯怎动止？管、管、管，少不的在路上停尸。哎哟天那！但不知那塌儿里把我来磨勒死⑭！

## 作者

＊杨显之，生卒年不详，大都（今北京）人，元前期重要剧作家。元钟嗣成《录鬼簿》说他为“关汉卿莫逆之交，凡有文辞，与公较之，号杨补丁是也”。明代戏曲家贾仲明为其补写的吊词称他为“前辈老先生”，说“王元鼎师叔敬，顺时秀伯父称，寰宇知名”。《录鬼簿》载其所作杂剧共8种，今仅存《潇湘夜雨》和《酷寒亭》两种。其作品风格朴素，为元杂剧本色派作家。明朱权《太和正音谱》评其曲“如瑶台夜月”。

## 注释

① 眼晕头疵：眼花头昏。疵：小毛病，引申作不适。
② 把不住：忍不住。抹泪揉眵（chī）：形容悲痛伤心落泪的样子。眵：眼屎。
③ 行不上：走不动。
④ 款款的：慢慢地。
⑤ 消不得：用不得。
⑥ 日头儿：日子。
⑦ 兀的：此处用为指示代词，即这。
⑧ 则道：只说。糟糠妇：谓吃糠咽菜一起共过患难的妻子。
⑨ 打灭：抛弃，打杀。
⑩ 畅好是：真正是。
⑪ 直着我：直叫我。

⑫ 揣与:强加于人。

⑬ 东岳:迷信传说中主管人间生死、贵贱、祸福的东岳大帝,其属下有七十二司。速报司:即东岳大帝属下七十二司之一,主管现时报应诸事。

⑭ 那塌儿里:哪里。磨勒:折磨。

## 鉴赏

《临江驿潇湘秋夜雨》,简称《潇湘夜雨》或《潇湘雨》,元杂剧旦本戏,正旦扮张翠鸾。全剧四折一楔子。其剧情如下:少女翠鸾随父赴任途中与父失散,被渔夫崔文远收容并嫁与其侄崔甸士。崔甸士中举得官后弃妻另娶,张翠鸾遭崔甸士诬陷被发配沙门岛,途经临江驿,巧遇失散已久现居高官的父亲,才得解救,并与崔甸士重归旧好。第二折写崔甸士中举另娶后陷害张翠鸾的经过。

此处所选四曲写翠鸾赶往秦川县寻夫,得知崔甸士已另娶后既悲又愤,崔甸士却诬陷翠鸾并将其发配沙门岛。〔梁州〕一曲首先营造一派萧瑟凄凉的悲怆气氛,然后用三组叠字带出对句,细致刻画出翠鸾艰难赶路的情景,极富动感。〔牧羊关〕一曲写翠鸾将自己的守志不移与崔甸士的变情负心进行对比,并借此抒发了内心的痛苦与愤激。〔哭皇天〕一曲写崔甸士诬陷翠鸾是偷盗自家东西的家奴后,将其残酷毒打。通过翠鸾的声声哭诉,淋漓尽致地写出了崔甸士的无情和恶毒。〔黄钟煞〕连用八组叠字领起,酣畅淋漓地抒发了翠鸾含冤负屈、无限悲愤的心情。这几首曲子语言简练质朴,叠字和排比句式的运用,使翠鸾和崔甸士一善良一狠毒的形象对比更加鲜明强烈。

(赵义山)

# 赵氏孤儿大报仇(第二折摘选)

纪君祥*

## 【南吕·一枝花】

【梁州第七】他、他、他，在元帅府扬威也那耀勇，我、我、我，在太平庄罢职归农。再休想鹓班豹尾①相随从。他如今官高一品，位极三公②，户封八县，禄享千钟。见不平处有眼如矇③，听咒骂处有耳如聋。他、他、他，只将那会谄谀的着列鼎重裀④，害忠良的便加官请俸，耗国家的都叙爵论功。他、他、他，只贪着目前受用，全不省爬的高来可也跌的来肿，怎如俺守田园学耕种，早跳出伤人饿虎丛，倒大来⑤从容。

### 作者

* 纪君祥，或作纪天祥。明贾仲明为《录鬼簿》中记载的曲家补写挽词称他和李寿卿、郑廷玉同时，故当为元前期杂剧作家。所作杂剧6种，流传者仅《赵氏孤儿》1种，另有佚曲1套。王国维称《赵氏孤儿》“列之于世界大悲剧中亦无愧色”。明朱权《太和正音谱》评其曲“如雪里梅花”。

### 注释

① 鹓(yuān)：凤之一种。鹓班：鹓鸟飞行有序，这里比喻官员排班上朝。豹尾：

朝廷仪仗上的装饰。

② 三公：周代太师、太傅、太保称为三公，汉时以大司马（东汉时以太尉）、大司徒、大司空为三公。这里指掌握军政大权的屠岸贾。

③ 矇：蒙眬，眼目不明。

④ 列鼎重裀：吃饭时摆列着食器，坐卧时垫着锦褥，指富贵豪华的生活。

⑤ 倒大来：十分、非常的意思。

## 鉴赏

《赵氏孤儿大报仇》，亦作《冤报冤赵氏孤儿》《赵氏孤儿冤报冤》，简称《赵氏孤儿》。元杂剧末本戏，全剧五折一楔子。剧演春秋时晋国上卿赵盾遭到大将军屠岸贾的诬陷，全家三百余口被杀。为斩草除根，屠岸贾下令在全国范围内搜捕赵氏孤儿赵武。赵家门客程婴与老臣公孙杵臼定计，救出赵武。为救护赵武，先后有晋公主、韩厥、公孙杵臼献出生命。二十年后，赵武由程婴抚养长大，尽知冤情，禀明国君，亲自拿住屠岸贾并处以极刑，终于为全家报仇。第二折主要写屠岸贾搜孤和程婴、公孙杵臼救孤的惊心动魄的斗争。

此处从第二折〔一枝花〕套中所选〔梁州第七〕一曲写正直的老臣公孙杵臼控诉奸臣屠岸贾把持朝政、混淆忠奸的罪行。此曲冷嘲热讽，充分表现了公孙杵臼对屠岸贾的愤慨。全曲多处用“他他他”这样的句式，似万箭齐发，指向万恶不赦的奸贼。其排比和对仗句式的运用，显得气势磅礴，增强了语言的表现力。

（赵义山）

# 陶学士醉写风光好(第三折摘选)

戴善夫*

## 【正宫·端正好】

【叨叨令】学士写时节有些腔儿韵[①]，妾身讴时节有些词儿顺。做时节难诉千般恨，写时节则是三更尽。学士你记得也么哥[②]，记得也么哥？兀的是亲笔写下牢收顿[③]。

【滚绣球】那素衣服[④]是妾身，诈作驿吏妻把香火焚。我诵情诗暗传芳信[⑤]，向明月中独立黄昏。见学士下砌跟[⑥]，瞻北辰，转身躯猛然惊问，便和咱燕尔新婚[⑦]。咱正是武陵溪畔曾相识[⑧]，今日佯推不认人，道的他满面似烧云[⑨]。

### 作者

* 戴善夫，生卒年不详。一作戴善甫。真定(今河北正定)人。元代前期杂剧作家，曾任江浙行省务官。天一阁本《录鬼簿》后有贾仲明补写的吊词曰："江浙提举任皇宣，同里同僚尚仲贤。"由此可知他与著名杂剧家尚仲贤同时、同乡、同僚。《录鬼簿》列其杂剧5种，今所存者唯《陶学士醉写风光好》1种。明朱权《太和正音谱》评其曲"如荷花映月"。

### 注释

① 时节：时候。腔儿韵：原指词的声腔合韵，此指文辞华丽。与下文的"词儿顺"

互文并举。
② 也么哥:又作也末哥或也波哥。语尾复音助词,无义。
③ 兀的:指示代词。这,这个。牢收顿:牢牢收拾,好好存放。
④ 素衣服:文中指白色的孝衣。民谚:“要想俏,一身孝。”
⑤ 芳信:本指花开的信息或春的消息,这里指相爱的信息。也常用以代指书信。
⑥ 砌跟:台阶。
⑦ 燕尔新婚:形容新婚的欢乐。出自《诗经·谷风》,原为弃妇诉说故夫再娶与新欢作乐的情形,后泛指新婚之乐。
⑧ 武陵溪:晋陶渊明在《桃花源记》中描述武陵郡渔人发现桃花源佳境,因又称桃花源为武陵源,此便以武陵溪代指桃花源;又南朝时流传汉明帝永平年间刘、阮二人在天台山入桃源遇仙女的故事(参见南朝宋刘义庆《幽明录》)。此句因借这一典故言陶学士与弱兰的艳遇。
⑨ 烧云:本指日出日落时的天边红霞,此用以比喻因羞愧而脸色发红。

## 鉴赏

《陶学士醉写风光好》,简称《风光好》,元杂剧末本戏,正末扮陶谷。全剧四折。剧演北宋初年,陶谷受命前去南唐说降,反中南唐丞相宋齐丘等人设下的美人计。陶赋《风光好》词赠给妓女秦弱兰,次日宋齐丘在筵席间令弱兰唱《风光好》,揭穿了陶的假道学面目。陶说降不成,又不敢归宋,只好逃避杭州。陶、秦二人后经吴越王钱俶主持成婚。第三折写宋齐丘等人在筵宴前让妓女秦弱兰讴陶谷夜间所赋《风光好》词,其道貌岸然之伪装被秦弱兰当场揭穿。陶羞愧难当,无颜归宋,只得投杭州故人吴越王钱俶而去,并允诺与弱兰成婚。

陶谷为掩饰自己的假道学嘴脸,假装不识弱兰,并在席间抵赖斥骂,秦弱兰被逼无奈,只得当场揭穿其“宜假不宜真”的假面孔。此处所选〔叨叨令〕一曲写秦弱兰回忆陶谷夜间勾引自己时的诸般情景,陶谷在筵前该是怎样的尴尬,便给人留下了丰富的想象空间。〔滚绣球〕一曲写秦弱兰说出自己如何假扮驿吏妻,诵情诗、传芳信,以及夜间与陶学士“燕尔新婚”的恩爱光景,这便给予在筵席间一副道学面孔的陶学士以极大的揶揄和嘲讽,由此产生很强的喜剧性效果。这两支曲子连唱,把陶谷白天人前装模作样,说什么“我头顶儒冠,身穿儒服，乃正人君子”，“一生不吃妇人手内饮食”，“平生目不视邪色，耳不听淫声”，而暗地里却是男盗女娼、勾引人妇的假道学嘴脸剥露无遗，具有冷酷的幽默色彩，也揭示了陶谷此行遭人暗算、难完使命的悲剧性根源。

（徐艳丽　赵义山）

# 沙门岛张生煮海（第二折摘选）

李好古*

## 【南吕·一枝花】

【一枝花】黑弥漫①水容沧海宽，高崪嵂②山势昆仑大，明滴溜冰轮出海角③，光灿烂红日转山崖，这日月往来，只山海依然在，弥八方遍九垓④。问甚么河汉江淮，是水呵都归大海。

【梁州第七】你看那缥渺间十洲三岛⑤，微茫处阆苑蓬莱⑥，望黄河一股儿浑流派。高冲九曜⑦，远映三台⑧，上连银汉，下接黄埃。势汪洋无岸无涯，出许多异宝奇哉。看看看波涛涌光隐隐无价珠玑，是是是草木长香喷喷长生药材，有有有蛟龙偃郁沉沉精怪灵胎。常则是云昏，气霭，碧油油隔断红尘界，恍疑在九天外。平吞了八九区云梦泽，问甚么翠岛苍崖。

作者

* 李好古，生卒年不详。其籍贯有三说：一说保定（今属河北）人，一说西平（今属河南）人，一说东平（今属山东）人。孙楷第《元曲家考略》感慨“歧异如此，将何从乎？”并据元许有壬《至正集》和元杨维桢《东维子文集》证其为西平人，曾官南台御史。元钟嗣成《录鬼簿》列入“前辈已死名公才人有所编传奇行世者”中。其所著《镇凶宅》《劈华山》和《张生煮海》杂剧 3 种，今仅存《张生煮海》1 种。明朱权《太和正音谱》评其曲“如孤松挂月”。

## 注释

① 黑弥漫：形容水势深广浩渺的样子。

② 崒嵂(zú lù)：高峻陡峭的山岩。亦可形容山势陡峭。

③ 明滴溜：明亮而圆润。冰轮：指明月。此句状明月出海之景。

④ 八方：四方四隅合称八方，亦泛指各方。九垓：九天，亦指九州。

⑤ 十洲三岛：古代传说中的域外仙岛。十洲：六朝人伪托汉东方朔撰的《十洲记》中称巨海中有祖、瀛、玄、炎、长、元、流、生、凤麟、聚窟十洲。三岛：指传说中的蓬莱、方丈、瀛洲三神山。《史记·秦始皇本纪》："齐人徐市等上书，言海中有三神山，名曰蓬莱，方丈，瀛洲。"古诗文中常以十洲三岛比喻神仙世界。

⑥ 阆苑蓬莱：借指仙境。阆苑：传说中仙人所居之处。蓬莱：古代传说中的海上仙山。

⑦ 九曜：星宿名，此指北斗七星及其辅佐二星。

⑧ 三台：星座名，即上台、中台、下台，共六星，两两相对。

## 鉴赏

《沙门岛张生煮海》，简称《张生煮海》，一说尚仲贤作。元杂剧末本戏。正末扮书生张羽。全剧四折。剧情如下：潮州儒生张羽寓居石佛寺，清夜抚琴，恰遇龙女琼莲出游，二人一见倾心，约定中秋之夜海边相会。张羽届时到了海边却不见琼莲，正彷徨间，遇东华仙姑，始知因龙王阻挠，琼莲无法赴约。张羽便用仙姑所赠宝物在沙门岛架锅煮海，龙王无奈只好请石佛寺长老做媒，带张羽到龙宫与琼莲婚配。第二折写张羽海边赴约，不遇佳人，正在懊恼，恰遇东华仙姑毛女，仙姑告以龙女之事，并授张羽法术宝物：银锅一只，金钱一文，铁勺一把。张羽得上仙法宝，直奔沙门岛，欲煎煮海水。

此处所选两曲，是东华仙姑毛女乘兴出游，来到东海岸，面对波翻浪涌的大海所咏唱之词。〔一枝花〕曲运用对偶、比喻、摹状、夸张等多种修辞手法，极状大海吞吐日月，弥八方遍九垓的壮阔气势，尤其前四句运用连壁对和双声联绵词摹景状物，色彩明丽，气势恢宏。山、海、日、月，实与虚，静与动，迭相变换，写壮境如在目前，收到了摄人心魄的艺术效果。〔梁州第七〕一曲借助毛女之口，描绘海外仙境，上连银汉,下接尘埃,云雾缥缈间,十洲三岛,阆苑蓬莱;无价珠玑,长生药材,蛟龙精怪;一个多么奇异和令人向往的神仙世界!此曲以宏阔浑茫的气势唱出,尤其鼎足对和叠字的运用,状蓬莱仙境,绘尘外灵异,夸大海气势,一气呵成,酣畅淋漓,具有强烈的震撼效果。

(赵义山)

# 晋文公火烧介子推(第四折摘选)

狄君厚*

## 【越调·斗鹌鹑】

【斗鹌鹑】焰腾腾[1]火起红霞,黑洞洞烟飞墨云,闹垓垓[2]火块纵横,急穰穰[3]烟煤乱滚。悄蹙蹙[4]火巷外潜藏,古爽爽[5]烟峡内侧隐。我子见烦烦的烟气熏[6],纷纷的火焰喷,急煎煎[7]地火燎心焦,密匝匝烟屯合峪门[8]。

### 作者

* 狄君厚,生卒年不详。平阳(今山西临汾)人。元代杂剧作家。元钟嗣成《录鬼簿》列入"前辈已死名公才人有所编传奇行于世者"一类中。其所作杂剧,《录鬼簿》载有《晋文公火烧介子推》1种,今存。散曲存套数1套。明朱权《太和正音谱》列入"词林英杰"150人之中。

### 注释

① 焰腾腾:火势猛烈貌。

② 闹垓垓:喧哗嘈杂貌。

③ 急穰穰:同"急攘攘",此处形容纷乱的样子。

④ 悄蹙蹙:悄悄地。亦作悄促促。

⑤ 古爽爽:形容惊慌忙乱的样子。

⑥ 子见:只见。烦烦的:这里形容烟雾弥漫的样子。

⑦ 急煎煎:急急忙忙、十分焦急。

⑧ 密匝匝:稠密众多的样子。屯合:聚集。峪门:即谷口。

## 鉴赏

《晋文公火烧介子推》,简称《介子推》,元杂剧末本戏。正末分别扮介子推、王安、樵夫。全剧四折一楔子。其剧情如下:晋献公宠信的骊姬害死太子申生,又欲加害重耳。重耳逃到介子推家,被追逼,介子推之子介林替重耳自刎而死。介子推随重耳出亡,风雪中绝粮,割腿肉以活重耳。后重耳回国即位,为晋文公,封赏功臣,却遗漏了子推。子推归隐,文公烧山以逼其出仕,结果子推被烧死,文公设祭绵山。第四折写晋文公下令烧山,作者借樵夫之口叙述了介子推被大火烧死的情景,并抒发了臣子尽忠有德、君王薄情寡恩的感慨。

第四折所用〔越调·斗鹌鹑〕套为樵夫所唱,这里所选的是该套的首曲,通过樵夫的唱词,虚拟大火烧山的壮烈声势。作者紧扣烟火二字,排比直下,一气贯注,不仅写了火的猛烈,也写了烟的气势,还写了樵夫避火的忙乱和焦急的心情。曲文中烟火滚滚的景色描绘,烘托与渲染了紧张激烈的气氛,也衬托出樵夫的愤怒情怀。其叠字和排比修辞手法的运用,既增强了激烈场面描写的效果,又形成了曲文学淋漓酣畅的特有风致。

(徐艳丽　赵义山)

# 吕洞宾度铁拐李岳(第一折摘选)

岳伯川*

## 【仙吕·点绛唇】

【混江龙】想前日解来强盗，都只为昧心钱买转了这管紫霜毫①。减一笔教当刑的责断，添一笔教为从的该敲②。这一管扭曲作直取状笔，更狠似图财致命③杀人刀。出来的都关来节去④，私多公少。可曾有一件儿合天道！他每都指山卖磨⑤，将百姓画地为牢⑥。

### 作者

* 岳伯川，生卒年不详。济南(今山东济南)人，一说江苏镇江人。元代杂剧作家。元钟嗣成《录鬼簿》列为“前辈已死名公才人有所编传奇行于世者”。其所作杂剧，《录鬼簿》载有《铁拐李岳》《杨贵妃》2种，前者今存，后者仅存残曲1折。明朱权《太和正音谱》评其曲“如云林樵响”。

### 注释

① 紫霜毫：代指毛笔。紫：紫色。霜：白色。皆指兔毫的颜色。

② “减一笔”二句：意为官吏率意执法，有意减一笔罪，当杀的罪犯可以轻责结案；有意添一笔罪，本是从犯却被杖杀。刑：杀的意思。元李直夫《虎头牌》第二折〔石竹子〕：“假若是罪当刑，死而无怨。”敲：《元典章·刑部·延祐新定例》：“处死罪仗(杖)杀者曰敲。”

③ 图财致命：图财害命。

④ 出来的:由监狱里放出来的。关来节去:意为打通关节。
⑤ 他每:他们。指贪官污吏。指山卖磨:比喻依仗权势说空话骗人。磨:石制磨粉或磨面的器具。
⑥ 画地为牢:指活动受到限制。汉司马迁《报任少卿书》:"故士有画地为牢,势不可入。"

## 鉴赏

《吕洞宾度铁拐李岳》,简称《铁拐李岳》或《铁拐李》。元杂剧末本戏,正末先后扮岳寿和铁拐李。全剧四折一楔子。剧写宋代郑州六案都孔目岳寿有神仙之份,吕洞宾扮作道士来点化他,岳寿不悟。其后,岳寿因触犯上司惊吓而死,吕洞宾让他借小李屠尸体还魂,并度他为弟子,改名李岳,道号铁拐。第一折演岳寿在迎新官上任时,因不明吕洞宾身份,把他吊在门首,适逢韩魏公巡查此地,放走吕洞宾,岳寿遂将韩魏公吊在梁上,后知韩魏公为朝廷命官,乃惊恐万状。

生时心眼不正的岳寿,死后还魂于一个瘸子,这对作恶多端的权势者是一种道义上的惩罚。这里所选的〔混江龙〕一曲是岳寿贪赃枉法后的感慨,作者通过他的自白,以形象的比喻和适度夸张的描写,淋漓尽致地揭露了官府歪曲事实、颠倒是非的黑暗和罪恶,以及悍吏的狡诈贪鄙,还有人民遭受摧残的苦难。在元朝,官吏贪赃枉法致使冤狱累累的现象非常严重,此曲可谓当时黑暗社会的画像。

(徐艳丽　赵义山)

# 死生交范张鸡黍(第一折摘选)

宫天挺*

## 【仙吕·点绛唇】

【寄生草】将凤凰池[①]拦了前路，麒麟阁[②]顶杀后门。便有那汉相如献赋[③]难求进，贾长沙痛哭[④]谁偢问，董仲舒对策[⑤]无公论。便有那公孙弘撞不开昭文馆内虎牢关[⑥]，司马迁打不破编修院里长蛇阵[⑦]。

【幺篇】口边厢[⑧]奶腥也犹未落，顶门上胎发也尚自存。生下来便落在那爷羹娘饭长生运，正行着兄先弟后财帛运，又交着夫荣妻贵催官运。你大拚着十年家富小儿娇，也少不的一朝马死黄金尽。

【六幺序】您子父每轮替着当朝贵，倒班儿居要津[⑨]，则欺瞒着帝子王孙。猛力如轮，诡计如神，谁识您那一伙害军民聚敛之臣。现如今那栋梁材平地上刚三寸，您说波[⑩]怎支撑那万里乾坤？都是些装肥羊法酒人皮囤[⑪]，一个个智无四两、肉重千斤。

【幺篇】这一伙魔军[⑫]，又无甚功勋，却着他画戟朱门[⑬]，列鼎重裀[⑭]，赤金白银，翠袖红裙，花酒[⑮]盈樽，羊马成群。有一日天打算衣绝禄尽，下场头少不的吊脊抽筋。小子白身[⑯]，乐道安贫，觑此辈何足云云。满胸襟拍塞[⑰]怀孤愤，将云间太华[⑱]平吞！想为人怎敢言而无信？枉了咱顶天立地，束发冠巾。



## 作者

＊宫天挺(1265？—1330？)，字大用。元钟嗣成《录鬼簿》说他是"大名开州人。历学官，除钓台山长，为权豪所中，事获辩明，亦不见用，卒于常州"。并把他列为"方今已亡名公才人余相知者"的首位。据《录鬼簿》著录，其撰有杂剧6种，今存《范张鸡黍》《七里滩》2种。明贾仲明在《凌波仙》悼词中称赞他"更词章压倒元白"。

## 注释

① 凤凰池：禁苑中池沼。魏晋南北朝时设中书省于禁苑，后世以其代称中书省。

② 麒麟阁：汉代阁名。在未央宫中。汉宣帝时曾图画霍光等十一功臣像于阁上，以表扬其功绩。

③ 汉相如献赋：汉代辞赋家司马相如，字长卿，蜀郡成都(今四川成都)人。落魄时与卓文君酤酒临邛，后因杨得意荐介，献《子虚赋》于武帝，天子以为郎。后又献《大人赋》，武帝甚悦。

④ 贾长沙痛哭：贾宜，西汉洛阳(今河南洛阳)人。文帝时召为博士，善议朝政，迁太中大夫，后受人讥谗，被黜为长沙王太傅，意不自得，及渡湘水，为赋以吊屈原，因以自喻。

⑤ 董仲舒对策：董仲舒，西汉广川(今河北冀州)人。少治春秋，孝景时为博士。武帝即位，举贤良文学之士前后百数，而仲舒以贤良对策闻名。

⑥ "便有"句：言即使有公孙弘一样的才华，也难以仕进。公孙弘：西汉淄川薛(今山东寿光)人，武帝时以贤良征为博士，后历任内史、御史大夫等职，终丞相位。昭文馆：官署名，掌详正图籍、教授生徒、参议礼仪、监修国史等。虎牢关：古关隘名，春秋时属郑国，旧址在今河南荥阳汜水镇，形势险要，历代为军事重镇。

⑦ "司马"句：言即使有司马迁一样的文才，也难以冲破仕途障碍。司马迁：西汉人，生于龙门(今陕西韩城)，先仕为郎中，后继父司马谈太史公职为太史令，著有《史记》。编修院：指翰林院，因翰林院编修国史，故云。长蛇阵：古代布兵的一种阵法，这里比喻仕途障碍。

⑧ 边厢：旁边。

⑨ 要津:水陆要冲之地,这里比喻机要职位。
⑩ 说波:即说。波:曲中衬字,无义。
⑪ 法酒:照官府规定酿造的酒。人皮囤:比喻酒囊饭袋。
⑫ 魔军:本指破坏佛法、干扰修行的邪魔,此处指奸佞之臣。
⑬ 画戟朱门:象征权贵。画戟:亦称门戟,立在宫庙、官府以及显贵之家门前作为仪仗。朱门:红色大门。
⑭ 列鼎重裀:摆着丰盛的筵席,坐着双层软垫子,指非常富贵。
⑮ 花酒:在妓院中狎妓饮宴。
⑯ 白身:尚未取得功名出身。
⑰ 拍塞:充斥,塞满。
⑱ 太华:山名,即西岳华山,在今陕西华阴县南。

## 鉴赏

《死生交范张鸡黍》,简称《范张鸡黍》,元杂剧末本戏,正末扮范式。全剧四折一楔子。其剧演范式、张劭、孔嵩、王韬同为太学生,范、张二人因见谗佞当朝,不愿仕进,同时还乡。分手之时,范式与张劭相约,两年后此日到张家相会。范式如期赴约,途遇因盗用孔嵩的万言策而得官的王韬,二人同往。张劭早已杀鸡炊黍相候。吏部尚书第五伦奉命征范式为官,范不肯。范式夜梦张劭鬼魂以老母妻子相托,因急往张家。直到范式素车白马到来,张劭灵车方才得以启动。第五伦再次奉命征聘范式,范式应允,并举荐孔嵩,二人同拜官爵。王韬也因诈冒受罚。第一折从太极初分、三皇兴运,追述到本朝大道不行、妖魔乱舞的社会历程,以范、张间友谊真挚、修身高洁,反衬善恶不分、贤愚颠倒的混混浊世。

此处所选四曲写范式因不满谗佞盈朝,愤而还乡后的激愤之词。〔寄生草〕一曲通过一系列历史人物的遭际,抨击元代权豪横行、势要当道、普通士人不得获志的社会现实。〔幺篇〕讥讽那些靠祖辈荫封的特权阶级,现正享受着财帛蓄积、官运亨通的富贵荣华,终有一朝落得人死财尽的结局。〔六幺序〕一曲痛骂那些"当朝贵""居要津"瞒上欺下的聚敛之臣是毫无治国才能的酒囊饭袋。〔幺篇〕以自己不求功名、乐道安平之志反衬那些眼下虽豪富奢华,而终将禄尽身死的人间恶魔。鄙视他们言而无信,枉披人衣的丑恶嘴脸。这四支曲子嬉笑怒骂,将愤懑之情淋漓尽致、恣肆酣畅地抒发出来,有很强的艺术感染力。

(赵义山　徐艳丽)

## 严子陵垂钓七里滩(第一折摘选)

宫天挺

### 【仙吕·点绛唇】

【青哥儿】那里面暗隐着风波[1]、风波千丈。你说波使磁瓯的有甚灾伤?我醉了呵东倒西歪尽不妨。我若烂醉在村乡,着李二公扶将,到草舍茅堂,靠瓮牖蓬窗[2],新苇席清凉,旧木枕边厢,袒脱下衣裳,放散诞心肠,任百事无妨。倒大来[3]免虑忘忧,纳被蒙头,任意翻身,强如您宰相侯王,遭断没属官象牙床、泥金亢[4]。

【赚煞】平地上窝弓[5],水面上张罗网,再谁想相寻相访。鸿鹄志[6]飞腾天一方,拣深山旷野潜藏。莫行唐[7],蓦岭登冈,拽着个钝木斧,系着条粗麻绳,挡着条旧担杖。我则待驾孤舟荡漾,趁五湖烟浪,望七里滩头,轻舟短棹[8],蓑笠纶竿,一钩香饵钓斜阳。

注释

① 风波:风浪。这里比喻纠纷或祸端。

② 瓮牖蓬窗:以破瓮之口和蓬草做成的窗户。

③ 倒大来:多么,非常。

④ 断没:因犯法而判决没收财物、妻妾、子女等。泥金亢:饰金的座椅。

⑤ 窝弓:装有机关、埋伏草丛捕兽的弓箭。

⑥ 鸿鹄志:比喻极高远的志向。

⑦ 行唐(hángtáng):这里有彷徨、犹豫的意思。

⑧ 棹:船桨。

## 鉴赏

《严子陵垂钓七里滩》,简称《七里滩》。王国维在《元刊杂剧三十种叙录》中认为此剧即元钟嗣成《录鬼簿》所载的《严子凌钓鱼台》。此剧属元杂剧末本戏,正末扮严光。全剧四折。剧演东汉开国皇帝刘秀,少时为避王莽搜捕,改名金和秀才,与严光为至交。刘秀称帝后,两三次宣严光入朝,严光拒绝了邀请。刘秀又以布衣之交相邀请,严光始入朝,刘秀摆銮驾出郊相迎,又大摆筵席。严光终因看破朝代更替,富贵无常,不愿被名缰利锁羁绊,遂隐居七里滩垂钓。第一折从王朝变迁、人事兴亡起笔,抒写严光安贫守志,恣情湖山的情怀。

此处所选两支曲子,写严光在与世事风波的对比中热恋田舍生活与湖山逍遥的人生意趣。〔青哥儿〕一曲以瓦牖蓬窗、烂醉村乡的狂放散诞、无拘无束的生活对比王侯将相富贵中暗藏祸端、朝不保夕的命运,凸现严光放浪形骸、自由散诞的叛逆个性。〔赚煞〕一曲通过对人事无常的反思,用湖山之美映衬世事险恶,表现严光追求散诞逍遥、自由自在的生活理想。这是元代士人大志难展而不得不逃避现实的一种人生选择,表面上散诞逍遥,内中却潜涵着愤激与悲凉。

(赵义山)

# 醉思乡王粲登楼(第三折摘选)

郑光祖

## 【中吕·粉蝶儿】

【迎仙客】雕檐[1]外红日低，画栋畔彩云飞；十二阑干[2]、阑干在天外倚。我这里望中原，思故里，不由我感叹酸嘶[3]，越搅的我这一片乡心碎！

【红绣鞋】泪眼盼秋水长天远际，归心似落霞孤鹜齐飞[4]，则我这襄阳倦客苦思归。我这里凭阑望，母亲那里倚门悲，争奈我身贫归未得。

【普天乐】楚天秋，山叠翠，对无穷景色，总是伤悲。好叫我动旅怀难成醉，枉了也壮志如虹英雄辈，都做那助江天景物凄其[5]。气呵做了江风淅淅，愁呵做了江声沥沥，泪呵弹做了江雨霏霏。

注释

① 雕檐：有各种美丽图案装饰的屋檐，在这里指溪山风月楼的楼檐。

② 阑干：即栏杆。

③ 酸嘶：拟声词，形容凄楚哽咽之声。

④ "泪眼"二句：化用唐王勃《滕王阁序》"秋水共长天一色，落霞与孤鹜齐飞"。

⑤ 凄其：此处意同凄凄。

## 鉴 赏

《醉思乡王粲登楼》,简称《王粲登楼》,元杂剧末本戏,正末扮王粲。全剧四折一楔子。其剧演西汉末年,书生王粲奉母命进京求官,因恃才傲物,其父执蔡邕故意冷漠他,王粲愤而离去。蔡邕明激暗助,使曹植助王粲投奔刘表,刘表也因其傲慢不用。王粲失望不已,因登楼远眺,感而作赋,以抒郁闷之怀。其后,因"万言策"受皇帝赏识而出任"兵马大元帅",并与蔡邕之女成婚。作者借剧中之王粲抒发自己不遇情怀,饱含元代知识分子的人生悲感。明李开先《词谑》认为该剧"四折俱优,浑成慷慨,苍老雄奇"。此处选曲的第三折,写王粲登溪山风月楼,虽面对江山美景,但因壮志难酬,不仅无心赏玩,反而倍增失意沦落之悲和他乡流落之叹,差一点跳楼自杀。正落魄彷徨之际,忽得朝廷降诏,宣其为天下兵马大元帅,遂得意而去。

第三折声情激越,感人至深。此处所选三曲写王粲在重九日应约登溪山风月楼饮酒,本想借此消除羁愁旅恨,不料却对景伤怀,反而倍增感伤之情。〔迎仙客〕一曲写王粲登上高楼,面对红日西斜、彩云纷飞之景,不禁更增思乡之情和不遇之感。元周德清《中原音韵·作词十法·定格》特别从声韵的角度推崇此曲,谓"〔迎仙客〕累百无此调也。美哉!德辉之才,名不虚传"。其后〔红绣鞋〕一曲化用王勃名句,用长天远水、孤鹜落霞的凄清旷远之景,衬托他乡飘零、欲归不得的落寞之情,并通过慈母倚门念远的形象对比,来加重其"只因身贫归不得"的不遇之感和沦落之悲。〔普天乐〕一曲则具体渲染其求仕不遇的悲愁。本来饱读诗书,"壮志如虹",到头来都化为无穷的气、愁、泪。末尾一鼎足对则利用字声的重叠铺排"气""愁""泪"三字,使无尽的悲涛恨浪达到高潮。这三支曲子词语优美,情景交融,充分表达了王粲思亲怀远的愁情和壮志未酬的悲痛。

(赵义山)

# 迷青琐倩女离魂(第一折摘选)

郑光祖

## 【仙吕·点绛唇】

【后庭花】我这里翠帘车先控着①，他那里黄金镫②懒去挑。我泪湿香罗袖，他鞭垂碧玉梢。望迢迢，恨堆满西风古道③。想急煎煎人多情人去了，和青湛湛天有情天亦老④。俺气氲氲喟然声不定交⑤，助疏剌剌动羁怀风乱扫⑥；滴扑簌簌界残妆粉泪抛⑦，洒细蒙蒙浥香尘⑧暮雨飘。

### 注释

① 控着:停着。控:控制住,不使其前行。

② 黄金镫:对马鞍脚镫的美称。

③ 西风古道:化用元马致远〔越调·天净沙〕《秋思》"古道西风瘦马,夕阳西下,断肠人在天涯"几句之意境。

④ 天有情天亦老:用唐李贺《金铜仙人辞汉歌》"天若有情天亦老"句。

⑤ 气氲氲:气很盛,此指十分生气的样子。喟然声不定交:叹息声接连不断。

⑥ 疏剌剌:拟声词,形容风声。羁怀:挂念、怀念、思念的意思,"羁"的本意是马笼头,在这里特指联系、联络的意思。

⑦ 界残妆粉泪抛:即泪痕划破了残妆。界:划分,这里指泪痕。

⑧ 浥香尘:此指细雨润湿了路面泥土。

### 鉴赏

《迷青琐倩女离魂》,简称《倩女离魂》,元杂剧旦本戏,正旦扮张倩女。全剧四折一楔子。此剧本事出唐陈玄祐传奇小说《离魂记》。

剧情大致如下：张倩女和王文举自幼订婚，待其长大成人，张母却以不招白衣女婿为由，让他们以兄妹相称，执意要等王文举应试得官后方可成亲。文举因上京赴试，倩女一病不起，灵魂离开躯体，伴文举一同进京。在家的倩女则恹恹卧病。当文举考中，得官归来，倩女的离魂与病中的倩女复又合二为一，王张二人最终美满结合。此剧充分展示了情与理的矛盾冲突。王国维《宋元戏曲考》把此剧与《汉宫秋》《梧桐雨》称为元杂剧中“三大杰作”，评其为“千古绝品”。此处选曲的第一折写王文举奉命上京赴考，张倩女和母亲在折柳亭为其送行的情景。

此曲通过张倩女停车诉情这一特定场面，表现了倩女与文举在临别之际难舍难分的离别悲愁。一个停车，一个驻马；一个泪湿罗袖，一个鞭垂玉梢；眷恋之情，可见可感。饯别未了，便遥想离人前行的西风古道和惆怅情怀，早已不胜悲情，一旦情人别去，就真有些痛不欲生了。所以接下来连用“急煎煎”“青湛湛”“气氲氲”“疏剌剌”“扑簌簌”“细蒙蒙”等叠字铺排成章，一气直下，淋漓酣畅地抒发了离别悲痛。

（赵义山）

# 迷青琐倩女离魂（第三折摘选）

郑光祖

## 【中吕·粉蝶儿】

【迎仙客】日长也愁更长，红稀[①]也信尤稀，春归也奄然人未归。我则道相别数十年，我则道相隔着几万里。为数归期，则那竹院里刻遍琅玕[②]翠。

【红绣鞋】去时节杨柳西风秋日，如今又过了梨花暮雨寒食[③]。则兀那龟儿卦[④]无定准，枉央及[⑤]。喜蛛儿难凭信，灵鹊儿不诚实，灯花儿何太喜[⑥]！

【普天乐】想鬼病[⑦]最关心，似宿酒迷春睡；绕晴雪杨花陌上，趁东风燕子楼西[⑧]。抛闪杀我年少人，辜负了这韶华日。早是离愁添萦系，更那堪景物狼藉[9]。愁心惊一声鸟啼，薄命趁一春事已，香魂逐一片花飞。

## 注释

① 红稀：言春花凋谢稀少。

② 琅玕（láng gān）：指竹子。唐杜甫《郑驸马宅宴洞中》："主家阴洞细烟雾，留客夏簟青琅玕。"

③ 寒食：节名，每年冬至后一百零五日，约在清明节前一、二日。晋文公时为求介之推出仕而焚烧山林，之推抱木而死，全国哀悼，于是乃定此日禁火寒食。（见《艺文类聚》卷四《岁时·寒食》引晋陆翙《邺中记》）

④ 龟儿卦：即占卜算卦。上古时占卜多用龟甲，故名。

⑤ 央及：央告，央求。

⑥ "喜蛛儿"三句：古人认为喜蛛出现、喜鹊鸣叫和灯花爆火，都是有喜事的好兆头。

⑦ 鬼病：难以言述之病，此处应指相思病。

⑧ "绕晴雪"二句：此指张倩女在梦幻中飘忽神游之状。

⑨ 景物狼藉：照应上文"红稀"二字，言春花凋谢的衰败情形。狼藉：东西杂乱无章、无秩序，也写作狼籍。

## 鉴赏

本剧剧情见前篇简介。此处选曲的第三折写卧病在家的倩女正苦思苦盼，正好文举差人向岳母送信，言其得官，并言不日将与小姐一同还家。倩女以为王文举别为婚娶，痛不欲生。

此处所选第三折中的三曲写王文举走后杳无音讯，张倩女在家度日如年，陷于极度思念之中。〔迎仙客〕一曲以春景反衬离愁，以春归反衬人未归，并以对时间和距离的痴感，以及刻遍琅玕的痴举，真实而细腻地写出了倩女怀人的痴情。〔红绣鞋〕一曲先以节物交替写别离之久，再以卦辞不准、好兆无凭，写相思之切。〔普天乐〕一曲写倩女相思成病，意乱情迷，面对春景，悲叹韶华，形象地表现了倩女因过度思念而伤身伤情的情形。此曲对仗的运用自然妥帖,尤其结尾一鼎足对,更显得珠圆玉润,酣畅淋漓地抒发了倩女的思念深情和离别悲愁。这三首曲子情景交融,词语华美,但又不失曲的圆熟自然,不愧大手笔所为。

(赵义山)

# 功臣宴敬德不伏老(第一折摘选)

杨　梓*

## 【仙吕·点绛唇】

【那吒令】知尉迟，辕门外的众军；讲尉迟，普天下的万民；谮尉迟的，是你这样小人。我将这鏖战册件件与你观，功劳簿桩桩与你论，那其间便见得元勋。

【鹊踏枝】我也曾在沙场上领着敌军[1]，舍着残生；我也曾揸鼓夺旗[2]，抓将挟人[3]；我也曾杀得败残兵骨碌碌[4]人头乱滚，磣可可[5]热血相喷。

【寄生草】太平时文胜似武，事急也武胜似文。我也曾苦相持恶战讨遭危困，扶持的国家安天下定今日狼烟静，生[6]熬的剑锋缺鞭节曲枪尖钝。我只待要一心儿分破帝王忧，只我这两条眉锁江山恨。

【六幺序】想为官的如骑着虎，他用人似积薪，教后来人在上居尊[7]。李道宗[8]这厮呵他非武非文，他曾立甚么功勋？怎敢欺侮俺开国功臣？他走将来上首头无些谦逊，论功处谁敢欺人？若不是军师[9]救了咱危困，他须是一枝一叶，俺须是四海他人[10]。

【幺篇】也不索胡云，休论，我性不容人。拳打了谗臣，恁般生嗔。若不是军师可便劝准，我没来由献甚么勤？知他是君负其臣，臣负其君？若留得恶楚强秦，怎生便敢诛了韩信[11]？古人言信不虚云[12]，想淮阴与鄂国咱两个同时运⑬，一任那渔樵闲话，少不得青史标名。

## 作者

＊杨梓(？—1327)，祖籍浦城(今属福建)，后迁居海盐(今浙江海盐)澉浦。至元三十年(1293)，元军海征爪哇，杨梓以招谕有功，为安抚总使，官至嘉议大夫、杭州路总管。卒赠弘农郡侯，谥康惠。擅长音律。元姚桐寿《乐郊私语》载杨梓与贯云石交往甚厚，并“独得其真传”，对南曲“海盐腔”的发展做出了贡献。其所作杂剧，今存有《豫让吞炭》《霍光鬼谏》《敬德不伏老》等3种。

## 注释

① 领着敌军：指敌军可以听其“指挥”而前来送死。
② 揸(zhā)鼓夺旗：夺取敌人的旗鼓。揸：方言，拿取。
③ 抓将挟人：俘虏敌军将领。
④ 骨碌碌：形容物体滚动的样子和声音。或作骨鲁鲁、骨噜噜、古鲁鲁、古鹿鹿等。
⑤ 碜可可：凄惨可怕的样子。亦作参可可、惨可可，音近义同。
⑥ 生：谓强而致之也，犹今俗语硬，愣，强(qiǎng)。放在动词前用作副词。
⑦ “他用”二句：据《史记·汲郑列传》记载，汉武帝时大臣汲黯很早就做了朝中的官员，可是后来一直没有得到提升，以前比他官职低的张汤、公孙弘等都做了比他还大的官，于是汲黯说汉武帝用人如积薪，使后来者居上。
⑧ 李道宗：字承范，为唐高祖李渊的堂侄。在本剧中他是作为一个反面人物出现的，与史实不相符。
⑨ 军师：此指徐茂公。本剧中是徐茂公替尉迟敬德向房玄龄求情，才使尉迟敬德免遭杀身之祸。
⑩ “他须”二句：言李道宗是皇室宗亲，而自己则是外人。一枝一叶：形容与皇室有关联。四海他人：即普通外人。
⑪ 韩信：西汉开国功臣之一，临死前曾有“兔死狗烹，鸟尽弓藏”之叹。
⑫ “古人”句：此句所云古人言，即韩信所感叹之“兔死狗烹，鸟尽弓藏”之言。
⑬ 淮阴：即韩信，因其曾被封为淮阴侯。鄂国：即尉迟敬德，因被封为鄂国公。

鉴赏

《功臣宴敬德不伏老》,简称《敬德不伏老》,元杂剧末本戏,由正末扮尉迟敬德。全剧四折一楔子。剧情如下:太宗着人举办功臣宴,在宴会上,尉迟敬德因忍受不了皇室宗亲李道宗的专横跋扈,将其打伤,于是被削职为民。后高丽国举兵进犯,徐茂公受皇帝命令去请敬德出战,敬德装病不出,后被徐茂公用计识破,敬德不计前嫌,毅然出战,并取得胜利。凯旋后,敬德不愿再做官,甘愿归乡种田。此处选曲的第一折写敬德赴宴并打了李道宗,差一点被主宴官房玄龄斩首,后因徐茂公等人求情,才被削职为民,放归田里。

此处所选五曲,前两曲写尉迟敬德动手打李道宗后,面对李道宗问他有何功劳的愤怒回应;后三曲写敬德被罚后的满腔悲愤。〔那吒令〕写敬德面对李道宗的"你有何功勋"的无理诘问,他的回应既是反驳,也是怒斥。〔鹊踏枝〕则回忆自己当年疆场鏖战、出生入死而勇不可当的英姿。〔寄生草〕以下三曲,写敬德被罚之后,对当朝者的无情进行了有力抨击。他由诉说自己的盖世奇功与忠肝义胆,反衬出"兔死狗烹,鸟尽弓藏"的可悲命运,统治者的无情无义,也就由此见出。作者借剧中人之口,抒发了一种历史悲感,显得沉重悲凉。其语言质朴无华,但却如行云流水,自然成文。不仅感慨深沉,而且气势豪壮,人物个性化色彩十分突出,不愧为元杂剧本色一派中的上乘之作。

(赵义山)

# 功臣宴敬德不伏老(第三折摘选)

杨 梓

## 【越调·斗鹌鹑】

【耍三台】你须①知咱名讳,尽忠心天知地知。这一场小可如美良川交兵的手段②,御科园单鞭夺槊的雄威③。小可如牛口谷鞭伏了窦建德④，小可如下河东与刘黑闼⑤相持。你看我再施逞生擒王世充⑥的英雄，你看我重施展活捉雷世猛⑦当时的气力。

【幺篇】我老只老呵，老了咱些年纪；老只老呵，老不了我胸中武艺；老只老呵，老不了我龙韬虎略；老只老呵，老不了我妙策神机；老只老呵，老不了我一片忠心贯日；老只老呵，尚兀自万夫难敌⑧；俺老只老，止不过添了些雪鬓霜髭；老只老，又不曾驼腰曲背。

【尾声】老只老呵，只我这水磨鞭不曾长出些白髭须。量这厮何须咱费力。他便跳下马受绳缚，着这厮卷了旗，卸了甲，收了军，拱手儿降俺这大唐国。

## 注释

① 须：毕竟，终究。

② 小可如：指轻而易举就如同XX。后两处“小可如”用法亦同此。美良川：又名美阳川、秦王涧，位于今山西闻喜县西南。尉迟敬德投唐以前，曾经追杀李世民于此，与前来保驾的秦琼打个平手。

③ 御科园：又名榆窠园，位于河南洛阳郊外。单鞭夺槊：尉迟敬德投唐后，李世民一次在榆窠园遇单雄信追杀，情势危及，敬德单鞭赤身，一手将单雄信的槊夺了过来，两人打在一起，李世民获救。元无名氏杂剧《单鞭夺槊》即演此事，元尚仲贤《三夺槊》杂剧亦源于此事。

④ 牛口谷：即牛口峪，位于今河南荥阳西北黄河南岸。鞭伏窦建德：指李世民进攻洛阳王世充，窦建德驰救，在牛口谷布阵，尉迟敬德助李世民打败窦建德。窦建德：隋末农民起义领袖，先后称长乐王、夏王，深得民心。《唐书》有传。

⑤ 刘黑闼：隋末农民起义军首领，与窦建德同乡而友善。窦建德死，刘收拾余部再起，后为太子李建成、齐王李元吉俘虏，被杀。《唐书》有传。

⑥ 王世充：隋末新丰（在今陕西临潼东北）人，隋炀帝死，王在洛阳拥立杨侗为帝，次年废帝自立，国号郑。武德四年（621）为秦王李世民所败，降唐后为仇

人所杀。《唐书》有传。

⑦ 雷世猛:《新唐书》载为隋岳州校尉。此言活捉雷世猛,与上文“与刘黑闼相持”以及“生擒王世充”等,史书皆无记载。

⑧ 尚兀自:作副词,有尚、还、犹等义。

## 鉴赏

本剧剧情见前篇简介。此处选曲的第三折主要写敬德在大敌当前之际,面对皇上的宣诏,尽释前嫌毅然受命,表现了老当益壮、顾全大局的英雄形象。

这里所选尉迟敬德所唱的三支曲子,表现了他老当益壮,雄心不已的豪情。〔耍三台〕一曲是敬德通过回忆自己当年的英雄事迹,表现了“不伏老”的壮心。〔幺篇〕和〔尾声〕通过人老武艺不老、人老忠心尚在、人老韬略犹存的反复歌唱,一连用九个“老只老”的排比句式,淋漓酣畅地表现了他雄心豪气不减当年,并表现出对敌人的蔑视和自己马到功成的英雄气概。总之,这几曲紧紧围绕题目中的“不伏老”三字,将敬德老当益壮、忠心为国的开国元勋形象塑造得神完气旺,其赤胆忠心、壮心豪气,即使千载而下,犹凛然如生。

(赵义山)

# 萧何月下追韩信(第二折摘选)

金仁杰*

## 【双调·新水令】

【新水令】恨天涯流落客孤寒，叹英雄半世虚幻。坐下马空踏遍山水雄，背上剑枉射得斗牛寒①！恨塞于天地之间，云遮断玉砌雕栏，按不住浩然气透霄汉！

【驻马听】回首青山，拍拍离愁满战鞍；举头新雁，呀呀②哀怨伴天寒。止望③学龙投大海驾天关，划地似军骑羸马连云栈④。且相逢，觑英雄如匹似闲⑤，堪恨无端四海苍生眼！

【沉醉东风】干功名千难万难，求身仕两次三番。前番离了楚国，今此又别炎汉，不觉的皓首苍颜。就月朗回头把剑看，忽然伤感默上心来，百忙里揾不干我英雄泪眼⑥！

### 作者

* 金仁杰(？—1329)，字志甫，杭州人。元文宗天历元年(1328)授建康(今江苏南京)崇宁务官，翌年卒于任所。元钟嗣成《录鬼簿》云："所述虽不骈骊，而其大概多有可取焉。"且有〔凌波仙〕曲挽吊其人："心交元不问亲疏，契饮那能较有无。谁知一上金陵路，叹亡之命矣夫。梦西湖何不归欤？魂来处，返故居，比梅花，想更清癯。"所作杂剧7种，现仅存《追韩信》1种。明朱权《太和正音谱》评其曲"如西山爽气"。

## 注释

① “背上”句：言宝剑空有锐利锋芒。《晋书·张华传》载：张华见斗、牛之间常有紫气，因唤精纬象之人雷焕询之，焕以为乃“宝剑之精，上彻于天”。后于丰城掘狱屋基，得一石函，内有龙泉、太阿两柄宝剑。得剑之后，“斗、牛间气不复现焉”。斗、牛：星宿名。

② 呀呀：雁叫声。

③ 止望：只望。

④ 刬(chǎn)地：宋元口语，为转折词，犹反而、倒是。羸(léi)马：瘦马、劣马。羸：瘦弱。连云栈：栈道名，在陕西汉中地区，古为川陕之通道。元曲中常用以比喻危险境地。

⑤ 匹似闲：不打紧，没价值，亦作譬似闲、譬如闲、匹如闲。

⑥ “揾(wèn)不干”句：言壮志难酬之意。辛弃疾〔水龙吟〕《登建康赏心亭》：“倩何人，唤取红巾翠袖，揾英雄泪。”揾：揩，擦。

## 鉴赏

《萧何月下追韩信》，简称《追韩信》，元杂剧末本戏，正末扮演韩信、吕马童。全剧四折。其剧演楚汉相争之际，韩信未达时，忍受胯下之辱、一饭之怜。先投项羽，因不受重用，遂改投刘邦。刘邦因未识其才，仍未加重用，韩信又离去，被萧何星夜追回，荐于刘邦，刘登坛拜韩信为大元帅。韩信最后在九里山定下十面埋伏计打败项羽。此处选曲的第二折叙韩信离汉而去，途中感叹怀才不遇，后被萧何劝回。

此处所选三曲写韩信抒发自己空有一身抱负而怀才不遇的悲愤心情。〔新水令〕一曲以“恨”字为主，通过坐下马、背上剑的遭遇反衬韩信的落魄潦倒、空怀壮志。〔驻马听〕一曲融情入景，从理想和现实的巨大差距来嗟叹自己怀才不遇。〔沉醉东风〕一曲写韩信通过自己的遭遇，叹岁月催人老，想到壮志难酬，不觉悲上心来。三首曲子，语壮情豪，感慨深沉，极有气势。

（赵义山）

# 李太白匹配金钱记(第一折摘选)

乔　吉

## 【仙吕·点绛唇】

【寄生草】他是一片生香玉，他是一枝解语花[1]，则见他整云鬟掩映在荼蘼架[2]，荡湘裙微显出凌波袜[3]，露春纤笑捻香罗帕[4]。那姐姐怕不待庞儿俊俏可人憎[5]，知他那眉儿淡了教谁画[6]？

【金盏儿】这娇娃是谁家[7]？寻包弹觅破绽敢则无纤掐[8]。似轴美人图画，画出来怎如他？这娇娘恰便似嫦娥离月殿，神女出巫峡[9]。我虽不能勾朝云和暮雨，也强似流水可兀的泛桃花[10]。

【后庭花】你看那指纤长铺玉甲，髻嵯峨堆绀发[11]。可便似舞困三眠柳[12]，端的是这春风恰破瓜[13]。我见他簇双鸦[14]，将眼梢儿斜抹，美姿姿可喜煞[15]。

【醉扶归】兀的不[16]妆点杀锦绣香风榻，风流杀花月小窗纱。且休说共枕同衾觑当[17]咱。若得来[18]说几句儿多情话，则您那娇脸儿咱根前一时半霎，便死也甘心罢。

【金盏儿】紫燕儿画檐外谩嘈杂，黄莺儿柳梢上日呱叽[19]，蜜蜂儿只恁的[20]你可也无闲暇，蝴蝶儿少罪我把你厮央咱[21]。黄莺儿怕你寻友处迷了伴侣，紫燕儿怕你衔泥处老了生涯，蝴蝶儿我怕你怯春寒花内宿，蜜蜂儿又则怕迟了你日暮树边衙[22]。

## 注释

① 解语花：五代王仁裕《开元天宝遗事》卷下“解语花”条：“明皇秋八月，太液池有千叶白莲数枝盛开，帝与贵戚宴赏焉。左右皆叹羡。久之，帝指贵妃示于左右曰：‘争如我解语花。’”后以此比喻合人心意之美人。

② 则：只。荼蘼（túmí）：灌木名，叶羽状，柄多刺，夏初开红、白色重瓣花。

③ “荡湘裙”句：化用三国魏曹植《洛神赋》：“从南湘之二妃，携汉滨之游女。……凌波微步，罗袜生尘。”这里借指柳眉的娇姿美态。

④ 春纤：此指女子纤细的手指。捻（niǎn）：用手指揉搓。

⑤ 怕不待：纵然，尽管。可人憎：可憎，爱极之反语。

⑥ “知他”句：《汉书·张敞传》载京兆尹张敞曾为妻子画眉，当时传为佳话。后世多指夫妻恩爱。

⑦ 家：语助尾助词，附于人称代词后，无实义。

⑧ 包弹：缺点，毛病，与后面“破绽”同义。敢则：必定，包管。纤掐：一点儿，很少。

⑨ 神女出巫峡：战国时楚国辞赋家宋玉《高唐赋》中描写楚王游云梦时，曾梦见与巫山神女欢会。后多用来指男女欢会。

⑩ 可兀的：句中衬字，无实义。泛桃花：此用刘晨、阮肇之典。《太平御览》卷四十一载：东汉永平年间浙江剡县人刘晨、阮肇进天台山采药，误入桃花源，遇两仙女留住半年，还乡后其子孙已过七世。

⑪ 嵯峨：原指山势高峻，这里指发髻高耸。绀（gàn）发：佛教传说如来毛发为绀琉璃色，此处美称头发。

⑫ 可便：便，就。三眠柳：汉赵岐《三辅旧事》记载，汉苑中有柳状如人形，号曰人柳，一日三眠三起。这里指柳眉的柔姿媚态。

⑬ 端的：果然。破瓜：旧时文人拆“瓜”字为“二”“八”，谓十六岁，多用于女子。

⑭ 簇：聚集。双鸦：指双眉。以鸦之乌黑喻眉毛。

⑮ 美姿姿：即美滋滋。煞：极、甚、很之义。与下文“妆点杀”“风流杀”等“杀”字意同。

⑯ 兀的不：表反诘语气，意即这岂不。

⑰ 觑当：细看。“当”轻读，语气助词，无实义。

⑱ 得来：能够。

⑲ 呱叫(guāzhá):形容莺声繁细。
⑳ 恁的:如此,这般。
㉑ 厮央:相央,意即央求你。咱:语气助词,多表希望或请求。
㉒ 则:只。衙:指蜂衙,众蜂簇拥蜂王,如朝拜护卫,故称蜂衙。

## 鉴赏

《李太白匹配金钱记》,简称《金钱记》,元杂剧末本戏,正末扮韩飞卿。全剧四折。剧演唐代洛阳书生韩飞卿入京应举,在九龙池观赏牡丹花时,与王府尹千金柳眉儿一见钟情。柳眉儿留下御赐金钱五十文而去。韩飞卿追至王府后院,被王家误作贼人,命人将其吊起,幸贺知章及时赶到解围。王府赏识韩飞卿才华,礼聘其做了门馆先生。一日,王府尹与飞卿饮酒时被发现了御赐金钱五十文,顿生怒气,再次将韩飞卿吊起来。急难时贺知章带圣旨前来解救,并为韩飞卿保婚。韩飞卿考中状元,李白奉旨着韩翃与柳眉成亲。全剧在喜庆的气氛中结束。此处选曲的第一折写韩飞卿在参加完进士考试后,学士贺知章设宴款待,韩飞卿从席间逃出,前往九龙池观赏杨家牡丹花一捻红。恰逢王府尹之女柳眉儿也来此游春,两人于是一见钟情。柳眉儿将皇上赐予王府尹的开元通宝金钱五十文故意遗落,作为信物,随后怏怏而归。

此处所选五曲是韩翃初次见到柳眉时的所见和所感。〔寄生草〕曲辞典雅,用典故写柳眉之美,令人心旷神怡。〔金盏儿〕写韩翃内心对柳眉的赞叹,表露出欲求欢会之意,为后面作了铺垫。〔后庭花〕一曲不仅有韩翃对柳眉的赞美,更有柳眉的暗送秋波,意趣横生。〔醉扶归〕写此时的韩翃早已在想象着以后的美好时光。〔金盏儿〕借对紫燕、黄莺、蜜蜂和蝴蝶的调侃,表现了内心的喜悦。这几曲用词典雅而不失喜剧气氛,将韩翃内心的欢快之情抒发得淋漓尽致。

(赵义山)

# 李太白匹配金钱记(第二折摘选)

乔　吉

## 【正宫·端正好】

【煞尾】我本是个花一攒锦一簇芙蓉亭有情有义双飞燕，却做了山一带水一派竹林寺无影无形的并蒂莲[1]。愁如丝泪似泉，心忙杀眼望穿。只愿的花有重开月再圆，山也有相逢石也有穿。须觅鸾胶[2]续断弦，对抚瑶琴写幽怨[3]，间傍妆台整鬓蝉[4]，同品鸾箫并玉肩[5]，学画蛾眉点麝烟[6]。几时得春日寻芳斗草轩，夏藤簟纱厨枕臂眠[7]，秋乞巧[8]穿针会玉仙，冬赏雪观梅到玳筵[9]。指淡月疏星银汉边，说海誓山盟曲槛前。唾手也似前程结姻眷，绾角儿夫妻[10]称心愿。藕丝儿将咱肠肚牵，石碑丕将咱肺腑镌，笋条儿也似长安美少年。不能勾花朵儿似春风玉人面，干赚的相如走偌远，空着我赶上文君则落的这一声喘[11]。

注释

① 并蒂莲：荷花中的一类，一茎两花。常用来比喻美好夫妻。

② 鸾胶：传说用鸾鸟的喙煎成的胶，可用以续接断弦。参见汉东方朔《海内十洲记》，又见《汉武外传》。

③ “对抚”句：据《史记·司马相如列传》载，司马相如与临邛令王吉作客于临邛富人卓王孙家，王孙有女文君，新寡，好音，相如“以琴心挑之”，文君乃夜奔相如。

④ 鬓蝉：即蝉鬓，把鬓发梳成蝉翼般的式样。晋崔豹《古今注》：“魏文帝宫人，所绝爱者有莫琼树、薛夜来、田尚衣、段巧笑四人，日夕在侧。琼树乃制蝉鬓，缥

缈如蝉。”

⑤“同品”句:用弄玉、萧史之典。汉刘向《列仙传》载:“萧史者,秦穆公时人也,善吹箫,能致孔雀、白鹤于庭。穆公有女,字弄玉,好之,公遂以女妻焉。日教弄玉作凤鸣。居数年,吹似凤声,凤凰来止其屋。公为作凤台,夫妇止其上,不下,数年,一旦皆随凤凰飞去。”

⑥“学画”句:此句暗用汉代张敞为妻画眉之典。参见《汉书·张敞传》。麝烟:麝香点燃时所散出的香烟。

⑦藤簟(diàn):凉席。纱厨:避蚊的纱帐。

⑧乞巧:旧传农历七月七日为牵牛织女相聚之日,民间女子多于此夕摆设供品,向织女星乞求智巧,名曰“乞巧”。参见宋孟元老《东京梦华录》卷八《七夕》条。

⑨玳筵:豪华而丰富的筵席。玳:玳瑁,形似海龟的海生动物,其甲壳光亮有花纹,可做装饰品。

⑩绾角儿夫妻:结发夫妻。

⑪“干赚”二句:用司马相如事,见本篇注③。

## 鉴赏

《金钱记》剧情见前。该剧第二折演韩飞卿追柳眉儿至王府后院,被误作贼人吊起来,幸得贺知章及时赶到解围。王府因赏识韩飞卿的才华,聘其做了门馆先生。

此处从第二折〔端正好〕套中所选的〔煞尾〕一曲,写韩飞卿追柳眉儿至王府后院,但未能见到其人,内心充满了苦恼。作者通过许多想象,描写了韩飞卿期待与柳眉儿再次相会的心愿。少年书生的痴情,跃然纸上。开篇二句使用对偶句式,且用“有情有义”与“无影无形”相映衬,写出韩飞卿寻不见柳眉儿时的惆怅落寞情怀。紧接着“愁如丝泪似泉,心忙杀眼望穿”二句,则正面直写鸳鸯失伴的愁苦与焦急,其后,则着笔于一连串痴情的期待与美好的愿景,将主人公韩飞卿的痴情与深情作了充分展示。此曲虽连用典故,但贴切允当,有清丽自然之美。

(赵义山)

# 桃花女破法嫁周公(第二折摘选)

王 晔*

## 【正宫·端正好】

【滚绣球】则[①]你这媒人一个个，啜人口似蜜钵[②]，都只是随风倒舵[③]，索媒钱嫌少争多。女亲家会放水，男亲家点着火。你将那好言语往来收撮，则办得两下里挑唆。你将那半句话搬调做十分事，一尺水翻腾做百丈波，则你那口似悬河。

### 作 者

* 王晔，生卒不详。字日华，一作日新，号南斋，杭州人。元代散曲及杂剧作家。元钟嗣成《录鬼簿》将其列入"方今才人相知者"一类中，称其"体丰肥而善滑稽。能词章乐府，临风对月之际，所制工巧"。曾辑有《优戏录》(已佚)。其所作杂剧，《录鬼簿》载有《卧龙岗》《双卖华》《桃花女》等 3 种，今存者唯《桃花女》。散曲有与朱凯合写的《题双渐小卿问答》小令 16 首、套数 1 套。其曲作"人多称赏"(《录鬼簿》语)。

### 注 释

① 则：只。

② "啜(chuò)人口"句：吃了人家东西的嘴巴像蜜钵一样甜。

③ 随风倒舵：犹言见风使舵。

## 鉴赏

《桃花女破法嫁周公》,简称《桃花女》,又名《智赚桃花女》,元杂剧旦本戏,正旦扮桃花女。全剧四折一楔子。其剧情大致如下:摆卦铺的周公为人卜算三十年无一差错。其后周公与石留住、彭祖卜算,被任二公之女桃花女用法破掉,使周公所算不灵。周公为了除去桃花女,用计聘其为儿媳,并准备在结婚当天用法术将桃花女害死。谁知桃花女技高一筹,使其如意算盘处处落空,并且用法术将周公一家全部咒死。后因彭祖求情,才将周公一家救活。全剧气氛热烈,语言幽默,以周公与桃花女二人斗法为主线展开,表现了浓郁的市民气息。第二折写周公知道桃花女破他的法术之后,与彭祖定计要聘桃花女为儿媳,以便害死桃花女。

这是本剧第二折中桃花女面对媒人的求亲,知周公不怀好意而对媒人的一段怒斥。这里采用了对比的手法将媒人们为了图钱财而不顾男女双方的感受,翻手为云,覆手为雨,使奸耍刁,从中挑唆,然后借机敛财的丑恶行径进行了真实描绘。在这里,作者还运用了比喻和夸张的手法:“半句话搬调做十分事,一尺水翻腾做百丈波,则你那口似悬河。”既生动形象,又通俗易懂,媒人们的可恶嘴脸,也就由此揭出。

(赵义山　董阔阔)

# 包待制陈州粜米(第一折摘选)

无名氏

## 【仙吕·点绛唇】

【混江龙】做的个上梁不正①，只待要损人利己惹人憎。他若是将咱刁蹬②，休道我不敢掀腾③。柔软莫过溪涧水，到了不平地上也高声！他也故违了皇宣命，都是些吃仓廒④的鼠耗，咂脓血的苍蝇。

### 注释

① 上梁不正:俗谚“上梁不正下梁歪”的省略语。
② 刁蹬:刁难。
③ 掀腾:搅闹。
④ 仓廒(áo):储存粮食的仓库。

### 鉴赏

《包待制陈州粜米》,简称《陈州粜米》,是元杂剧中著名的公案戏。此剧为末本,由正末扮张憋古、包待制。全剧四折一楔子。剧情大致如下:陈州大旱,朝廷派刘衙内之子小衙内及其女婿杨金吾到陈州开仓粜米救济灾民,二人却借机盘剥饥民。性情刚直的张憋古据理争辩,被小衙内打死。其子小憋古为父申冤,向包公告状。包拯微服私访,查实刘、杨二人罪恶,并用计将他们处死。第一折写小衙内与杨金吾到陈州放粮,仗势欺人,刻意盘剥。张憋古仗义执言,怒斥贪官,被小衙内用御赐紫金锤打死。小懒古欲上京告状,为父申冤。

此处从第一折〔仙吕·点绛唇〕套中所选〔混江龙〕一曲,为张懒古眼见贪官盘剥百姓、为所欲为因而义愤填膺时所唱。剧作者通过百姓之口诅咒贪官,深刻揭露了统治者贪婪的本质。更为可贵的是,在作者的笔下,百姓也并不是任由宰割的羔羊,他们敢于大胆反抗。此曲多用口语,善用比喻,不仅自然通俗,而且生动形象。尤其那“柔软莫过溪涧水,到了不平地上也高声”的妙喻,无疑具有呼唤正义,激励抗争的巨大感召作用;那“都是些吃仓廒的鼠耗,咂脓血的苍蝇”的比譬,揭刺贪官污吏的卑鄙肮脏,更是入木三分,令人对那些贪官污吏倍增厌恶之情。

(董阔阔　赵义山)

# 杨氏女杀狗劝夫(第二折摘选)

无名氏

## 【正宫·端正好】

【太平令】吃的是亲嫂嫂的酒食,更过如吕太后的筵席。嫂嫂,俺哥哥觉来你支持,“我也不是个善的”。諕的我一个脸描不的画不的,一双箸拿不的放不的,一口面吐不的咽不的。我便有万口舌头教我说个甚的。

【叨叨令】则被这吸里忽剌的朔风儿那里好笃簌簌避,又被这失留屑历的雪片儿偏向我密蒙蒙坠。将这领希留合剌的布衫儿扯得来乱纷纷碎,将这双乞量曲律的肐膝儿罚他去直僵僵跪。兀的不冻杀人也么哥,兀的不冻杀人也么哥,越惹他必丢匹搭的响骂儿这一场扑腾腾气。

## 鉴赏

王国维在《宋元戏曲史》里论及元曲语言的特色时说:“古代文学之形容事物也,率用古语,其用俗语者绝无。又所用之字数亦不甚多。独元曲以许用衬字故,辄以许多俗语,或以自然之声音形容之。此自古文学上所未有也。”《杀狗劝夫》中的这两支曲子,抒情写景,全用白描,〔太平令〕以俗语胜,〔叨叨令〕以“自然之声音”胜,自然质朴,如臻化工。

《杀狗劝夫》描写了一场家庭内部兄弟之间争夺财产的冲突。孙荣和孙华的父母死后,孙荣作为长子,成为财产的合法继承人。他在泼皮光棍柳隆卿和胡子转的撺掇下,将孙华驱逐出家,使之流落街头,见面时则百般凌辱。孙荣的妻子杨氏为劝说孙荣,将杀死的狗装入布袋,放在自家后角门头,冒充死人。孙荣去央求柳、胡二人帮忙搬走,被拒之门外,孙华闻讯,见义勇为,搬走了死狗。柳、胡怀恨在心,告到官府,孙华挺身招承杀人公事。这时杨氏登堂说明缘由,于是判柳、胡罪,兄弟和好。

在封建社会里,为了争夺财产,“兄弟阋墙”“同室操戈”是普遍存在的社会问题。所以自孔夫子起,就提出了诸如“兄友”“弟悌”之类的道德规范,以维持兄弟之间的和谐。此剧所宣扬的正是这种道德。

在第二折里,孙荣偕柳隆卿、胡子转饮酒谢家楼,大醉而归,卧倒雪地,柳、胡二人不仅不扶他回家,还捞走了他靴筒里的五锭钞。孙华偶然撞见,把哥哥背回家中。嫂嫂杨氏热情地留他吃些酒饭,孙华受惯了欺侮打骂,软弱胆怯,再三推阻,生怕哥哥醒来没好气受。善良的杨氏说:“他觉来我自支持他,包你没事。”“我也不是个善的,怕他怎么?”孙华有嫂嫂撑腰,才敢战战兢兢地吃酒饭。突然孙荣醒来了,这时,孙华唱了〔太平令〕这支曲子,充分表露了自己心寒胆怯的心理状态。首二句用比喻,说这酒食可不是好吃的,吃着是要担风险的。吕太后是汉高祖刘邦之妻,惠帝之母,曾大宴群臣,命朱虚侯刘章以军法监酒,不饮者则斩首,故有“吕太后的宴席——不是好吃的”之歇后语。三四句孙华引用杨氏的话,提醒她,求得援助。四五六句排比铺叙,以孙华被諕(xià,同“唬”,恐吓)的动作表情,写他丧魂落魄的心理,生动传神,细腻入微。末句万口难辩的夸张说法,更突出了孙华的软弱。怕哥哥冻死把他背回家,吃些酒食暖暖身子,本来是理直气壮的事,为什么孙华如此心虚胆怯呢?可见他平日里是如何饱尝了哥哥的淫威了。全曲皆用俗语,由于用了多种修辞手法(比喻、引用、排比、夸张)和历史典故,从而刻画了特定情境中特定人物的心理性格。

紧接着,孙荣诬赖孙华偷了他的五锭钞,不容分说,罚他到檐下大雪里跪着,孙华唱了〔叨叨令〕一曲。孙华老实懦弱到了极点,哥哥让跪就跪,毫不反抗,但却仍然无法掩抑内心中的一腔怨气,因而发为絮絮叨叨的话语。作者运用了一连串的拟声词和形容词,模拟这种种情态。"吸里忽刺""失留屑历"形容朔风劲吹、雪片纷坠的声音;"笃簌簌"描写孙华冻得发抖的模样;"密蒙蒙"描写大雪铺天盖地的样子;"希留合刺"形容布衫稀疏,在风中扯拉的样子;"乞量曲律"形容膝盖发抖,哆哆嗦嗦的情状;"必丢匹搭"形容孙荣严厉粗暴的骂声;"扑腾腾"形容孙荣怒气冲冲的样子。这一连串拟声词和形容词在曲中都是衬字(〔叨叨令〕曲正格除五、六句为六字句外,其余都是七字句),却具有极强的表现力,既增强了曲子的音律美和节奏感,也揭示了孙华此时此地悲苦难抑、怨天尤人而又忍气吞声的独特心境。

总之,这两支曲子"模写物情,体贴人理"(王骥德《曲律·论家数》),"话则本之街谈巷议,事则取其直说明言"(清李渔《闲情偶寄·词曲部·词采》),充分代表了元曲的本色。

(郭英德)

# 风雨像生货郎旦(第四折摘选)

无名氏

## 【南吕·一枝花】

【转调货郎儿·五转】火逼的好人家人离物散,更那堪更深夜阑。是谁将火焰山移向到长安?烧地户,燎天关。单则把凌烟阁①留他世上看。恰便似九转飞芒老君炼丹②,恰便似介子推在绵山③,恰便似子房烧了连云栈④,恰便似赤壁下曹兵涂炭⑤,恰便似布牛阵举火田单[6]，恰便似火龙鏖战锦斑斓。将那房檐扯，脊梁扳[7]。急救呵，可又早连累了官房五六间。

## 注释

① 凌烟阁:本是唐太宗陈列功臣画像之宫中楼宇,此处仅借其字面,指被烟火燃烧的建筑。

② 九转:即九转金丹。道教炼丹,炼一次称一转,九转金丹为其最上乘的金丹。飞芒:光芒四射的意思。老君:太上老君,道教奉他为始祖。

③ 介子推在绵山:介子推是春秋战国时晋国公子重耳的侍从之臣,曾随重耳出亡,途中绝粮,介子推曾割腿肉以活重耳。当重耳即位为晋文公大封功臣时,却遗漏介子推,介子推因归隐绵山。晋文公放火烧山,企图迫使他出山为官,介子推不愿出山,被烧死。见《史记·晋世家》。

④ 子房:即汉代的张良。连云栈:栈道名,曾是汉中地区到外地的交通要道,秦灭后,项羽封刘邦为汉中王,张良给刘邦献策,烧掉栈道,表示不再出兵关中,以麻痹项羽。见《史记·留侯世家》。

⑤ 赤壁下曹兵涂炭:三国时孙刘联军在赤壁之战中以火攻大败曹兵。

⑥ 布牛阵举火田单:战国时,燕国军队进攻齐国,齐军大败,田单率军固守即墨(在今山东平度县南),并收城中千余牛,以绢绘五彩龙文衣牛,并束兵器于牛角,置火具于牛尾,趁夜纵牛,于是大败燕军。见《史记·田单列传》。

⑦ 脊梁扳:即扳倒房屋脊梁。

## 鉴赏

《风雨像生货郎旦》,简称《货郎旦》,元杂剧旦本戏,正旦扮刘氏、张三姑。全剧四折。剧情大致如下:李彦和娶妓女张玉娥为妾,彦和之妻刘氏一气身亡。玉娥与奸夫合谋盗了彦和财产,并烧了他的房子。彦和携其子春郎并其乳母张三姑逃到河边,却被奸夫淫妇推入河中。幸而帖葛千户路遇此事,救出春郎和张三姑。张三姑后学唱《货郎儿》为生。彦和当年落水被救,十三年后与张三姑相遇。其后又找到了已经为官的春郎,一家团圆。玉娥及其奸夫被捉拿斩首。第四折叙述李彦和与张三姑被一官人叫去唱曲,他们见那官人酷似春郎,因将一家遭遇编成说唱，遂与春郎相认，举家团圆。张玉娥及其奸夫被捉拿，并由春郎亲自斩首。

张三姑唱的〔转调货郎儿〕是这折戏中最精彩的一段唱词，其中〔五转〕一曲叙述李彦和家被大火焚烧的场面最为惊心动魄。作者用了一连串与大火相关的典故，浓墨重彩地渲染了大火燃烧、烈焰飞腾的气势，给人身临其境之感。其博喻手法和排比句式的结合运用，为渲染火势凶猛的惨烈场面起了很好的作用，给人留下了深刻印象。

(赵义山)

# 冯玉兰夜月泣江舟(第三折摘选)

无名氏

## 【商调·集贤宾】

【集贤宾】正沧江①夜寒明月皎，觑地远叩天遥。这船呵在风中簸荡任东西，水上浮漂，又无人把舵推篷，那里也举棹撑篙。我则听的古都都②泼天也似怒涛，斗合着忽剌剌风声儿厮闹③。这水也流不尽俺千端愁思积，这风也抵不过俺一片哭声高！

注释

① 沧江：此处泛指大江。

② 古都都：此处形容波浪翻滚相互激打发出的声音。

③ 斗合：相合。忽剌剌：此指风吹之声。厮：相互。

鉴赏

《冯玉兰夜月泣江舟》，简称《冯玉兰》，元杂剧旦本戏，正旦扮冯玉兰。全剧四折。剧情大致如下：冯玉兰之父因去福建泉州府赴任，玉兰便与家人随父同行，船至黄芦荡避风，巡江官屠世雄暗起色心，将冯玉兰家人杀害，掠冯母为妻，冯玉兰用计谋躲过劫难。都御史金圭审理此案，为冯家报仇，玉兰母女相见，屠世雄被判死罪。第三折演都御史金圭巡抚江南，夜泊江边，恰遇冯家官船顺江而下，金圭闻船上有哭泣之声，派人查看，玉兰告发屠世雄行凶杀害其父一事。

此曲是冯玉兰内心悲苦之情的真实写照。开头写当时的地点和环境，接着借物写情，明写船在波浪中簸荡无人看管，实则写自己家人被害无处依托，还处在危难之际命运未卜，最后借用长江水写内心的忧虑和痛苦，比“问君能有几多愁，恰似一江春水向东流”更显悲痛和哀伤。

（赵义山）

# 锦云堂暗定连环计（第三折）

无名氏

## 【正宫·端正好】

【滚绣球】炉焚着宝篆①香，酒斟着玉液浆。奏笙歌乐声嘹亮，今日个画堂中别是风光。虽然是锦绣乡，暗藏着战斗场。则争无虎贲郎将②，玳筵前拥出红妆。我只待窝弓③药箭擒狼虎，布网张罗打凤凰。不比寻常。

……

【鲍老头】你这里鼓舌摇唇说短长，则俺那新媳妇在车儿上，盼不见画戟雕鞍旧日郎，咒骂杀王丞相。

枉了你扬威耀武，尽忠竭节，定国安帮。偏容他鸱鸮[4]弄舌，乌鸦展翅，强配鸾凰[5]。

……

【煞尾】虽然是女娘家不长气，从来个做男儿当自强。若要你勃腾腾[6]怒发三千丈，则除今夜里亲见貂蝉细细的访。

## 注释

① 宝篆：即香篆，香名，形似篆文。

② 争无：怎无。虎贲郎将：官名，掌侍卫国君及保卫王宫之官。多用以指称威武勇猛的将军。

③ 窝弓：装有关棙，埋伏山野捕兽的弓箭。

④ 鸱鸮（chīxiāo）：亦作鸱枭，鸟名，俗称猫头鹰。

⑤ “乌鸦”二句：言董卓强纳貂蝉，极不般配。

⑥ 勃腾腾：形容兴奋、冲动的样子。亦作不邓邓、扑邓邓、不腾腾、扑登登等。

## 鉴赏

《锦云堂暗定连环计》，简称《连环计》，元杂剧末本戏。正末扮王允。全剧四折。剧演东汉末年，董卓大权在握，有篡位之心，王允定下连环计，通过美婢貂蝉挑拨董卓与吕布的关系，最终借吕布杀了董卓。第三折叙王允启动连环计，将貂蝉分别许于吕布与董卓，引起二人反目成仇。

此处所选三曲写王允设下计策引诱董卓，并通过话语挑拨吕布。〔滚绣球〕一曲写王允计策已定，单等董卓上钩。以美人计暗藏重重杀机，显出王允的谋略过人。〔鲍老头〕一曲写王允先将貂蝉与吕布的处境进行对比，假言貂蝉虽然被迫嫁于董卓，然实属无奈，其内心还是对吕布念念不忘，以此刺激吕布，以激起吕布对董卓的不满。然后，王允又将吕布的英伟与董卓的卑小进行对比，并言其卑小者得以“强配鸾凰”，英伟者反倒失却美眷，这就更能激起吕布对董卓的怨愤。〔煞尾〕一曲劝吕布“做男儿当自强”，应与貂蝉会面来了解真相。实则引吕布进入圈套。这三支曲子将王允的老谋深算刻画得淋漓尽致,似乎处处替吕布打算,但是通过对吕布与貂蝉处境的对比,通过对董卓仗势欺人而夺人之美的卑劣行径的“揭露”,却又步步激发吕布的血气之勇,将吕布引入非杀董卓不可的地步。曲词自然流利,声韵铿锵,有很好的表达效果。

(赵义山)

# 汉钟离度脱蓝采和(第一折摘选)

无名氏

## 【仙吕·点绛唇】

【点绛唇】俺将这古本相传,路岐体面[①],习行院[②],打诨[③]通禅,穷薄艺知深浅。

【混江龙】试看我行针步线[④],俺在这梁园城[⑤]一交却又早二十年,常则是与人方便,会客周全。做一段有憎爱劝贤孝新院本[⑥],觅几文济饥寒得温暖养家钱,俺这里不比别州县,学这几分薄艺,胜似千顷良田。

【油葫芦】甚杂剧请恩官望着心爱的选,俺路岐每怎敢自专,这的是才人书会刬新编[⑦]。我做一段于祐之金水题红怨[⑧],张忠泽玉女琵琶怨[⑨],做一段老令公刀对刀[⑩],小尉迟鞭对鞭[⑪],或是三王定政临虎殿[⑫],都不如诗酒丽春园[⑬]。

【天下乐】或是做雪拥蓝关马不前[⑭]。小人,其实本事浅,感谢看官相可怜。一壁[⑮]将牌额题,一壁将靠背悬,我则待天下将我的名姓显。

## 注释

① 路歧：宋元时对各种民间艺人的总称和俗称，特别指那些经常流动演出的伶人。体面：规矩、体统、势派之意。

② 行(háng)院：金元时杂剧演员的聚集之处。这里代指演戏。

③ 打诨：以滑稽语相戏谑。

④ 行针步线：本指裁缝衣服的针线技术，这里比喻杂剧搬演安排缜密周详。

⑤ 梁园城：汉文帝之子梁孝王刘武在汴梁修建了一座豪宅名叫梁园，后人用来借指汴梁城，又借指繁华热闹的地方，此处借指演戏之戏院。

⑥ 院本：金元时行院中演出的杂剧底本。后用以代指杂剧。

⑦ 才人：金元时称创作杂剧的勾栏文人为才人。书会：即才人们的行会。刬(chǎn)：一律、毫无例外。

⑧ 于祐之金水题红怨：元李文蔚所作杂剧名，该剧演述于祐之、韩翠鸾的恋情故事，已佚。

⑨ 张忠泽玉女琵琶怨：元庾天锡所作杂剧名，又名《玉女琵琶怨》，已佚。

⑩ 老令公刀对刀：指当时流行的杨家将杂剧中的一种。

⑪ 小尉迟鞭对鞭：元无名氏有《小尉迟将斗将认父归朝》杂剧。

⑫ 三王定政临虎殿：亦杂剧名，已佚。

⑬ 诗酒丽春园：元高文秀有杂剧《黑旋风诗酒丽春园》，演水浒故事；王实甫有《诗酒丽春园》，演情爱故事；二者均佚。

⑭ 雪拥蓝关马不前：元无名氏有《韩退之雪拥蓝关记》杂剧，演韩愈、韩湘子故事。现存残篇。

⑮ 一壁：一边。

## 鉴赏

《汉钟离度脱蓝采和》，简称《蓝采和》，元杂剧末本戏，正末扮蓝采和。全剧四折。其剧演汉钟离游经洛阳，见伶人蓝采和有半仙之份，意欲度之。汉钟离以点戏为名多次刁难蓝采和，使其做不得场，被蓝采和关在了勾栏里。第二天，在蓝采和生日宴会上，汉钟离让吕洞宾扮做官人传唤蓝采和，并要将其重责四十大板。蓝采和因恐惧而向汉钟离求饶，汉钟离趁机收他做了徒弟。三十年后，蓝采和功成行满，与汉钟离等人同赴瑶台。第一折叙汉钟离刁难蓝采和，搅扰其做场，被蓝采和锁在勾栏。

此处所选四曲写蓝采和自叙一家人在洛阳城做场二十年，技艺精湛，颇受观众欢迎的情况。其中可见当时艺人的生活状况，可见杂剧演出商业化的情形，可见书会才人与演员合作的痕迹，可见当时流行的剧目，是非常难得的第一手戏剧史资料。首曲〔点绛唇〕先总叙述蓝采和一家进行流动性戏剧表演的情形。〔混江龙〕一曲叙述其在梁园城中演出历年之久，一转眼便是“二十年”，以及广受欢迎，群众基础甚好。其中“学这几分薄艺，胜似千顷良田”两句，不仅表现了蓝采和以技艺自得的心情，同时也从侧面说明元杂剧在当时的繁荣盛况。从〔油葫芦〕一曲中，可见杂剧演出的剧目，是由“恩官望着心爱的选，俺路歧每怎敢自专”，意即是由请戏班的人根据他们自己的爱好点戏，而不是由戏班子自己决定演出的剧目；“观众是上帝”，在那时是体现得实实在在的。他们所演的剧目，都是“书会才人”的“新编”，文人与艺人的合作，于此可见。其后则叙述所演剧目有《金水题红》《玉女琵琶》《老令公》《小尉迟》《三王定政》《丽春园》等，由此可见当时杂剧舞台上的流行剧目。由最后〔天下乐〕一曲，则可见艺人蓝采和将杂剧演出作为自己毕生的事业，希望凭借自己的精湛技艺赢得观众，从而扬名天下。这几首曲词，娓娓道来，朴实无华，但生动亲切，颇具艺术表现力。

（赵义山）

## 金水桥陈琳抱妆盒（第二折摘选）

无名氏

### 【南吕·一枝花】

【牧羊关】我抱定这妆盒子，便是揣着个愁布袋①。我未到宫门，早忧的我这头白。盒子里藏的是储君②，我肚皮里怀的是鬼胎③。虽不见公庭上遭横祸，赤紧④的盒子里隐飞灾。承御⑤也，你办着个喜溶溶笑脸儿回还去[6]，却教我将着个碜磕磕恶头儿掇过来。[7]

【贺新郎】则见他恶哏哏[8]独自撞将来，太子也，你在这七宝盒中，我陈琳早魂飞九霄云外。我嘱咐你个小储君，盒子里权宁耐[9]。你若是分毫儿挣阘[10]，登时间[11]粉碎了我尸骸。则被你威逼的我身先战[12]，死催的我脚难抬。恰便似狗探汤不敢望前迈[13]。才动脚如临追命府[14]，行一步似上摄魂台[15]。

## 注释

① 愁布袋：即装“愁”的布袋。比喻使人苦恼、愁烦的东西。这里喻指怀抱“太子”所担系的危险。

② 储君：皇太子。

③ 鬼胎：比喻心里藏着不敢告人的事情或念头。

④ 赤紧：又作尺紧、吃紧、乞紧，宋元时北方口语，有实在、当真、真个等意思。

⑤ 承御：宫中侍女职官名。文中指刘皇后的侍女寇承御。

⑥ 办着：又作“扮着”。即假装着。

⑦ 碜磕磕：又作碜可可，形容凄惨可怕的样子。恶头儿：罪名。

⑧ 恶哏哏：又作恶狠狠，形容凶恶、勇猛的样子。此指刘皇后。

⑨ 权宁耐：即暂且安心忍耐。

⑩ 挣阘（zhuài）：挣扎。

⑪ 登时间：即顿时间。

⑫ 战：同“颤”。因恐惧而战栗发抖。

⑬ 狗探汤不敢望前迈：形容不敢往前迈步，就像狗伸爪到开水里立即缩回来一样。

⑭ 追命府：迷信传说中的阴曹地府。

⑮ 摄魂台：迷信传说中与阴曹地府有关的可以摄人魂魄的台舍。

## 鉴赏

《金水桥陈琳抱妆盒》，简称 《抱妆盒》，元杂剧末本戏，正末扮陈琳。全剧四折二楔子。其剧演宋真宗无嗣,应天象御园射鸟,称三宫六院等女眷,凡拾得金丸者可得皇帝驾幸。西宫李美人拾金丸得幸,生一子。刘皇后妒忌,令宫女寇承御以皇帝要看皇子为名,欲把皇子诓出弄死丢弃金水河。寇承御不忍,恰遇太监陈琳,陈琳把皇子藏在采鲜果的妆盒里救出皇宫,送御弟楚王赵德芳抚养成人,是为仁宗。其间寇承御遭刘皇后刑讯撞阶而死,后得追封,其余有功之人各得封赏。第二折叙陈琳正要将太子带出后宫,恰遇刘皇后走来,百般盘问,并要开盒检验。陈琳一怕太子哭叫,二怕皇后开盒,危急时刻,恰遇皇帝驾幸,刘皇后接驾,陈琳得以出宫,救出太子。

这两支曲子写太监陈琳把太子放入妆盒后的内心矛盾与恐惧,以及面对刘皇后朝自己走来时的更加惶恐和慌张。〔牧羊关〕一曲写陈琳提着装有太子的妆盒出宫时的思想斗争,忠心救主与潜在祸患之间的矛盾冲突交织心头,怀抱妆盒犹如揣着个"愁布袋","赤紧的盒子里隐飞灾"!其矛盾恐惧之心,得到真切表现。〔贺新郎〕一曲写陈琳提着妆盒正欲出宫,不料却正撞见刘皇后亲到金水河边察看,并催逼陈琳近前问话,陈琳顿时魂飞魄散!太子和自己的生死,命悬一线!作者用博喻和夸张手法写陈琳的惶恐:"似狗探汤""如临追命府""似上断魂台",其惊恐万状的情态可谓跃然纸上。这两支曲子侧重于从人物内心的矛盾冲突和恐惧万端方面来刻画人物,彰显人物内心的可贵品质。人物内心的矛盾与痛苦,并不损害其忠义形象,相反却显得更加真实可信,血肉丰满。

(赵义山)

# 琵琶记(第二十一出摘选)

高　明

## 糟糠自厌

【山坡羊】（旦上）乱荒荒不丰稔的年岁，远迢迢不回来的夫婿，急煎煎不耐烦的二亲，软怯怯不济事的孤身已[①]。（白：苦！）[②]衣尽典，寸丝不挂体。几番拼死了奴身已，争奈没主公婆，教谁看取。（合）[③]思之，虚飘飘命怎期？难捱，实丕丕[④]灾共危。

【前腔】滴溜溜难穷尽的珠泪，乱纷纷难宽解的愁绪，骨崖崖[⑤]难扶持的病身，战兢兢难捱过的时和岁。（白：这糠，我待不吃你呵。）教奴怎忍饥？（白：我待吃你呵。）教奴怎么吃？思量起来，不如奴先死，图得不知他亲死时。思之，虚飘飘命怎期？难捱，实丕丕灾共危。

【孝顺歌】呕得我肝肠痛，珠泪垂，喉咙尚兀自牢嗄住。（白：糠那！）你遭砻被舂杵，筛你簸飏你，吃尽控持[⑥]。好似奴家身狼狈，千辛万苦皆经历。苦人吃着苦味，两苦相逢，可知道欲吞不去。

【前腔】（旦）糠和米本是相倚依，被簸飏作两处飞。一贱与一贵，好似奴家与夫婿。终无见期。（白：丈夫，你便是米呵。）米在他方没寻处。（白：奴家恰便似糠呵。）怎的把糠来救得人饥馁？好似儿夫出去，怎的教奴供给得公婆甘旨？

【前腔】思量我生无益，死又值甚的！不如忍饥死了为怨鬼。（白：只一件。）公婆年纪老，靠奴家相依倚，只得苟活片时。片时苟活虽容易，到底日久也难相聚。漫把糠来相比，（白：这糠呵，尚兀自有人吃。）奴家的骨头，知他埋在何处？

## 注释

① 身已：犹云身体，《错立身》第四出有"我身已不快，去不得"。

② 白：表示括号内文字是舞台上旦角所独白的文字。本篇及下篇戏文中的括号同。

③ 合：指下面四句要合唱，其类似于后来弋阳、梆子戏中的帮腔。

④ 实丕丕：即实实在在，李好古《张生煮海》第三折有"俺实丕丕要问行藏，你慢腾腾好去商量。"

⑤ 骨崖崖：形容赵五娘枯骨如柴、瘦骨嶙峋的样子。

⑥ 砻（lóng）：磨碾。吃尽控持：指受尽折磨。

## 鉴赏

《琵琶记》，又名《蔡伯喈》，其剧情大致如下：陈留人蔡伯喈，新婚燕尔便迫于父命，离家赴考。高中状元后，朝廷征其为官，牛丞相招其为婿，欲辞官、辞婚，皆不为皇帝所允，无奈从之。自蔡伯喈离家后，家乡发生灾荒，尽管其妻赵五娘尽力侍奉公婆，但两位老人还是相继而亡。赵五娘卖发安葬公婆后，怀抱琵琶，沿街弹唱乞讨，进京寻夫，终与丈夫团圆，并得朝廷旌表。

以上几支曲子选自第二十一出《糟糠自厌》，这一出演赵五娘为了省下粮食孝敬公婆，自己暗地里吃糠咽菜，公婆起初误以为媳妇偷吃菜肴，后得知事情真相，难耐心中自责与悲伤，遂昏厥过去，不幸婆婆就此气绝。邻居张太公闻得此事，于是好心帮忙安葬老人。

此出一开头的〔山坡羊〕以四个排句对起调，淋漓尽致地描绘出赵五娘艰难困苦的处境:灾荒熬人的年月、久不归家的丈夫、埋怨自己的公婆,这所有的一切都要由她那柔弱单薄的身躯承受下来。“乱荒荒”“远迢迢”“急煎煎”与孤身一人的“软怯怯”形成极度失衡的反差,让读者不禁发出“一弱女子何以担待这等苦难”的感慨。而后以三、五、七言的参差句式,抒发出赵五娘在困境中的矛盾心情:衣衫裙钗皆已典当,饥寒难挨,生不如死,但若自己一死了之,那年迈的公婆谁人照料?把公婆的健康作为自己活下去的动力,读来令人何其感动!最后以两个隔句对作结,在“虚飘飘”的命和“实丕丕”的灾这种强烈的对比中,突显出赵五娘绝望的心境。〔前腔〕在结构和内容上均与前一支〔山坡羊〕类似,但赵五娘所受之苦和内心之愁则更甚前曲,尤其是中间数句对糠难吃、却不得不吃此种矛盾心境的描写更是教人好不心酸。以糠为食已是极为凄惨,却还要忍受公婆的误会,“便做他埋怨杀我,我也不分说”,这便进一步彰显出赵五娘的善良,而后“苦!这糠粃怎的吃得下”则一语双关:想那赵五娘不仅因“糠粃”难咽而叫苦,也更因公婆误会、无处申诉而心生悲苦。

〔孝顺歌〕痛陈糠所遭受的“砻”“舂”“筛”“簸”这层层不幸,继而由糠之苦联想到自己也同那糠一样——“千辛万苦皆经历”。此处以糠写人,生动地刻画出一个历经磨难、身世凄惨的悲情女子形象,让人瞬时间感受到赵五娘血泪交迸的情态。难怪此支曲子历来被誉为“神来之笔”。〔前腔〕描述赵五娘由米与糠“两处飞”联想到丈夫与自己的分离,再由米贵糠贱联想到丈夫与自己地位上的悬殊,从而引发出“终无见期”的悲凉感叹。这里,作家充分运用联想、对比的艺术手法,书写出赵五娘的悲观情绪。在接下来的又一支〔前腔〕中,赵五娘第三次产生轻生的念头,但同样是“公婆年纪老,靠奴家相依倚”的重任使她咬咬牙挺过来。从内容上来说,它似乎顺承了开篇的〔山坡羊〕,但实际上其悲剧色彩较前浓郁许多,数次想到死、却又数次念及公婆无人侍奉,从最大程度上凸现了人物的悲苦与善良,“这糠呵,尚兀自有人吃,奴家的骨头,知他埋在何处”!更是以人不如糠的怨叹把人物的悲剧性推向高潮,读至此禁不住教人潸然泪下、黯然神伤。

以上所选这五支曲子均是赵五娘独自倾吐心中难言的凄苦,文学作品中对“苦”的描写数不胜数,此处选文的特色在于:第一,在糠和人之间建立起巧妙的同构关系,在味觉之苦和命运之苦的重叠中加深了苦的浓度;第二,作家给这五段唱词赋予了各自不同的苦味,在对“苦”的多角度陈述中加宽了苦的广度;第三,从糟糠自喻到人不如糠,苦味依次递进,读者的心理情感也随之依次提升,这样一来,加深了苦的层次性。从语言上来说,这五支曲子都以本色语传写情意,言辞真切凄怆,感人肺腑。

(黄 笑)

# 琵琶记(第二十一出摘选)

高 明

## 琴诉荷池

【懒画眉】强对南薰奏虞弦[①],只觉指下余音不似前,那些个流水共高山[②]?(白:呀!)只见满眼风波恶,似离别当年怀水仙[③]。

【前腔】(生)顿觉余音转愁烦,似寡鹄孤鸿和断猿,又如别凤乍离鸾[④]。(白:呀!)只见杀声在弦中见,敢只是螳螂来捕蝉[⑤]。

【前腔】(生)蓝田日暖玉生烟,似望帝春心托杜鹃[⑥]。好姻缘翻做恶姻缘,只怕眼底知音少,争得鸾胶续断弦[⑦]。

注释

① 南薰:即南风。虞弦:指虞舜的琴。《礼记·学记》《史记·乐书》中均有“舜作五弦之琴,以歌南风”之语。南朝宋裴骃《史记集解》:南风,育养民之诗也。其辞曰:南风之薰兮,可以解吾民之愠兮。

② 流水共高山:言琴艺之高妙。《列子·汤问》载,春秋时,伯牙善弹琴,心中想到高山,又想到流水,皆表现于琴声中,而他的朋友钟子期都能听出来。

③ 水仙:即《水仙操》,古琴曲名。唐吴兢《乐府古题要解》载,伯牙学琴于成连,成连引伯牙至蓬莱山谒见他的老师。既至,叫伯牙暂候,自己先往迎老师。

伯牙久候不见归，近望无人烟，但闻波涛汹涌、悲风肃杀，遂感而作《水仙操》。

④ 寡鹄孤鸿：化用鸿雁来宾琴曲名。南宋僧居月《琴曲谱录》载鸿雁来宾之曲为凄凉之调。别凤乍离鸾：化用双凤离鸾琴曲名。《西京杂记》载："庆安世，年十五，为成帝侍郎。善鼓琴，能为双凤离鸾之曲。"

⑤ 只见杀声在弦中见，敢只是螳螂来捕蝉：引蔡邕之典。《后汉书·蔡邕传》载，蔡邕到友人家里，里面正在弹琴，琴音中显露杀心，蔡邕遂不入而回。后问友人，友人答：弹琴时见螳螂捕蝉，蝉将飞走，心里替蝉着急，不曾想这心情竟流露于琴声中、被人听出。

⑥ 蓝田日暖玉生烟，似望帝春心托杜鹃：化用唐李商隐《锦瑟》中的诗句："庄生晓梦迷蝴蝶，望帝春心托杜鹃。沧海月明珠有泪，蓝田日暖玉生烟。"借以表达欲归不得的惆怅心绪。

⑦ 争得鸾胶续断弦：《汉武外传》载"西海献鸾胶，武帝弦断，以胶续之，弦两头遂相着，终日射，不断"。此处用典意指虽娶新人，但哪能接续过去美满的生活呢？

## 鉴赏

第二十二出"琴诉荷池"情节梗概如下：蔡伯喈在牛府中因思乡怀妻，闷闷不乐，在与牛小姐荷池赏月弹琴时，依旧禁不住对前妻和故土的思念，牛小姐从琴音中听出蹊跷，遂数次设法试探伯喈，以探明何故，未果。此处所选为蔡伯喈借瑶琴"舒闷怀"时吟唱的曲子。

〔懒画眉〕一开头便以"强对"二字写出蔡伯喈勉为其难、拨弦一二的情态，以此心境操琴怎能奏出佳音妙乐来呢？因此"只觉余音不似前"。"那些个流水共高山"，不仅言琴艺不及平常时那等高超，还指没有与自己心心相印、情投意合的知己聆听琴曲，如此怎不叫人心生烦闷。"水仙"一词引春秋时伯牙作《水仙操》曲的典故：伯牙身处在黑浪翻滚、阴风飒飒、群鸟悲鸣的环境中，不禁怆然叹息，取琴而歌，名曰《水仙操》。其创作情境与蔡伯喈此时的险恶处境——"满眼风波恶"恰成对应关系，伯喈如履薄冰、忐忑难安的情态跃然纸上。

〔前腔〕中"寡鹄""孤鸿""断猿""别凤""离鸾"等一系列接踵而来的意象首先从字面上给人以视觉的冲击，让人顿生孤凄哀怨与离愁别恨，待细细想来，这些意象与《鸿雁来宾》《双凤离鸾》等琴曲语义双关，这些曲子又同样是凄凉之调，读者因此更能从中感受到蔡伯喈无奈另娶、无法与原配团聚的苦闷心情。“杀声在弦中见,敢只是螳螂来捕蝉”引东汉蔡邕之典,暗示自己心中所想、所感全在这琴音之中,此刻,弦上满是别离之伤,可见“愁烦”之深了。接下来的〔前腔〕始引唐李商隐《锦瑟》中的两句诗,抒发蔡伯喈欲归不得,只可想望家乡、但无以面见爹娘的惆怅与哀伤。末引《汉武外传》中“鸾胶续弦”之典,表达其人在牛府、心在旧帐,已结新欢、仍念旧情的矛盾心态。可谓是新人非知音,旧人无以寻,鸾胶不可得,断弦怎可续,读来教人好生感慨!

以上所摘三曲用语典雅清丽,辞多典故,语意双关,与前出《糟糠自厌》中赵五娘语言的朴素自然形成鲜明对比,其风格均与人物身份、性格、涵养相当,若两相对照来读,则更能感知作家在描摹不同人物语言时注意个性化差异。明代一些曲论家(如王骥德)倡导的“当行本色”,看来高明是早就有成功实践了。

(黄　笑)

# 拜月记(第二十五出摘选)

施　惠

【园林好】(旦)①才说起迁都汴梁②，闹吵吵哀声四方。不忍诉凄凉情况；家所有，尽撇漾；家使奴，尽逃亡。

【嘉庆子】(外)③你一双子母何所傍？(旦)更雨紧风寒势怎当？心急行程不上。人乱乱，世慌慌，愁感感，泪汪汪。

【尹令】那时又无倚仗，那时有亲难傍，那时有家难向。他东我西，地乱天慌，事怎防。

【品令】(旦)逃生士民，在官道驿程傍。天色渐晚，阴云黯穹苍。匆匆正往，喊声如雷响。各各奔走，都向树林中伉④。偷生苟免，瓦解星飞，子离了娘。

注释

① 旦：表示以下文字是舞台上旦角所唱。下同。
② 汴梁：今河南开封。
③ 外：表示以下文字是舞台之外演员所唱。
④ 伉：同“亢”，躲藏的意思。

## 鉴赏

《拜月记》又名《幽闺记》，一般认为，此剧是根据关汉卿《闺怨佳人拜月亭》杂剧改编。是“荆、刘、拜、杀”四大南戏之一，全剧共四十出，情节比较曲折，其剧情大致是：金朝末年，蒙古入侵，金国朝廷内部发生了迁都之争，金主听信主和派谗言，将主战派大臣陀满海牙满门抄斩，唯海牙之子兴福逃脱，并在逃亡中得到书生蒋世隆的搭救，遂与之结为兄弟。此时，战事逼近中都，金主仓皇迁都汴梁。尚书王镇出使在外，其妻女也仓皇逃离中都，途中母女失散。女儿王瑞兰邂逅走失妹妹的穷书生蒋世隆，两人历经忧患后结为夫妇。而蒋世隆的妹妹蒋瑞莲则在兄妹失散后巧遇王夫人并被认为义女，遂结伴同行。后世隆在一旅舍得了重病，王镇平番得胜归来，巧遇瑞兰，他不顾世隆生病强行将瑞兰带走。番兵退后，王镇一家团聚。瑞兰因思念丈夫于月下祷告，瑞莲在旁窃听，方知是姑嫂一家。此时，朝廷开科取士，世隆、兴福分别中了文武状元，王镇奉旨招亲，经过一番周折，终于使夫妇兄妹团圆。第二十五出总写了王瑞兰与蒋世隆的生离死别。蒋世隆卧病在床，瑞兰尽心服侍，王镇路经旅馆，遇到瑞兰，不顾他们患难深情硬将鸳鸯夫妻拆开。

由于整个故事发生在一个天翻地覆、黎民遭贱的时代背景中，这里所选《抱恙离鸾》中的四只曲子就主要描写王瑞兰在旅店与父亲意外重逢后，向父亲回忆当时在兵荒马乱中与母亲失散的情景。

〔园林好〕一曲写出山河易鼎、兵荒马乱中百姓的家破人亡、妻离子散的凄凉景象，反映离乱背景下个人的悲欢离合、命运沉浮。接着〔嘉庆子〕一曲便在王尚书与瑞兰的对唱中引出了一个贵族小姐经历战乱的切身感受。“人乱乱，世慌慌”先感于外；“愁感感，泪汪汪”后感于内。其中叠声词的复踏重叠和声韵平仄变换，在听觉上给观众起伏跌宕的冲击，使得演唱更富有舞台效果。〔尹令〕一曲写瑞兰与母亲在慌乱中被分隔西东。三个“那时”的连用更是将一个在战乱中凄惶无助的弱女子形象和她愁苦悲感的心情刻画得淋漓尽致。在这里，作者描写的“无依仗”“亲难傍”“家难向”的恐怕不只是王瑞兰一人的处境，而是饱受战争之苦的所有人民的悲惨境遇。最后，〔品令〕一曲描写了逃难士民颠沛流离的生活以及在离乱中各奔西东、呐喊呼救的情形，此时，王瑞兰由一个被父母呵护、丫鬟簇拥的贵族小姐变成一个离乡背井、孤苦无依的逃生士民。四支曲子借涉世未深的贵族深闺小姐之口诉播迁乱离之苦,感情真挚动人,语言本色自然,符合人物身份。作者这样的描写使人物形象更血肉丰满,情节也更具感染力。

（卢秀华）

# 附 录

# 散曲常识

## 目　录


曲 ………… 1222
散曲 ………… 1222
元曲 ………… 1223
元散曲 ………… 1224
北曲 ………… 1224
南曲 ………… 1225
宫调 ………… 1225
律吕 ………… 1226
十二律 ………… 1226
黄钟宫 ………… 1226
正宫 ………… 1226
大石调 ………… 1226
小石调 ………… 1227
仙吕宫 ………… 1227
中吕宫 ………… 1227
南吕宫 ………… 1227
双调 ………… 1227
越调 ………… 1228
商调 ………… 1228
般涉调 ………… 1228
曲牌 ………… 1228
犯调 ………… 1229
集曲 ………… 1229
小令 ………… 1229
叶儿 ………… 1230
重头小令 …… 1230
带过曲 ………… 1230
套数 ………… 1231
套曲 ………… 1231
散套 ………… 1232
南北合套 …… 1232
联套 ………… 1232
借宫 ………… 1233
换头 ………… 1233
十三换头 …… 1234
二十换头 …… 1234
么篇 ………… 1234
么篇换头 …… 1234
前腔 ………… 1234
前腔换头 …… 1235
子母调 ………… 1235
尾声 ………… 1235
煞尾 ………… 1235
煞 ………… 1235
曲谱 ………… 1236
格律 ………… 1236
格律谱 ………… 1236
正格 ………… 1237
变格 ………… 1237
定格 ………… 1238
又一体 ………… 1238
减字格 ………… 1238
减句格 ………… 1239
增字格 ………… 1239
增句格 ………… 1240
正字 ………… 1240
衬字 ………… 1240
入派三声 …… 1241
平分阴阳 …… 1241
曲韵 ………… 1241
重韵 ………… 1241
务头 ………… 1242
对偶 ………… 1242
合璧对 ………… 1243
连璧对 ………… 1243
重叠对 ………… 1243
扇面对 ………… 1243
隔句对 ………… 1244
救尾对 ………… 1244
鸾凤和鸣对 … 1244
燕逐飞花对 … 1245
联珠对 ………… 1245
鼎足对 ………… 1245
格势 ………… 1246
十五体 ………… 1246

风流体 ········· 1246
玉堂体 ········· 1247
承安体 ········· 1247
讽刺体 ········· 1247
草堂体 ········· 1248
香奁体 ········· 1248
黄冠体 ········· 1248
骚人体 ········· 1249
集剧名体 ······ 1249
集调名体 ······ 1250
隐括体 ········· 1250
不讳体 ········· 1251
盛元体 ········· 1251
丹丘体 ········· 1251
东吴体 ········· 1251
西江体 ········· 1252
江东体 ········· 1252
淮南体 ········· 1252
楚江体 ········· 1253
宗匠体 ········· 1253
反复体 ········· 1253
连环体 ········· 1254
足古体 ········· 1254
集句体 ········· 1254
简梅体 ········· 1255
顶真体 ········· 1255
联珠体 ········· 1256
重句体 ········· 1256
独木桥体 ······ 1257
短柱体 ········· 1257
嵌字体 ········· 1257
叠句 ········· 1257
叠字 ········· 1258
叠字体 ········· 1258
叠韵体 ········· 1258
俳优体 ········· 1259
元曲四大家 ··· 1259
曲中李杜 ······ 1259
名公才人 ······ 1260
清丽派 ········· 1260
豪放派 ········· 1260

## 曲

音乐及文学术语。在音乐上，广义的曲泛指秦汉以来各种乐曲，如汉魏乐府歌曲，唐宋大曲及各种民间小曲等。在文学上，一般多用来指宋元以来的北曲和南曲。曲与词体式相近，都属于长短句体式。但词体较严谨，曲体较恣肆；词体较规束，曲体较灵便；词体较雅致，曲体较通俗。曲大致分为戏曲和散曲两大类，元代以北曲最盛，明中叶以后南曲逐渐盛于北曲。

（赵义山）

## 散　曲

一种合乐可歌的诗体名称。兴起于宋、金，盛行于元、明，衰落于清。根据所用音乐性质的不同，又分北散曲与南散曲。北散曲所用北曲的音乐体系，是在改造唐宋词乐、融汇民间俗乐和西北少数民族音乐的基础上形成的；南散曲所用南曲的音乐体系，则是在唐宋词乐的基础上再融合南方民间音乐而成。散曲具有一种比词更通俗、活泼、诙谐的“蒜酪”“蛤蜊”之味，从文学继承性的角度看，它是在继承民间歌谣、宋金豪放词、文人俗词和道士词类似作风的基础上形成的；从社会文化背景的角度看，散曲特有风格的形成，也与曲作家在民族压迫、仕途受阻的情况下极力否定传统、从而背弃了儒家温柔敦厚的诗教原则有很大关系。散曲之名，相对有一定组织结构形式的剧曲而言，散曲只用于清唱，不带科、白。元代称散曲为“乐府”“今乐府”或“大元乐府”，明代始称散曲。其体制形式有小令、套数、带过曲三种。从形式上看，曲与词之相同处在于：都有一个牌调，称词牌或曲牌；都用长短句句式。其相异之处在于：曲牌的音乐曲式不如词牌曲式稳定，显得灵活可变，故可加入衬字；在押韵上，曲要求一韵到底，不换韵，但可平仄通押（有规律可循），不避重韵；在对仗上，形式繁多，如有鼎足对、隔句对、联珠对等词中少见的对仗形式。元代散曲，主要作家有关汉卿、白朴、马致远、张养浩、贯云石、张可久、乔吉等人，隋树森有《全元散曲》辑之。明代散曲，北派重要作家有康海、王九思、李开先、冯惟敏、薛论道等人，南派重要作家有陈铎、王磐、杨慎、黄娥、梁辰鱼等人，谢伯阳有《全明散曲》辑之。清代散曲，重要作家有沈自晋、徐石麒、朱彝尊、沈谦、金农等人，凌景埏、谢伯阳有《全清散曲》辑之。（赵义山）

## 元　曲

盛行于元代的一种新的韵文体式。一般包括元散曲和元剧曲，也有人用“元曲”指元杂剧，如明臧懋循的《元曲选》，实际上就是元杂剧选。在前人著述中，“元曲”这一概念的内涵和外延较为复杂，应注意区别。元曲中的元杂剧属于戏曲，元散曲则属于诗歌，二者虽然体式不同，但都使用当时流行的曲乐（主要是北曲）演唱，都要按一定的曲牌格式来填写。元杂剧中的曲式，一般是以联曲成套的方式所构成的套曲；元散曲则包括小令、套数和带过曲三种体式。元曲最能表现出元代文人的才情和技艺，也具有最鲜明的时代特征，因而被推为元代文学的代表体式，一向与唐诗、宋词相提并论。收集整理元杂剧和元散曲的著作，主要有王季思主编的《全元戏曲》、隋树森辑录的《全元散曲》、张月中等主编的《全元曲》。

（赵义山）

## 元 散 曲

盛行于元代的一种合乐歌唱的新型诗体,是元曲的重要构成部分。元散曲有隋树森《全元散曲》辑之,共收200多位散曲作家的小令3800多首,套数400多套。元散曲绝大部分作品直接或间接地表现了作家们对传统的否定和对人世社会的厌弃,真实地反映了元代知识分子在仕途受阻的情况下放浪形骸、游戏人生的各种复杂心态。元散曲的发展大致经历了四个时期:一、从元灭金(1234)到元世祖中统以前(1260年以前),为元散曲由词而曲的演化期,重要作家有元好问、商衟、杨果、杜仁杰、商挺、刘秉忠等;二、从元世祖中统年间到世祖至元末(1260—1294),为元散曲之始盛期,重要作家有关汉卿、王和卿、白朴、胡祗遹、王恽、徐琰、姚燧、卢挚等;三、从元成宗元贞元年到元文宗至顺三年(1295—1332),为元散曲之大盛期,重要作家有马致远、陈草庵、张养浩、冯子振、贯云石、薛昂夫、张可久、乔吉、徐再思、周文质、曾瑞、刘时中、杨朝英、周德清、钟嗣成等;四、从元顺帝元统元年到元亡(1333—1368),为元散曲之衰落期,重要作家有杨维桢、鲜于必仁、王举之、刘庭信、汪元亨等。第一期作家主要活动在以大都为中心的北方;从第二期作家起,则渐移至以杭州为中心的南方。元散曲的风格是多样的,明朱权《太和正音谱》所列有"十五体",后来一般认为可分豪放、清丽两派。豪放以马致远、贯云石等人为首,作风"豪辣灏烂",是元散曲的主流;清丽以张可久、乔吉等人为首,风格雅正典丽,有严重词化倾向,为元散曲中的别派。

(赵义山)

## 北 曲

金元时盛行于北方的杂剧和散曲演唱时所使用的乐曲,明清时仍被改造沿用。与南曲相对。北曲是在改造唐宋词乐,并融汇民间俗乐和西北少数民族音乐的基础上形成的。在音乐体制上采用曲牌体,清周祥钰等所编《九宫大成南北词宫谱》共收北曲曲牌581个。北曲采用七声音阶,旋律一般节奏急促,声调遒劲。明魏良辅《曲律》谓"北曲字多而调促,促处见筋,故词情多而声情少";明徐渭《南词序录》谓"听北曲使人神气鹰扬,毛发洒淅,足以作人勇往之态”。北曲伴奏以弦乐器为主,故又称“弦索调”。因元杂剧和元散曲用北曲演唱,所以元杂剧和元散曲也被称作北曲。金元时北曲(曲词)的创作多使用北方方言,并使用中原音韵,其最显著的特点,是声调分阴平、阳平、上声、去声四声,没有入声。明清时受南曲影响,有一定变化。

(赵义山)

## 南　曲

宋元以来南方戏曲和散曲演唱时使用的乐曲。与北曲相对。主要来自唐宋词乐和南方民间曲乐。在音乐体制上亦采用曲牌体,清周祥钰等所编《九宫大成南北词宫谱》共收南曲曲牌(包括集曲)1513个。南曲采用五声音阶,较之北曲没有变宫、变徵,节奏较为舒缓。明魏良辅《曲律》谓“南曲字少而调缓,缓处见眼,故词情少而声情多”;明徐渭《南词序录》谓“南曲则纡徐绵眇,流丽婉转”。使用南曲歌唱的戏曲与散曲作品,也称南曲。南曲在文学创作上,其语言以江浙一带的南方语音为准,声调上有平、上、去、入四声。明中叶以后,南曲在戏文与传奇的演唱中,其声腔有较大发展,形成海盐、余姚、弋阳、昆山四大声腔,其中尤以昆山腔和弋阳腔影响最大。

(赵义山)

## 宫　调

音乐术语。在古代以“宫、商、角、徵、羽”五声或“宫、商、角、变徵、徵、羽、变宫”七声与十二律结合,其中以任何一声为主音均可构成一种调式,以宫为主音的调式称“宫”,以其他各声为主音的则称“调”,统称“宫调”。根据十二律“旋相为宫”的原理,若是五声音阶,理论上可得十二宫、四十八调,合为六十宫调;若是七声音阶,理论上可得十二宫、七十二调,合为八十四宫调。但在实际使用中的宫调,其实不多。元燕南芝庵《唱论》中提到的只有十七宫调,据历代曲谱著作著录,北曲所用,仅为十二宫调,即黄钟宫、正宫、大石调、小石调、仙吕宫、中吕宫、南吕宫、双调、越调、商调、商角调、般涉调;南曲所用,仅为十三宫调,即仙吕宫、羽调、正宫、大石调、中吕宫、般涉调、南吕宫、黄钟宫、越调、商调、小石调、双调、仙吕入双调。据《唱论》所述,不同的宫调,其旋律的声情特点各有不同。在南北曲曲牌体音乐中,宫调的作用在于确定曲牌演唱的调高和调式。

(赵义山)

## 律　吕

音乐术语。中国古代将一个八度音阶分为十二个半音,叫十二律。十二律从低到高依次为:黄钟、大吕、太簇、夹钟、姑洗、仲吕(中吕)、蕤宾、林钟、夷则、南吕、无射、应钟。其中,单数各律称“律”,即“六律”;偶数各律称“吕”,即“六吕”。总称“十二律吕”,简称“十二律”或“律吕”。(赵义山)

## 十 二 律

见“律吕”。(赵义山)

## 黄 钟 宫

音乐术语。宫调之一。属于黄钟宫的曲牌,据清周祥钰等所编《九宫大成南北词宫谱》记载,有北曲55支,南曲(包括集曲)116支。北曲中常见的黄钟宫曲牌联套方式有“〔醉花阴〕—〔喜迁莺〕—〔出队子〕—〔刮地风〕—〔四门子〕—〔古水仙子〕—〔尾声〕”。元燕南芝庵《唱论》谓“黄钟宫唱,富贵缠绵”。(李真瑜)

## 正　宫

音乐术语。宫调之一。属于正宫的曲牌,据清周祥钰等所编《九宫大成南北词宫谱》载,有北曲43支,南曲(包括集曲)120支。北曲中常见的正宫曲牌联套方式有“〔端正好〕—〔滚绣球〕—〔叨叨令〕—〔脱布衫〕—〔小梁州〕—〔幺篇〕—〔快活三〕—〔朝天子〕—〔煞尾〕”。元燕南芝庵《唱论》谓“正宫唱,惆怅雄壮”。(李真瑜)

## 大 石 调

音乐术语。宫调之一。属于大石调的曲牌,据清周祥钰等所编《九宫大成南北词宫谱》载,有北曲48支,南曲(包括集曲)160支。北曲中常见的大石调曲牌联套方式有“〔六国朝〕—〔喜秋风〕—〔归塞北〕—〔六国朝〕—〔雁过南楼〕—〔擂鼓体〕—〔归塞北〕—〔好观音〕—〔好观音煞〕”。元燕南芝庵《唱论》谓“大石唱,风流蕴藉”。

（李真瑜）

## 小 石 调

音乐术语。宫调之一。属于小石调的曲牌,据清周祥钰等所编《九宫大成南北词宫谱》载,有北曲29支,南曲(包括集曲)74支。北曲中小石调使用较少。元燕南芝庵《唱论》谓“小石唱,旖旎妩媚”。

（李真瑜）

## 仙 吕 宫

音乐术语。宫调之一。属于仙吕宫的曲牌,据清周祥钰等所编《九宫大成南北词宫谱》载,有北曲81支,南曲(包括集曲)294支。北曲中常见的仙吕宫曲牌联套方式有“〔点绛唇〕—〔混江龙〕—〔油葫芦〕—〔天下乐〕—〔那吒令〕—〔鹊踏枝〕—〔寄生草〕—〔赚煞〕”。元燕南芝庵《唱论》谓“仙吕调(宫)唱,清新绵邈”。

（李真瑜）

## 中 吕 宫

音乐术语。宫调之一。属于中吕宫的曲牌,据清周祥钰等所编《九宫大成南北词宫谱》载,有北曲56支,南曲(包括集曲)144支。北曲中常见的中吕宫曲牌联套方式有“〔粉蝶儿〕—〔醉春风〕—〔迎仙客〕—〔石榴花〕—〔上小楼〕—〔幺篇〕—〔小梁州〕—〔幺篇〕—〔朝天子〕—〔尾声〕”。元燕南芝庵《唱论》谓“中吕宫唱,高下闪赚”。

（李真瑜）

## 南 吕 宫

音乐术语。宫调之一。属于南吕宫的曲牌,据清周祥钰等所编《九宫大成南北词宫谱》载,有北曲33支,南曲(包括集曲)178支。北曲中常见的南吕宫曲牌联套方式有“〔一枝花〕—〔梁州第七〕—〔牧羊关〕—〔四块玉〕—〔骂玉郎〕—〔玄鹤鸣〕—〔乌夜啼〕—〔煞尾〕”。元燕南芝庵《唱论》谓“南吕宫唱,感叹伤悲”。（李真瑜）

## 双 调

音乐术语。宫调之一。属于双调的曲牌,据清周祥钰等所编《九宫大成南北词宫谱》载,有北曲 113 支,南曲(包括集曲)81 支。北曲中常见的双调曲牌套联方式有"〔新水令〕—〔折桂令〕—〔雁儿落〕—〔得胜令〕—〔沽美酒〕—〔太平令〕—〔鸳鸯煞〕"。元燕南芝庵《唱论》谓"双调唱,健捷激袅"。

(李真瑜)

## 越调

音乐术语。宫调之一。属于越调的曲牌,据清周祥钰等所编《九宫大成南北词宫谱》载,有北曲 45 支,南曲(包括集曲)111 支。北曲中常见的越调曲牌联套方式有"〔斗鹌鹑〕—〔紫花儿序〕—〔小桃红〕—〔金蕉叶〕—〔调笑令〕—〔秃厮儿〕—〔圣药王〕—〔麻郎儿〕—〔络丝娘〕—〔收尾〕"。元燕南芝庵《唱论》谓"越调唱,陶写冷笑"。 (李真瑜)

## 商调

音乐术语。宫调之一。属于商调的曲牌,据清周祥钰等所编《九宫大成南北词宫谱》载,有北曲 41 支,南曲(包括集曲)163 支。北曲中常见的商调曲牌联套方式有"〔集贤宾〕—〔逍遥乐〕—〔金菊香〕—〔梧叶儿〕—〔醋葫芦〕—〔幺篇〕—〔后庭花〕—〔柳叶儿〕—〔浪里来〕"。元燕南芝庵《唱论》谓"商调唱,凄怆怨慕"。

(李真瑜)

## 般涉调

音乐术语。宫调之一。属于般涉调的曲牌,据《曲谱》所载,有北曲 8 支,南曲 1 支,清周祥钰等所编《九宫大成南北词宫谱》改入黄钟宫。元燕南芝庵《唱论》谓"般涉调唱,拾掇坑堑"。 (李真瑜)

## 曲牌

曲学术语。在曲还能传唱的时候,就音乐而言,曲牌是由一定的乐句组合成的大致固定的音乐曲调;就曲词而言,曲牌是由一定的句式构成的有大致固定结构格式的歌词。每个曲调的音乐旋律和歌词结构格式不同,其名称也便不同,如〔四块玉〕〔山坡羊〕〔天净沙〕〔一半儿〕〔满庭芳〕等等。清周祥钰等所编《九宫大成南北词宫谱》,共收北曲曲牌581个、南曲曲牌(包括集曲)1513个,其中有相当一部分曲牌来源于唐宋词,故不少曲牌与词牌同名。就曲词创作而言,每一支曲牌有大致固定的句数、字数、平仄和韵位,这是作曲词的依据。不同的曲牌,其性质也不尽相同,有的只用于小令,有的只用于套数,也有的可兼用于小令和套数。一首小令用一个曲牌(集曲除外),一首带过曲用2—3个曲牌,一篇套数用2个以上的若干个曲牌构成组曲。一个带过曲或一篇套数中的若干个曲牌,一般用同一个宫调去演唱,在曲词的创作上则表现为一韵到底,中间概不换韵。(赵义山)

## 犯　调

①音乐术语。指本宫调音阶内某音换用另一音阶的音,以求乐曲的变化。②曲调构成方式之一。即截取数支曲牌之句而成一支新的曲牌,又称"集曲"。宋词中已广用此法,北曲中用之较少,南曲中用之较普遍。属于集曲而成的曲牌,绝大部分在调名上有所反映,如明王骥德《曲律·论调名第三》云:"而又有杂犯诸调而名者,如两调合成而为〔锦月堂〕,三调合成而为〔醉罗歌〕,四、五调合成而为〔金洛索〕,四、五调全调连用而为〔雁鱼锦〕;或明曰〔二犯江儿水〕〔四犯黄莺儿〕〔六犯清音〕〔七犯玉玲珑〕;又有八犯而为〔八宝妆〕,九犯而为〔九疑山〕,十犯而为〔十样锦〕,十二犯而为〔十二红〕,十六犯而为〔一秤金〕,三十犯而为〔三十腔〕类;又有取字义而二三调合为一调,如〔皂袍罩黄莺〕〔莺集御林春〕类;有每调只取一字,合为一调,如〔醉归花月渡〕〔浣沙刘月莲〕类。"

(赵义山)

## 集　曲

曲调构成方式之一。即截取数支曲牌之句而成一支新的曲牌,参见"犯调"。(赵义山)

## 小　令

散曲体式之一。体制短小,元人又叫"叶儿",一般使用一个曲牌。与词中的小令相比,词体小令一般分为上、下两片,只有极少的为单片,如〔十六字令〕〔如梦令〕等;但曲体小令一般为单片独曲,只有极少的分为上、下两片,如〔人月圆〕〔十六字令〕等。到明清时期,散曲中出现了摘取多个曲牌的部分乐句而重新整合为一个新的曲牌的“集曲”,如〔刷子带芙蓉〕〔天香满罗袖〕等,虽然所集之曲皆一一标出,但仍属于小令范畴。

(赵义山)

## 叶 儿

散曲中小令一体之别称。元燕南芝庵《唱论》云:“时行小令唤作叶儿。”清朱彝尊所作小令集即名《叶儿乐府》。(赵义山)

## 重头小令

小令体式中的一种。其名见于明徐渭所编《杨(升庵)夫人乐府》内,但此种体式在元散曲中已广泛存在,是指同一曲牌重复使用若干次的组曲,少则二三首,多至百首不等,一般围绕同一主题或题材。如关汉卿的〔南吕·四块玉〕《闲适》四首,即从不同角度咏退隐闲放之情;马致远的一组〔南吕·四块玉〕共十首,虽各自立题,每首分咏一个历史故事或传说,但同属于《咏史》。重头小令虽以同一曲牌的组曲形式出现,但组曲中的各支曲子仍是完整独立的,故可分押不同的韵,但亦可押相同的韵。此种体式,其渊源,远可追溯到《诗经》中之联章复沓;近可溯源于宋词中的联章体词,如欧阳修有〔采桑子〕十首咏西湖风景,赵令畤有〔蝶恋花〕鼓子词十二首咏崔、张恋爱故事等,即属此类。(赵义山)

## 带 过 曲

散曲体式之一。它是由二支或三支曲牌构成的一种小型组曲,是介于小令和套数之间的一种特殊形式。一般称“带过”,也有的单称“带”“过”“兼”等等。与套数相比,套数一般有尾声,而带过曲无尾声;套数中只曲多者可达20余支,而带过曲最多不超过三支;套数中每支曲牌名分标在每支曲子之上,而带过的二支或三支曲牌名则集中标在最前面。与小令相比,小令仅仅是独立的只曲,而带过曲则是小型组曲,此为“带”与“令”之根本区别。既然客观上已存在“带过”一体,它既不同于“套”,也更不同于“令”,所以,不妨把它视为独立的一体。

它的产生，大约是源于对套曲中某相邻的两支或三支曲子的选摘演唱，时间一长，被选摘下来的这两支或三支曲子的结合演唱便成为一种程式，引起曲家的模仿创作，因而形成带过一体。带过体形成以后，久而久之，某些带过格式又被曲家用回到套曲之中。带过曲的用韵同小令和套数一样，亦必须一韵到底；带过曲的曲牌组合与套曲一样，已成为一种固定程式，不能随心所欲。据孙玄龄在《元散曲的音乐》一书中依《全元散曲》所做的统计，元人所用带过曲共有26种格式，最常用者为〔雁儿落过得胜令〕〔骂玉郎过感皇恩〕〔采茶歌〕〔快活三过朝天子〕〔齐天乐过红衫儿〕〔水仙子过折桂令〕〔十二月过尧民歌〕〔对玉环带清江引〕等。　（赵义山）

## 套　数

散曲体式之一。或称“套曲”“散套”。相对小令而言，小令是独立的只曲，套数是连缀两支以上不同调名的曲子而构成的组曲，其计数以“套”为单位，故称套数。散曲套数的“套”即是基本单位，与剧曲“套”与“套”之间有一定组织结构不同，故又称“散套”。一篇套数中的各支曲牌，一般用同一宫调演唱。大多有“尾声”（或称“余文”“煞”），故元燕南芝庵《唱论》云“有尾声名套数”。一篇套数中的所有曲子须用同一韵，中间不换韵。各支曲子紧紧围绕同一主题构成一个整体。各支曲子的组合方式有一定规律，不能随意增加、减少或颠倒顺序。套数的体制形式是由词中“唱赚”一体演变而成，因所用音乐性质的不同，又可分为北曲套数、南曲套数和南北合套。

（赵义山）

## 套　曲

曲的结构形式。由若干支适合用同一宫调演唱的曲牌按照一定规律联成组曲。它是对宋词唱赚体中“缠令”“缠达”两种形式的直接借用。套曲音乐形式在南、北曲中均有运用。北曲中套曲的组合是有一定规律的：首先，套曲中各支曲适宜用同一宫调去演唱，偶用适合其他宫调演唱的曲子，称“借宫”；其次，一套曲子末尾一般有“尾声”，称“尾”“尾声”“煞”或“余文”等；再次，一套曲子中各支曲连缀之先后顺序一般有定规,不可随意颠倒、抽换;最后,在歌词方面,一套曲子必用同一韵,中间不换韵。就音乐性质分,套曲有北套曲、南套曲和南北合套三种;就演唱形式分,有剧套和散套。散套即套数,是不带科、白的抒情叙事组曲,用于清唱;剧曲是结合科、白,用于表演戏剧情节时歌唱。元杂剧的每一个情节发展的大段落即用一组套曲,这是元杂剧分折的依据。　　(赵义山)

## 散　套

即套数。散套一名,系相对于剧套有较固定的组织结构而言。比如一本元杂剧一般用四套曲子,第一套通例是用〔仙吕〕,第四套一般用〔双调〕,故剧曲中的一个套曲,与其他各套有一定联系,并与其他各套共处于一个完整的结构之中;而散套则以套为单位,独立成篇。如果相对于剧套的有固定组织结构而指称独立成篇、用于清唱的套曲,散套一名要比套数一名更确切,然现在已通行"套数"一名,也没有必要再改。　　(赵义山)

## 南北合套

套数结构体式之一。即兼用南、北曲曲牌,按照一定规律交错连缀成套。元钟嗣成在《录鬼簿》中说:"以南北调合腔,自和甫(即沈和)始。"其实,元初杜仁杰已作有南北合套散曲〔集贤宾〕《七夕》,王实甫、贯云石等亦有南北合套之作。戏曲中的南北合套,最早见于南戏。如《永乐戏文三种》内的《小孙屠》。这种体式,当是伴随着北杂剧南下、北调南唱而出现的。南北合套的形式亦有多种:有套曲内曲牌成一南一北的匀称交替式的,如沈和〔赏花时〕《潇湘八景》套;有套曲内的曲牌或南多北少、或北多南少成不匀称交替式的,如范居中〔金殿喜重重〕《秋思》套、无名氏〔珍珠马〕《情》套等。　　(赵义山)

## 联　套

连缀两支以上的曲牌使之成为一个套曲。这种方式在北宋时便已出现在唱赚和诸宫调等说唱艺术中。联只曲而成的套曲,原则上是用同一宫调去演唱。在联曲成套时,某一宫调套曲的首曲基本上是固定不变的。如〔正宫〕首曲用〔端正好〕,〔仙吕〕首曲用〔点绛唇〕,〔中吕〕首曲用〔粉蝶儿〕等。从第二支曲子以下直至最后一曲，中间如何衔接，即各支曲子的前后顺序如何安排，一般是有定规的，这大约是出于音乐旋律转折自如、联结紧密的需要，如〔中吕〕首曲〔粉蝶儿〕之后，紧接着的第二、第三曲便是〔醉春风〕〔迎仙客〕。这在曲的联套之中基本上被程式化了。联套的主要形式有：一、单曲体。除首曲、尾声以外，中间仅用一支曲子，如此支曲子需要反复连用，在北曲联套中即多称〔么〕或〔么篇〕，在南曲套曲中多称〔前腔〕。二、多曲体。由若干支不同调名的曲子联成一套，这在套曲中最为常见。三、循环体。即在首曲之后用两支曲调交互循环组织成套，如〔正宫〕〔端正好〕套，首曲之后便经常以〔滚绣球〕〔倘秀才〕两调交互循环。这一形式，实际上即"唱赚"中"缠达"一体在曲中的运用。（赵义山）

## 借　宫

这是最需要澄清的一个曲体术语。由于前人对于宫调与曲牌关系的认识不清，便导致"借宫"这一概念的出现。就套数构成的实际情形而言，当套数联合只曲构成套曲后，一套曲子一般用一个宫调去演唱，所以对一组结构成套的曲子，需要在首曲前面标明宫调。这时，从形式上看，仿佛"每个曲牌都从属于某一固定的宫调"。因此，人们在解释什么是套数时，往往就说"套数是由同一宫调的若干只曲构成的组曲"。当其中某些曲牌出现在两种以上的套曲中时，人们便不好解释这些曲牌的宫调归属，因此，"借宫"一说便产生了。就实际情形而言，是某些曲牌被组合进不同的套曲，因此被用不同的宫调去演唱。但在"每个曲牌都从属于某一固定的宫调"的认识中，便成了某一宫调的套曲借用了另一宫调的曲牌，即所谓"借宫"。（赵义山）

## 换　头

曲牌格律术语与曲牌组合方式。最初，"换头"是律诗中调声（即调平仄）的三种方法之一，如《文镜秘府论·天卷·七言尖头律》云："调声之术，其例有三：一曰换头，二曰护腰，三曰相承。"此所谓"换头"，是指律诗一联之中，此句改换了句头两字的平仄。在唐、宋词中，"换头"是指双调词前后片首句或首韵不同,后片首句或首韵已经改变了前片首句或首韵的格式,这时,相对于前片首句或首韵来说,后片首句或首韵即可称为“换头”。在元曲之中,“换头”是指一套曲子中连用同一曲牌时,后一曲改变了前一曲的头部一句或几句的格式,如明王骥德《曲律》云:“换头者,换其前曲之头,而稍增减其字。”在北曲中,“换头”被称作“么篇换头”;在南曲中,则被称作“前腔换头”。后来,由于“头”的概念扩大,由一支曲牌的头部一句或几句,扩大到指一套曲子的头一支曲牌,“换头”便是相对一套曲子的头一支曲牌来说而换用不同的曲牌了,如套数中的“十三换头”“十七换头”“二十换头”之类。　(赵义山)

## 十 三 换 头

套数结构术语之一,为北曲联套时换用曲牌次数的专称,即首曲之后换用了十三个不同的曲牌。参见“换头”。　(赵义山)

## 二 十 换 头

套数结构术语之一,为北曲联套时换用曲牌次数的专称,即首曲之后换用了二十个不同的曲牌。参见“换头”。　(赵义山)

## 么　篇

即后篇。见“么篇换头”。

(赵义山)

## 么 篇 换 头

北曲套曲中同一曲牌连用时所使用的专用术语。在北曲套曲中,同一曲牌连用时,其第二曲及以后各曲即被称作“么篇”(南曲称“前腔”)。“么”也写作“幺”,当为繁体“後”字之简笔,故“么篇”,意即“后篇”;也就是说它是与标有曲牌的“前篇”格律完全相同的“后篇”。但有些时候,“么篇”的头部一句或数句也有改换前一曲头部之格律的,这种情况,即被称作“么篇换头”(南曲称“前腔换头”)。

(赵义山)

## 前　腔

见“前腔换头”。

(赵义山)

## 前腔换头

南曲套曲中同一曲牌连用时所使用的专用术语。在南曲套曲中，同一曲牌连用时，其第二曲及以后各曲即被称作“前腔”(北曲称“幺篇”)，其含义为用“前”一曲牌的“腔”格来演唱。故凡标有“前腔”的曲子，格律应与其前一支曲子完全相同；有时也有头部一句或数句被改换的，这种情况，即称“前腔换头”(北曲称“幺篇换头”)。

(赵义山)

## 子母调

套数结构体式之一。指在一套曲之中两支曲牌连续循环交替使用，如母子不可分离，故有此称谓。常用的有〔正宫〕的〔滚绣球〕和〔倘秀才〕二支曲，元周德清《中原音韵》在此两支曲牌下均注云：“亦作子母调。”郑廷玉《看钱奴》杂剧第二则〔正宫·端正好〕套曲第二折的九支曲子依次是：〔端正好〕〔滚绣球〕〔倘秀才〕〔滚绣球〕〔倘秀才〕〔滚绣球〕〔倘秀才〕〔滚绣球〕〔倘秀才〕，就是这种用法的例证。

(李真瑜)

## 尾　声

套数结构术语。是套数最末尾一曲的泛称，或称为〔尾〕〔收尾〕〔余文〕。也有专门用作结尾的曲牌，如〔煞尾〕〔赚煞〕等。“尾声”是套数的重要标志，所以元燕南芝庵《唱论》谓“有尾声名套数”。

(赵义山)

## 煞　尾

用作套数尾曲的曲牌名。北曲中用正宫、南吕等宫调演唱的套数，都有用〔煞尾〕的，其曲式结构较〔尾声〕自由灵活。(赵义山)

## 煞

用作套数尾曲的曲牌名。北曲中用般涉调、黄钟宫、正宫、南吕宫、商调、双调等演唱的套数，都有用〔煞〕的，其曲式结构较为灵活。有单用〔煞〕曲结尾的，也有用〔煞〕曲与其他曲牌结合作为结尾的，如〔离亭燕煞〕〔玉翼蝉煞〕〔后庭花煞〕等。(赵义山)

## 曲　谱

记录曲牌体式及唱法的书籍。根据明清以来曲学家所著，大致有以下三种谱式：一种是列举不同曲牌的代表性例曲，并逐字注明平仄，可供依谱填写曲词用，如明朱权的《太和正音谱》即属于此种。一种兼注工尺、板眼，供人依谱填词编曲，也可据以歌唱，此种大多称“宫谱”，如清周祥钰等所编《九宫大成南北词宫谱》即属于此种。还有一种则记录剧曲，曲词旁注明工尺、板眼，供演唱之用，也叫“工尺谱”，如清叶堂《纳书楹曲谱》即属于此种。这与后来将音乐的乐谱称为曲谱的含义是有区别的。

（赵义山）

## 格　律

曲作家按照曲牌要求填写歌词时所遵循的一种规定格式。包括字数、句式、平仄、韵位等方面的基本要求。这种要求是为了使字声与乐声更好地谐和。最初，一些谙熟音乐曲谱的作家，可以根据曲谱（乐谱）的节奏、腔格特点填写歌词。后来，一些对音乐曲谱不甚精通的作家，则可以取那些谙熟乐谱的作家填好了的歌词作样板，然后按照其平仄、句式、韵位等依样画葫芦。这样，被作为样板的这些歌词本身又可作为一种谱式，即“文字谱”，如元周德清《中原音韵·作词十法》中的“定格四十首”，实际上就是一种供人作样板的“文字谱”。再往后，曲谱家取一些名作或大多数作家都遵循的某一格式的作品为典范，一一标出句式、平仄、韵位等，这就是格律谱。由“乐谱”而“文字谱”，再由“文字谱”而“格律谱”，这便是曲牌格律形成演化的过程。

（赵义山）

## 格律谱

即标明曲牌句式、平仄、韵文等基本格律的曲谱。其作用在于示人以按谱填词的规范。格律谱的制作，是由曲学家以某一名家的名作或为大多数作家都遵循的某一格式的作品为典范，然后一一标注句式、平仄、韵位、正衬等。曲谱家的格律谱著作，一般是按宫调分类曲牌，有的格律谱专为北曲之谱，有的专为南曲之谱，也有南、北曲兼订之谱。

元周德清《中原音韵·作词十法》中的“定格四十首”，已具格律谱的雏形，明朱权《太和正音谱》收曲牌335个，是最早的一部比较完整的北曲谱，比较重要的北曲专谱还有徐庆卿、李玉的《北词广正谱》；比较重要的南曲专谱则有明蒋孝、沈璟的《南九宫曲谱》；南、北兼订之谱则有清王奕清等人的《钦定曲谱》、清周祥钰等所编的《九宫大成南北词宫谱》。（赵义山）

## 正　格

按谱作曲时所遵循的句式、字数、平仄、韵位等方面的基本格式。其称名相对“变格”而言。曲牌音乐曲式结构的稳定性不如词牌。因此，曲家们按音乐谱式填写歌词，有时会增减字句或改易平仄、韵位等，久而久之，旧有谱式和新变谱式遂混淆莫辨。曲谱家为示人以准的，取一些名作为典范，或取某一为大多数作家都遵循的体式为范例，由此定出一个基本格式，称“正格”，而将“正格”以外的其他格式称为“变格”。如〔雁儿落〕一调，明朱权在《太和正音谱》中即举邓玉宾的“乾坤—转丸”一首定为“正格”：“平平上上平（韵），去去平平去（韵）。平平去上平，去去平平去（韵）。”凡字数、平仄、句式、韵位等异于此者，即为〔雁儿落〕一调之“变格”。（赵义山）

## 变　格

曲牌定格谱式的变化格式。它是相对“正格”而言的。曲作家在按曲牌的乐谱要求填写歌词时，并不一定死板地“依曲拍为句”“依曲腔押韵”。因为某种需要，也会增减字句或改易平仄、韵位。从理论上说，严格按乐谱要求填写的歌词格式即为“正格”，而有某种变化的格式即为“变格”。但是，某一“变格”形式一经出现，并为大家运用，久而久之，就会“正”“变”难分了，而且“变格”一多，填词者亦无所适从。于是，曲谱家为示人以准的，遂取名家名篇或为大多数作家所遵循的某一格式为典范，由此定出谱式，称为“正格”，而将相对“正格”来说其他不同的格式亦一一定出谱式，称为“变格”，曲谱类著作中常以“又一体”名之。如〔金字经〕一调，《词谱》即以张可久“水冷溪鱼贵”为正格，而以《太平乐府》所载徐再思

“紫燕寻旧垒”“犀筋银丝鲙”为“又一体”，即“变格”。 （赵义山）

## 定　格

指曲牌规定按谱填词所须遵循的格式，包括字数、句数、平仄、韵位等方面。如〔乔牌儿〕，按明朱权《太和正音谱》规定，该曲牌一共有5句22字。其句式、平仄、韵位等格式如下：去平平去上（韵），去去去平去（韵）。平平上去平平去（韵），平平平去上（韵）。其实，北曲曲牌的音乐曲式本身是不太稳定的，不同的作家用同一曲牌，往往会有增减字句的变化；即使同一作家用同一曲牌，有时也会出现这种情况，这并非不合格律，而恰恰表现出北曲曲牌在大致稳定中的灵活变异。后世定谱家面对这种情况，便把大多数作家都遵循的基本不变的某一格式称作“正格”，而把有一定变异的格式称作“变格”。定格，即包括正格与变格而言。 （赵义山）

## 又一体

词谱、曲谱著作中于某一词牌、曲牌下首列一体后，紧接着列出的其他体式。其出现的原因在于北曲曲牌音乐谱式结构并非十分稳定，所以曲作家在“按谱填词”时，出于某种特殊需要，在局部地方增减字句。这样，同一曲牌的句数、字数会有某些差异。后来，曲谱家在考定曲牌格式时，便把某一曲牌中较早出现的一中体式称为“初体”，而把某种基本的、为大多数作家都遵循的体式称为“正体”，把其余的都称为“变体”。曲谱专著在载列这些体式时，首列“初体”或“正体”，次列“变体”。凡“变体”都列入“又一体”中，但“又一体”并非全属“变体”，有时，“又一体”中所列体式也有与首列体式同属“正体”（亦称“正格”）的。 （赵义山）

## 减字格

曲牌格律中变格之一种。又名“减字体”，相对于“增字格”而言。即从正格的某一句或某几句中减去一字或数字而成为“又一体”。如〔越调·金蕉叶〕，清周祥钰等所编《九宫大成南北词宫谱》首引《元人百种》内一曲：“你道他有甚的高官重职，也须要承欢奉喜，虽不曾夫贵妻荣，我只知是男尊女卑。”次引明郭勋《雍熙乐府》内一曲:“一曲阳关未已,两字功名去急,四海离愁去国,半霎儿难忘恩德。”然后解释说:“〔金蕉叶〕首阕,通章用七字句(除去衬字),为正格;次阕皆作六字句,为‘减字格’。”此为曲谱家理论。其实,元曲曲牌音乐曲式结构并非十分稳定,作家按谱填词时,增减字句是常事,本无所谓“正变”“增减”等体式分别,但后来定谱家面对一曲多体的情况,出于定谱需要,乃不得不作如此区分。

(赵义山)

## 减句格

曲牌格律中变格之一种。相对于“增句格”而言,又名“减句体”。即从正格所规定的句数中减去一句或数句而成为“又一体”。如〔双调·小喜人心〕,清周祥钰等所编《九宫大成南北词宫谱》卷六六引《元人百种》内一曲为正体:“看松云掩霭,闻桂风潇洒,竹影藤花月色。紫符金坛放毫彩,醉舞狂歌,长笑高吟,疏散情怀。他壶内天无坏,咱静在神长泰。”引明郭勋《雍熙乐府》内一曲作“又一体”:“他獾儿似腌势,野狐般臊气,甚的是可喜样风流范规。我见你没罗着庞儿未喜,我这里猜疑,你却怎的忘恩义,我揾不住腮边泪。”其后解释云:“〔小喜人心〕,首阕为正体,次阕减去中间四字二句,乃‘减句格’。”此为定谱家理论。其实,北曲曲牌谱式结构并非十分稳定,增减字句是极平常的事,本无所谓“正”“变”“增”“减”等分别,但到后来,曲谱家面对一曲多体的情况,出于定谱的需要,不得不作如此区分。

(赵义山)

## 增字格

曲牌格律变格之一。又名“增字体”,相对于“减字格”而言。即从正格所规定的某一句或数句中增加一字或数字而成为“又一体”。如双调中〔乔牌儿〕一调,清周祥钰等所编《九宫大成南北词宫谱》卷六五以“世途人易老,幻化自空闹。蜂衙蚁阵黄粱觉,人间归去好。”(杜仁杰散曲)一首和《元人百种》内一首(曲略)为正体,而以“风流人常透引,尘凡客不相忍。地形高,更比天台峻,洞门儿关闭紧”一首和明郭勋《雍熙乐府》内“一年寒暑惟春令,荣悴有时分。劝君莫叹兴衰运，到时来百事欣”一首为“又一体”。其后解释云：“〔乔牌儿〕，次阕较首阕，句法相同，惟多衬字，皆为‘正体’，三阕四阕为‘增字格’。”其实，北曲曲牌谱式本身并非十分稳定，增减字句是常事，本无所谓“正变”“增减”等体式分别，但后来曲谱家面对一曲多体的情况，出于定谱的需要，不得不作如此区分。

（赵义山）

## 增句格

曲牌格律中变格之一。又名“增句体”，相对于“减句格”而言。即在正格的基本句数之外再增加一句或数句，从而成为“又一体”。如北曲仙吕调中的〔青哥儿〕，清周祥钰等所编《九宫大成南北词宫谱》卷五以马致远《十二月·正月》一首为正体：“春城春宵无价，照星桥火树银花，妙舞清歌最是他。翡翠被前那人家，鳌山下。”而引明郭勋《雍熙乐府》中一首为变体：“看一带云山云山如画，端的是景物景物堪夸，剩水残山向那答。自少喧哗，柳阴之下，椰瓢高挂。无是无非诵南华，静里乾坤大。”其后解释说：“首曲系正体，次曲其二句作叠字格，第三句下，增四字三句，为增句体也。”此用曲谱家的理论。其实，北曲曲牌谱式本身并非十分稳定，增减字句是极平常的事，本无所谓“正”“变”之分，但到后来，曲谱家面对一曲多体的情况，出于定谱的需要，不得不作如此区分。

（赵义山）

## 正字

曲作术语。指曲牌各句中最基本的字数。如〔正宫·端正好〕各句最基本的字数是五、五、七、七、五，共29字；又如〔仙吕·一半儿〕各句最基本的字数是七、七、七、三、九，共33字。这些不可再减的最基本字数，便是正字。在正字以外增加的字，称为衬字。参见“衬字”。

（赵义山）

## 衬字

曲作术语。指曲牌各句基本字数以外另增加的字。这是曲区别于其他格律韵文的特征之一。使用衬字，可以调节句法，使曲文更灵活、更生动传神。衬字一般用虚词和形容词较多，字数多寡，北曲没有限制，南曲其板式固定而有“衬不过三”的说法。衬字一般用在句首和句中。通常小令用衬字少，套曲用衬字多，如衬字过多，可增板。在一些曲谱著作中，衬字一般用小字标示，以示区别。参见“正字”。

（赵义山）

## 入派三声

语音演变规律之一。周德清出于为北曲作者检韵方便之目的而著《中原音韵》，周氏根据中原语音中入声消失而演变为其他声调的情形，在该书中把古代的入声字分别归派入阳平、上声、去声三个声调中。为作北曲者“广其押韵”开一方便法门。（赵义山）

## 平分阴阳

语音演变规律之一。指古代平、上、去、入四声中的平声在后代分化为阴平和阳平两类。它以古声母的清浊为分化条件：清声母字（包括全清和次清）变为阴平，浊声母字（包括全浊和次浊）变为阳平。元周德清在《中原音韵》自序中说：“阴阳字平声有之，去上俱无。”元虞集在《中原音韵序》中也说：“以声之清浊定为阴阳，如高声从阳，低声从阴，使用字者随声高下，措字为词，各有攸当，则清浊得宜而无凌犯之患矣。”其具体划分见《中原音韵》各韵部中。（赵义山）

## 曲　韵

曲的用韵。北曲用中州韵，南曲用南方（江、浙一带）韵。中州韵（有《中原音韵》作总结）平分阴阳、入派三声；南方韵（有《洪武正韵》归纳）分平、上、去、入四声。无论北曲、南曲，其押韵均首尾一韵到底，不像诗、词可中间换韵；曲之韵位，较诗、词为密，且多句句押韵之调。

（赵义山）

## 重　韵

曲中押韵的一种形式。即在韵脚上重复使用某一个字。这分几种情况，一种为并不故意安排，而随表情达意之需要自然而然地重复者，这种情况在元曲中最为常见。此外，亦有作者故意安排某一字，而在韵脚上有规律地进行重复，如徐再思的〔双调·折桂令〕《春情》：“平生不会相思，才会相思，便害相思。身似浮云，心如飞絮，气若游丝。空一缕馀香在此，盼千金游子何之。证候来时，正是何时？灯半昏时，月半明时。”其甚者，有如“独木桥体”之通篇韵位上均重复地用某一字者，如张养浩的〔正宫·塞鸿秋〕小令：“春来时香雪梨花会，夏来时云锦荷花会，秋来时霜露黄花会，冬来时风月梅花会。春夏与秋冬，四季皆佳会。主人此意谁能会。”

（赵义山）

## 务　头

曲调歌唱及写作术语。历代曲家对其涵义的解释各有不同。一般认为是指曲调中最为精彩或婉转动听之处。元周德清《中原音韵》说：“要知某调、某句、某字是务头，可施俊语于其上。”明王骥德《曲律》专有论“务头”一则，谓“凡曲遇揭起其音，而宛转其调，如俗之所谓‘做腔’处，每调或一句，或二、三句，每句或一字，或二、三字，即是‘务头’。”清李渔《闲情偶寄》说：“凡一句中最是动听之处是为‘务头’。”近人吴梅在《顾曲麈谈》中则另创一说：“务头者，曲中平、上、去三音联串之处也。”诸家之说虽有异同，但可知“务头”为曲调或作品中要紧处，不能随意待之。

（李真瑜）

## 对　偶

曲中修辞格式之一。“对偶”也写作“对耦”，或称“对仗”，原本是诗文中常用的一种修辞手法，正如元周德清在《中原音韵》中解释“对耦”时所说：“逢双必对，自然之理，人皆知之。”在元曲之中，这种修辞手法得到长足发展，出现了诗文中极少见的一些对偶形式，如“鼎足对”“鸾凤和鸣对”等等。而且，这些对偶形式还成了某些曲牌谱式必用的定格，如“扇面对”之于〔调笑令〕、“鸾凤和鸣对”之于〔叨叨令〕、“鼎足对”之于〔梧叶儿〕等等。《中原音韵·作词十法》中列有“对耦”一节，并列举了“扇面对”“重叠对”“救尾对”三种对偶方式。明朱权在《太和正音谱》中亦列有《对式》一项，并列举出“合璧对”“连璧对”“鼎足对”“联珠对”“隔句对”（即周德清所谓“扇面对”）“鸾凤和鸣对”“燕逐飞花对”等七种对式。

（赵义山）

## 合 璧 对

曲中对仗格式之一。明朱权《太和正音谱·对式》云:“合璧对,两句对者是。”这种形式,是诗、文、词、曲、赋等一切文学作品中运用极为普遍的最基本的对仗形式。

(赵义山)

## 连 璧 对

曲中对仗格式之一。明朱权《太和正音谱·对式》云:“连璧对,四句对者是。”如元张可久〔梧叶儿〕《第一楼醉书》小令:“梨云褪,柳絮飞。歌敛翠娥眉,月淡冰蟾印。花浓金凤鸦,酒滟玉螺杯。醉写湖山第一。”其中“歌敛翠娥眉”以下四句,即为“四句对”。

(赵义山)

## 重 叠 对

曲中对仗格式之一。元周德清《中原音韵·作词十法》:“重叠对,〔鬼三台〕第一句对第二句,第四句对第五句;第一、第二、第三句,却对第四、第五、第六句是也。”按:今查《全元散曲》及《元曲选》和《元曲选外编》,其用〔鬼三台〕一调凡数十处,但无一与周氏所说相合,是否为周氏误记调名,尚不可知。如周氏所说“重叠对”之对仗格式,考元曲曲牌句式,有〔越调·圣药王〕句式差可近之。如元张鸣善〔金焦叶〕《别怨》套中之〔圣药王〕:“花影移,月影飘,留花环月饮琼杯。风力微,酒力微,乘风带酒立金梯。风月满樽席。”

(赵义山)

## 扇 面 对

曲中对仗格式之一。元周德清《中原音韵·作词十法》:“扇面对,〔调笑令〕第四句对第六句,第五句对第七句;〔驻马听〕起四句是也。”由此可知,周德清所说的“扇面对”实际上就是朱权在《太和正音谱·对式》中所说的“隔句对”。所谓〔驻马听〕“起四句”,是指此调开头四句,第一句对第三句、第二句对第四句。如康进之〔新水令〕《武陵春》套数中〔驻马听〕一曲:“花片纷纷,过雨犹如弹泪粉;溪流滚滚,迎风还似皱湘裙。桃源路近与楚台邻,丽春园未许渔舟问。两般儿情厮隐,浓妆淡抹包笼尽。”周德清所说〔调笑令〕"第四句对第六句、第五句对第七句",如其所作〔斗鹌鹑〕《赠小玉带》套数中之〔调笑令〕:"细想,好称瘦腰肢。围上偏宜舞柘枝,性温和雅称芳名字。料应来一般胸次,色光泽莹如美艳姿,都无那半点瑕疵。" (赵义山)

## 隔句对

曲中对仗格式之一。明朱权《太和正音谱·对式》云:"隔句对,即长短句对者是。"这种对仗格式,是用一短一长的句式错综间隔为对,词、曲中均较常见。元曲之中,如乔吉〔雁儿落过得胜令〕《忆别》末尾四句:"寻思,谈笑十年事;嗟咨,风流两鬓丝。"第一、第三两句相对,第二、第四两句相对。此为"二联四句对",亦有"三联六句对"者,如无名氏〔那吒令带过鹊踏枝寄生草〕:"青芽芽柳条,接绿茸茸芳草;绿茸茸芳草,间碧森森竹梢;碧森森竹梢,接红馥馥小桃。"此为第一、第三、第五三句相对,第二、第四、第六三句相对。这种"隔句对"的格式,元周德清《中原音韵·作词十法》又称为"扇面对"。 (赵义山)

## 救尾对

曲中对仗格式之一。元周德清《中原音韵·作词十法》云:"救尾对,〔红绣鞋〕第四、第五、第六句为三对,〔寨儿令〕第九、第十、第十一句为三对;二调若是句末稍弱,即以此法救之。"由此,可知"救尾对"实乃"鼎足对",不过因其使用位置固定在一调之末尾,且作用在于补救末句气格之卑弱,故又有此专名。如徐再思〔红绣鞋〕《道院》小令:"一塌白云竹径,半窗明月松声,红尘无处是蓬瀛。青猿藏火枣,黑虎听黄庭,山人参内景。"

(赵义山)

## 鸾凤和鸣对

曲中对仗格式之一。明朱权《太和正音谱·对式》云:"鸾凤和鸣对,首尾相对,如〔叨叨令〕所对者是也。"如元周文质〔叨叨令〕《悲秋》小令:"叮叮当当铁马儿乞留玎琅闹,啾啾唧唧促织儿依柔依然叫,滴滴点点细雨儿淅零淅留哨,潇潇洒洒梧叶儿失流疏刺落。睡不著也末哥,睡不著也末哥,孤孤零零单枕上迷彫模登靠。”此首〔叨叨令〕，首句与尾句还算对得比较工整，但一般是对得不工，或根本不对的。就如朱权在《太和正音谱》中举作范例的邓玉宾的一首〔叨叨令〕，其首句为“白云深处青山下”，其尾句为“煞强如风波千丈担惊怕”，即使把尾句中“煞强如”三字算作衬字除去，也还是不对的。（赵义山）

## 燕逐飞花对

曲中对仗格式之一。明朱权《太和正音谱·对式》云：“燕逐飞花对，三句对作一句者是。”即一句之中包含着一个鼎足对。如马致远的〔拨不断〕小令：“菊花开，正归来，伴虎溪僧鹤林友龙山客，似杜工部陶渊明李太白，有洞庭柑东阳酒西湖蟹。哎，楚三闾休怪。”其中第三、第四和第五三句，每句都是由一个三句对构成，即“三句对作一句”。如第一句，用“虎溪僧”对“鹤林友”对“龙山客”，后两句结构形式亦同此。（赵义山）

## 联珠对

曲中对仗格式之一。明朱权《太和正音谱·对式》云：“联珠对，多句相对者是。”朱权称三句对者为“鼎足对”，称四句对者为“连璧对”，此云“联珠对，多句相对者是”，则“多句”者，至少在五句以上。如元王实甫〔十二月过尧民歌〕《别情》小令：“自别后遥山隐隐，更那堪远水粼粼。见杨柳飞绵滚滚，对桃花醉脸醺醺。透内阁香风阵阵，掩重门暮雨纷纷。怕黄昏忽地又黄昏，不销魂怎地不销魂。新啼痕间旧啼痕，断肠人忆断肠人。今春，香肌瘦几分，缕带宽三寸。”（赵义山）

## 鼎足对

曲中对仗格式之一。即三句相对的一种特殊对仗格式。明朱权《太和正音谱》云：“鼎足对，三句对者是。俗呼为‘三枪’。”如马致远的〔夜行船〕《秋思》套数，其中〔拨不断〕一曲有云：“红尘不向门前惹，绿树偏宜屋角遮，青山正补墙头缺”三句，〔离亭宴带歇指煞〕中“密匝匝蚁排兵，乱纷纷蜂酿蜜，急攘攘蝇争血”三句以及“和露摘黄花，带霜烹紫蟹，煮酒烧红叶”三句等，皆为鼎足对。此种格式若用于一调之末尾,则称为"救尾对",如元周德清《中原音韵·作词十法》云:"救尾对,〔红绣鞋〕第四、第五、第六句为三对;〔寨儿令〕第九、第十、第十一句为三对。而调若是末句稍弱,即以此法救之。" (赵义山)

## 格　势

明代朱权评论元、明曲家所使用的术语,相当于现在所谓风格。朱权在《太和正音谱》中列有《古今群英乐府格势》一节,用精练而形象化的语言,对元代 82 人、明初 16 人的曲作艺术风格一一进行了品评,如评白朴云:"白仁甫之词,如鹏抟九霄。风骨磊磈,词源滂沛,若大鹏之起北溟,奋翼凌乎九霄,有一举万里之志,宜冠于首。"这种品评只能依据曲家的主要倾向,难免有某种局限。 (赵义山)

## 十　五　体

明代朱权《太和正音谱》对元散曲风格或内容体式的区分。朱权共列出十五种体式,即:丹丘体、宗匠体、黄冠体、承安体、盛元体、江东体、西江体、东吴体、淮南体、玉堂体、草堂体、楚江体、香奁体、骚人体、俳优体。对每一体式,朱权均有简要说明,如谓西江体"文采焕然,风流儒雅";谓东吴体"清丽华巧,浮而且艳"等等。这种区分体现了朱权对元散曲风格体式研究的贡献,有一定参考价值。对这十五种体式,任二北在《散曲概论》中又做了两种分类,以为黄冠体、承安体、玉堂体、草堂体、楚江体、香奁体、骚人体、俳优体等八种属于题材内容方面的区别,其余七种则属于文章派别方面的区别,并从这七种之中取"丹丘体"之"豪放""江东体"之"端谨""东吴体"之"清丽"三种,而以此把元散曲分为三派。

(赵义山)

## 风　流　体

①元散曲内容体式之一。其名见明朱有燉《诚斋乐府》。此体之得名在于题材内容:专门嘲笑风流,警诫嫖荡子弟。如刘庭信〔寨儿令〕《戒嫖荡》小令:"没算当,不斟量,舒着乐心钻套项。今日东墙,明日西厢,着你当不过连珠箭急三枪。鼻凹里抹上些砂糖,舌尖上送与些丁香,假若你便铜脊梁,者莫你是铁

肩膀,也擦磨成风月担儿疮。”②北曲曲牌名。由唐宋词演变而来,北曲中用入双调之套曲内。明朱权《太和正音谱》标其谱式为:“平平平,平平平平去上(韵),平平平,平平平平平去(韵)。去去平,去去平平上平(韵),上上平,上上平平上平平去(韵)。” （赵义山）

## 玉 堂 体

元散曲内容体式之一。明朱权《太和正音谱》云:“玉堂体,公平正大。”任二北《散曲概论·内容第八》谓此体与“草堂体”相对,“大概对于在位者歌颂功德之作皆属之。惟流传之元明散曲中,内容专属此种而不杂他义者,实在不多”。隋树森《元人散曲论丛·元散曲概论》云:“玉堂,官署之称,世以之称翰林院。‘玉堂体’大概也可称‘翰苑体’。”如姚燧〔阳春曲〕小令:“墨磨北海乌龙角,笔蘸南山紫兔毫。花笺铺展砚台高,诗气豪,凭换紫罗袍。”这一类作品,元散曲中尚有伯颜〔阳春曲〕小令“金鱼玉带罗袍就”,马致远〔粉蝶儿〕套数“至治华夷”等,然不过数首而已。

（赵义山）

## 承 安 体

元散曲内容体式之一。明朱权《太和正音谱》云:“承安体,华观伟丽,过于佚乐。‘承安’,金章宗正朔。”“承安”(1196—1200)是金章宗在位的第二个年号,章宗又善词翰、通音律,其所为诗词绮丽华艳,与宫体为近,故将类似的散曲作风称作“承安体”。其所写内容,任二北《散曲概论·内容第八》谓“包含庆赏、祝贺与及时行乐等作”。其风格特征,如朱权所云:“华观伟丽,过于佚乐。”如王恽〔平湖乐〕《寿府僚》:“锦貂千骑朔方豪,瀚海渊波浩。画戟清香看倾倒,醉仙桃。秋光虽老人难老。烟花紫禁,玉鱼金带,新宠照朝袍。” （赵义山）

## 讽 刺 体

元散曲内容体式之一。任二北《散曲概论·内容第八》云:“讽刺体,托咏物以暗中讽刺。极少见。”仁氏举曹德(明善)〔清江引〕(又名〔岷江绿〕)小令为例:“长门柳丝千万缕,总是伤心处。行人折柳条,燕子衔芳絮,都不由凤城春做主。”曹氏〔岷江绿〕小令共二首，此为其一；其二云："长门柳丝千万结，风起花如雪。离别重离别，攀折复攀折，若无多旧时枝叶也。"元陶宗仪《南村辍耕录》卷八载有这两首小令的本事，谓"太师伯颜擅权之日，剡王彻彻都、高昌王帖木儿不花皆以无罪杀。山东宪吏曹明善时在都下，作〔岷江绿〕二词以讽刺，大书于五门之上。伯颜怒，令左右暗察得实，肖形捕之，明善出避吴中一僧舍。居数年，伯颜事败，方再入京。……此曲又名〔清江引〕，俗曰〔江儿水〕。"幸亏有陶氏记载，否则，其讽刺之意难见矣。元散曲以酣畅淋漓、直抒胸臆者多，暗中隐射者少，故此体在元散曲中极为少见。

（赵义山）

## 草 堂 体

元散曲内容体式之一。与"玉堂体"相对。明朱权《太和正音谱》云："草堂体，志在泉石。"任二北《散曲概论·内容第八》释云："归田、乐道诸词，俱属此体，制作极多。"由此可知，此体所写内容为田园山水、隐居乐道，其情调恬淡闲放、温婉自适。作品如乔吉〔满庭芳〕《渔父词》："活鱼旋打，沽些村酒，问那人家。江山万里天然画，落日烟霞。垂袖舞风生鬓发，扣舷歌声撼渔槎。初更罢，波明浅沙，明月浸芦花。"此体之命名，乃就文士隐居之所而言。文士隐居之所统称"草堂"，因而把所写关于隐居乐道内容的散曲称为"草堂体"。

（赵义山）

## 香 奁 体

元散曲内容体式之一。明朱权《太和正音谱》列之，谓"香奁体，裙裾脂粉"。由此可知此体之得名，是由其内容主要为描写女性，且文风华艳、多脂粉之气。如无名氏〔醉中天〕小令："粉面如花朵，云髻绾香螺。眉拂春山翠碧波，唇醉樱桃颗。一捻腰肢袅娜，宜行宜坐，强如月里姮娥。"

（赵义山）

## 黄 冠 体

元散曲内容体式之一。黄冠，即道士之冠，转指道士。此种体式，偏重于内容方面的超凡脱俗而近于道家的逸情远趣。明朱权《太和正音谱》于此体解释最详，云："神游广漠，寄情太虚，有餐霞服日之思，名曰‘道情’。”而朱氏此释,实本元燕南芝庵《唱论》“道家唱情”一说而作了进一步的发挥。在《太和正音谱》“词林须知”(据《唱论》改写)一节中,朱氏又云:“道家所唱者,飞驭天表,游览太虚,俯视八纮,志在宠漠之上,寄傲宇宙之间,慨古感今,有乐道徜徉之情,故曰‘道情’。”《道藏·太平部》所收无名氏《自然集》以及元彭致中所辑《鸣鹤余音》九卷中的作品,当属此体。如无名氏之〔折桂令〕:“浪花中一叶扁舟,拣溪山好处追游。遣兴忘怀,醉乡中问甚春秋。学洗耳溪边许由,笑蝴蝶梦里庄周。茅舍清幽,衲被蒙头,红日三竿,高枕无忧。”

(赵义山)

## 骚人体

元散曲内容体式之一。明朱权《太和正音谱》云:“骚人体,嘲讥戏谑。”若以“嘲讥戏谑”之特征而论,此体与“俳优体”甚为接近,而此以“骚人体”名之,故任二北谓其“名目欠妥”(《散曲概论·内容第八》),因另立“嘲笑体”一目。故任氏所谓“嘲笑体”,实即朱权所谓“骚人体”,皆指元散曲中对一些特别人、事的嘲讥戏谑之作。此类作品,有时或并非恶意,如白朴的〔醉中天〕《佳人脸上黑痣》:“疑是杨妃在,怎脱马嵬灾?曾与明皇捧砚来。美脸风流杀,叵耐挥毫李白,觑着娇态,洒松烟点破桃腮。”

(赵义山)

## 集剧名体

元散曲内容体式之一。即在曲句中镶嵌元杂剧或南戏剧名以成一篇,如《太平乐府》卷八所载孙季昌的〔端正好〕《集杂剧名咏情》套数,便属此体。其第四曲〔滚绣球〕云:“付能的‘潇湘夜雨’晴,早闪出‘乌林皓月’明。正‘孤雁汉宫秋’静,知他是甚情怀‘月夜闻筝’。那时节理残妆对‘玉镜台’,推烧香到‘拜月亭’。则被这‘飏梅香’紧将咱随定,不能够写相思‘红叶题情’。指望似多情‘双渐怜苏小’,到做了薄倖‘王魁负桂英’。撇得我冷冷清清。”这篇套数共10支曲子,所集杂剧名一共有50多个。如《双渐怜苏小》,其名与文献记载不同;《乌林皓月》,不见于文献记载,凡此,均有一定文献资料价值。

(赵义山)

## 集调名体

元散曲内容体式之一。即在曲句中嵌入曲牌名称,故亦称"集曲牌名"。此体在诗词中已出现,诗中有集歌曲名,词中有集词牌名,受其影响,故曲中亦有此体。如王仲元的〔粉蝶儿〕《集曲名题秋怨》与《集曲名题情》两篇套数,便是极典型之例。其前篇首曲云:"'双雁儿'声悲,景潇潇'楚江秋'意。胜'阳关''刮地风'吹,'满庭芳','梧桐树','金蕉叶'坠。'庆东原''金菊香''滴滴金'惟(按:"惟"应作"帷"),那更醉西湖'干荷叶'失翠。"此种体式亦为一种文字游戏,但因所集皆曲牌名,可以考见当时流行曲调的情况,故有一定资料价值。

(赵义山)

## 檃 括 体

元散曲内容体式之一。即檃括前人诗文成篇。"檃括"是一种矫正曲木的工具,用之于文体,是用其比喻意义,指把前人的作品重新进行一番加工,使之新成一篇,但又要基本保持原篇题旨。此种体式,始创自宋苏轼《东坡乐府》中有〔哨遍〕一词,乃檃括晋陶渊明《归去来兮辞》而成。有序云:"陶渊明赋《归去来》,有其词而无其声。余既治东坡,筑雪堂于上,人俱笑其陋,独鄱阳董毅夫过而悦之,有卜邻之意。乃取《归去来兮辞》,稍加檃括,使就声律,以遗毅夫。使家童歌之,时相从于东坡,释耒而和之,扣牛角而为之节,不亦乐乎!"自此而后,词曲之家纷纷仿效,遂成一体。元曲之中,有时明标"檃括"二字,如乔吉〔沉醉东风〕小令,檃括宋柳宗元《江雪》诗,题目即标作《题扇头檃括古诗》,曲云:"万树枯林冻折,千山高鸟飞绝。兔径迷人踪灭,载梨云小舟一叶,蓑笠翁耐冷的别,独钓寒江暮雪。"亦有实为檃括之作,但并不标出者,如庾吉甫〔蟾宫曲〕小令二首,其"环滁秀列诸峰"一首即檃括宋欧阳修《醉翁亭记》,其"滕王高阁江干"一首即檃括唐代王勃《滕王阁序》。亦有题目中标曰"翻"或"集"者,如张可久用〔点绛唇〕套数檃括《归去来兮辞》,题目标作《翻归去来兮辞》;孙季昌以〔点绛唇〕檃括苏轼《前赤壁赋》,题目标作《集赤壁赋》。

(赵义山)

## 不讳体

元散曲风格体式之一。也称盛元体,据明朱权《太和正音谱》云:“盛元体,快然有雍熙之治,字句皆无忌惮,又曰‘不讳体’。”参见“盛元体”。 (赵义山)

## 盛元体

元散曲风格体式之一。又称“不讳体”,其称名见明朱权《太和正音谱》,谓“盛元体,快然有雍熙之治,字句皆无忌惮,又曰‘不讳体’。”朱权无具体阐释,唯“字句皆无忌惮”一语,似为盛元体之特征。所谓“无忌惮”者,殆指写男女情事和揭斥官场险恶等题材内容,作者一涉笔,往往肆意畅情,无所忌讳。而这在元贞、大德、延祐、至治前后数十年的散曲创作中表现尤为突出,而这数十年又恰逢元朝之盛世,因有此称。既“无忌惮”,又“快然有雍熙之治”云者,大概是说曲作家如此肆意畅情、痛快淋漓,且又毫无忌惮,这自然是当时政治开明、上下和乐的一种象征。故“快然有雍熙之治”一说,其实质在于抹杀此体否定和批判的锋芒,而硬将其纳入温柔敦厚的诗教轨道。

(赵义山)

## 丹丘体

元散曲风格体式之一。明朱权《太和正音谱》云:“丹丘体,豪放不羁。”丹丘,乃神话传说中仙人所居之地,取其无拘无束之意以名此体。此体之特点,朱权用“豪放不羁”四字概括。马致远、冯子振、贯云石等豪放派作家的作品中,最多此种风格。如马致远的〔拨不断〕:“菊花开,正归来。伴虎溪僧鹤林友龙山客,似杜工部陶渊明李太白,有洞庭柑东阳酒西湖蟹。哎!楚三闾休怪。” (赵义山)

## 东吴体

元散曲风格体式之一。元虞集《中原音韵序》曾云“吴楚伤于轻浮”,此本就语言特色而言,后或用以指作品风格,故称华巧轻浮之作为“东吴体”。明朱权《太和正音谱》云:“东吴体,清丽华巧,浮而且艳。”这就把此种体式的风格特征说得很明白了。如张可久〔水仙子〕

《湖上晚归》:“桃花马上石榴裙,竹叶樽前玉树春,荔枝香里江梅韵。风流比太真。索新词缠住诗人。醉眼空银汉,歌声度锦云。凉月黄昏。”

(赵义山)

## 西 江 体

元散曲风格体式之一。明朱权《太和正音谱》解释说:“西江体,文采焕然,风流儒雅。”将“文采焕然,风流儒雅”之体式特征与“西江”相联系,其出典殆本《新五代史·王仁裕传》,仁裕“尝梦剖其肠胃,以西江水涤之,顾见江中沙石皆为篆籀之文,由是文思益进”。此种体式,可以徐再思〔蟾宫曲〕《赠粉英》为例:“温柔乡里娉婷,清比菊花,更有余清。玉蕊含香,琼蕤沁月,瑶萼裁冰。冠杨柳东风媚景,赋芙蓉夜月幽情。花下苏卿,月下崔莹,世上飞琼,天上双成。”

(赵义山)

## 江 东 体

元散曲风格体式之一。明朱权《太和正音谱》云:“江东体,端谨严密。”江东,乃泛指性地域名,历史上大致指安徽以东的长江南岸地区。任二北《散曲概论·派别第九》论此体云:“盖曲之工,全恃机趣。‘端谨’者,其趣已鲜。所谓‘严密’,若于机趣中见之自佳;若已鲜机,趣之端谨,而复严密其组织,岂不蹈冷静沉滞之弊乎?故实际上一首散曲,既‘端谨’而复‘严密’,而仍不失其为好曲子、妙曲子者,其例殊不多见也。”此论甚是。“端谨严密”,偏重章法技巧,如张可久〔人月圆〕《客垂虹》:“三高祠下天如镜,山色空蒙。故人何在,前程那里,心事谁同?黄花庭院,青灯夜雨,白发秋风。”全曲无一衬字,词句匀称,对仗工巧,此正所谓“端谨”;起笔于景,中间怀古自伤,结尾化用前人诗境写现实环境之凄凉,以景结情,全曲脉络清晰,章法谨严,此正所谓“严密”。

(赵义山)

## 淮 南 体

元散曲风格体式之一。明朱权《太和正音谱》云:“淮南体,气劲趣高。”淮南,指长江以北、淮河以南的安徽、江苏两省之部分地区,而“淮南”何以与“气劲趣高”发生联系,从而成为此种风格的名称,尚待考察。若以其“气劲趣高”的特征而论,试举宋方壶〔山坡羊〕《道情》小令以见之:“青山相待,白云相爱,梦不到紫罗袍共黄金带。一茅斋,野花开,管甚谁家兴废谁成败?陋巷箪瓢亦乐哉!贫,气不改;达,志不改。”（赵义山）

## 楚江体

元散曲风格体式之一。明朱权《太和正音谱》云:“楚江体,屈抑不伸,摅衷诉志。”揣摩此体之称名,当取义于“游于江潭,行吟泽畔”之楚大夫屈原所作楚辞,其特点主要是忧怨抑郁、感喟思慕。如张可久〔普天乐〕《秋怀》:“为谁忙,莫非命。西风驿马,落月书灯。青天蜀道难,红叶吴江冷。两字功名频看镜,不饶人白发星星。钓鱼子陵,思莼季鹰,笑我飘零。”另如乔吉〔买花声〕《悟世》:“肝肠百炼炉间铁,富贵三更枕上蝶,功名两字酒中蛇。尖风薄雪,残杯冷炙,掩青灯竹篱茅舍。”

（赵义山）

## 宗匠体

元散曲风格体式之一。明朱权《太和正音谱》云:“宗匠体,词林老作之词。”隋树森《元人散曲论丛·元散曲概论》解释说:“所谓‘宗匠’,也就是‘老师傅’、‘祖师爷’,所以‘词林老作’,也就是对‘宗匠体’的另一说法。在《太和正音谱》‘古今群英乐府格式’中,‘宜列群英之上’的马致远的作品,当然可以称之为‘宗匠体’,就是张小山的作品,朱权也说他‘诚词林之宗匠也’。大概‘宗匠体’不关于作品的流派,无论是‘本色派’或‘文采派’,其中写得特别老练的都可称之为‘宗匠体’。写得稚嫩的,即使同一流派,仍不得称之为‘宗匠体’,算不得‘词林宗匠’。”

（赵义山）

## 反复体

曲中修辞格式之一。任二北《散曲概论·内容第八》云:“反复体,每句中之字面,颠倒重复,反复言之。”如刘庭信〔水仙子〕小令:“恨重叠重叠恨恨绵绵恨满晚妆楼,愁积聚积聚愁愁切切愁斟碧玉瓯,懒梳妆梳妆懒懒设设懒爇黄金兽,泪珠弹弹泪珠泪汪汪汪汪不住流,病身躯身躯病病恹恹病在我心头,花见我我见花花应憔瘦,月对咱咱对月月更害羞,与天说说与天天也还愁。”此种体式,在元曲中不多见。

(赵义山)

## 连 环 体

曲中修辞格式之一。其称名见元琐非复初《中原音韵序》,周德清“所作乐府,回文、集句、连环、简梅、雪花诸体,皆作今人之所不能作者”。此种体式在诗中早已发现,其格式实际上是把顶真修辞格用于一诗多章的长诗或联章体组诗中,即用前一章之末句(用成句或句意)作次一章之首句。在元曲中,这种体式于重头小令中用之,如贯云石〔清江引〕“闲来唱会”四首。其一云:“闲来唱会清江引,解放愁和闷。富贵在于天,生死由命乎,且开怀与知音谈笑饮。”其二云:“且开怀与知音谈笑饮,一曲瑶琴弄,弹出许多声。不与时人共,倚帏屏静中心自省。”其三云:“倚帏屏静中心自省,万事皆前定。穷通各有时,聚散非骄吝,立忠诚步步前程稳。”其四云:“立忠诚步步前程稳,勉励勤和慎。劝君且耐心,缓缓相随顺,好消息到头端的准。” (赵义山)

## 足 古 体

曲中写作形式之一。任二北《散曲概论·内容第八》云:“足古体,通篇用成句为主,其不能合调处,另为语或加衬以足之。体名见《杨夫人词曲》。”杨夫人即明代杨慎的妻子黄峨,著有《杨夫人乐府》,其中有〔凭阑人〕北小令四首,题作《足古诗四首》。此种体式,与“集句体”为近。因为曲之句式长短参差尤甚于词,欲像诗、词那样,特别是像诗那样仅集成句以成篇,而又要合调,就特别困难,于是不得不“另为语或加衬以足之”。唯“集句体”限于集前人诗、文、词、赋等作品中成句;而“足古体”除此而外,尚可集古成语、谚语等。 (赵义山)

## 集 句 体

曲中写作形式之一。即集取前人诗、文、词、赋中的句子以成一篇。此体式在诗、词中极常见,元曲中所见不多。诗的句式较整齐,最便于集句;词、曲二体,句式长短不齐,参差多变,其集句相对比较困难,而曲较之于词尤难,作者不得不对原句稍作增减,或于转换处自作一、二句以弥缝。如薛昂夫〔水仙子〕小令,题目即标作《集句》:"几年无事傍江湖,醉倒黄公旧酒垆。人间纵有伤心处,也不到刘伶坟上土。醉乡中不辨贤愚。对风流人物,看江山画图,便醉到何如。"其所集诗句,有温庭筠《寄卢生》诗"他年犹拟金貂换,寄与黄公旧酒垆",李贺《将进酒》诗"劝君终日酩酊醉,酒不到刘伶坟上土",苏轼《赤壁怀古》词"浪淘尽,千古风流人物"等句,而皆小有变化。　　(赵义山)

## 简　梅　体

曲中写作形式之一。其具体构成方式不详。此体名称见元琐非复初《中原音韵序》云,周德清"所作乐府,回文、集句、连环、简梅、雪花诸体,皆作今人所不能作者"。由此可知此体极冷僻、难作,故作者极少,以致此体式难明。

(赵义山)

## 顶　真　体

曲中修辞格式之一。它运用"顶真(针)"的修辞手法,即用前一句的末尾来作后一句的开头,使全篇产生一种回环往复的艺术效果。由于全篇中每句首尾相接、蝉联而下,故此体式又可称"联珠体"。早在《诗经》中已有顶真体的萌芽(如《大雅·既醉》);在《管子·治国》《韩非子·解老》等先秦散文中,此种体式已臻成熟;自此而后,在诗、文、词、曲中被广泛运用。如《中原音韵》所举无名氏〔小桃红〕:"断肠人写断肠词,词写心间事。事到头来不由自,自寻思,思量往日真诚志。志诚是有,有情谁似?似俺那人儿。"　　(赵义山)

## 联　珠　体

曲中修辞格式之一。即顶真体,因全篇各句首尾相接,蝉联而下,累累如贯珠,故有此称。如乔吉的〔小桃红〕小令,其中"落花飞絮隔朱帘"一首,题目即明标为《效联珠格》。全曲如下:"落花飞絮隔珠帘,帘静重门掩。掩镜羞看脸儿㬠。㬠眉尖,眉尖指屈将归期念。念他抛闪,闪咱少欠,欠你病厌厌。"由此可知,联珠体实即顶真体之同体异名。　　(赵义山)

## 重　句　体

曲中修辞格式之一。任二北《散曲概论·内容第八》云:"重句体,一篇中多同样口气之句,小曲中仿此式者甚多。"仁氏举汤式〔折桂令〕为例:"冷清清人在西厢,叫一声张郎,叫一声张郎。乱纷纷花落东墙,问一会红娘,絮一会红娘。枕儿余,衾儿剩,温一半绣床,闲一半绣床。月儿邪,风儿细,开一扇纱窗,掩一扇纱窗。荡悠悠梦绕高唐,萦一寸柔肠,端一寸柔肠。"此种体式,看似毫不经意、自然而然,但却把所要表现的情感内容熨叠得更为沉着、深挚;诵读起来,有回环起伏之妙。　　(赵义山)

## 独木桥体

曲中押韵格式之一。基本上通篇只用同一个字押韵。此种体式在宋词中已被广泛运用。最初并非通篇皆押同一字韵,而是以一字为主,中间再有规律地间以别的字用在韵脚,如宋黄庭坚〔阮郎归〕《效福唐独木桥体作茶词》:"烹茶留客驻金鞍,月斜山外山。归郎容易见郎难,有人思远山。归去后,忆前欢,花屏金博山。一杯春露莫留残,与郎扶玉山。"其后,有全篇韵脚皆用同一字者,如黄庭坚〔瑞鹤仙〕檃括宋欧阳修《醉翁亭记》,通篇皆用"也"字押韵;蒋捷〔声声慢〕《秋声》通篇皆用"声"字押韵;辛弃疾〔柳梢青〕《……觉而赋八难之词》通篇皆用"难"字押韵,等等。元曲中用此体者亦不少,如周文质的〔叨叨令〕《自叹》二首与《四景》二首。《自叹》之第一首云:"筑墙的曾入高宗梦,钓鱼的也应飞熊梦。受贫的是个凄凉梦,做官的是个荣华梦。笑煞人也末哥,笑煞人也末哥,梦中又说人间梦。"　　(赵义山)

## 短　柱　体

曲中押韵格式之一。元陶宗仪《南村辍耕录》卷四"广寒秋"条云:"虞邵庵先生集在翰苑时,宴散学士家,歌儿郭氏顺时秀者,唱今乐府,其〔折桂令〕起句云:'博山铜细袅香风'(按:此为刘唐卿曲),一句而两韵,名曰'短柱',极不易作。先生爱其新奇,席上偶谈蜀汉事,因命纸笔,亦赋一曲曰:'鸾舆三顾茅庐。汉祚难扶,日暮桑榆。深渡南泸,长驱西蜀,力拒东吴。美乎周瑜妙术,悲乎关羽云殂。天数盈虚,造物乘除。问汝何如,早赋归欤。'盖两字一韵,比之一句两韵者为尤难。"由此可知,"短柱"一体有两种格式,一为"一句而两韵",一为"两字一韵",后者元周德清《中原音韵》谓之"六字三韵语"。除上引虞集〔折桂令〕外,另如乔吉〔折桂令〕《拜和靖祠双声叠韵》、刘庭信〔折桂令〕《隐居》等亦用此体。此亦为一种文字游戏,陶宗仪引虞集一首,着眼于文字技巧,有称道推许之意;而周德清从歌唱一端出发,谓此体"不分务头,亦不能唱采,全淳则已;若不淳,则句句急口令矣,所谓画虎不成反类犬也。"其斥责极甚,并与"俗语""书生语""张打油语"等归并一起,称"六字三韵语",谓乐府中此等语皆"不可作"(《中原音韵·作词十法》)。（赵义山）

## 嵌字体

曲中修辞格式之一。即在句子中嵌入一些特殊的字眼。如孙周卿〔蟾宫曲〕小令,每句都嵌入"山"字:"草团标正对山腰,山竹炊粳,山水煎茶。山芋山薯,山葱山韭,山果山花。山溜响冰敲月牙,扫山云惊散林鸦。山色元佳,山果堪夸。山外晴霞,山下人家。"元贯云石〔清江引〕《立春》自注云:"限金、木、水、火、土五字冠于每句之首,各句用'春'字。"即嵌入五行各字于每句开头,而且每句还要嵌入"春"字。曲云:"金钗影摇春燕斜,木妙生春叶。水塘春始波,火候春初热。土牛儿载将春到也。"

（赵义山）

## 叠　句

曲中修辞格式之一。即在某一位置上重用两句。明朱权《太和正音谱·对式》云:"叠句,重用两句者是,如〔昼夜乐〕'停骖,停骖'是也。"其实,朱权虽将其列于《对式》之中,但将其与"叠字"一格并列于《对式》一项之末,且不像对其他各种对偶名称,均于名称之后明确地加上一个"对"字,如"合璧对""连璧对"等等,这足以说明,朱权对于"叠句""叠字"二格,并没有将其视为一种对偶格式,只不过将其附列于《对式》之中而已。

（赵义山）

## 叠字

曲中修辞格式之一。即根据曲牌谱式的规定，在某些位置上重叠使用同一个字。如中吕之〔醉春风〕，按谱式要求，第五句（独字句）便要叠用第四句（亦为独字句）或第四句末尾一字（此字为正字，其前有衬字）。如明朱权在《太和正音谱》中举到的李致远〔粉蝶儿〕套数中的〔醉春风〕：“想聚散浮云，叹光阴如过隙，不如闻早赋归欤。畅好是美。美。弃职归农，杜门修道，死心踏地。”《太和正音谱·对式》曾将“叠字”和“叠句”附列末尾，云：“叠字，重叠字者是也。〔醉春风〕第四句是。”因此，或认为“叠字”为对偶格式之一种。其实，朱权并未像对其他各种对式那样，在名称之后明确地加一“对”字，而且又将其置于篇末，显系于各种“对式”之后附列此二体，故不应以对式目之。“叠字”与“叠字体”是有区别的，后者是指在全篇内运用叠字的修辞手法，属于文字技巧，可用可不用；而前者仅仅是用于某些特殊位置，并且是受曲牌格式所规定的，非用不可，不用即不合谱。（赵义山）

## 叠字体

曲中修辞格式之一。此种体式，在诗词之中，仅限于部分句子，如词中比较典型的一例，是宋李清照的《声声慢》，开头三句连用了七对叠字：“寻寻觅觅，冷冷清清，凄凄惨惨戚戚。”到元曲之中，遂发展为全篇皆用叠字，如乔吉的〔天净沙〕小令：“莺莺燕燕春春，花花柳柳真真。事事风风韵韵，娇娇嫩嫩，停停当当人人。”此亦为一种文字游戏，元曲中作此体者不多。

（赵义山）

## 叠韵体

曲中修辞格式之一。任二北《散曲概论·内容第八》云：“叠韵体，每句中除韵脚外，都用叠韵之字，各句所叠之韵不必同。”即每一句中除韵脚一字而外，其余各字都同韵。仁氏举元代梨园黑老五〔粉蝶儿〕《集中州韵》套数首曲为例：“从东陇风动松呼，听叮咛定睛睁觑，望苍茫圹广黄芦。却樵夫，遇渔父，递知机携物。便盘旋千转前湖，看寒山晚关难渡。”此种体式，纯粹

为一种文字游戏，极难作，故曲中甚为罕见。（赵义山）

### 俳 优 体

①元散曲内容体式之一。此就狭义而言，明朱权《太和正音谱》所列十五体中，此即其一，朱权解释说："俳优体，诡喻淫虐，即'淫词'。"任二北《散曲概论·内容第八》又云："'诡喻'乃曲中行文之常法，未必皆'淫词'，此谓'即淫词'者，盖指'诡喻'而又'淫虐'者也。"王和卿〔小桃红〕《胖妓》、〔拨不断〕《胖妻夫》等小令即是此体。②元曲中一切调笑、讽刺及诸种文字游戏等杂体。就广义而言，任二北《散曲概论·内容第八》中附列"短柱体""独木桥体""叠韵体"等25种，统称之为"俳体"。（赵义山）

### 元曲四大家

元曲中成就突出的四位代表作家。一般认为是指关汉卿、马致远、白朴、郑光祖。此说最早出自元周德清《中原音韵自序》。明何良俊《四友斋从说》卷三七正式提出"四大家"："元人乐府，称马东篱、郑德辉、关汉卿、白仁甫为四大家。"对此，明人尚有争议，如明王骥德在《曲律·杂论》认为四大家是"王、关、马、白"。而贾仲明在为马致远写的〔凌波仙〕悼词中，云"共庾、白、关老齐肩"，则又去郑光祖而补进了庾吉甫。至于"关、郑、白、马"排名之先后，亦有争论，如何良俊认为："马之词老健而乏姿媚，关之词激厉而少蕴藉，白颇简淡，所欠者俊语，当以郑为第一。"（同上）而近人王国维又在《宋元戏曲考》中云："元代曲家，自明以来，称关、马、郑、白。然以其年代及造诣论之，宁称关、白、马、郑为妥也。"现在，曲学界论及四大家，仍有"关、白、马、郑"与"关、王、马、白"二说。

（赵义山）

### 曲中李杜

指张可久、乔吉。此说最早出于明李开先的《乔梦符小令序》："元之张、乔，其犹唐之李、杜乎？"张可久、乔吉等人的散曲，艺术上以雅正典丽为主，与传统诗词作风为近，若以传统的典雅蕴藉的审美眼光视曲，则必然首推张、乔二人。其后，明王骥德在《曲律·杂论》中提出不同意见:“李中麓序刻元乔梦符、张小山二家小令,以方唐之李、杜。夫李则实甫,杜则东篱,始当;乔、张,盖长吉(李贺)、义山(李商隐)之流。”两种说法局限性都是很大的。（赵义山）

## 名公才人

元钟嗣成《录鬼簿》对元曲创作中名高望重和才华卓荦之士的称呼。钟氏在《录鬼簿》中共分“前辈已死名公”“方今名公”“前辈已死名公才人”“方今已亡名公才人”“已死才人”“方今才人相知者”“方今才人闻名而不相知者”等七类,从各类下所列作家来看,钟氏所谓“名公”与“才人”是有区别的:“名公”,一般指创作元曲的高官显宦,如胡紫山、刘秉忠、卢挚、贯云石等;“才人”,大多指都市中落魄潦倒的下层文人。（赵义山）

## 清丽派

元散曲风格流派之一。与“豪放派”相对而言。自元贯云石的《今乐府序》和《阳春白雪序》起,已开始对元散曲作家的不同风格进行归纳,如认为张可久“文丽而醇,音和而平”“冯海粟豪辣灏烂”等等。明朱权在《太和正音谱》中列乐府体式“十五体”,并对元曲家82人之艺术风格进行了简评。清刘熙载《艺概·词曲概》归纳朱权之品评为“清深、豪旷、婉丽三品”,凡此种种,都为元散曲风格流派的区分奠定了基础。任二北《散曲概论》,则在前人论述之基础上,分元散曲为“豪放、端谨、清丽”三派,仁氏又以为端谨一派特色并不分明,“实惟豪放、清丽两派乃永久对峙者耳”。自此以后,人们遂以“豪放”“清丽”两派来区分元散曲的作家作品,一般认为“清丽派”以张可久、乔吉等人为首,还包括周文质、徐再思等重要作家。这一派的特点是重视锤炼字句,喜欢用典,格调雅丽和婉,有明显的词化倾向,实为曲中之变体。

（赵义山）

## 豪放派

元散曲风格流派之一。与“清丽派”相对而言。元贯云石《今乐府序》和《阳春白雪序》已开始对元散曲作家的不同风格进行品评和归纳,如认为张可久“文丽而醇,音和而平”“冯海粟豪辣灏烂”等等。明朱权在《太和正音谱》中列“十五体”并对元曲家82人作了艺术风格方面的简评。清刘熙载《艺概·词曲概》归纳朱权之品评为“清深、豪旷、婉丽三品”。这些都为元散曲风格流派的区分奠定了基础。近人任二北在《散曲概论·派别第九》一节中，继承前人之合理论述，明确划分元散曲为豪放、端谨、清丽三派，且又以端谨一派特色并不分明，“实惟豪放、清丽两派乃永久对峙耳”。自此以后，人们遂以“豪放”“清丽”两派来区分元散曲的作家作品。豪放一派，一般认为应以马致远、贯云石为代表，其重要作家，还有冯子振、张养浩等人。这一派的特点是多用口语俗语、崇尚自然通俗，其格调超旷豪泼、俊逸爽朗，为曲中之正宗。

（赵义山）

# 元曲文献

## 一、别集

### 关汉卿全集校注

戏曲、散曲别集,元关汉卿撰。王学奇、吴振清、王静如校注。书前有常林炎序,另有附录两篇:吴晓玲《关汉卿杂剧全目》、常林炎《关汉卿故里考察记》。全书共收关汉卿现存的全本杂剧18种,残剧3种;散曲76首,其中小令62首,套数14套,此外有残曲2首。校释详善,且为国内第一部关汉卿戏曲、散曲全集的校注本,既适合研究者使用,又适合一般读者阅读。1988年河北教育出版社出版。(李真瑜)

### 关汉卿全集

戏曲、散曲别集,元关汉卿撰。吴国钦校注。书前有王季思〔南吕·一枝花〕《题曲》、王季思与吴国钦合撰之《中国大百科全书·中国文学》卷之《关汉卿》条目,书后附录有《关汉卿生平及评论资料摘编》。全书共收录关汉卿杂剧18种,散曲小令57首、套数13套。全书注释详善,征引丰富。1988年广东高等教育出版社出版。

(孙　艳　赵义山)

### 天籁集摭遗

散曲别集,元代白朴撰。白朴散曲,原无专集,清杨希洛康熙间刊行白朴《天籁集》时,辑其小令27首、套数3套,题名《摭遗》,附刻于《天籁集》后。除康熙刻本外,尚有清光绪刻本,收入《石莲庵汇刻九金人集》。近人任讷再加补遗,共得小令36首、套数4套,汇编为《天籁集摭遗》一卷,有1946年金陵卢氏饮虹簃刻《饮虹簃所刻曲》(19种)本、1979年江苏广陵古籍刻印社重印《饮虹簃所刻曲》(正续集60种)

本。 (孙 艳 赵义山)

## 白朴戏曲集校注

戏曲、散曲别集,元白朴撰。近人王文才校注。辑录校注白朴的戏剧和散曲作品。戏曲部收录白朴的五部戏剧作品,包括三部全本和两部残本。全本为《梧桐雨》《墙头马上》《东墙记》,残本为《韩翠蘋御水流红叶》《李克用箭射双雕》。散曲部分共收白朴所作散曲40首,并在每一曲牌的作品之后,对该曲牌中的所有作品作了注释和校记。编者所撰《前言》,以及附编所收四篇文章:《白朴杂剧全目提要》《白朴戏曲评论汇集》《天籁集编年》《白朴年谱》,对研究白朴的生平和创作多有帮助。1984年人民文学出版社出版。 (孙 艳 赵义山)

## 秋涧乐府

散曲别集,元王恽撰。近人卢前辑校。王恽著有《秋涧集》100卷,卢前据明弘治本《秋涧先生大全文集》第七六卷和第七七卷辑录其散曲作品,得小令40首,编为一卷,取名《秋涧乐府》。卷末有卢前跋文记述辑校情况。有1946年金陵卢氏饮虹簃刻《饮虹簃所刻曲》(19种)本、1979年江苏广陵古籍刻印社重印《饮虹簃所刻曲》(正续集60种)本。 (孙 艳 赵义山)

## 疏斋小令

散曲别集,元卢挚撰。近人卢前自《太平乐府》《阳春白雪》《乐府新声》《乐府群珠》及《永乐大典》等书中辑录而成,依宫调、曲牌分类编为一卷,卢挚号疏斋,此集因此得名。现存有1946年金陵卢氏《饮虹簃所刻曲》(19种)本、1979年江苏广陵古籍刻印社重印《饮虹簃所刻曲》(正续集60种)本、1984年北京师范大学出版社所出李修生《卢疏斋集辑存》本。

(孙 艳 赵义山)

## 东篱乐府

散曲别集,元马致远撰。近人任讷辑。马致远号东篱,因名其集,集内收小令104首,套数17套,附录残缺套数5篇。卷首有任讷题跋。有上海中华书局1931年出版之任讷《散曲丛刊》本。

(赵竹音 赵义山)

## 马致远散曲校注

散曲别集,元马致远撰。刘益国校注。对隋树森《全元散曲》所辑马致远现存小令115首、套数24套作了校注。书前有《论马致远及其散曲》一篇,书后附有马致远及其散曲研究资料辑录。1989年书目文献出版社出版。

(赵竹音　赵义山)

## 东篱乐府全集

散曲别集,元马致远撰。瞿钧编注。该书分“小令”和“套数”两部分注释马致远的散曲。书前有《喜读马致远新词》《马致远和他的散曲》二文,书后附录有《元代曲家马致远乡里考辨》《元代曲家马致远交游考》。1990年天津古籍出版社出版。(李真瑜)

## 云庄乐府

散曲别集,元张养浩撰。全称《云庄张文忠公休居自适小乐府》,又称《云庄休居自适小乐府》。该书收小令153首,套数2套。现知其最早刻本为明成化本,书前有艾俊所撰《引》,落款书“成化庚子”(1480);书后有金润《跋》,落款书“成化癸卯”(1483)。1930年,卢前以成化本翻刻,并附补遗和校记,收入《饮虹簃所刻曲》中;同年,孔德图书馆据一明刊本(疑即成化本)影印,收为《孔德图书馆校印丛书》第一种;1988年山东齐鲁书社出版王佩增的笺注本,名《云庄休居自适小乐府笺》;1989年上海古籍出版社出版冯裳的点校本,仍名《云庄乐府》(收入《散曲聚珍》内)。

(赵竹音　赵义山)

## 九山乐府

散曲别集,元顾德润撰。近人卢前辑录。据元钟嗣成《录鬼簿》记载,顾德润原著有《九山乐府》,已佚,今存者一卷,为近人卢前自《太平乐府》等辑录。其版本有1934年开封马氏集文斋刻《元明曲萃》本、1946年金陵卢氏饮虹簃刻《饮虹簃所刻曲》(19种)本、1979年江苏广陵古籍刻印社重印《饮虹簃所刻曲》(正续集60种)本。

(赵竹音　赵义山)

## 金缕新声

散曲别集,元吴仁卿撰。近人卢前辑录。据元钟嗣成《录鬼簿》记载,吴仁卿原有散曲集《金缕新声》,已散佚,今行世者为近人卢前辑本,得小令20余首,套数4套。其版本有:1934年开封马氏集文斋刻卢前辑《元明曲萃》本、1946年金陵卢氏饮虹簃刻《饮虹簃所刻曲》(19种)本、1979年江苏广陵古籍刻印社重印《饮虹簃所刻曲》(正续集60种)本。(孙　艳　赵义山)

## 马九皋词

散曲别集,元薛昂夫撰。近人卢前辑。薛昂夫一名马昂夫、马九皋。其散曲向无专集,散见于《阳春白雪》《太平乐府》《北宫词纪》《词林摘艳》等散曲选本中。1944年卢前从上述选集中辑得马九皋所作散曲小令38首、套数3套,编为一卷,即为本书。此集有1946年金陵卢氏饮虹簃刻《饮虹簃所刻曲》本(卷末有卢前于1944年和1946年所写的两篇跋文)、1979年江苏广陵古籍刻印社重印《饮虹簃所刻曲》(正续集60种)本。　(孙　艳)

## 丑斋乐府

散曲别集,元钟嗣成撰。钟嗣成号"丑斋",故名。钟嗣成散曲原无专集,此集为近人任讷辑录、卢前补辑。共得小令59首、套数1套。今存版本有1941年长沙商务印书馆《散曲集丛》本。(孙　艳)

## 诗酒余音

散曲别集,元曾瑞撰。近人卢前辑。据元钟嗣成《录鬼簿》记载,曾瑞"善丹青,能隐语、小曲,有《诗酒余音》行于世"。但其书已湮没不传。1943年卢前将散见于《太平乐府》《乐府新声》《北宫词纪》等书中的曾瑞散曲作品进行校录整理,编为一卷,书名仍题《诗酒余音》。按宫调曲牌编次,收曾瑞小令10首、套数16套,卷末补遗套数2套。卷前有卢前1943年所作序文。有1946年金陵卢氏饮虹簃刻《饮虹簃所刻曲》(19种)本、1979年江苏广陵古籍刻印社重印《饮虹簃所刻曲》(正续集60种)本。

(赵竹音　赵义山)

## 曾瑞散曲集校注

散曲别集,元曾瑞撰。近人李春祥校注。以隋树森《全元散曲》为底本,对隋树森所辑录的曾瑞现存95首小令、17篇套数作了校注。书前有李春祥《曾瑞简论》(代序),书后有谢景龢《十年辛苦不寻常》跋文。2008年河南大学出版社出版,收入《百年河大国学旧著新刊》。　(赵竹音　赵义山)

## 乔梦符小令

散曲别集,元乔吉撰。明李开先辑。成书于明隆庆元年(1567)。共收小令180余首,套数9套。书前有编者序,将乔吉和张可久比为唐代诗人李白和杜甫,对乔吉散曲推崇备至。今存主要版本有:雍正乾隆间刻《乐府小令》所收本、1926年上海中原书局出版任讷《任氏词曲丛书》校补本、1946年金陵卢氏饮虹簃刻《饮虹簃所刻曲》(19种)本、1979年江苏广陵古籍刻印社重印《饮虹簃所刻曲》(正续集60种)本、1988年山西人民出版社出版之李修生、李真瑜、候光复《乔吉集》点校本。

(赵竹音　赵义山)

## 梦符散曲

散曲别集,元乔吉撰。吉字梦符,因名其集,乔吉原有《乔梦符小令》一卷,明李开先辑。任讷编《散曲丛刊》,辑成《梦符散曲》三卷,包括《惺惺道人乐府》一卷、《文湖州集词》一卷、《摭遗》一卷,共收小令212首(其中重见17首),套数10套。此书收入1931年上海中华书局出版任讷所编《散曲丛刊》内。1989年上海古籍出版社《散曲聚珍》中收有申孟校点的《梦符散曲》。　(李真瑜)

## 惺惺道人乐府

散曲别集,元乔吉撰。近人任讷自天一阁藏抄本《乐府群玉》辑录,得小令33首。乔吉一号惺惺道人,因以为名。参见“梦符散曲”。

(李真瑜)

## 文湖州集词

散曲别集,元乔吉撰。明无名

氏编。共有小令58首,多不见于元明曲选。任讷《梦符散曲》收录。参见“梦符散曲”。

(李真瑜)

## 今 乐 府

散曲别集,元张可久撰。孟称舜本、天一阁本《录鬼簿》都提到此书,谓张可久“有《今乐府》盛行于世,近有《吴盐》《苏堤渔唱》”。原本散佚,其作品被收入《张小山北曲联乐府》中。参见“北曲联乐府”。

(赵竹音　赵义山)

## 吴 盐

散曲别集,元张可久撰。据元刘时中《小山乐府》跋,此书成于《苏堤渔唱》之后。元钟嗣成《录鬼簿》也记载,张可久“近有《吴盐》《苏堤渔唱》”。原书散佚,其作品被辑入《张小山北曲联乐府》。参见“北曲联乐府”。

(赵竹音　赵义山)

## 苏 堤 渔 唱

散曲别集,元张可久撰。元钟嗣成《录鬼簿》记载,张可久“近有《吴盐》《苏堤渔唱》”。原书散佚,其作品被收入《张小山北曲联乐府》。清丁丙从《北曲联乐府》中重新辑为一卷,并辑录张可久其他咏西湖的散曲为《补遗》一卷,有光绪间丁氏嘉惠堂刊本。参见“北曲联乐府”。　(赵竹音　赵义山)

## 新 乐 府

散曲别集,元张可久撰。不见于《录鬼簿》等元人著述记载,疑成书于张可久所作《苏堤渔唱》《吴盐》等集之后。原书已佚,后世编辑《张小山北曲联乐府》时收有此书作品。参见“北曲联乐府”。

(赵竹音　赵义山)

## 北曲联乐府

散曲别集,元张可久撰。全名《张小山北曲联乐府》。此集据张可久的四种散曲集《今乐府》《苏堤渔唱》《吴盐》《新乐府》合编而成,不依原本次序,而将收入集内的曲作依宫调重新编排,分为三卷,别增补集一卷,共收小令700余首。今存毛晋汲古阁影元抄本、1926年上海中原书局出版之任讷《重编增校张小山北曲联乐府》本,1995年浙江古籍出版社出版之吕薇芬、杨镰《张可久集校注》有对张可久全部散曲作品的校注。 (孙 艳)

## 张小山小令

散曲别集,元张可久作。明李开先辑。成书于明嘉靖四十五年(1566)。共二卷,收小令550首,套数1套,辑自《阳春白雪》《太平乐府》《仙音妙选》等曲集,李开先对乔吉和张可久的散曲都甚为推崇,将乔、张比之为唐代的李、杜,继此书之后又编辑《乔梦符小令》。今存嘉靖原刻本,此外有清乾隆间无名氏辑《乐府小令》本、1935年、1946年金陵卢氏饮虹簃刻《饮虹簃所刻曲》(19种)本、1979年江苏广陵古籍刻印社重印《饮虹簃所刻曲》(正续集60种)本。

(赵义山)

## 小山乐府

元张可久撰,王维堤点校。1989年上海古籍出版社出版,收入《散曲聚珍》之中。 (孙 艳)

## 云林乐府

散曲别集,又名《倪云林先生乐府》,元倪瓒撰。近人卢前辑。本书收倪瓒散曲作品13首。倪瓒散曲原无专集,明英宗天顺年间(1457—1464)刻本《云林先生诗集》六卷,附词26首,其中有些是散曲,卢前1938年将其中的散曲辑录而成该集,今存民国间北石客南京书局刊《饮虹癸甲丛刊》(十册本)、1946年金陵卢氏饮虹簃刻《饮虹簃所刻曲》(19种)本、1979年江苏广陵古籍刻印社重印《饮虹簃所刻曲》(正续集60种)本。

(赵义山)

## 睢景臣词

散曲别集,元睢景臣撰。原书散佚,近人卢前将存于《太平乐府》中的三篇套数(〔商调·黄莺儿〕《寓僧舍》、〔大石·六国朝〕《收心》、〔般涉·哨遍〕《高祖还乡》)辑出,编为一卷,书名仍题《睢景臣词》。其后附有睢玄明的两篇套曲:〔般涉·耍孩儿〕《咏鼓》和〔般涉调·耍孩儿〕《咏西湖》。其实,睢玄明与睢景臣很可能为一人。卷末有卢前1944年所写跋语。此集有民国间北石客南京书局刊《饮虹簃癸甲丛刊》本、1946年金陵卢氏饮虹簃刻《饮虹簃所刻曲》(19种)本,1979年江苏广陵古籍刻印社重印《饮虹簃所刻曲》(正续集60种)本。(赵义山)

## 酸甜乐府

散曲合集,元贯云石、徐再思撰。贯号酸斋,徐号甜斋,二人俱以散曲知名,故世称其所作为"酸甜乐府"。近人任讷合二人散曲为一编,因名《酸甜乐府》。集内收贯云石小令87首,套数9套;徐再思小令104首。此书有任讷《散曲丛刊》本。(李真瑜)

## 醉边余兴

散曲别集,元钱霖撰。近人卢前辑。元钟嗣成《录鬼簿》称赞钱霖"其自作乐府有《醉边余兴》,词语极工巧"。但其书已散佚。卢前自《乐府群玉》和《南村辍耕录》辑得钱霖小令4首、套数1套,编为一卷,仍题为《醉边余兴》,收人卢氏《饮虹簃所刻曲》,卷末有卢前1944年所撰跋文。此书版本有:1946年金陵卢氏饮虹簃刻《饮虹簃所刻曲》(19种)本、民国间北石客南京书局刊《饮虹簃癸甲丛刊》本、1979年江苏广陵古籍刻印社重印《饮虹簃所刻曲》(正续集60种)本。

(孙　艳　赵义山)

## 小隐余音

散曲别集,元汪元亨撰。近人任讷、卢前辑校。明黄虞稷《千顷堂书目·词曲类》载汪元亨著有《小隐余音》一卷,但原书已失传。汪氏散曲作品仅存于明代郭勋《雍熙乐府》卷十七、卷十八、卷二十中,载〔沉醉东风〕〔折桂令〕〔朝天子〕〔雁儿落带得胜令〕五调各20首,凡一百首,首调题作"警世",次调题作"归田",余者皆作"归隐",卢前据此辑录,书名仍题《小隐余音》。此集有1946年金陵卢氏饮虹簃刻《饮虹簃所刻曲》(19种)本;1979年江苏广陵古籍刻印社重印《饮虹簃所刻曲》(正续集60种)本。

(孙　艳　赵义山)

## 西厢记(校注)

元杂剧剧本,元王实甫撰。近

人王季思校注。《西厢记》五本二十折，为元杂剧中体制规模最为宏大的剧本。王季思先生在1944年曾有《西厢五剧注》在浙江龙泉龙吟书屋出版，其后几经修订：1949年有《集评校注西厢记》在上海开明书店出版，1954年有《西厢记》(校注)在上海新文艺出版社出版，1960年有《西厢记》(校注)在中华书局上海编辑所出版，1978年有《西厢记》(校注)在上海古籍出版社出版(1996年重印)，每次皆有新的订补，并新增研究资料附录。其校订精审，注释详善。上海古籍版有王季思先生所撰《前言》，论述王实甫生平、《西厢记》作者、西厢故事渊源、《西厢记》的成就与不足等；书后之附录，除《西厢记》研究资料外，另有王季思先生所撰《一九五四年版后记》《关于〈西厢记〉作者的问题》《关于〈西厢记〉作者问题的进一步探讨》三文。

(赵义山)

### 元本琵琶记校注

元代南戏剧本，元高明撰。近人钱南扬校注。以清陆贻典《校抄新刊原本〈蔡伯喈琵琶记〉》为底本，并参校多本，对原文做了校勘并注释。其校订精审、注释详善。著者还对底本进行分出，并在每出之下注明戏情，相当于出目。书前有作者自序，介绍《琵琶记》的版本源流、高明的生平以及该剧的故事渊源等；书后附有“引用书目”。1980年上海古籍出版社出版。

(赵竹音)

## 一、选 集

### 阳 春 白 雪

元散曲选集，全名《乐府新编阳春白雪》，元杨朝英辑。有贯云石序。该书分前、后二集，每集五卷。前集卷一收元燕南芝庵《唱论》一篇、宋金《大乐》词10首。正文有小令五卷、套数四卷，均以宫调曲牌为序。所收散曲数量各本有异，较早发现整理的九卷本收曲较全，计收小令492首，套数47套；后期发现的六卷本增出25套。该书现存元刊十卷本、残元刊本(存两卷)、明抄九卷本、明抄六卷本、清知不足斋抄本、《散曲丛刊》本等,近人隋树森综校各本而成《新校九卷本阳春白雪》,1957年中华书局出版。

(朱崇志)

## 太平乐府

元散曲选集,全名《朝野新声太平乐府》,元杨朝英辑。有至正辛卯(1351年)邓子晋序。九卷。目录后注明书中所收曲家姓名。一至五卷为小令,六至九卷为套数。以宫调曲牌为序。共收小令1062首,套数141套。有元刻细字本、元至正刻本、明汲古阁本、明刻本、清钞本、《四部丛刊》影印本、《万有文库》本等,近人隋树森有校订本,1958年中华书局出版。

(朱崇志)

## 乐府新声

元散曲选集,全名《梨园按试乐府新声》,又名《梨园乐府》,元无名氏辑。三卷。所收多为元代初期作品。上卷名"诸套数",宫调、曲牌、作者、题目俱标,排序不一,共收套数32套,中下卷收小令500首。有元刊本、《四部丛刊》影印本等,近人隋树森有校订本,1958年中华书局出版。

(朱崇志)

## 梨园乐府

参见"乐府新声"。

## 乐府群玉

元散曲选集,全名《类聚名贤乐府群玉》,辑者有元胡存善、元无名氏二说。五卷。以作家为序,次之以宫调曲牌。专收小令,不收套数。共收小令700余首。有研究者认为,其书编定在至正五年(1345)、至正六年(1346)之间,并有增订本。(参见葛云波《〈乐府群玉〉成书、增订时间及影响考论》,《文献》2006年10月第4期)有郑振铎藏抄本、吴梅校本、任中敏校本等,皆源于天一阁旧藏蓝格影元抄本,近人隋树森有校订本,1982年上海古籍出版社出版。

(朱崇志)

## 自然集

散曲选集,金元间无名氏撰。

卢前辑校。《自然集》见钱大昕补《元史·艺文志》,未著撰者姓名。本书共辑录散曲套数6套。这些套数为卢前从《道藏》中辑出,辑者皆作了校补订正。卷末有卢前所作跋文。版本有:1936年金陵卢氏刻《饮虹簃所刻曲》本,1946年金陵卢氏饮虹簃刻《饮虹簃所刻曲》(19种)本,1979年江苏广陵古籍刻印社重印《饮虹簃所刻曲》(正续集60种)本。(赵义山)

## 乐府群珠

元明散曲选集,全书四卷,明无名氏辑,一说为元胡存善所编。近人卢前校,校订本卷端有卢前1935年序文。《乐府群珠》一书明代曾流播坊间,李玉《北词广正谱》一书曾多次提及,清初以后便湮没不传。1930年卢前在入蜀途中得到二册旧抄本,每支曲的题端注明出处,但字迹模糊,不可卒读。不久,海盐朱氏又发现《乐府群珠》的四卷本,与卢所见大略相同。1934年前后卢前对两种本子参合校勘,整理成四卷本,整理本按曲调分卷编排,题目后标作者。此书一般只标曲牌,不标宫调。全书在28个曲牌名下共辑有80多位元明散曲作家的小令1800多首。其中绝大部分为元人所作,明人作品极少。未见刻本,卢前据抄本校订后,1955年由商务印书馆排印出版。

(赵义山)

## 盛世新声

元明散曲、戏曲选集,明戴贤辑。原刻本署"樵仙 戴贤 愚之校正刊行"。其书共十二集,以子、丑、寅、卯等为名,申、酉、戌三集订为一册,余则单独成册,共十册。除申、酉、戌、亥四集外,每集均有目录,以每曲首句为序。有《盛世新声引》。散曲与剧曲合选,依宫调曲牌编排,《九宫曲》九集,收套数279套,《南曲》一集,收套数46套,《万花集》二集,收套数12套,小令508首。总计套数327套(其中可确定为剧曲者为50套),小令508首。有明正德十二年(1517)戴贤刻本、嘉靖间刻本、万历二十四年(1596)刻本、1955年文学古籍刊行社影印本;《万花集》又有清末黄缘芳另辑单行本。明正德刻本有收藏者附记二篇。其一署"丁巳正月初九日寒云",云:"另藏小字残本五卷,……

以墨订白文别之，与元刊《太平乐府》同式，较此本题另行为古。……小字本未集目录有注标明小题姓字，此则无之。"则尚有较正德十二年更早之本。（朱崇志）

## 万花集

元明散曲选集，明无名氏辑。今存本即《盛世新声》的最后二卷。计收小令440首，套数12套。有明正德十二年（1517）戴贤刻本、嘉靖间刻本、万历二十四年（1596）刻本、1955年文学古籍刊行社影印本、清末黄缘芳另辑单行本。

（朱崇志）

## 词林摘艳

元明散曲、戏曲选集，明张禄辑。该书系《盛世新声》的增删改编本，有序二篇、跋一篇、小引九篇。原书十卷，以甲、乙、丙、丁等为卷名，每卷均有目录。所辑作品均注明作者、题目及戏曲名目。散曲与剧曲合选，以宫调曲牌为序。收《南北小令》325首，《南北九宫》收套数395套（其中可确定为剧曲者为57套）。有嘉靖四年（1525）原刊本、嘉靖三十年（1551）徽藩月轩道人重刊本、万历二十五年（1597）内府刻本、1936年石印本、1953年文学古籍刊行社影印原刊本。

（朱崇志）

## 南北小令

元明散曲选集。明张禄辑录，未分卷。此集原为张氏所编《词林摘艳》卷一所收南北小令，近人陈乃乾曾将其抽出单独排印。此书辑有宋、元、明三代南北小令325首，其中南小令110首，北小令215首。除南小令收录了三家宋人作品外，其余均为元明小令。《南北小令》的版本有明嘉靖、万历《词林摘艳》刻本，集前有嘉靖四年（1525）张禄序，1927年海宁陈氏镇初堂校印本。

（朱崇志）

## 雍熙乐府

元明散曲、戏曲选集，明郭勋辑。系《词林摘艳》的改编本，足本二十卷，均有目录，以每曲首句为序，第十五卷分前后二集，前集收《大石调》，后集收《南曲小令》。散曲与剧曲合收，依宫调曲牌为序编排。共收作品331套(其中可确定为剧曲者为216套)。有明嘉靖十年(1531)王言序刻本、嘉靖十九年(1540)楚藩刻本(此年长春山人序)、嘉靖四十五年(1566)春山居士序刻本、《四部丛刊》影印本,均为二十卷;又有“海西广氏编”十四卷本、万历内府刻本。

(朱崇志)

## 风月锦囊

元明戏曲、散曲、时调选集,全名《新刊耀目冠场擢奇风月锦囊正杂两科全集》,又称《全家锦囊》,明徐文昭辑。散曲、戏曲合选。共三编四十一卷。甲编《风月锦囊》为戏曲杂曲合选,上下栏均为文字,无插图,有“时兴杂科法曲”“时兴曲”“新增妙曲”“新增南京时曲”“新增时兴杂曲”诸名称;乙编《全家锦囊》、丙编《全家锦囊续编》上栏为剧情插图,下栏合刊戏曲摘选。不计戏曲单套曲文,约收散曲套数3套,小令、时曲333首。有嘉靖三十二年(1553)重刊本、1987年《善本戏曲丛刊》影印本。(朱崇志)

## 词林一枝

元明戏曲、散曲、时调选集,全名《新刻京版青阳时调词林一枝》,明黄文华选辑,郄希甫同撰。戏曲、散曲、时调合选。共四卷。全书版式分上、中、下三栏。上下两栏及卷四中层收元明戏文、传奇,中栏除卷四外收录散曲与时调,卷一题“新增楚歌”,收23首时曲,卷二收套数5套,卷三收时曲16首,共计套数5套,时曲39首。有明万历新岁(1573)福建书林叶志元刻本、1984年《善本戏曲丛刊》第一辑影印本。关于其书刊行时间,有论者认为并非万历新岁,而是在万历三十四年(1606)或三十五年(1607)。(参见郭英德、王丽娟《〈词林一枝〉〈八能奏锦〉编纂年代考》,《文艺研究》2006年第8期)　(朱崇志)

## 八能奏锦

元明戏曲、时调选集,全名《鼎雕(镌)昆池新调乐府八能奏锦》,明黄文华编。版式为上、中、下三栏。上、下栏收戏曲单出,中栏选收时调。正文上卷后半部分、中卷、下卷、一卷原缺。存单页像7幅。时曲题名《罗江怨歌》《时尚劈破玉歌》《新增急催玉歌》等,目录中共100支,现存正文计40支。有明万历新岁书林爱日堂蔡正河刻本、1984年《善本戏曲丛刊》第一辑影印本。关于其书刊行时间，有论者认为并非万历新岁，而是万历三十五年（1607）或三十六年（1608）。（参见郭英德、王丽娟《〈词林一枝〉〈八能奏锦〉编纂年代考》，《文艺研究》2006年第8期）（朱崇志）

## 彩笔情辞

元明散曲选集。明张栩辑编。凡12卷，卷端有署名天鬻主人的《题辞》云："是集皆两朝文人之作，故云'彩笔'；又皆为青楼诸姬之曲也，故云'情辞'。"其《凡例》有云："是集所选，皆文人散辞，诸传奇、杂剧内者并不混入。"由此可知此书为元明散曲专集。此书共收涉及青楼女子生活的元明散曲套数200余套，小令200余首。今存有明天启四年（1624）刻本、1987年台湾学生书局《善本戏曲丛刊》据明天启刻本影印本。（赵义山）

## 群音类选

元明戏曲、散曲选集。明胡文焕辑。胡文焕，生卒年不详，明万历至天启间人，字德甫，一字德父，号全庵（一作金庵），别署全道人、抱琴居士、西湖醉渔。据其本人为《胡氏世纪》所作序文，知为钱塘（今浙江杭州）人。原书疑为四十六卷。其中，官腔类二十六卷，诸腔类四卷，北腔类六卷，清腔类八卷，散曲收于北腔和清腔内；又有《群音口选》卷一收戏曲，卷二散曲收30套，小令30首。共计散曲227套，小令334首。《群音类选》原为万历间文会堂辑刻《格致丛书》之一种。现存残本分藏于南京图书馆和首都图书馆，1980年由中华书局主持整理影印出版，另有1987年《善本戏曲丛刊》影印本。（朱崇志）

## 乐府玉树英

元明戏曲、时调选集，全名《新锲精选古今乐府滚调新词玉树英》，明黄文华辑，书林余绍崖绣梓。卷首有万历己亥（1599）年《乐府玉树引》。原书共五卷，存卷一，另卷二上、下栏各存一戏曲残出。全书版式分上、中、下三栏。戏曲、时调合选。上、下两栏收戏曲，中栏收时调。卷首有目录。有原刻残本、1993年上海古籍出版社《海外孤本晚明戏剧选集三种》影印本。

（朱崇志）

## 乐府菁华

元明戏曲、散曲、时调选集，全名《新锲梨园摘锦乐府菁华》，明豫章刘君锡辑。散曲时调、戏曲合选。全书六卷。分上、下两栏，上栏标目皆用四字，下栏皆用六字。六卷上层有散曲套数《百花评品》《亚仙莺莺争能》《思忆美人》《游女题情》4套。有万历庚子二十八年（1600）三槐堂王会云绣梓本、1984年《善本戏曲丛刊》第一辑影印本。

（朱崇志）

## 北宫词纪

元明散曲选集，全名《新镌古今大雅北宫词纪》，明陈所闻辑。卷首有《题北宫词纪》，署名“龙洞山农”（即焦竑）；有《小引》，署名“朱之蕃”，均题在万历甲辰年（1604）。原书六卷。按散曲题材编排，分别以“宴赏”“祝贺”“栖逸兼归田”“送别”“旅怀附悼亡”“咏物”“美丽”“闺情”等归类，专收北曲，共收套数312套。有万历间陈氏继志斋原刻初印本和重印本，现代有1959年中华书局出版赵景深校订本《南北宫词纪》、1961年中华书局出版吴晓铃《南北宫词纪校补》。又有陈氏《北宫词纪外集》，吴晓铃藏抄本，残存四、五、六卷，后补入《南北宫词纪校补》。（朱崇志）

## 南宫词纪

元明散曲选集，全名《新镌古今大雅南宫词纪》，明陈所闻辑。原书六卷，套数、小令各三卷。以题材为序，分为“美丽”“闺怨”“宴赏”“祝贺”“游览”“咏物”“题赠”“寄慰”“送别”“写怀”“伤逝”“隐逸”“寄答”“旅怀”“嘲笑”等类，并有“汴省时曲”收时调。共收小令约721首，套数166套（其中3套杂于小令中）。有明万历三十三年（1605）俞彦序刻本、1959年中华书局《南北宫词纪》校订本。（朱崇志）

## 南北宫词纪

元明散曲选集，明陈所闻原辑。近人赵景深校订。全书分成《南宫词纪》和《北宫词纪》两部。参见“北宫词纪”“南宫词纪”。

（朱崇志）

### 词林白雪

元明散曲、戏曲选集，全称《新镌出像词林白雪》，明窦彦斌辑。八卷，第一卷至第六卷收散曲，第七、第八卷选戏曲散出。目录中署撰者。按题材分类，分别为“闺情”“美丽”“咏物”“旅怀”“宴赏”“栖逸”“杂录”等。共收散曲140套。今存万历三十四年(1606)序刻本。

(朱崇志)

### 玉谷新簧

元明戏曲、散曲、时调选集，明景居士选辑。原书似非同时出版，后乃辑为一书。封面题名《玉谷调簧》，目录列有五卷，而内容则应分为三册：首册全称《鼎刻时兴滚调歌令玉谷新簧首卷》，第二册全称《鼎镌精选增补滚调时新歌令玉谷调簧》，分为上、中、下三卷，中卷末有“玉振金声中卷终”；第三册全称《鼎镌精选增补滚调时兴歌令玉谷新(又作“调”)簧》，分为一、二两卷，末页仍题《玉谷调簧》，署“万历庚戌年孟秋月刊行”。戏曲、散曲合选。版式为上、中、下三栏，上下二栏收戏曲散出，中栏则或为散曲时调，或为酒令灯谜，或为滚调新词。共收时调《时兴各处讥妓耍孩儿歌》21支。有万历三十八年(1610)刻本、1984年《善本戏曲丛刊》第一辑影印本。

(朱崇志)

### 摘锦奇音

元明戏曲、散曲、时调合选集，全名《新刊徽板合像滚调乐府官腔摘锦奇音》，明龚正我选辑。原书六卷，戏曲、散曲、时调合选。版式为二栏，上栏为小曲、酒令、灯谜等，下栏为戏曲散出。戏曲部分按乾坤二帙编排，次分以卷、层、剧、出。时调有《汇选时兴罗江怨妙歌》17支、《时尚急催玉》25支、《哭皇天》10支、《劈破玉歌》31支、《十二月歌》13支、《五更歌》8支、《时尚古人劈破玉歌》46支、其他15支，共165支曲子。有明万历三十九年(1611)书林敦睦堂张三怀刻本、1984年《善本戏曲丛刊》第一辑影印本。

(朱崇志)

### 吴歈萃雅

元明散曲、戏曲合选集，明茂苑

梯月主人(周之标)选辑、古吴隐之道民标点。周之标,字君健,号宛瑜子,别署梯月主人、来虹阁主人,长洲(今吴县)人,生卒年不详。与冯梦龙、沈自晋等吴门曲家交往甚厚,曾参与校阅沈自晋《南词新谱》,辑有曲选《吴歈萃雅》《乐府珊珊集》《兰咳集》《兰咳二集》等。原书卷首有《自叙》《小引》《选例》《题辞》《又题辞》。散曲、剧曲合选。四卷,元亨二辑收散曲,利贞二辑收戏曲。牌名板眼皆依蒋孝《南九宫谱》为准,详注撮口,分别阴阳平仄,附有点板。有插图32帧。首有《吴歈萃雅曲律》即魏良辅曲律十八条。其编排体例为:曲牌—宫调—首句—题目—作者(散曲)或剧名。如:〔锦堂月〕—〔双调〕—帘幙风柔—祝寿—《琵琶记》。版式为一栏九行。共收小令5首,套数126套。有万历四十四年(1616)长洲周氏刻本、1984年《善本戏曲丛刊》第一辑第十二、十三册影印本。

(朱崇志)

## 南北词广韵选

元明散曲、戏曲合选集,明徐复祚编选。徐复祚(1560-?),原名笃儒,字阳初,后改字讷川,号暮竹,别署阳初生、洛浦生、三家村老等。该书大致成书于万历四十五年(1617)或略后,卷首有序。正文分六帙十九卷,按《中原音韵》十九韵目分卷,次第以题目、宫调、曲牌为序。共收散曲约43套。有原稿本、《续修四库全书》影印本。

(朱崇志)

## 南音三籁

元明散曲、戏曲选集,明凌濛初辑。有《南音三籁叙》、李元玉序、袁于令序、袁园客题词,附《谭曲杂劄》。其书成于万历四十五年(1617)至天启六年(1626)之间。原书为戏曲、散曲合选,为元明南曲。各分上、下二卷,以宫调为序,始为套曲,后附小令。版式为一栏九行,每行二十二字。栏上、曲尾时有眉批、尾批。有插图十六幅。散曲上卷60套,下卷40套,其中下卷〔擁破金字令〕一套两曲,又标"遇张月容于虎丘殿阶",眉批云即"《林招得传奇》'一心告天'",则为剧曲,故上下卷实收99套,小令收78首。有明崇祯刻本、清康熙七年(1668)袁园客重刻增益本、1953年上海古

籍书店影印明刊本、1987年《善本戏曲丛刊》第四辑影印明原刊本配补清康熙增订本。（朱崇志）

## 珊 珊 集

元明戏曲、散曲选集，全称《新刻出像点板增订乐府珊珊集》，明宛瑜子（周之标）编选。卷首有《增订珊珊集小引》。该书戏曲、散曲合选。全书分文、行、忠、信四卷，前二卷收散曲，后二卷收戏曲。文集收25套、行集收24套，共收49套散曲。关于刊刻时间，《增订珊珊集》现存本一向被认为是万历刊本，但其《小引》中云："向余序《吴歈萃雅》，海内辄为嗜痂，此刻老矣，《珊珊集》继起，仍属余手自增订。"《吴歈萃雅》乃万历四十四年（1616）所刻，则《增订珊珊集》应在天启、崇祯间。有明末刊本、《善本戏曲丛刊》影印本。（朱崇志）

## 词林逸响

元明散曲、戏曲选集，明许宇辑。全书分风、花、雪、月四卷，风、花卷收散曲，雪、月卷收戏曲，不收宾白，曲文以宫调曲牌为序，注有平仄阴阳，附点板。版式一栏九行，每行二十二字。附有插图十二幅。风卷收21套，花卷收36套，共收57套散曲。有明天启三年刻本、萃锦堂刻本、书业堂刻本、1984年《善本戏曲丛刊》影印本、《四库未收书辑刊》第八辑第三十册影印本。

（朱崇志）

## 怡 春 锦

元明戏曲、散曲选集，全称《新镌出像点板怡春锦曲》，又称《新镌出像点板缠头百练》，明冲和居士辑。卷首有署名空观的《缠头百练序》。戏曲、散曲合选。全书分六集，分别名为"幽期写照礼集""南音独步乐集""名流清剧射集""弦索元音御集""新词清赏书集""弋阳雅调数集"。除书集外，皆为戏曲单出。版式为一栏九行，每行二十字，宾白较曲辞字体稍小。有插图13幅。书集收散曲25套。有明崇祯间刻本、清乾隆间刻本、1984年《善本戏曲丛刊》影印本、《四库未收书辑刊》第九辑第三十册影印本。

（朱崇志）

## 吴骚合编

元明散曲选集，全称《白雪斋

选订乐府吴骚合编》,明张琦、张旭初编订。卷首有张琦的《衡曲麈谈》和魏良辅的《曲律》。其曲目多从《吴骚集》《吴骚二集》《吴骚三集》等书选辑而成,故名。四卷。以宫调曲牌为序,曲后多有评语。共收散曲 233 篇。有明崇祯十年(1637)张师龄刻本、吴郡绿荫堂翻刻本、大来堂刊本、1934 年《续四部丛刊》影印本等。　(朱崇志)

## 今乐府选

元明清戏曲、散曲、时调合选集,全名《复庄今乐府选》,清姚燮编。540 卷(或言 192 卷),选收元明清三代的杂剧、传奇、散曲、时调等作品。据《复庄今乐府选总目》,该书所选凡衢歌、弦索、元杂剧、明杂剧、国朝杂剧、元院本、明院本、国朝院本、元散曲、明散曲、国朝散曲、耍词等十二类。其中“衢歌”乃清曲,“弦索”即诸宫调,“元院本”亦为“元杂剧”,“明院本”“国朝院本”即明传奇、清传奇,而“明院本”又分元南戏、明传奇两类;“耍词”即时调。未曾刻刊,仅有原稿本存世,分藏于大陆、台湾的一些图书馆。

(翟书录)

## 散曲选

元明散曲选集,近人卢前选辑。二卷,卷一为小令,共收元明两代57位作家的小令 118 首;卷二为套数,共收元明两代 21 位作家的套数 30 套。本书以作家时代先后为序排列。该书对入选之曲,标明句读、韵脚,并有简要注评。该书扉页有于右任题签,卷端有卢前自序。有明国年间饮虹簃铅印本。

(曾　卜)

## 元人小令集

元散曲选集,近人陈乃乾选编。书前有郑振铎所作《序》。该书选入元代 95 位作家和无名氏的小令作品 3304 首。此书仅录原作,没有注释说明,只在曲文前标有题目和作者姓名,又在书末按笔画编辑了撰人索引,列出了每位作者的全部作品的所在书页。对所录小令,编者除断句外,还在押韵处另加符号。将所有旧刻本中所用的破体俗写字全部改正。旧编 1935 年由上海开明书店出版,1958 年编者补充新材料后,由上海古典文学出版社出版。

(杨玉芬)

## 元曲三百首

①元散曲选集，近人任中敏选编。全书共收录了元代68位散曲作家和无名氏的作品311首，取其成数，定名《元曲三百首》。全书按照作者时代先后排列目次，关汉卿居首，无名氏居末。全书使用旧式句读，未加注释，亦未划分小令、套数等体裁。卷末附《作者姓氏考略》，考述介绍了曲家生平等。有1930年上海民智书局排印本，1931年上海中华书局再版本。1945年上海中华书局出版了卢前重订本。在重订本书前附有卢前为该书所作的序文。1949年上海中华书局出版重订本第三版，该版本对原版作了删定，为竖排平装本。1992年岳麓书社出版有胡遂、王毅注析本(书名《元曲三百首著析》)，2005年南京凤凰出版社出版有王星琦注评本(书名《元曲三百首注评》)。②元散曲、剧曲合选集，吕薇芬选注。本书精选元代各个时期、各个流派不同的代表作家的优秀散曲和剧曲作品三百余首，曲作正文之后对其内容和艺术特点有简要说明，并作了简要注释。基本上反映了元曲发展的全貌。2000年天津百花文艺出版社出版。 (杨玉芬)

## 元曲别裁集

元散曲选集，近人卢前选编。1928年9月由上海开明书店印发，竖排线装本。书中只录曲文加点句读，不作注释说明，亦无作家、曲牌、曲调之类的任何介绍。在例言中申明：“此集搜集元曲，本瑕瑜兼收之旨，俾览者明其流别，各自采择，便于吟咏。”只收小令，不取套数。卷中以宫调为经，作者为纬，以成目次。每调之下，原选或他书有题者则照录，无题者则缺如。全书共分为上、下二卷，共选录五宫三调的小令作品凡296首。 (杨玉芬)

## 元明散曲选

① 元明散曲选集，近人卢前选注。选录了元明两代22位作家的小令246首，套数17套，加以标点断句，并作了注释。书前附有导论和散曲书目举要。作品以作家时代的先后排列。并对各作家的生平做了简要介绍。1937年初版，1947年收入商务印书馆《新中学文库》。

②元明散曲选集,石绍勋、韦道昌编选。书中选入元代61位作家和无名氏的散曲203首(小令187首、套数16套);明代23位作家的散曲107首(小令98首、套数9套);书后附编了6首明代无名氏所做的小曲。在每首作品之后,有注释和评析。1984年山西人民出版社出版。

(杨玉芬)

## 元明散曲

元明散曲选集,顾佛影选注。共选取了元明两代40位作家和无名氏的作品178首。分为上、下两部,上部为元代散曲,包括20位作家和无名氏的小令109首及套数8套,共计117首;下部为明代散曲,包括20位作家的小令57首和套数13套,共计70首。编者对所选作者均有介绍,每入选作品均注释。在该书《导言》中,对散曲的基本理论,包括定义、格律、曲牌、曲调、起源、衍变、作家、流派等问题,有较全面的介绍。1955年上海春明出版社出版。(杨玉芬)

## 元散曲选注

元散曲选集,王季思、洪柏昭等选注。该书共选注了元代75位作家和无名氏的作品240首,以作家年代先后为序,在作品正文前附有作者生平简介和有关评价,在每一曲文之后有简评,以及对曲中难解词语的注释。书中还对一些常用曲调的特点及其运用加以说明。该书《前言》较系统地介绍了元曲中杂剧和散曲的分类归属,散曲的兴起过程、时代背景以及其特有的艺术风格、体制、现存与流传状况等。1981年北京出版社出版。

(杨玉芬)

## 元人散曲选

①元散曲选集,龙潜庵选注,刘逸生任主编。《中国历代诗人选集》之一部,该书共编入了元代24位作家和无名氏的作品165首,并对其中的每一位作者,均作了简单介绍。而在每一作品曲文之后则加以解题和注释。全书后附有《中国历代诗人选集》丛书的全部39部书目。原由生活·读书·新知三联书店香港分店于1979年在香港出版,向海外发行,1984年6月由广东人民出版社与三联书店香港分店商议后照原胶片在广州重印,向内地发

行，重印本由主编刘逸生先生和选注者对原书做了全面检查和修订，并插入勘误表。②元散曲选集，刘永济辑录。1981年7月上海古籍出版社出版，选收44位作家的小令近200首，套数27套。③元散曲选集，羊春秋选注，陈仿麟校正。“中国古典文学作品赏析丛书”之一部，该书共编选了元代49位作家和无名氏的作品315首。该书对每位作家都作了简明的介绍；每曲作品的曲文之后，均对难解词语加以注释。在前言中，编者针对元曲的产生发展，元曲的思想性和艺术性等问题，阐述了自己的见解。1982年湖南人民出版社出版。（杨玉芬）

## 元人小令二百首

元散曲选集，王锳选注，该书共选注了元代55位作家的小令190首及无名氏的小令作品9首。按照作者生卒年代编次。一般在每位作者的第一组同宫调的作品之后附作者介绍，而对其难解的词语的注释，则安排在每组同宫调的作品之后。其中一部分作品还附有赏析性文字。该书《前言》对元代小令的题材类属、曲牌、宫调的常识，以及其现存作品中的主要的思想内容、艺术风格等，也做了简要介绍。1982年贵州人民出版社出版。

（杨玉芬）

## 元人散曲

①元散曲选析集，湛伟恩选析。“花城袖珍诗丛”之一部，该书共选析了元代41位作家和无名氏的作品84首（小令82首、套数2套）。在每位作家的第一组同宫调的作品曲文之后，有对作家的生平简介，而在每一曲牌的曲文之后，则附有对曲文难解词语的注释和对该曲的赏析。在《小引》中有对散曲的起源、种类、曲牌、曲文特点的简介。1985年11月广州花城出版社出版。②元散曲选集，曾永义编辑。1983年台北时报文化出版事业公司出版。

（杨玉芬）

## 全元散曲简编

元散曲选集，隋树森选编。《全元散曲》的简编本。《简编》精选了元代129位作家和无名氏的小令1080首，套数124套，其中有几首是前书未录的新发现的作品。

《简编》体例与《全元散曲》基本相同,以作家为经,以时代为纬编排作品,所收作家均有小传,选入的作品曾据多种版本进行校勘。同一作家的作品,先辑小令,然后套数,曲末标明出处。书末附有作品索引和按曲牌分类的作品索引。1984 年上海古籍出版社出版。

(李真瑜)

## 元人散曲选粹

元散曲选集,宁希元、李东文、齐裕焜合编。共收元代 54 位作家和无名氏的作品 109 首,其中小令 91 首,套数 18 套。编者对所收的每一首散曲都加以注释、标明韵脚,并附有作者简介和简短的说明。1985 年甘肃人民出版社出版。

(杨玉芬)

## 元代散曲选

元散曲选集,张文潜、何云麟等选注。选注了元代 53 位作家和无名氏的作品 137 首。在介绍每位散曲作家的作品前,编者先将该作家的生平履历与创作成就作简要的介绍。而在每一作品的曲文之后,附加一段赏析性说明文字,最后对文中很少的难解的词语加以注释。在该书《前言》中,编者论述了散曲的形成发展,以及元代散曲的作家作品等。1985 年福建教育出版社出版。

(杨玉芬)

## 元明清散曲选

元明清散曲选集,王起主编,洪柏昭、谢伯阳选注。选录元明清三代 120 余位散曲家的小令、套数 350 多首。该书除了对入选作品有简要注释外,对入选作家亦有简介,并对每首作品有简要分析。1988 年人民文学出版社出版。

(孙　艳)

## 元曲鉴赏辞典

①元曲选析集,贺新辉主编。该书分上、下两篇,上篇收元代 200 位曲作家的散曲 745 篇,下篇收元杂剧 31 本共 52 折杂剧。每篇每折,皆有鉴赏分析。书前有“凡例”及隋树森先生“序”,书后附录有:元曲作家小传、元曲作家年表、元曲主要书目介绍、元曲名词解释、元曲方言俗语汇释、元杂剧主要剧目简

介、曲学知识、常见曲谱介绍、曲韵简编、古平阳地区戏曲舞台文物资料汇编、元曲名句索引、元曲作家别名索引等。1988 年中国妇女出版社出版。②元曲选析集,蒋星煜主编。该书共收元代 135 位作家的作品,其中小令 544 首,套数 45 套,杂剧 88 本中的 137 折。该书对所选之曲,皆进行分析鉴赏。对于曲中的疑难词句,大多在鉴赏中分析串讲解释,也有少量篇目附在鉴赏文字末尾。其书前有“凡例”及隋树森先生所撰“前言”,书后附录有:作家小传、作家年表、元曲书目、元杂剧关目、名句索引、元曲释词简表、读曲常识、元北曲简谱、元杂剧一览表以及篇目索引。1990 年上海辞书出版社出版。

(翟书录)

## 元明清散曲精选

元明清散曲选集,黄天骥、康保成编选。共选入元明清三代 60 位散曲作家的作品 111 首。该书对入选作家有简要介绍,对入选作品有“注释”和“品评”。书前有编选者《前言》简论散曲的渊源、特点、体式和代表作家等。书中配有彩图。1992 年江苏古籍出版社出版。

(赵竹音)

## 新编元曲三百首

元散曲、剧曲选集,俞为民、孙蓉蓉编著。共选入元代散曲、剧曲作品 300 首,根据作品题材内容编排,全书共分“咏物写景”“叹世刺时”“怀古伤今”“隐逸玩世”“闺情乡思”“羁旅乡思”“友情寄赠”“节令游戏”等八类。其所选剧曲只录曲词而略去科白。对所选作品有“注释”“今译”和“赏析”。书前有编著者的《序言》,对元曲的体制形式、题材内容,以及本书编选情况等做简要叙述。1995 年江苏古籍出版社出版。

(赵竹音)

## 元散曲经典

元散曲选集,吴新雷、杨栋主编。该书选录元代 100 余位散曲作家的小令、套数 380 余首。该书对入选作家有生平简介。对入选的每首作品,先有“题解”简要介绍其主要内容或艺术特点,后有“注释”对词语、典故等作简明注解。书前有吴新雷先生所作《前言》一篇,对散

曲的体式特征和元散曲的总体情况有简要论述。1999 年上海书店出版社出版。 （赵竹音）

## 全元散曲：广选·新注·集评

元散曲选析集，主编吴庚舜、吕薇芬，本卷主编吕薇芬。以隋树森《全元散曲》为底本选录作品并进行注释品评。对入选作家皆有小传，且作家小传力求做到反映现代散曲研究的新水平。对入选之曲，每首后有注释和集评。2000 年辽宁人民出版社出版。

（赵竹音）

## 新选元曲三百首

元散曲选集，张燕瑾、黄克选注。本书是按《唐诗三百首》《宋词三百首》的体制而编的一本元曲选集。本书只选“元曲”中的“散曲”，共选元代 85 位散曲作家的作品 295 首，无名氏作品 23 首，共计 318 首，套曲、小令兼收，题材、风格多样。对入选作者有生平简介，对入选作品有简要注释。2003 年人民文学出版社出版。 （翟书录）

## 元曲选

元散曲、剧曲合选集，赵义山选注。该书选录近百名元曲作家的散曲、剧曲作品 380 余首。该书以选散曲为主。其所选剧曲只录曲词而略去科白。该书对入选曲家有简要生平介绍，对入选作品有简要注释和精要评析。书前有《前言》一篇，对元散曲的形式特征、发展演变历史等有新的论述，还对元曲的曲牌、写作技巧、元散曲的文献、元散曲的发展阶段和代表作家、元杂剧的体制、元杂剧的流派和发展分期、元散曲与元杂剧的关系，以及对该书的选注情况等，皆有论述。2008 年上海古籍出版社出版。

（赵竹音）

## 元刊杂剧三十种

元杂剧选集。收录元杂剧 30 种，有元刻本，题名《元刻古今杂剧三十种》。上海中国书店复刻本经王国维定名为《元刊杂剧三十种》，并附《叙录》一篇。《古本戏曲丛刊》第四集收录。1962 年，郑骞有《校订元刊杂剧三十种》，台北世界书局出版。1980年,徐沁君有《新校元刊杂剧三十种》,中华书局出版。1988年,宁希元有《元刊杂剧三十种新校》,兰州大学出版社出版。（赵竹音）

### 元曲选(元人百种曲)

元杂剧选集,又名《元人百种曲》,明臧懋循选编。分前、后集,每集杂剧50种,分别刊行于万历四十三年(1615)和四十四年(1616)。其中为元人所撰者94种,由元入明者6种。入选之剧,大多经编者整理,使科白俱全、形式规范,但不免有失原本面目。卷首有臧懋循序文二篇,并载有陶九成、芝庵、周挺斋、赵子昂、丹丘先生、涵虚子诸家曲论文字。此书除明刻本外,另有《四部备要》本、1958年中华书局排印隋树森点校本。（翟书录）

### 元曲选校注

元曲选集,王学奇主编。该书是对臧懋循《元曲选》的校注本,以明万历刊本与中华书局排印本为底本,并参校多本。凡八册,为简体横排,新式标点,并按人物上下场次分段。在注释方面,既有注音,也有释义。对一百种剧本涉及的40多位作家有详略不同的介绍。对每个剧本的全名、简名、著录、版本、本事来源、剧作评价、影响等,皆有介绍。书前有主编《前言》一篇,详细介绍了该书的校注情况。为阅读和研究元代杂剧提供了较大方便。1994年河北教育出版社出版。

（翟书录）

### 元曲选外编

元杂剧选集,近人隋树森辑编。该书是臧懋循《元曲选》未收的现存元杂剧的汇编,共三册,收元杂剧62种。按作家时代先后编排,对每种杂剧皆有校订和断句。1959年中华书局出版,1961年第二次印刷;后经校订,于1980年重印;1987年再次补校订正,仍由中华书局出版。

（翟书录）

### 元人杂剧选

元杂剧选集,近人顾肇仓选注。全书共收元人杂剧15种。入选之剧本,以臧懋循《元曲选》为底本,并参校多本,多所订正。对剧本语词、名物、典故等有较精当的注释。书前有著者《前言》一篇,对元杂剧渊源、兴盛情况、社会意义等有简要论述。1956 年作家出版社出版,其后多次重印;1978 年人民文学出版社第五次印行。（翟书录）

### 元杂剧选注

元杂剧选集,王季思、苏寰中、黄天骥、吴国钦选注。分上、下两册,共选入全本元杂剧 27 本,以及一些剧本的选折。主要以臧懋循《元曲选》为底本,并参校多本。在每一入选剧本的前面有对其主题思想、时代背景、文学成就等方面的简要评述。在入选剧本的每折之后,有对语词、典故的精当注释。《前言》对元杂剧诸多问题有较全面深刻的论述。1980 年北京出版社出版。（翟书录）

### 元代戏曲选注

元戏曲选集,近人胡忌选注。该书共选入关汉卿、王实甫、高明等元代作家的杂剧 8 种、南戏 3 种,其中除《窦娥冤》为全本外,其余均为选折。在入选剧本的每折之后有注释,在每一剧本之前有作者介绍和剧情简介,其后有鉴赏评论。在该书《前言》中,著者对元杂剧的形成、发展,以及体制方面的基本知识有较全面深刻的论述。1983 年上海古籍出版社出版。

（翟书录）

### 元代包公戏选注

元杂剧选集,近人李春祥编选。共选录元代杂剧中的包公戏八种,皆有简明扼要的注释。在《前言》中,作者对包公戏诸多问题有较深刻的论述。书后附录有著者《元代包公戏新探》和《〈陈州粜米〉与河南淮阳流传的包公放粮的故事》两篇论文。1983 年中州书画社出版。

（翟书录）

### 元代戏曲曲词选

元戏曲曲词选集,蔡运长编选。共选录元代 17 位杂剧作家 37 个杂剧中的曲词 95 首,选录三位南戏作家三个南戏剧本中的曲词 27 首。该书以作家年代为序编排。在选录的曲词前有对作家的介绍和对剧情的简介,曲后附有注释与说明文字。

其选择精要,注释简洁,评析允当。书前著者的《前言》论述了元代戏曲及相关问题。1984 年宁夏人民出版社出版。 (翟书录)

# 三、总 集

## 乐府小令

散曲总集,清无名氏辑。为元、清两代作家散曲别集丛刊,原无总名,《乐府小令》为后人所加。收元人散曲两种:张可久《张小山小令》二卷、乔吉《乔梦符小令》一卷;清人散曲四种:厉鹗《北乐府小令》一卷、尤侗《西堂乐府》一卷、朱彝尊《叶儿乐府》一卷、郑燮《板桥道情》一卷。有雍正、乾隆间刊本。

(曾 卜)

## 元人散曲三种

散曲总集,近人任讷辑。“仁氏词曲丛书”之一种。全书六卷,收元代散曲集三种,依次为:《重编增校张小山北曲联乐府》上、中、下三卷及外集一卷,《元四家散曲》一卷,《增校乔梦符小令》一卷。《重编增校张小山北曲联乐府》,元张可久撰,该书将张可久的四种散曲集子(前集《今乐府》、后集《苏堤渔唱》、续集《吴盐》、别集《新乐府》)汇为一辑,打乱原本次序,将所收元曲依宫调重新编排分为三卷,另增补集一卷,共计收张可久的小令作品 710 首,是收张小山散曲较丰富的一种别集。《元四家散曲》一卷,收元代剧作家关汉卿、白朴、马致远、郑光祖四家的散曲作品,其中收小令 35 首,套数 184 套,残套 7 套,每曲之下,注明来历,并有校勘记。《增校乔梦符小令》一卷,元乔吉撰,明李开先辑,收小令 188 首,套数 10 套,该卷是在明隆庆元年(1567)原刻本的基础上,又以丁氏八千卷楼旧藏《文湖州集词》,范式天一阁旧藏《乐府群玉》等增补小令四调 21 首,并用《太平乐府》《乐府群玉》等书校订;其后附补遗一卷、清人厉鹗撰写序文一篇。书前附有吴梅序。1927 年上海中原书局排印出版。 (杨玉芬)

## 散曲丛刊

散曲总集,近人任讷辑。共收散曲总集、别集和散曲论著凡15种,其中包括元人散曲总集《阳春白雪》《乐府群玉》二种;元人散曲别集马致远的《东篱乐府》、乔吉的《梦符散曲》、张可久的《小山乐府》、贯云石和徐再思的《酸甜乐府》等四种;此外有明人散曲别集康海的《沜东乐府》、王磐的《王西楼先生乐府》、沈仕的《唾窗绒》、冯惟敏的《海浮山堂词稿》、施绍莘的《花影集》等五种;《清人散曲选刊》一种;任讷自己所撰《中原音韵作词十法疏证》《散曲概论》和《曲谐》三种。这些收入书中的散曲集,有的是任讷辑成,有的作了补遗。各集都写有提要,并作了校订、断句,有的还间附序跋和诸家评论。对于原书的版本、体例及作者生平、艺术表现等多所考述。1931年中华书局排印出版。 (李真瑜)

## 元明曲萃

元明散曲总集,近人卢前辑编。辑录元明散曲别集六种,其中元人散曲别集五种:顾德润《九山乐府》、吴仁卿《金缕新声》、汪元亨《小隐余音》、薛昂夫《马九皋词》、睢景臣《睢景臣词》,明人散曲别集一种:冯梦龙《宛转歌》。有1934年开封马氏集文斋刻本。 (翟书录)

## 饮虹簃所刻曲

元明清散曲总集,近人卢前辑编。在民国年间曾以"金陵卢氏饮虹簃"之名有过三次刊刻,即1932年、1936年、1946年,经辑编者不断增补,其收书总数达到60种。1979年,江苏广陵古籍刻印社据民国间刊本重印,共40册,分正、续集,每集各30种。除第一种《中州乐府音韵类编》(元代卓从之撰)为韵书以外,其余59种皆为元、明、清三代散曲别集。其中收元人散曲别集凡14种(正集3种、续集11种),其余45种皆为明清人散曲别集。

(赵竹音)

## 全元散曲

元散曲总集,近人隋树森辑编。分上、下两册。全书收入自金代元好问至元明间张碧山等散曲作家

213 人,以及同期无名氏的作品,共辑得元人小令 3850 余首,套数 450 余套(不含残曲)。元代散曲总集,以前仅存《阳春白雪》《太平乐府》《乐府新声》《乐府群玉》4 部,所收散曲家不过数十人。此后任讷《散曲丛刊》、卢前《饮虹簃所刻曲》等皆广为辑录,但仍未得其全。隋氏在任、卢辑录的基础上,又广搜元明两代曲集、曲谱、曲话、文集、词集、词话、道藏等 100 余种著述,加以补充校订,终于将有元一代之散曲作品汇为一编。对于所收散曲的校勘也比较详细。对同一作家之曲,先录小令,再录套数,于曲尾注明出处;对作者、异说、题目与字句的出入,都有详细的校勘记附于作品之后。编排大体依作家年代的先后为序,每一作家均附有小传。书前有《自序》《凡例》《引用书目》,书后有《作家姓名别号索引》《作品曲牌索引》,以便于读者了解此书的编辑情况和检索作品。对于研究元代整个散曲的创作和作家的思想有极重要的价值。1964 年中华书局出版,1981 年再版。　　(李真瑜)

## 散曲聚珍

散曲总集,1989 年上海古籍出版社编辑出版。为点校本。共收入元明两代散曲集 20 种,其中元代 8 种,明代 12 种。元代八种是:《东篱乐府》(邓长风点校)、《关汉卿白朴郑光祖散曲》(贺圣遂、林致大点校)、《刘时中薛昂夫散曲》(周锡山点校)、《梦符散曲》(申梦点校)、《酸甜乐府》(陈稼禾点校)、《小山乐府》(王维提点校)、《卢挚姚燧冯子振王恽散曲》(陈长明点校)、《云庄乐府》(冯裳点校)。明代十二种是:《海浮山堂词稿》(汪贤度点校)、《鹤月瑶笙》(甘林点校)、《沜东乐府》(周永瑞点校)、《秋水庵花影集》(来云点校)、《杨升庵夫妇散曲》(金毅点校)、《江东白苎》(彭飞点校)、《鞠通乐府》(李宗为点校)、《碧山乐府》(沈广仁点校)、《王西楼乐府》(李庆点校)、《诚斋乐府》(翁敏华点校)、《萧爽斋乐府》(骆玉明点校)、《陈铎散曲》(杨权长点校)。　　(赵竹音)

## 全元曲

元代散曲、戏曲总集,徐征、张月中、张圣洁、溪海主编。收录有元一代现存的全部杂剧和散曲作品。全书凡 12 卷,收录元代 287 位存名曲作家和诸佚名曲作者现存的所有作品，包括完整杂剧162种、残剧46种，著录佚目429种，共637种；散曲4609首(套)，为有元一代杂剧和散曲作品的总汇。在所收的每一作家名下，除刊印其作品外，均附有作家小传，介绍其籍贯、简要生平、主要创作活动、前人的重要评述等。每本杂剧，一般包括正文、注释、本事、著录和版本情况。此书所收作品均以元、明刊本为底本，以其他明刊本及近现代整理本作参校本，对收录作品进行了校勘，并作有注释。学界认为该书"体例周备，注释详审"。1998年河北教育出版社出版。　　(翟书录)

## 历代散曲汇纂

元明清散曲选集丛刊，1998年浙江古籍出版社编辑影印出版，为该社"新编小四库丛书"之一种。荟萃元明清三代重要的散曲选集，计有元代的《阳春白雪》《太平乐府》《乐府新声》，明代的《雍熙乐府》《北宫词纪》《南宫词纪》《吴骚合编》，以及《清人散曲选刊》，凡九种。其中前八种作为元明散曲选集早已单独流播于世，唯《清人散曲选刊》一种是将任讷《散曲丛刊》中之《清人散曲选刊》抽出，以补清人散曲选集之缺。卷首有浙江古籍出版社撰写的《"新编小四库"编辑缘起》，并有《出版说明》介绍本书的编辑和底本选用情况；书末附有"《历代散曲汇纂》曲牌索引"。

(赵义山)

## 永乐大典戏文三种校注

宋元南戏合集。《永乐大典》卷13965至13991，凡27卷，收戏文33种。八国联军入侵北京时，全书被劫。其中仅存的最后一卷收入《张协状元》《宦门子弟错立身》《小孙屠》三种，此卷于1920年由叶恭绰从伦敦购回。1931年，北平古今小品书籍印行会刊印，题名《永乐大典戏文三种》。1979年，钱南扬先生根据古今小品书籍印行会刊印本，加以校注，由中华书局排印出版，书名《永乐大典戏文三种校注》；2009年，由平湖市人民政府资助再版。　　(赵竹音)

## 全元戏曲

元代戏曲总集，近人王季思主

编。全书凡12卷,收录完整杂剧210种,南戏19种,残折、散出和佚曲若干。本书编排顺序是先杂剧(第1—8卷),后南戏(第9—12卷)。杂剧部分有姓名可考的作家作品在先,无名氏作品在后;在有姓名可考的作家中,大体以《录鬼簿》的著录先后为序。南戏则以《永乐大典戏文三种》、五大南戏、无名氏作品为序。每部作品均由作家小传、作品介绍(含版本流变情况)、作品正文、校记、附录等部分组成。本书收录齐全,善择底本,体例统一,校勘精细。学界认为该书的出版"嘉惠学林,方便读者,功德无量"。1999年人民文学出版社出版。　　(翟书录)

# 曲谱及论著

## 太和正音谱

曲论和曲谱专著，明代朱权撰。全书分为八章。前七章是曲论，内容包括元曲的体式、元曲的风格、杂剧的分类、杂剧剧目、有关音律和唱曲的论述等。第八章是曲谱，作者依据北曲十二宫调的分类，列出每一宫调中的每支曲牌的句格谱式，注明四声平仄，标出正字和衬字；每支曲牌还选录元人和明初的杂剧或散曲作品为例，共收350个曲牌。元曲有完整的谱式定格，是从这部书开始的。书中的曲论部分，后世有人辑出，题名《涵虚子曲品》或《丹丘先生曲论》，另行刊刻。此书今存影写明洪武间刻本、明程明善辑刻《啸余谱》所收本，此外有1920年上海商务印书馆辑印《涵芬楼秘笈》所收本、1959年中国戏剧出版社出版的《中国古典戏剧论著集成》校勘本。 （李真瑜）

## 北　词　谱

北曲曲谱专著，明徐于室编订。约成书于明末。全书14卷，臆论1卷，附1卷。分为天、地、人三册。此书参照朱权《太和正音谱》编订而成。全书共选录北曲六宫八调曲牌400多个。按宫调编排。书前附有《臆论》1卷，分11个论题论述了北曲的字句声韵、章法句式、字面板眼、犯调成语等。书后附“驳正”一卷，纠正南曲格律谬误。各宫调卷首，列有该宫调所属曲牌名目和套曲联套成例；各曲牌下，以例曲标明正字、衬字、句式、韵位等，后附各种变格，间或加以说明。该书收录广泛，是一部较完备的北曲曲谱。清代以后曲谱，其北曲多参照此书修订而成。今国家图书馆藏有清钞本。 （杨玉芬）

## 北词广正谱

北曲曲谱专著，全名《一笠庵北词广正谱》，清李玄玉编辑。本书是在明徐于室《北词谱》的基础上，稍加增删，并删去《臆论》及“南北合套成目”，并在正文例曲中增标板式而成。正文在每一曲牌下注明套数、小令或杂剧及出处、作者等,然后举例文,断句、标注韵位,并附写变格格式等文字。全书共收五百多个曲牌,书前附有吴伟业所作序言,书尾附有《南戏北词正谬》《牌名讹》各一章。该书有清康熙间青莲书屋刻、文靖书院印本,1919年北京大学石印巾箱本,20世纪30年代北京大学影印康熙刻本,台湾《善本戏曲丛刊》收录本。(杨玉芬)

## 钦定曲谱

简称《曲谱》,由清人王奕清等人奉康熙敕命,考寻旧调编辑而成,所以称为"钦定曲谱"。成书于清代康熙五十四年(1715)。全书分14卷。其中卷首刊载诸家理论,以及九宫谱定论。正文包括北曲谱4卷,以《太和正音谱》为底本,共收335个曲牌;南曲谱8卷,以沈璟的《南曲谱》为底本,收各调引子112支,过曲472支,慢词28支,近词37支,以及各调的尾声总论,共收811个曲牌。书后附有1卷刊载失宫犯调的曲谱,收引子8支,过曲42支。南、北曲牌都按宫调排列目次,对其中的每个曲牌,均选有例曲,并注明句式、四声、韵脚,并分别正、衬。对旧谱中的错字误字,均加以更正,附注其后。是一部体例比较完备的官方曲谱。有清代康熙年间内府刻本、《四库全书》本、《扫叶山房》石印本、《万有文库》本、中国书店1990年影印本(未注明底本)等。

(杨玉芬)

## 九宫大成南北词宫谱

南曲、北曲曲牌格律谱式集大成的著作,简称《九宫大成谱》,由清人周祥钰、邹金生、徐玉华、王文禄等人奉庄亲王允禄之命,于乾隆十一年(1746)编辑而成。全书共82卷,其中南曲51卷、北曲30卷、闰1卷。所收词曲除北曲188套及南北合套36套外,还有单体曲牌,包括南曲1513曲,北曲581曲,连同南北曲变体在内,共计4466曲。所收曲调,依宫调排列,因其兼收南曲和北曲,故称"南北词宫谱"。在同一宫中南曲称宫,北曲则称调或角,全书各卷分别标明"南词宫谱"和"北词宫谱"。在每一宫调中,先列单曲,后列套曲。该书对所列南曲的单个曲牌一般分为"引""正曲""集曲"三类;对所列北曲的单个曲牌则一律被称为“支曲”,不分“引子”和“正曲”。该书虽沿用传统的“九宫”之名,但实际并不仅是“五宫四调”,而是附会每年12个月,每月配有一宫一调,依序排列目次。各曲牌下举出例曲,说明不同的调式,注明句读、工尺、板眼,并分别正衬。该书篇幅宏大,搜采完备。包括唐宋的歌舞大曲,宋代的南戏,金元的说唱音乐诸宫调,元明清三代的戏曲、散曲等。其价值不仅在于曲牌方面,所收录的大量曲文资料,对戏曲、散曲的辑佚校勘非常宝贵。其中元代曲谱包括关、王、白、马、郑、乔六大家的作品在内收元杂剧全折乐谱65套及单曲276曲;散曲曲谱在书中注明的有848曲,加上虽未标明是散曲,但实际存在于《雍熙乐府》《词林摘艳》等清唱歌集中的作品共有属于元代作品的散曲161套,合589曲。属于明代的散曲237套,合988曲。但该书对所编的材料,就其历史来源、歌词作者、剧本名称等,均未加以明确标注。今有清乾隆十一年(1746)内府刻朱墨套印本,1923年古书流通处影印本。　　(杨玉芬)

## 广中原音韵小令定格

散曲曲牌格律专著,近人卢前编著。共2卷1册,书前有陈璞珊所作《序》,书后有朱鐇所作《跋》,并附有编著者所校订编著的曲学书目。上卷为《北曲之部》,共收仙吕、中吕、南吕、正吕、商调、越调、双调、黄钟、大石、小石等十个宫调的曲牌98调。下卷为《南曲之部》,共收仙吕、羽调、正宫、大石、中吕、南吕、黄钟、越调、商调、双调、仙吕、双调等11个宫调的曲牌,凡44调,正文每曲牌析1例,曲文用旧式句读,标明韵脚。后有评语、按语,使用新式标点符号。评语点明该曲的价值、特点,按语介绍其体裁、句法、韵脚、平仄格律等,是一本曲谱兼曲论的著作。该书以《中原音韵》为标准,为小令曲牌而定格,且在《中原音韵》之北曲小令定格40调的基础上,增加到90多调,并增加《中原音韵》没有的南曲44调,故名为《广中原音韵小令定格》。1937年中华书局排印出版。　　(杨玉芬)

## 南北词简谱

曲谱专著,近人吴梅撰。成书

于1931年。全书10卷7册，兼收南北曲谱。该曲谱是在《北词广正谱》《南九宫词谱》的基础上加以简化整理而成。全书收曲牌1195个，其中收北曲327个，南曲868个。依宫调排列，各曲牌下编著者均做简要说明，并举出例句。对所收曲牌每曲皆厘定句数、字数、句法，各字标明声调，通篇标明用韵格式；并以大小字分别正衬。每一宫调后又附联套格式，简明扼要。南曲收录，每一宫调下之曲牌又分引子、过曲、集曲三类。有北京大学出版部石印本、华东师范大学油印本。

（杨玉芬）

## 元人小令格律

散曲曲牌格律专著，近人唐圭璋撰。此书收列元代小令曲牌（包括带过曲中曲牌）共112个，于每曲牌下举出例曲，分别正、衬，注明平仄、句读、韵位，最后对其变体格式及格律之特殊地方一一加以说明。严格以元人小令为依据，其入套之曲及明清人之作一概不录。其义法严明，考定精审，颇具参考价值。最后附有《中原音韵》的韵谱部分。始作于1944年，后经修订，于1981年由上海古籍出版社出版。

（赵义山）

## 中原音韵

曲韵及曲论专著，元周德清撰。此书编成于元泰定元年（1324年），书前有虞集、罗宗信、琐非复初等人序及作者自序。前一部分是“韵谱”，收北曲韵字5876字，分19个韵部编排；后一部分是《正语作词起例》，论述北曲的体制、音律、写作技巧等。“韵谱”部分，在每一韵部下将“平声”分为“阴平”“阳平”，把“入声”分别配属平、上、去三声，凡同音之字归一组。《起例》部分首先分宫调著录“乐府共三百三十五章”（即北曲曲牌）；其后有北曲“定格四十首”，选声情具优之作为例分析常用曲牌之格律特点，是北曲最早之曲谱。故任讷谓周氏此书实以一书而兼有曲韵、曲论、曲谱、曲选四种作用。此书现存版本有如下三个系统：一、讷庵本。刻于明正统辛酉（1441年），卷末有《书中原音韵后》一文。1978年中华书局影印出版的陆志伟、杨耐思校勘本即为此本。二、瞿氏铁琴铜剑楼藏本。约刊于明弘治、正德年间，《重定曲苑》所收本即为此本;1926年海宁陈氏又用《重定曲苑》本与《太和正音谱》合为一种石印刊行。《中国古典戏曲论著集成》所收亦以翟氏本为底本。三、《啸馀谱》所收本。有明万历原刻本,清康熙元年(1662年)复印本。《古今图书集成》《四库全书》所收即源于此本。

(翟书录)

## 中州乐府音韵类编

曲韵专著,元卓从之编。最早附刊于杨朝英所编《朝野新声太平乐府》之卷首。为元周德清所著《中原音韵》韵谱部分之厘定本。此书一依《中原音韵》韵部分19类,但全书收字比《中原音韵》少一千多,而所出现的《中原音韵》不收的字只四五十个。把两书相同的小韵逐一比较,各字出现的次序也往往相同。《中原音韵》和《中州乐府音韵类编》两书之差别在于平声字分阴阳的体例。《中原音韵》只分阴、阳两类,而《类编》分为阴、阳、阴阳三类。元邓文原《太平乐府序》中有"燕山卓氏《北腔韵类》"语,大概即指此书,也有人认为此书系《中原音韵》的早期未定稿本,后经他人窜改者。今存最早的本子是明活字本《朝野新声太平乐府》卷首附印本;《新曲苑》《饮虹簃所刻曲》所收卢前校本;1978年中华书局影印《中原音韵》附印本(陆志伟、廖珣英钞校)。

(杨玉芬)

## 洪武正韵

南曲韵书,明代乐韶凤、宋濂、王僎等人奉旨编修。成书于明洪武八年(1375)。该书分16卷。在宋濂所做的序言中,认为南朝宋人沈约在其《四声韵谱》中提出的四声八病之说,是用吴地的语音来约束中国的音韵学,应该由本书来更正其中的错误。于是,该书以宋代毛晃的《增修互注礼部韵略》为根据,以元周德清的《中原音韵》为参考,采用文字义训、分韵归字的办法,把古音中的平、上、去三声归并为22部,再加入声10部,把历来相传的206韵,并为76韵,使其成了曲韵南派的开创者。注释则是在毛晃的《增修互注礼部韵略》基础,稍加增减而完成的。但由于与当时"中原雅音"不能一致,所以在明代并未推广。有明刻本。

(杨玉芬)

## 琼林雅韵

曲韵专著,明朱权编。基本承袭元周德清《中原音韵》体例,全书共分19韵,所列韵部与《中原音韵》大略相同,只是各部名称不同而已。根据当时北方语言实际,亦仿《中原音韵》,把入声附于平、上、去三声之后。有明洪武刻本、《四库全书存目丛书》影印本。(翟书录)

## 唱论

曲论专著,元燕南芝庵著。全书不分卷,仅有31条,每条不标题目。内容除简略提到古代的一些音乐家、歌唱家、作曲家外,主要是从理论上对前代和当时的演唱情况的概括,论述了唱曲的要领。最初附刊于元杨朝英编辑的《阳春白雪》卷首,未单独刊刻。今存《阳春白雪》附刻本、陶宗仪《南村辍耕录》本、臧懋循《元曲选》附刻本,此外有1959年中国戏剧出版社出版的《中国古典戏曲论著集成》校勘本、1962年中国戏剧出版社出版的周贻白《戏曲演唱论著辑释》本。

(李真瑜)

## 青楼集

元曲史料专著,元夏庭芝撰。成书约在元至正十五年(1335)到至正二十四年(1364)间。卷首有序2篇,有夏庭芝《青楼集志》1文。此书记述了元代几个大城市中的100多位歌伎的生活简历,这些歌伎大多是戏曲和曲艺方面的著名艺人;书中介绍了她们的艺术特长和佚事,并且涉及当时的男演员30多人,以及戏曲家、诗人和名公士夫等50多人的事迹;是研究元代戏曲史重要的文献资料。今存主要版本有:元陶宗仪辑《说郛》本(明崇祯间刊刻)、明无名氏辑《说集》本、明陆楫所辑《古今说海》本,另有1957年中国戏剧出版社《中国古典戏剧论著集成》校勘本。(李真瑜)

## 录鬼簿

元曲史料专著,元钟嗣成撰。初稿完成于元至顺元年(1330),后又两度修订。到元末明初,贾仲明重为增补。全书记载杂剧和散曲作家152人,杂剧作品名目400多种。所载作家分为七类,其中"前辈已死名公,有乐府行于世者”一类中多为元代前期的散曲作家。该书简要记述了元曲作家的里籍、生平和著述情况,为后世研究元曲作家和戏曲史提供了极宝贵的史料。版本繁多,大致可分为三类:一为原著本,不分卷,主要有明无名氏辑录《说集》所收本,这是一种抄本,最接近作者的原著;此外有明孟称舜《古今名剧合选·酹江集》附刻本、1957年上海古典文学出版社《录鬼簿(外4种)》排印本、《古本戏曲丛刊》第四集影印孟称舜刻本。二为明贾仲明增补本,卷首有贾仲明序文,书中补述了元明间一些散曲家、戏剧家的生平和作品目录,并增补吊词80多首,有明天一阁蓝格抄本、1938年北京大学出版社组影印郑振铎、赵万里、马廉合三人的合抄本。三为近人校注本,主要有王国维《录鬼簿校注》本、马廉《录鬼簿新校注》本、上海古典文学出版社《录鬼簿(外4种)》本等。

(李真瑜)

## 录鬼簿续编

元明曲史料专著,元末明初无名氏撰。因原本附于贾仲明增补本《录鬼簿》之后,故或认为此书即为贾仲明著。此书共1卷,在体例上仿照钟嗣成的《录鬼簿》,但没有划分作家的年代,不作挽词。书内记述了元明间戏曲和散曲作家的简略事迹,作品目录。共载杂剧和散曲作家71人,杂剧作品80种,及无名氏的杂剧作品78种。这些记载是研究元明之际杂剧和散曲发展史的极珍贵的文献资料。今存明天一阁藏蓝格抄本,此外有1938年北京大学出版社影印郑振铎、杨万里、马廉三人的合抄本、马廉《录鬼簿新校注》本(包括此书)、1957年文学古籍刊行社排印本、上海古典文学出版社《录鬼簿(外4种)》校印本、1959年中国戏剧出版社《中国古典戏曲论著集成》校勘本。

(李真瑜)

## 辍耕曲录

曲论资料集,元陶宗仪撰。任讷辑自陶宗仪所著《南村辍耕录》,为《新曲苑》的第三种。记述较杂,包括词曲家、歌伎的佚事,一些作品的本事,院本杂剧篇目,曲牌和乐曲名称等。从曲论方面看,其中记述乔吉的“作今乐府法”一节较有价值,此外书中所言“乐府犹宋词之流”,与《中原音韵》诸序的一些观点也是相通的,对明代曲论家有一定影响。《新曲苑》本,1940 年中华书局排印出版。 (李真瑜)

## 词谑

曲论专著,明李开先撰。全书共分四部分:一、《词谑》,选录了一些滑稽讽刺的曲文及故事;二、《词套》,品评前人几十套散曲和杂剧曲文;三、《词乐》,记载了当时几位著名演员的轶事,并列述了当时知名的弦索家和歌唱家;四、《词尾》,举例论述了尾声的做法。李开先十分推重元人曲的风味,认为马致远、张可久的作品苍老清劲,血肉销化俱尽,有如“孙悟空炼成万转金躯”。他继承了元曲家乔吉论作曲的“凤头、猪肚、豹尾”的主张,提出曲尾“必须急并响亮,含有余不尽之意”的要求。以李开先在明嘉靖间曲坛上的地位,此书影响不小,其有关曲作家作品的评论,几乎皆为后世曲家所接受。此书今存明嘉靖间刊本,北京图书馆藏,此外有清康熙间陆贻典据也是园藏本传抄本、1936 年中华书局校订排印本、1955 年文学古籍刊行社影印陆贻典抄《一笑散》本、1959 年中国戏剧出版社《中国古典戏曲论著集成》校勘本。

(李真瑜)

## 曲论

曲论专著,明何良俊撰。系后人从何氏《四友斋丛说》中摘出有关戏曲部分辑录而成。内容以论元曲为主,评论了王实甫、郑光祖等元曲家的创作。提倡本色,主张曲词要有意趣风味,反对肤浅和雕琢。特别论述了文词与音律的关系,力主音律为先。这种主张与前辈曲家周德清、朱权等重音韵的思想相通,对于纠正明中叶“案头化”曲风有积极作用,但缺乏对音律与曲词辩证关系的认识。明后期曲家受这种观点的影响很大。最初由邓实编《古学汇刊》时,与徐复祚《三家村老委谈》中论曲部分合题为《何元朗徐阳初论曲》,1929 年由上海国粹学报刊行。此后有任讷《新曲苑》收录本、1959 年中国戏剧出版社出版的《中国古典戏曲论著集成》校订本。 (李真瑜)

## 曲律

曲论专著,明王骥德撰。凡四

卷,一卷论曲源、总论南北曲、论调名;二卷论宫调、论平仄、论阴阳、论韵、论闭口字、论务头、论腔调、论板眼、论须识字、论须读书、论家数、论声调、论章法、论句法、论字法、论衬字、论对偶;三卷论用事、论过搭、论曲禁、论散套、论小令、论咏物、论俳谐、论险韵、论巧体、论戏剧、论引子、论过曲、论尾声、论宾白、论科诨、论落诗、论部色、论讹字、杂论;四卷为杂论、论曲亨屯。此书涉题之广、识见之深,在元明诸家中罕有其匹。有明刻本存国家图书馆,其易得者为董康《读曲丛刊本》、陈乃乾《重订曲苑》本、中国戏剧出版社《中国古典戏曲论著集成》校勘版。

(赵义山)

## 顾曲杂言

曲论专著,明沈德符撰。后人从沈氏所著《万历野获编》中摘录有关曲论部分而成。内容包括南、北曲若干作家与作品的评论,有些还涉及音乐、舞蹈、小说等的论述和考证。书中论及元曲的是《北南散套》《杂剧院本》几节。对马致远、张可久的散曲创作,评价亦高。主要版本有《学海类编》文词部所收本、《曲苑》本、中国戏剧出版社《中国古典戏曲论著集成》本。

(李真瑜)

## 少室山房曲考

曲论专著,明胡应麟撰。任讷辑录。胡氏著有《少室山房笔丛》四十卷,内容以考据为主,范围涉及经史百家及道书释典等,其中对小说和戏曲的评论考证,较受后人重视。此书为任讷从《少室山房笔丛》中辑录有关戏曲、散曲部分而成,列为其所编《新曲苑》第八种。内容多在元明戏曲的论考方面。对马致远和张可久的散曲创作十分推崇。论曲观点独特,但在一定程度上也有以诗论曲的倾向。1940 年中华书局排印出版。

(李真瑜)

## 乐府传声

曲论专著,清徐大椿撰。全书1卷,分35目,论述了唱曲字音的四声阴阳和抑扬顿挫等规律。书中"源流""元曲家门""曲情"等目,涉及曲的演变、特点和情感问题;要求演员要进入角色,而不是单纯"寻腔依调”,见解颇可取。初刻于乾隆十三年(1748),此外,还有清道光四年(1824)徐培重刻本、清咸丰九年(1859)吴桂重刻本以及任讷《新曲苑》所收本、1959年中国戏曲出版社出版的《中国古典戏曲论著集成》校勘本。（李真瑜）

## 宋元戏曲考

戏曲、散曲研究专著,近人王国维撰。博涉群书,对宋元戏曲若干问题进行了纵横考论,一直被学界推尊为中国戏曲史的开山之作。由于不是单论戏剧,而是“戏”与“曲”兼论,因此,对我们了解元曲体制的渊源和形成,有重要参考价值。所汇集的大曲、唱赚等诸多曲艺史料,一直为曲学研究者不断引用。王氏另有《唐宋大曲考》《戏曲考原》等论著,也颇具参考价值。《宋元戏曲考》一书1915年由上海商务印书馆以《宋元戏曲史》书名出版,1934年重印。1940年上海商务印书馆出版《王静安先生遗书》,仍以《宋元戏曲考》书名收入。中国戏剧出版社1957年出版、1984年重印之《王国维戏曲论文集》亦收有此书。（赵义山）

## 顾曲麈谈

曲论专著,近人吴梅撰。凡四章,第一章《原曲》,论宫调、论音韵、论南曲作法、论北曲作法;第二章《制曲》,论作剧法、论作清曲法;第三章《度曲》;第四章《谈曲》。前三章皆为曲的创作理论及方法技巧论述。其《谈曲》一章,则综合前人诸多记载,结合具体作品,对数十位元明重要曲家进行了简要评述。此部分内容对于元明散曲作家作品的研究颇具参考价值。但其引用前人论述,大多不注出处,故对于论述中何者为前人之言,何者为吴氏发明,须作辨别。吴氏另有《曲学通论》《中国戏曲概论》,亦有可资参考处。最早有上海商务印书馆1930年印本,1935年重印。1983年中国戏剧出版社出版王卫民编辑的《吴梅戏曲论文集》已将其收入,吴氏《曲学通论》《中国戏曲概论》亦被收入该书内。（赵义山）

## 散曲史

第一部中国散曲通史,近人卢前著。系卢前20世纪30年代初在成都大学(今四川大学)教授散曲的讲义。一共分为五讲:第一,散曲史发端;第二,元代散曲盛况;第三,明曲前后两时期;第四,自清以来散曲家;第五,散曲史编后补志。版心上印题名,下印国立成都大学印,卷后印1920年12月2日冀野记于成都南门石室后寓斋。1930年国立成都大学印行。 (赵义山)

### 散曲概论

散曲专著,近人任讷著。当为近世第一部系统性的散曲专论,凡二卷。第一卷分序说、书录、名称、体段、用调、作家等六部分;第二卷分作法、内容、派别、余论四部分。对元明清三代之散曲文献、作家作品、散曲的形式、内容、流派以及创作理论与方法等,皆有精深考订与论述,实为近现代最具系统性的散曲研究的开山之作。有1931年中华书局出版之《散曲丛刊》本。

(赵义山)

### 曲　谐

曲论专著,近人任讷撰。共四卷。其内容略仿明李开先《词谑》,选摘散曲中奇妙之作加以欣赏品评,且对散曲文献、作家作品、曲学史料等多有考论。全书引述广博,论述亦多独见,非一般曲话著作可比。有1931年中华书局出版之《散曲丛刊》本。 (赵义山)

### 中原音韵作词十法疏证

曲论专著,简称“作词十法疏证”,元周德清原著,近人任讷疏证。一卷。周德清《中原音韵》,其内容有前后两大部分:前一部分是韵谱,后一部分是《正语作词起例》。在《正语作词起例》中有“作词十法”一篇,主要论述北曲的音律、写作技巧等,任氏辑元明以来诸家论说,对这部分内容作了详细疏证,还参考多种版本校补文字讹脱,并于卷末概述全书内容,对曲律、曲韵及散曲风格等问题作了精辟论述。此书不仅对“作词十法”有精详的注释,而且又表现了任氏的曲学思想。1931年中华书局出版,收入《散曲丛刊》。

(赵义山)

### 元明乐府套数举略

散曲格律专著,周明泰选辑。

辑录元明套数,将每一种格式的套数,都将其曲牌组合次序列出,以供写作套数者参考。全书分为北曲、南曲、南北合套三部分。北曲所列套数,按黄钟宫、正宫、般涉调、仙吕、中吕、南吕、双调、越调、商调、大石调、小石调等归为11类;南曲所列,按黄钟宫、正宫、仙吕、中吕、南吕、双调、仙吕入双调、越调、商调、大石调、小石调、羽调等归为12类;南北合套归为黄钟宫、正宫、仙吕、中吕、南吕、双调、越调、商调等8类。书前有朱希祖序和赵万里序。有1932年石印本。(赵义山)

## 元明散曲小史

近人梁乙真著。该书共分十章,前四章论述元代散曲,并依各家活动时代先后分为前后两期:一、从散曲的开场到大德年间,以关汉卿、马致远为主;二、从大德年间至元末,以张可久、杨朝英为主。后六章论述明代散曲,分为三期:一、洪武至成化末,以汪元亨、朱有燉为主;二、弘治至嘉靖间(昆腔未起之前),以康海、冯惟敏及王磐、沈仕为主;三、从嘉靖到明亡(昆腔既起之后),以梁辰鱼、沈璟、施绍莘为主。卷首有《导论》论散曲的起源、体制和分期问题;卷末附论小曲及散曲研究参考书目。因其出版较早,对作家创作活动时代、发展分期和代表作家的确定论述存在一定问题。商务印书馆1934年出版,1998年重印。(赵义山)

## 曲海扬波

曲论资料汇集专著,任讷辑。此书凡六卷,乃任氏从元明以来诸家笔记杂著中选录有关曲学资料,总为一集,且列有分类目录。共分古戏曲、元杂剧、明杂剧、明传奇、散曲、曲谱、曲韵、脚色、曲牌等20余类,每一类之下注明卷次、页码,以方便检索。此书对曲学研究颇具参考价值。有1940年上海中华书局出版之《新曲苑》本。

(赵义山)

## 元曲家考略

元曲作家论考专著,孙楷弟著。作者从元明以来浩繁的史、集卷帙中广搜博辑有关元曲家的资料,对80多位曲家的生平作了考订,在不同程度上弄清了这些作家的身世大略。其所考之曲家,大多为前人疏于记载者;其所据之资料,亦多为人们见闻未及者。就其所据材料之确凿、涉历之广泛、考订之精审而言,作者在元曲家生平考证方面的贡献,当居首功。此书已成为元曲研究者知人论世的必备之书。1953年上海杂志出版社出版了此书。其后作者又陆续有所增补,1981年上海古籍出版社出版了增补本。作者另有续稿,部分篇目发表于《文学遗产》。 (赵义山)

### 元曲六大家略传

元曲作家评论专著,谭正璧著。其所传六大家为:关汉卿、王实甫、白朴、马致远、郑光祖、乔吉。该书把有关六位作家的生平及其作品的研究资料汇集排比在一起。其所辑资料,经过比勘,较为可靠。卷端有吴晓玲序。1957年2月古典文学出版社出版。 (赵义山)

### 中国散曲史

①罗锦堂著。书凡四章,第一章"散曲概论",论散曲之起源、形式与特质。其后,第二章"元人散曲",第三章"明人散曲",第四章"清人散曲",此三章则依时代或风格,列举元明清三代重要散曲作家及作品,并进行评述。该书对梁乙真《元明散曲小史》、郑振铎《插图本中国文学史》、冯沅君《中国诗史》等书相关内容多所借鉴。书前有著者《自序》,书后附录一为"散曲总目汇编",附录二为"参考书目举要"。1959年台北中华文化出版事业委员会出版,1983年台北中国文化大学出版部新版。②梁扬、杨东甫合著。凡五章,章目依次为:绪论、万古不朽的元散曲、堪与元散曲相伯仲的明散曲、强弩之末的清散曲、回光返照的民国散曲。书后有结语、后记。撰著者受阅历所限,在后记中称此前"还未见有一部系统的、完整的散曲史著作出版",因与事实不符,大受诟病,但其对作家作品的评述,时有中肯之论,尤其首论民国散曲,拓宽研究范围,自有其价值。1995年广西人民出版社出版。

(翟书录)

### 元曲纪事

元散曲作品考论集,王文才编著。仿《唐诗纪事》《宋词纪事》体例,将诸家笔记、杂著论及之元代散曲汇为一编,并荟萃诸家记载、考证、赏评之语于该作品之后,使诸多散珠碎玉得以贯串连缀,省却读者许多爬梳翻检之劳。在一些作品的资料荟萃之后,作者时有按语,或考订辨析、或梳理资料源流,颇谨严简要,多所发明。每位曲家名下有略传;书后附录有"古曲"和"南词旧曲"。此书成编于60年代初,1985年由人民文学出版社出版。

(赵义山)

### 元人散曲论丛

元散曲研究论集,隋树森著。全书共收有16篇文章,是作者在整理元人散曲总集、辑编《全元散曲》的过程中,对于元散曲文献、元散曲体式特征、元散曲发展历史、元散曲作家及其创作等诸多问题的论述。1986年齐鲁书社出版。

(赵义山)

### 元 曲 释 词

元曲语词汇释专著,顾学颉、王学奇著。作者搜集了元杂剧和元散曲中常用的方言俗语词汇、部分短语和典故,共约3000条(加上附目约5000条),一一进行了详细的考释。于每条词目之下,先附各种异体,罗列例句,然后解释。在解释词义时,作者并不局限于以元曲证元曲、平面罗列、比较归纳的一般方法,而是本着纵横交错、原始要终的精神,尽可能在古代文献中详考所释词语之语源,并结合现代汉语理解其演变过程,从而得出较确切的解释。其收词丰富、例句充分、考释谨严。尤其语源考索一项,填补了以前类似辞书的空白。全书词条按音序排列,全书末附有按繁体字笔画编列的词目索引。此书凡四册,从1983年至1990年间由中国社会科学出版社陆续出版。

(赵义山)

### 全元散曲典故辞典

吕薇芬著。专门考释隋树森《全元散曲》所收作品中的典故,共考释元散曲所用典故1100多个。每个典故释文分三项:一、出典:即征引典故原文,指明出处;二、释义:概述典故原文要义,说明典故的一般含意;三、例句:举出该典故在《全元散曲》中的用例。该书考释严谨

简明,对阅读《全元散曲》有较大帮助。于1985年由湖北辞书出版社出版,隶属该社所出《典铨丛书》内。（赵义山）

## 雍熙乐府曲文作者考

隋树森著。《雍熙乐府》一书原为明代郭勋所编元明散曲、戏曲综合集,其所收作品,一般不标出作者姓名。隋树森从大量元明曲选、曲牌、曲话以及有关杂书中查找、搜集,对《雍熙乐府》所收之曲逐一进行考订,终于考查出该书所收作品近半数篇目的作者姓名。并依《四部丛刊》本册次、宫调和曲牌顺序,在书后附有检索表,读者可以按表中所注页码查阅该书中对某一曲作者姓名的考订。对未考出作者姓名的作品,该书也举出首句,并留有空白,意在期望研究者将新的考订结果填补进去。1985年书目文献出版社出版。（赵义山）

## 读曲常识

刘致中、侯镜昶著。此书从四个方面介绍了读曲的一些基本常识。一、曲的起源和特点;二、南曲和北曲;三、散曲和戏曲;四、曲律和曲牌。在介绍曲律和曲谱时还介绍了《太和正音谱》《南九宫曲谱》等10种曲谱的特点与用途。1985年上海古籍出版社出版。

（孙　艳）

## 元散曲的音乐

孙玄龄著。分上、下两册。上册题为《元散曲音乐研究》,先有《绪论》论及研究元散曲音乐的意义,正文共四章:一、乐谱材料来源和曲集的介绍;二、现存元散曲乐谱音乐历史年代初探;三、关于元散曲音乐的若干问题;四、元曲宫调初探。上册前有黄翔鹏序,后有两个附录:一、现存元曲作品所用曲牌索引;二、现存元曲作品所用套曲形式一览表。下册题为《现存全部元散曲乐谱》,其内容是将清周祥钰等所编《九宫大成南北词宫谱》中所收元散曲作家的全部作品所标注的工尺谱译为五线谱和简谱,按宫调次序编排,同一宫调中的曲子则按作家归类。下册书前有《译谱说明》介绍译谱的情况。1988年文化艺术出版社出版。（赵竹音）

## 元曲百家纵论

门岿著。本书对元代散曲家事可考,曲可传,当日声名显赫者,择其要一一叙其事,论其作。正文一百节,涉及散曲家一百数十人,钩稽材料颇为丰富,其文笔生动流畅,叙事多有情趣,而论说亦多新见。书后附录"元散曲家一览"可窥知元代散曲曲坛总貌。1990年教育科学出版社出版。 (赵竹音)

## 元曲大辞典

①卜健主编。共收入元曲及其与元曲相关的词目6012条,分为上、下两编共15个类别。其中上编八个类别:语词、典故、元曲作家、杂剧作品、散曲精析、典籍、戏曲文物、艺人与演出;下编七个类别:美学与笔法、掌故与逸事、专有知识、元代官制、社会文化背景、国内研究、海外研究。该书前有"凡例"及王洪序、吴晓铃序,书后附录有:现存元杂剧一览表、全元散曲详目、元代大事记、元代官品封号及章服简表、元曲家任元代官职摘要一览表等。学苑出版社1991年出版。②李修生主编。正编共收录词条2500余条。前设"分类目录",共分作家、艺人、杂剧作品、散曲作品、曲谱、名词术语、文献文物、研究著作等八类。附录部分有元杂剧全目、元曲大事年表、四十年来元曲研究论著索引。书前有李修生所撰"前言",书后有音序索引,以便查检。1996年江苏古籍出版社出版。 (赵竹音)

## 散曲通论

羊春秋著。凡十章,自第一章至第十章,依次为绪论、体制论、声律论、章句论、辞采论、作家论(元)、作家论(明)、作家论(清)、流派论、余论。该书结构严密,论述精要,新见迭出。1992年岳麓书社出版。

(曾卜)

## 中国古代散曲史

李昌集著。凡三卷,第一卷为《散曲形式发展史》,第二卷为《散曲文学潮流史》,第三卷为《散曲作家创作史》;三卷相辅相存,构成严密整体。该书是继任讷《散曲概论》之后的又一部较有分量的散曲史研究专著。1991年华东师范大

学出版社出版。（曾　卜）

## 元曲管窥

门岿著。作者元曲研究的论文集，分“总览篇”和“细察篇”两部分。“总览篇”为综论元曲及元曲研究总貌的文章，凡20篇；“细察篇”为论述某一作家、作品的文章，凡23篇。书之扉页有著者简介，书前有作者所作《前言》。1993年天津人民出版社出版。

（曾　卜）

## 元散曲通论

赵义山著。初版凡十章，自第一章至第十章依次为：北曲的形成、北曲的曲牌宫调、元散曲的体式、元散曲的特征、元散曲的作家构成与群体风貌、元散曲的演化阶段、元散曲的始盛阶段、元散曲的鼎盛阶段、元散曲的衰落阶段、元人的曲论，附录为：元散曲研究基本文献叙略。初版1993年由巴蜀书社出版。再版修订本则为十二章，相比于初版，在第四章之后新增了“元散曲与元杂剧”一章，并将初版附录的“元散曲研究基本文献叙略”作为一章纳入正论，书后附录则为《斜出斋词曲小集》，收录作者词曲作品30首。再版修订本2004年由上海古籍出版社出版。在曲源、曲体、曲史、曲派的论述中多有创意，被学界誉为“20世纪中散曲断代史研究的扛鼎之作”。（曾　卜）

## 元散曲艺术风格研究

王星琦著。系统研究元散曲艺术风格的专著，全书除“绪论”外，分为“杂剧篇”和“散曲篇”两部分。杂剧篇凡四章：一、元杂剧分期和作家时地问题；二、元人喜剧综论；三、元人悲剧片论；四、元剧艺术风格探赜。散曲篇凡三章：一、精神气候与文化土壤；二、审美观念与意趣趋向的突破；三、风格流派举要。前有吴新雷《序》，对作者的学术功力和该书特色多有肯定；书后有作者《后记》记叙该书撰著情况。1996年江苏文艺出版社出版。

（曾　卜）

## 元人散曲新探

汪志勇著。该书共收录著者元散曲体式如带过曲、小令、套数、重头等方面的研究论文5篇,另有《关汉卿散曲研究》、台湾《高中国文第五册散曲选及第六册糟糠自厌的几个小问题》两文。1996年台湾学海出版社出版。（曾 卜）

## 元散曲艺术论

王毅著。由绪论、体制篇、意趣篇、辞采篇四部分构成。绪论综论元散曲的审美特征;体制篇分三章论述元散曲的代言、务头艺术以及〔鹦鹉曲〕的体制;意趣篇分四章分别论述元散曲的曲折、模糊、梦幻、真诚率直等艺术特征;辞采篇分四章分别论述元散曲的叠字、比喻、引用、色彩等艺术特点。书前有羊春秋、门岿所作序言,书后附录有:冯子振的散曲艺术、冯子振年谱、主要参考书目等。1997年岳麓书社出版。（曾 卜）

## 元代散曲论丛

王忠林著。共收录著者元散曲研究方面的论文22篇,其中论述元散曲内容、社会反映、隐逸思想、方言俗语等方面问题的共6篇,属于作家个案论述的凡16篇,所论作家有王德信、商挺、关汉卿、胡祇遹、卢挚、马致远、冯子振、白贲、贯云石、徐再思、郑光祖、睢景臣、杨朝英、周德清等。1997年台北文津出版社出版。（曾 卜）

## 中国散曲学史(正、续编)

杨栋著。系博士论文。《正编》于1998年在高等教育出版社组织的"高校文科博士文库"中出版,除《前言》《后记》外,正文凡四章,依次为:导论、散曲学与散曲学史、散曲起源及元前之渊源研究、元代散曲学概观、元代散曲学三大家。《续编》于1998年在山东大学出版社组织的"山东大学中国古代文学博士学位论文丛书"中出版,书前有袁世硕先生《序》对该书的学术价值给予充分肯定。书后有著者《后记》简介其博士论文之撰写情况。正文凡三章,依次为:明代散曲学概观、明代散曲学三大家、传统散曲学的衰微与近代散曲学的崛起。

（曾 卜）

## 斜出斋曲论前集

赵义山著。分"曲史新探""曲

家新考”“曲作新论”“曲论新见”“附录”等五部分,共收入作者元散曲研究方面的论文13篇,对诸多问题多有新见。书前有李修生先生所作《序》,对著者的研究方法和显著成绩给予充分肯定。正文之后附有《20世纪元散曲研究论文索引》。书后有著者自传性《后记》一篇,言多感愤。1999年四川人民出版社出版。（曾 卜）

## 元明散曲史论

王星琦著。分为上、下两编,各四章。上编四章为“本体论”,侧重于对散曲文学本身文化意味的探求,以及散曲文学的文体意义和美学意蕴的阐释;下编四章主要是从史的层面作纵向考察,意在探索承传与新变的关系。书前有著者前言,简论散曲的文体意义以及本书的撰著目的与学理基础;书后附有主要参考书目。1999年南京师范大学出版社出版。（曾 卜）

## 元曲通融

元曲大型论文集,近人张月中主编。分“综论”与“诸家”两大卷。综论包括:曲论、杂剧、散曲、曲典;诸家卷包括:杂剧(杂剧作家或兼作散曲者)、散曲(只作散曲的作家)。两卷共收20世纪元曲研究论文两千篇。书前有罗锦堂序、张涛所撰《前言》。1999年山西古籍出版社出版。（曾 卜）

## 全元曲典故辞典

吕薇芬著。在《全元散曲典故辞典》的基础上增补而成。《全元散曲典故辞典》是针对隋树森《全元散曲》一书所收作品涉及的典故进行诠释的,《全元曲典故辞典》则增补了元代戏曲,其涉及的戏曲文献有臧晋叔《元曲选》、隋树森《元曲选外编》,以及《六十种曲》中所收之《琵琶记》《荆钗记》《幽闺记》《白兔记》《杀狗记》等。其体例一如《全元散曲典故辞典》,分出典、释义、例句等三项。该书是阅读元代散曲、戏曲的重要工具书。2001年湖北辞书出版社出版。

（赵义山）

## 20世纪元散曲研究综论

赵义山著。凡九章,第一章“20

世纪元散曲研究的历史回顾”分三期对20世纪百年间元散曲研究的历史进行了总结,从第二章到第五章是对元散曲源流、体式特征、艺术技巧、艺术风格、题材内容等方面研究内容的综论,从六章到第九章是对元散曲作家群体与个案研究内容的综论。书后另有四个很有价值的附录:一、何贵初撰《近五十年(1950—2000)香港、台湾及海外元散曲研究概述》;二、20世纪元散曲研究学人简介;三、20世纪元散曲研究书目;四、20世纪元散曲研究论文索引。2002年上海古籍出版社出版。　　(曾　卜)

## 曲体研究

俞为民著。论题有:宫调考述、南曲曲体的沿革与流变、北曲曲体沿革与流变、南戏曲曲调组合形式考述、北曲曲调组合形式考述、南曲曲韵的沿革与流变、曲韵韵位研究、南北曲曲调字声与腔革研究、南北曲同调异体考伦、南曲谱的沿革与流变、北曲谱的沿革与流变、戏曲工尺谱的沿革与流变。2005年中华书局出版。　　(曾　卜)

## 卢前曲学四种

近人卢前著。系卢前民国年间曲学研究四部旧著的合集,2006年中华书局出版。书前有卢前好友张充和序、杨宪益序,书后附张友鸾《卢冀野怀念师尊》、赵景深《卢前斋偷书记》两篇旧文。这四部旧著分别为:《明清戏曲史》《读曲小识》《论曲绝句》《饮虹曲话》。其中《明清戏曲史》于1935年由上海中华书局出版,共七章,其章目依次为:明清剧作家之时地、传奇之结构、杂剧之余序、沈璟与汤显祖、短剧之流行、南洪北孔、花部之纷起,书前有作者自序。《读曲小识》最初于1936年—1937年间在上海《艺文》杂志发表,1941年由长沙商务印书馆出版,凡四卷,是作者1935年应邀为涵芬楼所购怀宁曹氏所藏抄本戏曲70部做整理工作时所作杂记的汇编,书前有作者自序。《论曲绝句》是以绝句形式对元明清三代40余位散曲作家的评论,最初为1912年国立成都大学铅印本,书前有龚道耕序。《饮虹曲话》为卢氏论曲文字若干则。　　(赵竹音)

## 中国散曲综论

梁扬、杨东甫著。该书为广西大学中国古代文学学科建设资助项目。该书在介绍了散曲的渊源、发展轨迹、体制形式、格式韵律的基础上，分别论述了元明清三代乃至民国的散曲作家和作品。2007年中国社会科学出版社出版。

（曾　卜）

## 民族文化交融与元散曲研究

云峰著。共六章，内容包括民族文化交融与元散曲研究的社会历史文化背景、蒙古及北方其他少数民族及其文化对元散曲形成发展之影响、关于俗文学成为主流、民族文化交融与爱情婚姻及两性关系描写、叹世归隐类元散曲创作、元代少数民族曲家及其创作等问题。书前有李修生先生序，书后附有参考书目及作者后记。2011年广西师范大学出版社出版。（曾　卜）

# 元散曲常用曲牌简谱

## 说 明

下面简谱中所注“平”“仄”，分别表示平声和仄声。标明“平”声者，一般不限阴平、阳平；标明“仄”声者，一般不分上、去。标明“上”“去”者，一般必得上声与去声，其节奏方更为分明。标明“×”者，表明可用平声，也可用仄声。在某句末标有“(韵)”字者，表示该句末字应当押韵。例曲中凡用小字标出者，皆应示为衬字；在某句末字下加点者为韵字。

## 目 录


一、常用小令曲牌

一半儿 …… 1316
人月圆 …… 1317
山坡羊 …… 1317
上小楼 …… 1317
小桃红 …… 1318
小梁州 …… 1318
天净沙 …… 1319
四块玉 …… 1319
叨叨令 …… 1319
红绣鞋 …… 1320
沉醉东风 …… 1320
迎仙客 …… 1321
金字经 …… 1321
凭阑人 …… 1321
风入松 …… 1322
后庭花 …… 1322
寄生草 …… 1322
清江引 …… 1323
梧叶儿 …… 1323
得胜令 …… 1323
普天乐 …… 1324
朝天子 …… 1324
喜春来 …… 1325
黑漆弩 …… 1325
塞鸿秋 …… 1325
殿前欢 …… 1326
寨儿令 …… 1326
满庭芳 …… 1327
寿阳曲 …… 1327
庆东原 …… 1327

醉太平 …………………… 1328
醉中天 …………………… 1328
醉扶归 …………………… 1329
卖花声 …………………… 1329
拨不断 …………………… 1329
蟾宫曲 …………………… 1330
水仙子 …………………… 1330
庆宣和 …………………… 1331

## 二、常用带过曲曲牌及带过格式

十二月过尧民歌 ………… 1331
脱布衫过小梁州 ………… 1332
雁儿落过得胜令 ………… 1332
醉高歌过红绣鞋 ………… 1333
骂玉郎过感皇恩采茶歌 … 1334
快活三过朝天子 ………… 1334

## 三、常用套曲曲牌及组套格式

黄钟·醉花阴 ………… 1335
正宫·端正好 ………… 1337
仙吕·赏花时 ………… 1339
仙吕·点绛唇 ………… 1340
中吕·粉蝶儿 ………… 1343
南吕·一枝花 ………… 1345
越调·斗鹌鹑 ………… 1347
双调·夜行船 ………… 1349
双调·新水令 ………… 1351
商调·集贤宾 ………… 1354
大石调·青杏子 ………… 1356

# 一、常用小令曲牌

### **一半儿**(又名〔忆王孙〕)

此曲五句,五韵。末句末字以押上声韵为宜,但也可押平声韵。末句嵌入两个“一半儿”。

×平×仄仄平平(韵),×仄平平平去平(韵),×仄×平平去平(韵)。仄平平(韵),一半儿平平一半儿上(韵)。

**例曲**:关汉卿【仙吕·一半儿】题情

碧纱窗外静无人,跪在床前忙要亲,骂了个负心回转身。虽是我话儿嗔,一半儿推辞一半儿肯。

## 人 月 圆

此曲有〔么篇〕换头(改前片首二句为三句)。共十一句,四韵。

×平×仄平平去,×仄仄平平(韵)。×平×仄,×平×仄,×仄平平(韵)。〔么〕×平×仄,×平×仄,×仄平平(韵)。×平×仄,×平×仄,×仄平平(韵)。

**例曲**:张可久【黄钟·人月圆】山中书事

兴亡千古繁华梦,诗眼倦天涯。孔林乔木,吴宫蔓草,楚庙寒鸦。〔么〕数间茅舍,藏书万卷,投老村家。山中何事?松花酿酒,春水煎茶。

## 山坡羊(又名〔苏武持节〕〔山坡里羊〕)

此曲十一句,九韵。第七、九、十一句末字以押上声韵为宜,但亦可押平声韵。

平平平去(韵),平平平去(韵),×平×仄平平去(韵)。仄平平(韵),仄平平(韵),×平×仄平平去(韵),×仄×平平去上(韵)。平,×去上(韵);平,×去上(韵)。

**例曲**:张养浩【中吕·山坡羊】潼关怀古

峰峦如聚,波涛如怒,山河表里潼关路。望西都,意踌蹰,伤心秦汉经行处,宫阙万间都作了土。兴,百姓苦;亡,百姓苦。

## 上 小 楼

此曲九句,七韵。首句、七句末字以押平声韵为宜,但亦可押上声韵。其中三、四、五句多用对仗,末句需作上三下四结构。

×平仄平(韵),平平平去(韵),×仄平平,×仄平平,×仄平平(韵)。仄仄平(韵),×仄平(韵),平平平去(韵),仄平平仄平平去(韵)。

**例曲**:张可久【中吕·上小楼】春思

寒潭玉龙,仙山幺凤,春到南枝,人在西楼,笛怨东风。曲未终,酒不空,罗浮仙梦,月黄昏暗香浮动。

## 小 桃 红

(又名〔平湖乐〕〔武陵春〕〔采莲曲〕〔绛桃春〕)

此曲八句,常用七到八韵,第六句可押可不押,第七句个别不押韵。

×平×仄仄平平(韵),×仄平平去(韵)。×仄平平仄平去(韵),仄平平(韵),×平×仄平平去(韵)。×平去×,×平×去(韵),×仄仄平平(韵)。

**例曲**:张可久【越调·小桃红】春思

倚阑花影背东风,暗解清宵梦。舞扇歌衫与谁共,恨忡忡,一春愁压眉山重。灯花玉虫,罗屏金凤,残月小帘栊。

## 小 梁 州

此曲有〔幺篇〕换头,须连用。共十一句,九韵。第七句需作上三下四结构。首句在与〔脱布衫〕组成带过曲时则多作"×仄平平仄仄平"。

×平×仄仄平平(韵),×仄平平(韵)。×平×仄仄平平(韵),平平去(韵),×仄仄平平(韵)。(幺)×平×仄平平去(韵),×平××仄平平(韵)。×仄×,平平去(韵),×平×去,×仄仄平平(韵)。

**例曲**:张可久【正宫·小梁州】湖山堂上醉题

渔翁蓑笠钓船孤,棹入蓬壶。湖山堂上柳千株,芭蕉绿,凉影翠扶疏。〔幺〕东坡旧日题诗处,喜无人任我歌呼。半醉时,秋山暮,一行白鹭,万朵锦芙蕖。

## 天净沙(又名〔塞上秋〕)

此曲五句,五韵。第三句末字以押上声韵为宜,但亦可押平声韵。

×平×仄平平(韵),×平×仄平平(韵),×仄平平去上(韵)。×平平去(韵),×平×仄平平(韵)。

**例曲**:马致远【越调·天净沙】秋思

枯藤老树昏鸦,小桥流水人家,古道西风瘦马。夕阳西下,断肠人在天涯。

## 四　块　玉

此曲七句,五韵。首句和五句亦可用韵,六、七句末字以押平声韵为宜,但亦可押上声韵。第一、二句,五、六句常用对仗。

×仄平,平平仄(韵),×仄平平仄平平(韵),×平×仄平平去(韵)。×去平,×去平(韵),平去平(韵)。

**例曲**:马致远【南吕·四块玉】叹世

佐国心,拿云手,命里无时莫刚求,随时过遣休生受。几叶绵,一片绸,暖后休。

## 叨　叨　令

此曲七句,五韵。前四句多作对仗。五、六两句叠,“也么哥”是定格。也作“也波哥”“也末哥”。

×平×仄平平去(韵),×平×仄平平去(韵)。×平×仄平平去(韵),×平×仄平平去(韵)。仄×也么哥,仄×也么哥,×平×仄平平去(韵)。

**例曲**:杨朝英【正宫·叨叨令】叹世

昨日苍鹰黄犬齐飞放,今日单鞭羸马江南丧。他待学欺君罔上曹丞相,不如俺葛巾漉酒陶元亮。倒大来快活也末哥,倒大来快活也末哥,渔翁把盏樵夫唱。

## 红绣鞋(又名〔朱履曲〕)

此曲六句,五韵。第二句末字以押平声韵为宜,但亦可押上声韵。末句末字以押上声韵为宜,但亦可押平声韵。首二句多用对仗,常添一字作上三下四结构。第三句也作“×平×仄仄平平”。第四、五句多作五字对仗。

×仄平平×去(韵),×平×仄平平(韵),×仄平平仄平平(韵)。平×仄,仄平平(韵),×平平去上(韵)。

**例曲**:张可久【中吕·红绣鞋】洞庭道中

逐名利长安日下,望乡关倦客天涯,孤雁南来倍思家。乱山云掩翠,老树雪生花,冻吟诗骑瘦马。

## 沉醉东风

此曲共七句,六韵。首句末字押上声韵与平声韵皆可。第五句末字以押去声韵为宜,但亦可押平声韵。末句偶有押平韵者。首二句用对仗。第三、四句亦用对仗,也可作五字句对仗。第五、七句需作上三下四结构。

×仄平平去上(韵),×平×仄平平(韵)。×仄平,平平仄(韵)。仄平平××平去(韵),×仄平平仄仄平(韵),×仄仄平平去上(韵)。

**例曲**:卢挚【双调·沉醉东风】秋景

挂绝壁松枯倒倚,落残霞孤鹜齐飞。四周不尽山,一望无穷水。散西风满天秋意,夜静云帆月影低,载我在潇湘画里。

## 迎仙客

此曲共七句,六韵。首句个别不用韵。第三句末字以押平声韵为宜,但亦可押上声韵。第五句末字押平声韵上声韵均可。

×仄平(韵),仄平平(韵),×平仄平平仄平(韵)。仄平平,×去平(韵)。×仄平平(韵),×仄平平去(韵)。

**例曲**:张可久【中吕·迎仙客】湖上送别

钓锦鳞,棹红云,西湖画船三月春。正思家,还送人。绿满前村,烟雨江南恨。

## 金字经(又名〔阅金经〕〔西番经〕)

此曲共七句,六韵,个别首句用韵。

仄仄平平去,仄平平仄平(韵),×仄平平×仄平(韵)。平(韵),×平平仄平(韵)。平平去(韵),仄平平仄平(韵)。

**例曲**:张可久【南吕·金字经】闺怨

宝鉴残妆晕,帕罗新泪痕,又见梨花雨打门。因,玉奴心上人。无音信,倚阑看暮云。(注:末句"看"字在此处为平声)

## 凭阑人

此曲共四句,四韵。

×仄平平平仄平(韵),×仄平平平仄平(韵)。×平平仄平(韵),仄平平去平(韵)。

**例曲**:乔吉【越调·凭阑人】金陵道中

瘦马驮诗天一涯,倦鸟呼愁村数家。扑头飞柳花,与人添鬓华。

## 风　入　松

此曲共六句,四韵,三、五两句亦可押韵。第四句需作上三下四结构。

×平平仄仄平平(韵),×仄仄平平(韵)。×平×仄平平仄,仄平××仄平平(韵)。×仄平平×仄,×平×仄平平(韵)。

**例曲**:张可久【双调·风入松】九日

琅琅新雨洗湖天,小景六桥边。西风泼眼山如画,有黄花休恨无钱。细看茱萸一笑,诗翁健似当年。

## 后　庭　花

此曲共七句,五韵。均用平韵。首二句,第三、四句常分别用对仗。

×平×仄平(韵),×平×仄平(韵)。×仄平平去,平平×仄平(韵)。仄平平(韵),×平×去,×平×仄平(韵)。

**例曲**:吕止庵【仙吕·后庭花】冷泉亭

苍猿攀树啼,残花扑鸟飞。越女随舟唱,山僧逐渡归。冷泉西,雄楼杰观,钟声出翠微。

## 寄　生　草

此曲共七句,五韵。个别首句用韵。首二句,末二句多用对仗,中间三句须作鼎足对。首二句常变为五字句或六字折腰句。整齐匀称,是本曲特点。

平平仄,仄仄平(韵)。×平×仄平平去(韵),×平×仄平平去(韵),×平×仄平平去(韵)。×平×仄×平平,×平×仄平平去(韵)。

**例曲**:范康【仙吕·寄生草】酒

常醉后方何碍,不醉时有甚思。糟腌两个功名字,醅渰千古兴亡事,曲埋万丈虹霓志。不达时皆笑屈原非,但知音尽说陶潜是。

## 清江引(又名〔江儿水〕)

此曲共五句,四韵。首句、末句末字以押上声韵为宜,但亦可押平声韵。末句末字个别也押去声韵。

×平仄平平去上(韵),×仄平平去(韵)。×平×仄平,×仄平平去(韵),××仄平平去上(韵)。

**例曲**:张可久【双调·清江引】秋怀

西风信来家万里,问我归期未?雁啼红叶天,人醉黄花地,芭蕉雨声秋梦里。

## 梧叶儿(又名〔知秋令〕〔碧梧秋〕)

此曲共七句,五韵。首句和第四句亦可用韵。第二句、末句末字以押平声韵为宜,但亦可押上声韵。

平平去,×仄平(韵),平仄仄平平(韵)。平平去,×仄平(韵),仄平平(韵),×仄平平去平(韵)。

**例曲**:卢挚【商调·梧叶儿】无题·邯郸道

邯郸道,不再游,豪气傲王侯。琴三弄,酒数瓯,醉时休,缄口抽头袖手。

## 得胜令(又名〔阵阵赢〕〔凯歌回〕)

此曲共八句,七韵。第三句也可押韵。第四句、末句末字均以押平声韵为宜,但亦可押上声韵。

×仄仄平平(韵),×仄仄平平(韵)。×仄平平去,平平×仄平(韵)。平平(韵),×仄平平去(韵);平平(韵),×平×去平(韵)。

**例曲**:景元启【双调·得胜令】孤另

雨溜和风铃,客馆最难听。枕冷鸳衾剩,心焦睡不成。离情,闪得人孤另;山城,愿今宵只四更。

## 普 天 乐

此曲共十一句,六韵,第九句也可入韵,第八句需作上三下四结构。

仄平平,平平去(韵)。×平×仄,×仄平平(韵)。×仄平,平平去(韵)。×仄平平平平去(韵),仄平平×仄平平(韵)。平平仄仄,平平×仄,×仄平平(韵)。

**例曲**:徐再思【中吕·普天乐】垂虹夜月

玉华寒,冰壶冻。云间玉兔,水面苍龙。酒一樽,琴三弄。唤起凌波仙人梦,倚阑干满面天风。楼台远近,乾坤表里,江汉西东。

## **朝天子**(又名〔朝天曲〕〔谒金门〕)

此曲共十一句,十韵。两字句可重韵。第一、二、八、九、十句末字均以押平声韵为宜,但亦可押上声韵。

仄平(韵),仄平(韵),×仄平平去(韵)。×平×仄仄平平(韵),×仄平平去(韵)。×仄平平,平平平去(韵),×平×仄平(韵)。仄平(韵),仄平(韵),×仄平平去(韵)。

**例曲**:张可久【中吕·朝天子】看云楼上

洞宾,道人,诗句苍苔晕。酒边呼我上昆仑,知有神仙分。凤翥山光,鸾鸣松韵,画图中身外身。与君,看云,咫尺蓬莱近。

## 喜春来(又名〔喜春风〕〔阳春曲〕〔喜春儿〕)

此曲共五句,五韵。第四句末字以押上声韵为宜,但亦可押平声韵。

×平×仄平平去(韵),×仄平平×仄平(韵),×平×仄仄平平(韵)。平去上(韵),×仄仄平平(韵)。

**例曲**:曾瑞【中吕·喜春来】未遂

功名希望何时就,书剑飘零甚日休,算来著甚可消愁。除是酒,醉倚仲宣楼。

## 黑漆弩(又名〔鹦鹉曲〕〔学士吟〕)

此曲有〔么篇〕换头,与始调不同。须连用。共八句,五韵。第三、五、七、八句均需作上三下四结构。

平平×仄平平去(韵),×仄仄×仄平上(韵)。仄平平仄仄平平,仄仄×平平上(韵)。〔么〕仄平平仄仄平平,仄仄仄平平去(韵)。仄平平×仄平平,去上仄×平上去(韵)。

**例曲**:白贲【正宫·鹦鹉曲】无题

侬家鹦鹉洲边住,是个不识字渔父。浪花中一叶扁舟,睡煞江南烟雨。〔么〕觉来时满眼青山,抖擞绿蓑归去。算从前错怨天公,甚也有安排我处。

## 塞　鸿　秋

此曲共七句,六韵或七韵。第五句可押韵,亦可不押韵;如押韵,以押平声韵为宜;不押韵时,则末字可平可仄。第一、二句,第三、四句,第五、六句多分别用对仗;首四句也有用隔句对或四句均对者。

×平×仄平平去(韵),×平×仄平平去(韵)。×平×仄平平去

(韵),×平×仄平平去(韵)。×平×仄平,仄仄平平去(韵),×平×仄平平去(韵)。

**例曲**:张可久【正宫·塞鸿秋】湖上即事

断桥流水西林渡,暗香疏影梅花路。蹇驴破帽登山去,夕阳古寺题诗处。树头啼翠禽,水面飞白鹭,伤心和靖先生墓。

## 殿前欢(又名〔燕引雏〕〔凤引雏〕〔小妇孩儿〕)

此曲共九句,八韵。

仄平平(韵),×平×仄仄平平(韵)。×平×仄平平去(韵),×仄平平(韵)。平平仄仄平(韵),平平去(韵),×仄平平去(韵)。平平×仄,×仄平平(韵)。

**例曲**:张可久【双调·殿前欢】苕溪遇雪

水晶宫,四围添上玉屏风。姮娥碎翦银河冻,搀尽春红。梅花纸帐中,香浮动,一片梨云梦。晓来诗句,画出渔翁。

## 寨儿令(又名〔柳营曲〕)

此曲共十二句,十一韵。第三句末字以押平声韵为宜,但亦可押上声韵。其中第一、二句,第四、五句,第七、八句,第九、十句多分别用对仗。

×仄平(韵),仄平平(韵),×平仄平平仄平(韵)。×仄平平(韵),×仄平平(韵),×仄仄平平(韵)。×平×仄平平(韵),×平×仄平平(韵)。×平平仄仄,×仄仄平平(韵)。平(韵),×仄仄平平(韵)。

**例曲**:张可久【越调·寨儿令】西湖秋夜

九里松,二高峰。破白云一声烟寺钟。花外嘶骢,柳下吟篷,笑语散西东。举头夜色濛濛,赏心归兴匆匆。青山衔好月,丹桂吐香风。中,人在广寒宫。

## 满 庭 芳

此曲共十句,九韵。第一、六句末字均以押上声韵为宜,但亦可押平声韵。第九句末字押上声韵平声韵均可。第六、七两句需作上三下四结构,多用对仗。

平平仄上(韵),×平仄仄,×仄平平(韵)。×平×仄平平去(韵),×仄平平(韵)。××仄平平仄上(韵),××平×仄平平(韵)。平平去(韵),平平去上(韵),×仄仄平平(韵)。

**例曲**:张可久【中吕·满庭芳】送别

分飞断肠,花笺写恨,粉腕留香。临行休倚危楼望,总是凄凉。人去去寒烟树苍,马萧萧落日沙黄。牙床上,相思夜长,翠被梦鸳鸯。

## 寿阳曲(又名〔落梅引〕〔落梅风〕)

此曲共五句,四韵或五韵。首句可押韵,亦可不押韵。第二句末字以押平声韵为宜,但亦可押上声韵。第四句末字以押上声韵为宜,但亦可押平声韵。第三、五句需作上三下四结构。

平平去,×仄平(韵),仄平×仄平平去(韵)。×平仄平平去上(韵),仄平×仄平平去(韵)。

**例曲**:马致远【双调·寿阳曲】远浦帆归

夕阳下,酒旆闲,两三航未曾着岸。落花水香茅舍晚,断桥头卖鱼人散。

## 庆东原(又名〔郓城春〕)

此曲共八句,六韵。首句和七句也可用韵。第二、四、五、六句末字均以押平声韵为宜,但亦可押上声韵。第四、五、六句有作鼎足对者,第

七、八句多用对仗。

平平仄，×仄平(韵)，×平×仄平平去(韵)。平平去平(韵)，×平去平(韵)，×仄平平(韵)。×仄仄平平，×仄平平去(韵)。

**例曲**：薛昂夫【双调·庆东原】自笑

邵圃无荒地，严陵有顺流，向终南捷径争驰骤。老来自羞，学人种柳，笑杀沙鸥。从此便休官，已落渊明后。

## 醉太平

此曲共八句，八韵。首句、末句末字均以押平声韵为宜，但亦可押上声韵。第四句末字以押上声韵为宜，但亦可押平声韵。首二句须对仗，第五、六、七三句作鼎足对。

平平仄平(韵)，×仄平平(韵)。×平×仄仄平平(韵)，×平仄上(韵)。×平×仄平平去(韵)，×平×仄平平去(韵)，×平×仄仄平平(韵)。平平去平(韵)。

**例曲**：张可久【正宫·醉太平】怀古

翩翩野舟，泛泛沙鸥。登临不尽古今愁，白云去留。凤凰台上青山旧，秋千墙里垂阳瘦，琵琶亭畔野花秋。长江自流。

## 醉中天

此曲共七句，七韵。第三、五句末字均以押平声韵为宜，但亦可押仄声韵。首二句多用对仗。

×仄平平去(韵)，×仄仄平平(韵)。×仄平平仄仄平(韵)，×仄平去(韵)。×仄平平仄平(韵)，×平平去(韵)，×平×仄平平(韵)。

**例曲**：白朴【仙吕·醉中天】佳人脸上黑痣

疑是杨妃在，怎脱马嵬灾？曾与明皇捧砚来，美脸风流杀。叵奈挥毫李白，觑着娇态，洒松烟点破桃腮。

## 醉扶归

此曲共六句,六韵。第二、五句末字均以押平声韵为宜,但亦可押上声韵。首二句多用对仗。

×仄平平仄(韵),×仄仄平平(韵)。×仄平平仄仄平(韵),×仄平平去(韵)。×仄平平去平(韵),×仄平平去(韵)。

**例曲**:关汉卿【仙吕·醉扶归】秃指甲

十指如枯笋,和袖捧金樽;搊杀银筝字不真,揉痒天生钝。纵有相思泪痕,索把拳头揾。

## 卖花声(又名〔升平乐〕)

此曲共六句,五韵。第四句也可押韵。一二句多作对仗,首三句可作鼎足对,末句需作上三下四结构。

×平×仄平平仄(韵),×仄平平仄仄平(韵),×平×仄仄平平(韵)。×平平仄,×平平去(韵),仄平平仄平平去(韵)。

**例曲**:张可久【中吕·卖花声】怀古

阿房舞殿翻罗袖,金谷名园起玉楼,隋堤古柳缆龙舟。不堪回首,东风还又,野花开暮春时候。

## 拨不断

此曲共六句,六韵。第三、四、五句有作鼎足对者。末句可增三字为"仄××仄平平去"句式,增为七字句后需作上三下四结构,首二句多用对仗。

仄平平(韵),仄平平(韵),×平×仄平平去(韵)。×仄平平仄仄平(韵),×平×仄平平去(韵),仄平平去(韵)。

**例曲**:马致远【双调·拨不断】

立峰峦,脱簪冠。夕阳倒影松阴乱,太液澄虚月影宽,海风汗漫云霞断。醉眠时小童休唤。

**蟾宫曲**(又名〔折桂令〕〔步蟾宫〕〔天香引〕〔秋风第一枝〕)

此曲十一句,七韵。或在第十一句后增一句(平仄同十一句),作十二句,八韵。第七句末字押平声韵上声韵均可。第四、五、六句可作鼎足对,第七八句为对偶句。首句、第七、八句均需作上三下四结构,亦可减一字作六字句。

仄平平×仄平平(韵),×仄平平,×仄平平(韵)。×仄平平,×平×仄,×仄平平(韵)。×××平平去平(韵),××××仄平平(韵)。×仄平平(韵),×仄平平,×仄平平(韵)。

**例曲**:张可久【双调·折桂令】村庵即事

掩柴门啸傲烟霞,隐隐林峦,小小仙家。楼外白云,窗前翠竹,井底朱砂。五亩宅无人种瓜,一村庵有客分茶。春色无多,开到蔷薇,落尽梨花。

**水仙子**(又名〔凌波仙〕〔凌波曲〕〔湘妃怨〕〔冯夷曲〕)

此曲共八句,七韵,亦入〔中吕〕、〔南吕〕,与〔黄钟·古水仙子〕不同。第四句末字以押平声韵为宜,也可押上声韵。第六句末字亦可押韵。第五句可多添一字作上三下四结构。首二句宜用对仗。第六、七句可作五字,宜对仗;亦可作两个四字句,与末句相配。

×平×仄仄平平(韵),×仄平平×仄平(韵)。×平×仄平平去(韵),平平平去平(韵),×平×仄平平(韵)。平平去(韵),×仄平(韵),×仄平平(韵)。

**例曲**:张可久【双调·水仙子】秋思

天边白雁写寒云，镜里青鸾瘦玉人。秋风昨夜愁成阵。思君不见君，缓歌独自开樽。灯挑尽，酒半醺，如此黄昏。

## 庆宣和

此曲共五句，五韵，首句末字以押平声韵为宜，也可押上声韵。末两句须叠；亦可合为四字一句，末两句尾字押平声韵上声韵均可。

×仄平平×仄平(韵)，×仄平平(韵)。×仄平平仄平×(韵)，去上(韵)，去上(韵)。

**例曲**：张可久【双调·庆宣和】春思

一架残红褪舞裙，总是伤春。不似年时镜中人。瘦损。瘦损。

# 二、常用带过曲曲牌及带过格式

## 十二月过尧民歌

此为带过曲，由〔十二月〕〔尧民歌〕两个曲牌组成。

【十二月】此曲六句，五韵或六韵。其中首句以押上声韵为宜，亦可押平声韵；第三句尾字作上声则押韵，作平声则不押。本曲每句首常加三衬字。其后带〔尧民歌〕合为带过曲。　【尧民歌】此曲可为六句或七句，其中第五句首二字可独立成句，下句再叠二字成七字句。逐句押韵，为六韵或七韵，其中第五句首二字如不独立成句，亦多在第二字处用暗韵。

平平仄上(韵)，×仄平平(韵)。平平仄上(韵)，×仄平平(韵)。平平仄×(韵)，×仄平平(韵)。×平平仄仄平平(韵)，×仄平平仄平平(韵)。×平×仄仄平平(韵)，仄仄平平仄平平(韵)。平平(韵)，平平仄仄平(韵)，×仄平平去(韵)。

**例曲**:张养浩【中吕·十二月过尧民歌】寒食道中

清明禁烟,雨过郊原。三四株溪边杏桃,一两处墙里秋千。隐隐的如闻管弦,却原来是流水溅溅。　　人家浑似武陵源,烟霭濛濛淡春天。游人马上袅金鞭,野老田间话丰年。山川,都来杖履边,早子称了闲居愿。

## 脱布衫过小梁州

此曲为带过曲,由〔脱布衫〕〔小梁州〕两个曲牌组成。

【脱布衫】此曲共四句,四韵。其中第三句末字以押平声韵为宜,但亦可押上声韵。〔脱布衫〕四句均作上三下四句式。首二句、第三四两句为对偶句。其后带〔小梁州〕合为带过曲。　　【小梁州】此曲有〔么篇〕换头,须连用。共十一句,十韵。接〔脱布衫〕之后组成带过曲。作小令独用时,首句多作"×平×仄仄平平"。

仄平平×仄平平(韵),仄平平×仄平平(韵)。仄仄平平平去平(韵),仄平×仄平平去(韵)。×仄平平仄仄平(韵),×仄平平(韵)。×平×仄仄平平(韵),平平去(韵),×仄仄平平(韵)。〔么〕×平×仄平平去(韵),×平××仄平平(韵)。×仄×,平平去(韵),×平平去(韵),×仄仄平平(韵)。

**例曲**:汤式【正宫·脱布衫过小梁州】秋

问秋来何处盘游,醉乡中罗列珍馐。巨口鲈红姜素藕,团脐蟹锦橙黄柚。　　丹桂开花满树头,金栗娇柔。玎珰帘幕不垂钩。天香透,无地不风流。〔么〕亭台净扫无纤垢,胜当年庾亮南楼。传画烛,焚金兽。碧天如昼,今夜赏中秋。

## 雁儿落过得胜令

此曲为带过曲,由〔雁儿落〕〔得胜令〕两个曲牌组成。

【雁儿落】此曲共四句,三韵。首句末字以押平声韵为宜,但亦可押仄声韵。首二句、末二句多分别用对仗,也有四句均对或用隔句对者。

【得胜令】此曲共八句,七韵。第三句也可入韵。第四句、末句末字均以押平声韵为宜,但亦可押上声韵。

平平×去平(韵),×仄平平去(韵)。平平×仄平,×仄平平去(韵)。×仄仄平平(韵),×仄仄平平(韵)。×仄平平去,平平×仄平(韵)。平平(韵),×仄平平去(韵);平平(韵),×平×去平(韵)。

**例曲**:汪元亨【双调·雁儿落过得胜令】归隐

天时鉴盛衰,物理参成败。知机张子房,失计韩元帅。 猿鸟莫惊猜,亭馆小安排。风月酬清兴,烟霞惬壮怀。头白,百岁人何在。梅开,一年春又来。

## 醉高歌过红绣鞋

此曲为带过曲,由〔醉高歌〕〔红绣鞋〕两个曲牌组成。

【醉高歌】又名〔最高楼〕。此曲共四句,四韵。第二句、四句末字均以押上声韵为宜,但亦可押平声韵。首二句多用对仗。其后带〔红绣鞋〕为带过曲。 【红绣鞋】此曲六句,五韵。第二句末字以押平声韵为宜,但亦可押上声韵。末句末字以押上声韵为宜,但亦可押平声韵。首二句多用对仗。第四、五句多作五字对仗。

×平×仄平平(韵),×仄平平去上(韵)。×平×仄平平去(韵),×仄平平去上(韵)。×仄平平平去(韵),×平×仄平平(韵),×平平×仄平平(韵)。平×仄,仄平平(韵),×平平去上(韵)。

**例曲**:汤式【中吕·醉高歌过红绣鞋】琴意轩

碧梧窗户生凉,琼佩帘栊振响。卜居似得灵墟上,稳栖老朝阳凤凰。 酝酿出渊明情况,敷扬就叔度文章,兰雪纷纷散幽香。水云秋淡荡,风雨夜淋浪,问知音谁共赏。

## 骂玉郎过感皇恩采茶歌

此曲为带过曲,由〔骂玉郎〕〔感皇恩〕〔采茶歌〕三个曲牌组成。

【骂玉郎】此曲共六句,四韵。四、五句亦可押韵,第五句末字以用平声为宜,但亦可用仄声。第二句需作六字折腰句。第四、五、六句可用鼎足对。本曲带〔感皇恩〕〔采茶歌〕合为带过曲,不能单用一曲。套数中亦须连用。　【感皇恩】此曲共十句,五韵。首二句可用对偶句,第三、四、五句,第八、九、十句分别为鼎足对。上接〔骂玉郎〕,下带〔采茶歌〕为带过曲。　【采茶歌】又名〔楚江秋〕。此曲共五句,四韵。其中第四句亦可用韵。第四句末字以用上声为宜,但亦可用平声,本句末三字"平去上"也作"仄平平"。末二句多用对偶句。

×平×仄平平去(韵),××仄仄平平(韵),×平×仄平平去(韵)。×仄×,平仄平,平平去(韵)。×仄平平(韵),×仄平平(韵)。仄平平,平×仄,仄平平(韵)。平平仄仄,×仄平平(韵)。仄×平,平仄仄,仄平平(韵)。

仄平平(韵),仄平平(韵),×平×仄仄平平(韵)。×仄×平平去上,×平×仄仄平平(韵)。

**例曲**:张可久【南吕·骂玉郎过感皇恩采茶歌】为酸斋解嘲

君王曾赐琼林宴,三斗酒始朝天,文章懒入编修院。红锦笺,白苧篇,黄柑传。　学会神仙,参透诗禅。厌尘嚣,绝名利,近林泉。天台洞口,地肺山前。学炼丹,同货墨,共谈玄。　兴飘然,酒家眠,洞花溪鸟结姻缘。被我瞒他四十年,海天秋月一般圆。

## 快活三过朝天子

此曲为带过曲,由〔快活三〕〔朝天子〕两个曲牌组成。

【快活三】此曲四句,四韵。其中首句尾字可押仄声韵。与〔朝天子〕组成带过曲。【朝天子】又名〔谒金门〕〔朝天曲〕。此曲十一句,十韵。两字句可重韵。一、二、八、九、十句末字以押平声韵为宜,但亦可押上声韵。

×平×仄平(韵),××仄平平(韵)。×平×仄仄平平(韵),仄仄平平去(韵)。仄平(韵),仄平(韵),×仄平平去(韵)。×平×仄仄平平(韵),×仄平平去(韵)。×仄平平,平平平去(韵),平平仄仄平(韵),仄平(韵),仄平(韵),×仄平平去(韵)。

**例曲**:张可久【中吕·快活三过朝天子】春思

花前想故人,楼下几销魂。一声孤雁破江云,望断无音信。倚门,夜分,月淡寒灯尽。梅梢窗外影昏昏,花落香成阵。泪粉啼痕,伤春方寸,飘零寄此身。为君,瘦损,不似年时俊。

# 三、常用套曲曲牌及组套格式

## 黄钟·醉花阴

常用组套格式:

【醉花阴】——【喜迁莺】——【出队子】——【刮地风】——【四门子】——【古水仙子】——【尾声】

【醉花阴】套数首曲。有古近二体。古体五句,四韵。近体七句,六韵。前五句同古体,末二句即从〔喜迁莺〕古体首二句移前,北曲多用之。必接用〔喜迁莺〕近体。古近二体第三句以押平声韵为宜,也可押上声韵。

【喜迁莺】有古近二体。古体十句,八韵。近体八句,六韵,即古体减首二句。必与〔醉花阴〕近体连用。古体第八句、近体第六句(即古近二体倒数第三句)以押平声韵为宜,也可押上声韵。

【出队子】共五句,五韵,第二、四句以押平声韵为宜,也可押上声韵,末句押平声韵上声韵均可。有么篇。

【刮地风】此曲共十一句,十韵。首句末字以押平声韵为宜,也可押上声韵。曲后例接〔四门子〕,两曲首尾有时移用。第四句下可增四字句一句。

【四门子】此曲十句,八韵。其中首二句有时前移作〔刮地风〕末二句。第二、四、六、七、九句末字以押平声韵为宜,也可押上声韵。末句末字以押上声韵为宜,也可押平声韵。

【水仙子】又名〔古水仙子〕。此曲共九句,七韵。第一、二、五、七句末字以押平声韵为宜,也可押上声韵。本曲与〔商调·水仙子〕〔双调·水仙子〕不同。

【尾声】此曲共三句,三韵。

【醉花阴】(近体)×仄平平去平上(韵),×仄平平仄平(韵)。×仄仄平平(韵),×仄平平,×仄平平上(韵)。×仄仄平平(韵),×仄平平平去上(韵)。

【喜迁莺】(近体)平平平去(韵),仄×平×仄平平(韵)。平平(韵),仄平平仄,×仄平平×仄平(韵)。平去平(韵),平平仄仄,仄仄平平(韵)。

【出队子】×平平去(韵),平平×去平(韵)。×平×仄仄平平(韵),×仄平平×去平(韵),×仄平平平去上(韵)。

【刮地风】×仄平平平去平(韵),×仄平平(韵)。×平仄仄平平去(韵),×仄平平(韵)。×平×去(韵),仄平平去(韵)。×仄平,×仄平(韵),×平平去(韵)。×平×仄平(韵),×仄平平(韵)。

【四门子】×平×仄平平仄(韵),仄平平××平(韵)。×平×仄平平仄(韵),×平平××平(韵)。××平,××平(韵)。×平仄平仄平(韵)。××平,××平(韵),仄××平平去上(韵)。

【水仙子】仄仄平(韵),×仄平平×仄平(韵)。×仄平平,×平×仄,×仄平平×去平(韵)。仄平平×去平平(韵),×平仄平平去平(韵)。×平×仄平平去(韵),×仄仄平平(韵)。

【尾声】×仄平平仄平仄(韵),××××仄平平(韵),××去平平去上(韵)。

**例曲**:无名氏【黄钟·醉花阴】秋怀

【醉花阴】窗外芭蕉战秋雨,又添上新愁几许。珊枕剩绣衾余,落雁沉鱼,眼底知何处。酒醒后细踌蹰,一寸柔肠千万缕。

【喜迁莺】把离人愁助,闹西风翠竹苍梧。萧疏,粉墙外霜砧辘轳。一片秋声厮断续,不知人心上苦。捱不过追魂铁马,更和那索命铜壶。

【出队子】记柳边朱户,乍相逢春正初。看一帘花雾暗香浮,爱满地凉蟾素练铺,听四座笙歌红袖舞。

【么】想多情丰度,论褒弹事事无。他有那西施妖艳不倾吴,小小风流不姓苏,巫女精神未遇楚。

【刮地风】看了他闭月羞花天付与,又何须傅粉涂朱。整罗衫款把寒温叙,礼法谁如?甫能够一番遭遇,便拚下百年欢聚。死生情山海誓永无忧虑。似鸾凤紧趁逐。毕罢了寄简传书,等闲间长就连理树,这言辞岂是虚。

【四门子】自别来几见垂杨绿,悄然的音信疏。瘦影儿单,好梦儿孤,忆分携恁时风景殊。树影儿沉,日色儿晡,摆列下凄凉队伍。

【古水仙子】我我我自叹吁,罢罢罢姻缘簿仍将姓字书。是是是断云将楚岫遮拦,敢敢敢桃花把天台截住,来来来生分开比目鱼。呀呀呀两三朝鬼病揶揄,是是是教吹箫月明无伴侣。他他他把六朝金粉收拾去,单单单留下写恨几行书。

【尾声】曾指归期在春暮,却又早霜冷菰蒲,把灯花影儿终夜卜。

(注:例曲【刮地风】将第七、八、九句合为十字句一句,并减一韵。末二句为移用【四门子】首二句)

## 正宫·端正好

常用组套格式:

【端正好】——【滚绣球】——【倘秀才】——【脱布衫】——【醉太平】——【随煞】(脱布衫可不用,“【滚绣球】——【倘秀才】”二曲作为固

定组合,可重复多次使用)

【端正好】套数首牌。此曲五句,四韵。

【滚绣球】次牌。此曲共十一句,八韵。第二、六句末字以押平声韵为宜,也可押上声韵。一至四句为一节,五至八句结构声律重复首四句。九、十两句须对。第三、四、七、八句需作上三下四结构。此曲必与下曲〔倘秀才〕连用,并可回环重复使用。

【倘秀才】此曲六句,五韵。首二句末字以押平声韵为宜,也可押上声韵,末句末字押上声韵平声韵均可。首二句需作上三下四结构,用对仗。

【脱布衫】此曲共四句,四韵。其中三句末字以押平声韵为宜,但亦可押上声韵,第二、三、四字中通常有一字作仄声。

【醉太平】此曲共八句,八韵。首句、末句末字均以押平声韵为宜,但亦可押上声韵。第四句末字以押上声韵为宜,但亦可押平声韵。首二句须对仗,第五、六、七三句作鼎足对。

【随煞尾】又名〔随尾〕〔随煞〕。此曲"句数不拘,随韵增减",起用〔煞〕首二句,而后接与第二句结构声律相同的七字句若干(同第二句),以〔尾声〕末句。做结句。

【端正好】仄平平,平平去(韵),××××仄平平(韵)。×平×仄平平去(韵),×仄平平去(韵)。

【滚绣球】×仄平,×仄平(韵),××××平平去(韵),××××仄平平(韵)。×仄平,×仄平(韵),××××平平去(韵),××××仄平平(韵)。×平×仄平平仄,×仄平平仄仄平(韵),×仄平平(韵)。

【倘秀才】×××平平仄平(韵),×××平平仄平(韵),×仄平平仄仄平(韵)。平仄仄,仄平平(韵),仄平(韵)。

【脱布衫】仄平平×仄平平(韵),仄平平×仄平平(韵)。仄平平平平去平(韵),仄平平仄平平去(韵)。

【醉太平】平平仄平(韵),×仄平平(韵),×平×仄仄平平(韵),×平仄上(韵)。×平×仄平平去(韵),×平×仄平平去(韵),×平×仄仄平平(韵),平平去平(韵)。

【随煞尾】×平×仄平平去(韵),×仄平平×仄平(韵)。×仄平平×仄平(韵),…… ×仄平平去平上(韵)。

例曲:吴昌龄【正宫·端正好】美妓

【端正好】墨点柳眉新,酒晕桃腮嫩,破春娇半颗朱唇,海棠颜色红霞韵。宫额芙蓉印。

【滚绣球】藕丝裳翡翠裙,芭蕉扇竹叶樽。衬缃裙玉钩三寸,露春葱十指如银。秋波两点真,春山八字分。颤巍巍雾鬓云鬟,胭脂颈玉软香温。轻拈翠靥花生晕,斜插犀梳月破云。误落风尘。

【倘秀才】莫不是丽春园苏卿的后身,多应是西厢下莺莺的影神,便有丹青画不真。妆梳诸样巧,笑语暗生春。他有那千般儿可人。

【脱布衫】常记的五言诗暗寄回文,千金夜占断青春。厮陪奉娇香腻粉,喜相逢柳营花阵。

【醉太平】这些时春寒绣裀,月暗重门,梨花暮雨近黄昏,把香衾自温。金杯不洗心头闷,青鸾不寄云边信,玉容不见意中人。空教人害损。

【随煞】想当日一宵欢会成秦晋,翻做了千里关山劳梦魂。漏永更长烛影昏,柳暗花遮曙色分。酒酽花浓锦帐新,倚玉偎红翠被温。有一日重会菱花镜里人,将我这受过凄凉正了本。

## 仙吕·赏花时

常用组套格式:

【赏花时】——【么】——【赚煞】

【赏花时】散套首牌。首二句末字以押平声韵为宜,也可押上声韵。赏花时〔么篇〕格式同始调。

【赚煞】又名〔赚煞尾〕、〔赚尾〕。全曲共十一句,十一韵。第二句末字以押去声韵为宜,也可押上声韵。第三、四、五句末字以押平声韵为宜,也可押上声韵,第八句末字押平声韵上声韵均可。第三、五句需作上三下四结构。第三、四、五句三个七字句也有改其中之一作六字句者。

【赏花时】×仄平平×去平(韵),×仄平平×去平(韵)。×仄仄平平(韵),平平×仄,×仄仄平平(韵)。

【么】×仄平平×去平(韵),×仄平平×去平(韵)。×仄仄平平(韵),平平×仄,×仄仄平平(韵)。

【赚煞】仄平平,平平去(韵),×××平平去平(韵)。×仄平平×去平(韵),仄×××仄平平(韵)。仄平平(韵),×仄平平(韵),×仄平平×仄平(韵)。×平仄平(韵),×平平去(韵),×平×仄仄平平(韵)。

**例曲**:马致远【仙吕·赏花时】长江风送客

【赏花时】冯客苏卿先配成,愁杀风流双县令。扑簌簌泪如倾,凄凉愁损,相伴着短檠灯。

【么】愁恨厌厌魂梦惊,两处相思一样情。风送片帆轻,天涯隐隐,船去似驭云行。

【赚煞】碧波清,江天静,既解缆如何住程?灭烛掀帘风越紧,转回头又到山城。过沙汀,烟水澄澄,千里洪波良夜永。峨眉月明,恰才风定,猛抬头观见豫章城。

(注:套数首牌第二句末字“令”此处用平声。)

## 仙吕·点绛唇

常用组套格式:

【点绛唇】——【混江龙】——【油葫芦】——【天下乐】——【那吒令】——【鹊踏枝】——【寄生草】——【尾】(尾即【赚煞】)

【点绛唇】套数首牌。共五句,五韵。

【混江龙】此曲“句数不拘,随韵增减”。第五、六句须用对仗。第六句下常增四字句或三字句,必为双数,于偶数句押平韵。第七句初体为三字句。第七句前可增七字对句一句。

【油葫芦】第二句以下变格颇多。正格为九句,七韵。首句末字以押平声韵为宜,也可押上声韵,二句末字以押上声韵为宜,也可押平声韵。第四、五两句须对。

【天下乐】此曲共七句,六韵。末句末字以押平声韵为宜,也可押上声韵。

【那吒令】此曲共九句,五韵。第一、三、五句末字可用韵,如用韵以押平声韵为宜,也可押上声韵。前六句须平分三排。第一、三、五句多作四字句。

【鹊踏枝】此曲共六句,五韵。第五句末字以押平声韵为宜,也可押上声韵。第五句可变为两个四字句。

【寄生草】此曲共七句,五韵,个别首句用韵。首二句,末二句多用对仗,中间三句须作鼎足对。首二句常变为五字句或六字折腰句。

【赚煞】即【尾】又名〔赚煞尾〕〔赚尾〕。全曲共十一句,十一韵。第二句末字以押去声韵为宜,也可押上声韵。第三、四、五句末字以押平声韵为宜,也可押上声韵,第八句末字押平声韵上声韵均可。第三、五句需作上三下四结构。第三、四、五句三个七字句也有改其中之一作六字句者。

【点绛唇】×仄平平(韵),×平×仄(韵),平平仄(韵)。×仄平平(韵),×仄平平仄(韵)。

【混江龙】×平×去,×平×仄仄平平(韵)。×平×仄,×仄平平(韵)。×仄×平平仄仄,×平×仄仄平平(韵)。×平×仄平平去(韵),×平×仄,×仄平平(韵)。

【油葫芦】×仄平平×仄平(韵),×××平去上(韵),×平×仄仄平平(韵),×平×仄平平去,×平×仄平平去(韵)。×仄平,×仄平(韵)。×平×仄平平仄(韵),×仄仄平平(韵)。

【天下乐】×仄平平×仄平(韵),平平(韵),×去平(韵),×平仄平平去平(韵)。×仄平,×仄平(韵),×平平仄平(韵)。

【那吒令】仄平,×平仄×(韵);仄平,×平仄×(韵);仄平,×平仄×(韵)。×仄×。平平去(韵),×仄平平(韵)。

【鹊踏枝】仄平平(韵),仄平平(韵),×仄平平,×仄平平(韵)。×××平平去平(韵),××××仄平平(韵)。

【寄生草】平平仄,仄仄平(韵)。×平×仄平平去(韵),×平×仄仄平去(韵),×平×仄平平去(韵)。×平×仄仄平平,×平×仄平平去(韵)。

【赚煞】仄平平,平平去(韵),×××平平去平(韵)。×仄平平×去平(韵),仄×××仄平平(韵)。仄平平(韵),×仄平平(韵),×仄平平×仄平(韵)。×平仄平(韵),×平平去(韵),×平×仄仄平平(韵)。

**例曲**:顾德润【仙吕·点绛唇】四友争春

【点绛唇】四海飘篷,半生歌咏。嗟尘冗。世事匆匆,苦被年光送。

【混江龙】眼前青供,玉人降谪笑相逢。敲金击玉,咏月嘲风。三峡泉鸣新咳唾,千章诗著旧题封。春风杨柳,秋水芙蓉。温柔典雅,剔透玲珑。销人魂梦广寒宫,迷人踪迹桃源洞。友朋每如兄如弟,亲眷每非虎非熊。

【油葫芦】天下湖山风月珑,这一伙作业种,莺俦燕侣不相容。锦心绣腹亲陪奉,月眉星眼情搬弄。茶供过三两巡,涎割到五六桶。攒下些高谈阔论成何用,端的是风月两无功。

【天下乐】几曾见翠袖殷勤捧玉钟,三冬,节序穷,老廉颇岂堪施会勇。桑柴弓悬臂间,纸糊锹逼手中,每日价干和哄。

【那吒令】江湖上量洪,谁强似孔融;天地间德行,怎学得仲弓;翠红乡钞猛,都不如邓通。假老实,乔尊重,买做了先锋。

【鹊踏枝】探花人气如虹,状元郎怒填胸,榜眼哥哥,尚自冲冲。你也哝恩多爱浓,想从前错怨了天公。

【寄生草】大厮家包藏得险，友朋每讲论得同。双生虽俊风声众，苏卿缺镘情肠痛，冯魁不语机谋中。风流浪子怎教贫？孤寒壮士愁难共。

【尾】不放一时花，空负三生梦，我与你结抹了青楼卷宗。一个空劳下巫山十二峰，一个虚担着雨迹云踪。那一个快弥缝，只落得燕懒莺慵，这老子倒夺了东君造化工。他见这恩情脱空，使把那是非讲动，划地向树头树底觅残红。

## 中吕·粉蝶儿

常用组套格式：

【粉蝶儿】——【醉春风】——【迎仙客】——【红绣鞋】——【十二月】——【尧民歌】——【耍孩儿】——【煞】——【尾声】(耍孩儿之后煞曲可重复用多支，也可不用)

【粉蝶儿】套数首牌。共八句，六韵。其中第二、三、八句均需作上三下四结构。

【醉春风】此曲八句，四韵。第二句末字以押上声韵为宜，也可押平声韵。第四、五两个一字句需叠，一字句上，常多用衬字。

【迎仙客】此曲共七句，六韵，首句个别不用韵。三句末字以押平声韵为宜，但亦可押上声韵。第五句末字押平声韵上声韵均可。

【红绣鞋】又名〔朱履曲〕，此曲六句，五韵，二句末字以押平声韵为宜，但亦可押上声韵。末句末字以押上声韵为宜，但亦可押平声韵。首二句多用对仗。第四、五句多作五字对仗。

【十二月】此曲六句，五韵或六韵。其中首句以押上声韵为宜，亦可押平声韵；第三句尾字作上声则押韵，作平声则不押。本曲每句首常加三衬字。

【尧民歌】此曲可为六到七句，其中第五句首二字可独立成句，下句再叠二字成七字句。逐句押韵，为六韵或七韵，其中第五句首二字如不独立成句，亦多在第二字处用暗韵。

【耍孩儿】又名〔魔合罗〕。此曲九句，六韵，第二句末字以押上声韵为宜,也可押平声韵。有〔么篇〕同始调,用否均可。

【煞】共八句,五韵。联套时位于〔耍孩儿〕之后,〔尾声〕之前。可用若干支,冠以数字,多用逆数。

【尾声】共四句,三韵。首句也可入韵。首二句末字宜均用平声,或一平一上,不可均用上声。

【粉蝶儿】×去平平(韵),××平仄平平去(韵),××平×仄平平(韵)。仄×平,平×仄,×平平去(韵)。×仄平平(韵),××平仄平平去(韵)。

【醉春风】×仄仄平平,×平平去上(韵)。×平×仄仄平平,上(韵),上(韵)。×仄平平,仄平×仄,仄平平去(韵)。

【迎仙客】×仄平(韵),仄平平(韵),×平仄平平仄平(韵)。仄平平,×去平(韵)。×仄平平(韵),×仄平平去(韵)。

【红绣鞋】×仄平平平去(韵),×平×仄平平(韵),×平平仄仄平平(韵)。平×仄,仄平平(韵),×平平去上(韵)。

【十二月】平平仄上(韵),×仄平平(韵)。平平仄上(韵),×仄平平(韵)。平平仄×(韵),×仄平平(韵)。

【尧民歌】×平平仄仄平平(韵),×仄平平仄平平(韵)。×平×仄仄平平(韵),仄仄平平仄平平(韵)。平平(韵),平平仄仄平(韵),×仄平平去(韵)。

【耍孩儿】×平×仄平平仄(韵),×仄平平去上(韵)。×平×仄仄平平,×平×仄平平(韵)。×平×仄平平仄,×仄×平×仄平(韵)。平平去(韵),×平×仄,×仄平平(韵)。

【煞】平×仄,仄×平(韵),×平×仄平平仄(韵)。×平×仄平平去,×仄平平仄仄平(韵)。平平去(韵),×平×仄,×仄平平(韵)。

【尾声】×平×仄平,×平×仄平(韵)。×平×仄×平去(韵),×仄平平去平上(韵)。

**例曲**:张可久【中吕·粉蝶儿】春思

【粉蝶儿】花落春归,怨啼红杜鹃声脆,遍园林景物狼籍。草茸茸,花朵朵,柳摇深翠。开遍荼蘼,近清和困人天气。

【醉春风】粉暖倩蜂须,泥香沾燕嘴。迟迟月影上帘钩,犹未起,起。为想别离,倦余梳洗,暗生憔悴。

【迎仙客】兽炉香篆息,鸾镜暗尘迷,绣床几番和闷倚。玉腕消金钏松,钗横环翠委。屈指归期,不觉的粉脸流红泪。

【红绣鞋】花飞尽空闲鸳砌,日初长静掩朱扉,系垂杨何处玉骢嘶?落谁家风月馆?知那里燕莺期?话叮咛不记得。

【十二月】正交颈鸳鸯拆离,恰双栖鸾凤分飞。效比翼鹣鹣独宿,乐于飞燕燕孤栖。传芳信归鸿杳杳,盼音书双鲤迟迟。

【尧民歌】呀,因此上美甘甘风月久相违,冷清清云雨杳无期。静巉巉灯火掩深闺,清耿耿离魂绕孤帏。伤悲,雕鞍去不归,都则为辜负了韶华日。

【耍孩儿】自别来无一纸真消息,日近长安那里。倚危楼险化做望夫石,暮云烟树凄迷。把春心几度凭归雁,劳望眼终朝怨落晖。到此际愁无寐,昏秋水揉红泪眼,淡青山蹙损了蛾眉。

【一煞】想当初教吹箫月下欢,笑藏阄花底杯。到如今花月成淹滞,月团圆紧把浮云闭,花烂熳频遭骤雨催。落花残月应何济?花须开谢,月有盈亏。

【尾声】叹春归人未归,盼佳期未有期。要相逢料得别无计,则除是一枕余香梦儿里。

## 南吕·一枝花

常用组套格式:

【一枝花】——【梁州】——【尾声】

【一枝花】套数首牌。共九句,六韵。末句末字以押上声韵为宜,也可押平声韵。首二句,末二句均需用对仗,第三、四句,六、七句也可用对仗。末二句需作上三下四结构。

【梁州第七】次牌。亦简称〔梁州〕。共十八句,十二韵。首句末字以押上声韵为宜,也可押平声韵,十一句末字宜用上声字,也可用平声字。十四句末字以押平声韵为宜,也可押上声韵。第十三、十四句二字句两句可并成四字一句,减一韵。第十一、十七句,如用于剧套中皆需押韵,散套中可不押。首二句需用对仗,第三句单句,第四、五、六、七句四个四字句需作两两对仗,第八、九句二句需对仗,第十、十一、十二句三句需作鼎足对。第一、二、八、九、十、十一、十二句均需作上三下四结构。第十一句末三字"平去上"也可作"平平去"。

【尾声】尾声除正格外尚有增句格两种,其中正格尾后可尚联他曲,连他曲时称〔隔尾〕。如用于套数末则应直题〔尾声〕或〔尾〕,不再题〔隔尾〕。正格共六句,六韵。首二句需对仗。第三句也可作"仄仄平平仄仄"六字句。

增句格一。正格首二句,下增三字句若干,须双数,宜对偶,平仄不拘,隔句押韵,宜平仄调谐。末四句仍用正格。

增句格二。增三字句同增句格一。再增四字句若干,须双数,宜对偶,隔句叶仄韵。首末同增句格一。

【一枝花】×平×仄平,×仄平平去(韵)。×平平仄×,×仄仄平平(韵)。×仄平平(韵),×仄平平仄(韵),平平×去平(韵)。仄××仄平平,××××平去上(韵)。

【梁州第七】×××平平仄仄(韵),仄×平×仄平平(韵)。×平×仄平平去(韵)。×平×仄,×仄平平(韵)。×平×仄,×仄平平(韵)。仄平××仄平平(韵),×平××仄平平(韵)。仄平××仄平平,×××平平去上,仄平平×仄平平(韵)。×平(韵),仄平(韵)。×平×仄平平仄,平仄仄平去(韵)。×仄平平×仄平,×仄平平(韵)。

【尾声】×平×仄平平仄(韵),×仄平平×仄平(韵)。×仄平平仄平去(韵)。仄平(韵),仄平(韵),×仄平平去平上(韵)。

例曲:张可久【南吕·一枝花】牵挂

【一枝花】莺穿残杨柳枝,虫蠹损蔷薇刺。蝶搧干芍药粉,蜂蹙断海棠丝。

又近花时,白日伤心事,清宵有梦思。间阻了洛浦神仙,没乱杀苏州刺史。

【梁州第七】俏姻缘别来久矣,巧魂灵梦寝求之。一春多少伤心事,著情疼热,痛口嗟咨。往来迢递,终始参差。一简书写就了情词,三般儿寄与娇姿。麝脐薰五花瓣翠羽香钿,猫眼嵌双转轴乌金戒指,獭髓调百和香紫蜡胭脂。念兹,在兹。和愁和泪频传示,更嘱咐两三次。诉不尽心间无限思,倒羞了燕子莺儿。

【尾声】无心学写钟王字,遣兴闲观李杜诗,风月关情随人志。酒不到半卮,饭不到半匙,瘦损了青春少年子。

## 越调·斗鹌鹑

常用组套格式:

【斗鹌鹑】——【紫花儿】——【小桃红】——【金蕉叶】——【调笑令】——【秃厮儿】——【圣药王】——【尾】(本曲套式结构,首曲【斗鹌鹑】和【尾】曲必用,中间数支过曲不一定全用)

【斗鹌鹑】套数首牌。共十句,五韵。第二、四、六、八、末句末字均以押上声韵为宜,也可押平声韵。

【紫花儿序】次牌。亦简称〔紫花儿〕,〔么篇〕同始调,用否均可。此曲十句,六韵。首三句需作鼎足对,第四、五两句及末两句均需分别用对仗。

【小桃红】此曲八句,常用七到八韵,第六句可押可不押,第七句个别不押韵。

【金蕉叶】此曲共四句,四韵,各句末字押平声韵上声韵均可。

【调笑令】又名〔含笑花〕。此曲共七句,七韵,第一、三、六句末字以押平声韵为宜,也可押上声韵。

【秃厮儿】又名〔小沙门〕。此曲共六句,五韵。第一、三句末字以押上声韵为宜,也可押平声韵。

【圣药王】此曲共七句,五韵,首句及第四句多数情况下也用韵。第

一、二、四、五句末字以押平声韵为宜,也可押上声韵。首三句需与四、五、六句形成对仗。

【收尾】又名〔尾〕〔尾声〕〔随煞〕。共四句,四韵,第二句末字以押上声韵为宜,也可押平声韵。

【斗鹌鹑】×仄×平,×平去上(韵)。×仄平平,×平去上(韵)。×仄平平,×平去上(韵)。×××,××上(韵)。×仄平平,×平去上(韵)。

【紫花儿序】×平×仄,×仄平平,×仄平平(韵)。×平×仄,×仄平平(韵)。平平(韵),×仄平平×仄平(韵)。×仄平平(韵),×仄平平,×仄平平(韵)。

【小桃红】×平×仄仄平平(韵),×仄平平去(韵)。×仄平平仄平去(韵),仄平平(韵),×平×仄平平去(韵)。×平去×,×平×去(韵),×仄仄平平(韵)。

【金蕉叶】×仄×平仄平(韵),×仄×平仄平(韵)。×仄平平仄平(韵),×仄平平仄平(韵)。

【调笑令】×平(韵),仄平平(韵),×仄平平×仄平(韵)。×××仄平平去(韵),×平×平平去(韵)。××仄平平仄平(韵),×平×仄平平(韵)。

【秃厮儿】×仄×平仄上(韵),×平×仄平平(韵),平平仄平平仄仄(韵)。×××,仄平平(韵),平平(韵)。

【圣药王】××平,××平(韵),×平×仄仄平平(韵)。××平,××平(韵),×平×仄仄平平(韵),×仄仄平平(韵)。

【收尾】×平×仄平平去(韵),×仄平平去上(韵)。××仄平平,平平去平上(韵)。

**例曲**:无名氏【越调·斗鹌鹑】自省

【斗鹌鹑】半世飘蓬,闲茶浪酒,十载追陪,狂朋怪友。倚翠偎红,眠花卧柳。怪胆儿聪,耍性儿柔。成会了心厮爱夫妻,情厮当配偶。

【紫花儿序】受用春风谢馆,晓日章台,夜月秦楼。向红裙中插手,锦被里舒头。风流,不许傍人下钓钩。燕侣莺俦,百匹酬歌,红锦缠头。

【金蕉叶】寨儿里相知是有,一见咱望风举手。若论着点砌排科惯熟,敢教那罢剪嘴姨夫闭口。

【调笑令】声名儿岁久,急难收。则恐怕扶侍冤家不到头,风月脚到处须成就,誓不曾落人机彀,搬的他燃香剪发百事有。使虚心无限绸缪。

【秃厮儿】爱杨柳楼心殢酒,喜芙蓉帐里藏阄,美孜孜翠鬟排左右。歌白雪,捧金瓯,温柔。

【圣药王】春事休,夏当游,向芰荷香里泛兰舟,到中秋,月色幽,醉醺醺无日不登楼,兀剌抵多少风雨替花愁。

【尾】花阴柳影闲驰骤,急回首三旬又九。罢却爱月惜花心,闲着题诗画眉手。

(按:无名氏此套过曲中未用〔小桃红〕)

## 双调·夜行船

常用组套格式:

【夜行船】——【乔木查】——【庆宣和】——【落梅风】——【风入松】——【拨不断】——【离亭宴带歇指煞】(夜行船可用么篇,收尾亦用离亭宴煞)

【夜行船】散套可作首牌。〔么篇〕同始调,用否均可。此曲共五句,三韵,第四句亦可用韵,首句末字以押平声韵为宜,也可押上声韵,第三、四两句需用对仗。第二句、末句需作上三下四结构。

【乔木查】又名〔银汉浮槎〕。有〔么篇〕换头。在散套中多只用〔么篇〕,不用始调。始调五句,五韵,〔么篇〕五句,四韵。〔么篇〕第一、三句末字以押平声韵为宜,也可押上声韵。

【庆宣和】此曲共五句,五韵,首句末字以押平声韵为宜,也可押上声韵。末两句尾字押平声韵上声韵均可。末两句须叠;亦可合为四字一句。

【落梅风】又名〔寿阳曲〕〔落梅引〕,此曲共五句,四韵,首句也可入韵,第二句末字以押平声韵为宜,但亦可押上声韵。第四句末字以押上声韵为宜,但亦可押平声韵。第三、五句需作上三下四结构。

【风入松】此曲共六句,四韵,三、五两句亦可押韵。第四句需作上三下四结构。

【拨不断】此曲共六句,六韵,末句可增三字为"仄××仄平平去",增为七字句后需作上三下四结构,首二句多用对仗。

【离亭宴带歇指煞】此曲由〔离亭宴煞〕在首二句后重复插入两遍〔歇指煞〕的三至八句组成,共十七句,十韵。〔歇指煞〕四字句(即曲中第三、九句)末字以押平声韵为宜,也可押仄声韵。〔歇指煞〕中所有五字句均可变为三字句或七字句。〔离亭宴煞〕末两句(即曲末两句)需用对仗,〔歇指煞〕五字句中,前三句(即曲中第四、五、六句和第十、十一、十二句)需作鼎足对,后两句(即曲中第七、八句和第十三、十四句)两句需用对仗。

【夜行船】×仄平平平去平(韵),××××仄平平(韵)。×仄平平,×平平去,×××仄平平去(韵)。

【乔木查】仄平平仄上(韵),平仄平平上(韵),仄仄平平平去上(韵)。仄平平仄仄(韵),仄平平上(韵)。(么)平平去平(韵),×仄平平仄(韵),×仄平平平去平(韵)。×平平去×,×仄平平(韵)。

【庆宣和】×仄平平×仄平(韵),×仄平平(韵)。×仄平平仄平×(韵),去上(韵),去上(韵)。

【落梅风】平平去,×仄平(韵),仄平×仄平平去(韵)。×平仄×平去上(韵),仄平×仄平平去(韵)。

【风入松】×平平仄仄平平(韵),×仄仄平平(韵)。×平×仄平平仄,仄平××仄平平(韵)。×仄平平×仄,×平×仄平平(韵)。

【拨不断】仄平平(韵),仄平平(韵),×平×仄平平仄(韵)。×仄平平仄仄平(韵),×平×仄平平仄(韵),仄平平去(韵)。

【离亭宴带歇指煞】〔离亭宴煞〕(首二句)×平×仄平平×(韵),

×平×仄平平×(韵)。〔歇指煞〕(三至八句)××去平(韵),×仄仄平平,×平平仄仄,×仄平平仄(韵)。×平×仄平,×仄平平×(韵)。〔歇指煞〕(再作一遍)××去平(韵),×仄仄平平,×平平仄仄,×仄平平仄(韵)。×平×仄平,×仄平平×(韵)。〔离亭宴煞〕(末三句)×仄平平去上(韵),×仄仄平平,平平去平上(韵)。

**例曲**:马致远【双调·夜行船】秋兴

【夜行船】百岁光阴一梦蝶,重回首往事堪嗟。今日春来,明朝花谢,急罚盏夜阑灯灭。

【乔木查】想秦宫汉阙,都做了衰草牛羊野,不恁么渔樵没话说。纵荒坟横断碑,不辨龙蛇。

【庆宣和】投至狐踪与兔穴,多少豪杰。鼎足虽坚半腰里折,魏耶,晋耶。

【落梅风】天教你富,莫太奢,没多时好天良夜。富家儿更做道你心似铁,争辜负了锦堂风月。

【风入松】眼前红日又西斜,疾似下坡车。不争镜里添白雪,上床与鞋履相别。莫笑巢鸠计拙,葫芦提一向装呆。

【拨不断】利名竭,是非绝,红尘不向门前惹。绿树偏宜屋角遮,青山正补墙头缺,更那堪竹篱茅舍。

【离亭宴煞】蛩吟罢一觉才宁帖,鸡鸣时万事无休歇,何年是彻。看密匝匝蚁排兵,乱纷纷蜂酿蜜,急攘攘蝇争血。裴公绿野堂,陶令白莲社。爱秋来时那些。和露摘黄花,带霜分紫蟹,煮酒烧红叶。想人生有限杯,浑几个重阳节。人问我顽童记者。便北海探吾来,道东篱醉了也。

## 双调·新水令

常用组套格式:

【新水令】——【驻马听】——【乔牌儿】——【雁儿落】——【得胜令】——【滴滴金】——【折桂令】——【尾声】

【新水令】套数首牌。〔么篇〕同始调,用者极少。本曲“句数不拘,随韵增减”。第三、四句本三字,普遍多作五字,须用对仗。第五句下可增四字句若干,平仄同第五句,每句押韵。

【驻马听】次牌。小令兼用。共八句,八韵。第二句末字以押平声韵为宜,也可押上声韵。〔么篇〕同始调,用者极少。首四句须作扇面对。五、六句亦须用对仗。第七句也作“平去上”。

【乔牌儿】可作散套首牌。此曲共四句,四韵。首句末字押平声韵上声韵皆可,末句末字以押平声韵为宜,也可押上声韵。〔么篇〕同始调,用者甚少。

【雁儿落】此曲共四句,三韵。首句末字以押平声韵为宜,但亦可押仄声韵。首两句末两句多分别用对仗,也有四句均对或用隔句对者。

【得胜令】此曲共八句,七韵,第三句也可入韵。第四句、末句末字均以押平声韵为宜,但亦可押上声韵。

【滴滴金】又名〔甜水令〕。此曲共八句,四韵。第四句末字以押平声韵为宜,也可押上声韵。尾句常作上三下四结构七字句。

【折桂令】又名〔步蟾宫〕〔天香引〕〔秋风第一枝〕〔蟾宫曲〕此曲“句字不拘,可以增损”。第九句下可增四字句若干,平仄同第九句,亦需用韵。第七句末字押平声韵上声韵均可。第五、六两个四字句,可合并为上三下四的七字句。首句、七、八句均需作上三下四结构,并可减一字作六字句。

【收尾】又名〔尾〕〔尾声〕〔随煞〕。共四句,四韵,第二句末字以押上声韵为宜,也可押平声韵。

【新水令】×平×仄仄平平(韵),仄平平仄平平去(韵)。×平平仄仄,×仄仄平平(韵)。×仄平平(韵),××仄平去(韵)。

【驻马听】×仄平平(韵),×仄平平平仄平(韵);×平×去(韵),×平×仄仄平平(韵)。×平×仄仄平平(韵),×平×仄平平去(韵)。仄平平(韵),×平×仄平平去(韵)。

【乔牌儿】×平平去上(韵),×仄仄平去(韵)。×平×仄平平去

(韵),×平平去平(韵)。

【雁儿落】平平×去平(韵),×仄平平去(韵)。平平×仄平,×仄平平去(韵)。

【得胜令】×仄仄平平(韵),×仄仄平平(韵)。×仄平平去,平平×仄平(韵)。平平(韵),×仄平平去(韵);平平(韵),×平×去平(韵)。

【滴滴金】×仄×平,×平×仄,×平平去(韵),×仄仄平平(韵)。×仄平平,×平×仄,×平平去(韵),×××仄平平(韵)。

【折桂令】仄平平×仄平平(韵),×仄平平,×仄平平(韵)。×仄平平,×平×仄,×仄平平(韵)。×××平平去上(韵),××××仄平平(韵)。×仄平平(韵),×仄平平,×仄平平(韵)。

【收尾】×平×仄平平仄(韵),×仄平平去上(韵)。××仄平平,平平去平上(韵)。

**例曲**:刘庭信【双调·新水令】春恨

【新水令】枕痕一线印香腮,鬟春山两弯眉黛。整金钗舒玉笋,出绣户下瑶阶。穿着对窄窄弓鞋,刚行出绣帘外。

【驻马听】寂寂瑶阶,春日阑珊景物乖。困人天色,不堪梳洗傍妆台。梨花寂寞玉容衰,海棠零落胭脂败。自裁划,今春更比前春煞。

【乔牌儿】指尖儿弹破腮,泪珠儿镇长在。自从他去了恹恹害,这病便重如山深似海。

【雁儿落】懒插这鸳鸯交颈钗,羞系这鸂鶒合欢带。慵把这鸾凰锦褥铺,愁将这翡翠鲛绡盖。

【得胜令】灵鹊儿噪庭槐,车马过长街。准备着月下星前拜,安排着春衫和泪揩。打叠起愁怀,怕不待宁心耐,闷日月难捱,我则怕青春不再来。

【滴滴金】空着我便耳热眼跳,心神恍忽,失惊打怪,莫不是薄幸可憎才。我一会家腹热肠荒,心忙意急。行出门外,空着我便立遍苍苔。

【折桂令】将一块望夫石雾锁云霾,到如今燕侣莺俦,枉惹的蝶笑蜂猜。几时能够单凤成双,锦鸳作对,鱼水和谐。盼佳期今春左侧,海棠开不见他回来。想俺那多才,柳陌花街,莫不是谢馆秦楼,多应在走马章台。

【尾声】来时节吃我一会闲顿摔,我可便不比其他性格。那其间信人搬弄的耳朵儿来揪,把俺那薄幸的娇才面皮上掴。

## 商调·集贤宾

常用组套格式:

【集贤宾】——【逍遥乐】——【金菊香】——【醋葫芦】——【梧叶儿】——【后庭花】——【柳叶儿】——【浪里来煞】

【集贤宾】套数首牌。有〔么篇〕同始调,用者甚少。首句末字以押上声韵为宜,也可押平声韵,第七句末字以押平声韵为宜,也可押上声韵。第三、四、五、六、八句需作上三下四结构。末二句须用对仗。第八句末三字"仄平平"也作"平平去"。

【逍遥乐】次牌。此曲共十句,七韵。第三句末字以押上声韵为宜,也可押平声韵,第六句末字以押平声韵为宜,也可押上声韵。第五、七句需作上三下四结构。

【金菊香】此曲共五句,五韵。第二、三句末字以押平声韵为宜,也可押上声韵。

【醋葫芦】此曲一套中可用至十余支,连用或隔以他调均可。共六句,四韵。第二、四句末字以押上声韵为宜,也可押平声韵。

【梧叶儿】小令兼用。又名〔知秋令〕。此曲共七句,五韵首句和四句亦可用韵。二句、末句末字以押平声韵为宜,但亦可押上声韵。

【后庭花】首句如作小令必押韵,入套数则可不押;第六句反是。此曲本格共七句,五韵。小令不能增句,套数可增句。增句在末句后,先将末句五字改作六字折腰句,增句即照作,须每句押平韵,句数多少不拘。本曲第一、二、四句末字以押平声韵为宜,但亦可押上声韵。

【柳叶儿】此曲共六句,五韵,第四句也可入韵,第五句末字以押平声韵为宜,但亦可押上声韵。首二句及末句均需作上三下四结构。

【浪来里】又名〔浪里来〕〔浪里来煞〕。亦作尾声用。此曲共六句,五韵,首二句及第四句末字押平声韵上声韵皆可。第二句也作“平平去”。

【集贤宾】×平去平平去上(韵),×仄仄平平(韵)。××××平×去,××××仄平平(韵)。××××仄平平,××××仄平平(韵)。×平去平平去平(韵),××××仄平平(韵)。×平平仄仄,×仄仄平平(韵)。

【逍遥乐】×平平去(韵),×仄平平,×平去上(韵)。×仄平平(韵),×平××仄平平(韵)。×仄×平×去平(韵),××××仄平平(韵)。×平×仄,×仄平平,×仄平平(韵)。

【金菊香】×平×仄仄平平(韵),×仄平平×仄平(韵),×平仄平平去平(韵)。×仄平平(韵),×仄仄平平(韵)。

【醋葫芦】×去平,×去上(韵)。×平×仄仄平平(韵),×仄×平平去上(韵)。×平平去(韵),×平×仄仄平平(韵)。

【梧叶儿】平平去,×仄平(韵),平仄仄平平(韵)。平平去,×仄平(韵),仄平平(韵),×仄平平去平(韵)。

【后庭花】×平×仄平,×平×去平(韵)。×仄平平仄,×平×去平(韵)。仄平平(韵),×平×去(韵),×平×仄平(韵)。

【柳叶儿】××××平×去(韵),××××仄平平(韵),××仄仄平平去(韵)。平平去,仄平平(韵),××××仄平平(韵)。

【浪里来煞】×仄平,×仄上(韵)。×平×仄仄平平(韵),×仄×平平去上(韵)。×平平去(韵),×平×仄仄平平(韵)。

**例曲**:谷子敬【商调·集贤宾】闺情

【集贤宾】猛听的透帘栊卖花声唤起,将好梦却惊回。更和那迁乔木莺声偏碎,上纱窗日影重移。暗沉吟失魄消魂,闷恹恹似醉如痴。把重门紧紧深闭起,怕莺花笑人憔悴。离愁何日满,此恨有谁知?

【逍遥乐】则为那无媒匹配，勾引起无倒断相思，染下这不明白的病疾。眼睁睁的将我来抛离，泼乔才更狠似王魁。我这里骂一声却又悔，空没乱怎地支持。则落的长吁短叹，倒枕垂床，废寝忘食。

【金菊香】这些时龙涎香爇冷了金猊，雁足慵安生了绿绮，羊羔懒斟闲了玉杯。觑了这一弄儿狼藉，不由人辗转越伤悲。

【醋葫芦】诗吟出锦绣文，字装成古样体。衣冠济楚俊容仪，酒席间唱和音韵美。一团儿和气，论聪明俊俏有谁及。

【梧叶儿】刀搅也似柔肠断，爬推也似泪点垂，似醉有如痴。笔砚上疏了工课，茶饭上减了饮食，针指上罢了心机，怎对人言说这就里。

【后庭花】想着他身常爱红翠偎，心偏将香玉惜。面胜似何郎粉，手能描京兆眉。闲时节笑相偎，恰便似鹣鹣比翼。翠裙腰掩过半尺，搂胸带攒了一围。骨捱捱削了玉肌。瘦恹恹宽了绣衣。乱鬅松云鬓堆，困腾腾秋水迷。命悬悬有几日，软怯怯无些气力。

【柳叶儿】我可甚千娇百媚，全不似旧日容仪，阁不住两眼凄惶泪。不能够同欢会，则有分各东西。想人生最苦是别离。

【浪里来煞】常记得枕席间说的言，星月底设来的誓。谁想这幸恩薄幸负心贼，自相别数年无信息。比及你登科及第，我则索上青山化做望夫石。

## 大石调·青杏子

常用组套格式：

【青杏子】——【归塞北】——【好观音】——【么】——【尾】（么篇也可不用，尾即【随煞】）

【青杏子】散套首牌。有〔么篇〕同始调，用否均可。第三句末字以押去声韵为宜，也可押上声韵，第二句需作上三下四结构。

【归塞北】又名〔望江南〕〔喜江南〕。此曲共五句，三韵。

【好观音】有〔么篇〕同始调，用否均可。此曲共五句，五韵。第二句需作上三下四结构。末二句可并成一句，减一韵。

【随煞】即大石调尾,有全曲三句三韵及四句四韵三种不同曲格,其中四句四韵两格较为常用。首格共三句,三韵,第二句需作上三下四结构。第二格四句四韵,较首格多第三句“×仄平平仄仄平(韵)”七字。第三格四句四韵,较首格多第三句“××仄平(韵)”四字,并变首二句为“×仄平平去平上(韵),×仄平平仄去平(韵)”,第三格第二、三句末字以押平声韵为宜,也可押上声韵。

【青杏子】平仄去平平(韵),仄×平×仄平平(韵)。×平仄仄平平仄,×平仄仄,平平×仄,×仄平平(韵)。

【归塞北】平×仄,×仄仄平平(韵)。×仄平平平×仄,×平×仄仄平平(韵),×仄仄平平(韵)。

【好观音】×仄平平×平仄(韵),×平××仄平平(韵)。×仄平平仄仄平(韵),仄平平(韵),×仄平平去(韵)。

【随煞】〔首格〕×仄平平平平去(韵),×平××仄平平(韵),×仄平平仄平去(韵)。

例曲:白朴【大石调·青杏子】咏雪

【青杏子】空外六花翻,被大风洒落千山。穷冬节物偏宜晚,冻凝沼沚,寒侵帐幕,冷湿栏干。

【归塞北】貂裘客,嘉庆卷帘看。好景画图收不尽,好题诗句咏尤难,疑在玉壶间。

【好观音】富贵人家应须惯,红炉暖不畏严寒。开宴邀宾列翠鬟,拚酡颜,畅饮休辞惮。

【么】劝酒佳人擎金盏,当歌者款撒香檀。歌罢喧喧笑语繁,夜将阑,画烛银光灿。

【随煞】似觉筵间香风散,香风散非麝非兰。醉眼朦腾问小蛮,多管是南轩蜡梅绽。

(注:归塞北第三句中“画”字此处发音为平声)

(赵义山　于杨甡)

图书在版编目(CIP)数据

元曲鉴赏辞典 / 赵义山主编. — 北京：商务印书馆国际有限公司，2012.1(2024.10 重印)
(中国古典诗词曲赋鉴赏系列工具书)
ISBN 978-7-80103-746-6

Ⅰ.①元… Ⅱ.①赵… Ⅲ.①元曲－鉴赏－辞典 Ⅳ.①I207.24-61

中国版本图书馆 CIP 数据核字(2011)第 227398 号

YUANQU JIANSHANG CIDIAN
元曲鉴赏辞典

主　　编　赵义山
出版发行　商务印书馆国际有限公司
地　　址　北京市朝阳区吉庆里 14 号楼
　　　　　佳汇国际中心 A 座 12 层
邮　　编　100020
电　　话　010－65592876(编校部)
　　　　　010－65598498(市场营销部)
网　　址　www. cpi1993. com
印　　刷　三河市紫恒印装有限公司
开　　本　850mm×1168mm　1/32
字　　数　1484 千字
印　　张　44
版　　次　2024 年 10 月第 1 版第 6 次印刷
书　　号　ISBN 978-7-80103-746-6
定　　价　68. 00 元